KB087831

장길산

1

1

장길산

황석영

대하소설

창비

작가의 말

지난 1994년에 옥중에서 현암사 판 『장길산』을 다시 살펴보다가 몇가지 문제가 있음을 발견하고 개정판을 내리라고 작정하게 되었다. 오자와 탈자가 제법 많았는데 이는 원래 신문에 연재되던 것을 그대로 원본으로 삼은 탓에 책을 내면서 미처 바로잡지 못한 것들이었다. 신문연재란 창작의 순발력과 끈기를 요구하는 장점이 있는 반면에, 곳곳에 본격문학적 긴장을 풀어줄 놀이의 요소를 적당히 배치해둬야 하는 등의 단점도 있기 마련이다. 작가로서도 1974년부터 십 년에 이르는 집필기간의 연속된 긴장 가운데서 여러 단원의 매고비마다 쉬었다 가거나 놀다 가는 느낌이 확연한 부분이 많았다. 1995년 창비에서 개정판을 내면서는 이런 부분들의 때를 벗겨내고 싶었다.

특히 1991년 봄, 마지막으로 방북했을 때에 평양 문예출판사의 제의로 북한에서의 출판에 응하게 되었는데 책임교정자는 벽초(碧初)

의 손자인 외우 홍석중(洪錫中)형이 자청하여 결정되었다. 그때에 내가 먼저 '너무 야한 남녀상열지사'와 '지나친 패설(悖說)'은 빼어버리자고 제안하자 홍형은 "나도 재미를 봐야 할 거 아닌가"고 허튼 소리를 하더니, 나중에 북에서 출판되었다는 소문만을 뉴욕에서 전해듣고는 내용은 확인하지 못했다. 어쨌든 『장길산』은 남과 북에서 동시에 출판된 유일한 책이 되었다. 당시 나는 옥중에서 이러한 사정을 밝히면서 '작가의 말'을 썼지만 옥내 검열위원회는 나의 글이 출판되어 언론에 오르내리는 것을 꺼려서 끝내 허락하지 않았고, 결국 첫 개정판에는 나 대신에 문학평론가 최원식(崔元植)형이 '덧붙이는 글'을 써넣었다.

원래 평론가들의 글에 왈가왈부하지 않는 것이 소싯적부터의 원칙이지만 몇마디는 짚고 넘어가야겠다. 『장길산』에 대한 평론이나 해설은 곳곳에 많으니 일일이 거론하기는 생략하고 다만 평론가와 작가의 일치된 의견 가운데, 역사소설은 소설에서 다루고 있는 역사적 배경 못지않게 그 소설이 언제 씌어졌느냐 하는 당대성이 중요하다는 점을 다시 말해두고 싶다. 즉 『장길산』을 두고 '남한 진보진영의 초상'이라면 좀 지나친 말이겠지만 1970, 80년대 유신독재와 신군부의 광주학살로 이어지는 엄혹한 시대 가운데서 '민중성'이란 무엇이었는가를 돌이켜볼 수는 있겠다. 또한 새로운 세기에 미국식 세계화라는 이행기를 맞은 동아시아와 주변부 나라들이 오래 전부터 그려오던 민중적 문명관에 대해서도 다시 생각해보는 계기가 될 것이다. 누구는 이 소설이 농민을 위주로 하지 않았다는 둥 또는 반대로 이제 농민 중심의 개혁론은 낡은 게 아니냐는 둥 중구난방이던데, 그야말로 사회과학적 잣대로 인생을 재단하던 지난 시대의 묵은 습관일 것이다. 우선 전체의 흐름을 보고 강물 같은 역사 속에서 현재에도 존재하는 사람살이의 이야기를 놓치지 말 일이다.

이번에 개정판을 다시 내면서 그동안 달라진 독자들의 독서습관에 맞추어 활자도 조금 키우고 단원 나누기도 줄거리 위주로 좀 더 짧게 하여 늘어지게 읽기보다는 한숨씩 쉬게 해주기로 작정하였다. 그래서 장을 나누는 부분이 달라졌고 맨 끝부분인 '귀면(鬼面)'과 '운주사 전설' 부분을 고쳐썼다.

원래 장길산은 숙종 연간인 병자년 역란(逆亂)에 이름이 나온 뒤로 붙잡히거나 출몰하지 않고 역사에서 영원히 사라지게 되는데, 나중에 연대가 훨씬 위인 연산군 때 도적 홍길동을 그렸다는 광해군 무렵 허균(許筠)의 소설에 잠깐 거론된다는 것은 내가 연재를 시작하면서 이미 밝혔던 바다. 우리에게 전해진 '언문소설'이 대개는 안성본인데, 이들이 제작된 것은 안성이 서울에 가까운 삼남 물산의 집산지로서 중요 저자로 부상한 뒤일 테니 아마도 영정조 때일 것이다. 그렇다면 오래 전에 장길산이 사라진 뒤에도 그에 관한 소문은 민중들의 구전을 통하여 끊임없이 전해졌다는 이야기가 된다. 이런 사실은 이미 실학자 이익(李瀷)이 그의 책 『성호사설(星湖僿說)』에서 조선의 3대 도적을 거론하며 지적했던 점이다.

나는 장길산이 사라진 뒤에 상징적으로 역성혁명과 민중운동의 사상이 어떻게 백성들 사이에 전수되고 기억되는가를 이야기체로 덧붙이고 싶었다. 그래서 '봉산탈춤'과 '가짜 장길산의 죽음'을 연결해보려고 하였다. 봉산탈춤이 어쨌든 2, 3백여년 전 남도로 귀양 갔던 봉산 아전의 손에 의하여 집대성되고 탈도 개량되었다는 구전은 일제강점기부터 여러 자료에 전해진다. 그 아전의 이름이 안 아무개였다든가 하는 것이 문제가 아니라 사실은 장길산의 당대가 어떻게 예술양식화하면서 시대정신을 내포하게 되었는가 하는 것이

이 에피소드의 주요 요소일 것이다. 나는 피에 젖은 황토와 거기 떨어진 '취발이 탈'이라는 마지막 장면에 집착하고 있었다. 다만 내가 첫 개정판에서 이것을 빼어버린 것은 많은 대중독자들이 미처 이 부분의 상징성을 이해하지 못하고 "장길산이 너무 허무하게 잡혀서 죽는다"고 투덜거렸기 때문이다. 그래서 "에라, 그냥 대중독자들 이해하기 좋게 빼버리자"는 쪽으로 가고 말았는데, 이제는 식자층의 오해가 무성한 게 아닌가. 제도와 지배층이 죽이려던 것은 언제나 뒤에 남겨질 '전설'이었다.

또한 '운주 미륵'의 전설과 그 의미에 대해서는 내가 진작 1984년에 「미륵의 세상, 사람의 세상」이라는 에세이에서 자세하게 역사적 고증을 들어 쓴 적이 있다. 이 또한 앞부분의 프롤로그인 '장산곶매'처럼 뒷부분의 에필로그로서 형식적 완결을 꾀하려던 것이었는데 역시 오해가 만발했다. 일종의 알레고리로서 시대 구분에는 전혀 신경 쓰지 않고 오로지 줄거리의 상징성만을 따왔는데, 후백제 시기라거니 고려 초라거니 아니면 거기 거론된 조선조의 노비반란 얘기는 시기적으로 틀렸다거니 논란이 많아져서 이번에 아예 후백제 유민의 전설로 못 박아놓게 되었다.

『장길산』은 '천불천탑' 전설 속 불상들의 얼굴처럼 우리들 각자가 시대 속에서 그려나간 자신의 삶의 모습을 담고 있다. 이제 새로운 독자들은 여기서 다시 자신의 얼굴을 하나둘씩 발견해나가게 되리라.

2004년 4월

황석영

차례

제1권

작가의 말 005

제1부 광대

장산곶 매 012

서 장 노상 020

제1장 재인말 070

제2장 수초 244

제3장 비승비속 474

제2부 군도

제1장 대소두령 770

제2권

제2부 군도

대소두령(계속)

제2장 귀소

제3부 잠행

제1장 황민

제3권

제3부 잠행

제1장 황민(계속)

제2장 구월산

제4권

제4부 역모

제1장 미륵

제2장 심산대하

제3장 진인

종 장 귀면

운주 미륵

제1부

광대

장산곶 매

황해도는 동으로 함경도와 강원도에 인접해서 마식령산맥의 산세에 닿고, 남은 예성강을 지경으로 경기도의 들판과 만나며 북은 대동강을 건너 평안도를 바라보는데 서쪽으로는 바다로 솟아나가 중국의 산동을 마주 보고 있다. 들판도 있으나 험한 산에 골짜기도 깊고, 오랫동안 경부(京府)에 가까워서 예부터 관의 혹정에 민감했으며, 도둑이 많아 조정을 괴롭히곤 하였다. 팔대 명산의 하나이며 태곳적 단군의 도읍지인 구월산은 그 줄기가 남서쪽으로 우회하여 추산을 따라 불타산에 이르고, 막바지로 그친 곳에 장산곶(長山串)이라는 험한 해안 마루턱이 있으니 옛노래에,

장산곶 마루에 북소리 나더니
금일도 상봉에 님 만나보겠네
갈 길은 멀구요 행선은 더디니

늦바람 불라고 서낭님 조른다.

하던 곳이 그곳이다. 그곳에 지방민의 입에서 입으로 전해져 내려오는 전설이 있어 기록하였으되,

기암절벽이 바다 가운데까지 둘러서 있고 골짜기가 깊게 뚫렸는데 곶은 백여 리에 이르고 수세(水勢)가 거꾸로 휘돌아서 근처의 임당수는 뱃길이 몹시 험하였다. 금색으로 반짝이는 명주실처럼 가는 모래가 수십 리에 깔렸는데 밤새워 불어오는 바닷바람에 해변의 사구(砂丘)가 나날이 이동하는 것이었다.

갯가에 게딱지 같은 집들이 모여서 마을을 이루었고 마을마다 아름드리 해송이 몇백 년씩 나이를 먹으며 자라고 있었다.

산세가 험하고 모래가 대부분인 해변에서 농사라야 수수나 기장 따위가 고작인 어촌 사람들은 진작부터 바다로 나가야만 했다. 열흘 길, 보름 길, 어떤 때엔 한 달 이상씩 걸리는 긴 뱃길에서 풍어의 기쁨은 쉽게 잊혀지는 대신 수많은 마을 사람들이 풍랑에 삼켜져서 그 슬픔만이 오랫동안 남아 있곤 하였다.

마을이 생겨나기 전부터 이곳 바닷가에는 매가 날아와 살았으니, 나라의 응방(鷹坊)에서 이 지방 매를 특산품으로 정하여 관가에 바치도록 하였는데, 특히 대청도의 이른바 해동청 보라매는 사람과 쉽게 친해질 수 있었기 때문이다.

건어(乾魚)를 만드느라고 잡힌 고기를 얹은 마을의 지붕마다 잡새가 날아와 피해가 심했으나, 이 마을에 매가 드나들고부터는 얼씬하지 못했으므로 마을 사람들은 더욱더 매를 소중하게 알았다. 그들은 먹이를 주어 매를 돌보고 둥지도 지어주었으며, 고깃배가 출어하기

전날의 풍어제(豐漁祭) 때에는 매를 가장 귀한 제주(祭主)로 알게 되었다.

새벽에 주변의 섬으로 놀러 나갔던 매는 황혼녘이면 돌아왔다. 그러고는 마을 상공을 늠름하게 한 바퀴 돌고 나서 당솔나무에 앉아 쉬거나, 마을의 지붕에 내려와 아이들의 찬탄 섞인 웃음소리를 들으며 사귀다 갔다. 고깃배가 출어하면 매는 한나절거리는 좋이 됨직하게 따라왔다가 해변으로 돌아갔고, 그들이 만선의 북을 두드리며 포구로 돌아오면 벌써 매는 날씬한 날개를 펴고 황포의 돛 위에 날아앉거나, 마을 부녀자들에게 그들의 무사 귀환을 알리기 위해 재빠르게 날아가는 것이었다.

어느 때 타국의 화선(貨船)이 지나다가 물을 구하기 위해 포구 앞에 며칠 동안 정박하게 되었는데, 장삿배뿐만 아니라 간혹 다른 나라의 어선들이 연해에까지 침입해서 어장을 유린하곤 했으므로, 마을 사람들은 그들이 어서 떠나주기만을 무력하게 기다렸다. 뱃사람들은 식량을 원하고 교역하고자 했으나 원래 곡물이 귀한 마을 사람들은 일절 응하지 않았다.

관리가 나와서 식량을 징발해 주고자 했는데 그때에 그는 매를 보았던 것이다. 관리는 그 매를 화주(貨主)에게 주어 기물(奇物)을 얻으리라 작정하게 되었다. 관리가 마을 사람들에게 매를 잡아오도록 명령하였다. 총명한 아이가 있어, 매를 그물에 씌워 다치지 않도록 한 다음에 당집에다 은밀히 숨겨두었다. 당집을 건드리면 동티가 날까 염려한 마을 사람들이 발분하겠으므로, 민원을 살까 두려워한 관리는 그대로 돌아갔다. 식량과 물을 내륙에서 간신히 조달한 타국의 상선도 떠나갔다.

마을 사람들은 빼앗길 뻔한 매를 당집에서 꺼내어 날려주기 전에 의논을 하였다.

이것은 우리 마을의 매요.

아무렴, 우리 마을을 지키는 매지.

하마터면 남에게 빼앗길 뻔했소.

표를 해둡시다.

마을 사람들은 매의 오른발에 붉은 색실로 매듭을 묶어준 다음 놓아주니, 매는 다시 자유롭게 떠올라 마을 상공을 한 바퀴 휘돌아보고 나서 바다로 나갔다.

조기떼가 연평을 경유해서 대청 소청 앞바다를 지나가는 철이 돌아왔다. 벌써부터 먼 곳에서 갈매기들이 모여들고 있는지, 새벽바람을 타고 먼 바다에서 울부짖는 갈매기들의 음울한 소리가 들려왔다. 마을 사람들은 어망을 짜고 배를 수선하고 돛을 기웠는데 어계의 총대 되는 사람이 주도하여 별신굿을 벌일 준비를 서둘렀다. 당산나무 밑에 들맞이를 하고 나서 삼신제를 지낸 다음, 바닷가에 각종 제물을 펼쳐놓고 용왕제를 지내고서, 오색 융복에 전립을 쓴 무당이 밤굿을 벌였다. 몰려온 고기는 잡아야 하지만 일기를 헤아릴 수 없으니 살아 돌아오기도 딱히 기약하지 못하는 마을 사람들이었다. 이튿날 새벽에 출어기를 올린 어선들이 바다로 나갔고, 매도 그들의 머리 위를 선회하면서 전송했다.

보름 뒤에 배가 만선이 되어 돌아왔으니, 온 마을이 들끓는 듯한 잔치가 벌어졌는데 그것은 험한 바다에서 되살아온 신생(新生)을 위해서였다. 한데 그제야 마을 사람들은 언제부터인가 마을에서 매가 없어진 것을 뒤늦게 알아차렸다.

출어할 무렵인지 귀환할 때인지, 알지도 못하는 사이에 매가 마을에서 사라져버려 잔치 끝의 마을 사람들은 모두 슬프고 서운하여 사방으로 매를 찾아나섰다. 아이들의 이야기로는 매가 바다로 날아간 지 사흘이 넘었다는 것이다. 온종일을 찾아다니다 드디어 땅거미가 내려 덮였는데 한 사람이 소리치며 달려왔다.

뭔지 보인다, 매 같다!

모두들 바람이 거세게 불어대는 저녁바다를 향해 뛰어갔다.

아득한 수평선 위에서 무엇인가 움직이는 게 보였다. 바다와 하늘의 바깥쪽은 우중충하게 어두워지고, 수평선을 중심으로 가느다란 놀의 띠가 겹겹이 드러나 안쪽으로 향할수록 감빛이 짙어질 그런 무렵이었다.

어둠과 빛의 경계를 그 점들은 들락날락하였는데, 재빠르게 위로 아래로 도는 듯이 보였다. 파도와 바람 소리만이 들려왔다.

박명 속에 가느다랗던 놀이 차차 사라져가고 어둠속에서 오르락 내리락하는 두 점들은 가까워졌는데, 어느 아이가 외쳤다.

둘이다. 싸우고 있다.

하늘에서 싸운다.

하나는 우리 매다!

매는 자기보다 몸집이 두어 배는 되어 보이는 날것과 맞붙었다가는 다시 떨어져 돌고, 또 맞붙어 날개를 치는 것이었다. 매는 수리를 피해서 뭍을 향해 물러서려고 애쓰는 중이었다. 하나가 위로 휙 날아오르면 더불어 올랐다가 바다를 향해 떨어지면서 서로 엇갈려 잠깐 멈칫해서 부리와 발톱으로 치고는, 치는 사이에 날개를 푸드덕이는 소리가 바람소리 가운데 똑똑히 들렸다. 매는 수리의 공격을 막아내면서, 될 수 있으면 모여 있는 마을 사람들의 머리 위로 가까이 날아오려고 애쓰는 것처럼 보였다.

매와 수리는 한 덩어리가 되어 끊임없이 날개를 치면서 뭍으로 다가왔다. 이제까지 보고만 서 있던 마을 사람들의 마음에도 결기가 가득 차서 일시에 목청을 합쳐 고함을 질렀다. 매와 수리가 일단 흩어졌는데, 매는 아래로 낮게 날아 사람들의 머리 위로 날개를 치면서 한 바퀴 돌고 나서 다시 수리에게로 쫓아올라갔다. 매가 날개를 퍼덕이며 지나갔을 때, 그 죽지에서 흩뿌려진 피가 잔치옷으로 갈아입은 마을 사람들의 흰옷 위에 점점이 번져갔다.

매가 수리를 향하여 일격을 가하려고 달려들 때, 사람들은 다시 한번 목청을 합쳐 고함을 질렀다. 허공에서 매와 수리의 깃털이 어지럽게 흩날렸다. 수리는 매의 거세어진 기세에 당하지 못하고 목을 움츠리더니, 상대를 버리고 바다 쪽으로 달아났다. 매가 사람들의 고함소리에 힘을 얻어 수리 뒤를 바짝 쫓아갔다. 수리가 중심을 잃고 아래로 방향을 바꾸는데 매는 위로부터 곤두박질치면서 수리의 머리를 쪼았다. 치명타를 받은 수리가 물에 처박혔고, 매는 다시 위로 드높게 날아올랐다. 마을 사람들의 환성이 크게 일어났고, 매는 사람들의 머리 위에서 자랑스럽게 맴돌더니 지친 듯이 마을 어귀의 당솔나무 가지 위에 내려앉았다.

마을 사람들은 먹이를 준비하고 풍악을 잡히면서, 매가 그들의 어깨 위에 다정하게 내려앉기를 재촉하였다. 그러나 어찌된 일인지 매는 다른 때처럼 사람들의 팔뚝에도 내려와 앉지 않고 나뭇가지 위에서 날개만 몇번 퍼덕여 보일 뿐이었다.

주위가 완전히 캄캄해질 때까지 마을 사람들은 횃불을 밝혀들고 매가 내려오기만을 기다렸다. 횃불빛에 드러난 해송의 깊숙한 구멍 속에서 이번에는 구렁이가 기어나왔다. 구렁이는 비늘을 번쩍이며 사리를 풀고는 나무를 타고 꿈틀꿈틀 기어올라갔다.

마을 사람들이 안타깝게 불렀건만, 어둠속의 매는 움직이는 것 같지 않았다. 구렁이가 나무 꼭대기를 향해 기어올라간 뒤에 한참 동안 사람들은 숨을 죽이고 기다렸다.

빗방울이 뚝뚝 떨어지더니 이윽고 폭우가 줄기차게 쏟아져 내려왔다. 천둥이 울고 번개가 번쩍였다. 빗소리와 우렛소리 속에서 밤새껏 퍼덕이는 날갯소리가 들려왔다.

동녘이 뿌옇게 밝을 즈음에, 지쳐서 나무둥치 아래 둘러앉은 사람들 앞에 토막난 구렁이의 시체가 떨어져 내려왔다. 나뭇가지에 걸친 채로 날개와 부리를 땅으로 축 늘어뜨린 매의 형상이 보였다. 마을 사람들은 어째서 매가 나무에서 끝내 내려오지 않았는지 그 이유를 알 수가 없었다. 마을 사람들은 날렵한 아이를 시켜 나무 위에 오르도록 하였다. 올라간 아이가 죽은 매에 손을 대려다가 분한 듯이 외쳤다.

실매듭이 나뭇가지에 걸렸어요.

남에게 빼앗길까 하여 매가 마을의 소유임을 표하느라고 매어놓은 오른쪽 발목의 붉은 실매듭이 매를 죽게 했던 것이다. 마을 사람들은 매와 맺은 인연을 그저는 믿지 못하여 매듭으로 확인해놓아야만 했던 것이다. 그 인연 때문에 매는 밤새 싸웠고 기진하여 죽게 되었으니.

일찍이 외병(外兵)이 국토를 점령했을 적에 백성 중에 병을 일으킨 대장이 여럿 있어 그들과 오래 항전했었다. 한 의병장이 허수아비 같은 관군과도 대적해서 싸우다가 어느 싸움에 대패하여 병을 해산하고 민가에 숨어 있었다. 그가 장산곶 어부 집에 숨었다가 매의 죽음에 크게 깨우친 바 있었다. 그는 밤새껏 잠들지 못해 뒤척이다가, 이 신뢰하지 못하는 마을 사람들의 작은 사랑에 대하여 안타까워하고 눈물을 흘렸다. 매가 기세를 펴지 못하고 매듭에 걸린 채 죽어버린 연유와 같게도, 그는 다른 대장들처럼 피살되었다. 그가 장산곶을 떠나 남몰래 귀향했는데 병이 해산된 뒤부터 노리던 자의 눈에 발각된 바 있었고, 포상금을 탐한 동료가 밀고를 했던 것이다. 수심과 괴로움으로 번뇌에 가득 찬 밤을 지새우고, 겨우 곤한 잠에 빠졌을 무렵 힘으로는 대적하지 못하리라 믿은 외병들이 무리지어 급습하여 부락에 불을 질렀다. 달아나지 않고 과감히 단신으로 뛰쳐나오는 의병장을 수십여 인이 장살(杖殺)하였다 한다.

어찌 백성의 가엾은 뜻을 위해 죽은 자가 그뿐이었겠는가. 흐르는 물과 같이 연면(連綿)한 산맥같이 앞뒤로 끊임이 없건마는, 여럿과 맺은 관계가 마치 저 장산곶 매의 발목에 묶인 매듭과도 같았고, 그 장한 뜻의 꺾임은 뒤댈 바탕이 부족하매 분한 노릇이었다. 폭풍이 몰아치는 날 서낭나무는 둥치를 떨고, 내부에서는 구렁이가 꿈틀거리는데 가지에 걸린 매가 날지 못하여 깃을 퍼덕이는 안타까운 여러 밤이 끝도 없이 계속되었다.

|서장|

노상
路上

개성에서 육십여 리를 오르면 예성강 동편으로 전포나루, 서편으로 벽란나루가 있는데, 전포나루는 배천으로 직통하는 길목이요, 벽란나루는 연안에 가장 가까운 길목이다. 그러나 원래 연안길은 감영이 있는 해주로 통하는 직로여서 전포 쪽보다 벽란나루 쪽이 훨씬 번화하고 행객의 왕래가 잦았다. 벽란나루와 금곡포는 주상(舟商)과 행객의 무리가 사방에서 그칠 새 없어 풍물과 인심이 언제나 새롭고 활기로웠다.

대보름이 지난 지 이틀 뒤라서 얼음이 풀린 나루터는 마치 봄철을 벌써 맞은 듯 부산스러웠다. 개성에서 대목을 보고 나오는 장사치들이 많았고, 또한 올라가고 내려오는 벼슬아치들의 봉물짐들이 강변의 양안에 열을 지어 배를 기다리고 있어서, 상사람들의 도강은 오후가 되어서나 시작될 모양이었다. 송도의 보름놀이가 제법 장하였는지 부근 읍의 한량들도 몇몇씩 짝을 지어 돌아가고 있었는데, 그중에는 아낙을 거느린 양반네도 나귀를 타고 나룻가를 서성댔고, 관노에게 짐을 부리게 하면서 연신 담뱃대로 가리키며 소리지르는 아전배들도 있었다.

나룻가의 객관 앞뜰과 정자 근처에는 제법 큰 저자가 벌어졌다. 술장수, 떡장수, 엿장수 같은 허드레 음식 좌판이 대부분이었는데 부상들이 등에 지고 있던 보따리를 풀어 배를 기다리는 잠깐 사이에 판을 벌여놓은 것이었다. 날씨는 우중충했으나, 바람은 그리 불지 않아서 강변이 별로 춥지는 않았다.

"어허, 쫄깃쫄깃 찹쌀엿, 하박하박 사탕엿, 울퉁불퉁 대추엿, 호초양념에 밤엿이라. 송도 문전의 기둥 같고 금강산 비로봉같이 두리뭉실 굵고도 헐한 엿이 싸구려. 파장 늙은이 막걸리 팔듯, 색주가 큰애기 궁둥이 팔듯, 막 팔아요. 거저 주는 엿이오."

엿장수가 타령조로 읊조리며 누각의 아래위로 오르내렸고, 떡장수도 지지 않는다. 떡장수 사내는 맨상투에 무명 두건만 질끈 동이고서 한 손을 들어 휘저으며 고함친다.

"이치 저치 시루떡, 늘어졌다 가래떡, 오색가지 기자떡, 쿵쿵 쪟네 인절미, 올기쫄기 송기떡, 도리납작 송편떡, 떡 사요 떡이오. 정월 보름에 달떡이오. 저 건넛말 과수댁네 밤잠 새워 요리 빚고 조리 뭉친 대추 왕밤에 약밥이오."

양반님네들은 높다란 벽란정 위에 자리를 깔고 앉아 의관 정제한 채로, 기다란 장죽에 불을 댕겨 담배를 태우며, 도선하기를 기다렸다. 거리낄 것 없는 상사람들은 저희끼리 모여앉고 둘러서서 술도 마시고 떡이나 엿을 먹으면서 송도 대보름놀이 쇠던 얘기에 강변이 왁자지껄하였다. 특히 잔술을 파는 간이 술청 앞에는 사내들이 둘러앉거나 서서 떠드는 소리에 어디보다도 분위기가 걸쭉했다.

"그래서 말일세, 내가 이년을 그냥 물고를 내리라 작정하고 미닫이를 차구 들어갔더니, 하 글쎄 고것이 겹치마두 벗고 고쟁이 바람으루 누워서 기다리는 게야."

"참 나두 답교놀이에 나가보는 건데 객줏집서 투전 벌이느라구 깜박 잊었지 뭔가. 열 닢이나 잃을 걸 괜시리 골패 잡았다가 낭패 봤네. 그뿐인가, 수철전 앞에서 돌팔매를 날리는데 어깻죽지만 되우 얻어맞았지. 그나저나 이번 대보름엔 자네가 젤루 호벅졌으니 연안 읍내 가면 한잔 사여."

"말두 마라, 이 녀석아. 새벽녘에 월장한 사람이여. 남정네가 비장인가 지에민가를 다닌다는데 걸렸으면 허리뼈 부러졌으리. 사내가 용력이 있구 담이 차야 남의 살도 부벼보는 게야."

"그러게 한잔 사아."

"아따, 화주 한잔에 패가할 리두 없으니 안달하지 말구 처마셔."

이렇게들 한담이 오가는데 기골이 떡벌어진 장정 두 사람이 멍석을 덥석 밟으며 술자리 사이로 들어섰다. 하나는 패랭이에 바지저고리 차림이요, 또 한 사람은 도포에 갓을 썼는데, 수염이 뻣뻣하고 눈꼬리가 사나운 것이 꽤나 험상스레 보였다.

"술 좀 주우."

패랭이 쓴 사내가 말했다. 술 파는 아낙이 앞치마에 손을 비비면서 눈웃음을 친다.

"거른 청주를 드릴까요, 아니면 막걸리를 하실라우?"

패랭이가 갓 쓴 자를 돌아본다.

"뭣 드실려우?"

"거 아무거나 값이 눅은 걸루 들지."

"막걸리 두 잔씩 올립니다."

"그러우, 나는 안주 대신 술국이나 퍼주오."

"자아, 넉 잔 나갑니다."

둘은 멍석 한옆에 가 쭈그리고 앉아 술에 곁따른 장떡 안주에 막걸리를 마시면서 수군수군 얘기를 주고받았다.

"그래, 대강 둘러보았나?"

"예, 어디라 할 것 없이 관이며, 객사며, 누각 위아래 훑었으나 그년은 뵈질 않습니다."

"하면…… 어제 강을 건넌 게 아닐까. 틀림없이 보름날 밤에 나갔단 말이지?"

"그렇지요, 그날 저녁때까지 골방에서 길쌈을 했으니까요. 답교놀이 나가셨던 작은아씨하고 종년들이 돌아오구서야 방이 빈 걸 알았습죠."

"늦었는걸. 어제 벌써 건넌 모양이네. 우리네가 추노(推奴)를 한두 번 해봤어야지."

"아니오, 그럴 틈이 없습니다. 이년이 처음에는 장단 가는 조현역참에까지 갔다가 북으로 되짚어 올라갔으니 아직 못 건넜을 게요."

"못 건넜다면 걱정할 거 없네. 내 눈에서 벗어나지 못할 테니. 포교질 십년인데 까짓 계집종 하나 못 잡을까, 더구나 만삭이라니……"

갓 쓴 사내는 행색이나 어조로 보아 기찰포교일시 분명했고, 패랭이 쓴 자는 대갓집의 겸인(傔人)임이 틀림없었다. 겸인이 말하였다.

"나리마님두 여길 꼭 수직하라구 그럽디다."

"장단 가는 방향에서 어째 북쪽으루 돌아왔을꼬. 더 멀리 달아날 터인데."

"예, 그년이 원래는 외거(外居) 노비로서 지아비는 사노질 다녔죠.

헌데 우리 댁네서 소송을 오래 끌다가 연놈을 데려오게 된 겁니다. 노자가 많아서 남자를 장단 고을 이진사네루 팔아버렸습죠. 헌데 계집이 달아난 뒤, 득달같이 수소문하여 그자의 동무 되는 조현역참의 역노를 주리 틀어보니 계집이 다녀갔다는 얘깁니다. 지아비 되는 자가 먼저 해주나 강령 쪽으루 달아났으니 틀림없이 만날 게란 말이죠."

"두 연놈을 다 잡을 테니 두고 보게."

"그러면야 저두 수청 잡인으루 체면두 서구요, 나리께선 스무 냥은 어김없이 받으리다."

그들은 두 잔씩 더 청해 마시고 나서 일어섰다. 겸인은 팔짱을 끼고 누각 앞 길가에 버티고 서서 오가는 사람들을 지켜보았고, 기찰포교는 나루로 내려갔다. 나룻가에서는 이제 부담마들을 싣기 시작하고 있었다. 짐을 내리어 싣고 나서 공간에다 말을 태우는데 뭍에서 뱃전으로 끌어올리기가 쉽지 않아 말들이 버둥거렸고, 사공과 일꾼들은 말고삐를 쥐고 쩔쩔매고 있었다.

배가 닿는 사장 부근에는 새끼줄이 둘러쳐져 있고, 그 안에 환도를 찬 도승(渡丞)과 털벙거지 포졸들이 서서 나루를 관리하고 있었다. 기찰포교는 새끼줄을 타넘고 들어갔다. 포졸 하나가 그의 아래위를 훑으며 물었다.

"뭐요, 무슨 일이오?"

"수고가 많네."

포교는 고개를 끄덕이며 그들 앞을 지나 세립 쓰고 철릭 입은 키 큰 도승에게로 갔다.

"뉜데……"

도승은 가까이 온 의관 반듯한 사람을 힐끗 살피고 나서 포졸들에게 묻는 시늉이었고 포교가 허리춤에서 통부(通符)를 꺼내어 쓱 내밀어 보이며 말하였다.

"송도 군영의 안포교올시다. 다름 아니라 퇴관하신 유부사 댁 사비가 도망 중이라 잡으려 하오."

도승은 상을 찌푸리며 입맛을 다셨다.

"그래, 우리더러 예서 조사해달란 말이오?"

"도승별장께서 도와주셔야지."

"부장께서 직접 하슈. 우리는 지금 종년 하나 잡을려구 나루를 지키는 게 아니외다. 한양으루 올라가는 봉물 관리에두 눈코 뜰 새가 없소. 게다가…… 보시우."

하면서 별장은 품안에서 두루마리를 꺼내어 펼쳐 보였다.

"근자에 권문 세도가나 호반가에서 의탁해온 도산(逃散) 노비들의 용모파기(容貌疤記)외다. 그뿐인 줄 아오. 이쪽은 포청에서 내려보낸 공문 중에서 도경을 넘는다고 짐작된 범법 도적들의 것인데 모두 몇이나 되나 헤아려보오. 자그마치 삼십여 인이 넘는데, 이걸 펼쳐 들고 일일이 대조하여 도강시킨다면, 아마 배를 기다리는 자들이 저 강변에서 농사를 짓고 살아야 할걸."

"허, 성깔 한번 급하시군. 물론 내가 직접 기찰하겠는데, 그대신 나는 평복을 했으니 포졸 두어 사람 붙여달란 말씀이외다."

도승은 떨떠름하게 그것만은 응낙을 했고, 포졸 두 사람을 불러 기찰포교의 지시를 받도록 해주었다. 이제 정자에서는 겸인이 서서 나루터의 행객들을 샅샅이 살펴보고 있고, 도선목에는 기찰포교의 날카로운 눈이 있으니 새가 아니라면 강을 건널 수가 없을 것이었다.

나루터 초입에 초막을 친 음식장수들이 많았는데 밀전병이라든가 죽을 팔았다. 수수에 칼제비를 넣은 남매죽이 특히 잘 팔렸다. 모두들 안팎으로 훌훌 쩝쩝 소리가 요란한데 멍석을 세워 가려놓은 안쪽에는 주로 아녀자들이 많았고 바깥쪽엔 사내들이 모여 있었다.

작은 봇짐을 등에 지고 뒤꼭지가 떨어진 미투리를 신은 초라한 여인이 나루터에서 황급히 뛰어왔다. 그 여자는 자꾸만 뒤를 돌아보고 있었다. 붉은 흙으로 더럽혀진 복색에 머리가 흐트러졌고, 입술은 까맣게 말라붙었으며, 자기 발끝도 볼 수 없을 정도로 만삭이 되어 누가 보기에도 몹시 애처로운 형상이었다. 여자는 두리번거리더니 초막 안으로 뛰어들었다. 죽을 푸느라고 쇠솥 위에 몸을 구부렸던 노파가 인기척에 허리를 펴다가 상을 찡그렸다. 다른 여자들도 잠시 먹기를 멈추고 그 여자를 바라보았다.

"이그, 그리 급히 들어오면 먼지 나네. 뭐 죽 사먹을라우?"

"예, 한 그릇 주셔요."

"돈을 내야지."

여자가 한 닢 건넸다. 여자는 연신 바깥쪽을 내다보았다. 노파는 앙금을 헤치고 국자를 푹 담가서 칼제비 건더기를 건져내어 여인에게 내밀었다.

"그 몸으루 먼 길 가는가베."

"예?"

"먼 길 가느냐구."

"예."

하고 나서 죽그릇을 든 채 망연히 앉았던 여인이 물었다.

"오늘은 배가 없나요?"

"왜 없어? 지천으루 깔린 게 밴데."

"그럼 어째 사람들이 이렇게 많이 기다리지요?"

"새해니 그렇지. 그믐에 묵었던 봉물짐들이 들이닥치니까 엽때껏 배가 쉴 틈이 없구먼. 정월이 지나가야 좀 뜸해질걸. 게다가 그제가 보름이었으니 더 번잡스럽다구. 인제 좀 있으면 모두들 건너기 시작할 테지만 차례 기다리기가 여간 고돼야지."

"나루가 여기밖엔 없나요?"

"있기야 위로 올라가면 두어 군데 있지만 배가 드물지. 죽 식겠수. 어서 들지 그래."

노파가 주의를 주자 그제야 여인은 먹기 시작했다. 머리를 숙였다가도 사람이 들고 나는 기척이 있을 적마다 고개를 후딱 젖혀 살피곤 하는 것이었다. 그런 양을 바라보던 노파가 나직하게 혀를 차면서 고갯짓을 하였다.

"어디까지 가우?"

"예? 관서루 갑니다."

"어이구, 끔찍이 멀구먼. 해서를 넘기도 먼 길인데."

여인이 묻지도 않은 말까지 했다.

"저어…… 쥔어른이랑 온 가족이 지난 여름 역병으루 몰사하셔서…… 살 수가 있어야죠. 친정에 돌아갑니다."

"멀리루 시집갔었구먼."

"게서 살다가 쥔어른이 파주에 공장이 일을 얻어 이사갔지요."

"에구, 딱해라. 그러니 그 갈데없이 소년 과부에 유복자를 낳겠구먼."

이야기를 나누는 사이에 죽그릇이 비었고 주위에 사람도 없어졌다. 노파가 국자에 건더기를 가득히 떠서 부어주면서 여인에게로 얼굴을 바짝 들이댔다.

"나두 눈치는 밝은 사람이야. 나루를 건널 테면 내 입이 무거워야 되겠네."

여인이 죽그릇을 떨어뜨리고 앉은걸음으로 몇발짝 뒤로 물러났다. 노파가 황급히 속삭였다.

"노잣돈 가진 게 있겠지?"

여인은 여차직하면 바깥으로 몸을 빼치려고 반신을 엉거주춤 일으킨 채였다. 노파가 손목을 잡아끌어 앉혔다. 여인이 손을 뺐다.

"무슨 말씀이온지……"

죽장수 할미는 눈을 빛내면서 고개를 끄덕였다.

"보면 다 아네. 여염집 여인이 그 몸으루 노상에 나올 리가 없구, 주제가 그러면서 돈 내구 요기를 해?"

노파는 갑자기 여인의 손목을 잡아채더니 검지손가락을 살피고, 입술을 들쳐보았다. 여인은 잡힌 손을 홱 뿌리치며 물러나 앉았고, 할미가 이를 드러내며 웃었다.

"봐, 골무에 굳은 살 아닌가. 공장이 여편네가 바늘로 굳은살이 생겨? 또 그 젊은 나이에 앞니가 상할 리두 없구. 내 이빨은 빠져서 없지만, 실을 잘게 찢노라구 마를 뜯어내다 보면 그렇게 된다네."

여인은 고개를 푹 숙이고 있었고, 노파가 말하였다.

"다 안다니까. 안채 행랑살이가 얼마나 혹심한지…… 속량이 안 되면 달아나기라두 해야지. 우리네두 면천한 사람일세."

할미의 말을 묵묵히 듣고 있던 여인이 냉정을 되찾았는지 차분하게 중얼거렸다.

"발고할 작정이세요?"

"글쎄…… 생각 좀 해보구. 어디서 오는 길인가?"

"송도서요."

"가깝군…… 언제?"

"그제 저녁에요."

"그런 줄 알았어. 나루터에는 지금쯤 추노하는 사람들이 지키구 섰을 걸세."

여인이 갑자기 보퉁이를 뒤지더니 헝겊에 싸고 또 싸맸던 은가락지를 꺼내어 내밀었다.

"할머니, 한 번만 살려주셔요. 어떻게 저를 좀 강을 건너게 가르쳐 주셔요. 머리칼루 신을 삼아드리는 한이 있더라두 꼭 보은하겠습니다."

"이 가락지 얼마나 되겠나, 마흔 푼은 되겠지. 돈은 없어? 한 냥만 내어. 우리 영감이 벽란도 수직 사공이니 건네어줌세."

"돈이 조금 있긴 하오나, 남편을 찾기까지 걸식을 할 수도 없고, 노자를 다 내어주면 이 추운 겨울에 저는 어찌합니까?"

왁자지껄하는 소리가 들리면서 손님이 밀어닥쳤다. 두 사람은 얘기를 끊고 있었는데 아직 타협이 끝난 것은 아니었고, 여인은 제 마음대로 자리를 뜰 수도 없었다. 죽장수 할미의 속마음을 모르기 때문이었다. 손님들 중에 몇이 춥다고 솥을 얹은 불가에 모여들었는데, 그들은 재인 광대 패거리였다. 노파가 농지거리를 던졌다.

"원…… 동장군 살을 맞았나, 오뉴월 복철에 학질 객사한 영산이 씌었나. 뭐가 춥다구 장부들이 솥을 싸구 돌아, 이깟 날씨에."

"말두 마슈, 닷 발 되는 내 불알이 지금 앵도알 같수. 좀 구워야지."

"할머니, 죽 한 그릇씩 바삐 퍼주오. 이렇게 길을 가다간 방귀깨나 먹구 사는 신선 되기 꼭 알맞겠네, 쩻!"

"그이들 입담 한번 요란하네. 송도 보름놀이들 갔다오슈?"

"허, 놀이를 다니다니, 에이, 그게 무슨 소리요. 연년해해 날이면 날로 시시때때로, 산 높고 물 좋은 데 구름 같은 동네에 신선 같은 행장으로 거칠 데 없이, 경사난 데 기뻐하고 초상난 데 슬퍼하며 먹기는 아주 조금씩 먹고, 똥은 대자로 싼다고 남들이 모두들 수군수군대는 그런 사람들이라오."

저희끼리는 별로 재미있어하는 기색이 없는데 노파 혼자 못 견디게 웃고 나서 죽을 푸기 시작했다. 그들의 행색은 대부분이 두건 아니면 구슬상모 털벙거지에다 통장고, 퉁소, 꽹과리, 징에 북, 피리, 해금 등의 풍각제구들을 지녔다. 누비 저고리에 붉은 전대 둘러차고, 숫제 넝마옷에 의관은 귀 떨어진 패랭이를 쓰고 가얏고 둘러맸으니, 얼핏 보아 그들이 광대패라는 것을 잘 알 수가 있었다. 그들 중 몇은 아직도 술이 덜 깼는지 죽사발을 앞에 놓고 눈꺼풀이 처져서 꺼떡꺼떡 졸고 있었다.

"보퉁이를 내게 맡겨놓게."

그들의 행장에 적이 마음을 놓은 노파가 다시 여인에게 말했다.

"왜요?"

"글쎄 맡기라면 맡겨. 밤배를 타구 월강하도록 해줄 테니까."

"싫어요."

"흥, 그러면 갈 데루 가보아. 내 말 한마디면 임자는 끌려가구 마는 게야."

여인은 겁에 질려서 할미를 노려보았고, 달라는 대로 봇짐을 내어주고 말았다. 노파가 보퉁이를 빼앗더니 초막 밖으로 나갔다. 여인은 구석에 웅크리고 앉아서 한창 죽을 퍼넣고 있는 재인 광대 패거리를 살펴보다가 한 사내에 눈이 멎었다.

"저어…… 어디까지 가시나요?"

"그건 왜 묻소? 대답하면 뭐 죽이라두 한 그릇 더 사줄라우."

그렇게 되묻는 자는 눈이 어글어글하고 입술도 두툼한 것이 신의 있고 인정스러워 보이는 사내였다. 어깨가 떡벌어진 장신 체구에다 때묻은 고의 적삼, 육승포에 왼골 전대로 허리를 질끈 동였는데, 등에 북을 걸머진 것이 수재인은 못 되어도 아주 빼놓진 못할 재인일시 분명하였다. 그는 한눈에 여인의 부른 배와 파리한 모습을 훑어보고 나서, 농기를 싹 걷어치우고 여인의 발치에 쭈그렸다.

"여기 계신 게 아니우?"

"죽 사먹으러 들어왔어요."

"헌데 왜 저 할미가 댁네의 봇짐은 뺏소? 내 아까부터 강을 건넌다느니 못 간다느니 소릴 듣고 이상스러웠소."

여인은 고개를 푹 숙이고 모두 내던지듯이 말해버렸다.

"면천 못 해 남편을 찾아 달아나는 길이어요. 해주로 해서 강령으루 가볼 참입니다. 제 남편의 동무가 해주감영서 관노를 사는데, 거기 가서 물으면 소재를 알 듯합니다. 나루에 추노하는 사람들이 지키구 있어서 도강을 못 하는데, 저 할머니가 기미를 알고 저를 핍박합니다. 가진 돈이 있다면 내어주고 입을 막겠으나……"

"고이헌 할미로군. 동냥 대신 쪽박을 깨다니……"

사내는 잠깐 골똘하게 생각에 잠겼다가 제 일행에게로 돌아가 수군대는 것이었다. 마침 할미가 돌아오자 그들은 말을 뚝 끊었다. 역시 눈치로 늙어온 죽장수 할멈인지라 날카로운 눈으로 여인을 노려보는데 광대 두엇이 갑자기 달려들어 입을 막고 넘어뜨렸다.

"같은 처지에 동정은 못 할망정 추노하는 놈들보다 더한 네 따위 늙은이는 죽어 마땅하다!"

북을 짊어진 광대가 할멈의 입을 수건으로 동여놓고 끈으로 손과 발을 묶었다. 노파는 그저 사지를 벌벌 떨고 있을 뿐이었다. 그동안에 몇사람이 죽을 먹겠다고 들어서려 했건만, 다 팔았다고 하여 초막 앞에서 돌려세우곤 하였다. 노파 위에 헌 삼베 가사를 덮어버리고 나서 젊은 광대는 한숨을 푹 내쉬었다.

"이젠 됐군. 저 만삭으로는 남의 눈에 띄어 안 되겠는데."

나이 듬직한 광대가 누더기의 남복 저고리와 헌 패랭이를 내밀어 주었다.

"이것 입도록 허게. 그러구 이 무명 수건으로는 얼굴을 싸매도록 하고."

재인패들은 저희끼리 둘러앉아 의논을 하는 참이었다.

"그러니 여자는 내가 등에 업겠네."

"혈육을 찾는 사람을 다시 붙잡아 종살이시킨다는 놈들은 인두겁을 쓴 아수라 같은 놈들이여."

"우리께 해나 없을까."

"까짓 드러나면 떼를 지어 뿌리치구 달아나지 무슨 걱정이야."

"하여간에 무사히 건너긴 건너야지."

"재담 한판 벌여서 사람들 정신을 쏙 빼놓은 틈에 건너가지."

여인이 옷을 갈아입는 듯하더니 그들이 돌아선 사이에 변복이 되었다.

"허허, 다른 데는 다 몰라보겠지만 배가 큰일인데……"

북을 짊어진 광대가 말하였다.

"관계없습니다. 그 아낙을 내가 들쳐업을 테니까요. 예서 잠시만 기다리라 하십시오. 우리는 나가서 한판 벌일 테니."

광대들이 풍악을 잡히면서 한길로 쏟아져나가는데, 땅재주를 뱅글뱅글 돌아서 근두자(筋斗者)가 먼저 나가고, 탈꾼들은 귀면을 쓰고 우쭐거리면서 가고, 검무자(劍舞者)는 쾌활하고 씩씩한 동작으로 쌍수도를 맞부딪치며 신나게 돌아갔다. 삽시에 구경꾼들이 그들의 양쪽을 따라서 모여들었고, 그들은 차츰 나룻가로 나아가 백사장 위에서 판을 벌였다. 먼저 화랭이 출신의 광대 하나가 나가서 거리굿 재담을 벌이기 시작했다. 한 번 읊조리고 나서 춤추고 소리하고 또 읊어대는데,

"혹간 심심하면 소리도 한 장단 쓱 가르치고, 장기 기박도 가르치고, 바둑도 가르치고, 가르치다 소성하면 욕도 한마디 가르친다.

양반이라고 좋은 말만 배울 수가 있느냐. 욕을 한마디 쓱 하여도 나는 꼭 좋은 욕만 하는데, 이런 욕을 하는구나. 어어…… 니 에미 씹을 하다 좆이 부러질 놈들. 이런 욕을 한 번씩 가르치는데, 내가 사전에 나루터 행객 어르신들께 양해를 빌겠거늘, 태곳적부터 자고이래로 삼년들이로 해내려오는 굿이라서, 내가 말하지 않아도 어르신네들 귀가 째진 이녁이라 잘 아시지만, 이 거리는 상욕을 많이 들어야 그저 수명장수하시고 거리귀신 만나 여로에 다복하시고 귀인 만나 벼슬하시고 거리굿에 씹자깨나 들어 알성급제하시고, 가만있자…… 뭐라더라, 씹자깨나가 아니라 식자깨나로 했는데.

자아, 이러니 내가 한양 과거를 안 볼 수가 있겠느냐. 보긴 봐야겠는데 유자불노동(儒者不勞動)이요, 식자(識者) 무식(無食)하니 끼니가 있겠느냐 행자가 있겠느냐. 목침 베고 누워 쉬느니 한숨인데, 마누라가 건너와서 손을 잡는구나. 깃만 남은 저고리에 다 떨어진 누비바지, 앞만 남은 몽당치마 끄을고 와서 하는 말이, 유자 봉양하느라고 이내 꼴이 웬말이오. 방아찧기, 의관짓기, 떡만들기, 술거르기로 품을 팔아 서방님 글공부에 뒤를 대는데 노잣돈이 마지막이오. 우물쭈물하더니 돈을 가져오는데 엽전 두 돈 오 푼을 내놓는구나. 하도 놀라 눈을 부릅뜨고 추궁하니 서방님 간밤에 송도 부상이 견마

잡혀 지나다가 아랫방에 묵었는데, 서방님 모르는 새 하룻밤 밑엣 품을 놨소.

이래서 한양 과거를 본답시고 올라가는데, 거리마다 국밥도 많고 막걸리도 흔천이오. 갖은 떡에 갖은 실과에 이것저것 먹다 보니 엽전 두 돈 오 푼이 거덜이 나는구나. 문전걸식으로 과거날을 기다리니 꿈을 잘 꾸고 줄을 잘 잡아 고관대작네 행랑에 기별이 갔구나. 행랑살이 십 년 만에 네 소원이 무엇인고 물으시니, 이내 몸이 객지 와서 갖은 괄세 갖은 봉욕을 다 치르고 벼슬을 한들 무얼 할까. 소원은 다른 게 아니고 밥 잘 먹고 똥 잘 뀌는 게 소원이올시다. 그런 소원말고 선달이 어떠하냐. 선달 선달 좋다지만 선달 벼슬 못 할 내력이 있소이다. 내가 안 그래도 주야장천 서서 잘 다니는 놈이 벼슬까지 서게 되면 다리 부러질까 못 하오. 그러면 급제 벼슬이 어떠한고. 급제 급제 하지만 급제 벼슬 못 할 내력이 있습니다. 내 성미가 급한 놈이 급제까지 해놓으면 내 칼에 내가 죽을까 못 하오. 그러면 초시 벼슬이 어떠하냐. 내가 초시 못 할 내력이 있소. 우리 뒷집 자근쇠 이사간 날이 하필 윤동짓달 십이 초하룻날이라, 내가 약은 괭이 밤눈 어둔 격으로, 무거운 것 덜하라고 촛병 하나 얹은 지게 모과나무 아래 떠억 받쳐놓고 쉴 제, 깜박 잠이 들어 작대기를 찼더니 온몸에 촛물이 들어 삭신이 사그라진 몸이라, 초시까지 얹히면 무골육신이 되겠소. 그러면 이 사람아, 더도 말고 이방이 어떠한고. 그 내력 한번 들어보소. 안 그래도 내 치근이 나빠 음식 옳게 못 먹는 판에 이방을 해놓으면 이가 몽땅 빠져 못 하겠소."

이렇게 기나긴 사설로 시세를 꼬집는 소학지희(笑謔之戲)가 자못 흐드러져 방자한 웃음이 가득 찼다. 광대는 곧이어서 소리로 들어가 구성지게 한마당을 뽑아넘기고 나서 건이로 들어갔다.

“에라, 맨입에 싱거워서 못 하겠고나. 장승 앞에 용두질이지 이건 어디 제 에미 씨부랄 것들 같으니라고. 그러게 상놈들이란 형틀에 달고 매우 쳐야 돈냥이나마 나오것다. 상놈들은 모두 물렀고 선달 급제 초시 참봉 좌수 진사 이방까지만 남았거라. 허허, 이제 우리 초라니 시주 나가신다. 저 녀석 시주 나가라니 좆부리만 덜렁 내놓고 뭣 하는 게냐? 무어라구, 퇴관 토반 향족 호상 송상 강상에 사둔하고도 팔촌 막내딸을 찾는다? 그래 고년은 찾아서 무얼 할 테냐. 밭에다 씨 박고 물 준다네. 허허, 우리 초라니가 사추리 밑이 근질근질 몽둥이는 서당 훈장에 풍월짓으로 꺼떡꺼떡, 장가갈 때가 되었다고 저리 생지랄인데 쌀이 되나 돈이 되나 혼수 좀 보태주소.”

노잣돈을 거두는데 송도서 나올 때부터 놀이 기분이 그대로 남아 있던 관중들이라 길술깨나 들이켜고 나서 흥겹기도 하여 서슴없이 엽전을 내고 길양식이나마 덜어냈다. 소리꾼이 더 한번 너스레를 떨고 나서,

“자아, 이만하면 마당씻개로는 족하렷다. 손님네들 그러면 이번에는 무슨 놀이로 모시리까.”

이미 어깻짓으로 신명을 달래던 한량패들 서넛이 벌건 상판을 흔들면서 고함을 질렀다.

“어름이나 덜미 한판 맞추지.”

“늘난봉가 한 장단이 어떠하냐.”

“아니다, 다 그만두고 탈판에 재담이나 벌여보아라.”

“예예, 어름이나 덜미는 청도 없고 포장도 없으니 불가하고, 살판 검무 탈판에 재담은 가하오. 우리네 아바이 같고 주인나리 같은 손님네들 돈 내고 쌀 내고 이제 술 한잔 더 내시면 차례로 모두 보오리다.”

“까짓 것, 판이 바뀔 때마다 너희 패들께 한잔씩 돌릴 터인즉 신명껏 놀아보아라.”

의관은 번듯하나 체통에 어울리지 않게 촐싹거리며 목소리도 채신 없어서 어느 골 아전 같은 되다 만 양반이, 하인을 보내어 술동이를 가져오게 했다. 먼저 살판이 시작되는데 저고리 위에 꼭 끼는 개가죽 배자 입고, 팔뚝에 검은 토시 감고 행전을 단단히 친 날렵한 자가 거꾸로 숭어뜀을 뛰면서 둥그렇게 모여든 구경꾼 가운데로 나왔다. 거꾸로 서서 걷다가 몸을 뒤채며 뒷곤두치기, 한 팔로 섰다가 팔바꾸기, 앉은 채로 모말되기, 발 하나로 몸을 평평히 하여 뺑뺑이치기, 온갖 각색 들짐승 날짐승 병신의 흉내내기 등등에 박장대소가 터졌다. 살판 땅재주가 건혀나가고 벙거지에 철릭을 떨쳐입은 젊은이가 칼춤을 추며 나왔다. 살판을 하고 나온 장신의 사내가 자기네 재인 패거리들 중의 연장자인 듯한 초로의 가객에게 말하였다.

“거 나루 벌이두 쏠쏠하우. 이 모양으로 놀며 가노라면 해주 가서는 아예 단오까지 비럭질 안 해두 되겠네.”

“그나저나 어찌할 텐가.”

“뭣 말이우?”

“저기 남장시켜놓은 아낙 말일세.”

“염려 없수, 내게 좋은 꾀가 있으니까.”

“그 할미는 어쩔 테여?”

“까짓 거 누가 눈치나 채겠수. 묶여서 초막에 백혀 있는데. 다 건널 때까지 누굴 하나 곁에 붙여 지키게 합시다.”

그들이 뒷전의 도강목을 살펴보니, 포졸이나 도승까지도 모두 광대판에 정신이 팔리는 모양이었다. 벽란정 위에서는 양반네들이 난간 가녘에서 내려다보고 있고, 나루터의 일꾼들과 관노 하인 녀석들 모두가 웃기도 하고 다릿짓으로 장단을 맞추는 꼬락서니도 보였다.

봉물짐들이 무더기로 쌓여 있고 나룻가에 부담나귀와 말이 붙어 나는 것으로 미루어 곧 사람들을 실어나르게 될 모양이었다. 기찰포교가 아무리 눈썰미가 재빠르다 하지만 거듭 늘어나는 행객들의 새새 틈틈이 가려 보기가 더욱 어려워질 모양이었다. 아예 겸인이란 자는 누각에서 내려와 구경꾼 사이를 파고 돌며 살폈으나 사람들 틈에 아낙네들은 보이지 않았다. 별로 득이 되거나 손 될 리 없는 그는 드디어 뒷줄에 끼여서서 탈판의 재담을 보다가, 어느덧 빨려들어 껄껄거리며 웃어대고 있었다.

광대 중의 하나는 보부상 차림으로 패랭이에 태조대왕 구완하던 목화솜 두어 송이 고목에 꽃 피어난 듯 붙여놓고, 거기다 시커멓게 그을은 천하 상놈의 상판대기 탈박을 썼다. 또 하나는 삼베로 그럴듯이 만들어 먹물 들인 정자관을 쓴 꼴인데 수염도 희고 상판도 허여멀쑥하여 햇빛 못 보고 글깨나 읽은 양반일시 분명하였다. 닭의똥사위로 경쾌하고 우스꽝스런 춤이 몇바퀴 돌아간다.

"샌님 샌님 큰댁 샌님, 작은댁 샌님, 똥골댁 샌님, 샌님을 찾으려고 이리저리, 저리이리 다 다녀보아도 못 보겠더니 여기 와서 만나보니 안녕하고 절령하고 무사하고 태평하고 아래위가 빼꼼합쇼?"

"네 이놈, 양반을 만났으면 절을 하는 게 아니라 뭣이 어쩌고 어째?"

"예예, 절이오? 알지요, 압니다. 한양에 일러도 새절 덕절 도곡사 마곡사, 물 건너 봉원사 합천 해인사 염주원 염주대 구월산 월정사, 황주에 성불사 이런 절 말씀이우?"

"이놈, 누가 그런 절 말이냐?"

"그럼 무슨 절이우."

"절 모르느냐. 모르면 배워야지."

"절도 배웁니까? 배웁시다."

"미륵님을 가로 잡아 번쩍 들어라."

"번쩍 들어라."

"구부려라."

"구부려라."

"이놈, 몸짓으로 하랬지 누가 입내만 내라더냐. 아하, 이놈이……"

"아하, 이놈이."

"이놈을 패줄까."

"이놈을 패줄까."

"이놈아, 그만두자 그만둬."

"아이구, 어려워라."

"허허, 그럼 초판부터 다시 하자. 내가 할 테니 따라 해라. 번쩍 들고 꾸부리고 번쩍 들고 꾸부리고……"

"에헴, 어어 모시고 가시고 잘 있었느냐?"

"이놈, 양반의 절을 받어!"

"양반에게 절을 받으면 명이 길다 합디다. 어휴, 내 힘들어서 양반 안 하겠수. 상놈 하겠수, 상놈."

이때 도정이 물가에 서서 소리쳤다.

"나루 건너시오, 배 났소. 배 났으니 어서들 건너시오."

정자에 앉았던 양반네들이 하인을 찾는 소리가 시끄러웠고, 구경꾼 사이에 잠시 술렁임이 있었으니 상사람들은 오히려 강 건너는 일보다 흥 깨어지는 일만 두려워 보였다. 결국 나룻가에 모인 것은 먼 길 가는 부상들과 송도에 다녀가는 어르신네들이 대부분이고 아낙네들도 끼여섰다. 살판꾼은 그런 광경을 보고서 패거리의 수광대에게 넌지시 말하였다.

"이 틈에 먼저 건너가볼라우."

"그러게, 금곡말 나귀집 앞에서 만나세."

"거 장삼 춤옷이나 벗어주소."

"자신 없으면 아예 뒤처졌다가 밤배를 타든지. 무슨 사단이나 나면 우리 패 모두가 길 못 가고 낭팰세."

"여하튼지 금곡말서 만납시다."

살판꾼은 베장삼을 뭉쳐들고 초막이 늘어선 나루 저자 쪽으로 올라갔다. 무동이춤을 추던 총각 광대가 묶어서 옷을 덮어 가려놓은 노파를 지키고 있었다.

"우리가 건너구 일행이 건너게 될 때까지 잘 지켜야 헌다."

"염려 말우, 나갈 때 한주먹을 앵기면 강 건널 사이는 푹 자겠지."

남장을 하고 있던 여인은 내외할 것도 없이 살판꾼 사내의 저고리 자락을 부여잡으며 고개를 숙여 진정으로 감복한 마음을 드러냈다.

"저를 해주까지만 데려다주신다면 우리 두 양주가 만나는 날부터 나리의 종살이를 몇해고 해서라도 이 하늘 같으신 은혜는 꼭 갚겠습니다."

"은혜랄 수 없소. 오죽하면 그 몸으루 야반도주를 하였겠소. 우리가 관아에 들락거려보아 잘 알지마는, 요사이 나라에서는 면천한 사람들의 예전 문서까지 뒤져내어 다시 환천시키구 있답디다. 우리 비렁뱅이 광대들이야 그러려니 하니까 상관 않지마는, 절대루 잡히지 마시우. 부디 쥔 만나거든 산으루 들어가 화전이나 일구며 사슈."

"이렇게 고마우실 데가…… 나리는 어디 사시는 뉘셔요?"

"허, 우리는 나리가 아니외다. 정처 없이 돌아다니는 하천 광대들이우. 밥 주고 재워주는 데가 우리집이고 마을이지요. 겨울을 날 때엔 문화 광대산 아랫녘에 우리가 모여 지내는 골짝이 있소이다. 이 사람으루 말하자면 해서 광대 손돌(孫乭)네 패거리의 장충(張忠)이라고 풍류 즐기는 한량들은 모두 압지요. 우선 이걸루 얼굴을 싸매시오."

"얼굴을 싸매요?"

장충은 아낙네의 얼굴 반쯤을 천으로 동여맸다. 그러고 나서 화덕 아래에서 다 타버린 숯을 골라내어 물을 끼얹고 식기를 기다렸다가 집어들었다.

"얼굴이 나온 데는 이걸루 환칠을 하는 겁니다."

구경만 하고 있던 총각 광대는 연신 옳지, 그렇지 하면서 무릎을 쳤고, 여인은 충이 하라는 대로 수걱수걱 따라 했다. 말뚝 벙거지 쓰고 바지저고리에 얼굴 반쯤은 천으로 친친 감았는데, 나머지 얼굴에는 숯으로 환칠을 해놓았으며, 붉은 띠를 벙거지 위로 늘어뜨렸으니, 광대 중에도 가장 상스런 무자리 걸립 광대 꼴인데다, 만삭의 몸을 감추려고 장삼까지 씌웠다. 장충은 넓적하고 튼튼한 제 등판을 돌려 댔다.

"자, 내 등에 업히시우."

뜻밖의 말에 여인이 몹시 부끄러워하며 우물쭈물하자, 충이 싱겁게 웃으면서 아낙을 달랬다.

"같은 남정네끼리 뭐가 부끄럽소. 댁네는 내 아우란 말이우."

"죄송합니다."

"여자를 업어본 게 한두 번이 아니우. 거사질 다니던 내력두 있으니까. 자, 빨리 업히시우."

"그럼……"

아낙이 그의 등에 구부리자 충은 깍지를 끼어 잡고 일어서며 총각 광대에게 일렀다.

"인석아, 잘 지켜."

"뭐, 나를 허재비루 아나."

장충은 여인을 업고 나루터를 따라 내려갔다. 춤판이 계속되고 있는 정자 앞 뜨락에는 날라리의 높은 가락과 장고장단 소리가 어우러져 가득 차 있었고, 구경꾼들이 신바람나서 장단을 맞추는 소리가 요란하였다. 장충은 놀이판 앞을 지나 도강목으로 내려갔다.

도승별장은 부담 관리가 끝나 한시름 놓았는지 대나무 평상에 앉아 병술을 마시고 있고, 포졸들도 서너 사람만 남고 나머지는 모두 구경하는 사람들 틈에 슬그머니 끼여든 모양이었다. 기찰포교는 물가에 대어진 뱃머리 앞에 다가서서, 오르는 사람들과 특히 머리쓰개를 깊숙이 내려쓴 아낙네에게는 까다로이 굴었다. 마침 배에 오르던 부부가 있어서 포교는 낡은 갓에 때묻은 중치막 차림인 선비에게 양해를 구하였다.

"송구스럽지만 기찰할 일이 있어서 그러하니 아주머니의 쓰개를 잠깐만 벗게 해주오."

아마도 공부 중인 유생으로 보이는 그 선비는 대번에 얼굴이 하얗게 질리며 턱을 떨 정도로 노기가 솟았다.

"남의 실인의 의복을 함부로 벗으라니…… 남녀가 유별한데 이러한 법이 어디에 있는가. 자네는 어느 군영의 포교인가?"

다짜고짜 반말지거리에 아니꼬웠으나, 형세가 형세인만큼 기찰포교는 참을 수밖에 없었다.

"양반께 작폐가 될 줄은 아오만…… 지금 추노하는 중이라서 그러니 아량 있게 생각해주시오."

"망신이로고! 내 비록 가난하고 줄이 없어 관직에 현달하지는 못했으나, 이름 없는 선비라고 업수이여기는 자는 없었다. 네 이놈, 어느 군영에 있느냐. 내 어찌하든 통기하여 네놈의 목을 자르리라."

유생이 비록 힘이 없다 하여 붙일 순 없으되 떨굴 수는 있음을 아는 포교인지라 마주 대거리 못 하고 우물쭈물 말하였다.

"허어…… 추노 중이라 하지 않소."

"너희 눈구녁에는 남의 유부녀가 시골 토반의 천비로만 보이느냐?"

한참 그렇게 옥신각신할 적에, 드디어 도승별장이 술잔을 쾅 내려놓고 일어났다.

"용서하시오. 노기를 진정하시고 승선하십시오."

"벽란도의 별장은 예서 무얼 하는 겐가. 배천군수가 나하고 동문수학인데, 내 반드시 이런 행패를 전하겠네."

"예예, 좋도록 허우. 사공, 좋은 자리 내드려라."

하고 나서 도승은 포교에게 말하였다.

"보시우. 당신 때문에 내 평판만 나빠지겠소. 기찰을 하려면 이런 폐단 없이 하오. 사전에 내 허락을 받구 나서 검색을 하든지 기찰을 하란 말요."

포교는 입맛이 쓴지 찍소리를 못 하고 섰는데, 선비는 한 번 더 소리 높이 꾸짖고 배에 올랐다.

먼저 그러한 양반네들이 뱃머리의 덕판이나 이물 부근의 가로판자에 편안히 자리를 잡았다. 장사치들은 창막이 판자에다 봇짐을 쌓고 뱃전 가녘에 쭈그렸으며, 가로판자가 없는 중심부의 물속에 하인배들이 발을 담그고 앉았다. 고물 위에는 사공이 노를 잡고 섰으나 빈자리가 많아서 아직 배가 가득 찬 것은 아니었다. 사공이 물가의 말뚝에 걸었던 바를 풀고 닻을 건져냈는데, 장삼을 입고 축 늘어져 있는 아낙을 업은 장충이 죽는소리로 엄살을 떨면서 앞으로 나섰다.

"어이구우! 우리 아우 좀 살려주."

"저리 비켜라. 아직 순서가 아니다. 네놈들 탈 자리가 어디 있단 말이냐."

사공이 힐책하면서 삿대를 드는데, 장충은 물속으로 첨벙첨벙 걸어들어가 뱃전을 잡았다.

"사공놈이 사람 괄시를 이리하여 쓰겠느냐. 중환자가 있어서 그러니 좀 태워다우."

사공은 어이없다는 듯 삿대를 놓고 도승 쪽을 바라보았다. 포졸이 외쳤다.

"뭐냐?"

장충은 등을 돌려 업힌 사람을 보이면서 울상을 지었다.

"예, 보시다시피 제 아우가 두창이 번져 머릿속까지 고름이 꽉찼소이다. 바삐 강을 건너 의원께 보이지 않으면 오늘 중에 죽을지두 모릅니다."

팔짱을 끼고 그들을 이윽히 노려보던 기찰포교가 손짓하며 불렀다.

"잠깐 이리 오너라."

"아닙니다요, 이 배를 놓치면 우린 언제 배를 타게요."

곁에서 포졸이 말했다.

"염려 마라. 배는 태워줄 테니…… 사공, 배를 대어놓게."

기찰포교가 장충의 아래위를 날카롭게 훑어보았다.

"네 행색으로 보아 광대가 분명한데 어찌 패거리와 따로 도강하려느냐."

"언제 놀이판이 끝날 때를 기다리며, 언제 우리 건널 차례까지 지체하겠습니까. 바삐 나루를 건너 연안 읍내 의원을 뵈러 합니다."

도승도 장충의 차림새와 머리를 싸매고 죽은 듯 엎드린 광대를 바라보는데 곁에서 포졸이 말하였다.

"저 자가 조금 전에 근두짓을 보였던 살판꾼입니다."

"그러한가."

도승이 짐짓 엄한 목소리를 꾸며서 물었다.

"네 이놈! 그 다친 놈이 네 아우라면, 싸움을 벌이거나 행패를 놓고 달아나 오는 게 분명하렷다."

"아니올시다, 싸움이라뇨. 지난 보름날 밤에 송도서 재주를 팔고 파하여 거리로 나오다가 석전꾼들 가운데 끼여 그만 돌팔매를 맞았습니다. 길고 뾰족한 옹기조각을 맞았는데 시방 제정신이 아닙니다요."

배에 타고 있던 양반들 중에 아까 봉변을 당한 선비가 뱃전으로 몸을 기울였다.

"거 태워주세. 병이 위급하다니…… 맥을 잃기 전에 고름을 빼야 할걸."

술 취한 한량 한 사람도 그들 광대의 정상을 보고서 곧 나선다.

"재인들이 무슨 작폐한 사례도 없는데, 배를 가려서 태울 거야 있소? 더구나 중환자라니 태워줍시다."

도승이 고개를 끄덕였다.

"올라타거라."

장충이 뱃전을 잡고 오르려는데 기찰포교가 어깨를 탁 잡았다.

"타는 건 좋은데……"

"예에?"

기찰포교는 빙긋이 웃었다.

“그 안면에 싸맨 베를 풀어 보여라.”

장충은 가슴이 덜컥했고, 엄살을 떨면서 사정하였다.

“아이구, 바람이 들면 어쩌라구 그러십니까. 나리는 동기간두 없으시우.”

도승은 처음부터 남의 직무에 끼여들어 이래라저래라 하는 포교가 못마땅했는데다가, 보잘것없는 선비의 험구도 들었고, 이제 자기가 승낙을 했는데도 가로막고 나서는 포교가 고까웠다.

“여러 말 할 거 없다. 어서 태워줘라.”

“예예, 나으리가 참말 명관이십니다.”

장충은 겨우 안도의 한숨을 내쉬었다. 그가 올라타자 사공이 삿대로 모래를 밀어냈다. 다른 배가 다시 와서 닿자 포교는 그쪽에 모여드는 사람들께로 눈을 팔아버렸으니, 여인네들도 일일이 기찰하기가 어려운 판에 더구나 광대 형제에게까지 세밀히 검색할 겨를이 없었던 것이다. 배가 강상에 두둥실 뜨고 사공은 노를 잡아 저으면서, 고물 위에다 환자를 내려놓는 장충에게 청하였다.

“바닥의 물이나 좀 퍼주오.”

“어유, 발 시려워. 헌데 날 안 태웠드면 누굴 시킬려구 그리 잡아뗐수.”

“어찌 내 속마음이었겠소. 멋대루 배를 부리다간 도승의 호통이 여간 아니라오.”

장충은 여인에게 잠깐 엎드려 있도록 등판을 꾹 눌러주고 나서, 바닥에서 스며드는 물을 바가지로 자꾸 퍼냈다. 배가 강 복판에 이르자 물살이 빠르고 거세어 보였다.

“지난달에는 걸어서 건넜는데, 날씨가 조금 풀리니 벼락같이 녹네그려.”

"살얼음이 가장 어렵지. 조수 때문에 안 그런가."

"여보게, 자네 아우를 더 안쪽으루 앉히게. 떨어지겠어."

한량들이 제법 인정 있는 체를 하였다. 포창(浦倉)에서 나오는 돛단배들이 가득 실은 화물 위에 포를 씌우고 바다를 향해 미끄러져나가고 있었다. 사공이 목청을 드높여 어깨를 좌우로 기우뚱대며 소리 한 자락을 뽑았다.

어여노디엇차 어여노디어 청산 송림이 노 끝에 부서진다.

어여노디엇차 어여노디어 우리 님 나를 버려 심양으로 팔려가네.

어여노디엇차 어여노디어 차마 죽을망정 잊기야 하려는가.

어여노디엇차 어여노디어 나 가는 줄 알았드면 불원천리 오련마는.

어여노디엇차 어여노디어 우리 님 나를 버려 심양으로 팔려가네.

가락이 어찌나 청승맞고 애잔한지 강바람이 물을 스치고 지나는데 더욱 썰렁하였다. 여인은 긴 장삼 소맷자락에 이마를 묻고 아무도 모르게 눈시울을 닦았다.

강을 건너자마자 강변은 갑자기 쓸쓸해진 듯하였고, 포창과 부근 도강목에만 배가 오락가락할 뿐 넓은 들판 위로는 단정학이 날개를 펴고 날아다니고 있었다. 못자리만 남은 논바닥과 개울가에서 학의 떼들이 끼룩끼룩 우짖으며 구부러진 노송 위로 올랐다가 다시 잔설이 깔린 산등성이로 선회하곤 하는 것이었다.

"이제는 내리겠어요."

장충이 여인을 업고 내쳐서 걷는데, 등뒤에서 사내의 목을 잡았던 그 여자가 수줍은 듯이 말하였다.

"그럽시다."

그들은 먼지가 풀썩이는 들길을 따라서 시종 말없이 걷기만 했다.

여인은 뒤꼭지가 끊어진 미투리 때문에 걷기가 불편한 모양이었고, 장충도 물에 젖은 발이 몹시 시렸다.

"쉬어 가려오?"

"아닙니다, 갈 길이 먼데 어서 가지요."

"아무래두 뒤처진 사람들과 만나려면 천상 기다려야 허우."

"약속한 곳에 가서 쉬지요."

그들은 역사와 마방의 기다랗고 썰렁한 집채들이 줄지어 섰는 금곡 마을로 들어섰다. 사람의 왕래가 별로 보이질 않았다. 아마도 저녁나절이나 되어야 밤을 묵어가는 도강객들이 있을 모양이었다. 두 사람은 주막거리의 객줏집들을 지나갔고, 약속장소인 나귀집 앞에 이르렀다. 해주까지 나귀를 놓는 세마(貰馬)집이었다. 낮은 토담 앞에 고삐 맨 말뚝이 열 지어 섰고, 빤히 들여다뵈는 앞마당의 마구간에는 굴레와 안장을 벗긴 말과 나귀가 대여섯 필 여물을 먹고 있었다. 장충은 봉놋방에 달린 길가 툇마루에 걸터앉으며 안에다 대고 소리쳤다.

"다리쉬임 좀 하구 갑시다."

"그러시우."

안에서 말털을 빗기던 객점 마부가 돌아보지도 않고 코대답을 하였다. 이 툇마루에서 쉬어 가는 행객들이 워낙에 흔한 모양이었다. 나귀집 앞에 삼거리가 갈려 있는데, 위로 배천 가는 길이요, 아래로 연안 가는 길이며, 그 반대편은 송도로 가는 길목이었다. 여인이 툇마루에 쪼그리고 가쁜 숨을 몰아쉬는 것을 보고서 장충은 말하였다.

"좀 누워 계시우."

"괜찮습니다."

"예서 해주까지가 대략 백오십 리 길인데, 장정 혼자서 열심히 걷는다면 하루가 꼬박 걸리지만, 일행이 있으니 이틀은 걸릴 터이오. 더구나 그런 몸으로는 하루 오십 리가 고작일 게요."

"공연히 저 때문에 노정에 지장 되겠어요. 제게 약간의 노자가 있는데 나귀 한 마리를 세내어도 좋습니다."

"우린 오갈 데 없이 떠도는 광대들이니 아무도 말을 세주진 않소이다."

하며 장충이 아낙을 위로하였다.

"염려 놓으슈. 내 지게나 한 짝 구해오리다. 그게 피차에 길 가기가 좋겠구먼. 남의 눈에도 별로 의심받지 않을 게요."

여인은 이내 대답하지 못하고 머뭇거리더니 한참 뒤에 울먹이며 말하였다.

"저같이 천한 계집이야 당장 죽어 티끌이 되는 것을 원하는 바이지만, 제 아이는 반드시 아비를 만나야만 합니다."

"그렇다면 주인이 해주 어느 어름에 있다는 거나 아시우?"

"글쎄요…… 조현역참의 강모라는 이가 그분 길 떠나던 날 밤에 만났답니다. 그런데 떠나면서 제가 만약 찾아오면 해주의 수양산에 있는 망해사(望海寺)에 가서 수소문을 해보라구 하더랍니다. 거기 노스님을 어릴 적부터 잘 안다면서 불목하니로 지내며 기다리다가 삼년이 차도 제가 안 오면 입산 수도하겠노라구요. 하지만 도중에 무슨 일이 있어서 관서로 계속 가셨는지두 모르지요."

"그보다도 얘기를 듣고 보니 추노하는 자들이 걱정이우. 댁네들 역으로 해마다 포(布)를 바치게 될 터인즉, 문서를 고치려고 도산(逃散)되있음을 관에 직고하면 추쇄도감에서 전도에 영을 내릴 거요. 얼마 전에 송도 관아에서 들으니, 오랑캐를 친다며 강화성을 새로 쌓는 데 보내어 죽을 신역을 치르게 하는 판이랍디다. 지금 삼대 전부터 면천 속량했던 사람들도 여차직하면 추쇄하여 대속하게라도 할 판이란 말이오. 그 역참 사람이 행방을 안다면 그리 안전하지는 못할 거요. 도산 노비에 관련된 자는 심지어 속량된 먼 친척까지도 침해를 받는다오. 차라리 다른 사람을 보내어 저쪽 형세를 살핀 연후에 찾아가도 늦지 않을 게요. 그래야 아이라도 온전히 기를 수 있지 않겠수."

여인은 장충의 자상하고 인정 많은 도움으로 하여 이제는 그를 대하는 마음이 마치 오라버니를 만난 듯하였다. 드문드문 행객들이 지나기 시작하더니 연안, 배천 방향의 길에 차츰 사람의 내왕이 잦아지고 있었다. 때는 벌써 점심때가 훨씬 지난 뒤였다. 새벽길을 떠난 사람들로서는 나루에서 많이 지체된 셈이었다. 한두 가지씩 신변사를 얘기하던 여인은 일단 말문이 터지자 건잡을 수가 없는 것 같았다.

여인은 부모가 누구인지, 고향이 어디인지도 몰랐다. 낳자마자 비적(婢籍)에 올랐기 때문이다. 그 여자가 어렴풋이 기억하고 있는 것은 적성에서 난리 전까지 살았다는 것뿐이었다. 안채 행랑에서 어머니라는 웬 젊은 여자와 함께 자던 기억이 있었다. 바깥어른이 출타하기만 하면 안채에서 어머니를 데려다가 심하게 욕설하고 매질을 하는 것이었다.

어느 비 오는 날 밤에 횃불을 밝힌 남자들이 후원의 연못물을 퍼내고 어머니의 시체를 건졌다. 다른 늙은 여종이 어머니 대신 여인을 길렀던 것 같았다.

여덟 살 나던 해에 호란이 일어나 강원도 쪽으로 피난했는데, 전쟁이 끝난 다음에는 그 집안이 관채(官債)로 일시에 몰락하게 되어 자신의 몸은 관아에 압수되었고, 아무개 귀인의 궁토가 있는 파주 근방 마름 밑에서 수십여 명의 노비들과 함께 농사와 길쌈 일을 했다. 거기서 그 여자는 열다섯 살까지 음식으로는 겨와 뜨물만 먹고 잠은 움막의 맨땅에서 자면서 밤낮으로 무명 짜는 일에 혹사되었다. 여기서 첫 번째 남편 두남이란 사람과 알게 되었다. 두남은 그때 이미 나이 삼십이 넘어 있었고, 전란에 발을 잘려 군노질을 못 하게 되어 축사의 일을 맡은 자였다. 그들은 감관의 지시로 집단 움막을 떠나 농토를 분여받고 신공(身貢)을 바치며 솔거하게 되었다. 십오 세에 성혼하여 십칠 세에 딸아이를 하나 낳았다. 이 년 동안 그런대로 가족들은 행복하고 평화로웠다. 을유년에 나라에서 옥사가 있었고 모귀인의 궁토는 다른 부로 넘어갔는데, 노비문서의 정리 때에 그들 가족은 이 궁방전(宮房田)을 떠나 금교역말로 옮겨가 사내는 역에서 말을 돌보고 여인은 표모(漂母)질과 바느질품을 하며 객사 밖에 외거하여 살았다. 이때가 가장 평화스럽던 나날이었다.

평안도에 첫 벼슬을 가는 진장 첨사가 지나다가 우연히 말이 여독에 지쳐 병들어 죽자, 그날 번이었던 역노 두남을 심히 문책하였다. 오랫동안 한량으로 세월을 보내다가 모처럼 환로에 나선지라 공연한 까탈로 위엄을 보이고 싶었던 듯하였다. 장(杖) 오십에 북관으로 내치게 하였는데, 두남은 백 리도 못 가서 중도에서 죽고 말았다는 전갈이 왔다. 딸아이는 다섯 살이 되자마자 양주 관아를 통해 어느 권문의 혼자 남은 대부인 댁에서 장차 사환비로 쓸 겸 고적함을 달랠 겸 하여 앗아가버렸다.

추위와 굶주림과 마소 같은 학대와 가혹한 매질은 참아낼 수 있었으나, 그같이 가족을 한꺼번에 앗기는 일을 당하자, 여자는 식음을 전폐하고 골방에 누워 죽기만을 기다렸다. 그때에 움막을 찾아와 미음을 끓여 넣어주던 역노 보(步)와 살게 되었는데, 보는 역노들 사이에서도 기골이 훤칠하고 사람 됨됨이가 온후하여 은근히 존경을 받던 자였다. 원래는 신계에서 농사짓던 양인이라는데, 세사에 소홀하여 부농의 일꾼이 되었다가 불행하게 천인으로 떨어진 사람이었다.

개성 유부사 댁과 관아 사이에 오랫동안 구채로 쟁송이 있어오더니, 작년에 문득 판결이 나기를 유부사 댁이 승소하여 남녀 노비 두 쌍과 관전 십 결을 찾아가게 되었다. 남편 보는 그전부터 항상 말해오기를 만약 당신과 헤어지게 된다면 함께 월경이라도 하여 되 땅에 달아나 살자고 여러차례 입버릇처럼 일러왔다. 아이를 가진 기미가 있었으나, 두 사람은 오히려 슬퍼하였다. 그들은 유부사 댁으로 가게 되었는데 남의 사삿집 행랑살이가 얼마나 고되고 가혹한지 잘 알고 있었다. 과연 그 댁에 이르자마자 남편은 장단으로 되팔려갔다. 거기까지 얘기하던 여인은 갑자기 눈에 광채가 돌면서 결연히 중얼거렸다.

"물레를 젓고 삼을 찢으며 피를 흘리고 살이 터지는 중에도 언제나 혼자서 제 몸을 만지며 아이에게 다짐했습니다. 네가 태어나기 전까지 에미가 면천하지 못하여 아비의 얼굴마저 모르게 한다면, 차라리 낳기 전에 에미와 함께 목숨을 끊어버리자구요. 그러면 죄 많은 에미는 구천 지옥으루 돌아갈 테지만, 아가의 깨끗한 혼은 하늘로 올라가 후생에는 양반댁 도련님으루 태어나지 않겠습니까. 종년이 낳은 자식은 언제나 종이 되고 또 그 자식도 종 아닙니까. 하물며 사람의 혈육지정까지 끊게 만드는 이따위 세상을 어찌 살게 한단 말입니까."

장충은 머리를 떨구고 여인의 그 긴 사연을 들었다. 그러고는 아무 말 없이 객점 안으로 들어가 지게 한 짝을 헐하게 사왔다. 받침목에다 거적 두어 장을 얹어 사람을 태울 만하게 만들었다.

행객들이 몰려들어 점심상을 들여가고 내가고 하는 통에 그들이 봉노 툇마루에 앉았기가 심히 난처하게 되었을 무렵하여, 손돌네 패거리들이 벌써 신명을 적당히 달래놓고 피로한 걸음걸이로 삼거리에 당도하였다. 손돌이 장충에게 걱정스러운 듯이 말했다.

"그자들 우리가 건널 적에도 기찰이 심하던데, 샛다리 가서 또 지키지 않을려나 모르겠네."

"깐놈들 속이기야 염려 없지만…… 그 죽장수 할멈은 어찌했나?"

총각 광대가 신이 나서 떠들었다.

"어찌하긴 뭘, 나올 때 주먹으루 뒤통수를 한 대 질러주니 얌전하게 뻗어버리더군. 지금쯤 정신이 들어 법석을 떨 게야."

"어서 여길 떠야겠네. 헌데 길에서 출산하면 이 일을 어쩐다?"

"자네 사람인가? 다 운수에 맡기세."

하다가 손돌은 장충의 다정한 마음을 짐작하고 민망해졌다. 사당이던 그의 어미는 충을 밭고랑에서 낳았던 것이다. 광대란 길에서 낳아 길에서 살다가 또한 길에서 죽으면, 창부(倡夫)라는 귀신이 되었다가 미친 사람에게 붙어서 정처 없이 헤매게 만드는 법이었다.

"무어가 걱정이야, 길에서 낳은 놈과 애비 모를 자식은 수광대(首廣大)가 된다는데."

"거 무슨 말이오?"

"어허, 세상 천지가 온통 길이라네, 길이라네. 얼떨떨 떠르르거리고 길놀이를 가는구나. 자, 가세들."

"예, 갑시다. 주인장 내가 왔소. 내가 오니 난데없는 초상일세. 찬밥이 웬말인가. 가이 짖어 반기는데 풍류 모르는 짐승이로다. 일곱해 왕가뭄에 빵빵 빵빵이를 돌아서 죽지 않고 내 왔소. 갑시다아."

그들은 연안을 바라고 터벅터벅 걷기 시작하였다. 장충은 지게 위에 여인을 앉히고 일행의 가운데쯤에 끼여 걸었다. 처음에는 먼지바람이 불고 구름이 모이더니 겨울비가 추적추적 내리는 것이었다. 저녁나절이 되어서는 날씨가 더욱 추워지면서 비는 진눈깨비로 변하여, 젖은데다 뻣뻣이 얼어붙는 옷 속으로 한기가 뼛골에 사무치는 듯하였다. 여인이 오한에 떠는 느낌이 지게를 진 장충의 어깨 위로 전해져왔다. 해가 언제 떨어졌는지 모르게 재빨리 떨어져버리자 바람과 진눈깨비가 한층 심해졌고 여인은 지게 위에 축 늘어져서 앓는 소리만 가냘프게 내지르고 있었다.

번지항다리를 지나서부터는 신음소리를 내던 여인이 잠잠하였다. 장충은 걱정이 되어 지게를 내리고 여인의 어깨를 흔들었다. 고개가 뒤로 축 처지는데 살펴보니 눈에 흰창이 드러났고 낯빛이 흑색과도 같았다.

"어이구, 큰일이네! 사람 죽겠수."

일행들이 달려와 여인을 끌어내렸고 맥을 짚어보던 손돌이 고개를 저으며 말하였다.

"죽지는 않았네. 기절한 모양일세."

"어디 방에라두 들여다 눕혀야 할 텐데……"

장충은 진눈깨비가 몰아치고 있는 캄캄한 들판을 두리번거렸다.

"이 사람아, 인가엘 가야지, 여기는 냇가여."

"냇가라면 집두 있을 법허우."

장충은 지게를 버리고 이번에는 맨등판에 여인을 업었다. 따뜻한 기가 좀체로 느껴지질 않았다. 어름꾼 사내가 말하였다.

"예가 분명히 번지항다리요?"

"지나왔지."

"그러면 부근에 나허구 안면 있는 집이 있을 듯하니 성님들은 걱정 마시오."

"어딘데……"

"고개 하나 넘어서 냇가길루 죽 따라 올라가면 자갈목이라구 제법 큰 동네가 있습니다. 내 재작년에 거기 선다님 댁 환갑잔치 때 놀아주구 한 열흘 묵었는데, 동네 인심이 우리 패들에게 아주 후하게 해줍디다."

"거 잘됐네."

미끄러운 고개를 넘어서자 큰 내의 지류인 작은 시내가 나왔고 옆으로 나란히 소로가 통하여 있었다. 그들은 자갈목의 동네 불빛들이 보이는 곳에 이르자 한결 추위가 가신 듯하였다. 마을로 웅기중기 들어가려니 어둠속에서 갑자기 장정 네댓이 내달아 길을 막으며 호통을 쳤다.

"웬놈들이냐?"

"예…… 저……"

"예라니, 거 남짓말놈들 아니냐?"

손돌이 헛기침을 하고 나서 일행의 앞으로 나섰다. 마을 사람들은 모두 손에 손에 몽둥이나 농기구들을 들고 있었으며, 아까부터 누구인가를 지키고 기다린 모양이었다.

"우리는 송도서 해주로 가는 길이외다. 일행 중에 환자가 생겨서 하룻밤 묵어 갈까 하고 입촌하던 길입지요."

그들은 손돌네 일행을 자세히 살펴보더니 저희끼리,

"아닌데 그래. 그놈들이 큰길루 버젓이 올 리는 없잖은가."

"글쎄…… 옳아, 재인패들이구먼."

"재인패들야?"

수군거리더니 한 사내가 치켜들었던 몽둥이를 내리고 나서며 하겟말을 고쳐서 물었다.

"재인패들 같은데…… 누가 행수시우?"

"내올시다."

손돌이 대답했다.

"이 마을에 어디 연고 닿는 데라두 있수?"

손돌 대신에 어름꾼이 나섰다.

"있다마다요, 이 동리 선다님께서 풍류를 즐기셔서 저희가 해마다 찾아와 놀아드렸습니다."

"선달? 큰나리, 작은나으리?"

"저어……"

반가워서 나섰던 어름꾼은 머뭇거렸고, 동네 장정이 말했다.

"아마 감나뭇집 박선다님인 모양인데…… 그 어른 작년에 작고하셨소. 그리구 시방은 우리 동리에 우환이 있어놔서 외객은 받질 못하오."

"그 댁에 가면 곧 숙박을 허락할 겁니다. 제가 작은서방님과두 안면이 있습니다."

장충도 야속하여 조금 노기를 띠어서 말하였다.

"에이, 여보슈! 설혹 생판 모르는 동리에 왔다 해도 이런 법이 없고, 우환이 있다면 필시 이 고장에서 있은 일이니 우리와는 관계가 없는 일인데…… 더구나 친면이 있는 집을 찾겠다는데두 부득부득 축객하려 든단 말이오. 이 추위에 사람이 죽어가는데 촌 인심이 그럴 수가 있소?"

"그럴 만한 사연이 있수. 여기 그 댁 하인이 있으니 직접 물어보시구랴."

어둠속에서 한 사내가 나서는데 어름꾼이 자세히 살피고 나서 반색을 하였다.

"인제 살겠네. 날세, 나…… 서방님두 안녕하시구……"

"글쎄 모른달 수야 없지만서두…… 지금 그럴 형편이 아닐세. 작년 여름에 이 일대에 염병이 크게 돌아서 우리게에 온통 떼과부가 났지. 우리 댁서두 큰선다님 작은선다님 모두 돌아가셨네. 헌데 이 동네보담 지체두 낮구 비천하게 사는 남짓말놈들이 동네를 깔보구 과수 겁간을 들어오지 않았겠나. 어젯밤에는 작은아씨가 아예 홑이불에 싸여서 오 리쯤 갔다가 장정들이 뺏어왔지. 그런 일루 모두들 외방객을 꺼린다네."

광대 패거리들은 모두 낙망하여 어두운 하늘만을 바라보고 섰는데, 한 사람이 보기가 딱했는지 동네 어귀에 있는 물방앗간이라도 괜찮다면 안내를 해주겠다는 것이었다. 급한 김에 남의 측간이건 안방이건 가릴 틈이 없어, 우선 이 진눈깨비와 바람을 피해야 하였다. 그들은 마을 사람들을 따라서 방아실이 있는 개천의 상류로 올라갔다. 물받이 바퀴는 시내를 떠나 빼어져 있었고, 어둠속에 물 흐르는 소리만이 들려왔다. 방아실 문을 열어주며 마을 사람이 말했다.

"저기 쌓인 짚하구 나무루 불을 때시우. 그대신 집을 뜯거나 불을 내면 큰코 다치리다."

"고맙수."

우선 진눈깨비를 피하니 천만다행이었다. 헐어내린 흙벽의 수수깡 사이로 찬바람이 몰아쳐 들어왔으나, 여러 사람이 들어서니 헛간 안은 갑자기 훈훈해진 듯하였고, 그런대로 밤을 지샐 만은 해 보였다. 바람이 들이칠 적마다 문과 기둥의 아귀가 잇길러 삐걱대는 을씨년스러운 소리가 들렸다. 나가려던 마을 사람이 그래도 안된 생각이 들었는지 돌아서서 물었다.

"어디 길양식들은 있으슈?"

"예, 있긴 있소만…… 식기가 모자라니 좀 빌려주셨으면 고맙겠수."

"내 가서 상의를 해가지고 요깃거리라두 좀 가져오리다."

"그렇다면…… 정말 고맙겠수."

그들은 잠시 볏짚 위에 늘어져서 물소리와 바람소리를 듣고 있었다. 누군가가 중얼거렸다.

"제미랄 놈의 동네 같으니…… 온갖 잡귀 역귀 제신 장군들이 몽땅 몰려와서 폐촌 될 동네 같으니라고, 이런 괄시 또 처음일세."

"이 사람아, 광대는 축객을 당해두 춤을 춰야 하는 법이여. 그리 악담하는 게 아닐세."

"에이, 모르겠수. 어서 죽어 청계씨나 되어갖구설랑 젯밥이나 얻어먹으러 다니구 싶수."

이렇게 자탄이 오고갈 때, 장충은 혼절한 여자의 손발을 열심히 비벼주었고, 손돌은 짚을 밀어내고 마른 땅 위에 불을 살구었다. 포근한 불빛이 땅바닥에 깔리면서 매캐한 연기가 가득 찼다.

여인이 정신이 들었는지 다시 신음소리를 내면서 머리를 약간 움직였다. 장충은 반가워서 여자의 어깨를 잡아흔들었다.

"정신 차리슈, 정신 차려요!"

한참이나 반응이 없던 여인이 몸을 뒤채면서 가냘프게 중얼거렸다.

"수고스럽지만…… 자리를 좀 만들어주시겠어요? 심상치 않은 게, 아이를 낳을 거…… 같아요."

장충은 당황해서 벌떡 일어나 동료들을 벽이 허물어진 쪽으로 모두 내쳐 몰고, 아늑한 구석에 짚덤불을 끌어모았다. 손돌이 혀를 찼다.

"큰일 났군, 겪어봤어야지……"

여인은 진통을 참느라고 이를 악물었고, 구슬땀이 이마와 콧등에 송송 배어나와 있었다. 손돌이 어찌할 바를 몰라 여인의 머리맡에서 서성대는 장충에게 말하였다.

"동네 사람이 올 텐데 해산 도울 노파나 청해보게나."

"그랬으면 오죽이나 좋겠수. 허지만 소문이 나면 해주에 이르기도 전에 잡힐 게요."

"어쩌려나?"

"내 한번 받아보지요. 어찌한다구 들은 적은 있으니까…… 사람 낳는 일인데 사람이 못 할라구요."

"우리가 도울 일이라도 있나?"

"물이나 좀 데워주오."

마을 사람 몇이 오지 함지에다 국밥을 넣어서 가져왔다. 그들도 아무리 광대패라지만 안면 있는 사람들을 마을에 들이지 않고 방앗간에 재우는 게 못내 마음에 걸리는 모양이었다.

"이거 참 송구스레 되었소. 마을에 근심이 있는 탓이니 어서 요기들이나 허슈."

"저 아픈 분은 무슨 병이우?"

그들은 구석에 쪼그려 누운 몸집 작은 사내를 가리켰다. 손돌이 대수롭지 않게 여인을 돌아보고 나서 말했다.

"나루에서 찬 떡을 먹고 관격이 들린 모양이니 곧 나을 거외다."

"우리 마을 훈장님께서 약을 다소 준비해 계신데, 체할 때 먹는 평위산(平胃散) 한 첩 달여 보내드릴까……"

"염려 마슈. 이제 우리는 곧 잘 테요."

"그럼 편히들 쉬시오. 낼 아침에는 선다님 댁에서 조반 대접을 잘 해주실 거요. 밝아서는 객을 들여도 괜찮다니……"

마을 일꾼들이 돌아갔다. 손돌네 패는 늦저녁을 들었고, 여인에게도 국밥을 권했으나 도리질을 하며 들지 않을 뜻을 보였다. 여인은 자기의 저고리소매 끝을 잘근잘근 씹으며 밖으로 터지려는 신음을 삼키는 것 같았다.

"좀…… 도와……주셔요."

여인이 나약하게 꺼져가는 목소리로 말했다. 장충은 우물쭈물하는데 손돌이 두 사람을 불러 장삼을 붙들고 돌아서 있게 하였다. 가리운 옷 안에 장충과 여인만이 남게 되자, 여인은 그의 옷자락을 꼭 잡았다. 충은 두렵고 당황하여 연신 침만 넘기고 있었다.

손돌은 입속으로 중얼중얼 삼신기도를 드리며 앉았고, 다른 자들은 비워진 오지 함지에다 물을 그득히 부어 데웠다. 총각 광대는 기도를 하여도 남들이 다 듣도록 타령조로 느적지근하게 주워넘겼다.

"어진 삼신할머니, 앉아서 구만리 장천을 넘겨보시고, 서서 천하에 굼벵이까지 굽어보시는 삼신할머니, 태워주신 아기 기왕지사 떨굴 양이면 궁둥이 허리뼈를 널푼하게 열어주고, 허벅지 두덩살도 찌이꺽 열어주고, 캄캄칠흑 음지를 휘황 광명 양지로 열어주어, 그저 지에미 욕보이지 마시고, 가뭄에 비 오듯이, 논에 물을 내듯, 장마에 해 나오듯, 배 꼭지 떨어지듯, 사흘 변비에 곱똥이 물똥 되듯, 그저 쫙쫙 쑥쑥 떨어지게 해줍소사."

여인의 다급한 비명이 들리더니 조용해졌는데, 옷자락을 들고 돌아섰던 자들이 고개를 돌려 들여다보고 나서 한숨을 내쉬며 끄덕였다. 조바심을 치고 있던 손돌이 놓칠세라 그들을 다그쳤다.

"어떻게…… 낳았나?"

"쉬이…… 지금 충이가 이빨로……"

그자는 태를 끊어내는 시늉으로 이빨을 드러내고 턱을 옆으로 젓혔다.

"끊었어? 거 피는 훑어내고, 입속에 들은 건 내뱉으면 안 되네. 꿀꺽 삼켜야지."

"꿀꺽 삼키라네."

"삼켜야 애 명이 길지."

볼기 치는 소리가 들리고 나서 아이가 힘차게 울었다. 저고리가 피와 땀으로 범벅이 되어버린 장충이 자기 개가죽 배자에 핏덩이를 싸안아가지고 일어났다. 손돌은 무릎걸음으로 주춤하며 물었다.

"뭐야…… 뭐?"

"헤, 고추요. 그놈 울음소리 한번 요란하다."

"누가 듣겠네."

"어디…… 정말 아들인가…… 나두 보자."

불안에 짓눌려 있던 광대들이 장충의 두 팔 좌우로 몰려들어 히히거리기도 하고, 어르고 만져보려고 손가락을 내미는 자도 있었다.

"부정 탄다! 저리 못 비켜?"

"아따, 누가 잡아먹는대. 조것 보게, 발톱두 있네."

"어이구우! 거 뉘 자식인지 연장 하나는 잘생겼다."

"이놈아, 축수를 해줘도 첫마디에 연장 소리가 뭣 하는 수작이여. 네 따위 사당 오입쟁이가 될까봐?"

"그저 사내는 밥 잘 먹고 연장 세야 하느니라."

"살결이 거무틱틱하고 입이 크니, 그 녀석 걸씩한 수광대 삼이로구나."

"아니야, 털이 많고 뼈다구가 억세어서 바구리를 잘하든지 씨름을 잘하든지, 좌우지간에 왈짜가 되겠는데."

"떠들지 말어, 이 자식들아."

"낄낄낄, 아따, 불알 찬 산파 주제에 뻭시기는…… 젠장할."

"이놈아, 니 애비두 받아낸 사람이여. 네놈 대갈통이 함지박만 해서 뽑는 데만 석 달 열흘이 걸렸다, 낄낄낄."

"다 전생에 연분이 있는 게라니."

"하긴 그런데…… 내 요전에 느이 고조어른을 만났지. 몰라보겠데."

"흰소리 작작 해라."

"도수장에 매여서 꽥꽥 소리를 질러대는데 암만해두 낯이 익더란 말이야. 고놈이 천상 장충이 상판이여."

"낄낄 낄낄."

이렇게들 희희낙락하는 중에 손돌이 장충의 땀에 젖은 이마와 귀밑을 닦아주며 자꾸 벙글거렸다.

"정말 욕봤네, 욕봤어. 충이는 의인이여."

광대들의 소박한 인정과 태어난 아기의 맑은 울음으로 뭉쳐진 훈훈한 기쁨이, 삭막하고 을씨년스럽던 방앗간 안에 가득히 번졌다.

가리웠던 옷자락은 여인의 아랫도리에 덮여졌는데, 하혈이 심한지 밖에까지 붉게 배어나왔다. 여인은 눈을 감고 입을 벌린 채 헐떡이고 있었다. 손돌이 아이를 받아 안고 함지의 물을 손바닥으로 떠서 조심스레 씻겼다. 장충은 멀건 국밥을 들고 여인의 머리맡에 앉았으나, 그 여자는 얇아 보이는 눈꺼풀을 내리깐 채 거친 숨소리를 내고 있었다. 여인의 이마에 손을 대어보니 냉기가 있는데, 산후별증이 심상치 않아 보였다.

"국물이라두 좀 넣어주리까?"

장충의 말에 여인이 눈을 가느다랗게 열었다. 입술이 하얗고 눈에 총기가 없었다. 여인은 실눈을 떠서 장충을 올려다보고는 두려운 듯이 제 어깨 아래를 살폈다. 장충이 물었다.

"애기 말이우?"

여자가 그렇다고 눈을 내리깔아 보였다. 장충은 손짓하며 웃었다.

"저기…… 아들이오, 아들!"

여자가 떨리는 손을 가슴 위에서 치켜드는데, 장충이 손을 가져가니 움켜쥐며 바르르 떨었다. 그러곤 옆으로 고개를 돌리는데 눈두덩에 솟은 눈물이 뺨을 타고 주르르 흘러내렸다. 두런거리던 광대들도 조용해지고, 손돌이 배자에 싸인 아기를 안아다 여자의 옆에 뉘어주었다. 여인은 아기의 착 달라붙은 머리털 몇 오라기를 손가락 끝에 쥐어보았다. 여자는 한참이나 눈을 내리깔고 있었는데 표정에는 변화가 없고, 다만 눈물이 눈꼬리를 지나 귀밑머리를 적셨다.

새벽녘에 여인은 좀 나아졌는지 고개를 움직이기도 하고, 총기가 살아난 눈빛으로 아이를 보기도 하더니, 입을 움직여 무엇인가 말하려고 애를 썼다. 장충이 오물거리는 여인의 입가에 머리를 숙였다.

"그런 맘 아예 먹지 마슈. 살아야지…… 저렇게 잘난 아들을 낳고 왜 죽는단 말유. 내가 해주까지는 무슨 일이 있더라도 데려다줄 테요. 뭐라구? 애 아버질 못 찾으면…… 우리 같은 걸립 패거리가 온전히 기르기나 하겠수. 댁네나 마찬가지 신세인데. 자, 자…… 이 국이나 좀 들고 기운을 내슈. 글쎄 알구 있다니까. 해주 수양산……"

여자가 걸그렁대는 갈라진 목소리로 겨우 몇마디를 던졌다.

"마…… 망해사…… 역노…… 신계 사람……"

여자의 손이 툭 떨어지고 검은 눈동자가 고정되었다. 마치 가까스로 이어왔던 생명력이 아이를 무사히 출산하고 나자 심지가 닳아버린 등잔의 마지막 불티처럼 사그라진 것만 같았다. 장충은 장삼자락을 펴서 여자의 안면을 덮었고, 손돌이 죽은 여자에게서 아기를 안아 불 곁으로 데려갔다. 아기는 장충의 개가죽 배자에 싸인 채 아무것도 모르고 잠들어 있었다. 허탈하게 여인의 곁에 앉아 있던 장충이 중얼거렸다.

"참으로 인연이 모질기두 허우."

"그러게 말일세. 삼십삼천 도솔천왕께서 이 적막 천지에 하필이면 우리에게 살덩이를 던져주셨으니……"

"나두 아마 이렇게 태어났을 거요."

"아비 되는 사람을 못 찾게 되면 어쩔 텐가?"

"우리 광대산 재인말루 데려다 기르지요."

장충은 어쩐지 자기의 출생에 관하여 생각이 났고, 지나온 세월이 서러워지는 것이었다. 그는 제 부친이 누구인지 어디 살았는지 전혀 몰랐고, 어머니조차 장충의 아버지가 딱히 누구인지 모르는 것 같았다. 그럴 수밖에 없는 것이, 장충의 어머니는 색줏집 갈보보다도 더럽고 천하다는 여사당이었던 것이다. 남의 머슴이나 장돌뱅이나 고작해야 관노 녀석들을 상대로 몇푼 안 되는 행하를 받고, 하룻밤 안겼다가 정처 없이 다른 고장으로 떠나는 신세였다.

어머니의 행하를 빨아먹으며 거사질을 했던 사내만도 대여섯이 갈렸으니, 그가 숱한 남자들 중 누구의 자식이었는지 모친이 모르는 게 당연한 일이었다. 당신의 동무 되는 사당패들이 둥그렇게 서서 치마폭으로 가리고 밭두렁에다 장충을 떨구었던 것이다. 장충의 어미는 길에서 낳은 갓난아기를 재인들께 맡겨놓고는 서너 달씩 각처를 헤매고 다니는 것이었다. 장충은 열 살 남짓까지 절의 보살 손에서 자라다가 광대산으로 옮겨가 무동 노릇을 하며 잔뼈가 굵었다.

장충은 자라나서 두 번 먼발치로 그의 어미를 보았고, 마지막에는 모가비(某甲) 되는 사내가 모친이 강원도 땅에서 노중 객사했다며 머리카락 한 줌을 쥐여주던 것이 어머니에 관한 기억의 전부였다.

장충은 그의 팔 안에 갓난애의 부드러운 약동이 전해오는 것을 느끼며, 이상스레 새로워지는 서러운 마음으로 이 새빨간 살덩이를 안고 있었다. 손돌이 불쑥 말했다.

"자네 내자두 좋아하겠군."

"데려다 기르면 십상이지만, 해주까지 백여 리 길에 거기서 문화까지가 같은 거리인데…… 차라리 자신 없으면 해주에 맡길라우."

"해주에 우리 연고라야 기방이 고작 아닌가?"

"그애들 중에 양자 넣어줄 사람이 있을 겁니다. 관기로 나가 있다가 부잣집 권문가에 첩으로 들어앉은 퇴기들이 많지 않습디까?"

"들일라구 할까아."

"첩으로 들어앉은 퇴기란 게 원래 자손이 바르게 마련이죠. 아무리 서자란들 대갓집 애첩의 양자나 되어보우. 우리네하군 아예 팔자가 갈리는 게유."

"아무튼, 제 애비를 찾아야 하네. 핏줄이란 무서운 게야."

"딴은 그렇소. 해주까지 가서 결정을 내리지요. 길이 멀어서 큰일이군."

"이렇게 태어난 꼴루 미루어, 쉽게 죽을 놈은 아닌갑네. 가며 가며 인가가 나올 적마다 동냥젖이라두 돌려가며 얻어먹이세."

먼 데서 닭 우는 소리가 잇달아서 들려왔고, 개 짖는 소리도 들렸다. 그들은 비로소 사람 눈에 띄지 않게 빨리 이 마을에서 떠나야 함을 깨달았다. 손돌이 말했다.

"마을 사람들이 깨기 전에 어서 가야겠네."

"그러지, 빨리 행장을 꾸리세."

장삼으로 덮어놓은 여인의 시체를 잠시 내려다보던 장충이 혼잣말로,

"데려다가 양지바른 곳에 묻어줘야지."

하자, 손돌은 난색을 지었다.

"가엾은 인생일세. 그래야 뒤탈이 없겠지만, 어디 우리에게 연장이 있어야지."

"산야에 아직 잔설이 녹지 않았을걸."

장충이 침통하게 중얼거렸다.

"어느 겨를에 땅 파고 흙 덮고 하겠수. 우리 식대루 묻으면 되지."

광대패는 그들의 동료가 길을 가다가 죽으면 길에다 얕게 파묻고 잔돌멩이들을 그러모아 덮어주는 것이 상례였다. 지나는 행인들은 이 무덤을 알아보고 가엾은 광대의 넋을 위로할 겸, 행로에 재앙도 물리칠 겸 하여 저마다 돌멩이를 던져주고 가는데, 얼마 안 가서 길가에는 자연스럽게 돌무더기의 탑이 생겨나는 것이었다. 광대가 죽은 자리에는 창부라는 익살맞고 심술궂은 도깨비가 지랄병을 물려줄 상대를 기다리고 있는 법이었다. 길이란 광대들이 태어나는 곳이자 살아가는 동안의 대부분을 보내는 곳이며, 죽는 곳이며, 묻히는 곳이었다.

손돌과 장충의 수작을 곁에서 듣던 어름사니가 제안을 하였다.

"죽은 사람 장사 지내는 것보담두, 산 애기 먹여살릴 궁리를 해둬야지. 돌림으로 젖 얻어먹이는 일이 쉽진 않을 게유. 잠깐만 지체해서 우리 길양식으로 지닌 귀리를 내어 미숫가루라두 준비해둡시다."

"그러세, 추렴젖을 못 얻어먹이면 꼼짝없이 꽃귀신(花鬼) 만들리."

그들은 하늘이 부옇게 되었을 때에야 자갈목마을을 벗어날 수 있었다. 아기는 손돌이 찬바람을 쐬지 않도록 품안 깊숙이 감싸안았고, 장충은 지게를 지고 갔다. 산 사람을 메고 왔던 지게 위에 이제는 거적으로 말아 묶은 시체를 메고 그들은 싸늘한 새벽길을 걸었다. 얇게 덮였던 진눈깨비가 얼어서 바스락대며 미투리 틈을 비집고 부서졌다.

연안읍을 돌아서 봉세산 줄기가 주지곶으로 내닫는 고개 마루턱에 그들은 여인의 시체를 묻었다. 아기는 털배자 안에서 죽은 듯이 자고 있었다. 시체 위에 피 묻은 장삼을 덮어주고 그 위에 거적 한 장을 둘둘 말아 묶은 다음에 얼어붙은 흙을 덮고 굵직한 돌멩이들을 얹었다. 마지막으로 표적 돌을 얹으면서 가객인 손돌이 나직하게 명복을 빌었다.

"허허! 가는구나, 훌쩍 떠나가는구나. 한도 많은 험한 세상, 몸은 두고 넋만 간다. 넋이야 넋이로다.

쉬어 가오, 쉬어 가오. 몬지 같은 이 세상을 하직하고 떠나갈 제, 일망대해에 스러지는 거품이며, 장강 천 리에 흘러가는 잎이로다.

설어라, 서러워라. 인생 일장춘몽인데 하룻밤을 울고 가는 두견새가 네로구나. 에헤, 넋이야 넋이로다."

키가 껑충한 소나무들이 이리 구불탕 저리 구불탕 총총한 숲을 이룬 봉고개 마루턱에 어느 한 많은 비녀(婢女)의 돌무덤이 이루어졌다. 그 여자의 보퉁이 속에 있는 것은 아마도 역노 보(步)의 신물인 듯, 삼베에 여러 겹으로 싼 은가락지 하나와 포목 몇필, 엽전 두 꿰미, 그리고 갈아입을 무명 저고리 치마가 한 벌이었다.

그들이 봉고개를 내려올 때 아기는 우연히도 그참에 깨어나서 맹렬하고 왕성하게 울며 보채는데, 마치 제 어미의 초라한 육신이 묻힌 곳을 떠나지 않으려는 듯하여 광대들의 정 많은 심금을 울려주었다.

안개가 골짜기마다 내려 퍼져서 떠오르는 햇살에 흩어지고 있었다. 손돌네 패는 해주를 바라보고 계속 걸었다. 아직 정월이라 장꾼들이 드문 노상은 한적하였다. 그들과 낯이 익은 마을에서는 놀다 가라고 권하기도 했지만, 손돌네는 지체하지 않고 발걸음을 재촉하였다. 그들은 샛다리에 이르러 부근 창고지기의 아낙에게서 동냥젖을 얻어먹였다. 아낙네가 말하기를,

"내 이렇게 젖 빠는 힘이 세차고 많이 먹는 아기는 처음 보았소."

했으니 아기가 건강하여 별탈이 없는 게 다행한 일이었다. 그날 밤이 되어서야 손돌 일행은 해주에 도착하여 용당포에서 묵었다. 장충은 패거리가 떠나기 전에 아기 일로 하여 아침 일찍 수양산에 올라갔다.

망해사는 산성의 후미진 골짜기에 자리 잡고 있었다. 과연 신계 사람 보를 예전부터 잘 안다는 노승이 있었는데, 그를 만난 지 수년이 지났고 아직 온 적이 없다는 것이었다. 혹시 추노가 급박해져서 관서 방향으로 계속 올라갔는지도 알 수 없었다. 노승은 장충에게서 보의 아내가 노중 객사하였다는 말을 듣자, 나무관세음보살 하고 나서 말하였다.

"아기를 노승에게 맡기십시오. 산 아래 신도의 집에 기탁하겠소이다."

"그럴 필요는 없습니다. 저두 집과 가정이 있는 몸이니 제가 데려갈까 합니다. 다만 아버지 되는 사람에게 이 애를 전할까 했지요."

장충은 막상 아이의 혈육이 없음을 알고는 도무지 남에게 내맡길 수가 없었다. 노승은 고개를 끄덕이며 합장을 하였다.

"뜻이 그렇다면 천만다행이오. 인정이 갸륵하여 부처님의 복을 받으리다."

"우리두 처음에는 아이 일이 난감하여 어디 소실댁의 양자로나 넣을까 했습니다. 걱정은 다른 것이 아니라, 저희도 천업으로 빌어먹는 터에 자라서도 저희 같은 천생이 되겠기에 말입니다."

"정이 두텁다면 누구 손에 자란들 어떻겠소. 더구나 그것은 부처님께서 점지한 인연이오."

"예, 하루 사이에 이 어린것과 뗄 수 없는 정이 들어버렸습니다."

"어디 사는 뉘시오?"

"문화 광대산 재인말에 사는 장충입니다."

"애 아비에게서 기별이 온다면 틀림없이 전해주리다."

장충은 길에서 맺은 이 기이한 인연을 소중하게 생각했고, 아마도 구월산의 산신께서 그들 부부의 소망을 가엾게 본 것이 아닌가 생각되었다. 딸 하나를 낳고는 여태 태기가 없는 장충의 처는 무녀(巫女)였다. 그러니 자연히 관계가 그리 잦지 못하였고 후사를 걱정하던 참이었다. 장충은 아내가 이해하도록 잘 타일러서 이 아이를 제 아들로 키울 생각을 해두었다.

구월산 줄기가 송화와 문화를 가로지르고 수렛고개에 이어진 산이 광대산(廣大山)이었다. 까막내를 건너 십여 리 들어가면 논은 없고 고작해야 화전이나 일굴 정도의 척박한 땅이 골짜기 사이에 틀어박혔는데, 빽빽한 송림 사이에 광대들이 모여 사는 삼십여 호 남짓의 마을이 몇군데 있었다. 부근 현의 사람들은 이곳을 재인말이라 불렀다. 손돌네 패거리는 대보름놀이로 비웠던 마을에 돌아오며 날라리를 불어 동네에 알렸다. 마을 사람들이 모두들 장승백이까지 마중 나와서 그들을 반기고 있었다. 그 마을에서 세 패거리가 나갔는데 손돌네는 가장 늦게 돌아왔던 것이다.

장충의 처는 이미 해주에서 재인들 편으로 전해진 풍문을 듣고 그간의 사연을 대충 알고 있었다. 장충의 처는 술 권할 사이도 없이 아이를 빼앗아 위아래로 어르면서 기뻐했다. 그들 부부는 낙산암(洛山庵)에 올라 산신각에 축수를 드린 뒤에 시주를 바치고 이름을 지었다. 성은 장충의 장(張)씨 성을 따르고, 산의 정기를 타서 믿음직하고 꿋꿋한 사내가 되라는 뜻으로 길할 길(吉), 메 산(山)이라 붙였다.

길산의 나이 칠팔 세 남짓에 장충은 수광대가 되었고, 자기 패거리를 이끌고 해서(海西)지방을 떠돌며 살았는데, 이때부터 길산은 무동(舞童)으로서 이미 뛰어난 광대의 자질을 보였다.

| 제1장 |

재인말

1

재인말 사람들은 연희가 없는 철에는 공동으로 경작하는 조밭이나 매며, 여가를 공장이 일로 보냈다. 그들이 주로 많이 만드는 것은 왕골이나 버드나무 가지로 만드는 반짇고리, 고리짝, 소쿠리, 키 같은 것들이었고, 베틀에 쓰는 바디라든가 참빗도 만들었다. 그들이 평상시에 유기(柳器) 수공품을 만들고, 또한 그것으로 부역을 삼게 된 것은 하도 까마득한 옛날이어서 그들 자신도 언제부터인지 알지 못했다. 다만 그들은 갈대나 버드나무가 자라난 천변과 강가를 따라서 머물곤 했던 것이다. 유기를 만드는 자들은 광대들뿐만 아니라 백정들도 마찬가지였는데, 그것은 그들 신분의 한 표시였다.

"길산아, 야 길산아!"

장충은 툇마루에 나서며 생솔 울타리 옆에 엇비슷이 대어 지은 헛간 쪽으로 고개를 뽑으면서 외쳤다. 얼마 전까지도 길산이 버드나무 가지를 다듬는 소리가 들려오더니 인기척이 없었다.

"아니, 이 녀석이 어딜 간 게야. 송화 무더리(水回)장을 봐얄 텐데…… 이러단 놓치겠군."

안방, 윗방 그리고 마당 한편에 따로 지은 마누라의 신당에서도 아뭇소리가 없었다. 물론 장충의 처야 일 년이 열두 달이면 반나마 나가 사는 사람이고 그 점은 장충의 경우도 마찬가지였다. 하지만 봉순이마저 보이질 않았다. 봉순이는 몇해 전에 그들의 딸을 까막내 사는 갖바치 박서방에게 여읜 뒤로 마누라가 신딸이랍시고 데려온 열일곱 살짜리 처녀였다. 장충은 그동안 만들어온 바디와 참빗을 망태에 그득히 담았다. 물주에 일정량을 납품한 나머지는 저자에 내다 파는 것이었다. 그는 다시 막연하게 집 밖을 향하여 외쳤다.

"야, 게 누구 없느냐?"

어디선가 대답한 소리가 들리는 듯하더니 울타리 삽짝문이 벙긋 열리면서 봉순이가 쫓아들어왔다.

"어디 갔었니?"

"텃밭에 나갔댔어요."

봉순이는 파와 고추를 소쿠리에 가득히 담아 갖고 있었다.

"네 엄마는 청송서 아직 안 왔니?"

"아직 올 때가 안 됐어요. 어쩌면 낼 오신댔는데."

"뭘 까짓 무꾸리루 밤을 새워…… 길산이 찾아오너라."

"오빠는 동무들 데리러 나간댔어요."

"장에 가야 할 텐데, 얘가 모르나……"

"동무들이랑 함께 장에 간대요."

"누구 말이냐?"

"아이 참, 누구겠어요. 갑송이 오빠하구 큰돌이 아저씨죠."

"거 비슷한 놈들끼리 어울리는 게 무슨 사단이 있는 모양이로군."

봉순이는 배시시 웃고 나서 자랑조로 말하였다.

"오빠가요, 무더리 수철전 패들 버릇을 고쳐놓겠다구 그러던데요 뭐."

장충은 고개를 끄덕이며 무슨 생각이 들었는지 자기도 빙긋 웃었다.

"저희 세 놈이 무슨 수로 무더리 장터 패거리를 당할라구."
하며 일부러 코웃음을 치는 장충의 말에 봉순이는 시무룩해졌다.

"지난 장날에 큰돌 아저씨가 허리를 삐어 와서는 다음 장날엔 꼭 같이 가자구 신신당부를 했대요."

"악소(惡小) 패거리란 하다못해 아전 뒷배경이라두 있는 놈들인데, 타관두 아니구 제 고장에서 싸움질해봤자 권세 없는 놈들 손해란 걸 모르구……"

"길산 오빠가 그놈들 얼굴을 모르니까 데리러 갔지요 뭐…… 당을 지어 대적하자구 갔나요. 모두들 그런대나요."

"뭐라구……"

"황주, 봉산, 문화 장터의 무뢰배들은 길산 오빠 이름만 들어두 꽁무니를 뺀다구요."

"그따위 권술(拳術)이나 조금 익혔다구 조무래기들 두드려서 뭣해. 이제부터 바빠질 텐데 연희나 맞추어볼 게지. 아, 그러다 관가에 끌려가서 옥살이라두 해보란 말이야."

"장정들이 재인말은 몰라두 길산 오빠는 안대요."

"허허, 녀석두 참!"

고갯짓을 하면서 자랑스레 얘기한 봉순이는 점심으로 개떡을 찌러 부엌으로 들어갔다. 장충은 남초를 쌈지에서 내어 곰방대에 담고 한 모금씩 천천히 빨면서 툇마루에 앉아 있었다. 그는 일부러 봉순이 앞에서 길산의 얘기를 떨떠름하게 받는 척하였으나, 기실 내심으로는 길산을 든든하게 여기고 있었다. 어디엘 가나 제 고장이 따로 없이 양식을 구걸해온 그들로서는 심지어 어린아이에게서까지 철저하게 천인(賤人) 대접을 받게 마련이었다. 밥술이라도 얻어먹으려면 유들유들하고 교활한 들개 같은 사나움이 있어야만 했던 것이다.

"명년에는 장가를 들여야 할 텐데……"

갓 오십줄에 들어선 장충의 귀밑머리는 제법 흰 오라기가 생겨났고, 예전의 팽팽하고 울퉁불퉁하던 근육들은 모양뿐이지 근기가 빠져서 느슨해져 있었다. 요즘 젊은 광대들은 재인말에 싫증을 느껴 거사질이랍시고 사당패에 끼여들기도 하고, 저자의 괴뢰배가 되어 삼남으로나 북관으로 떠나 돌아오지 않는 자가 많았다. 하긴 장충도 젊을 적에 구월산 기슭을 떠나 송도 굿중패에 끼여들었던 적이 있었고 덕물산에서 소무(小巫)질을 하던 지금의 처를 만났던 것이다. 처는 은근히 장충이 굿거리의 잽이 노릇이나 하며 걸립 행각을 그만두어주기를 바라는 눈치건만, 신명 많고 아직 그럴 나이가 아니라고 느끼는 장충은 자연히 봄 가을이 되면 좀이 쑤셔서 견딜 수가 없었다. 더구나 장성한 길산이가 탈판이나 재담의 상대역이 될 때는 든든하고 자랑스러웠다.

장충은 길산을 데려오던 해에 울타리 곁에 회초리처럼 가느다란 버드나무 한 쌍을 심었는데, 시방은 굵기가 두 뼘은 되고 늘어진 가지가 대문 위를 덮을 만큼 크게 자라난 것이다. 그는 곰방대를 뒤집어 툇마루 턱에다 탕탕 두드려 털고 나서 방 안으로 들어서며 봉순이에게 말하였다.

"내 것은 챙기지 말아라."

"장에…… 안 가시게요?"

"오늘은 집에서 탈박이나 새로 만들고, 북도 낡았으니 손 좀 봐둬야겠다. 곧 길 떠날 때가 될 텐데."

"오빠가 일낼까봐 그러셔요?"

"아니다, 세 녀석이 작당을 해서 가는데, 내가 끼이면 녀석들이 재미없어할 게야."

장충은 선반에서 고리짝을 내려놓고, 묵은 탈박이며 나무 파는 장도들을 내어 숫돌에 물을 치고 날을 갈았다. 그는 오랜만에 장터에 나가려 했으나 마음이 변했던 것이다. 혹시 길산이가 아비를 짐스러워하여 장터에서 행동하기가 불편할까 염려한 때문이었다. 광대가 장터나 도회에서 본바닥놈들에게 괄시받고 꿀리기 시작하면 패거리의 연희에도 지장이 많을뿐더러 재인들 사이에서도 행세할 수가 없게 되는 법이었다. 광대는 오랜 세월 동안 유지해온 가족 같은 단결이 필요할 뿐 아니라 그들끼리만 통하는 은밀한 법이 있게 마련이었다. 이러한 패거리를 단단히 결속시키기 위해서는 춤과 노래에 잡재주뿐만 아니라 주먹질에도 능해야만 하였다.

절에 승병이 있어 외적과 화적에 스스로 방어를 하듯, 저희끼리 작당하여 다니는 보부상이나 광대패들도 간단한 권술이며 칼질을 익히게 마련이었다. 장충은 젊었을 적에 거사질을 하던 시절, 절의 노스님에게서 태껸과 단검쓰기를 배웠다. 그가 배운 대로 길산에게 땅재주나 탈춤을 가르치는 틈틈이 그것을 배우도록 하였는데, 워낙 재간이 몸에 배어서인지 대번에 익히고 말았던 것이다. 길산은 타고난 몸짓으로 삽시에 그 형(形)을 모두 익혔고, 언젠가 어느 마을에서 양민 아이들에게 흠씬 맞은 뒤로 더욱 열심히 단련한 듯하였다. 큰 잿말에 머물게 되는 여름과 겨울마다 산기슭에 모랫더미며 말뚝을 세워놓고 남몰래 단련을 몹시 하는 눈치였다. 길산은 매처럼 날래었고, 차돌같이 단단한 장정이 되었던 것이다.

장충이 묵은 탈의 먼지를 털고 모양을 견주어보고 있는데, 밖에서 두런두런하는 소리가 들리더니 삽짝이 열렸다.

"아버지, 송화 장날인데 잊으셨어요?"

목소리가 걸걸하고 어깨는 탄탄하며 중키에 날렵한 몸매의 총각이 쾌활하게 들어섰다. 장충은 그냥 코대답으로,

"알구 있다."

하면서 일손을 멈추지 않는데, 길산은 문가에 와서 들여다보았다.

"그럼 뭘 하세요. 장에 내갈 물건들은 다 챙겨놨는데요."

길산은 땋은 머리를 질끈 동인 무명 두건으로 감쌌는데, 볼때기에 구레나룻이 시커멓고 하관이 쪽 빨랐다. 살결은 가무잡잡하고 콧날이 고집스레 섰으며, 눈이 크고 부리부리한 것이 여간내기로는 보이질 않았다. 얼핏 보아서는 뻐대가 억센 머슴 같지만 역시 뚜릿거리는 눈빛에 총기가 있어 뵈고 동작이 가벼워 보여서 젊은 창우(倡優)의 모습을 감출 수가 없었다.

"누구하고 같이 왔니?"

장충은 탈을 만지작거리며 삽짝 밖을 살폈다. 길산은 머뭇거리더니,

"저어…… 밖에 큰돌 언니하고 갑송이가 기다리고 있습니다."

"개들두 무더리에 같이 가냐?"

"예…… 저…… 이번 장은 저 혼자 보구 올까요?"

"흠, 너희끼리 가서 재미를 보겠단 말이구나."

장충의 말에 길산은 뒤통수를 긁적이는데 길산과 차림새가 비슷하고 덩치는 훨씬 우람한 총각과, 꼭대기 뾰족한 말뚝 벙거지에 동저고리 바람인 사내가 뒤따라 들어섰다. 앞선 총각이 갑송이인데 툇마루를 향하여 턱을 치켜든 채로 상체를 굽신하였다.

"안녕합쇼."

이어서 들어선 큰돌이란 광대도 수인사를 건네고서 격의 없이 툇마루에 와서 엉거주춤 주저앉았다.

"아저씬 장에 안 갈 테요?"

장충은 큰돌이를 흘끔 보면서 혀를 찼다.

"이런 지지리 못나긴…… 호환당한 놈이 애꿎은 고양이 밥그릇 찬다고, 어디 가서 맞구 다니다가 애들은 왜 끌어모아?"

"말씀 마슈, 내 까딱했으면 다시는 마누라 재미두 못 보고 칠성판 짊어질 뻔했수."

"촌구석에서 경을 칠 바엔 아예 문화 광대란 말 내지두 말어. 송도나 한양 가면 내로라 하는 건달들이 저자에 깔렸으니까."

큰돌이는 답답하다는 듯이 뒤에 섰는 두 총각을 돌아보고 나서 열을 올려 말하였다.

"나두 장정 두엇쯤은 어깨넘이루 내치는 놈이우. 송화 본바닥놈들이 아닙디다. 해주 바닥 무뢰배들이래요. 요새 구월산 서쪽의 장연, 풍천, 은율 장을 모조리 쓸구 다닌답디다."

"그렇다면 황주 여각놈들이나 봉산 만동이 형제들이 아니구먼."

큰돌이가 열을 내서 말하였다.

"얘기를 하자면 길지요. 하여튼 뭇놈들이 나를 들어 헹가래를 쳐서는 개구리새끼 팽개치듯 개굴창에다 콱, 했단 말이어요. 내 오늘 장에 나가면 그놈들을 그냥 두지 않을랍니다."

길산이 물건 든 망태기를 걸머지며 말하였다.

"아버지, 다녀올게요. 남초나 한 근 사다 드릴까요?"

"피우다 남은 게 있다. 그보다는 시끄러운 일 내지 말구…… 알아서 처신해라. 재인이란 남의 손가락질 받기가 쉬운 게야."

길산이는 봉순이에게도 싱글거리면서 물었다.

"너는 뭐 사다 주랴?"

"응! 갑사 댕기, 아니면 호박엿!"

봉순이는 길산이가 자기에게까지 물어준 것이 반가워서 냉큼 대답하고는 얼굴이 붉어졌고, 곧장 부엌으로 달아났다. 갑송이가 놓치지 않고 부엌 쪽으로 고개를 들이밀며 놀려대었다.

"댕기라면 이뻐지구 싶어서 그렇다지만, 머리통이 떡메자루만 한 것이 엿은 또 뭐냐?"

"누가 갑송 오빠더러 사달랬나."

"내가 댕기 사다 주랴?"

"싫어요, 우리 오빠가 사다 준댔어."

"댕기 달구 님 보러 가렴."

"점점…… 누가 뭐, 님 본댔나?"

"시끄럽다, 갑송아, 가자."

길산이는 봉순이를 지분거리는 갑송이에게 지그시 누르는 조로 말했고, 장충도 부엌에다 대고 중얼거렸다.

"원, 말만 한 년이……"

큰돌이가 새삼 분이 나는지 안색이 굳어져서 일어났다.

"다녀오겠습니다. 내 지난 장날에 공친 것은 오늘 곱배기루 받아내어 약주 한잔 받아오지요."

"자넨 그 큰소리 좀 치지 말게. 이번엔 또 어디가 부러져서 오는가 내 두고 보겠네."

"아예 그럴 바엔 낭심을 뽑아서 무더리 바닥에다 태질을 치구 죽겠수."

끝으로 따라나가던 갑송이가 입을 히쭉 찢고 나서 봉순이에게 한마디 던졌다.

"큰돌 아씨 낭심 뽑아 던지면, 낼름 주워다가 너를 줄 테니 회 쳐 먹어라이잉."

갑송이는 헤헤대며 이미 삽짝을 빠져나갔고 봉순이 혼자 발을 동동 굴렀다.

"난 몰라 몰라…… 저런 숭칙한 게……"

세 사람은 등짐과 망태를 지고 큰잿말을 나섰다. 큰잿말은 광대산 줄기가 치솟은 골짜기 아래 자리 잡았는데, 사방이 작은 구릉과 산줄기로 둘러싸였고, 그 사이로 비좁은 밭뙈기가 있었는데 양옆은 짙은 송림이었다. 고개를 넘으면 온정말이 나오고 이어서 까막내를 따라 청송까지의 시오 리 길이 온통 갈대로 뒤덮여 있었다. 고개를 넘고 까막내에 이르니 짐을 지거나 머리에 인 사내와 아낙네들이 보였다. 갈대가 안개처럼 자욱이 뒤덮여 있었다. 햇밤 망태를 짊어진 사람, 또는 콩이거나 팥을 짊어지거나 쇠등에 나락을 실은 사람, 닭 두어 마리를 꿰어들고 마누라가 달포를 걸려 짜낸 무명을 짊어진 사람들이 골짜기에서 밭두렁 너머로 들판을 지나 하얀 점을 이루어 두어 점, 서너 점씩 모여들고 있었다. 어서 가자고 소리치기도 하고 지난 장의 시세가 어땠느냐고 묻기도 하면서, 계절이 달라 오래 만나지 못했던 두레 농부가 오랜만에 서로 가족의 안부나 그 동네 친척의 근황을 듣기도 하였다. 함지나 버들 바구니에 물건을 인 아낙네들은 유난히 불거진 앙가슴을 내밀어 한 손은 머리 위의 짐을 잡고 다른 한 손은 재빨리 휘저으며 걷는데, 부푼 무명 치맛자락 중에도 궁둥이 부분이 뛰는 암탉의 꽁지처럼 뒤뚱거렸다. 아이들마저 곁에 따라붙어 제 어미의 짐을 덜 양으로 한 보따리씩 연약한 등에 짊어졌건만, 장 구경 나가는 게 즐거운지 연신 주위를 돌아보며 아무에게나 씩 웃곤 하는 것이었다. 업힌 아이는 축 처져서 엄마의 허리 아래 간신히 매달린 채 흔들거리면서 잠을 잤다. 길산이들 세 사람도 까막내를 지나면서 작은잿말 사람들을 만났다. 앞선 자가 먼저 큰돌이에게 말을 건넸다.

"지난 장날에 무더리에서 싸움질했다며?"

"수가 많으니 당할 재간이 있나. 독불장군 따루 없데."

"수는 무슨 놈의 수야, 예미랄 거⋯⋯ 장거리에서 얻어맞을려면 광대 밥술 놓아야지."

"큰소리치지 말어, 이 자식아. 남은 분이 나는데⋯⋯ 다리 몽갱이를 분질러버릴까 부다."

길산이가 웃으면서 물었다.

"우리 매부는 오늘 안 나왔나?"

"응, 참 박서방은 메칠 전에 봉산 나갔어. 자네 누이는 뭐 모친이 굿 벌인다며 청송 올라가데."

"그나저나 오늘 장바닥이 좀 흐드러질라나. 요샌 무더리장두 한물 갔데."

"은율, 풍천으루 경기가 옮아가는 모양이지. 이젠 신천장으루 봐야겠어."

"헌데 총대어른은 요즘 어떤가?"

"손돌 영감 말여?"

"그래, 작은잿말루 물러앉으시곤 통 못 뵈었네."

“그 영감 요새 깨가 서 말이지. 까막내에 하루갈이 조밭이 있잖나. 올 여름부터 김매는 사람이 하나 더 늘었어.”

“그게 그 얘기로고만.”

“무슨 얘기……”

큰돌이가 알겠다는 듯이 껄껄 웃었다. 그는 길산의 어깨를 치며 말하였다.

“총각이 그런 건 자세히 알아봐 뭣 해. 손돌 영감이 샛밥을 먹는단 말여. 신천서 애송이 은근짜 기집 하나를 얻어왔다는 게야.”

“제길 난 또 무슨 얘기라구. 유종이 걸려서 다 죽게 되어 색주가에서 내다버린 아이를 데려다 활인해내었다는 얘기 아닌가. 총대어른이 그럴 분이 아니야.”

길산이는 다소 불쾌해져서 그들의 말을 막았다. 작은잿말 사람은 애매하게 덧붙였다.

“기집이 제법 해사하던데 그래. 한집에 살구 있으니, 장성한 아들두 없는 터에 그게 시아버지 며느리 사이두 아니잖겠나?”

“쓸데없는 소문들 내지 말어.”

그들이 청송골을 지나는데 몇몇 장꾼들이 마주 오는 게 보였다. 그런데 파장하여 돌아올 시각도 아니건만, 그들은 곡물자루나 미투리짝에 싸리비 등속을 그대로 지닌 채였다. 처음에 몇사람은 그냥 지나쳤는데, 드디어 갑송이가 앞에 오는 장꾼에게 물었다.

“벌써 파장이 되었수?”

곡물자루를 짊어지고 오던 사람이 장으로 향하고 있는 사람들을 보며 손을 홰홰 내저었다.

“장이나마나, 아예 가지두 마슈. 거긴 장시가 아니라 시방 난리터요.”

큰돌이가 일행들을 둘러보며 말했다.

"그것 보라니 그놈들 짓이라니까."

되돌아오는 사람들이 제각기 떠들었다.

"우리네야 뭐 알았나요. 아침나절부터 가서 자리들을 잡고 앉았는데, 갑자기 장터가 소란스러워지더란 말이지요. 으레껏 있는 주정꾼 녀석인가 보다 했지요. 조금 있더니 웬 험상궂은 장정 서넛이 나타나더니 가진 물건을 재가(在家)에 넘기라는 겁니다."

"재가……?"

"글쎄 말이오. 우리야 농사짓는 틈틈이루 장 보러 다니는 놈이, 물주를 알겠소 재가를 알겠소. 도회지 공장이꾼도 아니구요. 어안이 벙벙해서 재가란 게 어디냐구 그랬더니, 거 왜 사거리 앞에 우물집이라구 주막이 있지 않습디까. 거기 묵고 있는 모양이데요."

"그렇다니까……"

"아씬 가만있수. 그래서요……"

"내 물건 내가 파는데 뭐 이래라저래라 하느냐 했더니…… 안 그러면 장세를 내랍디다. 당신네가 뭔데 장세를 내오 하니까 나라법이라나요. 감영에서 하달이 내려와 동헌 앞에 방이 붙어 있답니다. 아마 짜구 있는 모양입디다."

"나는 재가라구 우물집에 수걱수걱 가봤지요. 곡물은 따루, 과물 따로 쌓아놨는데, 순전히 화적이나 다름없습디다. 팥 서너 되를 빼앗기다시피 넘기구 왔지요. 말감고 녀석이 됫박질을 하는데 손재주가 어찌나 매정스러운지 석 되박엔 안 되구 거기다 가격이 몇문이나 차이가 지더란 말이오. 그래서 안 팔겠다니까, 법으루 사사로이 못 판다며 차압을 한다구 으르딱딱이는데…… 이런 분한 노릇이 어디 있소. 여게야 송도나 해주 같은 도회지가 아닌 바에야 난장친 것두 아니구 읍내장에서 도적놈들이 판을 친단 말예요."

그중에서 빈손인 자 하나가 끼여 있다가 가만히 일러주듯 말했다.

"무더리루 들어가지 말구 약산골 서낭터루 가면 제값을 받을 수가 있습니다. 거기선 뭐든지 다 삽디다. 수레가 세 채에 마필도 여럿인데, 아마 송상 차인(差人)들인갑디다."

"이젠 거기두 글렀수. 무더리 각다귀패들이 거기 가서 싸움을 벌여서 사람들이 꽤 상했답디다. 그 서낭터 있던 이들두 만만치는 않았는지 무더리패가 둘이나 업혀갔답디다."

길산이가 묵묵히 장꾼들의 얘기를 듣더니 중얼거렸다.

"서낭터에 목을 잡구 있는 자들은 우리가 이를 얻을 축이고, 무더리에서 설치는 놈들은 그 반대렷다…… 아마 읍 장터로 다니며 아전들을 꾀어서 수지를 맞추는 놈들인 모양이오."

"아예 가지두 마슈. 대부분이 헐값에 팔아넘기거나 장세를 치렀는데, 우리처럼 뒷전에 섰다가 슬그머니 내뺀 장꾼들은 얼마 안 돼요."

"아유, 어쩌나!"

"이걸 팔아야 소금을 사는데……"

"이 먼 길에 헛걸음했네."

아낙네들은 말만 듣고도 벌써 길가에 주저앉아 풀을 뽑아 뿌리며 푸념들을 시작하고 있었다.

"어디 물건을 팔아보까."

길산이 앞서며 말했고 갑송이도 별렀다.

"제값을 안 주기만 해봐라."

순박한 아낙네들은 이미 낙망하여 반나절이나 넘게 짚어오던 길로 되돌아섰고, 나머지 사람들도 청송서 약산골로 갈라지는 길목에서 값을 후히 준다는 차인들이 벌인 장으로 찾아들 갔다. 큰돌이와 갑송이, 길산이 세 사람만이 희봉산 아랫녘 무더리의 왕모랫벌을 향해 내처 갔다. 아직 소식을 모르는 인근 사람들이 제법 많이 모여들고 있었다.

수회천(水回川)의 푸른 물이 맞은편 암벽 사이로 철철 넘쳐 흘러가고 있었다. 무더리〔水回〕 장터는 읍내에서 조금 떨어져 있긴 했으나, 신천 장연 풍천 은율의 사거리가 모인 지점이고 따라서 정기 장시가 섰으며 그런대로 주막거리가 번성했는데, 우물집, 대추나무집 등의 도회처럼 번듯한 주막집도 있었다. 말이 주막일 뿐 여각과 다름없어 지붕은 기와에 방이 여러 칸이었고 창고에다 마방까지 곁달린 주막들이었다.

사근다리께에 왔는데 사람들이 많이 몰려섰고 누군가 맞는지 어이구 데이구 하는 소리가 요란했다. 세 사람은 무더리로 들어서는 다리 앞에서 잠깐 멈추었다.

뚝심깨나 있을 성싶은 장정 네댓이서 다릿목을 지키고 있는데 한 녀석이 굵다란 지겟작대기로 어떤 농부를 두드려패는 중이었다. 삼베자루가 떨어져서 땅바닥 위에 콩이 너저분하게 널려 있었고 아무도 말리는 자가 없었다. 텁석부리에 맨상투 꼴의 억세게 생긴 놈이 떠들고 있었다.

"뭘 보는 게야, 빨리들 무더리루 되돌아가잖구. 가져온 것들은 무엇이든 우물집 재가에다 넘기구 가야지, 그냥 들구 내빼왔다간 정갱이뼈가 바숴질 게야."

길산이 그놈의 곁으로 다가들며 웃음지어 물었다.

"장 서는 것두 허가를 받아야 합니까요?"

"물론이지. 우리는 해주감영서 인가를 받아 나온 사람들인데, 이제부터는 시골 장터라두 지정된 재가에 팔고, 지정된 입전(立廛)에서 사야 되게 법이 생겨 있다구."

길산이는 아직도 헤실헤실 웃음을 흘리며,

"저 약산골 서낭터에두 큰 장이 섰담요……?"

사내는 눈을 크게 떠 부라리며 길산을 쓱 내리훑고는 얼버무린다.

"모르는 일인데, 설사 그렇더라두 난장 트러 다니는 녀석들이니 관아에서 모조리 잡아들일 게야. 너 짊어진 게 무엇이지?"

"네, 이건입쇼…… 참빗하구 바디하구 반짇고린뎁쇼. 저 친구는 돗자리 다섯 장하구 애바구니 몇틀입죠."

좀 말랐으나 역시 독하고 야멸차게 뵈는 자가 팔짱을 끼고 섰다가 앞선 사내에게 일렀다.

"재가에 갈 것두 없이 물건 내려놓구 돌아가라구 그래."

사내가 길산의 어깨에 걸린 새끼 망태를 느닷없이 움켜잡았다. 길산이는 싱긋 웃고 나서 망태줄을 잡고 뻿뻿이 견디면서 대꾸했다.

"왜 남의 물건을 공으루 뺏으려구 허슈."

팔짱끼고 섰던 자가 날카로운 눈으로 길산을 노려보았다.

"이놈아, 몰라서 물어. 너희 유기장이들은 관아의 물주에게 모두 공납하게 되어 있지 않느냐. 어째 사사로이 장시에 내다 파느냐. 그런 걸 압류하러 나온 사람들이 바루 우리네 같은 사람들이다."

곁에 섰던 큰돌이도 전에 한번 당한 적이 있는지라 소리쳐 말했다.

"여태껏 정해오기로는 우리가 황주 물주에게 납품하고 나머지는 마음대로 저자에 내어 팔아왔는데, 대처두 아닌 촌에서 단속이 웬말이며 당신들은 관인도 아닌데 도대체 무슨 권리루 이러시오?"

"여러 말 할 거 없다. 우리는 해주 여각에서 허가받고 나온 사람들이다."

보아하니 관에 연줄깨나 닿아 있는 무뢰배가 분명하였고, 아마도 부근 장읍을 돌아다니며 동헌에 손을 써서 고작해야 이배(吏輩)들께 이익을 나눠주기로 하고 장시의 수탈을 일삼는 자들인 모양인데, 제법 사람깨나 칠 줄 안다는 자신들이 만만하였다. 지겟작대기로 사람을 패던 자가 느닷없이 한 소리를 내지르며 앞서 있는 길산이에게 덤벼들었다.

"이눔, 죽어봐라!"

길산은 후려치는 작대기를 재빨리 비켜서며 황소같이 내닫는 사내의 안다리를 발끝으로 걸어 슬쩍 퉁겨주니 놈은 제 힘을 견디지 못하여 앞으로 고꾸라져 면상을 모랫바닥에 갈아버린다. 곁에서 구경하며 두려워 떨던 장꾼이 개구리 뻗듯 하는 놈의 꼬락서니를 보고 참지 못하여 웃음을 터뜨렸다. 길산도 껄껄 웃어대며 태연히 서 있었다.

"허, 성미두 참……"

"저놈 죽여라."

"먼저 사람을 쳤다."

하며 남은 패 네 놈이 단번에 소매들을 걷고 어깨를 숙이며 한꺼번에 달려들 자세를 취했다. 몽둥이를 가진 자도 있었고, 오장(伍長)으로나 여겨지는 그 비쩍 마른 사내는 품안에서 짤막한 쇠몽치를 꺼내들었다. 길산은 여전히 꿈쩍 않고 버티고 섰으며 갑송이는 왼편 다리 난간을 막고 두 팔을 벌리고 서 있었다.

"어느 놈이든 덤벼라. 저 개굴창에 거꾸로 집어던져서 송사리나 실컷 먹여줄 터이다. 고기에 주린 녀석은 나서라."

큰돌이는 전에 호되게 당한 적이 있는지라 아직은 제 동무들에 신용은 가지 않았으나 여차직하면 내뺄 양으로 사람들이 둘러선 뒷전에 처져 있었다. 길산이 말했다.

"좀 비켜주오. 재가인지 화적굴인지 얼른 구경하구 오게."

"이눔아, 사람을 치구 나서 온전히 돌아갈 성싶으냐."

"거 참 모를 일일세. 저 혼자 상판을 땅바닥에 처박은 워리새끼를 남의 탓이라네. 나는 뭐 장에 나도는 개새끼가 똥 먹을라구 그런 줄 알았더니 그게 바루 사람이었던 게지."

"뭣들 하니…… 골통을 박살내버려라."

쇠몽치를 든 오장이 장정들에게 소리쳤다. 길산이 눈꼬리가 빳빳이 곤두서면서 뒤로 몇걸음 피해 망태를 벗어던졌다.

"갑송아, 간다……"

하는 것과 동시에 몽둥이를 머리 위로 번쩍 치켜든 자가 둘이서 길산의 골통을 노리며 달려들었다. 길산은 어깨를 휘청 숙이는데 몽둥이가 귓전을 지나 빠져나갔고 길산의 상체는 상대편의 겨드랑이 사이에 파고들어가 있다. 길산의 정권이 그자의 명치에 꽂히면서 오른발로 또다른 자의 턱주가리를 휘익 돌려서 차는데 두 놈이 에이쿠 한마디 내지를 새 없이 한 놈은 스르르 무너져내리고 또 하나는 팽글 돌아서 공중에 휘익 떴다가 떨어진다.

"갑송아, 물 좀 먹여주어라."

"내가 뭐라더냐, 고기에 주린 놈만 오랬는데, 살집이 피둥피둥한 것들이 그리도 남의 살만 탐하느냐, 이놈들."

갑송이는 히죽대며 두 녀석을 한꺼번에 잡아 몇바퀴 뺑뺑이를 시키다가 다리 아래로 내던져버렸다.

다리를 가고 오던 장꾼들이 차츰 모여들어 서로 손가락질을 하면서 웃어대는 중이었다. 갑송이는 먼저 상통을 땅에다 갈아붙이고 엎드렸던 자가 엉금엉금 일어나자 빰 한차례 올려붙이는데 그 힘이 어찌나 센지 콧날이 옆으로 돌아가며 단번에 주둥이가 터져버렸다.

"너두 송사리나 두어 근 먹구 용궁 형리 앞으로 가거라."

물소리와 웃음소리가 사근다리 위에 가득 찼다. 이제 남은 것은 제법 침착해 보이는 오장 비슷한 놈과 겁에 질린 졸때기 한 녀석뿐이었다. 갑송이가 싱거운 듯 웃고 섰는 길산이 옆으로 썩 나서며 말했다.

"너는 구경이나 해라. 내가 두 놈 다 해치울란다."

"그럴까……"

길산은 벗어던졌던 망태를 집어들고 통나무 난간에 가서 걸터앉았다. 두 놈이 재빨리 갈라서며 갑송이의 좌우로 돌았다. 몽둥이를 든 조무래기는 덤벙대는 것 같았으나 쇠몽치를 겨눠 잡은 오장은 안색이 하얗게 되었지만 선불리 빈틈을 보일 놈은 아니었다.

"에라 이잇……"

몽둥이를 타작도리깨 휘두르듯 세차게 돌리면서 한 놈이 덤벼들고 오장 녀석은 걸음을 크게 떼어 갑송이의 옆구리 쪽을 급습했다. 갑송이는 몽둥이 든 자의 아래로 몸을 낮추었다가 달려들어 허리를 억세게 죄어 잡았고 오장의 모가지를 거머쥐려고 팔을 뻗었다. 오장은 갑송이의 옆구리를 쇠몽치로 호되게 쥐지르면서 잡히지 않고 반대편으로 빠져나갔다. 싸움깨나 해본 놈일시 분명했다. 쇠몽치에 맞은 데가 몹시 아팠는지 갑송이는 오만상을 찡그렸다가 얼굴을 붉히면서 잡힌 자를 쳐들어 오장 녀석에게 와락 내던지면서 잇달아 좇아들어갔다. 역시 오장은 뒤로 궁둥방아를 찧고 넘어졌고 그 틈을 놓치지 않고 일어나려는 그자의 가슴팍을 갑송이의 곰 같은 발이 콱 밟았다. 갑송이는 버둥대는 자의 가슴을 지그시 밟고 서서 껄껄 웃었다.

"어디! 코를 문대어줄까, 아니면 주둥이에서 이빨을 너덧 대 뽑아 가질까."

"살려주오."

그자는 기진맥진해졌는지 뒤통수를 완전히 땅에 대고 두 손도 땅에 내던진 채 헐떡였다. 길산이 그 옆에 가서 내려다보며 물었다.

"네 일행이 모두 몇명이냐?"

"발이나…… 좀…… 치우게 허우. 답답해서…… 말 못 하겠소."

"그놈 날뛰던 짓 보아서는 영 약골일세."

갑송이가 비켜났고, 그자는 휴우 긴 숨을 내쉬며 일어나 앉았는데 이젠 두려운 눈으로 장터 쪽을 힐끔대며 도망칠 기색이 역연하였다. 길산이 재우쳐 물었다.

"모두 몇명이냐니까……"

"요번에 아홉이서 나왔소."

"네 출신들이 누구 밑에냐?"

"우리는 해주 한량 신복동 성님의 아우 되는 사람들요."

"신복동이? 그러면 재가에 넷이 남았단 말이지."

"아니오, 이 다리는 내 몫이오. 저 사람들은 우리께 딸린 보상들이오."

"못된 놈들! 하는 일 없이 놀구 먹으면서 장사치에 업히고 관아에 줄을 대어 시골 장터를 쓸구 다녀?"

갑송이가 대들어 짓밟으려는 것을 길산이 뒤로 밀어냈다. 그 틈에 달아나려고 후닥닥 일어서는 자를 길산이가 낚아채어 팔을 비틀어 잡았는데, 녀석은 맥을 추지 못하고 허리를 뒤로 젖히며 비명을 내질렀다. 길산이 또 물었다.

"약산골 서낭터에 왔다는 자들은 너희들과 관계가 없느냐?"

"그자들은 송상 차인들이우. 시골마다 난전을 트러 다닙니다."

"그렇다면…… 어찌해서 관이 그자들을 단속하지 않겠느냐?"

"이방놈들이 양쪽에서 모두 돈냥이나 먹었으니 그렇지요. 더구나 차인들두 배경이 든든합니다."

"좌우간에 우리는 제값이나 받고 먹구살면 그뿐이다. 장터에 와서 분탕질을 친 것은 네놈들이니…… 자, 너희 행수(行首) 되는 놈에게 안내해라."

길산이가 그를 앞으로 밀어냈다. 팔이 뒤틀린 채로 걸어가며 오장 되는 녀석이 고개를 돌려 은근히 협박했다.

"우리 패가 그리 만만치 않을 거외다. 공연히 큰코 다치지 말구 물건이나 넘기구 가시오. 두 배로 셈해줄 터이니."

따라 걷던 큰돌이가 곁에서 그자의 궁둥이를 올려차며 촐싹거렸다.

"예끼 이놈아, 누굴 지금 까실르는 거야. 남의 장터에 들어왔으면 소문쯤은 알구 왔어야지. 우리가 누군 줄 아느냐, 재인말 사람이다."

앞서가는 자는 기가 다시 살아나는 듯했다.

"광대패라면 해주에 들를 일이 많을 텐데, 어디 두고 보자."

"이 사람이 팔은 떼어두구 갈려는가!"

길산이가 잡고 있는 그자의 팔을 지그시 비틀어주자 어깨를 모로 꼬며 이상한 소리를 내질렀다.

"두고 봐야 헛일이네. 신복동이가 뉘 집 개 똥구녁인지는 모르지만 사람을 잘못 봤네."

그들은 뒷전에다 구경꾼의 하얀 꼬리를 끌고 주막거리 초입에 들어서고 있었다. 벌써 길가에 지게나 보따리를 벌이고 물건을 팔던 보부상들 중에 뛰어가 알린 자가 있어서 멀리 뵈는 우물집 앞에는 건장한 사내들이 길을 가로막고 섰는 것이 보였다. 아이들이 떼를 지어 길산 일행의 부근을 따라왔고 물건을 넘기고 나서 터무니없는 가격에 울분을 참고 있던 군중들이 모여들었다. 한 서른 걸음 남짓 해서 길산은 잡은 자의 비틀었던 팔을 바깥으로 휘돌리니 에구구 하면서 그자는 저절로 몸이 돌아 나뒹굴었다가 황급히 저희 패에게로 뛰어갔다.

갑송이와 길산이가 어슬렁대는 걸음으로 그들에게로 다가갔다. 갑송이가 한마디 했다.

“느이들이 도적눔이라며?”

그들은 잠잠했다. 우물집 앞에는 멍석이 열 개쯤 벌여져 있었고, 곡물은 곡물대로, 과물은 과물대로, 수공물은 그것대로, 채물은 채물끼리 모아져 무더기를 이루어 쌓여 있었다. 마구간 앞에는 말 십여 필이 매어져 있는데 그자들이 타고 온 것이 분명했고, 그들 중에 의관 정제한 자가 두 사람 있는 것으로 보아 하나는 무뢰배의 행수이며 다른 하나는 물주가 분명하였다. 장부책을 똘똘 말아들고 장죽을 문 자가 바깥마루에서 크게 외쳤다.

“뭐가 이리 시끄러우냐?”

물주 되는 자는 곁에 관노 하나를 데리고 있었는데 아마도 동헌에서 나온 자인 듯하였다. 길산이 외쳤다.

“댁네들이 무어라구 함부로 양민의 물건을 뺏고 사람을 패고 하시오. 우리는 다만 장 보러 온 사람들이오.”

“그러면 장을 보구 가면 될 게지 도적이라니 무슨 말버릇이야. 관가루 끌어다가 혼찌검을 내기 전에 얌전히 팔 것은 팔고 살 건 사고 돌아가.”

"값을 눅게 받은 사람두 많구, 빼앗긴 사람도 여럿이니 그것들을 죄다 돌려주면 찍짹 소리 없이 가리다."

길산이가 지지 않고 뻗대는데 장정들을 거느리고 섰는 행수인 듯한 자가 예의를 갖추어 말했다.

"총각이 우리 아이들과 다툰지라 아직 결이 삭지 않은 모양인데 값은 섭섭지 않게 셈해줄 터이니 어서 물건이나 내오."

"행수 되는 사람이오? 나는 재인말 사는 길산이라구 하우. 누구 맘대로 이녁서 전매를 맡으랬수. 사람 패는 자들과는 거래 않겠수."

행수가 입맛을 쩝쩝 다셨지만, 역시 노련하여 함부로 노기를 드러내지 않고 중얼거렸다.

"그 사람…… 고집이 세군."

그때 곁에 섰던 자 하나가 행수에게 귓속말을 속삭였고, 그는 고개를 끄덕이더니 길산을 찬찬히 훑어보았다.

"나는 또 송도 차인패들과 함께 온 사람인 줄 알았더니…… 광대패로군. 그래 거래를 않겠다면 너희들 소원이 무엇이냐? 우리와 얼려볼 테냐. 시비하러 온 것이냐 뭐냐."

"그래, 남의 고장에 와서 판을 치는 놈들의 버릇을 고쳐주러 왔다."

"흥, 그래…… 네 이름은 나두 이 사람들께 들어서 기다렸던 참이다."

그들 틈에는 언젠가 길산에게 되우 경을 친 적이 있는 송화 본바닥 악소 패거리가 서너 명 끼여 있었는데 낮술깨나 좋이 얻어마셨는지 상판들이 모두 벌겋다. 쇠전 나와 놀던 도수장이 한 녀석이 삿대질로 길산을 가리키며 떠들었다.

"저런 녀석은 아예 송화장에는 얼씬 못 하게 배창자를 갈라놔야 합니다. 이놈아, 오늘이 네 제삿날이다."

"요 쥐새끼……"

갑송이가 분을 참지 못하여 그들 무리 사이로 헤집고 들어가자 그들은 좍 흩어졌다. 행수 되는 자는 아예 나서지도 않고 술청 안으로 피해 서며 외쳤다.

"반죽음시켜놔라. 뒤책임은 내가 질 테니."

우물집 정면을 향해서 길산이가 서고 갑송이는 뒤편을 지키고 섰다. 술청의 입구에 행수가 섰고, 물주라는 자는 봉노 마루에 장죽을 물고 앉아 빙긋이 웃으며 관망하고 있었다. 우물집 건너편 초가 앞에는 구경꾼들이 빽빽이 늘어서 있었고 큰돌이는 어디서 주워왔는지 굵기가 한 뼘은 되어 뵈는 장작개비를 들고 끼여들까 말까 하는 동작으로 연신 어깨를 추스르고 있었다. 심지어 싸움 났다니까 색주가의 계집들까지 대문마다 몰려나와 있었다.

"덮쳐라!"

행수가 소리치자 손마다 몽둥이나 쇠몽치를 든 장정들이 일시에 우하니 덤벼들었다. 길산이 몸을 날려 앞에 오는 자의 가슴을 무릎으로 꺾어차며 다른 손으로 몽둥이 든 자의 팔을 잡아 젖히고서 관자놀이를 주먹으로 내리쳤고, 이어서 두 발을 솟구치며 엇갈려 뒤에 섰는 자의 면상을 올려찼다.

길산의 빠른 동작에 세 놈이 일시에 코피가 터지고 면상이 일그러져서 나자빠졌고 둘러싼 자들은 잠시 어이가 없는 모양이었다.

"뭣들 하느냐, 한꺼번에 덮치지 않구."

행수라는 자가 소리치자 그제야 몽둥이들을 치켜든 장정들은 선뜻 달려들지 못하고 주춤거렸다.

"에잇, 귀찮아!"

갑송이가 갑자기 소리를 지르며 내달아 우물집 앞에 내걸린 주기(酒旗)의 기다란 막대를 들더니 닥치는 대로 후려치기 시작했다.

무릎을 얻어맞고 깡충 뛰는 놈, 마빡이 터지는 놈, 등줄기를 맞고 앞으로 꼬라박는 놈 등등으로 갑송이의 무지막지한 기세에 소 건너는 웅덩이에 하루살이 흩어지듯 했다. 서슬들은 제법 퍼렇더니 여남은 명의 장정들이 제대로 싸워보지도 못하고 우 몰려서 술청 쪽으로 쫓겨갔고, 길산이네는 대로에 서서 껄껄댔다. 길산이가 술청 앞을 가로막고 웃어젖혔다.

"어육이 되나 보다 했더니 싱겁기는 꼭 고드름장아찌로구나. 별것두 아닌 놈들이 미꾸리만 처먹었느냐. 혓바닥만 살아가지구."

인근 마을에서 장 보러 나왔다가 봉변한 양민들은 모두 은근히 통쾌하여 길산네와 합세하여 타관 무뢰배를 패주고 싶었으나, 혹시 뒤가 무서워서 덤벼들지는 못하고 무리 사이에 끼여 소리만 질러댔다.

"어이, 이왕 벌여놓은 판이니 아예 쫓아들어가 물고를 내버리게."

"그래여, 그 우물집 술청서껀 주인놈이건 모조리 박살을 내얀다구."

"저 행수질하는 놈허구 물주란 놈을 무리매를 놔야 허네."

"헌데 저게 누구지?"

"여태 누군지두 몰랐나. 저게 바루 큰잿말에 장사 났다는 길산이하구 갑송이 걔들 아냐."

"큰잿말 광대패 말이야."

"옳아, 문화에서두 읍내 각다귀들이 혼찌검당했다는 그애들이구먼."

이때 행수란 자가 의관을 훌훌 벗어던지더니 한 손에 포교들이 지니고 다니는 꺾쇠 달린 짤막한 쇠도리깨를 꼬나잡고 분연히 술청 밖으로 뛰어나왔다. 그 뒤를 따라서 갑송이에게 쫓겨갔던 자들도 우르르 몰려나왔다. 물주도 이제는 형편이 옹색함을 짐작하고 있었다.

쇠도리깨를 치켜든 행수와 맨손의 길산이 마주 섰다. 갑송이는 깃대를 잡고 슬슬 휘두르며 졸개들이 다가서지 못하게 마당을 막아섰다.

"네가 사람을 잘못 봤다."

행수가 쇠도리깨를 힘차게 쌩 휘돌려 보이며 중얼거렸다. 길산이는 발 앞꿈치를 들고 두 손은 활짝 펴서 막을 태세로 그자의 왼편으로 돌아갔다.

"잘못 보기는 뭘 잘못 봐, 허재비 무서워 나락 못 먹는 참새 봤나. 그 쇳뎅이 무거워서 아무짝에두 쓸모없겠다. 가서 말 꽁무니나 쑤시렴."

"이놈이……"

"어렵쇼!"

약이 올라 얼굴이 애고추처럼 달아오른 행수가 쇠도리깨를 휘두르며 달려들었지만, 길산이는 슬쩍 앉은걸음으로 피해서 행수의 뒷전으로 빠져나가며 궁둥이를 호되게 걷어찼다. 행수는 앞으로 고꾸라질 듯하다가 간신히 바로 섰다.

"싸움을 하려면 마빡을 앞세워야지, 암내 난 삽살개마냥 꽁무니는 왜 내대느냐."

길산이가 연상 상말로 행수의 비위를 후벼댔다. 싸움이란 성질 먼저 올리는 놈이 덤벙대다 지는 법이다. 약이 오르면 그만큼 눈썰미가 느려져서 빈틈이 많은 것이었다. 쇠도리깨를 휘두르다 요리조리 피하는 길산의 동작에 그자도 이제는 제법 뜸을 들였다. 길산의 주위를 빙빙 돌더니 골통을 바라고 일직선으로 내려치면서 다시 방향을 바꾸어 옆으로 휘둘렀다. 좌우로 몸을 비키던 길산이가 하마터면 옆구리를 얻어맞고 갈빗대가 주르르 부서져나갔을 것을 휘청 상체를 뒤로 꺾으며 땅재주를 돌아 물러났다가 틈을 주지 않고 휙 돌며 뒷발꿈치로 행수의 손목을 절도 있게 후려갈겼다. 역시 쇠도리깨가 퉁겨나가 뱅글뱅글 돌며 멀찌감치 떨어졌고 길산이는 도리깨를 찾아 돌아서는 행수의 왼팔을 잡아채어 척추 뒤로 바싹 꺾었다.

"어이쿠."

행수가 놓인 팔은 휘젓고 허리를 굽히며 꽁무니를 하늘로 치켜든 채 용을 썼다.

"그래, 쇠도리깨 줏어다가 신복동이 밑구멍이나 쑤셔주려무나."

길산이가 팔을 쓰윽 끌었다가 탁 놓아주며 함께 궁둥이를 내찼다. 행수는 댓 걸음 앞에 가서 개구리처럼 납죽 뻗었다. 뭉그적대며 일어나려는 것을 큰돌이가 장작개비로 내려칠 기세로 달려드니 길산이가 외쳤다.

"내버려두. 꽁무닐 세 번까진 차주지만 그담엔 평생 칙간엘 못 가도록 해줄 테니……"

이미 싸움이 아니었다. 맞은편 초가 앞에 빽빽이 늘어선 사람들이 동네 홀아비 잔칫날이라도 만난 듯 히히거리는 소리가 요란했다. 맞상대는 어림없을 뿐만 아니라, 해주서 왔다는 악소 패거리들은 오물로 낯 씻은 격이 되었다.

갑송이가 한참 동안 깃대 휘두르는 짓에 역증이 났는지 휙 내던지고서 몽둥이가 빗발치는 틈을 곰처럼 내달아 두 놈의 멱살을 잡아 빵빵이를 치니 접근을 못 했다.

"에라…… 염라대왕 덕담이나 듣구 오너라."
하며 양쪽으로 태질을 쳐버리니 둘이 한꺼번에 상투가 말뚝이 되어 땅바닥에 곤두박질했다. 그러고는 다른 놈을 찾아 팔을 수리 날개처럼 벌리고 달려드는데 쫓겨 흩어지는 자들의 애개개 소리가 마치 똥본 오리새끼들 같았다.

물주는 드디어 가죽신 찾아 신고 장죽은 빼어 던진 다음 갓도 비뚜름하니 쓰고 마루를 내려서는데 와들거리는 두 팔 소매가 몸보다 앞서갔다. 물주가 관노를 재촉하여 뒷문으로 빠져 달아나며 이르기를,

"어서 바삐 달려가 책방나리께 여쭈어라. 사령 몇만 보내어 저놈들을 잡아들이라구."

"한참 재미가 관운장 대목인데 왜 날더러 가라우?"

"이놈, 가라면 빨리 뛰지 않구."

"내가 동헌 전령이지 어디 해주 양반 전령이우. 말을 빌려두 꼴값은 세마 임자가 내는 법인데…… 내 지금 뛰면 조반 먹은 거 모두 띠되우."

눈치가 멀건 관노 녀석은 물주의 애간장을 태우느라고 일부러 털퍼덕 주저앉아버렸다. 물주가 턱수염을 떨며 내려다보는데 호통을 칠까말까 하다가, 말고는 중치막 자락을 젖히고 바지끈에 달린 비단주머니에서 세 닢을 꺼내어 땅에 던졌다.

"옜다, 어서……"

"예예, 벼락같이 전합지요."

관노가 먼지를 일으키며 뛰어갔다. 행수라는 자는 아예 땅바닥에 두 다리 뻗고 앉아서 어이없는 듯 길산을 바라보았다. 길산도 그자가 완선히 싸울 마음이 움츠러든 것을 알았다.

"왜 덤비지 않느냐?"

"우리가 성님을 몰라봤습니다."

"너 같은 아우 둔 적이 없는데."

"성님께 우리가 졌수."

"일어나라, 그리구 너희 물주를 불러와."

갑송이는 이미 몽둥이들을 내던지고 우물집 토담이나 술청 문지방, 마루 밑에 여기저기 쭈그리고 앉은 자들을 거들떠보지도 않고 들어가서 주막 주인의 멱살을 비틀어 잡아끌고 왔다.

"물주는 없는데."

"뒷문으루 달아났네."

"관노가 달려갔으니 사령들이 올 걸세. 귀찮게 당하지 말구 빼치게."

구경꾼들이 제각기 한마디씩 거들어주었다. 길산이가 말했다.

"장터 싸움질엔 먼저 시비를 붙은 놈이 죄지, 우리야 무슨 죄가 있나. 대처두 아닌데 난전이란 말두 안 되지. 달아날 필요 없다."

"내가 쫓아가 잡아오지."

큰돌이가 우물집 토담을 돌아 밭고랑으로 질러서 뛰어갔다. 길산이는 허리를 두드리고 팔을 주무르며 앉았는 행수에게 물었다.

"해주서 몇이나 왔니?"

"우리 패 다섯하구 해주 물상객주 차인 중에 힘깨나 쓴다는 사람들 합해 모두 스물하나요."

"어디 어디 장을 봤느냐?"

"장연장 두 번, 풍천장 세 번, 이곳 송화장이 두 번째요."

"너희 접주란 자가 신복동이냐?"

"아니오, 그분은 해주 성님이구…… 뒤에 큰성님이 계십니다. 복동이 성님은 한양서 별감 다니다 내려온 분인데 해주서 큰 색주가를 세 채나 열구 있습니다. 우리네야 그분 밑에서 밥술 얻어먹을 뿐이지요."

"그따위 색주가 주인놈이 무슨 한량이라구 시골 장터를 쓸러 다니느냐. 너희 큰성님이란 자의 명자나 알아보자."

"개성 사는 최생원이라는 것만 알지 뵌 적이 없습니다."

"나를 똑똑히 봐두어라. 우리가 달포 뒤에 해주 관시(關市)놀이에 갈 작정이니 너희 성님들 모두 데리구 마중 나오너라."

"그럴 리가 있겠습니까. 아마 우리 성님두 들으시면 사귀구 싶어하실 게요."

그때 큰돌이가 물주를 앞세워 오는데 제법 의관을 갖췄노라고 두려움을 억누르고 거드름을 피우는 것이 완연했다. 길산이 아니꼬워,

"거간꾼 꼴에 양반이랍시고 갈짓자 걸음이로군. 들으시오. 지금까지 눅게 셈한 물건은 누가 누구인지 알 수 없으니 장터 사람 모두에게 일반으로 두 푼씩 내어주고, 빼앗긴 사람들 물건은 돌려주오."

"할 테야 말 테야?"

갑송이가 곁에서 몽둥이를 쳐들며 으르딱딱이니 물주가 자라목처럼 머리를 움츠리며 황급히 말했다.

"내주겠소, 다 내주겠소."

사람들이 우물집 앞에 긴 뱀의 꼬리가 되어 모여 섰다. 순박한 시골 사람들이라 장에 와서 아무것도 사고 팔지 않은 사람들도 끼여들고 싶었으나, 워낙 아는 얼굴들이라 구경만 하고 섰다. 행수와 졸개들은 무덤덤히 섰고, 물주는 울상이 되어 엽전꿰미를 파(破)했다.

관노가 동헌에 들어가니 길청은 비었고 책방의 회계 생원도 보이질 않았다. 현감은 기생들을 데리고 무학정에 갔다는데 책방이 함께 따라가지 않았을 리 없었다. 동헌에서 정자까지 활 한 바탕 거리다. 관노가 그대로 길청 앞을 뛰어나오는데 향청(鄕廳)에서 나오던 안

(安)이방이 그를 불러세웠다.

"무슨 일이 났느냐?"

관노는 속으로 이 늙은 여우가 낌새라도 챘나 싶어 읍하며,

"뭘요, 일이 나긴요."

"어디 가느냐?"

"책방어른께요."

"이놈! 바른대루 직고하렷다. 무슨 일이냐?"

원래 책방이란 지방수령이 금전 출납관계라든가 관문서의 정리라든가를 시키기 위해서 부임할 때 믿음직하고 명민한 자를 골라 데려오게 되는데, 이른바 사또의 오른팔격이 되는 것이다.

그러나 이방이나 병방 일을 맡는 아전벼슬이란 그 고장 사람으로 지방사정을 꿰고 있는 자들이라 책방과 이방의 사이란 원래가 눈치와 직책으로 버티는 앙숙지간이 아닐 수 없었다.

"이실직고하라니."

"무더리 장터에서 싸움이 났습니다."

"싸움이 났다면 병방에 알려 사령을 풀 것이지 책방어른은 왜 찾느냐?"

"예…… 저…… 해주 물주어른이 바삐 통지해달라구 해서……"

"괴이하다. 장사아치가 무슨 일로 책방을 찾는가?"

"예전에…… 안면이 있답디다."

"예끼 이놈, 보아하니 네놈이 책방어른을 속이고 장사치께 용챗돈깨나 받아먹은 모양이로다. 누구와 누가 싸운단 말이냐?"

"장꾼 패거리하구 큰잿말 길산이가 붙었습니다."

"그래 알았다. 냉큼 가서 알려줘라."

관노가 무학정 쪽으로 내달았다. 안이방은 슬며시 웃었다. 책방의

약점도 잡았고 무엇보다도 그가 일을 크게 벌이지 못하고 속만 앓게 될 것이 고소했기 때문이다. 책방 찾는 관노가 정자에 이르니 위에는 주석이 벌어졌는데, 악공 셋이 풍악을 잡혔고 책방과 사또와 청송의 부가옹 나리인 듯한 중늙은이, 그리고 기녀가 각각 붙어앉아 술을 따르는데 셋 중의 한 년은 무릎을 세우고 앉아 시조를 뽑고 있었다. 사또는 취기 어린 눈으로 늙은이를 바라보며 말했다.

"이 고을에 내가 온 지도 이제 반년이 넘었소이다. 헌데 여기 부민가가 몇호나 되는지도 모를 정도로 소홀했소."

"청백리란 그래야 합네다."

곁에서 책방이 초를 친다. 부가옹은 어쩐지 자리가 불편한 듯 연신 빈 젓가락으로 고깃점만 집었다 놓았다 할 뿐이었다. 사또가 은근히 눈치를 보였다.

"내 처음 환로에 나서며 부임할 시 요로에 쓴 돈이 이천오백 냥이올시다. 내 돈 천 냥에다 한양 전가(錢家)에서 변릿돈 빌려 쓴 게 천오백 냥인데, 이자 독촉에 졸리어 가족들이 여간 괴로워하지 않고 있소이다."

사또의 의도가 은근히 돈냥이라도 우려내려는 것임을 알고 있는 부가옹은 그런대로 관리가 갈릴 적마다 매해 가을이면 겪어오던 터라, 고장의 이권을 잡는 것으로 돈 뜯긴 벌충을 할 작정이었다.

"그래서 하는 말인데, 이번 추수에 환곡이 모두 납부되면 우선 댁네들께 싸게 놓을 것이니 어른께서 오백 냥만 돌려주오. 내 수결했다가 증서대루 명년에는 꼭 갚으리다."

노인은 사또보다 더욱 노련했다.

"곡식이 흔천인 올해 같은 풍년에 환곡을 거둘 생각은 없소이다. 그리고 오백 냥을 사또나리께 꾸어드릴 수는 없소이다. 다만 제 충정으로 아시고 오백 냥을 쓰시는 대신에 청이 한 가지 있소."
"무엇이오?"
"밤골에 있는 관전(官田)의 닷새갈이를 소인이 명년 일 년만 사용하게 해주오."
"허허, 그러면 관곡은 뭘로 충당하게……"
"충당할 방법이야 이방께 물으면 많겠지요. 소인은 관전을 빌려 담배 모종을 낼까 하는데, 물론 담배에 약이 차면 그 즉시로 천오백 냥에다 오백 냥을 보태어 이천 냥을 드리리다."
"거 흔쾌해서 좋소. 이 고을 부자 인심이 노인장만 같다면 감사 부럽지 않겠소."
"부자가 어찌 소인뿐이겠습니까?"
"꼽으면 스물은 넘지요."
하며 책방이 자리를 피해 일어났다.
사또가 속으로 헤아리기를 이런 식으로만 한다면 올 가을에도 만 전은 틀림없이 거둘 것이요, 상납은 오천으로 흠뻑이리라 싶었다. 이들의 구구하고 부정한 상의가 계속되는데 책방은 누 아래 관노의 손짓을 보고 무더리에 무슨 사단이 있음을 짐작하였다. 책방은 관노에게서 장꾼 패거리와 길산이가 싸우던 일을 듣고 물주가 사령을 풀어 잡아들이기를 청하더란 얘기도 들었다. 기왕에 해주서 온 거간꾼에게서 일백 냥을 받아 사또 몰래 착복하였으니 모른달 수야 없었으나, 만약에 임의로 나서서 저들을 잡아들인다면 소문도 소문이려니와 상민들이 떼거리로 동헌에 진정할지도 모르는 노릇이었다.
더구나 큰잿말이란 문화에서도 골치로 아는 유민촌인데 섣불리 건드릴 수도 없고, 건드려봤자 일을 내고 달아나면 잡을 수도 없을 테니 관에서는 대범히 모른 체하는 게 십상일 것 같았다.

"차라리 잘되었다. 부랑배들이 장터에서 싸우기란 여름날 소나기 지나가듯 하는 일이라, 네 쫓아다닐 필요 없다. 내 닷 냥 줄 테니 가서 술이나 사먹고 푹 쉬어라."

관노는 얼결에 엽전 다섯 푼을 받아넣고 신이 나서 달아났다. 노인네 망령은 고기로 달래고 아전 망령은 쇠로 달랜다더니, 역시 돈 먹은 놈이 장땡이었다. 책방은 오히려 길산이네가 민원을 눌러주었으니 인심 잃지 않고 돈 먹게 되어 다행한 노릇이었다. 그는 고개를 끄덕이며 혼자 중얼거렸다.

"하지만 언젠가 혼은 좀 내야지."

길산이네는 해주 패거리가 우물집에서 보따리 싸는 꼴을 보고서야 무더리를 나섰다. 물론 자기네 물건도 넘겨 기어이 종전과 같은 값을 셈해 받은 뒤였다. 해주 무뢰배들은 기가 팍 죽어서 장 보러 나온 아낙네들에게도 매우 고분고분하였다. 장터가 다시 활발해져서 보통때보다 훨씬 늦게 파장될 모양이었다. 그들이 필요한 물건들을 사서 챙기고는 탁주라도 한잔씩 들까 하는 참인데, 뒤에서 장꾼 하나가 따라왔다. 그는 뛰어오며 숨차서 말했다.

"여보…… 큰잿말 사람들…… 좀 보세."

"왜 그래, 다 끝났는데 어째 불러."

하며 갑송이가 다가오는 장꾼에게 눈을 부라렸다. 사내는 세 사람의 표정이 딱딱한 걸 보고는 머쓱해졌다.

"으르딱딱거리기는 제미할, 호랑이 포수질만 해먹었나. 여보, 우리 행수어른이 약산골 서낭터에서 보자는데."

"약산골?"

"글쎄 거기서 같이 사귀구 싶은 사람이 있다는군."

"모르는 장사치가 놀이판 생각이 났나…… 우린 왜 찾어?"

"글쎄 나쁜 일은 아닐 테니 같이 가세나."

"가지 뭐…… 우리두 서낭터 새 장을 구경가려던 참이니까."

약산골 서낭터 너른 마당에는 무더리에 못지않게 번듯한 장이 서고 있었다. 오히려 입전도 더욱 많았고 행상들도 제법 모여 있었으며, 각설이패에 걸립승까지 끼여들었는데 아마 무더리 장시가 무뢰배들 손아귀에 넘어갔다는 소문이 나서 장꾼들이 아예 약산골로 몰린 모양이었다.

서너 명이 둘러 안을 만한 은행나무 고목이 공터 가운데 자리 잡았으며 키가 멀쑥한 소나무들이 군데군데 섰는 사이로 간이 주막의 멍석 차일들이 가득 찼고 떡장수, 엿장수, 부침장수, 생과물장수들이 입전과 좌판 뒤에 촘촘히 들어앉아 있었다.

짝지어 다니는 각설이패는 누더기 장삼에 뚫어진 방갓을 눌러쓰고 한 녀석은 입술을 돼지 주둥이처럼 내밀어 품바바람을 내뿜고, 또 한 녀석은 발장단을 쳐대면서 타령을 읊었다. 그들은 동이술을 파는 멍석 앞에 가 서서 소리를 지른다.

"작년에 왔던 각설이가 죽지도 않고 또 왔네. 내란 놈이 이래봬도 정승 판서 자제요. 팔도 감사 마다하고 돈 한 푼에 팔려서 각설이로 나섰네. 품바품바나 잘헌다. 각설이라 역설이라 동설이를 짊어지고 지리구 지리구 돌아왔네. 여편네라 안악장, 불알 뽑힌 연안장, 밤마다 해주장, 지팽이 짚고 봉산장, 술 달라고 송화장, 구멍이 나 파주장, 과부 설운 양주장. 초당 짓고 한 공부가 실수 없이 잘헌다. 동삼 먹고 한 공부가 기운차게 잘헌다. 시전 서전을 읽었는지 유식하게 잘헌다. 논어 맹자를 읽었는지 자왈자왈 잘헌다. 목구멍에 불을 켰나 훤하게도 잘헌다. 뱃가죽도 두꺼우니 일망무제로 나온다. 냉수동이나 먹었는지 시원시원 잘하고, 뜨물동이나 먹었는지 걸찍걸찍 잘하고, 기름동이나 먹었는지 미끈미끈 잘헌다. 대목장을 못 보면, 이전 저 전을 못 보면, 올해 같은 대풍년, 요즘 같은 태평성대에 논두락이나 베겠구나. 한 발 가진 깍귀에, 두 발 가진 까마귀, 세 발 가진 통노귀, 네 발 가진 당나귀, 먹는 귀는 아귀라. 품바나 품바나 잘헌다."

사기전에서는 각색 그릇을 벌여놓고 지겟작대기로 두드리며 외치는데,

"결새 고운 안성유기, 장맛 나는 서흥옹기, 살결 좋아 전대야, 따뜻하다 초벌화로, 훤하구나 놋촛대, 밥맛 난다 놋그릇, 정화수에 사기주발, 정 두텁다 쌍요강, 시원하다 죽화타구, 죽절병, 오동병, 대모병, 거북병, 자아, 각색 기명이 나왔소."

그 혼잡이 송도나 해주의 장시 일각을 떠다놓은 듯 대처를 방불케 했다.

"자아, 담배요, 심심초요, 남방초요. 인축은 물론이요 버러지도 집이 있고 음양이 있는데 구색 갖춰 담뱃대가 없을쏘냐. 대 하나 보우. 부산죽, 서천죽, 소상반죽, 양칠간죽, 각죽, 칠죽, 시산용죽, 백간죽이오. 이름 좋은 금산초, 장광 좋은 직산초, 수수하다 영월초, 향기롭다 성천초, 불 잘 타는 남방초, 빛이 좋아 상관초, 서초 양초 장절초, 숭숭 썰은 풋담배요."

"길주 명천 가는베, 회령 종성 고운 베, 합사주, 통해주, 곱토주, 물명주, 문주, 아랑주, 강진나이, 고양나이, 만경세목, 홍양세목, 베건 명주건 무명이건 모두 있소. 천이나 바꾸오. 면화에 헌옷 바꾸오."

"무시로전이여, 만물전이로구나. 조리에 솔이다, 시루 밑에 바가지, 빙비, 수수비, 싸리비, 빨래몽치, 다듬몽치, 홍두깨에 떡메요, 삼태기나 고무레, 이남박, 나무주걱, 돌절구, 쇠절구, 나무절구, 나막신, 맷방석, 짚항아리, 채반이며 치룽에 채독일세."

장단을 맞추어 떠들어대는 행상들의 타령조가 흥겨웠고 길산이네는 이러한 입전 좌전의 끝에 막을 치고 재가(在家)라는 장막을 드리운 곳을 간신히 찾아낼 수 있었다.

장막 앞에는 거적 위에 따로따로 사들인 물건을 무더기로 쌓아놓았는데 뒤편에는 굴레 벗은 마필이 여러 마리였으니, 과연 송도의 차인들답게 규모가 큰 상단(商團)이었다. 아마도 무더리 장터에 나타난 해주 무뢰배들과 충돌을 피하기 위함인지, 아니면 원래 그들은 있어오던 장시를 피해 새 장을 트는 것을 유리하게 생각하는지도 몰랐다.

그들은 패랭이에 목화송이를 풍채 있게 달고 바지저고리 차림에 가뿐히 각반만 두르고, 짐 풀고 난 질빵 천을 어깨에 척 둘러멨는데 용자 쓴 골패가 달랑 매달려 있었다. 안내했던 장꾼이 그들 앞으로 가서 두리번거리니 용두 새긴 기다란 물미장(勿尾杖) 지팡이를 짚은 텁석부리의 건장한 사내가 앞으로 나섰다. 나이는 한 서른두엇쯤 났을까 싶은데 형상은 우락부락할망정 웃는 모습이 제법 착해 보였다.

"분부대루 데려왔수."

하며 사내가 소개를 하자 그는 웃는 얼굴로 길산이와 갑송이, 큰돌이를 번갈아 살폈다.

"나두 들었소. 방금 무더리에서 해주 사람들과 싸운 분들이오?"

갑송이가 아니꼽다는 듯 시큰둥하게,

"그러우."

"인사합시다. 나 파주 사람 박대근(朴大勤)이오. 시방 송도 배(裵)대인 아래 행수루 있수."

"우린 재인이우."

갑송이가 그렇게 퉁명스레 받았으나, 길산이는 꾸뻑하고 나서 정중하게 수인사를 건넸다.

"문화 사는 장길산이라구 합니다."

그들은 멍석 위에 모여앉았고, 수하 사람 하나가 청주와 어물을 곁들여 소반에 받쳐 내왔다. 박대근이 술 한잔씩 죽 돌린 다음에 말했다.

"내 광대산 재인말에 솜씨가 번개 같다는 장정의 소문을 들었더니, 그게 바루 장총각이었구려."

"지난봄에 길산이가 황주로 연희 갔을 때 그놈들과 한바탕 얼렸지요. 혼자서 뭇놈을 두드려주었으니 소문두 날 법할 게요."

큰돌이가 자기 일인 듯 나서서 황주에서 여객가를 휩쓴 만동(萬同)이 형제가 길산이께 녹고 나서 무릎 꿇어 빌던 일을 낱낱이 얘기했다. 그리고 덧붙여 봉산 약수골 주막 패거리가 길산이네 놀이판을 훼방놓다가 혼찌검당하던 일과, 무더리에서 아까 벌였던 무용담도 신나게 지껄였다. 재가에 물건을 넘기러 왔던 작은잿말 사람들이 길산이네가 차인패와 맞술을 드는 양을 보고 떠들었다.

"아니, 언제 무더리에서 일루 날아왔네. 관가에 끌려간 줄 알았지."

"재인패가 상가(喪家) 무서워했지, 언제부터 관가(官家) 무서워한대?"

라고 큰돌이가 받았으며,

"해주 것들 코가 석 자나 빠져서 장연길루 내빼데."

"무더리는 시방 완전히 파장이더만. 우물집 쥔이 길산이를 꼭 보겠다네."

하며 작은잿말 사람들은 떠들었다.

그들은 값을 후히 받고 벙글대며 돌아갔다. 작은잿말 사람 하나가 뭔가 생각났는지 돌아서며 물었다.

"자네들 이번 가을 출행 계회에 나올 건가?"

그들은 모두 재인계 계원이었는데, 철마다 이틀씩 모임이 있었고 여기서 연희 지방을 분담하고 손발도 맞춰보는 것이었다. 큰돌이가 대답했다.

"작은골이 큰골루 올라와야지, 이번 계회는 큰잿말서 열라네."

"이 사람아, 총대 손돌 어른이 작은골에 계시는데 무슨 소리여. 아무리 출행을 끊었다지만 우리게선 어른인데."

"잘들 가게."

"그래, 길산이두 지나는 길에 까막내 좀 들러, 이 사람아."

"그러잖아두 누이 보러 들를 참요."

그들이 돌아가자 다시 화제의 중심이 박대근에게로 돌아갔다.

박대근은 파주에서 제법 내로라 하는 소과급제인 박진사의 서자로 태어났는데, 어려서는 철없이 무과(武科)라도 치러볼 양으로 활터에도 드나들고 환도도 휘두르며 애달캐달하였다.

머리가 굵어지고 세상 물정을 깨닫게 되면서 서로 좋아하던 처녀도 생기게 되었으나, 워낙에 서얼 나부랭이로는 격이 틀려 통혼을 한다기도 어리석으며 벼슬 소망마저 허망한 노릇임을 알았다. 고작해야 별감이나 얻어 다니며 기녀의 딸년이나 데리고 사는 빤한 장래를 깨닫고 보니 세상이 싫어져서 이십여 세에 집을 떠나왔다는 것이다. 숨어 사느라고 강도(江都)로 건너갔다가 그 당시 송상 차인패의 접주 노릇을 하던 자의 눈에 들어 송도 부자 배씨의 수하로 들어가서, 주로 관아 상대와 지방 객주 상대의 궂고 험한 일을 맡아오며 십 년 세월을 보냈다. 이제는 시대에 좇아 난장을 트러 다니는 데 제법 이골이 났다는 것이다. 박대근은 남북 이름난 장시가 열리는 지방관속들 중에서 안면이 있는 하리배가 많았다. 대근이 자기 물미장을 주욱 뽑는데, 시퍼런 날이 나타나니 겉은 지팡이지만 실은 환도였다.

"이런 걸 가지구 다니지만 조무래기 무뢰배나 장거리 소악배를 베일 수야 있겠소. 화적이나 만나게 되면 모를까."

"행수란 놈이 은근히 우리를 위협하는데 해주서 색주가 한다는 신복동이란 놈의 명자를 내댑디다. 우리가 게서 보름 뒤에 관시놀이를 나가기루 했거든."

길산은 잠자코 있는데, 큰돌이가 그런 얘기를 꺼냈다. 박대근은 껄껄 웃어젖혔다.

"신복동이가 손재주나 기운으루 젠척한다면 우리 협기로는 벌써 동무를 삼았겠수. 하지만, 그 녀석은 감영의 줄을 잡아 세도를 부리는 잔나비 같은 재주로 돈을 모았지요. 내 참, 경서(經書) 한 장 읽어보지 못한 것들이 생원은 무슨 말뼉다귀란 말요."

"댁네가 그 패거리와 오전에 싸웠다던데……"

"보상들끼리 주먹다짐이 오간 모양이오만 위에선 서로들 모른 체하구 있는 거요. 우리두 이 골 이방께 상납을 올렸고, 제놈들도 다른 관리에게 돈냥이나 주었을 테니까. 하지만 아무리 그래봤자 우리가 유리하지. 제놈들은 강압적으로 폭리를 노리니 아무리 촌사람이라도 성정이 있는데 길지 못할 것이요, 우리네는 이 짓이 벌써 십여 년째인데 한 번도 남의 물건을 턱없이 사고 판 적이 없소."

묵묵히 듣고 있던 길산이가 물었다.

"그런데…… 무슨 일루 우릴 만나려는 거요?"

"아, 내가 황주서 댁의 소문을 듣고 자세히 물었지요. 다름이 아니라, 내게 새 장사의 계획이 있는데 동업을 할까 해서 말이오."

"우리네야 호구지책으로 광대 재주나 팔고 간간이 유기장이 일이나 할 뿐인데 무슨 수로 장사에 동업을 하겠수."

"바루 그거요. 그…… 사람 모으는 재주 말이외다."

"놀이판이오?"

"그렇지. 고작해야 놀이판이나 찾아다니며 장터를 기웃거려서 겨우 밥술이나 먹으니, 그 재주가 얼마나 값이 싸오. 그러니 광대 물주를 해보시오."

"광대 물주요?"

"우리네 상인과 약계를 맺고 놀이의 주문을 맡으면 될 게 아니오. 우리는 사람이 많이 모이는 것이 유리하고, 댁네는 놀이판으로 사람들을 끌어모으는 게요. 더군다나 장총각 같은 장사가 있으면 장세를 소악 패거리에 바치게 될 염려도 없을 것이고, 거래도 활발해질 테니……"

재인말 광대 셋이 모두 대근의 말이 그럴듯이 생각되어 고개를 끄덕였다. 박대근이 계속해서 말하였다.

"시험하는 셈치고 우리 가는 길에 두 장터만 다녀가잔 말요. 문화를 거쳐 신천 안악으로 해서 황주 봉산으루 가는데, 댁네들 가까운 고장이니 안악까지만 동행을 해보는 게 어떠냐 하는 생각이우. 응낙한다면 내 당장 약조금을 내리다. 당신네 연희를 물건인 듯 직접 저자에 내다 파는 게요."

길산이 곰곰 생각에 잠겼다가,

"참 좋은 생각이슈. 그러나 우리두 뫼시구 있는 수광대 어른이 계시니 그분 의견이 어떨지요. 우리두 한량들에게 불려다니며 주석에서 온갖 수모를 당하는 일은 이젠 지겨워졌소. 패거리가 뿔뿔이 흩어져 봄 가을로 걸립을 다니지만, 겨우 풀칠하는 주제에 여축은 감히 생각두 못 하오. 광대패를 모아 약조금을 받고 연희의 가외 수입은 함께 나누면 참으로 당신네 상단이나 우리 재인들도 피차 유리하겠소."

"물론이지. 내년에는 우리 배대인께 여쭈어 재인방(才人坊)을 열도록 할 것이니, 재인들을 모두 모아서 늘 이삼 대씩 머무르도록 하면 좋겠고…… 동네도 아예 송도 근처로들 옮기시오."

"젊은 사람들이야 찬성을 하겠지만 처자권속이 딸린 노인네들은 재인말을 떠나려 하지 않을 거외다."

박대근은 자기가 너무 한꺼번에 여러 얘기를 꺼냈다 싶어 곧 거두면서 술잔을 쳐들었다.

"자, 그건 그렇고…… 우리 파장 뒤에 읍내에서 흐벅지게 놀기루 하구, 여기서는 우선 목들이나 축입시다."

광대패나 장사치나 여러 곳을 떠돌아다녔고 진기한 체험들이 많은지라 자연히 주고받는 얘기에 피차 흥이 났다. 그들의 얘기는 겪어본 싸움 상대나 도적들과의 무용담에 머물렀고, 어느 지방엔 누가 세다는 둥, 그자의 특기나 버릇이 어떻다는 둥, 안면이 있다 친하다 처음 들었다 등등으로 의견이 일치하기도, 엇갈리기도 하였다. 박대근이 말했다.

"여태 겪어본 중에는 역시 강선흥(姜善興)이가 가장 셉디다. 나하구 의형의제하는 사이인데, 본시 강령 사람이지요. 시방은 장연 고을서 소금장수를 다니는데 소금 다섯 섬을 지고 태산 준령도 넘어다닐 만큼 힘이 장사요. 아마 스무 섬이라두 지겠지만 지게가 못 견디어 못질 게요. 장총각은 시방 몇이우?"

"스물넷입니다."

"응, 그러면 두살 차이로군. 그애가 금년 스물둘인데, 벌써 삼 년 전에 갯가에서 싸우는 황소를 뿔을 잡아 헤쳐놓았다구 그럽디다."
갑송이가 경쟁하는 마음이 일어나서 중얼거렸다.
"강선흥이를 한번 만나봤으면 좋겠네. 누가 세나 판가름해보게."
"아마 만나면 좋은 동무들이 될 게요. 선흥이가 기운 자랑은 잘 않지만, 나만 만나면 신이 나서 겪은 얘기를 하는데 자비령을 넘다가 도적떼와 싸운 얘기는 그중 진진합디다."
대근의 의제에 대한 자랑이 거듭되매 갑송이가 넌지시 결기가 돋쳐서 일어섰다. 그는 옷고름을 풀고 저고리를 벗어던졌다. 털투성이의 넓은 가슴팍이 부풀어서 씨근댔다.
"나두 기운 자랑은 좀체 안 하지만, 못 참겠수!"
하고 두리번거리더니 장막줄이 매어진 소나무 둥치를 바라보고 걸어갔다. 길산은 빙긋이 웃었고, 대근은 호탕하게 웃으며 말했다.
"역시 선흥이 자랑이 지나쳤네. 남의 포장 무너뜨리지 말구 이리 오시오."
"밥알이 곤두서서 못 참겠수. 내 이 나무를 뽑아 보이리다."
갑송이가 손바닥에 침을 퉤 뱉어 비비고 나서 나무둥치를 두 팔로 둘러 안고 허리 굽혀 바짝 조이며 힘을 썼다. 버티고 선 두 다리가 곤두서며 발끝이 땅속으로 비집어 들어갔다.
얽힌 뿌리들이 뒤틀리더니 붉은 흙덩이를 매단 채로 나무가 우지끈 뽑히면서 밑동까지 번쩍 들렸다. 구경하던 장터 사람들과 좌판을 벌였던 장사치들이 주섬주섬 물건을 챙기며 흩어지자 갑송이가 나무 밑동을 놓았다. 사방에 장막의 끈을 달고서 소나무가 일직선으로 쓰러져 내려왔다. 장막이 찢어지며 술상이 엎어지고 박대근과 길산이, 큰돌이는 포장을 덮어쓸 판인데 부욱 하는 날카로운 소리가 들리더니 광목 포장이 좌우로 갈라졌다. 박대근이 앉은 채로 물미장 환도를 뽑아 재빨리 그었던 것이다. 세 사람이 제각기 포장자락을 젖히고 일어나자, 갑송이는 벌거숭이 배를 철썩철썩 두드리면서 웃어댔다.

"꼭 삼태기에 모가지 걸린 붕어새끼들 같네."

대근과 길산은 옷자락을 털고 마주 보며 웃었고, 큰돌이 투덜거렸다.

"기운 많이 늘었구나."

길산이가 갑송이를 추켰고, 박대근도 포장을 걷으면서 쾌활하게 말했다.

"그만하면 우리 강선흥이와 어슷만 하겠수. 그나저나 얼마 쓰지두 않은 새 차일을 찢어놨으니 물어내소."

"아따, 찢은 거야 환도 가진 사람 탓이지 내 탓유…… 나는 나무 좀 해갖구 가려던 참인데."

장터 한구석에서 잠깐 일어났던 이런 소동에는 아랑곳없이 여전히 장은 붐비고 활기를 띠어갔다.

"기분이 그렇지 않으니 우리 읍내 들어가서 한판 놉시다."

박대근은 차인 중의 머리 되는 자를 불러 알아서 파장시키라 이르고는 길산이네를 데리고 송화 읍내로 들어갔다. 처자가 있는 큰돌이만은 염려되었는지 그들과 헤어져 큰잿말로 돌아갔고, 갑송이와 길산이는 박대근의 호방한 됨됨이에 끌려 밤새껏 마시기로 작정하고 객사인 가화관(嘉禾館) 뒤편에 있는 색주가 연루(蓮樓)에 이르렀다.

진홍색 단청 올린 꽃대문 옆에다 싸릿대로 엮은 용수 위에 갓모를 얹어서 장대 위에 꽂아 세웠으며, 울긋불긋 색종이 꼬리가 달린 화사한 수박등이 걸려 있었다. 여자 두엇이 문 앞에 나와 서서 땅거미가 지고 있는 객사 건너편 길을 바라보며 하염없이 잡가를 흥얼대고 있었다.

"초저녁부터 웬 청승이냐?"

수작을 내치며 박대근이 앞장서서 다가서니, 짙은 화장에 모란송이처럼 얹은머리를 올리고 푸른 저고리 붉은 치마, 노랑 저고리 붉은 치마를 떨쳐입은 창기들이 사내들의 양팔을 끼면서 맞장구쳤다.

"님을 기다리자니 그렇지요. 빨리 오시지…… 어머, 문화 재인들 오셨네!"

"그래, 무고한가. 주모는 평안하구?"

하며 길산이도 문안으로 들어섰다. 대개 기방과 재인들이란 서로 기예를 배울 적에 안면이 트는 법이고 술자리에 불려나가면 같은 처지라 자연히 친숙하게 마련이다. 더구나 색주가의 주모들이 으레 관의 퇴기들 물림자리라서 당연히 늙은 광대들과 퇴기들은 소꿉동무와 한가지였던 것이다. 장죽을 비뚜름히 물고 붉은 댕기를 늘어뜨린 연루집 주모가 대청으로 나서다가 그들을 보자 반색을 하며 섬돌로 내려섰다.

"아니, 장충각이 웬일이래…… 요새는 통 발걸음이 없어서, 그러잖아두 가객 몇사람 모셔올까 하던 중인데."

"평안하오? 오늘은 놀이 나온 게 아니라 한잔 걸치러 왔으니, 손님이우."

"아무렴, 그럴 적두 있어야지. 에구, 오늘 또 손발 맞는 놀이에 우리집이 나라님 생일잔치 만났네!"

기생 중에도 색주가 창기는 몸을 파는 것이 본업인데 어릴 적에 팔려오기도 하고, 몰락한 농가의 소녀를 유인하거나 죄인들의 딸을 데려오기도 하며 또는 사비(私婢)들을 몸값 내주고 사들이기도 한 여자들이었다. 상방에는 먼저 온 손님이 있는지 떠들썩했고 그들은 아랫방에 인도되어 앉았다. 잠시 앉았더니 청정한 과실 소반이 들어와 입가심을 했고, 술상이 들어왔다. 들어와 앉는 창기마다 반절을 하면서 인사를 올린다. 박대근이 상좌에 앉아서 수작했다.

"이름은……?"

"매옥이요."

"향심이올시다."

"관향이 어딘가?"

"예, 포천입니다."

"장단입니다."

"그래, 좋은 고장이로다."

성미 급한 갑송이가 빈 잔을 쳐들며 재촉했다.

"어, 빨리 술 좀 쳐주게, 허고…… 노래 한자리 읊으시게."

"술이나 한 순 돌아얍죠."

곁에 앉은 월선이란 창기가 주전자를 받쳐들어 술을 가뿐히 쳐올렸다. 갑송이가 벌컥 비워버리고서 술잔을 탁 내려놓았다.

"이거 무슨 술이 심심하고 맛없고 맺힌 데 없이 탁 풀어진 것이…… 꼭 뜨물에 담갔다 건져낸 개구리 좆맛이다. 다른 술 없냐?"

"왜요, 우리집 약주 맛이야 구월산 이서에선 제일인데요."

"송엽주두 있구 연엽주가 있는데…… 보통들 약주로 드십니다."

"아뭇소리 말구 팔팔 뛰는 화주(火酒)로 가져오너라."

길산의 옆에 앉았던 매옥이 좁은 저고리소매 끝에 한 손을 슬그머니 쫓아오다 마는 듯하며 술잔을 들어올린다.

"인사주로 한잔 올립니다."

길산은 무덤덤히 앉았다가 말없이 받아서 털어붓는다. 박대근이 청하였다.

"그래, 화주로 바꿔오지. 그리구…… 여기 날밤에 호도, 대추며 청술레 푸른 배는 두어두고…… 뭐 요깃거리를 내오너라. 우리가 아직 저녁 식전이다."

"갈비찜에다 제육하구 생선매운탕에 꿩구이를 내오지요."

중노미가 부리나케 오가며 술과 안주를 덧붙였다. 드디어 술이 서너 순배 돌아가 세 사람은 모두 거나해졌다. 대근이 맞은편을 향하여 청했다.

"여봐라, 노래 하나 청해보자."

"예, 잡가를 할까요, 시조루 할까요?"

"허, 둘 다 해보아라. 창가에서 시조 듣기는 또 별나구나. 읊어봐라."

하나는 소고 내려놓고 박자를 맞추고 다른 둘이서 한 귀씩 맞받으며 시조를 읊었다. 길게 끌리는 여음이며 종장의 감칠맛이며 아마도 퇴기인 주모가 교습깨나 시킨 양이었다.

누운들 잠이 오며 기다린들 님이 오랴.

이제 누웠은들 어느 잠이 하마 오리.

차라리 앉은 곳에서 긴 밤이나 새오리라.

이제는 북 치던 향심이가 자작 박자를 맞춰가며 내리 읊는다.

"비는 오신다마는 님은 어이 못 오시나. 구름은 간다마는 나는 어이 못 가는고. 우리도 언제 구름비 되어 오락가락하리요."

잇달아서 계속하는데,

"우리 둘이 후생하여 네 나 되고, 나 너 되어 내 너 그려 긇던 애를 너도 날 그려 긇어보렴. 평생의 나 설워하던 줄을 돌려보면 알리라." 할 제, 박대근이 능숙하게 말했다.

"이젠 엮어라."

서슴지 않고 매옥이가 나서며 사설시조로 엮어내려갔다.

"역시 엮음이 우리 취향이로다."

흥취가 났는지 박대근은 잔질이 잦아졌고, 길산은 벌컥벌컥 들이켰는데도 여전히 덤덤했고, 갑송이는 갈비를 뜯기에 바빴다.

"벽사창이 어른어른커늘 님만 여겨 뚝 나서보니 님은 아니 오고 명월이 만정한데 벽오동 젖은 잎에 봉황이 와서 긴 목을 휘어다가 깃 다듬는 그림자로다. 마침 밤일새망정 행여 낮이런들 남 우일 뻔하여라."

"이총각두 엮음새 한 수 해보우."

"그럴까…… 어디 그동안 목청 상허지 않았는가 떨어봐야겠군."

갑송이가 우람한 체격대로 굵고 거친 소리로 엮는다.

"얽고 검고 키 크고 살찐 구레나룻 별로히 길고 넓죽한 놈이 밤마다 품에 들어 좁고 작은 구멍에 큰 연장 넣어두고 흘근할근 흘레들일 적에 애정은커니와 태산으로 덮누르는 듯 잔방귀 터질 제 젖 먹던 힘이 다 들겠구나. 아무나 이 님 데려가 백년을 동주하고 영영 아니 온들 어느 개딸년이 시앗 새음 하리오."

엮음이 끝나고 지름시조로 접었다가, 이윽고 잡가가 계속해서 나오는데 길산이도 능숙하게 소리를 훑어냈다.

"까마귀 멀리 가고 늦게 뜬 노고지리 우짖을 제 지리지리 지리 뱃종 지리지리 보리밥도 먹고지리 조밥도 먹고지리 장가도 가고지리 아이도 낳고지리 뱃종뱃종 하는구나. 남녀노소 안면부지 고하귀천 가릴 이 없이 그저 보는 대로 쪽박 들어 권하되 진지 좀 잡수시오 탁주 한잔 드세나 수인사를 건네니 남전북답 산산골골 처처에 이 고장 인심이 으뜸이로다. 이 노총각 양반댁 고용살이 일뼈만 굵어서 어언 서른이 넘었는데, 때는 마침 이앙모이 내는 때라 농자 천하지대본이라 기를 세워들고 풍물 잡혀 내려갈 제 서로 다투어 모심이에 흥이 난다.

쨍쨍 칭가징 닐리리리 칭가징 쨍쨍 칭가징 허허후후야 날아가는 갈까마귀야 잔솔밭을 넘어 굵은 솔밭으로 넘어 나가는구나. 허허후후야 갈까마귀야 야이후후, 동무네야 벗님네야 어서 하세 바삐 하세 점심도 늦어가고 술도 늦어간다. 산천초목은 젊어가고 우리 부모는 늙어간다. 갈까마귀는 날아가고 털벙거지에 총 든 포수 재를 넘어 쫓겨간다. 논두락엔 남정네 밭고랑엔 아낙네가 개울로 갈려서 일한다. 김매는 처자 중에 과부 하나이 있어 자색이 명월이라 개참봉 반양반네 첩으로 팔려갔다. 첫날밤도 새이지 못해 늙은이가 급살탕을 맞아 뒈어지니 소년 과부가 되었구나. 저 노총각 저 과부 거동 볼작시면, 모심이하는 짬에 상사는 내를 건너 밭고랑에 박히는데 두 눈에서 불이 훨훨 불두덩이 울끈불끈 가슴은 통통 뻑적지근하여 터질 듯, 목구멍에 침이 말라 오뉴월 대한에 바닥난 우물이며 고이춤 사타리는 중놈에 삿갓처럼 불뚝 솟아 찔러대는데 애꿎은 모판에 손구녕만 나는구나.

과부 이 눈치 채고 나서 가슴에 불티 앉아 솔솔 바자작 솔솔 바자작 타들어간다. 눈꼬리에 추파 꼬리가 아홉 개로 구미호가 실렸으며 입술은 쫑긋 물기가 밴밴한데 숨결은 쌔근발딱 쌔근발딱 풀을 뽑는 다기 치맛자락 솔기를 뜯어 속살이 다 나오것다.

총각아 총각아 저 눈 돌리게 참새 같은 앙가슴이 갈라지겠네.

저 님네 앙가슴 갈라지면 태산 같은 이내 몸이 들어앉겠네.

이내 팔자 기박해 상부를 했네. 이십 안팎에 에레섯 살에 출가를 하니 이팔은 십육이 열 살 먹어 아버지 돌아가고 세 살 먹어 어머니 돌아가고 모란 같은 내 얼굴에 개나리꽃만 피어 삼단 같은 내 머리가 싸릿대로 되었구나.

청사초롱에 불 밝혀라. 청사초롱 님의 방에 님도 눕고 나도 눕고 저 불 끌 이 누 있을꼬.

치정이 은근하고 애틋하여 남 모른 줄 알았더니 느티나무 가지 새로 서녘바람을 알아보고, 너른 들 솔밭 너머 연기 보면 마을 알듯, 스리슬쩍 발 달린 소문이 갯가에 안개 퍼지듯 되었구나. 빨래터에 속닥속닥 우물가에 초싹초싹, 길쌈장에 씩둑 철커덕 쌕둑 철컹, 짚신 꼬며 이래야 비비비 저래야 비비비, 장기 두며 그랬군 장군야 잘했군 멍군야, 소 몰면서 여차여차 낄낄낄 저차저차 낄낄낄, 풍문이 이러하니 과부 설운 신세에 치정은 고사하고 우환이 되었구나. 들보에 띠를 걸고 버선발을 날릴 적에, 나는 간다 나는 간다. 정든 님을 두고 간다. 나는 죽어 꽃이 되고 님은 죽어 나비 되면 양춘가절 호시절에 꽃핀 나를 찾아오리, 간다 간다 나는 간다. 님을 버리고 나는 간다. 내가 죽어지면 맷돌짝이 되어지고 님은 죽어지면 위짝이나 되어지면 어랑어랑 정한이여, 어랑 어어요 어랑어랑."

과연 길산의 소리는 관록이 있어놔서 낮았다가 높아지며 흐느끼고 날뛰다가 다시 잔잔해지고 중중모리 잦은모리가 휘들어지는데 계곡 사이를 우당탕 흘러내려가는 시냇물과 같았다.

"잘한다!"

박대근이 감탄을 했고, 어느 틈에 문을 열고 들어섰던 주모마저 눈시울을 붉혀가지고 앉았다가,

"내 재인 신명을 많이 듣고 보았건만 장총각은 아버지보다 낫소. 춤은 또 얼마나 하게."

질세라 신이 돋친 창기들이 다투어 노는데, 청(廳)이 없어 장고춤을 휘날리지 못하는 것이 유감이었다. 그들의 술자리는 모르는 결에

자시(子時) 어름을 넘겨서야 물리게 되었고, 박대근이 기어이 같이 자고 가자는 것을 갑송이만 떼어놓고 길산이 혼자 나섰다. 길산이는 순라에 들키지 않게 객사 앞길을 피해서 향교의 담을 끼고 읍내를 빠져나왔다. 달빛에 길이 하얗게 구불거리고 있었다.

2

작은재인말은 까막내를 건너 광대산의 계곡이 시작되는 송림 앞에 자리 잡고 있었다. 개울가이어서 무성하게 자란 갈대밭 너머로 개간한 땅이 늘어나 이제는 계곡의 위쪽에 있는 큰잿말보다 호수는 적지만 조밭의 경작지는 넓었다.

손돌이 문화 광대들의 총대(總代)가 된 것은 어언 십 년이 넘었고, 그는 연희를 떠나지 않게 된 다음부터는 늘 작은잿말에 틀어박혀 농사나 짓고 틈틈이 광대의 어린 자식들에게 기예를 가르치며 소일하고 있었다. 그는 늦게 본 외아들을 잃고 나서 재작년에 상처까지 하게 되어 재인말 사람들이 모두 동정할 정도로 외로운 신세였다. 그러나 몇달 전부터 묘옥(妙玉)이가 밥시중도 들어주고 빨래도 해주며 말상대도 되었으니 손돌 노인께는 늘그막에 무남독녀를 느닷없이 점지받은 거나 한가지였다. 그렇게 호의로 생각하는 사람들도 있는 반면에 젊은 축들은 손돌 노인과 묘옥의 사이에 무슨 별스런 관계라도 있는가 싶어 입방아를 찧곤 했는데, 남녀 모두가 묘옥의 뛰어난 미모에 대하여는 의견이 일치했던 것이다.

손돌은 신천 우산포 부근의 어루리벌〔魚蘆坪〕에 사는 심부자 댁에 잔치 초대를 받아 갔었다. 심부자가 원래는 남의 머슴살이로 출발했다가 중농으로 일어서고 다시 관전의 소출을 관리하는 고직(庫直)으로 있다가 둔별장(屯別將)이 되면서 일 년에 곡식 백오십여 석씩 착복해서 일시에 부농으로 일어선 사람이었다. 그가 남의 머슴을 살 때 손돌과 다정히 지내더니 둔별장이 된 뒤로는 다시 안면을 바꾸었다가 피차에 함께 늙어지고 환갑을 맞게 되자 친구 겸 광대가객으로 자리도 흥겹게 할 겸 하여 새삼스레 불렀던 것이다. 불려간 손돌은 워낙 상대의 신분을 잘 알지만 이제는 참봉직까지 공명첩으로 얻어낸 사람에게 하게도 놓지 못하고 끝내 불편한 자리를 지키다가, 어둡자마자 원행을 핑계로 빠져나왔다.

잔칫집에서 들려준 땅만 비추는 작은 발등거리불을 비춰들고 손돌은 객사 화산관(花山館) 앞에 이르렀다. 훈련원과 군기고로 가는 길이 갈리는 삼거리 앞에 여러 채의 색주가가 있었고, 풍악소리와 계집들의 간드러진 웃음이 요란했다. 지금 밤길을 걸어 추산 마루턱을 넘어간다는 것은 터무니없는 짓이었으나, 손돌은 심가의 집에 도저히 하룻밤도 묵지 못할 정도로 마음이 불편하였던 것이다. 이왕 내친걸음이니 문화에 가서 옛날에 함께 한량굿으로 기방을 드나들던 퇴기 소향의 집에 들를까 하는 마음이었다. 색주가의 수박등 매달린 홍문 앞을 지나려는데 안에서 수군대는 남자들의 목소리가 들리더니 무엇인가 허연 보에 싼 것을 거적에 말아 멘 두 사내와 포주인 듯한 색주가 기생어멈이 쫓아나오는 것이었다.

천사산 깊은 골에다 던져버리구 오게.

술상 봐놓구 기다리슈.

그래, 그 골칫거리만 처분해주면 해골머리가 개운할 거여.

수작을 주고받더니 앞뒤로 거적때기 만 것을 둘러멘 사내들이 성큼성큼 읍내를 빠져나가는 것이었다. 손돌은 짐작한 바가 있어 두 사내의 뒤를 멀찍이서 따라갔다. 죽령방(竹嶺坊) 부근에 이르러 사내들은 천사산 마루턱으로 오르기 시작했다. 손돌 노인도 그들을 뒤따라 산길로 올랐는데 중턱에 이르니, 홀연 길이 텅 비어 그들의 자취가 보이질 않았다.

웬놈이 뒤를 밟느냐?

하는 소리가 버럭 나더니 숲 양쪽에서 두 놈이 한 번에 달려들어 손돌 노인을 덮쳤다. 기운 쓸 것도 없이 노인은 땅바닥에 주저앉았고 한 놈이 머리만 한 돌을 허리를 부숴뜨릴 기세로 번쩍 쳐들었다.

손돌은 정신이 아뜩해서 두 손을 저으며 고함쳤다.

잠깐 내 말 들으시오.

말은 무슨 말을 들어……

연유나 압시다. 뭣 땜에 이러시오?

곁에 섰던 자가 고개를 숙여 손돌을 찬찬히 살피더니 말했다.

노인인데…… 그만해두지.

손돌이 놓치지 않고,

나는 이 고장 사람도 아니고 문화에서 묵어 갈까 하고 길 가던 사람이오. 당신네가 도적이 아니라면 행인에게 이러는 까닭이 무엇이오?

이 고장 사람이 아니란 말이지……

그들은 잠시 속삭이며 무엇인가 의논해보더니 한 사내가 말했다.

그럼 길을 가슈.

손돌이 그제야 일어나 옷자락을 털고 꺼진 채로 들고 왔던 발등거리를 찾아 펴고 부러진 몽당초를 찾는 체 지체하다가 용기를 내어 물었다.

남의 눈을 꺼리는 일이 있나 본데…… 혹 도움을 드려도 좋겠소?

그들이 겉보기엔 기세가 사나울망정 차림새로 보아 술집 중노미나 머슴들이 분명하니 무턱대고 사람을 해코지할 것 같지는 않았기 때문이다.

남의 일에 상관 말구 길이나 가오.

젠장 공연히 놀랐네. 채 죽지두 않은 사람을 내다버리라니, 이거 사람이 할 짓이야……

인석아, 말 조심해. 어서 가라니까, 이 늙은이가 경을 칠려구 이래.

그러는 중인데 그들이 길섶에 내려놓았던 거적이 흔들리면서 사람의 신음소리가 들려왔다. 한 녀석이 투덜대며 고개 아래로 내빼는데,

난 모르겠다. 니가 알아서 버리든지 파묻든지 해라.

다른 녀석도 겁이 난 듯 거적을 피해 돌아섰다.

어라! 저놈이…… 어이, 여보게……

두 놈이 차례로 달려내려갔다. 손돌이 거적을 헤쳐보니 속곳 바람의 여자가 실신한 채 늘어져 있었다. 몸이 뜨겁고 숨을 쉬는 게 아직 살아 있음이 틀림없었다. 손돌은 잠깐 망설였다. 그도 고개를 쫓아 내려가며 숨찬 목소리로 그들을 불렀다.

여보, 여보, 내 말 좀 들으시우. 뒤탈 없게 할 터이니…… 내 말 들어요.

어둠속에서 마주 외치는 소리만이 들려왔다.

뭐요……

아직 죽지는 않은 사람인데 인명을 살리구 봅시다.

곧 죽을 거요. 내일 아침엔 시체가 됩니다. 거 역병 앓은 사람이라 버려두 무방해서 버린 거요.

나는 의원 해먹는 사람이오. 회생시킬 수가 있는데 문화까지만 업

어다 주겠소? 열 냥 드리리다.

정말…… 열 냥 있수?

하는 목소리가 가까이 들려왔다. 과연 그들은 돈 열 냥 준다는 말에 귀가 번쩍해서 되돌아온 것이었다.

문화에 가서 모른다면 안 되니…… 우선 돈부터 내우.

그러지, 하지만 닷 냥 먼저 주리다. 남은 닷 냥은 문화 가서 드리겠소.

우리두 뒷맛이 썩 좋진 않았는데 홀가분하게 됐군.

두 사내는 멋쩍은 듯이 거적때기를 들치고 여자를 홑이불에만 싸서 업고 손돌의 뒤를 따랐다. 맨몸으로 따라오는 사내가 손돌의 곁에 서더니 변명조로 중얼거렸다.

쥔 여편네가 어찌나 극성인지 할 수 없이 나섰지요.

색주가의 여종이오?

아니우. 신천서 그래두 제법 인물이라는 창기(娼妓)입니다. 헌데 두어 달 전에 겨드랑이에 종창이 나더니 시방은 가슴께까지 온통 번져버렸답니다. 계집이야 흔천이고, 벽촌 농가에 가면 서로들 사가라구 아우성인데 의원을 부른답디까? 색주가 인심이 혹독하지요. 인사불성이 된 것을 골방에 사흘쯤 처박아두었는데, 우리 주모가 송장 치겠다며 아무도 몰래 산에 갖다버리라구 하잖습니까. 그러니 그 집 구석에서 밥 빌어먹는 처지에 우리가 어쩝니까.

종창이라면 멀쩡한 병인데 산 사람을 내다버린다니 천인공노할 노릇이군.

그들은 덕천리(德泉里)에 이르렀고 퇴기 소향의 집을 찾아갔다.

우린 갈라우. 닷 냥 내슈.

줄 테니 염려 마오. 사람이나 들여놓구 가야지. 이리 오너라, 이리

오너라.

안에서 신 끄는 소리가 들리더니 중문 안에서 가냘픈 목소리가 들렸다.

누구셔요?

음, 손돌이란 사람인데, 안어른 계시냐?

손돌 어른이라굽쇼?

그래, 재인말서 왔다구 여쭈어라.

하녀가 대답하기도 전에 신 끄는 소리와 호들갑스런 목소리가 들려왔다.

아이구, 오라버니가 웬일유. 읍내 출입을 다 하시구.

문이 열리면서 소복 입은 단정한 차림새의 오십대 부녀가 나왔다.

소향이 신세 좀 질라구 왔지.

신세는 뭐…… 그런데 밖에 누구하구 같이 왔수?

응, 그럴 만한 사정이 있어서…… 어서 안으로 들이시오.

두 놈이 머리와 다리를 맞들어 대청에 부려놓고 나가는데 뒤따르던 자가 손돌의 곁을 지나며 손을 내민다. 닷 냥을 떨구어주니 어둠 속으로 내빼면서 그래도 뒤가 구린지 한마디씩 외쳤다.

복 많이 받으슈.

열 냥이면 계집 하나 싸게 샀수!

고연 놈들……

손돌이 중얼거리자 소향이 그의 소매를 잡아끌었다.

어서 들어갑시다. 아니…… 온통 중치막에 흙칠이니 무슨 일이 있었구려.

소향은 원래 재령의 관기였는데 스물여덟에 속신하고서 맞임개〔延津〕 부자의 소실로 들어앉았다가 아들 둘을 낳아주고 이제 주인

잃어 삼년상을 입는 중이었다. 마음이 착하고 일찍이 규중에 들어앉아 아이를 기른 탓으로 기생의 티는 보이질 않았다. 큰아들은 의주와 평양을 오가는 장사꾼이고 작은아들은 약산의 철광에서 감관(監官)으로 있었다. 손돌이 대강의 이야기를 전하자 소향은 하녀에게 아랫방에 불을 넉넉히 넣으라 이르고는 하인을 시켜 의원을 불러오도록 했다. 불빛에 보니 여자의 온몸과 안면이 굴곡을 알아볼 수 없을 정도로 부어 있었고, 고열에 들뜬 채 인사불성이었다.

의원이 와서 맥을 짚어보고 종처를 살피고 나서 말했다.

지금 함부로 째었다간 생명이 위태하겠소. 그보다는 멍울을 가라앉히고 피가 돌도록 해야 됩니다. 나쁜 피를 고름으로 만든 뒤엔 저절로 창구가 터지지요. 우선 경락(經絡)에 피가 뭉쳐 있으니 흩어지게 하려면 뜸을 떠서 나쁜 피를 잡아먹게 해야 되오. 그 다음엔 압통점을 찾아내어 진통이 되게 침을 놓아줍시다.

진료를 마친 뒤에 의원은 처방한 약재를 보내겠다며 하인을 데려갔다. 처방전이 되돌아왔는데 쇠비름 한 줌과 사향, 황백(黃柏)가루와 복룡간(伏龍肝) 두 냥쭝을 보냈다. 계란에 개어 종처의 시발점인 겨드랑이와 멍울이 섰는 가슴께로 집중해서 붙이라는 것이었다. 날이 밝아 의식이 돌아오면 우엉씨와 감초와 딱지꽃을 한데 우려내어 따뜻이 데운 꿀물을 섞어 먹이라는 것이었다. 그리고 냉수찜질을 해주어야 된다고 했다.

손돌은 소향의 집에서 묵었고, 마음 착한 소향은 밤새껏 그 천한 여자의 몸을 씻기고 머리에 찬 물수건을 얹어주며 간호했다. 열이 차츰 내려갔고 이튿날 아침에는 의식을 되찾았다. 손돌은 환자를 소향에게 부탁하고 재인말로 돌아가며 나중에 꼭 갚으리라 치사를 해줬으나 소향은 빙긋 웃기만 했다.

저두 모처럼 활인(活人)을 거들게 되어 기뻐요.

몸조리만 잘 시키면 건강해질 것이니, 자네가 거두어두고 잔일이나 시키면 좋겠네.

알아서 하죠.

이틀 사흘 지나는 동안에 종처의 고름이 터지고 창이 아물기 시작했는데, 부기가 빠져 수척해진 여자는 본얼굴로 돌아오자 수려한 미모를 드러냈다. 처음엔 말없이 눈물만 흘리더니 열흘쯤 지나 기동하게 되고부터 소향과 함께 바느질도 거들며 얘기를 주고받게 되었다.

여자는 금년 십팔 세이며 이름은 묘옥(妙玉)인데 어릴 적에 김씨 성을 가진 적이 있었으며 태어난 곳은 중화였다. 그 아비는 양인으로서 조부가 유학(幼學)이었으나, 가업을 세우지 못하여 일찍이 배를 두어 척 사서 쌀을 싣고 다니며 행상을 했다. 묘옥이 아홉 살 나던 해의 일이었다. 네 살과 두 살짜리 남동생이 있었는데 어머니가 처녀 적부터 중화에서 소문난 절색이었다. 그 아비의 동무 중에 양서방이란 자가 있었는데 평안감영에 아는 이가 있어서 현에 나아가 장교질을 다녔다. 그는 진작부터 묘옥의 어머니를 은근히 탐내고 애만 태워왔던 것이다.

어느날 밤 대여섯 명의 포교들이 집을 둘러싸고 장삿길에서 돌아온 묘옥의 아버지를 체포했다. 영문도 모르는 어머니는 어린것들을 감싸안고 땅을 치며 울었고 아버지는 무슨 죄길래 이러느냐고 고함을 쳤으나 포교들은 모양을 내어 팔을 뒤로 꺾고 목과 어깨와 두 손목을 붉은 밧줄로 꽁꽁 묶었다.

죄목은 그맘때에 대동강 어구인 남포 앞바다를 횡행하며 관선의 곡식과 무역선을 습격하는 수적 패거리들과 내통했다는 것이다. 그가 아무리 변명했으나 그의 사정을 모두 알고 있다는 장교 양서방이란 친구가 매우 불리한 증언을 했다. 즉, 거의 십여 년이나 남포에서부터 해로로 예성강구까지 왕래하면서 한 번도 적당들의 피침을 받은 바가 없다는 것과, 그가 겨우 곡식 행상으로 가산이 꽤 부유하다는 것, 그리고 가장 중요한 증거로서 초도(椒島)에서 늘 사람이 오가는데 그가 주상(舟商)들이 수적당들께 바칠 통과세를 미리 거두었다가 내준다는 것이었다. 묘옥의 아버지는 일단 중화에서 문초를 받고 감영으로 끌려 올라갔다.

평안감영에서는 오랫동안 초도 부근의 수적당에 골머리를 앓아왔던 터이라, 잡혀온 묘옥의 아비를 엄중히 공초했다.

그는 변명하기를 남포에서 예성강 어귀까지 오가는 동안 그의 배가 한 번도 습격받지 않은 것은 원래 장사의 규모가 미곡 몇섬에 지나지 않은 영세적인 소상(小商)임을 알기 때문에 그들이 습격할 까닭이 없으리라 했다. 또한 가산이 부유하다 함은 말이 안 되고 그저 밥술이나 먹는 형편인데, 박한 쌀장수의 이윤으로 오로지 부지런히 여러 고장을 나다닌 탓이라 했다. 그리고 초도에서 사람이 왕래한다든가 통과세를 걷는다는 것은 전혀 사실 무근인데 간혹 타지방의 거간이 오면 집에 재우거나 물건을 소개했을 뿐이라며 누누이 밝혔지만 중화군수의 장계도 있고 하여 용납되지 못했던 것이다. 심한 고초를 겪은 후에 두 달 만인가 있다 풀려나왔으나 장독(杖毒)이 온몸에 번져 소주에 탄 똥국물까지 마셨고 삼도 달여 먹고 했는데 시름시름 앓더니 반신불수가 되어 누워서 지내는 산송장이 되고 말았다.

그때부터 묘옥이네 모녀는 두 어린것과, 꼼짝 못 하고 의식 없이 누워 미음이나 받아먹고 대소변도 못 가리는 남편을 봉양하기 위해서 여러가지 품팔이를 해야만 되었다. 먹는 것은 밀기울이요, 입은 것은 속곳 위에 겨우 짚 북더기로 살을 가렸다. 이러한 가난 속에서 양장교가 드나들기 시작했고 여러가지로 도움을 주어 집안 형편이 풀리게 되었는데, 어느날 밤에 인기척으로 잠이 깬 묘옥은 남녀가 도란거리는 목소리를 들었다. 굵다란 남자의 목소리가,

그러니 나를 따라서 선천으로 가잔 말일세. 내 이번에 첨사를 따라 진장이 되어 영전하게 되는데, 자네 호강시켜주지.

저이야 이젠 죽은 사람이나 마찬가지이나, 그래두 새끼들만은 어떻게 할 수가 없어요.

걱정 말아, 내 다 알아서 처리해줄 테니까.

큰년은 이제 장성했으니 어디 좋은 소실자리나 얻어주면 그게 제 복이겠죠만, 새끼들은 참말 흉년에 시루에다 씌워 내다버리듯 할 수도 없어요.

울기는 젠장…… 그런 걸 복철이라구 하는 게야. 내 소실자리하구 양자자리를 주선해볼 테니 염려 말라니까.

양장교와 어머니의 목소리라는 것을 묘옥은 대뜸 알아차릴 수 있었다. 어린 마음에도 치가 떨리도록 분하고 서러워서 제 딴에는 부친의 원수를 갚겠다며 불끈 일어났다. 방문을 살그머니 열고 부엌에 내려가 식칼을 찾아들고 두 연놈을 찔러죽이리라 작정을 했는데 안에서 발걸음 소리를 들었는지 사내가 목소리를 죽였고, 그 어미가 떨리는 소리로 물었다.

밖에 거 누구냐, 묘옥이냐?

묘옥은 칼 든 손을 불불 떨며 한참이나 그러고 서 있었다.

빨리 들어가 자거라. 밤공기가 차겠다.

묘옥은 툇마루에 칼을 떨어뜨리고 토방 앞을 떠나 집 밖으로 줄달음질을 쳤다. 방 두 칸에 헛간 하나 있는 집이니 그들이 정을 통하고 있던 곳은 바로 환자의 방이었던 것이다. 의식 없는 살덩이지만 환

자는 미음을 떠넣어줄 때마다 입맛까지 다시는 살아 있는 사람이었다. 묘옥은 맨발로 정신없이 동구를 향해 뛰어갔다. 해풍이 거세게 몰아쳐 불어오고 있었다. 묘옥은 단번에 돌아가서 집에 불을 싸질러 버리리라 다짐해보면서도, 실상은 어머니마저 아버지만큼 불쌍해서 견딜 수가 없었다.

어른 몫의 길쌈과 밭을 매는 당찬 구석이 있었으되, 묘옥이는 누가 보기에도 아직 어린 계집아이에 지나지 않았다. 어느결에 오리정에서 묘옥은 갯가로 접어들고 있었다. 조수가 밀려나가고 있었다. 소금짐과 미곡을 싣는 배들이 창에서 오르락내리락했다. 안개 사이로 맞은편의 낯선 야산이 아물거렸다. 묘옥은 해송이 어우러진 언덕에 앉아서 여러가지 생각을 했다. 집에는 다시 돌아갈 수 없다는 쪽으로 결심이 굳어갔다. 이다음에 세월이 오면 꼭 양가놈의 원수를 갚으리라고 혼자서 중얼거려보고 나서 당돌하게 뱃사람들이 일을 하고 있는 진으로 나갔다. 그들은 갯가를 맨발로 헤매고 있는 눈물 흔적의 작은 계집아이에게 곧 주의를 집중하게 되었고, 그중에 묘옥의 아버지와 함께 장사를 다녔던 사공 하나가 대뜸 알아보았다.

네 웬일로 여기 나와서 서성대느냐?

묘옥은 대꾸 없이 닻줄 박힌 사장에 앉아서 모래만 뿌리고 있었다.

부친은 그냥 그대로냐?

어젯밤에…… 돌아가셨어요.

라고 묘옥은 갑자기 꾸며댔다.

쯧쯧, 차라리 잘되었다. 그런데 여긴 누굴 찾으러 나왔니?

아저씨, 저 배 좀 태워주셔요.

배? 네 어머닌 집에 계시지?

저…… 외갓집 가야 해요. 장사 비용두 없어요.

음, 심부름을 간단 말이구나. 가만있자, 우리 배는 오늘 떠나지 못 한단다. 내가 누구한테 말해줄 테니…… 아무 배나 얻어 타겠니?

묘옥은 고개를 끄덕였다. 마침 출발하는 배가 대동강의 조수를 타고 흘러 급수문(急水門)을 지나고 배곶을 지나 옹진으로 간다는 것이었다.

그러니, 너는 보산나루에서 내려라.

네, 아저씨 고맙습니다.

묘옥을 실은 배는 돛을 올리고 삭시진을 떠났다. 강안으로 흐르듯 지나가는 산천에 눈도 돌리지 않고 묘옥은 모진 결심을 했다. 내 반드시 양가의 목을 베는 날이 올 때까지 무슨 짓으로라도 살아가리라.

옹진에 닿은 배에서 내렸을 때, 묘옥은 두 끼나 거푸 굶고 맨발이었으며 옷 주제도 말이 아니어서 완전히 흉년의 거지 같은 몰골이었다.

수군본영이 있는 봉소리에서 묘옥은 비석거리 앞의 작은 객줏집에 부엌데기 일을 얻을 수가 있었다. 남자는 배를 부려 경강(京江) 상인과 미곡 부리는 일을 하러 다녔고, 주인 여편네는 아침부터 저녁까지 봉놋방과 술청을 다람쥐처럼 오르내리는 부지런한 여자였다. 그러나 성격은 온화하여 묘옥이와 정이 붙자 친딸처럼 대해주었다. 평화스러운 가운데 사 년의 세월이 흘러갔다. 기유(己酉)년에 큰 가물이 들었고 이듬해인 경술(庚戌)에는 온 팔도가 대 기근(飢饉) 가운데 떨어졌다. 유민은 고을마다 넘쳤고 민심은 흉흉했다. 객줏집들도 모두 문을 닫아걸고, 남은 곡식으로 제 식구끼리 연명하느라고 길고도 지리한 여름을 견디었다. 길거리마다 산협에서 몰려나온 농빈들이 가족을 잃고 뿔뿔이 흩어져서 음식을 구걸하고 다녔는데, 아이들은 아무 데나 버려졌다. 이런 중에도 여유가 있는 축은 곡식을 비축해놓고서 모리를 하기에 바빴던 것이다.

묘옥이가 얹혀 있던 집에서도 관에서 내준 구호용 진미(賑米)마저 바닥나자 맹물에 진간장을 타 마시며 견디었다. 그러나 오래지 않아 물로만은 견딜 수가 없게 되어 묘옥이와 그 집 아이들은 들로 개구리와 메뚜기를 잡으러 다녔고, 메도 캤으며 찐드기흙을 파다가 송엽을 넣어서 흙떡까지 먹었다. 이러는 중에 강령 고을에 색상(色商)이 와서 젊은 처녀들을 사들인다는 소문이 났고, 정 견딜 수 없는 사람들은 저희 여식을 팔아 여름을 날 궁리도 하게 되었다. 죽는 일보다는 사람이 살아갈 방도를 취하게 되느라고 객줏집 여자가 강령에 나가서 묘옥을 흥정해 왔다. 얼굴과 나이가 맞춤하여 묘옥은 다른 계집아이들과는 달리 조 열 되에 팔렸다.

여자란 첫 번째 남자가 잊혀지지 않는 법이다. 상대가 좋건 싫건 별 관계 없이, 여자는 남자를 알았던 그때의 자기를 잊을 수 없는 것이다.

묘옥의 첫 번째 상대는 어둠과 그리고 수렁에 빠지는 것 같던 치욕 그 자체였다. 오래 굶주려 몽롱해진 가사 상태에서 그녀는 툇마루의 나무 판자가 삐걱이는 소리를 들었다. 헛기침 소리도 들은 것 같았고 속삭이며 히히거리는 여러 사내들의 목소리도 들은 것 같았다. 어둠속에서 우람한 사내의 몸집이 장승 도깨비처럼 우뚝 서 있었던 듯했다. 열려진 문으로 어둠 위를 흘러 지나가는 개똥벌레들의 음산한 빛조각들이 내다보였다. 어둠이 그녀의 옷을 벗기고 그러고는 덮쳐 눌렀다. 묘옥은 사지에서 모든 힘이 빠져나가 얼굴을 옆으로 돌리고 눈을 감았다. 때에 전 베개에서는 여러 사람의 머리카락 냄새가 났고, 그 위에 눈물을 끊임없이 적셔야 했다. 장승 도깨비 같은 자가 옷을 추스르고 나가자 또다른 몸집이 들어섰다. 묘옥은 이제는 사뭇 눈을 똑똑히 뜨고 올려다보았다. 검정 더그레 자락이 희미하게 보였는데 그는 들어올 때부터 끈을 푼 바짓자락을 잡고 있었다. 또다른 자가 들어섰다. 그는 묘옥의 몸을 신기한 듯이 쓸어보기도 하고 손에 거칠게 쥐어보기도 했다. 묘옥이 드디어 참아왔던 오열을 터뜨리자 사내가 중얼거렸다.

미안하구먼. 군역 나와서 내리 삼 년을 여자 손 한번 쥐어보지 못했네.

오래된 못에서 꿀럭이며 솟아오르는 물방울처럼 그 피로하고 주눅 든 음성은 묘옥의 서러움을 가라앉혔다. 그날 밤에 겪은 네 사람의 사내가 그 여자에게는 동일한 한 사람으로 여겨지는 것이었다. 그들은 진의 수군들이었고, 상인은 첫 손님들을 들인 것이었다. 묘옥은 이러한 여러 밤을 거치면서 평산으로 끌려갔다. 거기서 안성골의 잠채(潛採)하는 금광 주변에 있는 창가(娼家)에 팔렸다. 거기서 하천 광부들의 노리개 노릇을 하다가 신천으로 옮겨온 것이 일 년 전이었다.

소향은 비 오듯이 눈물을 흘리면서 오히려 모질고 담담하게 얘기하고 있는 묘옥의 흐트러진 머리를 쓰다듬어주었다.

그래, 이 사람아, 참말 모질고 독하기도 허이. 그 험한 고초를 겪으면서 자진하지 않구 살아온 게 용하네. 이젠 나하고 같이 살지 뭐. 이것두 인연인데.

묘옥은 바늘을 들어 짧아진 등잔의 심지를 돋우었다. 그리고 동정에 침착하게 바늘을 꽂으면서 중얼거렸다.

아닙니다. 저는 은혜와 원한으로 한 세상을 살아온 여자예요. 길에 내버려져 죽고야 말 천한 목숨을 살려주신 어른의 은혜에 꼭 보답해야만 합니다. 그 어른께서 늙마에 홀로 계시다니 삼 년 동안 몸종 노릇이라도 하여 보은하겠습니다. 그리구 언제라도 이 한 맺힌 원수는 갚겠어요. 그때까지는 제가 세상에 살아야만 하고, 그래선지 쉬이 죽어지질 않는군요.

소향은 저 연약하고 작은 여자의 어디서 그렇게 서릿발 같은 매서운 집념이 솟아나는지 놀라웠다.

원수는 무슨…… 오랜 세월이 지났는데 그 사람들도 이제는 죽었을지두 모르네. 다 전생의 죄이려니 잊고서 음덕을 쌓노라면 나처럼 마음이 편안해질 거야.

아닙니다. 제가 작년에 평산을 떠나면서 중화 고을에 들러 수소문을 다 해보았습니다. 그 연놈들은 아버지와 어린 동생들을 버려둔 채 선천으로 떠나서 아버지는 돌보는 이 없이 누운 채로 돌아가셨답니다. 동생들은 경강 상인들이 어디론가 데려갔다는데 종으로 팔아치웠을지두 모르지요. 들리는 얘기로는 선천서 어머니가 젊은 계집에 밀려 버림을 받았답니다. 아마 저자를 헤매며 유리걸식을 하다가 미쳐서 죽었을 거예요. 양가놈은 지금 관에서 나와 강서엔가 산다는데 아주 대가를 이루었답니다. 연약한 여자의 몸으로 태어난 것이 못내 한스럽지요.

묘옥은 한 달을 소향과 함께 지내는 동안에 부기도 빠지고 몸이 완전히 회복되었으며, 더구나 술 없고 사내 등쌀에 시달림 없는 안정을 갖게 되자 한창 나이의 규수처럼 피었다. 소향이 함께 지내자고 달랬지만, 묘옥은 끝내 손돌 어른께 찾아가겠다고 주장하게 되어 하는 수 없이 심부름하는 자를 딸려서 문화 작은잿말로 보냈다.

손돌 노인은 찾아온 묘옥을 보자 몹시 당황했다. 남의 눈이야 제 맘이 그렇지 않으니 꺼릴 게 없다더라도, 우선 지나는 인심으로 가볍게 마음 써준 일로 종을 자처하며 들어선 묘옥의 고집이 너무 지나치다고 느낀 때문이었다. 묘옥은 손돌 노인이 뭐라고 대꾸하기도 전에 부엌에 들어가더니 그릇을 내어 씻고 걸레로 방의 묵은 때도 벗기고, 쌀을 안쳐 밥도 짓고 그러고는 상을 보아 마루에 놓은 뒤에 호미를 찾아 들고 들로 나가는 것이었다. 하루종일 조밭을 매고 돌아와서는 저녁에는 인근에서 바꿔온 면화의 씨를 고르고 물레를 자았다.

손돌은 적막하고 흉가 같던 집안에 사람의 기척이 생겨나 온통 따스한 훈기가 감도는 것을 느꼈다. 손돌이 묘옥을 돌려보내려던 생각은 겨우 하룻동안에 부드러운 감동으로 바뀌게 되었다.

묘옥이 찾아온 이튿날 아침에 손돌 노인은 지게를 지고 사립문을 나서다가 부엌에서 밥을 안치고 있는 묘옥에게 말을 건넸다.

얘야, 내가 솔가지 좀 쳐올 테니 먼저 밭에 나가지 말구 기다려라.

예 아버님, 아예 진지를 들구 나가시지요.

아니다, 나무가 없는데 뭐……

손돌은 눈꺼풀이 뜨거워졌다. 손돌과 묘옥의 수양부녀 관계는 그렇게 자연스레 이루어졌던 것이다.

장충의 딸이며 길산의 누이인 박서방댁은 자주 오락가락하며 묘옥과 가깝게 지냈다. 묘옥의 됨됨이가 전신은 창기일망정 얌전하고 상냥했으므로 누구에게든 인심을 잃지 않았고 공연히 비쭉대던 마을 아낙네들도 빨래터나 우물가에 끼여주고 일을 거들어주게도 되었다.

길산이는 송화 읍내의 색주가에서 박대근, 갑송이들과 헤어져 혼자서 밤길을 걸었다. 청송에서 까막내에 이르는 오솔길은 중천에 높이 솟은 달빛으로 구불거리며 뻗어나간 것이 훤히 보였다. 들판에

희게 피어난 갈대꽃과 소나무 잎사귀 사이로 빠져나가는 바람소리로 길산은 취중의 흥취가 쾌적하였다.

"새벽 서리 지는 달에 외기러기 슬피 울 제 반가운 님의 소식 행여 올까 바라더니, 창망한 구름밖에 빈 소리뿐이로다."

흥얼흥얼 노래하면서 갈대밭을 돌아드는데, 까막내마을의 불빛이 점점이 가물거리고 있었다. 길산은 내처 큰잿말로 올라가기에는 밤이 너무 늦었다 싶어 까막내 누이 집에서 자고 갈 작정을 했다. 까막내와 작은잿말은 개천의 이편 저편이었는데, 까막내는 주로 갖바치라든가 옹기쟁이, 수철쟁이 같은 장인들이 많이 사는 동네였다.

길산이 누이의 집 앞에 이르니 불 꺼진 집은 고요했고, 마루 밑에서 쫓아나온 삽사리가 컹컹 짖어댔다.

"쉬이, 형님 계시우……"

불은 꺼진 채로 안방문이 열리면서 아낙네의 목소리가 들렸다.

"누구냐, 길산이냐?"

"응, 나야."

"네가 웬일루 이 밤중에 내려왔니?"

"아니, 장에서 오다 보니 길이 늦었수."

누이가 삽짝문을 열어주며 말했다.

"느이 매부는 봉산 나가셨어. 비단신하구 가죽신 열 켤레를 약조한 날짜에 대이겠다며 황급히 나갔는데, 여태 안 돌아오네."

"발걸음이 잽싼 양반이니 길 걷기에 늦춰졌을 리는 없구. 뭐 어디서 좀 놀다 오겠지."

"그 양반두 노름 좋아해 야단이다. 그저 개뻑다구만 봐두 골패짝인 줄 알구 덤벼들 거야."

"어머닌 가셨수?"

"낮에 무꾸리가 모두 끝났대. 올라가셨지 뭐. 저녁은 먹었니?"

"자리나 빨리 깔아주어. 피곤해 죽겠네."

"참, 너 총대어른 만나뵀지?"

"지난봄 연희 떠날 때 이후론 통 뵙지 못했네. 여름내 농사 거드느라구 뭐 틈이 났어야지. 잘됐군. 낼 아침에 인사 문안이나 드리구 올라가야겠네."

"총대어른이 너를 여간만 생각는 게 아니란다."

"나두 알어. 헌데 참, 누가 왔다면서…… 새댁이라던가?"

"새댁이 아니야. 너두 왜 들었지, 신천서 다 죽게 된 창기를 구완해냈다는 소문 말이다."

"들었어."

"그 여자가 지금 총대어른을 보살펴드리구 있는데 정말 어느 집 규수에 못지않더라. 하두 참해서 그 여자가 언제 창기 노릇을 했는지 못 믿겠데."

"뭐 태어날 때부터 창기가 따루 있겠수? 그게 다 성정 나름이구 사람 나름이지."

하면서 길산은 은근히 그 여자에 대해서 궁금증이 일어나는 것이었다. 새벽녘에 그들은 잠이 들었는데,

"문 열어! 빨리 문 좀 열라니까."

하고 밖에 와 찾는 낮익은 목소리에 얕이 잠들었던 박서방댁이 먼저 깨어났고 뒤이어 길산이가 일어났다.

"형님 목소리 같은데."

"아니, 저이가…… 무슨 일이 있었나."

두 사람이 달려나가 문을 여니, 온통 땀과 흙투성이의 박서방이 마당으로 들어서면서 도리질을 하였다.

"어휴, 하마터면 골로 갈 뻔했네."

"무슨 일이 있었어요?"

"냉수나 한 대접 가져와."

박서방은 떠다 준 냉수를 벌컥벌컥 들이켜고 나더니 그제야 좀 가라앉는 모양이었다.

"안악 부처고개(佛峴)에 화적 났네. 그것두 서너 명이 아니라 수십 명이야."

"구월산 깊은 골에 화적대가 몇대 있다는 소린 들었지만, 정말인 모양이네."

"정말이여. 내 한두 놈씩 고개를 지키는 녀석들은 겁이 안 나더니만 이건 작당이 여럿이더라니까. 점심때 한천을 지나면서 간밤 닭이 울 무렵에 안악 외촌의 부잣집 두 채를 분탕질하고 불을 놓았다는 소릴 듣구두 설마했었네. 헌데 오후 좀 늦어서 부처고개를 지나오는데 포교들이 쫙 깔리구 삼엄하더란 말이야. 보니까 고개 아래 장사꾼들의 시체가 즐비한데 거적을 덮어놓았더군. 참상이 눈뜨고 못 보겠데. 좀 꺼림칙했지만서두 뭐 내야 신 판 돈 몇냥 가진 바에 두려울 것 있겠나. 내처 걸어서 내고개 능선을 타구 수렛고개를 타넘는 지름길을 택했지. 거기서 말일세…… 아, 그놈들을 딱 마주쳤지 뭔가. 짐들을 지구 숲속으루 떼지어 지나가다가 그대루 맞닥뜨린 거야. 잡혔지. 그냥 사정없이 쳐죽이려구 달려드는 것을, 나두 지금 관에 쫓겨서 피신하는 중이라구 덤벙댔지. 그랬더니, 하긴 떳떳한 놈이 밤에 깊은 산길을 돌아다닐 리가 없다구 공론이 돌아가데. 머리 되는 놈인가가 짐을 지구 자기네를 따라오라더군. 짐을 지구 한참 뒤따르다가 숲이 울창한 골에 들어서자 그대로 산비탈 아래루 뒹굴어버렸네. 몇놈이 쫓아내려오는데, 나는 개천으루 뛰어들어가 급류를 타구 내려왔어. 마을이 보이길래 정신을 차리구 살펴보니 온정말이더군."

"어디루 가는 길이었을까?"

"아마 구월산 아사봉으루 들어가는갑데."

"구월산에 여러 패거리가 있다는 건 벌써 오래 전부터 알고 있는 일 아니우. 우리게서두 왜 재작년에 장단서 사람을 패죽이구 달아난 놈이 화적당에 들어 있는데 제 모친을 만나러 왔던 적이 있잖우."

"여하튼 생고생을 했네. 밤길 걷질 말아야겠어."

그들은 근자에 부근에서 일어난 도적들에 관한 소문을 얘기하다가 동이 훤히 트고서야 자리에 들었다.

길산이는 느지막이 일어나 작은잿말로 올라갔다. 손돌 노인의 초가에 이르러 열린 삽짝 안을 들어서니 아무도 보이질 않았다. 물려진 상이 치워지지 않은 채로 마당의 삿자리 위에 놓여 있고 마루 위에는 벗겨놓은 콩껍질이 너저분했다. 길산이가 안방 쪽을 기웃이 넘겨다보는 중인데 등뒤에서 여자의 맑은 목소리가 들려왔다.

"누구셔요?"

길산이는 대답 없이 돌아서서 여자를 쳐다보았다. 머리를 곱게 빗어 제머리로 얹어두고 화장기 없는 얼굴은 해말간데 볼이 붉고 이마가 훤칠했다. 무명 옷차림일망정 몸매가 나긋나긋해 보였다. 길산이는 우물쭈물하며,

"저어, 총대어른 계신지요……"

하며 눈길을 거두었으나 저도 모르는 사이에 다시 묘옥의 시선에 눈을 맞추었다.

"채소밭에 거름을 주고 계신데 곧 돌아오셔요. 좀 앉으셔요."

길산은 마루에 걸터앉았다. 묘옥이 떨어져 앉아 콩깍지를 까고 있

었는데, 길산은 얼결에 말을 붙였다.

"올해 조농사가 아주 실하게 되었는데요. 이삭이 크고 굵어서 평년보다 섬지기나 더 나오겠습디다."

"예, 환곡 넣을 만큼은 빠지겠지요."

하고 나서 묘옥이 머리를 돌려 이윽히 길산을 넘겨다보았다.

"지난봄에 신천 교탑거리에서 탈판 노신 적 있으시지요?"

"지난봄뿐인가요. 여러차례 됩니다."

"그때 구경 나갔었어요. 동행에게 들어서 큰잿말 사신다는 것두 알구, 또 까막내 언니에게서두 들었어요."

길산이는 공연히 머리를 긁었는데, 대번에 얼굴이 화끈 달았다. 할 말이 없어 무덤덤히 앉았는데, 여자가 부엌 시렁 위에서 삶은 햇밤이 든 소쿠리를 내다주었다. 소쿠리를 길산이 앞으로 내밀면서 묘옥은 누나처럼 환히 웃었다.

"무료하실 텐데, 이거나 들어보세요."

고개를 들어 눈길을 맞추지 않으려고 외면하며 쩔쩔매는 길산의 순박한 모습을 보자, 묘옥은 방글방글 웃었다.

"어제 무더리 가셔서 큰일을 치르셨다죠?"

"예? 큰일은 무슨…… 장터에 타관 무뢰배가 행패를 놓아서……"

"싸움두 잘하시나 봐요. 벌써 동네에 소문이 자자한걸요."

"총대어른두 아십니까?"

"그럼요, 전하는 분의 얘길 듣고는 한참 동안 웃으셨어요."

"거 참 낭팰세! 꾸중하시겠는걸."

울타리 밖에서 잔기침 소리가 들리더니 손돌 노인이 들어섰다. 머리와 수염이 온통 하얗고 허리는 구부정했으나 아직 눈빛이 총총하여 정정해 보였다. 한 손에는 뒤웅박을 매단 막대와 거름을 비운 나무통을 들고 있었다.

"기간 평안하셨습니까?"

길산이 밤을 입속에 가득 넣은 채 엉거주춤 일어났고, 손돌 노인은 웃는 낯으로 끄덕였다.

"그래, 모두 별일들 없지……"

"예에, 그저 그러루합니다."

"그저 그렇긴…… 타처 사람들을 두들겨 보냈다면서?"

"아니…… 저…… 해주서 장꾼들이……"

"거 참 얘기만 들어두 재미있더군. 그래 간밤엔 질탕하게 놀았겠군."

"아뇨, 까막내서 잤습니다."

손돌 노인이 마루에 올라앉자, 길산은 박대근과 의논한 것에 관하여 대략 얘기했다. 묵묵히 듣고 난 손돌은 신중하게 대답했다.

"상인과 약계를 맺고 연희를 하게 되면 이익은 많겠지만, 마을 살림은 폐하게 될 게야. 그렇게 되면 일 년 사시사철을 뿌리 없이 헤매게 될 텐데, 이 마을에서 가정을 이루고 사는 사람들은 반대할 게다. 더구나 우리는 반은 관에 매인 몸들이 아니냐."

"송상 수하루 들어가서 일부는 장사두 하구 일부는 연희에두 나가구 하면 될 게 아닙니까."

"아니다, 관의 허락 없이 호적을 함부루 송도부에 옮길 수도 없잖은가. 조상 적부터 대를 이어 살아오던 고향을 버리는 것두 그렇구……"

"고향이라야 토방 몇칸에 땅 서너 뙈기인걸요. 그리구 언제까지 우리네 재인들이 관의 눈치나 보며 살겠습니까. 시방은 세월이 다릅니다. 듣자하니 거사패도 있고 괴뢰배들도 있는데, 요즘은 모두들 장사도 하며 재주도 팔고 합니다. 이왕 내놓고 팔 바에야 광대 물주인들 어떻습니까."

손돌은 한참이나 상체를 흔들며 생각에 잠겼다가,

"정 그렇다면 젊은이들끼리 상의해서 이번 철에 한번 상인들과 같이 나가보지 그래."

"해주 관시놀이에 나가기 전에 문화, 신천, 안악 장들을 어디 한 바퀴 휘돌아볼까 합니다."

"벌이가 괜찮고 그 사람들도 믿을 만하다면 이번 출행 계획가 있을 때 한번 의논들을 해보도록 허지."

"이만 올라가겠습니다."

"왜, 점심때가 가까웠는데 밥이나 먹구 올라가잖구."

"아닙니다. 집에서두 기다릴 테구 갑송이두 돌아왔을 텐데 만나서 얘기를 들어봐야죠."

길산이가 나오려니 부엌에서 물 묻은 손을 치마폭에 감싸쥔 묘옥이 달려나왔다.

"아이, 지금 막 밥을 안쳐놨는데 점심 들구 가시잖구."

길산이는 그들의 만류를 물리치고 손돌네 집을 나섰다. 좀 멀어졌겠다 싶어 뒤를 돌아보니 사립 앞의 텃밭 모퉁이에서 이쪽을 보고 섰는 묘옥의 작은 몸이 보였다. 묘옥은 길산이가 돌아보자 부리나케 울타리 너머로 사라져버렸는데, 그는 어쩐지 뜨거운 물을 삼킨 때처럼 명치가 후끈거렸다. 큰잿말로 올라가는 양쪽의 숲속에서 벌어진 밤이 떨어지는 소리가 가끔씩 들려왔다.

3

박대근과 길산이네가 추산 마루턱에서 만나 함께 문화 읍내로 들어가자고 약속한 날이 되었다. 큰돌네 패에서 네댓 명, 장충네 패에서 길산이, 갑송이를 위시한 칠팔 명이 일대를 이루어 행장들을 차리고 길을 나섰다. 새벽에 광대산에 올라 등성이를 타고 추산 마루턱으로 내려갔다.

등성이를 걷고 있는 그들의 아래로 안개가 흩어져 내려가고 있었다. 한 시오 리 걷고 나니까 계곡 옆을 지나는 샛길 쪽으로 포교가 포졸들을 거느리고 앉았다가 황급히 흩어지는 게 보였다. 육모방망이가 아니라 창과 환도를 가진 꼴이 제법 삼엄하였다. 포교가 바위에 일어서서 그들을 향해 외쳤다.

"웬놈들이냐?"

그들은 모두 더 나아가지 못하고 뚜릿거리고만 있는데, 재차 고함이 들렸다.

"어디서 오는 놈들이냔 말이다."

"재인마을서 오는 길인데, 왜요……?"

앞섰던 큰돌이가 대답했다.

"광대들이라구?"

"예…… 읍내 장에 가는 길입니다."

털벙거지들끼리 뭐라고 잠깐 수군대더니 또 외쳤다.

"한 놈씩 이 앞으루 지나가거라. 일일이 기찰해볼 테니……"

"온 제미랄…… 기찰은 다 뭐여, 보문 모르남. 뒤져봐야 두 쪽인데 호통질은……"

"저 뒤에 막 쳐놓은 꼴 봐라. 밤새우고 지킨 모양인데."

수군대며 큰돌이 먼저 그들께로 다가갔다. 길 양쪽에서 창끝이 당장 궤일 듯 노리며 큰돌의 좌우로 불쑥 솟았다. 여차직하면 맞창을 내버리겠다는 기세였다.

"어! 어유, 이거 이러지들 마슈. 공연히 실착했다간 산적꽂이가 되겠네."

"뒤져봐."

포졸 하나가 잽싸게 달려와 장고통을 멘 큰돌이의 아래위를 주욱 훑었다. 전대도 한번 불끈 쥐어 흔들어보고 행전도 주물러본다.

"그 다음……"

하는 식으로 광대들 전원이 몸뒤짐을 당했다. 갑송이가 퉁명스럽게 물었다.

"대체 왜들 이럽니까요?"

그들의 호패를 일일이 조사하고 나서,

"화적당이 출몰한 걸 모르는 모양이군."

하며 포교는 돌아서버리는데 나이 든 포졸 하나가 나서서 설명했다.

"이 사람들아, 죽구 싶어서 그래? 큰길루 다녀야지 산으루 떼지어 다니다간 먼 데서 살 맞아 죽는다구."

"화적패가 구월산중에 드문드문 있단 소리는 들었지만, 뭐 가진 게 있어야 낯짝이라두 보지요."

"자그마치 스무 명이 떼를 지어 다닌다는데 요사이 자비령 쪽에서 패가 갈려서 구월산으로 옮겨왔다는 게야."

"아무튼 잘 알겠습니다."

수작하고서 그들은 등성이를 넘었다. 아래로 송화와 장연서 오는 길이 만나는 삼거리가 보였고, 대근이네 상단이 숲의 이곳 저곳에 흩어져 쉬고 있는 게 보였다. 짐 벗은 말들이 풀을 뜯고 있었고, 보상들은 모여앉아 담배를 피웠다. 박대근이 마주 나왔다.

"약속을 지켜줘 고맙수. 자, 이건 우선 약조금인데 다섯 꿰미 오십 냥이우."

"원 이렇게 후하게 주십니까."

큰돌이가 엽전꿰미를 받아들며 황송해하였다. 쌀 몇말에 하룻밤을 새워 잔치 흥을 돋우고, 부역 대신에 관아에 불려가 갖은 조롱과 멸시로 해내야 되었던 연희 때와는 달랐기 때문이다.

"자, 모두들 가세."

그들은 술렁술렁 짐을 지고 말에 싣고 하면서 문화 쪽으로 내려갔다. 우선 보상들이 앞서고 뒤에 짐 실은 말들이 따라갔고, 사이사이에 자위하는 장정들이 한 사람씩 끼여섰다. 길산이와 갑송이, 대근은 맨 뒤에 처져서 쫓아갔다. 길산이가 말했다.

"헌데 소문 들었습니까. 자비령 쪽에서 산사람들 큰 패거리가 구월산으루 옮겨왔답디다."

"예, 객줏집에서 들었소. 보나마나 농사짓다 주림을 참지 못해 작당한 오합지졸들이겠지. 그만한 놈들쯤은 스스로 막아낼 준비가 되어 있수."

"만만히 여겨지진 않습디다. 내 매부가 만나서 혼쭐이 빠졌던 모양인데 우두머리의 덩치가 제법 장하더랍니다."

박대근이 껄껄 웃어젖혔다.

"장충각답지 않게 겁을 먹는 거요?"

"성님은 우릴 뭘루 보우?"

갑송이가 불끈했고, 길산이는 천천히 고개를 흔들었다.

"우리 마을에서도 몇년 전에 죄를 짓고 산으루 들어간 자가 있었습니다. 헌데, 새루 왔다는 자들이 사람을 함부로 죽이는갑디다. 인명을 가벼이 아는 짓으로 보아 지금 산중에는 그자들 뿐일 것이오. 기왕에 서넛씩 식솔을 거느리던 자들은 죽었거나 다른 데루 밀려났을 게란 말이지요."

박대근이 말했다.

"장총각…… 도적 중에도 큰 도적이 있습니다. 시골 부자나 살상하는 그런 도적이 아니라……"

"큰 도적?"

박대근이 빙긋 웃었다.

"차차 사귀면서 내 얘기해주리다."

박대근은 더이상 얘기를 계속하지 않았다. 그들은 신천읍 외곽인 죽령방(竹嶺坊) 부근에 이르러 읍내로 들어가지 않고 짐을 풀었다. 대근은 차인 하나에게 부담을 지운 말을 끌게 하고서 아전을 만나러 관아로 들어갔고, 큰돌이네는 풍류를 잡히며 읍내 장터를 길놀이하고서 죽령방의 풀밭으로 돌아갈 작정이었다.

죽령방의 드넓은 풀밭에는 곧 장을 벌일 준비가 되었고, 각종 연희를 위한 놀이판이 차려졌다. 피리와 날라리의 방정맞게 들까부는 소리와 장고와 꽹매기 때리는 소리를 요란하게 앞세우고, 광대들이 더덩실 춤을 추면서 문화 읍내를 빠져나와 죽령방으로 향했는데, 읍내 사람뿐만 아니라 장을 보러 나왔던 장꾼들과 들일 하던 초군 농부들이 호미를 던져두고 그들의 뒤를 따랐다.

박대근은 향청에 들어가 문화의 이방이란 자를 만났고, 부담마에 실어온 선물을 바쳤다. 이방은 그것으로는 부족한 듯한 표정이어서 파장 뒤에 장세 오십 냥을 따로 바치리라 했다. 이방은 흡족하여 상방에 통인을 시켜 현감께 아뢰고 개시를 허가했다.

광대들이 죽령방에서 놀이판을 벌이고 새 장도 선다는 말이 입에서 입으로 번져서 드디어 정오쯤에는 훈련원을 지나오는 길이 사람들로 하얗게 메워졌다. 놀이는 오전 한 차례 그리고 오후에 한 차례 있을 예정이었고, 파장 전에 씨름판을 벌이기로 했다. 박대근은 갑송이의 힘을 믿고 있었던 것이다. 우승한 자에게는 젊고 힘센 나귀 한 마리를 내리리라 공표했는데, 그 나귀는 상단의 재가막(在家幕) 옆에 오색실과 조화며 구리방울로 장식되어 매어져 있었다. 읍내의 장이 무더리에서처럼 몽땅 죽령방으로 옮겨온 형편이었다. 한편에서는 거래가 활발한데, 놀이판 주변의 신명은 이제 하늘 높은 줄 모르고 드높이 부풀어 있었다. 음식장수와 술장수들이 놀이판의 사방에 와서 멍석들을 깔아놓았고, 관객들은 놀이판 주위에 빽빽이 앉고 서고 했는데, 탈판을 보아온 것이 한두 번이 아니어서 대개는 모두들 내용을 알고 있었지만 그럴수록 신들이 오르는 모양이었다. 춤사위가 바뀔 적마다 사람들 중에 흥이 센 자가 뛰쳐나와 광대들과 함께 춤을 추기도 하였다.

다음 마당으로 넘어갈 때 길산이는 땀에 흠뻑 젖어 놀이판 뒤의 개복청으로 돌아와 탈박을 벗고 탁주 한 사발을 마셨다. 박대근이 다가왔다.

"이만하면 기천 냥 이문은 문제없을 듯하오. 내 당신들께 백 냥 더 주리다. 무더리 때보다 훨씬 장이 번성했고 이번 장에는 특히 사슴 가죽을 많이 구했소."

"씨름판은 어떻게 되었지요?"

"끝날 때가 되었수."

"그리로 가봅시다."

그들은 연희장에서 천사산 쪽으로 보이는 개천가 모래밭에 세워진 씨름판으로 갔다. 낮술을 들이켜서 불콰해진 사람들이 제 동무를 응원하는지 고래 고함을 내지르고들 있었다.

빙 둘러앉은 가운데로 모래를 두껍게 깐 씨름판 위에서 웃통을 벗어붙이고 다리에 샅바를 감은 두 장정이 황소처럼 씨근대며 돌아가고 있었다.

"메태기를 쳐버려라!"

"뭘 해, 걸어 걸어! 안으로, 그렇지."

갑송이는 이미 뽑힌 다섯 가운데 한 사람이 되어 앞줄에 버티고 앉아 있었는데 상대는 둘로 줄어들고 있었다. 그의 맞은편에 앉아 있는 자도 갑송이보다 몸집은 작았으나 눈꼬리가 매섭고 목은 짧으며 어깨가 다부지게 벌어진 것이 만만치 않아 보였다. 그 사내의 뒷전에 장정 서넛이 앉아서 떡을 돌려 먹고 호리병에 담아온 술을 나눠 마시고 하는 품이 일행인 듯하였다. 그들의 차림새로 보아 농부들은 아니고 보상들인 것 같았는데 패를 떠나 별개로 다니는 자들인 모양이었다. 드디어 심판을 보는 박대근네 행수 차인이 나서서 말했다.

"자아, 이제는 끝으로 남은 두 장사가 나와서 결판을 내겠소. 이긴 사람은 저기 천 리를 달리는 청노새 한 필을 상물로 받게 되오. 자아, 투전 걸어볼 사람은 양쪽 멍석에 돈들을 걸어두시오."

"좋다, 난 열 푼을 동편에 건다."

"나는 서편 닷 푼이오."

"몸집 보아서는 저쪽이 우세하지만 이쪽은 동작이 날렵하니 승패를 가리기가 곤란한데…… 하지만 이쪽을 거네. 우리 어울려서 내지. 누구 스무 돈 곱내기 할 사람 없수?"

"좋소, 이기면 사십 문(文)…… 나는 저쪽에 걸었수."

상사람이나 양반 한량들이나 구별 없이 뒤섞여 돈을 멍석에 내던지는데, 관리하는 자가 지표를 셈대로 몇장씩 나눠주었다. 서편에 자기네 일행과 앉았던 장정이 일어나며 눈짓을 하니 뒷전에 앉은 자가 슬쩍 그자의 손에 무엇인가 건네주며 속삭였다.

"감동이…… 손안에 꼭 움켜쥐고 알았지?"

"글쎄 알았다니까."

감동이란 장정은 그 이름대로 온몸이 까맣게 차돌처럼 반들거리는데 상대를 바라보며 빙글빙글 웃고 있었다. 그가 손안에 쥐고 있는 것은 끝이 뾰족한 자갈돌멩이였다. 커다란 손에 끝을 감추고 주먹을 쥐고 있으니 아무도 알아채지 못할 것이었다. 그는 털이 곱게 벗겨진 청노새를 마치 자기 것이나 되었다는 듯 싱그레 웃으면서 바라보았다. 갑송이도 픽 웃으며 상대를 노려보았다.

두 사람이 서로의 샅바를 쥐고 허리를 굽혔다. 심판은 두 사람의 자세가 안정되자 두 손으로 등을 탁 두들겼다. 그러자마자 갑송이는 샅바를 잡은 손에 힘을 넣어 상대를 번쩍 치켜들었다. 힘으로는 결코 상대가 되지 않았다. 다리 걸어 후리는 것조차 필요가 없을 듯했다. 감동이는 안간힘을 쓰면서 치켜들렸다가 가까스로 허리를 굽히며 궁둥이를 뒤로 죽 뽑아냈다. 그는 한 손으로만 갑송이를 잡고 남은 손은 몸의 중심이라도 잡으려는 듯이 공중에서 흔들흔들하고 있었다.

"어어……라랏차차……"

하며 갑송이가 다시 끌어당기면서 들어 태기를 치려는 순간인데, 감동이는 휘젓고 있던 돌 든 손을 뒤로 치켰다가,

"에에에라라랏차!"

고함소리로 엄벙뗑하면서 갑송이의 무릎관절뼈 위에다가 모질게 콱 처박았다.

"어이쿠."

갑송이의 육중한 상체가 기우뚱하는가 싶자 그 틈을 놓치지 않고 감동이의 발걸이가 스리슬쩍 파고들며 기울어진 종아리를 휘감고 밀어냈다. 갑송이는 감동이를 부여안은 채 뒤로 태산이 무너지듯 넘어갔다. 감동이는 앞으로 처박힐 때 모래땅을 짚으며 쥐고 있던 돌멩이를 모래 깊숙이 넣어버렸다. 관중들의 감탄소리와 내기에 이긴 자들의 환호가 떠들썩했다.

"신묘한 기술이다!"

"문화에 장사 났네, 항우 손자 났어."

"덩치가 크면 고깃값이라두 할 것이지, 뜨건 물 맞은 개좆 사그라지듯 폴싹 넘어지니…… 젠장할 돈 잃었네."

궁둥이를 땅에 대고 어이없이 멍청하게 퍼질러앉았던 갑송이가 그제야 벌떡 일어나며 감동이라는 자의 손목을 왈칵 쥐었다.

"끼놈! 네 손안에 뭘 가지구 있나 보자."

감동이란 자는 두 손을 활짝 펴 보이며 욕설을 터뜨렸다.

"이런 멧돼지 같은 놈아, 졌으면 곱게 물러날 것이지 골딱서니엔 똥만 가득한 놈이 웬 시비야, 시비는……"

갑송이는 아직도 분간이 안 되는지 벌겋게 부풀어오른 무릎을 내려다보다가 이번에는 자신 있게 감동이의 허리를 끼었다.

"허리를 삭정이 꺾듯 아주 분질러놓을 테다."

"어어…… 이놈이 씨름에 지니까 생사람에게 행팰세."

"저런 예의 없는 놈을 봤나. 풍류 잡치게 씨름판에서 싸움질이니."

"저런 놈은 무리매를 놓아서 관가루 넘겨야 한다."

감동이 일행이 소리치며 일어섰으나 갑송이는 이미 상대를 머리 위로 번쩍 치켜들고 빼빼이를 놓고 있었다. 박대근이 다급하게 말했다.

"끝난 승부다! 말을 내줘라."

"갑송아, 내려놓아."

길산이의 말이 들려오자 갑송이는 노기를 참느라고 붉어진 얼굴로 상대를 거칠게 내려놓았다. 감동이는 어지럼증으로 갈피를 못 잡고 비슬대면서 서 있었다. 갑송이가 길산이께로 다가들며 투덜댔다.

"내 무릎 좀 봐라. 저 녀석이 손에 돌멩이를 감춰들고 있다가 박은 거야. 이런 씨름판이 어디 있냐."

"알구 있었다. 물증이 없으니 네가 진 게야."

"노새를 내줘야잖아. 나한테 건 사람들께 면목두 없구 말이야."

"정 그렇다면 나중에 골탕을 멕이자."

씨름판이 끝났어도 사람들은 내깃돈 헤아리기에 흩어질 줄을 몰랐고, 감동이 일행은 청노새를 끌고 장터 가운데를 헤치고 나아갔다. 그들은 읍내의 주막으로 갔는데, 역시 장사치 차림의 사내가 두 사람 마주 앉아서 술을 마시고 있다가 손짓하여 불렀다. 술상머리로 끼여앉으며 감동이가 말했다.

"그 녀석 곰처럼 힘만 셌지, 새대가리더군."

"그예 지분덕거려놓았군."

"화해가 되면 사귀어서 길동무가 되란 말이야. 그러군 사처에도 같이 들고 주막에도 함께 가구…… 안악까지만 동행을 하란 말이야."

"길마다 포교들이 좍 깔려서 오가는 사람 기찰이 자심하답디다."

"걱정 없네. 어디 사람 얼굴에 표가 씌어 있다던가. 우리께 담뱃짐이 있으니 그거 다 신구 슬슬 뒤좇아가지."

“장사치루 꾸미구 화연봉(火燃峯) 쪽으루 먼저 떠났네. 거 봉수대 마루턱에 후미진 골이 있네.”

“잘되겠군. 양산마루를 타구 배고개만 무사히 넘어가면 자취두 없을 테니.”

“이 자들이 아마 신천으로 빠지든지 아니면 이 길로 안악으루 들러서 봉산 황주 가서 짐을 풀어 송도루 보낼 텐데 그때 들이치는 게 낫지 않을까.”

“봉산부터는 우리 구역이 아니구, 또한 자비령 패거리들께두 의리가 아닐세. 더구나 월당(月唐)나루를 무슨 수로 넘나들겠나.”

“진에서 군졸들이 모조리 풀려나오고, 각 현마다 포졸을 풀었다는데……”

“까짓 거 마주치면 베어죽이고 달아나지 뭐 대수야.”

“하여튼 우리는 감동이 자네만 믿구 화연봉으로 뒤쫓아갈 테니까……”

“염려 마슈. 내 꾀가 들어맞을 테니.”

앉았던 두 사내들은 술잔을 놓고 일어나 주섬주섬 짐을 꾸리더니 주막을 나갔다. 감동이가 중노미에게 소리쳤다.

“여보, 술상 물리구…… 장국밥이랑 탁주 너 되 너비아니 두 근 구워 내오슈.”

그들이 밥에 술에 부지런히 먹고 났을 때 죽령방에선 파장이 되었는지 장꾼들이 밀어닥치기 시작했다.

“자네는 나가서 상단이 어느 객주에 묵는가 알아보게.”

감동이가 지시했고, 한 사람이 주점 밖으로 뛰어나갔다. 얼마 후에 돌아온 자가 말했다.

“그 자들은 건너편 찔레 울타리의 초가하구 그 옆집에 나누어 들었는데, 시방 저녁 먹는 중이데."

"알았어."

감동이네들은 담배 한 대씩 담아 피우고 나서 사방이 제법 어두컴컴할 때 일어섰다.

"슬슬 가보까."

그들은 일행이 남겨둔 장사보따리를 노새 등에 얹고서 길을 건너갔다. 길게 연이어 달린 방마다 보상 차인패들이 삼삼오오 둘러앉아 식사 중이었고, 길산이, 갑송이, 대근이 등이 술청에 나와 앉아 술잔을 기울이고 있는 게 쉽게 눈에 띄었다. 감동이는 노새를 마당의 말뚝에 매고 일부러 행보에 거드름을 피우며 술청으로 들어섰다.

"어어, 피곤하다. 술이나 한잔 걸쳐볼까아……"

국솥을 젓고 있던 주모가 반색을 하면서 소리쳤다.

"얘, 손님 모셔라아."

마주 내다보던 갑송이가 술잔을 소리나게 내려놓았다.

감동이는 그들이 앉아 있는 방의 건너편 대청으로 올라앉았다. 술잔을 내려놓고 씨근대던 갑송이가 드디어 참지 못하고,

"이놈아, 술을 처먹겠으면 조용히 마실 일이지, 네놈이 이 주막을 온통 샀다더냐?"

길산이도 놈이 답삭대는 꼴이 같잖아서 상대를 지그시 노려보고 있었는데, 박대근만은 노새 한 마리는 잃었을망정 그자의 영리해 보이는 짓거리가 재미있었다. 그는 두고 보겠다는 심정으로 양편을 관망했다. 감동이가 갑송이의 거친 시선을 피하며 술을 날라오는 중노미에게 말을 걸었다.

"얘, 주막에다 갓난애를 키우면 어쩌느냐, 규중에 재워야지."

"애기라닙쇼?"

"거 애기가 똥을 쌌나 본데…… 그러니까 강아지가 핥을려구 방 안에 들어갔지."

"강아지요…… 점점 모를 소린뎁쇼."

"저 건넌방에서 깨갱대는 소리가 요란하다. 똥은 뒷간에 많으니 거기 가서 포식하라구 일러라."

중노미는 감동이가 가리키는 방향으로 고개를 돌리다가 눈을 홉뜨고 사나운 기세로 벌떡 일어서는 갑송이를 보았다.

"강아지가 아니구…… 손님인뎁쇼."

이들의 대화를 듣고 있던 술청 안의 손님들이 중노미의 고지식한 말에 폭소를 터뜨렸다. 그들은 두 사람의 감정이 그럴 수밖에 없게 된 연유를 씨름판에서부터 보아 잘 알고 있었던 것이다. 갑송이가 문지방을 넘어 툇마루로 해서 대청 쪽으로 곧장 걸어왔다.

"아, 이놈이 욕을 하네!"

"인제 잘 보이는군. 아까 청노새를 내게 바친 장사로구먼. 허긴, 참 서글픈 생각이 드는구먼."

갑송이는 여차직하면 당장 개다리소반을 발길로 걷어찰 기세를 하고 서 있었으나 감동이는 여전히 마당 쪽을 향한 채 주절거렸다. 갑송이가 감동이의 어깨를 툭툭 건드렸다.

"야, 잠깐 내려가자. 이번에 정말루 겨뤄야겠다."

"허허, 슬프다 슬프구나."

"니 애비가 급살탕이라두 맞았느냐. 무에 슬퍼, 슬프긴……"

감동이가 한숨을 푹 쉬고 나서 갑송이를 쓰윽 올려다보았다.

"노여움을 푸시우, 한 번 실패는 병가의 상사라구 했수. 헌데 내 요 속눈썹 보이지요?"

"눈깔이 실지렁이 꼬랑지로 째진 녀석에 눈썹두 있대?"

"글쎄 아무튼, 요 속눈썹 가운데 흰털 한 가닥이 있을 거요. 흰털의 내력을 듣겠수?"

"그래, 지껄여봐라."

"내 일찍이 백두산 기슭에서 사냥을 업으루 지내온 사람이우. 너구리, 오소리, 산토끼, 노루, 멧돼지 닥치는 대루 잡아 고기는 먹고 털은 벗겨서 팔았지요. 그렇게 삼 년을 지냈는데 하루는 그믐날 밤에 산신이 내려왔습디다."

"산신이면 호랑이 말이지?"

"암, 허연 도포를 입구 와룡관을 쓴 신선으루 둔갑하구 와서 호통을 친단 말이야. 네 이놈! 이 무엄한 놈, 네가 삼 년 동안 이골 저골을 뒤지며 내 먹이를 쓸어가는 통에 내 때아닌 기근을 만났은즉 이젠 하는 수 없이 네놈의 멱통을 끊어놔야겠다, 한단 말이지."

성질 단순한 갑송이는 어느덧 감동이의 노는 꼴이 밉질 않아서 상머리에 털퍼덕 주저앉고 말았다. 술청 안의 손님들도 모두 두 사람을 지켜보았다.

"산신께 꼼짝없이 물려죽게 생겼데. 그래서 애걸복걸, 저는 지금 과수댁이던 모친상을 입구 채 여섯 달두 못 되었습니다. 더구나 혈육이라군 이 몸 하나이니, 제가 죽고 나면 제사는 누가 드릴 것이며 묘막은 누가 지킵니까, 사정했지."

"산신은 효자에 약한 법이라니."

"산신이 상을 찡그리고 한참이나 생각 중이더니…… 좋다, 그러면 너를 고이 살려줄 테니 이 길로 산을 떠나거라. 그리고 평생 사냥질해처먹을 생각은 말아라. 큰일 났네. 배운 버릇이 덫 놓고 함정 파고 활 쏘는 짓인데, 그래 꺼이꺼이 통곡을 하며 연유를 말했지. 산신은 그놈 참 말썽 많고 사연 많은 놈이라며 제 눈썹 한 가닥을 쑥 뽑더구먼."

"그 녀석 제법 옛말 잘하누나."

"이 눈썹이 무슨 소용이 닿습니까. 음, 그 눈썹을 붙여줄 테니 청맹 판수질이나 해처먹고 다시는 애꿎은 짐승을 때려잡을 생각은 말아라 이르더군. 그래서 요 내 속눈썹에 백털이 끼여들었단 말이야."

"흰 눈썹이 점쟁이짓에 무슨 효험이 있는데."

"이 백털이 눈가에 달라붙고 나서는 세상이 다르게 보여."

"어떻게……?"

"사람의 전생이 훤히 보일뿐더러 내생두 또렷이 보이데. 그뿐야, 저자에 나가면 거북이가 떡을 팔구 있잖나…… 잔나비가 저울을 달구, 메기가 쌀됫박을 되는가 하면, 참새가 술을 팔구 말이지."

"예끼, 이 사람."

"그래 아까 씨름판에서 자넬 쓱 보니까, 전생이 본래 종로 도자전(刀子廛) 태생이더구먼."

"아니, 고작 장신구였단 말이야."

"성질내지 말구 들으라구. 어떤 물건이었지. 헌데 어느날 별궁(別宮)에서 꽃 같은 나인(內人)이 찾아와 자넬 사갔네. 그래서는 항내 나는 치마폭에 감춰두고 요긴할 적마다 자넬 써먹었지. 수십 년을 쓰다가 물리고, 또 물려져서 그러니까 자네가 태어나기 꼭 일 년 전에 자넬 애지중지했던 궁녀는 선왕과의 관계가 있은 뒤라, 곧 상복 벗자마자 승방(僧房)에 들어 죽고 화장되었지. 그때에 자네두 함께 탔거든."

"이 사람아, 도대체 그 물건 이름이 뭐여?"

"화낼까봐 말 못 하겠군. 어쨌거나 자네는 염라대왕께 호소를 했지. 이거 남들은 최소한 가이새끼나 염생이라두 태어나 가는데 내리

수백 년을 음침한 데나 드나들며 오수(汚水)로 목욕하고 천덕꾸러기로 지냈으니, 이제는 제발 광명천지에 두 발로 걷는 사람이 되게 해주소서 그랬네. 딴은 그동안에 갖은 곤욕을 치렀으니 사람으로 나가거라. 자넬 떡 보니까 그 눈물겨운 과거지사가 한눈에 보인단 말이야. 그래서 내가 슬프다구 탄식한 걸세."

"그 물건이 뭐냐니깐."

"말해줄까 말까. 술 한잔 따르게나."

다른 이들도 호기심이 발동하여 고개를 갸우뚱댔고, 더욱이 장본인 갑송이는 은근히 애가 달았다. 성급히 술 한잔을 따르는데 반 잔쯤 넘쳐 흘러버린다.

"내가 물건 이름을 말해주기 전에 한 가지 약조를 하세그려. 점잖고 풍류 있게 웃을 것. 허고…… 마음에 들면 동무 삼아 한잔을 살 것…… 어떤가?"

"망할 자식, 그래 좋다."

감동이는 나직하게 낄낄 웃고 나서 말했다.

"그것이 바루 도자전에서 파는…… 참나무로 깎은 각좆이여!"

"이놈아, 그따위 욕지거리가 어딨냐!"

갑송이가 술상을 번쩍 치켜들며 일어섰다. 막걸리 사발이 굴러떨어지고 국이 쏟아졌다. 막 내려치려는데, 감동이는 두 손을 치켜들어 막는 시늉을 했다.

"성님…… 약조는 지켜야지."

낄낄대던 술청 손님들은 웃음소리가 여럿 속에 섞이게 되자 마음 놓고 광소(狂笑)를 터뜨렸다. 길산이도 팔짱을 낀 채 쿡쿡 웃었고 박대근은 숫제 주먹으로 방바닥을 치며 웃는데 눈물이 비칠 정도였다. 그런 양을 휘둘러보던 갑송이도 하는 수 없이 픽 웃어버렸다.

"젠장할 생쥐 같은 놈. 자아, 술이나 처마셔라. 얘야, 한 상 다시 내오너라."

"나 마감동(馬甘同)이란 놈이우."

"성명을 듣고 보니, 너두 천하 상놈의 천출일시 역력하구나. 얘, 그럴 거 없다. 우리 말 놓지. 나는 광대질 해먹는 이갑송이다."

건너편 방에서 박대근이 가득 넘치는 술잔을 들어 보이며 말했다.

"아우님, 그 새 동무 데리고 이리 오우. 나두 재미난 내력 가진 술 좀 마셔보게."

"이 무슨 망신이람. 다 네놈 때문이야. 언제건 수틀리기만 해봐라."

"엥이, 이젠 흰털 눈썹을 뽑아야지. 전생이 훤하게 내다뵈니 사람 사귈 맛이 있어야지."

그들은 합석했다. 감동이의 일행 두 사람만 저희끼리 따로 남고, 길산이, 대근이, 갑송이, 감동이 넷이 둘러앉았다.

"나는 송상 배대인네 상단을 끌구 다니는 박대근이란 사람이우."

박대근이 영리하게 눈을 반짝이는 감동이에게 호감을 가지고 인사를 건넸으며, 길산이도 말했다.

"문화 재인말 사는 장길산이우."

마감동은 그 새까만 얼굴을 환히 펴서 반색하며 말했다.

"재인말에 장씨 성 가진 솜씨 빠른 총각이 있다더니 당신이오그려."

하면서 갑송이를 향해 말했다.

"그러구 보니 갑송이 성님과 길산이 성님 두 분이서 무더리를 쓸었구먼. 우리두 소문에는 척하면 삼척이지요."

박대근이 감동이와 그의 일행의 행색을 견주어보며 물었다.

"차림새 보아하니 장사치인 모양인데…… 어느 임방(任房)의 동무(同務)시우?"

"예, 우리야 대상부고(大商富賈)가 아니라서, 그저 무시로 돌아다니는데, 체장(貼紙)은 송도 상청(商廳)에서 오래 전에 받은 것이 있지요."

그들 상인들이 인사를 틀 때는 먼저 허가받은 체장을 올려놓고 보여주며 시장의 조합과 같은 감영 임방의 어느 소속임을 밝히는 법이었다. 감동이는 비록 구월산 화적패의 모사꾼이었으나, 처음보다는 훨씬 박대근이며 갑송이며 길산이가 마음에 들었다. 박대근이 말했다.

"우리 상단에 들어오면 좋겠군. 금년에 몇이우?"

"예…… 갑오생입니다."

"세 분이 모두 고만고만한 또래로군. 어떠우, 우리 상단을 따라오면 잘 돌봐줄 텐데, 뭘 갖구 나왔소?"

"담배를 두어 짐 가져왔습니다."

감동이는 내심으로 일이 척척 맞아들어감을 기뻐했다. 이대로 합대해서 안악 근교까지만 가게 되면 상단의 재물을 모조리 털어내기는 여반장일 것이었다.

"넣어주신다면 더 바랄 게 없지요."

"댁은 보아하니 무슨 재주가 있는 모양인데……"

박대근이 감동이에게 물었다.

"재주가 뭐 있겠습니까. 그냥 먹구살려구 자그만 봇짐장수나 다니는 형편에……"

"아니야, 저런 이총각 같은 장사를 골탕멕이려면 보통 재주로는 안 될 일이지."

갑송이가 불쾌해져서 끼여들었다.

"이 사람이 씨름할 때에 손아귀에다 자갈돌멩이를 쥐구 있었단 말이우. 그걸루 무릎을 쥐어박는 바람에 잠깐 얼을 놓았지."

"사실이오?"

"예…… 맞습니다. 허나 혓바닥은 짧아도 침발은 길더라고, 기운 없는 장사가 날려니 꾀를 썼지요. 이긴 건 이긴 거니까……"

"망할 자식 같으니."

그들은 모두 껄껄 웃었다. 몸집은 작았으나 감동이는 말주변도 좋고 사근사근하여 박대근의 눈에 들었다. 그는 관아 출입을 시킬 자를 물색하던 참이라 감동이의 출현을 반가워했다.

큰돌이가 관아에서 심부름을 나온 전령과 함께 들어왔다.

"관가에서 우릴 부른다는데."

"무슨 일요?"

"와서 한판 놀아달라는 게야. 한양에서 우리 사또 동접 되는 분이 오셨는데 연회가 벌어졌거든."

"물론 행하는 없겠지. 우리 골 사또나리께서 부르시니……"

"제미할 것! 좀 쉴려구 그랬더니, 지금 가면 새벽까지 시달리겠네."

박대근도 상에서 물러나 따라 일어섰다.

"장총각 이총각은 가지 말구 남은 사람들이나 가서 놀라지. 우린 내일 안악 가서 장 세울 의논들이나 하구."

큰돌이가 고개를 흔들었다.

"익살담이나 가창은 어찌되겠으나 탈판이 없어서야 되겠나. 말뚝이는 역시 길산이가 기중 낫지 않아."

"하긴 그렇지. 우리가 빠지면 싱거우니 가긴 가야겠네."

갑송이와 길산이는 제 패거리들과 함께 주막을 나섰다. 그들은 발등거리를 든 상노를 앞세우고 관아로 들어갔다. 연회가 벌어진 대청 위에 문화현감과 그의 동접이라는 서울 양반이 상좌에 나란히 앉았고 진사, 생원 등이 합석해 있었다. 관기들은 간드러진 소리로 웃기도 하고 시조도 읊어가며 술을 따르고 있었다. 그들은 길산이네가 들어가 읍하고 서자 곧 놀이를 지시했다.

마당에 멍석이 펴지고 꽃등이 추녀마다 내걸렸다. 그리고 사또는 멍석 옆에 작은 술상을 차려주게 하였다. 그러나 광대들은 어느 누구고 술 한잔 마시려 하지 않았다. 행하 없는 놀이를 하기에는 너무 늦은 저녁이었고, 양반 잔치자리란 원래 신명이 과할 수도 없었기 때문에 재미도 없었다. 그들은 미리 약속한 대로 갑송이와 큰돌이가 상대가 되어 익살담을 주고받았다. 재물을 우려내려고 상놈을 괴롭히다 오히려 봉변을 당하는 양반의 얘기가 내용이었다. 길산이도 취발이춤을 한바탕 해 보였고, 타령도 읊었다.

"이편 저편 홍문 안에 새젓골 취발이란 놈 귀롱 가지 꺾어들고 늙은 중놈 뺏어내고 양소무 어리고 만지면서 농락한다. 엔엔이 에헤요에 어허야, 에에야헤 — 어허야 에휘디오."

그러나 역시 기분은 시큰둥하니 장터의 상사람들과 어울림만 같지 못하였다.

박대근네 상단은 신천을 거치지 않고 막바로 안악으로 향했는데, 감동이는 수하에 데리고 있던 둘 중에 하나를 앞서 연락차 보냈다.

보부상단으로 꾸민 구월산 화적패 노가 일당은 화연봉 고개 아래의 주막에 들어앉아 감동이에게서 연락이 오기만을 기다리고 있었다. 점심때가 다 되어 새벽 식전에 문화에서 출발한 감동이의 졸개가 도착했다. 노가는 벌써 송상 차인패의 갖가지 희한한 재물을 차지한 기분이 되어 반주로 너덧 되의 탁주를 들이켰다.

그는 스물 남짓한 부하들과 화연봉 중턱으로 올라갔다. 문화 고을이 북쪽으로 빤히 내려다보였고 신천과 문화 방향에서 오는 쌍갈래 길이 남쪽 벌판 한가운데서 만나고 있었다. 예상대로 화연고개는 상단을 습격하기에 가장 맞춤한 장소였다. 산은 온통 상수리와 소나무의 빽빽한 숲이었고, 험한 산세가 안악읍의 오른편을 돌아 배고개로 해서 구월산에 잇닿고 있었다. 그들은 고개 아래 후미진 곳에 짐 실을 말을 숨겨두고, 좁은 길 양쪽 바위 뒤에 병장기 가진 졸개를 숨겼다. 그리고 노가는 포교의 철릭과 전립 차림으로 갈아입었으며, 두 사람의 부하에게는 포졸의 복색을 입혔다. 노가는 환도를 차고서 부하들이 숨은 숲을 지나서 고개가 먼 곳까지 내려다보이는 높다란 바위 위에 올라가 앉아 기다렸다.

어루리벌이 망망하게 펼쳐진 들판 가운데로 박대근의 상단은 천천히 길을 가고 있었다. 맨 앞에 향도 차인이 두 명 나란히 갔고, 그 뒤로 짐을 실은 부담마들이 따랐으며, 다음에는 짐을 지게나 등판에 짊어진 보부상들이, 그리고 맨 뒤에 나귀를 탄 박대근과 길산이네 광대패가 따라갔다. 그들은 일단 삼거리 주막에서 늦은 점심들을 먹고 나서 곧바로 안악으로 들어갈 참이었다.

그들이 고개를 오르는데, 앞서간 향도잡이와 부담마들은 이미 마루턱을 넘어간 뒤를 따라서 박대근과 광대들이 고개에 오른 때였다.

"잠깐 섰거라!"

하는 호통소리가 어디선가 들려왔다. 박대근은 그렇지 않아도 소문이 뒤숭숭하고 장소가 후미진 곳이라, 날카롭게 긴장하면서 물미장을 쳐들었다. 그는 싸악 하면서 지팡이 속에 감춰진 긴 환도를 빼들었다.

"포교요, 저 바위 위에 셋이 있는데."

뒤따르던 감동이가 숲에 가려진 바위를 가리켰다. 박대근도 포교 복색을 알아보고서 환도를 다시 꽂았다. 그들은 바위에서 천천히 길 아래로 내려오는 포교와 포졸들을 기다리느라고 길 위에 잠깐 서 있었다. 다가온 포교가 적당한 거리에 멈춰서서 외쳤다.

"너희들 뭣 하는 놈들이냐?"

"송도 상단입니다."

"체장은 가졌느냐?"

"예, 새봄에 송도 도방(道房)에서 발행한 체장이 있습니다."

"이리 내놔 보여라."

박대근은 품안에서 태극 무늬가 찍히고 상청위빙신사(商廳爲憑信事)라고 씌어지고 송상 아무개와 관부(官府)의 날인이 되어 있는 체장을 내보였다. 포교 차림의 노가는 그것을 대수롭지 않게 쓱 훑어보고는 내주었고 포졸들을 시켜 광대들의 몸을 수색하게 하고서 호패도 내놓아보라 지시했다. 그들이 기찰당하는 동안 고개 아래에서는 잠복하고 있던 화적들이 부담마를 습격하는 중임을 아무도 몰랐다. 차인들은 병장기에 눌려 모두 넋을 잃어 물건들을 송두리째 빼앗기고 있었다.

그러나 화적들이 부담마를 끌고 숲으로 달아날 적에 뒤따라 내려갔던 보부상들이 가만있을 리 없었다. 곧 뒤이어서 저놈들 잡아라, 도적이야, 외치는 소리가 들려왔다. 그제야 박대근이 눈치를 채고 환도를 빼들고 외쳤다.

"포교라면 통부(通符)를 보이시오."

노가는 잇달아 환도를 빼들었으며, 포졸들도 장창을 꼬나들고 광대들을 가로막았다. 노가가 뒷걸음치며 말했다.

"덤비면 사정없이 베일 테다. 뒤쫓지 마라."

길산이와 갑송이 등 싸움질에 자신이 서는 자들만 광대패에서 뛰어나와 길 좌우로 재빨리 갈라섰다.

"어딜 달아나느냐!"

박대근이 노가에게 달려드는데 감동이와 그 부하 한 놈이 제각기 봇짐 속에서 두어 뼘 길이의 칼을 빼어들고 좌우로 휘두르며 광대들의 접근을 막으면서 비탈 위로 뛰어올라갔다. 이제 감히 덤벼들 자세를 취하는 것은 박대근과 길산이, 갑송이 세 사람뿐이었다. 대근이 칼을 곧추세워 파고들자 노가는 막아 내리치며 허공을 싹 베는데 대근의 패랭이 중간이 날아갔다. 칼이 몇번 부딪쳐 날카로운 소리를 냈다. 길산이와 갑송이는 맨손으로 감동이와 포졸 차림의 뒤를 따라 빽빽한 관목숲이 가려진 비탈로 오르는데, 그들은 이미 능선을 타고 내빼고 있었다. 두목인 노가는 박대근에게 제법 날카롭게 칼질을 해 보이고 나서 몇걸음 뛰더니 날렵하게 나뭇가지를 잡고 휘청했다가 골짜기의 무너져내린 구덩이를 뛰어넘어 등성이로 뛰어올라갔다. 고개 아래서 대근네 몇사람이 쫓아올라오며 소리쳤다.

"부담을 모두 털렸습니다. 둘이 창에 찔렸어요."

"산 위로 쫓아올라가게. 자네들두 아무거나 병장기를 잡게나."

갑송이는 굵다란 몽둥이를 꺾어들었고 길산이는 단검을 손에 쥐었다. 그들은 와와 소리치며 산등성이로 쫓아올라갔다. 산을 타고 사는 놈들인지라 동작이 어찌나 빠른지 소울음 소리가 들릴 거리의 두 배나(二牛鳴) 쫓았는데 기척이 보이질 않았다. 그들이 능선 둘을 타넘자 봉수대 오른편으로 비탈을 달려내려가는 도적들의 후미가 보였다. 봉수대에서 진군들에 발각되면 길이 끊길 터이라 우회하려는 모양이었다. 그들이 달려내려가자 뒤를 맡은 네댓 놈이 마주 달려나왔다.

박대근은 창을 치켜들고 달려드는 자를 한 걸음 비켜나며 엇비슷이 베었다. 목덜미께에서 어깻죽지가 깊이 잘려나가며 쓰러진다. 후미에 감동이가 보였는데 길산이는 달리는 걸음을 멈추지 않고서 두어 척을 몸째 날리며 감동이의 목을 껴안았다. 그들은 골짜기 아래로 몇번이나 엎치락뒤치락하면서 굴러떨어져 갔다. 갑송이는 환도 휘두르는 두 놈을 무지막지한 몽둥이로 대적하면서 단김에 골통을 깨부숴버렸다. 혼자 남은 자가 칼을 버리고 주저앉았다. 그 사이에 다른 놈들은 숲 사이로 멀리 달아나버리고 말았다. 길산이가 얼굴이 엉망으로 터져 피투성이가 된 감동이의 뒷덜미를 잡아가지고 골짜기 위로 올라왔다.

"해골을 부숴놓을 테다!"

갑송이가 몽둥이로 휙 내리치는데 길산이가 손바닥으로 받아내며 말했다.

"이놈 죽이면 낭팰세. 아예 구월산으로 짓쳐들어가야지."

"이리 끌어오우."

"이 자리에서 당장 쳐죽인대두 할 말은 없수."

길산이에게서 얻어맞아 코와 입이 터져 피투성이가 된 감동이가 고개를 푹 숙이며 말했다. 갑송이는 몽둥이를 쳐들어 부르르 떨면서,

"골통을 바숴버려야 할 텐데. 내 어쩐지 요놈 쌍통이 처음 볼 때부터 새까만 생쥐 같더라니."

박대근은 피 묻은 환도를 풀잎에 씻고 나서 집어넣었다. 화적들의 자취를 찾으려고 골짜기 아래로 내려갔던 차인들이 돌아와서 말

했다.

"물을 건넌 것은 분명한데, 숲으로 길이 끊겨 어느 방향으로 갔는지 통 알 수가 없습니다."

"그만둬라. 두 놈을 잡았으니 일이 잘되었다."

그들은 마감동과 졸개를 함께 삼줄로 묶었다.

길산이가 박대근에게 물었다.

"관가에 넘기시려오?"

"아니오."

박대근은 길산이를 가까이 불러 속삭였다.

"우선 짐들을 정리하구 나서 모두들 안악으로 들여보내죠. 우리는 차인 몇사람을 데리구 저놈을 앞세워 추적합시다."

길산이가 조심스럽게 말했다.

"저놈 눈치가 좀 뉘우치는 것 같습디다. 달래면 말해줄 듯도 합니다."

"어쨌든 예서 기다리시오. 내가 사람들을 모두 보내놓고 올 테니까."

박대근은 올라가서 행수 차인에게 상단을 이끌고 안악으로 들어가라 지시하고 아무도 화적당에 약탈된 사실을 입 밖에 내지 말도록 일렀다. 그는 차인들 중에서 젊고 팔팔한 장정 다섯을 가려 환도 몇 자루와 몽둥이로 무장시켰다. 그리고 양식거리도 한 이삼 일분쯤 넉넉하게 마련했고, 술 한 통에 어포 약간을 준비했다. 그가 양식 지운 장정들을 데리고 골짜기로 내려가니 길산이가 부드럽게 몇마디 물었고 감동이가 수월히 대꾸하고 있었다.

"나두 의리는 아는 놈이우. 며칠 안 되었으나 성님들하구 성깔두 맞구 그래서 사실을 말해버릴까 하는 생각두 들었수."

"헌데 어째 말하지 않었니?"

갑송이가 눈을 부라리자, 감동이는 어이없이 피식 웃었다.

"가만 생각해보니 사람 좋은 거야 일하군 상관이 없데. 댁네는 재물 많은 장사꾼이구 우리네야 그 물건 빼앗자는 도적놈이 아니우."

"이눔아, 도적질두 좋아, 어째서 속였느냔 얘기여. 도둑에두 의리가 있구 땅꾼에두 꼭지가 있는 법이다."

"칫, 주린 호랑이가 원님 알아볼까. 좌우지간에 미안허게 됐수. 아예 물고를 낸들 하는 수 없고 관가에 넘겨두 좋지만…… 내게두 복잡스런 사정이 있수."

박대근이 물미장 환도를 뽑아 칼끝을 감동이의 목젖에 댔다.

"산채루 안내해라. 아니면 당장 쑤셔버릴 테다."

"허허, 너무 만만히 알지 마시우. 게가 범의 아가리요."

박대근이 칼자루에 힘을 주어 지그시 누르자 피부가 터지며 피가 흘러내렸는데, 감동이는 입술을 약간 찡그릴 뿐이었다. 길산이가 조용하게 말했다.

"칼 치우슈."

박대근은 잠깐 길산이 쪽을 바라보다가 칼끝을 거두었다. 모두 한참이나 말이 없었다.

"우리를 정말 관가에 넘기지 않을 작정이오?"

고개를 숙이고 생각에 잠겼던 감동이가 불쑥 물었다.

"안 넘길 테다."

하고 나서 박대근이 말했다.

"넘길 것두 없이 내 손으루 베어주지."

"그 재물이 아깝소?"

"까짓 거야, 장사란 게 원래 이익 손해가 늘 따라다니게 마련이지.

허나 여태껏 이 박대근의 상단이 송도 차인패들간에 화적 만났다는 일이 없는 걸루 유명하다."

"쳇! 그따위 허명에 사람의 목을 벤단 말이오? 잘못 봤군."

딴은 감동이의 말에도 일리가 있어 박대근은 입을 다물어버렸고, 길산이가 말했다.

"우린 자네 성품이 좋아져서 동무가 되지 않았나. 갑송이가 화를 낸 것두 자넬 동무로 알았기 때문일세. 자넨 미리 꾀를 써서 우리 행로를 연락해주지 않았나. 자네두 들었다면 우리 재인말 사람들이 어떻다는 건 잘 알 걸세."

감동이 곁에 함께 묶였던 졸개가 외쳤다.

"우릴 관가에 넘기지 않구 놓아준다면 내가 모두 말하겠소."

"잠자쿠 있어!"

말리는 감동이에게 졸개가 대들며 원망했다.

"노가놈 따위에 충성 바칠 거 뭐 있수. 그 찢어죽일 놈이 부두령을 산채서 쫓아낼라구 안달하는 판인데."

졸개의 말에 의하여 두령인 노가와 부두령 감동이가 불화하고 있음이 알려졌다.

"무슨 사정이 있군 그래."

길산이가 슬쩍 던지자, 감동이는 한동안 뜸을 들였다가 한숨을 푹 쉬고 나서 얘기를 꺼냈다.

"두령이란 자가 덕이 없고 마음이 좁아서 졸개 아이들을 몹시 학대하오. 재물에는 터무니없이 욕심이 많아 상대를 가리지 않는데다 혼자서 차지할려구 그러거든. 나는 살생을 몹시 꺼리는데 그자는 닥치는 대루 사람을 죽인단 말요. 구월산으로 옮겨온 뒤부터는 나하구 사이가 별루 안 좋았지. 계획두 모두 내가 하고 아이들 데리고 살피러 다니기두 하는데, 내 약산골 서낭터에 장이 섰을 때두 갔었수."

"그렇다면 뭐 때문에 그런 자의 수하에 있나?"

"자비령 있을 제 내가 노가보다 뒤늦게 입산했고, 또 즈이 삼촌 되는 자에게 은혜를 입은 적이 있수. 그래서 오히려 울끈불끈하는 아이들을 누르며 참아왔었소. 내가 노가를 죽이길 망설이는 것은 패가 갈릴까 해서지요. 그러잖아도 자리 잡히지두 않은 산채에서 패가 갈려 싸움이 붙으면, 고향두 없는 우리가 서로 떼죽음할 게요."

박대근이 고개를 끄덕였다.

"우리가 놈을 베어버리지. 그러면 자네는 손두 안 대구 코푸는 격일세, 의리 상할 것두 없구. 이 사람아, 도적이라두 협기가 있으면 활빈두 하구 의적질을 해서 이름이 남는 법이여. 내 진심으루 재물이 아까워서가 아니라, 원래 협기를 좋아해놔서 그것이 상하면 참을 수가 없네."

묵묵히 듣고 있던 감동이가 뒤로 묶인 제 팔뚝을 내려다보며,

"이것 좀 푸시우."

하더니 결심이 된 듯 말했다.

"산채를 위해선 노가를 없애야겠소."

길산이가 단검으로 감동이의 결박을 풀어주었다. 감동이가 일어나 가장 먼저 길산이를 향해 꿇어앉아 머리를 숙였다.

"성님, 절 받우."

길산이는 당황해서 주저앉아 맞절을 하면서 감동이의 손목을 잡았고 갑송이는 어리둥절해서 두 사람을 내려다보았다. 길산이 말했다.

"같은 또래끼리 더구나…… 자넨 상투잡이고 나야 떠꺼머리 총각인데 말이라두 놓자."

"아니우. 우리네 도적놈들두 법도가 엄하우. 진 놈이 아우요, 모자라는 놈이 수하가 되는 법이니까. 갑송이 성님두 절 받우."

"뭐여? 나두 성님뻘 되나. 야야 쥐새끼야, 나하구는 막 트구 지내자. 사람이 거북살스러워 어디 살겠나."

"아니우, 작은성님은 되지."

감동이는 박대근에게는 말없이 절만 했다. 대근이 야박했대서가 아니라 대상부고(大商富賈)의 손발이 되어 장사나 다니는 게 마음에 차지 않은 모양이었다. 도적과 상인의 사이란 아무래도 늑대와 황소의 그것처럼 미묘한 관계라고 감동이는 생각하는지도 몰랐다. 그러나 박대근 쪽은 워낙 대범하여 감동이의 그런 태도에는 개의치 않았다.

"자네 자비령 있었다며?"

"예, 거기 한 이 년 있었수."

"강선흥이 알겠군."

"소금장사 다니는 그 뚝심 좋은 녀석 말이우?"

"그렇지."

"노가하구 나하구 길목을 지키다가 그자에게 망신을 당한 적이 있지요."

"녀석이 내 아울세."

"어……?"

"나하구 의형의제하는 사이지."

"그럼 이…… 감동이란 놈하구두 그리합시다. 참 세상 넓구두 좁군."

"이 사람아, 나는 송도 제일가는 부상(富商)이 되려네. 그래 재물이 많이 생기면 자네들과 나눠 쓸 셈이지."

"그만두우. 우린 벼슬아치나 인색한 부잣집을 털어두 밥술깨나 족히 들 수가 있으니까."

박대근이 껄껄 웃었다.

"내가 부상이 될 테니까, 자넨 나를 털러 오면 되잖나."

하는 말에 모두 웃었다. 조금 전까지도 살벌하던 분위기가 사내들의 너른 도량으로 스러져서 흐뭇하게 바뀌었다. 길산이 말했다.

"자, 이젠 일어서지. 쫓아가려면 벌써 십여 리는 뒤떨어졌을 테니."

감동이가 그들이 내려왔던 골짜기의 화연봉 고갯마루를 가리켰다.

"염려 마슈. 노가 일행은 산줄기를 타구 안악 북쪽의 양산(楊山) 등성이를 돌아서 배고개(梨峴)로 내려갈 거요."

"그렇겠지, 산세로 보아서는……"

"배고개만 지나면 구월산 동봉의 초입이지요. 그러니까 우리는 화연봉 고개를 넘어 큰내(漢川)를 건너 배고개 쪽으로 질러가는 거요. 배고개만 끊어놓으면 꼭 만나게 되어 있소."

"아직 여유는 충분한 셈이로군요. 여기서 배고개까지야 평지로 이십 리 아닌가."

"그렇소. 저놈들은 산길을 타고 오십 리는 걸어야 할 테고, 더구나 부담들을 짊어졌으니까, 아마 땅거미질 때쯤 고개를 지날 게란 말이우."

그들은 감동이의 말이 가장 그럴듯하여 배고개를 바라고 들판을 향해 걸었다. 월당강의 줄기가 나무리벌과 어루리벌 사이를 흐르고 지나는데 이 광활한 들은 문화 신천 재령 안악 그리고 봉산까지에 걸쳐서 끝없는 수전지대를 이루고 있었다. 그들은 한길을 버리고 논두렁을 따라 벌판을 일렬로 서서 가로질렀다. 누렇게 익은 벼들이 바람에 물결쳤고, 참새를 쫓던 농부들은 장사치 차림의 여러 사내가 엉뚱하게 논두렁을 걷는 꼴을 보고 두려워하는 눈치였다.

그들은 큰내 삼거리에서 포졸들에게 조사를 당했다. 상단에서 일행을 놓치고 뒤따라가는 길이라며 대근이 체장을 내보여서 말썽 없이 지났다.

그들이 배고개에 당도한 것은 아직 해가 높다랗게 떠 있는 늦은 오후였다. 그들은 의논에 따라서 행인이 지나다닐 길을 피하기로 했다. 동쪽으로 조금 더 들어가 산길 소로가 내려다보이는 등성이에서 기다리다가 위에서 아래로 덮치기로 했다. 그리고 양산 쪽에서 이어지는 능선을 살피도록 감시할 사람을 높다란 바위 꼭대기에 붙여두었다.

노가 일당은 그때에 양산을 넘고 있었다. 산이 높아질수록 깔리기 시작한 낙엽에 발목이 묻혔고 높이에 따라 층층이 여러 색깔의 단풍이 물들어가고 있었다. 노가의 뒤를 따라오던 자가 자꾸 뒤를 돌아보며 말했다.

"잡힌 게 아닐까요……"

"까짓 장사치 몇놈을 당하지 못하구 잡힐 바엔 죽는 게 나아."

"아닙니다. 칼솜씨며 싸움 벌이는 기세가 모두 만만치 않습디다. 아무래두 돌아가서 조력할 걸 그랬나 보우."

"운이 나빴어……"

노가 일당은 모두 지쳐 있었다. 노가가 심하게 재촉하였고 상인 패거리의 뜻하지 않던 완강한 저항에 질려 계속 쫓기는 걸음인 때문이었다.

앞서서 길을 살피며 나아가던 자가 멈추라는 손짓을 하고 나서 숲

속을 살피더니 잽싸게 나무 사이로 달려갔다. 엎치락뒤치락하는 모양이 보이다가, 어느 나무하던 총각의 멱살을 틀어쥐고 그는 일어섰다. 그자가 총각을 노가에게로 끌어왔다. 노가가 상을 찌푸리고 물었다.

"너 어디 사는 놈이냐?"

"수삼골 살아요. 나무하러 왔어요. 왜들 이러세요……"

"우리가 누군지 알지?"

"사냥 다니는 포수 양반들인가요. 산속으루 장사 다니시는 건 아닐 테니요."

"이놈, 우리가 구월산 화적패다."

"네, 작년 여름에두 약초를 캐러 갔다가 산어른들 뵀지요. 구월산엔 숨어 사는 이들이 많으니까요."

"흥, 산어른이라구…… 그런 녀석들은 못 봤는데, 자네들 봤나?"

도적들이 낄낄대며 웃었다.

"자아, 너 혼자 산에 왔냐?"

"아니오, 요 아래하구 이 길 앞에 어디 둘이 더 있을 거예요."

"그래? 여기서 큰 소리루 불러. 이리 오라구 말이지."

하고는 뒤를 보며 눈을 끔쩍하고 나서 말했다.

"야, 그 부담 상자에서 반합을 꺼내봐. 맛난 게 있을 테니. 얘들 배고플 텐데 조금 나눠주구 가지."

이를 듣고 마음이 놓인 총각아이는 핼쑥했던 얼굴에 핏기가 되살아났다. 그애는 입가에 손을 대고 자기 동행들의 이름을 불렀다.

대답하는 음성이 들리고 낙엽 밟는 소리가 가까워졌다. 머리를 땋아늘인 떠꺼머리 소년 둘이 양쪽 숲에서 뛰어나왔다.

그들은 주춤 섰으나, 동행의 아이가 낯선 사람들 틈에 앉아 유과

(油菓)를 먹고 있는 걸 보고는 곧 다가왔다. 노가는 그들을 써늘한 시선으로 훑어보며 날카롭게 물었다.

"또 없니…… 너희들말구는."

"네, 셋이서 언제나 함께 나무하러 다니거든요."

그들이 다투듯 반합에 손을 넣어 마른고기며, 포육, 유과 등을 집는데 노가는 슬그머니 칼을 뽑았다. 졸개들은 침을 삼키고 서 있었다. 노가가 말했다.

"일어서라."

"에……?"

아이들이 뒤를 돌아보며 엉거주춤 일어났을 때 노가는 늘어뜨렸던 칼을 재빨리 쳐들었다가 옆으로 비스듬히 주욱 그었다. 두 소년이 먼저 뽀얀 피를 퉁기며 나뒹굴었고, 나머지 설맞은 아이가 옆으로 넘어졌다가 깊은 상처를 입은 채로 한쪽 팔과 다리로 가재처럼 기어갔다. 노가가 차갑게 뱉었다.

"찔러줘라."

곁에 섰던 자가 창을 꼬느어 달려가 아이의 등에 꽉 내리꽂았다.

"애들을 죽일 거까지야 없잖소."

약산골과 문화에서부터 감동의 일행이었던 자가 말했다.

"뭐라구…… 그럼 네가 대신 골루 가구 싶냐?"

노가는 핏방울이 점점이 번진 칼을 쳐들었고, 상대가 두 손을 앞으로 내밀며 뒷걸음질쳤다.

"아, 아니…… 내 얘기는 어두워질 때까지 구월산 쪽으루 데리구 가다가, 밤이 되어 놓아보낼 수도 있다는 얘기우."

"이거 봐, 저놈들이 아래 내려가면 분명히 우릴 봤다구 나불거릴 게야. 저래놔야 후환이 없지. 야! 가랑잎으로 덮어주고 빨리 내치자."

그들은 두어 뼘 깊이로 쌓인 나뭇잎을 긁어내어 세 소년의 시체를 누인 다음 다시 잎을 그 위에 수북이 덮었다. 노가는 칼을 꽂으며 침을 뱉었다.

그는 잔인한 사람이었다. 불만이 있는 졸개들도 노가의 그렇게 야멸찬 칼날 아래 꿈쩍을 못 하고 있었던 것이다. 노가는 구월산 골짜기를 샅샅이 뒤져내어 자기네와 동업관계에 있는 자들의 초막이 발견되면 밤에 야습을 해서 몰살을 시켜야 마음이 편했던 것이다. 그가 구월산 동남쪽의 골짜기들을 완전히 자기 구역으로 장악하기 위해서 진작부터 두셋씩 짝지어 살아오던 자들을 더덕골에 모아다가 죽여 화장을 해버린 것이 두어 달 전이었다.

"정말 뒤탈 없을까요? 부두령이 상단 사람들께 잡혔다면, 틀림없이 관가루 넘어갔을 텐데…… 토포군(討捕軍)이 치러 오면 어쩝니까?"

부하 하나가 노가에게 걱정스럽게 말했고, 노가는 호통을 쳤다.

"이눔아, 토포 군사가 오면 네놈부터 죽여버릴 테다. 잡힌 놈은 뒈어져두 알 바가 아니구, 산채를 옮기면 그뿐이야. 그 넓은 산속에서 우릴 잡으려면, 작년 그러께 대동강서 방생시킨 고기 칠산 앞바다서 찾는 격이야. 어이, 빨리들 걸어라, 어둡기 전에 배고개를 넘어 구월산 초입에 닿아야 한다."

그들은 지친 걸음으로 양산 등성이를 타고 배고개를 향해 걸었다. 봉우리가 둘이 우뚝 솟았는데, 그들은 첫째번 봉우리를 넘고 있었다.

길산이, 감동이네들은 배고개서 깊숙이 들어가 둘째번 봉우리의 중턱에서 기다리고 있었다. 골짜기 사이로 뚫린 길이 그들의 발 아래를 지나 배고개 쪽으로 내리막길이 되어 장연(長連) 가는 길과 만나면서, 고심산(古尋山)으로 연결되어 서북으로 치솟아 있었다.

그들은 봉우리 위의 높다란 소나무 위에 감시하는 자를 올려보내고 술과 어포를 내어 저녁의 시장기를 메우고 있었다. 해가 구월산의 우뚝 솟은 아사봉(阿斯峯) 끝에 걸려서 남은 빛은 하늘가에 남았고, 단풍이 물들기 시작한 산허리엔 어둠이 깔릴 무렵이었다.

"옵니다!"

감시하던 차인이 외쳤다. 그들은 아래가 훤히 바라보이는 비탈 위로 올라가 동쪽 산등성이를 내려다보았다. 석양을 정면에 받으며 걸어오는 열댓 명의 노가 일행이 보였다. 아래로는 짙은 숲그늘로 컴컴했으나, 노출된 등성이로 걸어오고 있는 그들의 행적은 멀리서도 아주 또렷하게 보였다. 그들은 등성이를 따라서 둘째번 봉우리의 왼편을 돌아오고 있었다. 그 길이 잠시 후에 골짜기의 샛길로 이어질 게 눈짐작으로도 뻔했다.

"자아, 목을 지킵시다."

박대근이 지시했다. 갑송이와 길산이는 왼편 바위 뒤에 숨고, 박대근은 오른쪽 송림 사이에 차인들을 데리고 숨었으며, 감동이는 그들의 후미를 끊기 위해 비탈에 가서 엎드려 있었다. 비탈에 엎드린 차인 하나가 그들이 다가오면 앞쪽으로 작은 돌멩이 하나를 던져 신호하도록 했다. 이제 노가 일행이 이 그물 속에 들어오면 한 사람도 빠져나가지 못할 형국이었다.

노가 일행이 감동이와 몇사람이 엎드린 비탈 아래로 들어섰다. 돌멩이 하나가 송림으로 날아갔고, 박대근과 차인들은 각기 칼을 뽑아 쥐었다. 길산이와 갑송이는 건너편 숲에서 그들이 무기를 가다듬는 것을 보고 화적패가 가까이 온 것을 알았다. 갑송이는 몽둥이를 불끈 쥐었고, 길산이는 짧은 단도를 손가락에 벼리어보았다. 화적패가 감동이들이 숨은 산비탈 아래를 지나갔다. 그들의 불규칙한 줄이 샛길로 들어서며 한 줄이 되었고, 노가는 세 번째쯤에 서 있었는데, 후미가 비탈 아래로 완전히 들어섰다. 선두가 소나무숲과 바위가 있는 아주 좁다란 길에 이르렀을 때,

"이놈들!"

하는 찌렁찌렁한 고함소리가 들리면서 박대근을 선두로 무기를 든 차인들이 소나무숲에서 뛰어나왔다. 그리고 그들이 왼편 등성이로 오르지 못하도록 길산이와 갑송이가 바위 위에 우뚝 섰는데, 그들의 뒷길로 몇사람을 거느린 감동이가 우르르 쫓아내려왔다.

"여기가 바루 저승골이란 곳이다. 달아날 놈들은 어서 나서봐라."

감동이가 환도를 휘두르며 후미에서 달려드는 자를 맞았다.

"흩어져라."

노가가 소리지르며 박대근의 앞으로 나섰다. 도적들이 전후좌우로 일시에 흩어지는데, 워낙에 저쪽은 준비하고 지키던 판이요 도적들은 얼결에 당하는 기세를 어쩔 수 없었는지 무기를 쳐들긴 했으되 허둥지둥하는 꼴이 완연하였다. 더구나 좁다란 아래편 길에 몰렸으니 대적하기에는 워낙 불리한 처지였다.

박대근의 장검이 졸개의 창을 맞받아쳐내리며 노가에게로 짓쳐들어갔다. 노가는 뒷걸음질쳐서 왼쪽 비탈로 올라서는데, 뒤에서는 감동이가 소리를 지르며 패거리 가운데로 쳐들어왔다.

"너희는 무기를 버려라. 노가놈만 베어죽일 테니, 항복하는 자는 살려주겠다."

라고 감동이가 외쳤으나, 대부분은 그의 말을 믿지 못했고 더군다나 감동이가 상단과 한패거리가 된 것을 보고는 필사적으로 덤벼들

었다. 감동이는 뒤에 섰던 졸개 두엇과 붙어서 칼질을 하다가 맞은편에서 창을 꼬나들어 찌르고 들어오는 자를 슬며시 비켜서서 목덜미를 내리쳤다. 어이쿠 하며 자빠진 놈을 밟고 넘어가며 그가 소리쳤다.

"보아라! 칼등으로 내리쳤다. 너희를 해치려는 게 아니라, 노가를 죽이려는 거다."

박대근은 대적한 졸개들 셋을 좌우로 베고 노가 앞을 싸고도는 자는 직선으로 찔렀다. 가슴께가 맞창이 나면서 쓰러질 때 노가가 칼을 들어 박대근을 바라고 내리쳤다. 쨍겅 하는 소리가 났다. 곁으로 파고들어온 길산이가 노가의 칼을 단검으로 맞받아 막은 것이었다. 노가는 미친 듯이 칼을 휘두르며 길산이께로 달려들었다. 길산이는 잽싸게 칼날을 피해 상체를 숙이고 껑충 뛰기도 했다가 중간을 가르며 들어오는 노가의 칼날을 단검으로 막아냈다.

갑송이는 몽둥이를 휘두르며 도적 무리의 가운데에서 좌충우돌하고 있었다. 무지막지하게 휘두르는 몽둥이에 당하지 못하고 도적들이 뒤로 밀려났고, 감동이와 차인들이 그들을 차차 압축해 들어갔다.

박대근은 창을 제법 잘 다루는 자와 칼 가진 자를 상대해서 싸우고 있었다. 상대는 창법을 제대로 익힌 듯했다. 먼저 지남침(指南針)으로 공격해 들어오더니 대근이 날렵하게 비켜나자 백원(白猿)법으로 퇴거하면서 다시 기룡(騎龍)으로 갑자기 바꾸어 급습했다.

박대근이 상체를 뒤로 넘기려는데, 이미 창끝이 뺨을 부욱 찢고 지나갔다. 박대근은 뒤로 넘어졌고, 상대가 적수(滴水)의 자세를 취하면서 창을 비스듬히 세워 박대근의 배를 꿸 듯이 들어왔다. 박대근은 몸을 굴려 피하면서 창을 장검으로 받아냈다.

길산이는 칼을 날렵하게 쓰는 노가에게 쫓겨 뒤로 물러났다. 노가가 칼을 위로 쳐들어 반월도(半月刀)의 선으로 내리그으려는 순간, 길산이는 쌍수(雙手)의 자세로 단검을 세워 칼 쥔 손목을 다른 손으로 잡은 채 엇비슷이 퉁겼다. 쨍 하면서 칼날이 단검 위에 머무르는 사이 두 팔로 힘껏 밀어올리니, 노가의 하복부가 완전히 드러났다. 틈을 놓치지 않고 내뻗은 길산이의 억센 왼쪽 다리가 날아가 노가의 옆구리에 가서 꽂혔다.

"에이쿠쿠!"

노가가 칼 든 손을 뒤로 젖히며 넘어가는데 연이어 길산의 오른발이 노가의 칼 든 팔목을 후렸다. 칼이 노가의 손안에서 뿌리쳐지면서 공중으로 날아갔다. 길산이는 노가의 넘어진 몸이 땅에 닿자마자 우선 정권으로 노가의 인중 급소를 질렀는데, 앞니가 부러져 턱 아래로 흘러내렸다. 길산이는 단검을 노가의 목덜미에 재빨리 갖다댔다.

"꼼짝하면 목을 도려낸다."

장창 가진 자와 붙었던 대근이는 일 장 오 척의 나무 창한(槍桿)을 노리고 그자가 철우경지(鐵牛耕地)의 자세로 휘두르는 것을 반대편으로 비스듬히 내리쳤다. 역시 창자루가 뎅겅 부러져나갔다. 보병창이란 말 탄 자를 공격하거나 여럿이서는 유리할지 몰라도 검객에게는 맥을 추지 못하는 법이었다.

창자루가 잘라져나갔건만 상대는 두려워하지 않고 남은 자루를 봉(棒)으로 써서 공격해왔다. 박대근은 그자의 창술이 훈련원에서 십팔반무예를 통해 익힌 것임을 잘 알 수 있었다. 창봉을 휘두르며 다가드는 상대에게 박대근은 짐짓 뒷걸음치는 체하여 공격을 허용했다. 그의 봉이 팔랑개비처럼 돌아 정수리 쪽으로 내려박히는데,

대근은 칼날을 세워 봉을 퉁겨 사이를 만들고 잇달아 상대의 팔꿈치를 칼등으로 후려쳤다. 반사적으로 팔이 쳐들렸다가 봉을 떨어뜨리며 그자는 팔을 움켜쥐었다. 관절을 얻어맞아 당분간은 팔을 쓰지 못할 것이었다. 그자는 당황하지 않고 두 손을 척 내려뜨린 채 박대근을 노려보기만 했다. 대근은 쳐들었던 칼을 슬며시 내리며 말했다.

"네 재주가 아까워 차마 베질 못했다. 이름이 뭐냐?"

상대는 무방비의 자세로 서서 말없이 노려보기만 했다. 칼과 창을 내던지는 소리들이 들렸고 갑송이와 감동이가 빈손이 되어버린 도적들을 땅에 주저앉히고 있었다. 길산은 아직도 뒤로 벌렁 자빠진 노가가 꼼짝 못 하도록 그의 목덜미에 단검을 갖다대고 있었다. 노가가 꺾여버린 것이 부하들의 전의를 상실하게 만드는 가장 큰 이유가 되었던 것이다. 감동이가 나섰다.

"큰 일이나 작은 일이나 사람의 짓에는 의리와 도량이 있어야 하는 법이다. 우리가 비록 나라에 죄를 짓고 고향을 떠나 산림에 숨어 살며 도적질을 하되 부끄러움이 없어야 하거늘 자비령에서 떠나온 이후 여태까지 어떠했는가. 닥치는 대로 사람을 죽였고 어려운 장사치나 나그네의 보따리마저도 빼앗았다. 반항하지 않는 자도 베어죽였으며 불까지 지르고 일가를 패망시켜버린 일이 많았다. 그렇게 해서 얻은 재물은 어찌되었는가. 한 사람의 축재에 모두 자취를 감추고 우리는 술 한잔 제대로 마시질 못했다. 이는 누구의 탓인가. 한 집안이 잘되려면 그 가장의 인품 여하에 달렸듯이 우리의 우두머리라는 자가 용렬하여 우리들은 모두 천륜을 어긴 극악무도한 자들이 되어버린 것이다. 이런 일이 거듭되어 우리가 인심을 잃고 보면 산속의 다람쥐새끼조차 우리를 적대할 것이고 우리는 멀지 않아 갈데없이 죽고 만다. 내가 산채의 기강을 다시 바로잡을 것이니 너희들은 나를 따르겠는가."

감동이의 말이 끝나자마자 박대근과 상대했던 자가 버럭 고함을 질렀다.

"말은 번지르르하니 그럴듯하지만, 네놈은 식구의 의리마저 저버린 놈이 아니냐? 뭣 때문에 아무 상관도 없는 장사꾼 패거리를 끌어들여, 이제까지 함께 죽고 살기루 맹세한 형제를 배반하느냐? 이것이 녹림당(綠林黨)의 의리란 말이냐?"

"말 잘했다. 나와 두령이 서로 다투게 된다면 분명히 산채는 두 패로 갈라지게 될 것이요, 우리는 피투성이가 되도록 서로 살상했을 것이다. 그래서 여러 번 두령의 실책을 참아왔다. 헌데, 여기 계신 이분들은 우리네처럼 협기와 의리를 아는 사람들이다. 그래서 오히려 내가 청했다. 너희들을 살상하지 말고 내게 이런 기회를 주기를 부탁했다. 극악무도한 자를 산채에서 내쫓고, 인화하는 녹림당이 되자는 것인데 이것이 모두를 위한 일이지 어째서 배신이 된단 말이냐? 좋다, 말할 자가 있으면 나서서 말해봐라."

말을 꺼냈던 자는 입을 다물었고, 다른 자들도 잠시 묵묵히 앉아 있었다. 졸개들 중에서 감동이의 연락을 맡았던 자가 나서서 말했다.

"부두령의 얘기가 맞소. 저 자는 포악한 사람이오. 아까도 양산마루를 넘다가 떠꺼머리 총각애들을 셋이나 베어죽여서 낙엽 아래 묻고 왔소이다. 우리가 부처고개에서도 시골 장꾼들을 몰살시킨 적이 있소만, 나는 그뒤 밤만 되면 악몽에 시달리오. 우리가 덕 있는 사람을 만나지 못했던 탓이오."

감동이와 함께 상단에 잡혔던 자도 말했다.

"이분들은 관아와는 아무 상관도 없고, 그보다는 우리네 같은 자들의 처지를 이해하는 협객들이셔. 내가 한 사날 지나며 겪어봐서 잘 알지. 우리 산채는 다른 이를 두령으루 모셔야 하네."

이렇게 되자, 다른 모든 졸개들은 서슴지 않고 떠들기 시작했다.

"노가놈의 목을 쳐버려야 해."

"죽여라!"

"그가 재물 숨긴 곳을 안다."

"산채에서 혼자 내려가버릴 작정이었어."

그 창봉을 제법 쓰던 자가 다시 나서며 감동이에게 말했다.

"둘이 싸우시오. 저항 못 할 자는 베는 법이 아니니까."

"좋다."

감동이는 환도를 빼어들고 길산의 앞으로 나섰다. 길산은 노가에게서 물러났고 노가는 턱으로 흘러내린 피를 소매로 쓱 문지르며 일어나 앉았다. 감동이가 떨어진 장검을 주워 노가 앞으로 던지며 말했다.

"어서 들고 나서라."

노가는 칼을 집었다. 그러고는 천천히 일어났다. 그는 박대근이며 길산이, 갑송이 등을 둘러보고 나서 부하들에게 말했다.

"내가 이놈을 쳐죽이고 나면 너희는 어쩔 수 없이 나를 따르게 될 거다."

감동이는 칼을 쳐들고 노가의 주위로 돌아가며 대꾸했다.

"큰소리치지 마라. 그 애호박 같은 대갈통을 두 쪽으로 내줄 테다."

노가도 칼을 몸과 수평이 되게 옆으로 벌려 들고 휘저으면서 감동이의 빈틈을 노렸다. 노가는 장검이니 쌍수도(雙手刀)를 쓰게 되었고, 감동이는 길이도 짤따란 예도(銳刀)이니 무술검(舞術劍)으로 대적하게 되었다. 원래 칼을 쓰는 데 있어서 쌍수도란 단칼에 필살시킨다는 법으로, 공격하기에는 유리하지만 다음 자세를 취하기까지의 동작이 느리고 칼 방향의 선을 쉽게 바꿀 수가 없어 방어에는 좀 불리한 검술이었다. 예도로써 하는 무술검은 자세에 변화가 많고 칼의 방향을 여러가지로 빨리 바꿀 수가 있는 대신에 장검의 직도(直刀)를 막아낼 수가 없는 약점이 있었다. 자연히 무술검은 동적(動的)이 되고 쌍수도는 정적(靜的)이 되게 마련이었다.

노가는 장검을 두 손으로 잡고 왼편으로 곧추세워 들고 감동이의 측면으로 천천히 도는데, 발은 안전하게 옆으로 펴서 땅에 댄 채로 끌고 갔다. 감동이는 예도를 정면으로 불쑥 내밀어 칼끝을 통해 상대를 겨누어보며 그의 움직임에 따라 몸을 돌렸다.

잠시 노리고 섰던 두 사람 중에서 감동이가 서너 걸음 크게 뛰며 육박해 들어갔다.

노가의 장검이 원을 그리며 휘익 날았다. 쨍경 하는 소리가 들리며 칼날이 마주쳤다. 감동이는 반대편으로 휘둘러오는 노가의 칼날을 피해 그의 등뒤로 빠져나갔다.

노가는 자기 뒤로 빠져나가는 감동이를 치기 위해서 휘둘렀던 칼을 그대로 세우며 아래로 내리쳤다. 감동이가 재빨리 옆으로 비켜나며 예도를 노가의 가슴팍에 꽂을 듯이 찔렀다. 노가는 칼날로써 상대의 칼끝을 옆으로 뿌리쳤고 끼이꺽 하는 칼날 엇갈리는 소리가 들리면서 두 사람은 칼을 잡은 채 몸이 닿도록 가까워졌다. 두 사람 모두가 진땀으로 가슴께와 등판이 흠씬 젖어 있었다. 벌써 네 합이 지났다.

두 사람이 다시 떨어질 적에 노가가 장검을 수평으로 휘둘렀는데, 감동이의 옆구리가 그어지면서 갈라진 무명 적삼 위로 피가 배어나왔다. 노가는 자신만만하게 감동이에게로 뛰어들면서 쳐든 칼을 자기 머리 위에서 회전시켜 상대의 목을 바라고 엇비슷이 베려는 찰나였다.

감동이가 한쪽 무릎을 꿇어 파고들며 노가의 배에 예도를 꽂았다. 노가의 손에서 장검이 힘없이 떨어졌다. 그는 눈을 부릅뜨고 자기 배를 내려다보았다. 감동이는 다시 팔목에 힘을 주며 칼을 상대의 몸속으로 깊이 박았다. 노가가 다리를 푹 꺾더니 뒤로 넘어졌다. 감동이가 발로 그 가슴을 내지르며 칼을 쑥 뽑아내자, 피가 일직선으로 솟아오르며 감동이의 얼굴과 가슴에 튀었다.

감동이는 소매로 제 얼굴의 피를 닦으면서 뒤로 천천히 물러났고, 노가는 다시 움직이지 않았다. 감동이가 몇몇 졸개들을 지적해내며 말했다.

"시신을 수습해서 묻어주어라."

감동이는 박대근에게 다가가서 한숨을 길게 내쉬고 나서 말했다.

"거 술 한잔만 주슈."

박대근이 쪽박에 술을 따라 내밀자 그는 벌컥벌컥 맛나게 들이켰다. 노가의 시체가 치워졌다. 감동이가 이제는 좀 홀가분해진 낯으로 말했다.

"산채루들 올라갑시다. 며칠 놀다들 가시우."

"글쎄…… 우리는 장삿길이 바빠서 어쩌지?"

박대근이 선뜻 대답을 못 하고 있는데, 갑송이가 말했다.

"모처럼 사귄 놈을 이런 데서 놓아보낼 수야 있수? 아주 진을 빨아 먹구 가야지."

"산채로 가십시다."

"아따, 그러지 뭐. 구월산 녹림당의 행수 두령께서 초대하시는데 우리가 마다할 리가 있나."
하면서 박대근도 껄껄 웃었다.
"그런데 자네들 칼솜씨가 제법이데그려. 아무래두 훈련원 위영(衛營)서 배운 것 같데. 그렇지 않고서야 노가나 자네가 검을 본때 있게 다룰 리가 없지."
"내막은 차차 얘기하지요."
"그러구 저기 키 큰 자는 창술을 제법 알더구먼."
"예, 그자는 본시 평안진군(平安鎭軍)의 초장(哨長)이었수. 상관을 패죽이구 쫓기다가 우리 패에 들어온 사람인데, 됨됨이가 아주 근직하우."
감동이가 그자를 손짓해서 불렀다.
"어쩌려나, 부두령이 되어 나하구 산채 일을 도와주겠나, 아니면 떠나려나? 거취는 자네 마음대루 하게."
"두령이 없으니, 의당 성님이 산채를 맡을 것이고, 나두 불만은 그리 없수."
하고 그자가 말했고, 박대근이 웃는 얼굴로 말을 붙였다.
"나는 고향이 파주인 박대근이란 사람이오. 우리 알구 지냅시다."
"안주의 오만석(吳萬石)이우."
길산이와 갑송이도 차례로 오만석과 인사를 나누었다.
박대근은 길산이, 갑송이들과 구월산으로 들어가기 전에 차인들을 돌려보낼 작정이었다. 그는 한 사람을 불러서 일렀다.
"내가 내일 안악 읍내에 당도하기 전까지는 장시를 열지 말라구 전하게."
"예, 그럼 저희는 배고개서 한내를 끼구 안악으루 들어가겠습니다."

"그리구 우리 일을 절대루 아무에게두 얘기하지 말게. 어둡기 전에 빨리들 출발해야지. 어디 상한 사람은 없나."

"뭐 정갱이 조금 삐구 허물 벗겨진 사람이 있습니다."

이렇게 수작들이 오갈 때에 화적들이 지고 왔던 짐들을 차인들 앞에다 쌓아놓기 시작했다. 박대근이 감동이에게 물었다.

"이 사람아, 이게 뭔가."

"잘 알면서 뭘 물으슈. 내 아무리 숭악한 도적놈이기로 형제지간에 그럴 수 있수? 다 돌려드리는 게유."

"곁이 나서 뒤쫓아왔다가 자네 산채의 기강을 잡는 일을 도운 것이네. 재물 찾아갈 생각 없네. 그렇다면 아예 자넬 묶어 포도군사를 앞세우고 산채를 들이쳤을 게 아닌가."

"공연히 그러지 마슈. 나두 이런 물건은 못 받겠수."

감동이는 팔짱을 끼고 뒤돌아서버렸다. 박대근이 우물쭈물하는 졸개들에게 말했다.

"여보게들, 빨리 짊어지지 않구 뭘 꾸물대나. 모두 산채루 가져가게."

졸개들이 다시 부담을 짊어지려는데 감동이가 몹시 비위가 상한 듯 고함을 질렀다.

"이놈들아, 범이 아무리 날고기를 좋아해두 저희 고기는 서루 가리는 법이다. 그 짐에 손을 대면 손모가지들을 모조리 잘라버리겠다."

곁에서 빙글빙글 웃고 섰던 갑송이와 길산이가 보다 못해 그들 가운데로 끼여들었다. 먼저 갑송이가 말했다.

"온 도적놈과 장사치 사이에 말은 드럽게 많네. 예미랄 거, 말은 보태구 떡은 떼랬다구 그 부담짐들이 싫거든 날 주오. 내 몽땅 져다가 화식전(貨殖傳)에 이름이나 올리게."

길산이가 대근이에게 웃는 얼굴로 말했다.

"그럴 거 없이 되찾은 재물 중에서 골라 이 사람들께 선물을 하시죠. 또 자네들두 그렇잖나. 사람이 사귀고 의를 맺었으니 이런 물건을 주고받는 게 그렇게 의기가 상할 노릇두 아닐세."

박대근이 고개를 끄덕였다. 그는 포목 한 짐과 어포 한 짐을 내어놓고 나머지는 모두 차인들이 지고 내려가도록 했다. 그가 감동이에게 말했다.

"자, 이러면 되었나?"

"고맙수."

감동이가 씩 웃으며 말했다. 곁에서 잠자코 섰던 만석이가 그들을 재촉했다.

"자아, 빨리 떠납시다. 아사봉까지 가려면 많이 늦었으니……"

"골짜기가 벌써 어두워졌는걸. 산채엔 누가 남아 있나?"

"갑득(甲得)이가 다섯쯤 데리구 있수. 우리가 오늘 들어가는 줄 알거요."

만석이를 앞장세우고 졸개들이 뒤따랐고 감동이는 길산이와 함께 뒤로 떨어져서 걸었다.

그들은 배고개의 장연(長連)길을 가로질러 고심산(古尋山) 초원 속으로 들어갔다. 산줄기가 부드럽게 한내의 상류와 나란히 가다가 구월산 연봉의 시작이 되는 실토봉(失土峯)에서부터 산세가 험난해지는 것이었다. 이미 주위가 캄캄해졌으나 곧 떠오른 반달로 드러난 등성이가 굽이굽이 잘도 보였다. 고심산과 실토봉을 잇고 있는 낮은 구릉에 도착한 그들은 풀밭에 앉아 술로 목을 축이며 잠깐 쉬었다. 거기서 투구봉과 아사봉 사이의 분지인 된목이골까지는 산길 삼십

리 거리였다. 달빛이 부옇게 비친 장재이벌의 은띠 같은 한내천을 내려다보며 박대근이 중얼거렸다.

"허, 좋은 산천이로다!"

"도적놈이 살기엔 참 아까운 데지."

갑송이도 말했다. 감동이가 핀잔을 주었다.

"도적놈의 성님두 도적이여. 뭐 도적이 따루 있는 줄 아는가베."

"아무러면 내가 제놈 같을라구……"

"그렇지, 출신이 원래 각촟이니까."

"어…… 이 낯짝 새까만 잔나비새끼가 사람을 우롱하는구나."

그들의 지분대는 꼴이 제법 다정하여 주위에서는 참견 않고 웃기만 하는데, 길산이 감동이에게 물었다.

"그래 아우는 도적놈이 따루 없다고 했겄다. 어째서 그러한가."

"아 그야 뻔한 이치 아니우. 나라를 세운다는 것이 큰 도적질 아닙니까. 벼슬아치들은 권력을 도적질해서 가족과 친척과 저희 연줄로 끼리끼리 해처먹고 허울 좋은 과거(科擧)까지 독차지하는데다, 이제는 조정에 인재가 끊겨 재주 있는 자들이란 모두 죽음을 당하거나, 옥에 갇히거나, 숨어서 살지요. 임금님부터 재상까지 화적보다 더 큰 도적놈들이지 뭐요. 백성들은 헐벗고 굶주리는데 쥐새끼 같은 무리들은 세도 권문에 아첨하여, 많은 뇌물로 감사나 병사를 사들여 수령직임을 맡으면 들인 밑천을 백성들에게서 뽑아내려 하지 않우. 함부루 국법을 우롱하고 멋대로 부정해서 백성들의 피와 땀을 짜내고, 자기네는 호박이다 금붙이다 비취다 옥이다 갖은 박물을 몸에 두르고는, 가엾은 백성의 가난을 향하여는 게으른 탓이라고 낭비하지 말고 부지런하라 닦달하니 참으로 적반하장이지요. 사리사욕에 눈이 팔렸으니 백성을 사랑하는 마음은 엷고, 형벌은 가혹하여 그 모진 매에 얼마나 많은 자가 병들고 죽었겠수. 이런 놈들은 제 고향에 재산과 토지를 늘리고 뇌물로써 상납하여 자리를 지키는 데 급급하지요. 그러나 벌은커녕 오히려 지위만 높아지고, 간혹 실수하여 물러나게 되더라도 방게와 꽃게가 옆으로 기어가긴 마찬가지라고 저희끼리 비호를 해주지요. 자리가 바뀌어도 그놈이 그놈, 도적놈이 도적놈을 뽑는 식이니, 이런 놈들은 도적의 작은두령이지요. 부자, 향족, 토반들은 금력으로 줄을 대어 권세에 힘입고 모리하고 국세나 까먹고 걸핏하면 양민의 등을 치니 두령의 졸개들입니다. 각 고을의 내외관속들은 문서를 거짓으로 꾸며 무리한 세납과 명목 없는 잡부금을 거두고, 교묘하게 속여서 국고를 축내는데 이놈들은 도적의 손발이 아니고 뭐요. 그뿐이 아니오. 자칭 학사라고 뻐기며 큰 갓에 넓은 도포자락으로 거들먹거리는 선비라는 자들은 무식한 백성 보기를 오뉴월 뒷간의 구데기 대하듯 하고, 진서깨나 읽을 줄 안다고 백성들의 소박한 풍속을 허식으로 고치질 않나, 이름이나 얻어보려고 이 솟을대문 저 사랑으로 주린 개 장바닥 싸돌듯 하니 이런 놈들은 도적의 뇌수라, 가장 해로운 놈들이지요. 이렇게 도적들이 허울 좋은 나라의 중심이라 행세하는데 말이우."

"그 친구 재담만 잘하는 줄 알았더니…… 과연 구월산의 두령이로군."

듣고 있던 박대근이 무릎을 쳤다.

길산이는 감동이의 그와 같은 열띤 얘기를 하나도 빼놓지 않겠다는 듯이 고개를 기웃이 하고서 앉아 있었다. 감동이는 계속해서 말하였다.

"세상은 도둑들이 다스리는 나라가 되어 있는데, 법이 무너진 판국에 무슨 법으로 우리를 다스린다우. 빼앗기고 밟히다 못해 산속에 들어와, 남의 많은 재물 중에 조금만 꺼내어 굶주림을 면하겠단 우리는 무엇이오?"

"가장 쩨쩨하고 비겁한 도적이지."

느닷없이 박대근이 맞받았다.

"겨우 남의 재물을 뺏어 주림이나 견디겠다고 사내 대장부가 산속에 들어와 있는가. 아닐세…… 백성을 돕는 녹림당이 되어야 하고, 힘을 길러 저 도적들을 없애야 하지. 내가 재물의 참뜻을 깨달은 것은 바로 그것일세. 힘…… 팔도에 두루 덮이는 막강한 힘일세. 겨우 장정 몇명 거느리고 남에게서 빼앗은 것으로 이밥에 반찬 좀 낫게 먹으려거든 도적 소릴 꺼내지도 말구 고을 관장에게루 자수해서 일찌감치 장교질이나 터보도록 하게."

박대근의 말은 강경했지만 열기가 있어놔서 감동이가 대답을 못했다. 묵묵히 앉았던 길산이 감동에게 물었다.

"아우는 혹시 글을 아는 게 아닌가?"

감동이 대신 만석이가 대답했다.

"알다뿐이우. 우리가 자비령서 옮겨올 제 감동이 형님이 가어사(假御史) 노릇을 해서 월당나루를 건넜수. 무슨 글이든 척척 읽구, 관아 사정두 훤하지요."

박대근이 그렇겠다며 고개를 끄덕였다.

"도대체 자네는 무엇이었나?"

"사노(私奴)였수."

라고 감동이는 낮은 목소리로 대답했다.

"남의 집 종이 어찌 글을 알겠나?"

"그럴 만한 사연이 있수."

하고 나서 감동이는 이야기를 꺼내기 전에 한숨부터 쉬었다. 그는 갑자기 솟구치는 눈물을 어쩌지 못하고 저고리 자락을 들어 비볐다.

감동이는 한양 숭례문(崇禮門) 안의 금동(金洞)에서 교리(校理) 벼슬 하는 집의 여비 양갑(良甲)에게서 태어났다. 그의 노비문서에는 오직 솔비양갑고부모명부지(率婢良甲故父母名不知)라는 글 밑에 노감동병신생모사비양갑(奴甘同丙申生母私婢良甲)이라고 적혔다. 감동의 나이 십삼세 때에 그는 동갑내기인 주인 아들의 방자 노릇을 했는데 어렸을 때부터 서당에 모시고 다녔고 늘 곁에 붙어 있게 되니 학문을 알고 싶었다. 양반 도령이 글을 읽을 때엔 곁에서 그 소리를 따라서 외우곤 했다. 워낙에 성의가 있고 배우고 싶은 마음이 간절하니 자구의 뜻이야 어쩔 수 없으나 글줄은 주인 아들보다 훨씬 정확히 외울 수가 있었다. 그는 어머니에게 말하여 『소학(小學)』을 얻어 새벽마다 서당을 몰래 찾아다녔다. 그러고는 공부가 시작될 때까지 문 앞에 가서 섰다가 아이들이 방 안에 가득 차면 미닫이 밖의 댓돌에 단정히 꿇어앉아 글을 따라서 읽었다.

"그 부질없는 고생을 왜 했었는지 모르겠수. 어리석은 탓이었지요."

그러나 교리 댁에서는 그의 어머니밖에는 감동이 글을 배우는 사실을 아무도 몰랐다. 그의 어머니는 아들 대신 일찍 일어나서 마당을 쓸고 장작을 패놓는 것이었다. 그는 이러한 노력으로 십육 세까지에 사서(四書)쯤은 모두 스스로 읽을 수가 있었다.

"허지만 남의 집 종이 글을 안다는 것은 가장 참기 어려운 괴로움이 한 가지 더 늘게 되었다는 것뿐이지요."

그의 나이 열여덟에 교리 댁에서는 계집종을 들이고 감동과 성혼을 시켜주었다. 향분(香粉)이라는 열여섯 살짜리인데, 얼굴이 무척 아름다웠고 바느질 솜씨가 뛰어나서 교리 댁에서는 과천까지 나가서 그 여자를 사왔던 것이다. 교리 댁 만서방님도 같은 무렵에 시골 토반인 진사댁의 규수를 맞아들여 성혼을 했는데, 여자는 질투가 몹시 심했다. 감동이와 향분이는 고달픈 행랑살이 중에도 제법 금실이 좋아 집안 사람 모두에게 호감을 주었다.

그러나 교리 댁 서방님이란 자는 원래 오입쟁이깨나 된다는 한량을 자처했고 좋지 않은 무리들과 더불어 글보다는 기방과 색주가에 드나들기를 제 집처럼 하였다. 이때 여종 향분이의 미모는 이들 사이에서도 제법 알려져서, 서로간에 탄식들을 하면서 그렇게 잘난 미인이 종의 몸으로 천출 감동이 같은 놈과 사는 것이 못내 아깝다고 이야기가 오고 갔다.

하루는 사랑에서 감동이를 불러 갔다. 만서방님은 그를 불러앉히고 은근히 돈꿰미를 내주면서 이 길로 안성으로 내려가 과물을 한 바리 사들여 오라는 것이었다. 곧 제사가 있게 되는데, 서울전에서는 가격도 비싸고 물건도 오래 묵은 것들이니 양반가에서는 종을 시켜 지방 장시에서 직접 물건을 구매하는 일이 많았던 것이다. 감동이는 아무 생각 없이 나귀 한 마리를 끌고 안성으로 내려갔다.

그가 출타한 뒤에 서방님은 곧 일을 벌였다. 즉 향분이를 문밖 청패 쪽에다 심부름을 보내고서, 자기는 같은 또래 한량패들과 뒤쫓았다. 기다리던 자들이 그 여자를 마대에 씌워 용산에 잡아놓은 객줏집의 은밀한 사처에다 털어놓았다.

여기서 서방님은 수월하고 편안하게 향분이를 건드려놓았다. 남의 집 여종으로서 그만한 인물과 팽팽한 나이에 몸을 온전히 지켜왔을 수는 도저히 없었으니, 향분이가 정결한 몸으로 시집을 간 것은 아니었으되, 본 성품은 정숙하기가 재상댁 규수에 못지않았다. 그렇건만 남의 아녀자로서 외간남자에게 그런 일을 당하여 향분이는 곧 자진할 결심이었지만, 그 결심은 곧 스러져버렸다. 그에게서는 이미 첫아기의 태기가 있었던 것이고, 임신한 여자의 목숨에 대한 애착은 실상 이런 재난이나 봉욕에 비해 너무나 강렬하였다.

그들이 저녁에 따로따로 집에 도착했는데, 이런 기미가 맏며느리씨의 귀에 들어가지 않을 수 없었다. 그날은 잠잠히 지나가고, 이튿날 서방님이란 자는 아침 일찍 서대문 밖으로 볼일을 보러 나간 뒤에 며느리씨는 거적을 깔아놓고 향분이를 매우 치며 자백하기를 강요하였다. 안성에서 과물을 말 가득히 싣고 감동이가 도착한 것은 바로 그때였다. 같은 동료 종이 감동이에게 그런 대강의 이야기를 귀띔해주었다. 감동이는 골방에 틀어박혀 찢어지는 듯한 가슴을 두 손으로 움켜쥐고 소리 없는 눈물만 흘렸다. 감동이의 모친은 향분이가 장형을 당하고 있는 안마당과 바깥 행랑채를 속수무책으로 오락가락하면서 애만 태웠다.

그날 밤이 되어 향분이가 매로 터져 피투성이가 된 몸으로 골방에 돌아왔을 때, 감동이는 거기 없었다. 그는 목멱산(木覓山, 南山) 깊은 숲속에 앉아 이 절망과 분노를 가라앉히며 한나절을 보냈던 것이다.

그러나 인간의 도리와 세상의 법도를 글을 통해 알고 있는 감동이는 들끓던 분노가 사그라들자, 도대체 상하와 주종(主從)의 의리관계를 인간의 법도로서 알아온 자기의 온 청춘이 얼마나 덧없고 몽매하였는가를 깨닫게 되었다.

그는 삼경이 넘은 밤에 회현방 뒤를 돌아 금동 교리 댁의 담을 타넘어 들어갔다. 지친 향분은 잠들어 있었고, 안채에도 불이 완전히 꺼져 있었다. 감동이는 어둠속에 잠시 무릎을 꿇고 앉아 있었다. 드디어 결심이 되자, 그는 아내의 여린 목을 움켜쥐고 힘껏 졸랐다. 잠들었던 아내가 몇번 몸을 버르적거리다가 늘어졌다.

감동이는 광에 들어가 낫을 꺼내들고 사랑채로 가까이 갔다. 술에 곤드레가 되어 들어온 서방님은 코를 골며 깊이 잠든 기색이었다. 그는 미닫이를 열고 방 안에 들어섰다. 그리고 등잔에 불을 켰다. 그가 조용히 서방님을 깨웠다. 그자는 졸린 눈을 들어 감동이와 그의 손에 들린 낫을 보자 금방 삭신이 사그라진 듯 궁둥이걸음으로 뒤로 물러나며 중얼거렸다.

"이 사람아…… 왜 이러나, 자네와 나는 동기간이나 다름없이…… 함께 자라난 사이가 아닌가. 그 낫 좀 거두게!"

감동이는 이미 단조롭고 착 가라앉은 기분으로 그를 죽이겠다는 결심을 온 하루에 걸쳐서 굳혔던 터이라, 동요 없이 그를 내려다보았다.

"내 너를 단번에 쳐죽일 것이로되, 만일에 잠든 자를 죽인다면 첫째 죽는 고통을 모를 것이요, 둘째 네 죄를 깨닫지 못하고 잠결에 죽어 넋이 편안할 것이며, 셋째 내가 네 죄에 대해서 정당한 심판을 내리지 못할 것이다. 그래서 너를 깨운 것이니, 네 죄를 알고 있겠지?"

서방님짜리는 손을 비비고 턱과 입술을 떨며 절박하게 말했다.

"향분이가 평소 내게 마음이 있어 추파를 보내어 내가 그만 저지르지 못할 실수를 범했네. 내 더욱 자색이 아름다운 비녀를 수소문하여 자네께 내릴 것인즉 이 사람아…… 응? 제발 고정하시게."

"네 이 더러운 놈! 네가 양반의 가문에서 태어나 성인의 가르침을 배워 실천하기는커녕 아직 글귀를 깨우치지도 못하였구나. 부여귀(富與貴), 시인지소욕야(是人之所欲也)나, 불이기도(不以其道)로 득지(得之)어든 불처야(不處也)하다는 말이 생각나느냐. 너 같은 놈은 살아서 나라와 백성을 해치고, 더욱이 너희가 말하는 주인과 종의 의리관계마저 깨뜨린 놈이다. 그런 짓으로 세상을 더럽히며, 앞으로도 계속

너의 높은 지위와 문벌을 이용해서 행악을 끼칠 놈이니 내 일찌감치 죽여주마."

하며 감동이가 낫을 치켜들자, 그자가 갑자기 뛰어 일어나며 필사의 고함을 쳤다.

"사람 죽인다앗! 사람 죽여……"

돌아서는 자의 등을 감동이는 낫으로 내리찍었다. 이미 고함은 터져나간 뒤였다. 감동이는 앞으로 엎어졌다가 일어서며 부르짖는 자의 머리와 목을 번갈아 찍었다. 그는 저고리와 손바닥에 온통 피칠을 하고서 미닫이를 열었다. 벌써 마당에는 온 집안의 종복들과 가족이 뛰어나와 있었다. 감동이는 죽어 늘어진 서방님짜리의 다리를 질질 끌어 땅바닥에 차 내던지며 낫을 견주고 뒷걸음쳤다.

"하늘을 대신해서 아녀자를 겁간한 도적을 내 손으로 처단했다. 상하고 싶지 않은 자는 길을 비켜라."

교리가 턱수염을 떨며 소리쳤다.

"뭣들 하느냐, 한 번에 달려들어 꼭 붙잡아라!"

교리의 호통소리에 주춤거리던 하인들이 감동의 앞을 가로막으며 에워쌌다. 그는 후원 담을 타넘어갈 궁리를 했는데, 그러자면 피를 보이지 않을 수 없을 것 같았다. 여러 개의 중문이 겹겹이 닫혀졌고 마당은 동료 종놈들로 가로막혀 있었다. 감동이는 이를 악물고 낫을 치켜들며 에워싼 하인들의 무리 가운데로 쑤시고 들어갔다. 앞에 걸리는 대로 낫으로 내리찍었다. 가슴팍을 정통으로 찍힌 청지기 사내가 짐승 같은 소리를 내지르며 뒤로 넘어졌다. 감동이가 낫을 치켜들어 휘두르며,

"나는 이왕 피맛을 본 놈이다. 달아날 길이 있다면 모르되, 가로막는 자는 누구든 죽여버리겠다!"

라고 고함을 치니, 꼭 잡아야 할 이유도 없고 상하고 싶지도 않은 동료 종들은 비슬비슬 비켜났다. 감동이가 몇걸음 발을 내디디며 곧 달려들 태세로 교리 영감을 향해 부르짖었다.

"내게 입혀주고 먹여준 은공을 모르는 바 아니지만, 피차가 짐승이 아니라 하늘의 이치에 따른 인생으로서 젊은 주인이 너무나 황음무도하였소. 남의 아내를 욕보였을 뿐 아니라 도리어 부정의 죄로 형장까지 가했으니 주인의 덕을 잃은 것은 고사하고, 천륜의 도를 더럽혔으니 내가 국법을 앞서서 처형을 한 것이오. 내 스스로 밝은 세상에서 숨고자 하는데, 주인께서는 가문을 생각하여 시끄럽지 않게 수습하는 게 좋으리다."

"저…… 저런…… 발칙한 도적놈이 있나."

감동이가 에잇 소리를 내지르며 상을 험하게 꾸미자, 주인 영감은 온몸을 풍 걸린 듯 떨면서 엉금엉금 대청으로 기어올라갔다.

"애야, 감동아……"

어둠속에서 울고 섰던 그의 모친이 밝혀진 횃불빛 아래로 들어서며 그를 찾았다. 세상 천지에 혈육이라고는 아비를 알 수 없는 자기뿐인 그 서럽게 늙은 비녀(婢女)를 보자 감동이는 목에 더운 것이 울컥 치밀었다.

"어머니…… 멀리 가겠습니다."

"이 몹쓸 것아, 이런 끔찍한 일을 어째서 저질렀느냐."

"어머니……"

감동이는 마당을 가로지르고 뛰었다. 하인배는 모두 이 사건의 전말을 알고 있는지라 그를 잡고 싶기보다는 어서 쫓아보내려고 건성으로 소리만 지르며 뒤로 멀찍이 따랐다. 마당쇠 한 녀석이 바짝 쫓아 감동이의 허리를 껴안으려는 것을 다른 동료가 슬쩍 딴죽을 걸어

넘어뜨릴 정도였다. 그는 키가 넘는 후원 뒷담을 바라고 나뭇가지를 붙잡아 휘익 솟구쳐 간신히 두 발을 걸쳤다. 그가 담 위에 올라섰을 때 횃불을 든 동료들이 모여들었고, 모친의 외마디 소리가 들렸다.

"감동아, 먼 데루 가거라!"

그는 담을 뛰어내려 캄캄한 회현방(會賢坊)의 뒷길을 돌아 목멱산 기슭을 타넘고 광희문(光熙門) 부근의 등성이 쪽에 성벽이 안으로 낮은 곳을 택해서 빠져나갔다. 그가 성내를 빠져나가자 그제야 길게 파루 치는 소리가 들려왔다. 동활인서(東活人署) 부근이었다. 대로를 피하여 주로 들판이나 산길을 택해서 양주에 닿았고, 이틀 뒤에 굶주리고 지친 몸으로 철원 부근의 야산을 헤매다가 사냥질 다니는 엽수(獵手)들과 알게 되었다. 그들에 휩쓸려 몰이꾼 노릇을 하며 달 반을 따라다니다가 서흥에서 헤어지게 되었다. 동선령(洞仙嶺)을 장사꾼에 묻혀서 걷다가 대적(大賊) 조대립(趙大立)의 잔당에 습격을 당했다.

조대립이라 하면 부사(府使)를 습격하여 살해했을 정도의 형세가 대단한 대적이었는데 당시의 자비령에는 그와 함께 거사를 했던 임태룡(林台龍)이란 두령이 잔당들을 거느리고 있었다. 임태룡은 감동이의 정상을 알고 나서, 더구나 그가 글을 잘하고 영민함에 곧 모사로 올려 곁에 두게 되었다.

임태룡은 본래가 훈련원의 교련관(教鍊官)이었다. 그가 갑진(甲辰)년에 남한산성의 별장(別將)이 되어 갔다가, 이듬해인 을사(乙巳) 정월의 대화재 때 책임 추궁을 당하여 그의 상관과 더불어 죽게 되었다.

임태룡의 나이 서른다섯에 그러한 중죄인이 되어 서울로 압송 도중에 호송병을 때려눕히고 달아나 도적떼에 들어가게 되었다. 임태룡은 훈련원에서 십팔반무예를 정식으로 조련하던 무장이었으므로 그 재주가 뛰어났으나, 출신이 겨우 양인(良人)에 지나지 않아 크게 쓰이지를 못했던 것이다. 임태룡은 그의 조카인 노가와 감동이에게 제독검이며 본국검이며 왜검이며 등등의 검술을 가르쳐주었다. 그가 지난해에 사냥을 갔다가 시름시름 앓더니 세상을 떠났고, 동선령 목에 진군(鎭軍)의 검색이 심해지게 되어 그들은 의논 끝에 자비령을 뜨기로 결정을 보았다. 결국 노가와 감동이가 떠나기를 원하는 자들을 추려 구월산으로 옮겨왔고 자비령에는 소두령을 하던 자가 십여 명의 졸개들과 남았다. 나머지는 임두령이 죽자 뿔뿔이 흩어져갔던 것이다. 그것은 노가의 성정이 잔인하고 도량이 협소함을 알고 그의 수하에 있기를 졸개들이 싫어한 까닭이었다. 감동이는 그의 전력을 낱낱이 얘기하고 나서,

"내가 비록 하찮은 도적이라 하나 은덕을 입은 분의 조카 되는 사람을 베어버렸으니, 한편으로는 의리마저 잃은 자가 되었습니다."

하며 고개를 숙이는 것이었다. 박대근이 말했다.

"마두령은 하나는 알구 둘은 모르네. 작은 의리는 베이고, 큰 의리를 세워 의적의 실행을 하면 은덕을 준 임태룡에게도 올바른 보은이 되는 셈일세."

"정말 그럴 수만 있다면야 오죽 좋겠습니까만…… 요즘은 관군의 토포가 민활하여 세력을 펴기가 힘들 것 같습니다."

"세력이 커진다는 것은 다름이 아닐세. 옹색한 대로 견디면서 민심을 얻어야 하네."

길산이가 중천에 솟아오른 반달을 보면서 말했다.

"제법 쉬었으니, 달이 지기 전에 어서 길이나 갑시다."

"식구들이 모두 곤하여 길 가기를 싫어하우."

부두령 오만석이 제의했으나, 마감동은 길을 떠나자면서 말했다.

"만일에 우리가 이 부근에서 노숙하게 되면 대낮에 실토봉을 넘어야 하네. 그런데 얼마 전에 우리가 그 연봉인 부처고개에서 장꾼들을 습격했으니, 틀림없이 관군이 수색 중일 걸세. 구월산 투구봉까지만 가도 안심이 될 테니 어서 가지."

그들은 몸을 꾸부리고 풀 위에 널브러져 잠든 자들을 깨웠다. 갑송이도 길산이 옆에 벌렁 드러누워 코를 거세게 골면서 잠들어 있었다. 길산이가 흔들어 깨우니 갑송이는 투덜대면서 일어났다.

"도적놈들과 동무를 삼으니, 꼭 부엉이마냥 밤길만 가게 되는구나."

"도적놈 소리 이젠 그만 좀 하지."

"아따, 그럼 도적놈들보고 도사님이라 부를까."

그들이 밤길을 재촉하여 실토봉을 돌아 투구봉 기슭을 오르는데, 먼 평원에 여러 개의 화톳불빛이 내려다보였다. 감동이가 그쪽을 가리키며 말했다.

"저것 보우. 틀림없이 토포군이 번을 서는 꼴이우. 낮에 지나다간 봉패할 뻔했군."

그들이 아사봉 아래의 된목이골에 당도한 것은 거의 오경(五更)이 넘었을 시각이었다. 찌를 듯한 암벽의 사이를 굽이굽이 돌아나가니 한눈에 탁 트인 분지(盆地)가 나타났다. 동트는 새벽빛에 물든 풍경이 자못 신선의 계(界)에 들어선 듯하였다. 거의 반나마가 초원이고 찌를 듯한 아름드리 나무숲이 자라난 가운데 세 채의 기다란 초가가 보였다. 망을 보는 자가 양쪽 바위 위의 막에서 꽹과리를 치자, 초가에서 칠팔 인이 일시에 뛰어나왔다. 그들은 낯선 사람들과 함께 감동이가 두령이 되어 돌아온 것에 놀라는 듯했으나 저희끼리 말이 돌았는지 곧 정중해졌다. 그들은 각각 방을 나누어 오후 늦게까지 늘어지게 잤다.

그러고는 그날 밤이 새도록 술판이 벌어졌다. 박대근, 길산이, 갑송이와 감동이, 만석이가 차례로 앉았고, 다른 멍석 위에 졸개들이 상을 받고 앉았다.

"전에 우리 마을에서도 어떤 사람이 살인하고 화적당이 되었다는 말을 들었는데, 여기 다른 패거리가 있다는 소문은 못 들었나?"

길산이가 감동이에게 물었다.

"이 부근에 서너 명씩 짝을 이루어 살던 자들이 있었으나 모두 노가에게 잡혀 더덕골에 데려다 죽이고 화장을 시켜버렸수. 혹시 그들 중에 끼여 죽음을 당했는지두 모르오만…… 월정사 쪽에 가끔 많은 무리들이 모이곤 하는데, 거사패라구 합디다. 계집들두 많은 모양이우. 그리구 은율 쪽으로 한 패거리가 더 있는 것 같고, 헌데 월정사 쪽에는 우리에게 득이 되는 바가 많아서 서로 참견을 않구 지내지요."

"음, 월정사에 사당들이 모이는 것은 우리두 알구 있네."

"그 절에 매우 도가 높은 스님이 있다구 그럽디다."

"허긴 스님들은 우리네처럼 천한 놈들을 늘 감싸주니까."

"앞으루는 우리 산채에서두 공양을 드릴 작정이우."

"좋은 생각이네."

박대근도 말했다. 갑송이가 술을 동이째로 한숨에 들이켜고 나서 투덜댔다.

"이건 뭐야. 모처럼 술맛이 나는데 앉아서 고리타분한 얘기나 지껄일 거냐. 노래두 부르구 한바탕 흐드러지게 놀자꾸나."

"그러지, 산을 내려가기 전에 일출 구경두 하구."

흥이 오르자 그들은 춤도 추고 재주 자랑도 벌였다. 갑송이의 힘

자랑도 나왔고 만석이의 창술, 박대근의 일도단마로써 나무를 베는 검술, 그리고 길산이는 양손에 단검을 쥐고 황창무(黃昌舞)를 추었다.

이튿날 그들이 헤어지게 될 때 감동이는 특히 갑송이와 길산이에 정이 들어 눈물을 보이며 섭섭해하였다. 된목이골을 나설 때 바람이 송림을 헤치는 소리가 주위에 가득 차 있었다. 길산이 말했다.

"우리가 출행 나갔다가 겨울 동안에는 줄곧 재인말에 머무는데, 그때 와서 사냥질이라두 하세. 아우두 놀러 오구."

"내 꼭 재인말루 성님들 보러 내려가리다."

길산이네 광대들과 박대근의 상단은 안악장을 벌이고 나서 월당강의 지진(芝津)나루에서 헤어지게 되었다. 큰돌이가 이끄는 광대패는 안악서 먼저 재인말로 돌아가고 길산이, 갑송이는 박대근과 밤새껏 여러 이야기를 했던 것이다. 나루터에서 배에 오르기 전에 박대근이 말했다.

"이번 장삿길은 무엇보다도 아우들을 여럿 갖게 되어 내 틀림없이 큰 부가옹이 될 성싶소. 아마도 예상보다는 빨리 이 박대근이의 상단이 생길 거요. 송도 가서 꼭 광대 물주 한번 되어보우. 지방 장시를 모조리 쓸어버립시다."

"글쎄요, 우리네는 그러고 싶지만, 어디 노인네들이 허락을 할지 모르겠습니다. 아무튼 대장부 사는 일이란 게…… 날마다 제 처지에만 매달려서야 되겠습니까."

길산이가 말하자 갑송이도 껄껄 웃으면서 자기 가슴을 두드렸다.

"거 참 통쾌한 말이로구나. 사나이가 인정하구 의리를 빼면, 귀 빼구 좆 뺀 당나귀 아니라우."

"그냥 헤어지려니 목이 말라 안 되겠군."

박대근이 못내 아쉽다는 듯 뒷전에 섰던 차인 행수를 불렀다.

"여게 거 술 좀 가져오게. 이별주가 없을 수 있나."

그들은 강변 자갈 위에 털퍼덕 주저앉아 화주 한 병을 털어붓기 시작했다. 박대근이 허공을 한참이나 올려다보더니 이야기를 꺼냈다.

"아우님들, 내 옛말 하나 하구 가리다."

"옛말, 조오치."

"일찍이 한양 땅에는 일 않고 놀고 먹고 좋은 입성에 허우대만 멀끔하여 약간의 입담재조와 계집 호리는 솜씨를 가지구서 기생년들 기둥서방이나 하는 놈들이 무수하게 있소. 기중에 내 아는 오입쟁이 한 녀석이 있었는데 이 자가 다방골에서 서문 밖 홍제원, 남문 밖 잰배(紫岩)에 이르기까지 한 집 건너 두 대문 세 기방에 드나들며 기생년들 오줌을 잘잘 싸도록 만들었거든. 하여튼 이렇게 주지육림을 헤매다가 반평생을 보냈지. 나이는 들지, 양기는 쇠락하고, 다리는 후들후들, 한 번 올라갔다 내려오면 눈앞에 안개가 서리고 일월성신 북두칠성이 뺑뺑 돈단 말이렷다. 한 입 건너고 두 몸 건너 소문과 내력이 파다히 알려지니 제깐 놈이 몸 붙일 곳이 있나.

에라, 화무십일홍(花無十日紅)이요, 권불십년(權不十年)이라는데, 오입쟁이의 말년에 어디 기댈 곳은커녕 맞아죽기나 꼭 알맞은지라, 한양을 떠나리라 작정하고서 팔도강산 유람을 나섰소.

물은 흐르는데 구름 가는 곳은 어드메뇨, 허망한 인생이로구나! 예전엔 뒤 보아주는 무뢰배나 있었건만, 일시에 몰락하니 어느 년 하나 배꼽 맞추잔 일 없고, 어느 놈 술 한잔 사는 이 없어 저자에서 따귀를 맞아 입술과 코피가 터져도 혀끝 한번 두드리지 않는구나! 간혹 길을 가다가 들밥 먹는 농부들 틈에 기웃기웃 기장밥이나 보리밥이라도 얻어걸릴까 논두락을 걸어가건만, 제놈이 여름철엔 시원한 데 찾아 놀고, 겨울철엔 따뜻한 데 찾아 쉬어 놀고 쉬고 일 한번 못 해본 놈이 손가락은 산수(山水) 냉천에 은어 뱃바닥같이 새하얗고 매끄럽지. 손 본 농부님네들 천하지대본 장대 세워놓고 만정이 똑 떨어져 에이, 여보 양반이 들밥을 자시다니, 그냥 내처 길이나 가오, 한단 말이우.

이렇게 흘러다니는 중에 폐의파립 꼴이 되고, 몰골은 폭삭 늙어, 오래된 과부 월경서답 꼴루 벽촌서 논두락을 베게 되었는데, 사람이 고생을 좀 해보니까 철이 조금씩 들어간지라, 내 어디 가서든 남들처럼 땀 흘리고 일하여 내 밥 찾아먹으리라 작심하잖았겠소.

걷다 보니 저어기 두만강 변경에 회령까지 갔것다. 성문을 지나는데 방이 붙었거늘, 명필을 구하오, 글을 써주면 오백 냥을 주리다 하는 소리였지. 견물생심이요, 사람은 근본에 따르더라고, 이 파락호가 사심이 안 들 리 없었수.

찾아갔지. 고래등 같은 기와집이 날아갈 듯 서 있는데…… 세상에서 가장 무서운 것 세 가지가 있소그려. 산에 범이 무섭고, 미친놈 칼자루 잡은 것이 또한 무섭고, 무식한 놈 돈 가진 것은 더더욱 무섭거든. 이 부가옹 나리가 금병풍을 가졌는데 글씨 받아 치장하려고 잔뜩 기다리다가 자칭하여 찾아든 파락호에게 버선발루 뛰어나왔것다.

허어 흠, 허어 흠, 우선 심기를 돋워야 하니 서른 날만 진탕 놀게 해주오. 그날부터 산해진미에 말 타고 칼 잘 쓰는 북변기생 모두 모아다 풍악을 잡혀 연일 잔치하니, 서른 날이 마치 무릉도원의 일각이라.

허어 흠, 허어 흠, 이번에는 붓을 골라야 하는데 수종 드는 예쁜 종년 하나 붙여두고 몸보신 좀 하게 해주오. 서른 날 동안 양기를 길러야 하오. 서른 날이 또한 옹기장수 지겟작대기 차듯 지나갔것다.

흐음, 허어 흠, 이번에는 먹을 한 동이 갈아둬야 하니 과수댁이나 하나 넣어두고 먹시중이나 들게 해주오. 서른 날이 더욱 남가일몽(南柯一夢)이라.

드디어 안달이 오른 주인양반 의심이 부쩍 들어 재촉하고 볶아치며 핍박할 제, 이제 열흘 말미를 주겠으니 그때까지 하지 않으면 관가루 넘기겠단 말이렸다.

열흘이 흉년의 뻴건 해보다 더욱 길어! 밤마다 엎치락뒤치락 이 궁리 저 술수 생각 중에 달아날 길밖에 없어졌지. 그래 마지막 밤이 되어 옷을 주섬주섬 싸들고 발끝걸음으로 일어서는데, 허, 갈 데가 없구나. 두만강 끝에 와서 어디로 간단 말이냐. 이날 짧은 밤이 사나이의 평생이라, 눈앞에 다가섰으니 발이 떨어져야지.

까짓 거…… 쓰고 말리라. 결단하자마자 일어서서 왕붓 꼬나들고 항아리 그득한 먹을 푸욱 찍어서 병풍 끝에서 저쪽까지 한일(一)자를 주욱 긋고는 문지방에 발이 걸려 고꾸라지니, 섬돌에 해골이 깨져 피가 낭자했단 말이우.

자, 이 꼴이 되어 주인양반 노기 충천했으나 별도리가 있나. 오다가다 걸린 건달놈께 병풍 버리고 엉뚱한 송장 치우게 되었지.

헌데, 몇년 있다가 강 건너 되 사람 중에 박물군자 하나이 지나가다 보니 남쪽으루 훤한 서기가 뻗쳤어. 서기를 따라 부가옹 나리 대문 앞에 이르렀지. 문을 두드려 사유를 말하고, 박물이 있는가 물었더니, 고개를 이리 기웃 저리 기웃 하다가 버린 병풍이 광에 있소. 보여주오. 그래, 데려가 광문을 여니 이 박물군자 무릎을 탁 치더란 말이우. 커어, 사람 한목숨 들었고나.

그 오입쟁이 녀석, 미루고 미루다가 온 평생이 코앞에 왔은즉 물리칠 재주가 있나. 마지막 기를 몽땅 쏟았으니 억만 전의 박물이 되었지. 허허, 어떠우? 내 얘기가. 사내의 목숨이란 아주 귀한 것이우."
"거 참 그럴듯한 옛말이로군."
"헤어질 때가 되니까 더욱 흥이 나는 모양이구려. 어젯밤엔 소리 한 가락 안 뽑더니만."
길산이는 남은 술을 병째로 들어 꿀꺽꿀꺽 마시고 나서,
"두고두고 피차의 흥이 많아질 텐데 어서 강을 건너가오."
"그럽시다. 우리 그러면 보름 뒤에 해주 관시놀이 때 만나기루 하고…… 저기 부담마를 가져가요. 포목이 조금 있소."
"우리의 계획에 요긴하게 쓰겠습니다."
"아직두 해주 용당포 뱃사람들과 왕래가 있으시우?"
"예, 철마다 거기 들르면 우리가 풍어제를 놀아줍니다."
"하면…… 그 어계방에서 만납시다."
상단은 봉산을 바라고 월당강을 건너갔다. 길산이네는 보수로 이백 냥과 적지 않은 포목을 얻어가지고 재인말에 돌아왔는데, 나이든 광대들은 이제 그들의 연희가 상인들과 밀접한 관계를 갖게 되었음을 어느정도 이해한 것 같았다. 늙은이들 중에서 누구보다도 깊은 관심을 보인 것은 길산의 아비 장충이었다.

4

출행 계획날은 큰잿말과 작은잿말이 온통 떠들썩했다. 우선 큰잿말의 뒷산 등성이 빈터에서 서낭굿을 벌일 예정이었다. 돼지도 잡고 술도 빚고 갖은 과물에 떡을 쳐서, 재인말의 아이들은 명절 때보다 더욱 행복해 보였다.

새벽에 큰잿말에서는 모두들 제수를 준비했고, 부녀자들이 작은 잿말에서도 거의 올라와서 하루종일 음식을 장만했다. 밤이 되자 집집마다 종이등을 켜서 매달았다. 자정이 가까워졌으나 아이들도 잠을 자지 않고 기다렸다. 광대들은 맨 앞에 용등(龍燈)을 앞세우고 좌우 사방으로 관솔 횃불을 밝혀서, 청룡 황룡이 그려진 붉고 푸른 깃발을 펄럭이며 뒷산으로 올라갔다. 빈터에는 이미 당집 문이 열려 있었고 거기서 스무 발짝쯤 떨어진 신목(神木)에는 색색의 댕기를 가득 달아서 새롭게 치장해놓았다. 또한 돌무더기 앞에도 촛불 밝힌 작은 제상이 놓였다.

제관(祭官)은 손돌 노인이었는데, 화려한 색동 더그레에다 벙거지를 쓰고 있었다. 제상이 초가의 당집 앞에 차려졌다. 돼지 대가리와 각색 과물, 떡이 놓였고 당에는 종이 연꽃이 두 송이 새것으로 바뀌었다. 굿에 참가할 광대들이 화려한 각색 빛깔의 더그레에다 탈을 쓰고 있었으며 장충의 아내와 큰돌의 아내를 위시한 무녀(巫女) 여섯이 홍철릭 차림에 벙거지 비껴쓰고 신칼, 부채, 놋쇠방울 등을 각기 들고 있었다.

제관을 앞세우고 풍물을 잡히면서 마을의 구석구석에 축수를 하며 돌아다니는 데서부터 굿이 시작되었다. 워낙 광대들의 마을인지라 남녀노소 없이 모두들 풍물에 맞춰 고갯짓 어깻짓 하며 풍물의 뒤에 길게 줄을 이루어 쫓아다녔다. 이글거리는 관솔 횃불빛에 드러난 원색의 옷자락과 탈이 제모습을 찾아 선명하게 어둠속에서 떠올랐다.

북과 장고는 떵 떠덩 꿍덩 하며 풍물을 이끌었고, 가끔씩 징소리가 장중한 여운으로 흥겨운 놀이 기분을 엄숙한 의식의 분위기로 감싸는 것이었다. 대금과 날라리 소리가 불꽃의 바깥에 너울대는 뾰족한 불의 혀끝같이 날름대면서 별이 쏟아질 듯한 하늘 위로 날아올라 갔다. 그들은 마을을 한 바퀴 돌며 일일이 축수하고 나서 다시 뒷산 당터 앞으로 올라갔다.

당터의 사방에 어른 키만 한 모닥불이 활활 타오르고 있었다. 징소리가 울리고 제관인 손돌 노인이 당에 들어가 산신님, 서낭님, 창부(倡夫)님께 각각 술을 올리고 세 번 절하고 나서 축문을 읽었다. 그것을 불살라 허공 위에 살풋이 놓아보낸 다음에 무악이 흥겹게 흐드러지며 당굿의 신내림춤이 시작되었다. 당주 무녀인 장충의 아내가 부채와 방울을 흔들어대며 뛰어나왔다. 부채를 떨고 방울을 요란하게 흔들며 온몸을 솟구쳐 마당을 빙빙 돌아나가다가, 펄쩍 뛰어서는 그 자리에서 널을 뛰듯 겅정거리다가 다시 원무를 했다. 춤의 사위가 바뀌며 고조될수록 무악이 빨라지고 동작은 거칠고 강렬하게 계속되다가 온몸을 뻗쳐 부들부들 떨다가 드디어 입신(入神)하면서 뒤로 뻣뻣이 넘어졌다. 넘어져서도 사지를 버둥대며 이리저리로 꿈틀거리는데 마치 악형을 당하는 지옥의 악귀처럼, 또는 생의 괴로움을 몸으로 체현하는 듯 그 괴로움은 또한 황홀한 듯 무녀의 동작 위에 가득 찼다.

"아아르르르르……"

하는 황홀경의 신음소리와 함께 무녀가 벌떡 일어서서 전신을 떨다가 다시 넘어졌다. 이제는 사뭇 땅에 온몸을 붙이고 몸부림치면서 땅을 긁고 기어갔다. 입에는 거품이 가득 차 있고, 눈빛은 이미 지상에서 떠나 명부(冥府)를 바라보고 있었다. 그 기어가는 동작은 버림받은 사랑을 찾아 필사적으로 추적하는 한(恨)의 춤인 것 같았다. 너는 나를 버릴지라도 끝내 쫓아가 안기고 말리라, 나를 짓밟아도, 나를 찢어도, 나를 병들게 해도, 나를 때려도, 나를 싫어해도, 내게서 모든 것을 빼앗아도, 내게 욕을 해도, 침을 뱉어도, 그러고는 끝내 나를 죽인다 할지라도…… 기어가는 동작의 끝에서 무녀가 다시 일어섰다.

"어어어헉! 허헉, 아르르르르."

또 쓰러진다. 그러고는 오랫동안 꼼짝없이 엎어져 있다가 드디어 환희의 신생(新生)이 되면서 되살아났다. 춤이 경쾌하고 힘차게 계속되다가, 땀투성이와 흙범벅인 얼굴로 새된 목소리가 낮고 굵게 흘러나왔다. 부정거리가 시작되는 것이다.

"앉아서 본 부정 서서 들은 부정 눈 들은 부정에 귀 들은 부정이오. 손으루 만진 부정 입으로 옮긴 부정 머리끝에두 백나비 센나비 부정이오. 머리 풀어서 발상(發喪)두 부정이며, 은하수 곡성두 부정이오. 산에 올라서 산 머구리, 들에 내려서 땅 머구리, 네 발 가진 짐승에 살생(殺生)두 부정이오. 재인말에 벌로 품은 처사로서 수많은 인간이 넘나들 제 따라 들은 부정에 묻어 든 영정이오. 마루 넘어오던 부정, 재 넘어오던 부정, 신실히 적적이 물리쳐줍소사. 시위들 하소사. 부리 영산(夭折鬼)은 신에 영산, 산에 올라서 낙락장송은 늘어진 가지에 목을 매서두 자결(自決) 영산이오. 들루 내려서 만경창파에 둥실 빠져 수살(水殺) 영산이며, 낳구 가고 배고 가시구, 서상 사발을 손에 들고 허튼 머리를 빗어 끼고, 청치마 옆에 끼고, 거적자리를 옆에 끼고, 가위 실패를 허리춤에 넣고서, 울고 가던 하탈 영산(出産死鬼), 거리 거리에 객사(客死) 영산, 총포 맞고 칼 맞고 가던 영산, 불에 타서도 화덕진군에 가던 영산이며, 부스럼 뜨결에 가던 영산이요, 폐병에 가던 영산, 냉병에 가던 영산, 주마창에 가던 영산, 오늘 많이 먹고 걸게 먹고 옘병 속병에 가던 영산, 오늘 다 이 정성 들인 끝에 이 터전에 원주 영산, 집주로 있던 영산, 많이 먹고 이러니 탈이 없고 저러니 탈이 없이, 오늘은 그저 고픈 배 불리고 마른 목 적셔 가고, 진 거는 먹고 가고 마른 거는 싸서 질빵 걸어 지구 가구, 여영산은 똬리 받쳐 이고 가구, 동자 영산은 오질 앞에 싸가지고, 인정 받고 노자 받아 좋은 데로 천도를 허소이다."

무녀는 부정거리로 당에 내려올 신의 길을 깨끗이 쓸어내는 동작으로 사방에 술과 음식을 조금씩 뿌려주어 잡귀(雜鬼)를 배웅했다. 이어서 방울을 쳐들어 예리하게 떨어대며 허공에서 땅을 향하며 신을 받아내리는 동작이 시작되었다. 공수가 내리는 기미를 보였다. 공수란 신이 무녀의 몸에 완전히 깃들이는 망아(忘我) 입신(入神) 지경에 귀신의 말을 하게 되는 상태이다. 무녀는 백지를 양손에 갈라서 쥐고 북편 어둠속에다 절을 계속했다. 저 구월산 삼성봉(三聖峯)에 계신 태고조 단군께 영험을 기원하는 것이다. 무녀가 가망 청배(請拜) 첫 구절인 초가망, 이가망, 삼가망을 선소리로 메기자 잽이의 굿거리장단이 나온다.

장충이 북을 두드리고 있고 그 여자의 신딸인 봉순이가 무동(舞童)이 복색을 곱게 입고 앉아 장고를 때리고 있었다. 가망거리와 말명(祖上神)거리가 끝나고 이어서 봉순이가 찬란한 색동옷에다 남빛 철릭을 받쳐입고서, 머리에는 붉은 말뚝 갓을 쓰고, 두 손에 삼지창과 언월도(偃月刀)를 각각 들어 휘두르며 경쾌하게 마당으로 뛰쳐들어왔다. 송도 덕물산(德物山) 산신 최영(崔瑩) 장군을 모셔들이는 것이다. 참관하는 이들은 돼지비계를 성계육(李成桂肉)으로 하여 질근질근 씹어 삼켰다. 네 이 용렬하고 비열하게 권세를 도적질한 자여, 충의를 배반하고 간교히 입국(立國)한 자여, 헌 것보다 새 것이 한의 대상이 되는 것은 새 것이 새롭지 않음으로 인해서이다. 물이 흐르기를 바꾸어 거스르지 않기 때문이다. 씹혀라, 씹혀져라.

"안산은 여덟에 밖산은 열세 위라. 일곱지 명산에 제불지 제천이다. 신덕물(新德物) 후 덕물에 송악(松岳)은 상지(上地) 어마 장군에 백마신령 아니시리, 대소마 대장군님, 나라 충신에 임장군님〔林慶業〕 덕물산에 최영 장군님 아니시랴. 제주 한라산에 여장군님 아니시리, 황해도 평산에 신장군님 아니시리, 검은 땅에 헌 백석 마누라 백석 아니시랴."

이글대며 타오르는 불꽃 너머로 창칼 부딪는 소리가 날카롭고 무동 복색의 봉순이의 날렵하고 맵시 있는 두 발이 끊임없이 마당을 돌고 있었다. 상산 노랫가락이 낭랑하게 울리고 나서 봉순이는 끝으로 무동춤을 질펀하게 추고 들어갔으며, 다른 무녀가 거리를 받아 별상거리, 대감거리, 제석거리를 연이어 풀어나갔다. 다음 처녀귀신의 호구거리와 군웅거리가 봉순이 비슷한 차림의 처녀무에 의해서 엮어졌다. 밤은 이미 깊어 새벽의 찬 이슬이 내려 덮이건만 마을 사람들은 아무도 자리를 뜨지 않고 함께 신들린 듯 빌고 또 빌었다. 드디어 그들 광대(廣大)의 귀신인 창부거리가 시작되었다. 광대의 귀신은 한편 청계씨라고도 하는데, 이때에 무당의 선소리와 함께 귀면(鬼面)을 쓴 탈광대 셋이 뛰쳐나와 미친 듯이 춤을 추며 돌아갔다. 한삼이 하늘에서 내려온 날개처럼 불빛 속에 어른어른 날아다녔고, 탈은 모닥불 가까이에서 갑자기 나타났다가 다시 어둠 가운데 잦아들곤 하는 것이었다. 무녀는 언월도와 삼지창으로 그들을 찌르려고 달려들었다.

무녀가 탈광대들을 찌르려고 다가서면 광대들은 뒤로 물러섰다가 소맷자락으로 무녀를 때리며 껑충 뛰었다. 무녀는 그들을 마당 구석으로 몰아냈다가 맵시 있는 뒷걸음으로 끌어들여 얼싸안을 듯했다가는 다시 그들을 버리고 원무로 마당을 빙글빙글 돌아갔다. 탈

광대들도 모닥불을 훌쩍훌쩍 건너뛰며 경쾌하게 앉았다가 솟구쳐 번갈아 다리를 바꾸면서 맴을 돌았다. 무녀가 소리를 메기는데 탈광대들은 온몸을 흔들어 광대의 정령(精靈)답게 미친 듯한 난무로 마당을 가득 채우기 시작했다.

"어허, 창부(倡夫, 廣大의 亡靈) 만신 몸주대신 창부 안산 광대, 밖산 청계, 부리 창부, 신에 창부, 몸주 창부, 직성 창부. 일 년허고도 열두 달에 횡수 창부, 놀고 나서 신사덕에 구관덕을 입혀주고 놀고 나오.

어어어 꿋자, 창부씨 광대씨 돌아왔소. 황해도 봉산 광대, 우리가 모두 일 년 홍수 창부, 도액(度厄) 창부, 대주에 몸주 창부, 기주에 직성 창부, 일 년 열두 달에 홍수 창부가 만사망 셈겨주고 떼사망 셈겨주고, 일 년 홍수 막아주거들랑, 우리 광대씨 청계씨가 놀구 나오.

어어허! 우리가 만사망 은산에 은을 뜨고 재물산에 재물 뜨고 철양산에 철양 떠서 만사망 셈겨줍세, 어어얼씨구나 저절씨구."

탈박과 부녀의 어우러진 춤이 아까처럼 다시 전투 형세로 바뀌었다.

"에익!"

"에…… 에에!"

소매로 치고 창칼을 뿌리치고, 다시 흩어지며 무녀는 뒷전으로 물러나고 창부의 넋이 씌운 세 사람의 광대는 곤두박질치며 차례로 빠져나가고 무악이 가라앉으면서 탈광대 하나만 남았다. 남은 광대는 신명의 극치로 황홀경에 정신을 잃고 뒤로 번듯이 쓰러졌다. 쓰러진 광대를 이리저리로 쓰다듬으며 무녀의 넋두리가 계속되었다.

"어떤 광대가 올라왔다. 황해도허구두 구월산 광대, 해주 송도로 한양 경성을 올라올 제, 어른 광대는 저(笛)를 불고, 아이 광대 옥저(玉笛) 불고, 한양 성내를 올라올 제, 논틀 밭틀을 건너올 제, 돌두 굴려서 구렁 메우고 나무두 꺾어 다리를 놓구 한양 성내를 올라왔네.

얼씨구 좋다 절씨구나. 쳐다보면 만학은 휠휠 내려다보면은 백사지 땅이오. 건너다보면 층암절벽이요, 산은 첩첩 천봉인데 물은 잔잔 직계수라. 얼씨구 좋다 절씨구나. 아니나 노지는 못하리라. 이렇게 좋은 거는 처음 보겄다. 세월아 네월아 오고 가지를 말아라. 장안에 호걸이 늙어나 간다. 인생 한번 늙어지면 다시나 젊지는 못하리라. 이때나 안 놀구 언제 노나. 백설 같은 흰나비는 부모님 양친을 여의었는지, 수단장을 곱게 하고 장다리밭으로 날아들고, 얼숭덜숭 호랑나비는 금잔디로만 날아든다. 황금 같은 꾀꼬리는 황의 금갑(金甲)을 떨쳐입고, 양위 청산을 반겨 든다. 얼씨구 좋다 절씨구나. 앞내 버들은 초록장이요, 뒷내 버들은 누룩장. 얼씨구 좋다 절씨구나. 흐르느니 물결이요 솟치느니 고기로다. 뛰느니 족족은 잉어로다. 굵은 고기는 솎아 치구, 잔 고기는 나우 칠 제. 얼씨구 좋다 절씨구나. 아니 노지는 못하리라. 사람이 늙기엔 바람결 같고 인간의 세월은 흐르는 물인데 아니나 놀구는 언제 노나."

무녀의 창부거리는 청계귀를 몸에 받아들이는 공수와 창부타령에서 그 절정을 이루었다. 살 물림 치레를 바치고서 무녀가 혼절한 광대를 끌어안아 올렸다. 무녀와 광대는 일시에 한 몸이 되어 지금 막 천상을 향해 떠날 듯이 살풋 발꿈치를 들어올리며 일어섰다.

"어어허…… 꿋자. 창부씨 스구씨가 일 년 열두 달에 횡액을 막아다가 어주월강에 소멸하고, 우리 재인말 총총히 신사덕을 입히시고, 그저 상덕 물어 도와줍시사."

무녀가 언월도와 삼지창을 챙겅챙겅 맞부딪치며 넓은 홍철릭 자락과 색동 옷소매를 나부끼며 원무를 하는 둘레로 깨어 일어난 탈광대가 힘차게 맴을 돌았다.

탈광대는 창부의 넋에 합쳤다가, 새로운 힘을 옮겨 받고 드디어 정결한 넋으로 되살아난 것이었다. 무녀가 조밥을 한 움큼씩 쥐어다가 광대의 몸에 던졌다. 무녀는 들어가고 혼자 남은 탈광대가 좌우로 팔을 휘저으며 경쾌하게 마당을 돌았다.

탈을 쓴 길산은 폭포수를 거슬러오르는 물고기처럼 어깨와 허리를 뒤틀면서 허공에 솟구쳤다가 주저앉을 듯 땅에 구부리기도 했다. 머리를 땅에 처박고 다리를 학의 걸음처럼 옴짓옴짓 뛰기도 하고, 다리를 들어 헹가래를 치면서 뒷걸음질치다가는 다시 솟구쳐올라 환희의 도약을 하였다. 꽹과리와 북과 징 소리가 차차 빨라지면서 그의 원무는 거칠어졌다. 살과 근육들이 뒤틀리고 헤쳐진 앞섶은 땀에 젖어 가슴이 번들거리는데, 길산은 피가 손가락 끝에서 온몸으로 재빨리 흘러 불두덩께에 가서 꽉차는 것만 같았다. 그가 모닥불을 뛰어넘고 곤두박질로 훌쩍 공중을 날아 군중 사이로 처박히면서 무악이 딱 그쳤다. 길산이는 땀으로 흠뻑 젖어버린 나무 탈박을 벗고, 헐떡이면서 잠시 앉아 있었다.

"목 축이셔요."

희고 긴 손에 잡은 표주박이 그의 얼굴 앞에 내밀어져 있었다.

그는 막걸리를 주욱 단숨에 들이켜고 나서 올려다보았다. 묘옥이 치마 앞자락을 싸쥐고 서 있었다. 길산이는 땀에 범벅이 된 얼굴을 쳐들고 싱긋 웃었다.

"잘 먹었수."

묘옥의 입가에 보일 듯 말 듯한 웃음기가 머물다가 사라졌다. 그 여자의 볼에는 모닥불의 남은 빛이 어른어른 비치고 있었다.

"한잔 더 드릴까요?"

"더 주오. 목이 되우 마른걸."

묘옥은 표주박에 찰찰 넘는 막걸리와 비계 몇점을 손바닥에 가지고 왔다. 길산이 두 다리를 주욱 펴고 벌렁 자빠진 옆에 묘옥은 쪼그리고 앉았다. 표주박을 건네주며 그 여자는 자기의 손을 폈다.

"안주두 몇점 드셔요."

길산은 이번에는 단숨에 들이켜지 않고 한 모금씩 쉬었다. 그는 묘옥의 손바닥에서 비계 한 점을 집었다. 묘옥이 자기도 한 점 집어 씹으면서 말했다.

"굿이 이렇게 장한 것은 난생 처음 봤어요."

"경비 때문에 떡은커녕 술도 못 담그고 맨숭맨숭하게 굿을 지내다가 이번 철에는 장사치들 덕으루 크게 벌이게 된 거지."

"다 끝났나요?"

"아니, 아직 뒷전거리가 남았어. 그 다음엔 무감놀이를 서야지. 그때엔 거기두 신명 내서 놀아보우."

"아이, 보기만 해두 신명이 나는걸요."

"어, 술맛 좋네!"

길산은 다시 안주를 집었다.

"술 더 드시구파요?"

"밤새껏 마실 텐데 뭘, 거기두 좀 드오."

"아냐요. 제가…… 드릴려구 약주 한 동이 걸러서 감춰놓았어요. 신목 뒤에 안주랑 차려서 놓을 테니 와서 드셔요."

길산은 눈을 곱게 깔며 딴청하고는 낮게 속삭이는 묘옥의 얼굴을 바라보면서 얼결에 안주 집던 짓으로 묘옥의 손가락을 더듬었다. 손가락들이 파르르 경련하더니 그의 손 아래에서 미끄러져나갔다. 묘옥은 사내들의 술시중을 드는 마을 아낙네들 틈으로 바삐 숨어버렸다. 길산은 잠깐 자기의 두툼한 손을 펴고 내려다보았다.

마지막 뒷전거리가 시작되는데, 북두칠성은 벌써 서편으로 기울고 산 주위에 밤이슬이 촉촉하게 내려 덮이고 있었다.

장충의 북 메기는 소리가 규칙적으로 되었고, 그의 처의 뒷전 수공도 차분하게 엮어져나왔다.

"어어…… 꿋자. 부리 걸립(乞粒)에 신에 걸립이다. 여걸립 남걸립 아니시리. 에에…… 성주 걸립에 직성 걸립에 홍수 걸립이라. 오늘 모두 신사덕 입혀 도와주고 걸립에게 놀고 나서 상덕 입혀 도와주마. 어어…… 꿋자. 여터주에 남터주라. 두령 터주에 처녀 터주 아니시리. 여터주는 여디리구, 남터주는 남디릴 적에 동에 사망 셈기시구 서에 사망 셈기시구, 동서는 사방에 재수 후여 들여먹구 남구 쓰구 남도 도와서 셈겨주자.

어어…… 꿋자. 여서낭에 남서낭이라. 물 위에 서낭에 물 아래 서낭이라. 오냐, 해 묵은 서낭에 달 묵은 서낭, 청색 무색에 따라 든 서낭, 홍두깨는 통비단이요, 물 아는 채단에 따라 든 서낭 아니시리. 이번에 몸수에두 꺼린 서낭, 재수에두 범한 서낭, 문전에서 달래보고 찾던 서낭, 다 제쳐 도와주고 상덕 입혀 도와주시마."

부채를 탁 접고 나서 방울 든 손과 합장하여 사방에 재배 올리고서 무녀가 외쳤다.

"자아, 무감 나서라. 얼씨구 씨구……"

몰려섰던 재인말의 광대들과 아낙네에 아이들까지 당터 마당 가운데로 뛰쳐나갔다. 마을 사람들의 군무가 불빛에 뒤섞여 타오르는 들불같이 땅에 가득히 번졌다. 손과 어깨와 다리가 모두 불꽃이 되어 너울거렸고 음률은 끈처럼 그들의 사지에 찰싹 달라붙어 있었다. 군무는 제각기 모양은 다르되 불길이 그런 것처럼, 합쳐지자 땅에서 솟아오르는 거대한 힘의 덩어리인 듯했다. 이 덩어리는 땅이 그 자체에서 아름답게 피워올린 이삭의 무리처럼 땅에다 뿌리를 대고 있는 생명력이었다. 아까까지도 그렇게 지상에서 솟구치려던 굿춤이 어느결에 땅에 붙어 돌아가고, 그 땅을 전신으로 받아들이는 춤이 되어 있었다. 그들의 두 발은 탄탄하게 땅을 딛고 서서 차고 비비고 끌어나갔다.

"어어 얼쑤 절쑤!"

"갠지개 갠지개 갠지개……"

"으따, 으따, 에헤, 에요."

길산은 중앙에서 빠져나와 한 차례 바깥을 돌다가 어깻짓을 하며 팔을 엇갈려 휘날리고 다가오는 묘옥과 마주쳤다. 묘옥은 발끝을 치마 아래로 살풋이 들어 돌아나갔고, 길산은 그 뒤를 쫓다가 옆으로 돌아 다시 마주 섰다. 묘옥은 이마에 몇가닥 늘어진 머리카락을 뒤로 쓸어올리며 환히 웃었다. 그들의 마주 선 어깨춤 동작이 잠깐 계속되다가 길산이 앞서서 둘레를 돌아나가자, 묘옥은 몸을 빙글 돌리면서 길산의 발치께를 사뿐사뿐 따라갔다.

길산이 돌아섰다. 다시 묘옥과 마주 서서 동작을 주고받았다. 그들 가운데로 무수한 사람들이 엇갈려 지나갔지만 동작의 교차는 그들만이 은밀하게 감지하는 것 같았다. 갑송이의 커다란 몸집이 그들 사이를 가르고 지나가며 껄껄대었다. 이번에는 묘옥이 돌아서서 반대쪽으로 추어나갔고, 길산은 그 주위를 놓치지 않겠다는 듯 이리저리로 돌아나갔다. 괘앵…… 하는 징소리가 날 적마다 묘옥이 빙글 돌았다. 묘옥은 차차 마당 가로 빠져나갔다. 그리고 춤추는 사람들 틈에서 완전히 빠져나오자 어깻짓으로 걸어나오는 길산을 바라보며, 소매를 들어 이마의 땀을 씻었다. 묘옥이 뒷걸음치면서 길산이에게 재빨리 속삭였다.

"목마르지요? 저쪽으루 가셔요."

그 여자는 총총걸음으로 앞서서 걸어갔다. 모닥불에서 벗어나자 주위가 갑자기 캄캄해진 듯했다. 묘옥은 길산의 발걸음 소리를 귓전으로 들으면서 발을 재게 놀려 신목 아래로 걸었다. 묘옥은 자기의 가슴이 뛰는 소리가 너무 커서 누가 듣지나 않을까 부끄러워졌다. 묘옥은 귀와 볼이 뜨거워져 있었고, 술 몇잔을 마신 뒤에 불더미 곁을 춤추며 돌아서인지 다리가 허청거렸고 어지러웠다. 그러나 그 어지러움은 꿈에 구름 사이를 날아가던 때처럼 몽롱한 느낌이었다. 신목의 짙은 그늘 아래로 들어오자, 풍악소리는 한층 멀어졌고 먼 곳에서 울고 있는 부엉이 소리가 들려올 정도로 고즈넉했다. 신목은 어른 팔로 세 아름이나 되는 거구였는데 앙증맞게 오색댕기를 달고 있었다. 회나무에서 떨어진 마른 잎들이 버석이는 소리를 냈다. 뒤에는 짙은 잔솔밭이었다.

"여기예요!"

"어유, 어두워."

묘옥이 여인답게 손을 내밀어 길산의 옷자락을 잡아끌었다. 개다리소반 위에 제상에서 가져온 여러가지 안주와 술동이가 있었다. 길산이 쭈그리고서 술을 퍼서 한잔을 걸치자 묘옥이 말했다.

"편히 앉아서 드셔요. 체하시겠어요."

길산은 낙엽 위에 털썩 앉고 말하였다.

"이거 좌우간 입으로는 들어가주는구먼."

"춤 신명은 누구 따라갈 사람 없겠어요."

"거기두 참 맵시 있게 추던걸."

길산은 술을 연거푸 들이켰다. 사레들려서 기침을 요란하게 터뜨리자 묘옥이 그의 등을 두드려주면서 말했다.

“아이, 좀 참으셔요. 누가 들구 이리루 쫓아오겠어요.”
“오면 나눠먹지 뭘……”
“그걸 빼돌리느라구 얼마나 혼났는데…… 제상 아래로 치마폭을 거머쥐구 한참이나 오르내렸어요.”
“손돌 어른은 어디 가셨수?”
“첫 거리 보시구 일찍 들어가 주무셔요. 노인넨 밤공기가 나쁘잖아요.”
“커어, 정말 술맛이 좋군.”
“저 봐요, 누가 이리루 와요.”
누군가가 아낙네와 함께 신목을 향해 다가오고 있었다.
“빨리 저쪽으루 숨어요.”
“오면 어때, 어흠.”
“아이 참, 눈에 띄면 손가락질받는대두요. 맛있는 거 모두 빼돌렸다구 욕해요.”
다가오는 사람들도 아마 여자가 음식을 감추어 제 서방을 먹이려는 모양이었다. 다급했는지 묘옥이 길산의 손을 잡아끌었다.
“상 들구 오셔요.”
길산은 묘옥의 뒤를 따라 신목 뒤의 잔솔밭으로 들어섰다. 머리가 밖으로 나오기 때문에 허리를 굽혀야만 했다. 솔잎에 매달렸던 찬 이슬이 어깨 위로 쏟아져 내려왔다.
“이쪽으로 오셔요.”
달이 이미 서산에 기울어 숲속은 캄캄했다. 그들은 마른 잎사귀와 풀이 푹신하게 깔린 작은 소나무 아래 앉았다. 거기서는 굿터의 소음이 아득하게 들려왔고, 그쳤던 벌레소리가 잠시 후에는 더욱 요란하게 들리기 시작했다. 묘옥은 두 다리를 세워 무릎 앞에 두 손을 깍지 끼어서 앉아 있었으며, 길산은 남은 술과 안주를 부지런히 먹어 치웠다. 그를 지켜보던 묘옥이 말했다.

"언제 출행 나가셔요?"

"오늘 하루는 푹 쉬고, 내일 아침 일찍 떠날 거요."

"가시면 오래 걸리나요?"

"별일 없으면 한 두어 달…… 서리 내릴 때쯤엔 오게 될 거요."

"그렇게 오래요……?"

"부지런히 돌아다녀야 겨울에 양식 걱정 없이 지내지."

묘옥은 턱을 구부린 무릎 위에 얹고 잠깐 생각에 잠겨 있다가,

"저는 겨울을 나구…… 재인말을 떠날 작정이에요."

"왜…… 이 마을이 싫우?"

묘옥은 고개를 저었다. 그러고는 머리를 무릎 위에 묻어버렸다.

"아니에요, 여기서 아주 오래 살구 싶어요. 하지만, 저는 꼭 해야 될 일이 있거든요."

"무슨 일이오?"

"누굴 찾아야 해요. 그 일만 끝나면 저는 이런 세상에 살구 싶지 않아요. 산에 깊숙이 들어가 약초나 캐며 혼자 살래요."

"아마 갑갑한 모양이군. 대처에서 누구 정분난 사람이 있었던 게요?"

"정말 그런 게 아니에요. 어릴 적에 집을 나오면서부터 결심한 일이었어요."

"그 사연은 차차 듣기루 합시다."

"네, 그래요."

묘옥은 흐트러진 머리를 쓰다듬으며 길산을 물끄러미 쳐다보았다. 길산은 표주박을 동이에 넣었다가 바닥이 완전히 드러난 것을

알았다.

“허, 어느 틈에 술을 다 마셨군.”

“더 드시게요?”

“아니…… 무척 많이 마셨소. 속이 제법 후끈거리는데.”

“속이 불편하진 않으셔요?”

“괜찮소.”

“많이 돌아다니셨으니 잘 아실 거예요.”

“무얼 말이오?”

“어디나 사람들의 집이 있고 논밭이 있고…… 그리구 부부의 인연이 있고, 예쁜 아가들이 있지요. 어디서나 제 고장에서 살고 있는 사람들이 있는데, 떠돌아다니노라면 인생살이를 가볍게 알게 되지요. 몸은 흘러다녀두 마음만은 꼭 붙잡아둘 일을 항상 생각해야 했어요.”

“우리네는 마음을 붙잡아둘 필요가 없소. 까짓, 우리의 세상두 아니니까. 그냥 우스개로 한바탕 놀려대고 떠나면 어느 고장이든 쉽게 잊어버리구 맙디다.”

“우리 세상이 아니라구요?”

“그렇지. 우리네 같은 천한 놈들의 세상이 아니오.”

묘옥은 눈물을 흘리고 있었다. 갑자기 지난 온갖 세월의 설움이 못 견디게 터져서, 역성을 들어줄 상대를 만난 어린아이처럼 묘옥은 소리 없이 울었다. 그때, 그 여자는 어둠속에 서 있던 장승 같은 몇사람의 사내를 생각했다.

길산이 어둠속에서 더듬어 묘옥의 얼굴을 만졌다. 묘옥은 허겁지겁 길산의 우악스런 손을 맞잡아 얼굴을 비볐다.

길산이 묘옥의 작은 어깨를 끌어안으니 그 여자는 사내의 가슴팍을 파고들며 울음을 죽였다.

"저는 세상에서 가장 천하구 더러운 계집이에요."

길산은 묘옥의 등을 토닥토닥 두드리며 하늘을 올려다보았다. 청천 하늘엔 잔별도 많고, 우리네 살림엔 수심도 많네…… 더욱 영롱해진 새벽별들이 먼 마을의 들창인 듯 가물대고 있었다.

"꼭 안아주셔요."

묘옥이 두 손을 모아 길산의 가슴에 붙여 기대면서 말했다. 그는 여자를 감싸듯 껴안았다. 먼 곳에서 울던 부엉이 소리가 끊겼다 이어지면서 차차 가까이 들리더니, 그들이 숨은 솔밭에 날아와 오랫동안 울었다. 묘옥은 실신하듯 길산의 어깨에서 미끄러지면서 한 팔로 길산의 목을 감은 채로 젖은 풀 위에 비스듬히 누웠다. 길산이 묘옥과 함께 나란히 눕는데 묘옥은 그의 저고리 속으로 손을 넣어 가슴을 쓰다듬었고, 길산은 묘옥의 무명 치마를 젖혀올렸다. 길산이 묘옥의 속바지를 끌어내리는데 그 여자는 이마를 그의 가슴에 꼭 붙인 채로 몸을 이리 곰실 저리로 곰실 뒤틀었다. 묘옥의 속바지가 끌어내려지자 속곳만 남아 두 다리의 맨살이 드러났는데 묘옥은 길산의 목을 죄어 안은 채 눈을 감고 있었다. 길산은 걷잡을 수 없이 떨리는 손으로 묘옥의 옷고름을 이리 당기고 저리 푸는데 묘옥이 그의 목에 휘감았던 팔을 풀고 손을 내려 길산의 바지끈을 끌렀다. 묘옥의 저고리 자락이 활짝 젖혀졌다. 두 살이 닿자마자 부끄러움은 어느결에 멀어지고 이제 묘옥의 손놀림이 대담하고 익숙해지기 시작하여 길산의 저고리를 젖히고 온몸으로 맞비볐다.

만첩 청산 늙은 범이 살찐 암캐를 물어다 놓고 이가 없어 먹지는 못하고 흐르릅흐르릅 아웅 어루는 듯, 북해의 흑룡(黑龍)이 여의주를 입에 물고 색구름 사이에서 넘노는 듯, 단산(丹山)의 봉황이 대열매를 물고 벽오동 속으로 넘나드는 듯, 연못 깊은 곳에 청학이 난초를 물고서 오송간(梧松間)에 넘노는 듯, 두 몸이 칡덩굴처럼 어우러져 풀어질 줄을 모르고 감겨만 드는데, 묘옥은 길산의 탄탄한 어깨에 손톱을 찍어 누르면서 몸을 열었다. 봄비 내린 찰흙 속으로 뻗어내리는 억센 소나무 뿌리처럼, 그의 신근(身根)이 묘옥의 열린 몸속으로 깊이 들어갔다. 잔솔밭 위를 지나가는 바람소리가 제법 스산했고, 흔들리는 나뭇가지에서 가끔씩 솔잎이 떨어져 그들의 벗은 몸 위에 내려앉았다. 길산의 춤사위가 용틀임에서 깨끼리장단의 허리잡이 춤으로 바뀌었다. 녹수청산(綠水靑山) 깊은 골에 청룡 황룡이 굼틀어졌다…… 떠엉 떠떠 꿍덩, 떠덩 떠떠 꿍덩.

그들의 춤은 허리잡이에서 다시 마당을 온통 질타하는 듯한 취발이의 난무로 떠올랐다. 묘옥의 허리는 활처럼 휘어져 길산의 몸을 따라 붙어 올라갔고 옥문(玉門)은 온천처럼 열에 끓었다.

길산의 연장은 마치 정월 대보름의 끌고 당기는 동아줄처럼 팽팽했다. 묘옥의 두 다리가 길산의 허리께에 둥글게 감겨져서 풀어질 줄을 몰랐다. 별이 쏟아져 내려오는데, 처음에는 한두 낱씩 나중엔 수십 낱, 몸짓이 거세어질수록 별들은 우박처럼 와르르르 쏟아져 내려왔다. 묘옥은 하늘처럼 믿음직하고 산처럼 든든한 내 서방님 품에 이제야 안기는 것만 같았다.

일찍이 살 섞는 짓이란 자연의 하나인 사람이 그 품성대로 따른 일이언만, 고귀한 사람들은 번거로이 형식과 치장을 좋아하여 생명을 스스로 체면치레의 족쇄로 채운 격이었다. 풍습에 반상(班常)의 구별이 달라서 양반의 사랑은 헛기침과 곁눈질에 거드름으로 묶여 있었지만, 상사람들은 밭을 갈고 씨를 뿌리듯 건강하게 들판에서, 논밭 고랑에서, 토방에서, 솔숲에서, 난가리 속에서, 그리고 부엌에서 거침없이 섞였다. 가난한 지붕 아래 헐벗고 주린 아이들이 태어났지만 그들의 힘은 바로 많은 아이들이어서, 저 먹을 것은 타고난다고 스스로 굳게 믿었던 것이다.

길산은 묘옥에게 팔을 베어주고 오랫동안 풀 위에 누워 있었다. 그들의 귀에 다시 벌레 우는 소리가 들려왔고, 땀이 식어서 몸이 차가워졌다. 묘옥은 길산의 가슴에 귀를 대고 심장이 퉁탕대는 소리를 들었다.

"저를……"

하고 나서 묘옥은 망설였다. 색주가에서 만신창이가 되어버린 몸이었다. 헤아릴 수도 없는 사내들의 손자국이 자기의 몸 구석구석에 찍혀 있는 것이다. 그러나 어둠속에서 길산이 지그시 팔을 죄어 끌어안자 저도 모르는 용기가 솟았다. 그녀는 자신의 사랑을 믿게 되었던 것이다.

"언제나…… 곁에 거두어주셔요."

길산은 대답 없이 묘옥의 흐트러진 귀밑머리를 헤치고 뺨을 쓸어주었다. 묘옥은 또 눈물이 솟아나왔다. 길산의 두툼한 손가락들이 묘옥의 눈 아래로 번진 눈물을 훔쳐주었다.

"헤어지게 되어도…… 죽게 되어도…… 몸은 더러워도 제 마음은…… 서방님뿐이에요."

묘옥이 모든 수줍음을 털어내고 말했으며 길산이도 무뚝뚝하게 말했다.

"같이 살면 되는 거지 뭐."

"아닙니다. 저는 어쩐지 서방님을 오래 모실 것 같지가 않아요."

"그래…… 겨울을 나구 여길 떠난단 그 말인가?"

"예, 그렇지만 저 서역 구만리에 가시더라두 찾아내구 말겠어요."

“같이 떠나지. 새해부터는 나두 여길 떠나서 광대 물주나 하며 돌아다닐 셈이니까. 길에서 살면 된다오.”

“이번 출행에 너무 오래 나가 계시지 말구 빨리 오셔요.”

“놀러 나가는 게 아니라, 벌이하러 가는 것이니 그게 말대루야 되겠나.”

“오늘 저녁엔 작은잿말루 내려와 주무셔요.”

“풍악이 그친 걸 보니 출행 의논들을 하는 모양이군.”

“조금만 더 있다가 내려가요.”

묘옥은 길산의 어깨에 매달리면서 말했다.

“저녁에 오시겠어요?”

“글쎄…… 어떨지 모르겠군. 내야 괜찮지만.”

“아이 참, 누가 보구선 정분났다구 소문낼까봐 염려되죠?”

“그런 게 아니오.”

“밤에 까막내까지 나가서 기다리구 있을게요. 달 뜰 때쯤에 오셔요.”

“이번 출행에는 내가 패거리를 끌구 나갈 모양인데…… 미리 오리정 밖에 나와 기다리면 같이 길을 떠날 수가 있소.”

“아니에요, 계집이 따라다니면 행로에 번거로운 일이 많을 거예요.”

“뭘 어떨라구, 모두들 우리 또래이니 말이 날 것두 없구…… 남복을 입으면 되지 않아?”

“무슨 재주가 있어야지요.”

“잽이를 하지 뭐.”

“가셨다가 빨리만 돌아오셔요.”

그때 버석대며 낙엽 밟는 발걸음 소리가 들리더니,

"길산아, 길산이 거기 있냐?"

하는 갑송이의 굵다란 목소리가 들렸다. 길산이는 당황해서 잠깐 망설이며 숨을 죽였다.

"어라, 얘기 소리가 들린 것 같은데. 길산아, 어딨어?"

그가 가까이 다가오자 길산은 엉거주춤 일어났다. 갑송이 말했다.

"게서 뭘 하는 거야. 똥 누냐?"

"아니…… 뭐."

묘옥이도 따라 일어섰다. 갑송이는 놀란 모양이었다.

"아이구, 애 떨어지겠네. 거 기침이라도 할 것이지. 길산이 니 아버지가 찾더라. 의논에 빠질 수야 있나."

"그래, 곧 가지."

"정말 몰랐다. 널 찾느라구 동네에두 내려갔었어."

갑송이는 겸연쩍은지 머리를 긁으며 뺑소니를 쳤다. 묘옥은 앞서 걸어가는 길산을 뒤에서 꼭 끌어안고 말했다.

"저는…… 지금부터……"

길산은 대답 대신 팔을 그 여자의 등에 얹고 가볍게 두드려주었다.

"오늘 달 뜰 무렵에 오셔요."

묘옥이 마을로 내려가며 다시 한번 다짐했다. 솔밭을 나서자 모닥불 가에서 두런두런하는 마을 사람들의 얘기 소리가 들렸다. 아녀자들은 모두 쉬러 내려갔는지 당터는 한산했다. 모닥불은 거의 사그라져서 벌겋게 숯불이 되어 있었고, 술동이들은 말끔하게 비워졌다. 손돌 노인 대신에 장충이 장로가 되어 의논을 끌고 나갔다. 길산이 슬그머니 사람들 틈에 끼여 앉으려는데, 장충이 그를 발견하고서 말했다.

"계회에 빠지면 어쩌느냐. 그래 여지껏 너희가 보부상단과 연희 동행을 하겠다던 의견에 관해서 얘기를 했다. 광대 물주가 무엇인지 말해보아라."

"예, 상인과 약계를 맺고, 우리 재주를 장시에서 파는 것입니다. 송도 임방 아래 우리두 방을 열고, 주문이 오면 금전을 받고 놀아주면 되겠지요. 이제는 지방 장시가 안 서는 곳이 거의 없기 때문에 그쪽이 유리합니다. 쌀이나 몇되씩 얻고 잔칫집을 돌아다니던 일은 요즘 시세에는 맞지 않습니다."

"그러면 우리두 보부상 사람들처럼 농사두 짓지 않구 일정한 거주지두 없을 게 아니냐?"

"그렇지요. 일단은 대처루 나가야지요."

"우선 대를 나누겠는데, 길산이가 갑대를 거느리고, 큰돌이가 을대, 수룡이가 병대, 팔문이가 정대를 맡아 갑 을 대는 대처로 돌고, 병 정 대는 촌으로 돌아서 관시놀이 때에 해주서 일단 모입시다."

"관시놀이가 며칠이던가?"

"그믐께가 되겠구먼."

"우리가 거기서 박대근이라는 그 보부상단을 만나기루 약정하였습니다."

"그래? 허면 관시놀이 때에 그이들과 만나 잘 타협해봅시다. 약빠른 사람들이니 무슨 좋은 궁리가 나올지두 모르겠군."

"가만있자, 그믐께에 해주서 모인다면 동서남북 방향에서 서 남 대는 괜찮겠지만 동 북 대가 멀리 갈 수가 없겠습니다."

"해주서 흩어질 적에 타도루 나가기로 합시다. 그동안은 해서(海西)에서만 돌지."

그들의 회합은 날이 훤하게 새어서야 끝났다. 모두들 흩어져 오정까지 자느라고 재인말은 죽은 듯했다. 오후부터는 대가 나뉜 대로 광대들이 모여서 놀이에 관해 의견을 나누고 출행 계획는 모두 끝났다.

길산이 탈박이며 악기 등속을 고리에서 꺼내어 손질을 하는데, 길산의 모친과 봉순이는 깊숙이 간직해두었던 정백미를 빻아 떡을 쪘다. 장충은 이번 출행에서 빠지기로 했던 것인데, 못내 좀이 쑤시는지 출행 준비를 하고 있는 길산에게로 건너와 함께 탈박을 손질했다. 장충이 말했다.

"이번 연희에서 돌아오면 너두 새봄엔 장가를 들여야겠다."

"장가요?"

"왜, 싫으냐?"

"어이, 싫기는…… 뭐. 그게 싫구 좋구 하는 건가요?"

"네 나이가, 이미 늦었다. 벌써 성혼했어야 하는 건데. 우리는 이미 작정해둔 바가 있느니라."

"정해두다뇨?"

길산이 재우쳐 묻자, 충은 어물어물하면서 말꼬리를 흐렸다.

"응…… 저 뭐 그만 나이까지 부모들이 성혼시킬 생각을 안 해뒀겠느냐."

"아직 생각이 없습니다."

"나두 늙었구…… 또 네가 아낙을 갖게 되면 내 말해줄 게 있다."

"아버지는 아직 정정하신데, 무슨 그런 말씀이세요."

장충은 큰기침을 하고 나서 길산의 손을 잡으며 은근하게 말했다.

"혹시 마음에 둔 처자라두 있느냐?"

"예에?"

"어디 눈 맞은 처녀라두 있느냐구."

하고 나서 충은 싱긋이 웃었다.

"너 봉순이를 어찌 생각하느냐?"

"보…… 봉순이요?"

하다가 길산은 너털웃음을 터뜨리고 말았다.

"에이…… 봉순이야 제 누이동생이구 쪼끄만 계집아인걸요. 아버님두……"

장충은 자상한 사람이었다. 그는 길산의 우람하고 단단한 몸을 볼 때마다 연안의 자갈목이란 동네에서 겪은 밤이 생각나는 것이었다. 그 울음소리와 연한 살덩이의 꿈틀거림과 두 손에 흠뻑 묻었던 피, 그리고 자신의 이빨로 끊어낸 탯줄과 목구멍을 넘어가던 쓰디쓴 탯국물이 생생하게 되살아나는 것이었다. 무엇보다도 그 여인이 죽어가며 자기의 손을 꼭 잡고 부탁하던 여윈 손의 마지막 힘은 잊혀지질 않았다. 장충은 자기도 모르게 숨을 크게 내쉬며 탄식했다.

"허어, 화살과 같은 세월이다!"

"아버지, 건너가 쉬세요. 저는 또 동무들 만나러 나가봐야죠."

"그래 그래, 놀이는 뭘루 정했느냐?"

"예, 아무래두 장터에서는 한량들보다 상사람들이 대부분이니, 살판이나 어름으루 뛰어야겠어요."

"요즘은 괴뢰배와 거사패들이 부쩍 늘었다더라. 대처마다 많이들 몰려다닌다던데. 그 사람들 우리네 같은 재인이 유민으로 정처를 잃은 모양이야."

"그렇겠지요."

"나라에서 재인청을 없애더니……"

"아무러면 어떻습니까. 두려울 것 없습니다. 언제는 우리가 뭐, 정처를 가지고 귀한 대우 받으며 살았나요. 고작해야 척(尺)인데, 아이들도 우리께는 경어를 쓰지 않지요. 그따위 호적으루 뭘 해요. 저는 어서 이 재인말을 떠나구 싶은 마음뿐입니다. 이나마 땅뙈기에 거할 집이 있으니 자꾸 마음이 약해져 매달리게 되는 겁니다."

"너는 아직 젊다. 나두 젊어서는 그랬지. 그러나 나이를 좀 먹어보면 알게 된다. 관(官)이란 게 아주 허수룩하고 연약한 듯하지만 의외로 강대하단다. 바늘 들고 황소를 찌르려 마라."

"황소를 잡으려면 망치를 만들어야 하고, 범을 잡으려면 함정을 파야죠. 저는 꼭 이 재인말을 언젠가는 아주 떠나버릴 작정입니다."

"너희 동무들두 모두 그러하냐?"

"대개는 다 그런 생각입니다."

"아니다. 부지런히 벌어서 어수룩한 북관에 가서 공명첩을 사구, 땅을 사서 토호 노릇 하며 부귀를 꾀하는 길이 더욱 빠를 게다."

"아버지의 오랜 소망임을 우리는 압니다. 허나, 지금 평생을 보내시고도 이밥에 비린 반찬 한번 못 드시고 천대나 받으며 조밭 몇이랑에 굴복해서 여기 눌러 계시지 않습니까?"

"나는 내 일생을 후회하지는 않겠다."

장충은 눈을 스르르 감고 고개를 위로 쳐들었다.

"나는 후회하질 않아. 내 아버지와 어머니가 그러했듯…… 이 거칠고 험한 세월을 껄껄대며 살아왔다."

하고 나서 충은 길산의 손을 잡아주고 일어났다. 그는 나가려다 말고 돌아서서 말했다.

"해주 가거든 수양산에 좀 들러보아라. 산성 기슭에 망해사라는 큰 절이 있느니라. 거기 가면…… 아직두 살아 계실지 의문이다마는 보경선사라는 노승에 관하여 묻고, 신계 사람 보가 어디 있느냐구 물어봐라. 세월이 너무 오래됐긴 하지만…… 기억하실 게다."

"신계 사람 보요?"

"그래, 장충이라는 문화 광대가 보낸 사람이라면 혹시…… 무슨 말이 있을지두 모르겠다. 내 처음 노스님을 만나뵌 것이 이십 년이 넘었고, 그 다음에는 팔 년 전에, 그리고 삼 년 전에는 다른 이가 전해주는 소식만 들었다."

"보란 누굽니까?"

"음…… 네 작은아버지뻘 되는 사람이다. 어쨌거나 그가 살아 있나, 살았으면 어디 사는가를 알아봐라."

"예, 유념해두겠습니다."

장충은 만약에 길산의 생부(生父)가 살아 있다면, 이제 성인이 된 길산이가 만나야 할 것 같았고, 더구나 장가를 들게 된다면 그가 누구의 살붙이인지를 알려줄 필요가 있다고 생각했다.

길산은 탈박을 차곡차곡 접어서 봇짐에 쌌다. 주위가 어두워지고 있었다. 곧 달이 떠오를 것이다. 그가 마당으로 내려서자 봉순이가 부엌에서 뛰어나왔다.

"오빠, 떡 먹구 나가. 팥을 두툼히 뿌려서 아주 맛있을 거야."

"얘…… 바쁘다, 바빠."

길산의 어머니도 부엌 밖으로 나와 손짓했다.

"아직 김이 덜 들었지만, 맛보기루 한 점 떼먹구 나가거라."

"아버지나 많이 드리셔요. 저녁은 갑송이네서 먹을게요."

"동네 사랑서 자지 말구, 저녁엔 들어와라. 내 할 얘기두 있구."

길산은 모친의 목소리를 뒤에 두고 밖으로 나섰다. 사랑에는 총각들이 모여서 어제 남은 술추렴을 다시 벌이고 있었다. 동네를 아주 거덜을 내버리려는 모양이라고 생각하며 길산은 들어가지 않고 갑송이만을 불러냈다.

"나 작은잿말 내려가는 길이다. 오늘 거기서 묵을 거 같은데, 혹시 집에 가서 나를 찾거나 하지 말어."

"이 자식, 젊은 놈이 벌써부터 개구녕 트구 다니는구나! 온 동네 방네에 광을 펴칠까 부다."

"농지거리는 그만두자. 내 다녀올 테니 집에서 누가 찾아오더라도 먼저 잔다구 해서 돌려보내라."

"온…… 나 참, 똥 뀐 놈이 성낸다구 공연히 지랄이네. 알겠다 이 눔아. 실컷 지분거리다 와라."

"농치지 말라니까!"

"그래 빨리 가라니!"

"곰퉁이 같은 녀석."

길산이 낄낄거리는 갑송이를 딴죽을 걸면서 슬쩍 밀어붙이니, 뒤로 벌렁 나자빠졌다. 땅에 주저앉아서도 갑송이는 손가락질하면서 웃어댔다. 길산은 화끈거리는 얼굴을 겸연쩍게 쓰다듬으며 돌아섰다.

달이 뜨고 있었다. 만월에 가까워져 한입 베어문 부침개 같은 모양이었다. 달은 산허리 위로 한 뼘쯤 올라왔는데 그 빛이 까막내의 수면 위에서 부서지고 있었다. 달빛은 까막내의 수면과, 갈대밭 위에 내려앉아 흔들렸다. 멀리 작은잿말의 불빛이 뵈는 동구 앞에 이르렀을 때, 길산의 앞으로 내닫는 묘옥이가 보였다.

"해가 지자마자 나와 있었어요."

"총대어른은 뭐 하셔?"

"저녁 드시구 일찍 자리에 드셨어요."

"밤공기가 써늘한걸."

그들은 남의 눈에 띄지 않게 후미진 산비탈길을 지나 곧장 손돌의 외딴 초가로 내려갔다. 손돌이 거처하는 바깥방에는 불이 꺼져 있고, 부엌이 달린 안방에만 관솔불이 희미하게 켜져 있었다. 묘옥이 발끝걸음으로 마루에 올라 미닫이를 열고 들어오라는 시늉으로 손짓했다. 방 아랫목에는 이미 간소한 주안상이 차려져 있었다. 수수로 담가 거른 막주와 산나물무침 몇가지가 올라 있는데, 콩가루를 두껍게 묻힌 인절미도 한 접시 놓여 있었다.

"야, 웬 인절미가 다 있소."

"쉬이…… 찹쌀이 어찌나 귀한지 송화 나가는 분에게 무명 끄틀을 주구 한 됫박 사오게 했어요. 드셔요."

"우리집에서두 시루떡을 좀 했는데, 바삐 오느라구 맛을 못 봤지."

"이거 모두 잡수셔요. 그리구 이만큼 더 있으니까, 내일 떠나실 때 봇짐에 넣어두고 요기하셔요."

하면서 묘옥은 술잔을 채워주고 손수 떡을 집어 길산에게로 내밀었다. 그는 묘옥의 손가락이라도 물듯이 널름 받아 우물거렸다.

"노인이란 원래 잠이 없는 법인데, 너무 일찍 주무시는걸. 혹시 다 아시구 잠든 척 하시는 것 같우."

"아녜요. 어제부터 몸이 불편하시다구 문화 나갈 일두 그만두시구 종일 누워 계셨어요."

그들은 처음에는 목소리를 낮췄으나, 술잔이 거듭 오고감에 따라 차츰 말이 많아지고 목소리가 높아졌다. 건넌방에서 부스럭거리는 소리가 들리더니, 나지막한 기침이 터졌다. 길산과 묘옥은 뚝, 하는 표정이 되어 서로 얼굴만 마주 보고 있었다. 잠깐 사이를 둔 뒤에 가래가 가득 낀 것 같은 손돌 노인의 목소리가 들려왔다.

"게 누가 왔느냐?"

묘옥은 제 가슴에 손을 얹고 황급한 기색으로 안절부절못했다.

"누가 왔느냐구……"

미닫이 열리는 소리가 들렸다. 그리고 손돌 노인의 얼굴이 그들이 마주 앉은 방문 사이로 나타났다. 길산은 엉거주춤한 자세로 읍하며 일어섰다.

"총대어른…… 안녕하십니까?"

"으음, 자네가 웬일루 내려왔나?"

길산은 머리를 긁으며 섰고 묘옥은 앉은 채 고개 처박고 저고리고름만 만지작거리고 있었다. 손돌 노인이 빙그레 웃으며 둘을 번갈아 살피고 나서 아랫목에 가서 앉았다.

"그래, 큰잿말에선 출행 갈 준비가 다 끝났나?"

"예에……"

하고 나서 길산이 곧 나갈 자세로 미닫이에 손을 대며 인사를 드리려는 참인데, 손돌은 손을 들어 제지했다.

"거기 좀 앉게, 이리 가까이."

하고 나서 그는 빈 잔을 잡고 묘옥에게 청했다.

"너두 이리 가까이 와서 내게 술 좀 따라주렴."

묘옥이 무릎걸음으로 다가앉아 술을 쳐드렸고, 길산은 고개를 숙이고 앉았다. 손돌은 술 한잔을 비울 때까지 웃는 얼굴인 채 말이 없었다.

"한잔 더 따라라."

다시 두 잔을 마시고 나서 손돌 노인이 말했다.

"너희들이 이러한 사이임을 전혀 몰랐구나. 하긴 너희를 모두 내 자식같이 생각하구 있다. 이렇게 연분이 생겨나는 것두 아마 하늘의 뜻이겠지. 그런데, 너희들 정녕코 부부가 되겠느냐?"

잠자코 앉았던 묘옥이 고개를 숙인 채로 말했다.

"어찌 그것까지 바랄 수가 있겠습니까마는……"

"길산아, 사람이 세상에 태어나서 만나고 흩어짐은 참으로 묘한 일이다. 내가 신천서 묘옥이를 활인해낸 것도 그러하고…… 네 아비 장충이가 너를 받아낸 일두 그렇고, 또한 너희가 이 밤에 함께 있는 일두 그리하다. 둘 다 성인이고 보면 내가 이래라저래라 할 입장은 못 되지만, 남녀의 정분이란 장난으로 그쳐서는 안 된다. 이리 만난 것도 팔자소관이고, 이미 서로의 평생에 끼여든 짓이 아니겠느냐. 내 묘옥이의 일은 들어서 잘 알고…… 길산이 네게도 해줄 말이 있다. 네 아비가 아무 말씀도 없더냐."

"무슨 말씀요……?"

"음, 네 이미 소년이 아닌즉 알아둬야 할 일이 있다. 허나 네 아비가 아직 얘기를 하지 않았으니, 내 막상 입을 떼기가 거북하다만 아마 내가 얘기를 해줬다면 장충이 그 사람두 홀가분할 게다. 너는 재인말 태생이 아니다."

길산은 놀라지 않고 대답했다.

"예에, 연안 어디 길가에서 태어났단 얘긴 들었습니다."

"그런 말이 아니라, 너는 광대의 피를 받은 게 아니란 말이다. 너는 장충이의 친자식이 아니었어."

"예에? 친자식이 아니라뇨……"

손돌은 고개를 끄덕였다. 이번에는 묘옥이까지도 숙였던 고개를 쳐들고 두 사람을 바라보며 긴장해서 앉아 있었다.

"그러니까 그게…… 우리가 송도서 대보름놀이를 하구 돌아오던 때였지. 벽란나루에서 추노에 쫓기는 어떤 여종을 만나게 되었지."

손돌은 눈을 감고 상체를 흔들거리며 기억을 더듬어나갔다. 그는 그가 아는 만큼의 여인의 내력에 대해서 얘기했다. 손돌 노인의 얘기를 듣고 있는 길산의 눈에는 물기가 그렁그렁하게 가득 차 있었다. 노인은 길산이 태어나던 날 밤의 일을 상세히 얘기했고, 그의 모친이 죽던 광경을 말해주었다.

"핏덩이인 자네를 충이가 안고 길을 걸었지. 자네 모친은 그 한 많은 몸이 봉세산 줄기가 주지곶으로 내닫는 봉고개 마루턱에 묻혔지. 참으로 생명은 좋은 것이여. 이렇게 훤칠한 장부가 되었으니. 묘옥아, 술 한잔 다오. 그리구 이 사람께두 따라라."

길산은 방 한구석을 노려보며 손돌 노인의 일러주던 말을 되씹고 있었다.

"너희들 내 앞에서 두 손을 잡아라."

길산은 멍하니 앉았다가 고개를 흔들어 눈에 가득 괴었던 물기를 떨어냈다. 묘옥이 길산의 손을 찾아 그러쥐었다.

손돌은 두 사람의 손목을 합쳐 쥐고 말했다.

"이제 너희들의 연분은 팔자소관이니라. 어버이께서 내려준 살과 피가 한 몸이 되었다. 부디 부세(浮世)에서는 헤어질지라도 죽어져서 구천 지옥에서는 두 사람의 넋은 끊기지 않을지어다."

묘옥과 길산은 손목을 마주 대고 서로의 맥이 뛰는 것을 온몸으로 느끼고 있었다. 손돌 노인은 그들 앞에 술잔을 나란히 채워주고 나서 일어섰다.

"아, 이제는 편히 잠들 수 있을 것 같구나. 잘들 자거라."

손돌은 밭은기침을 터뜨리면서 다시 마루를 건너갔다. 잠시 후에는 깊이 잠든 손돌 노인의 규칙적인 코 고는 소리가 들려오기 시작했다.

"주무셔요."

멍하니 앉아서 허공을 바라보고 앉은 길산의 손을 잡아 흔들며 묘옥이 말했다. 길산은 어느 여인의 모습을 떠올리고 있었다. 얼굴은 검게 그을리고 옷은 남루하고 배가 만삭으로 불러 있는데, 추노에 쫓겨 절뚝이면서 길을 가는 여자의 모습이었다. 그는 두 손으로 제 얼굴을 감싸고 광대뼈와 콧잔등을 더듬거렸다. 이 살과 뼈를 준 서러운 부모들은 물론이요, 세상에 티끌처럼 떴다 가라앉아가는 천한 사람들의 생애가 무슨 신기한 이적처럼 느껴졌다. 그는 갑자기 묘옥을 껴안았다. 그러고는 부숴버릴 듯이 두 팔에 끌어안고 힘껏 조였다. 묘옥은 뺨을 길산의 가슴에 비벼대면서 안겨 있었다.

"내일 아침에 나하구 함께 떠나지."

"지금은 그러시지만 곧 귀찮아지실 거예요. 저는 서방님 계신 부근에 늘 있겠어요. 그걸루 만족해요."

묘옥이 살그머니 길산의 가슴을 밀며 일어나서 자리를 깔았다. 묘옥은 관솔불 등잔을 불어 끄고 나서 옷을 벗었다. 저고리와 치마를, 그리고 무릎걸음으로 이불 속에 들어가 속바지와 속곳을 벗었다. 매끄러운 팔을 뻗친 묘옥이가 길산의 손을 잡아끌며 속삭였다.

"서방님! 주무셔요."

길산이 아이처럼 수줍어하며 이불자락 아래 몸을 넣자, 묘옥이 잡아끌어 가까이 오게 한 뒤에 길산의 저고리를 풀어헤쳤다. 길산이 알몸인 묘옥의 상체를 쓰다듬을 적에, 묘옥은 제 얹은머리를 풀어내렸다. 길산은 묘옥의 풀어헤쳐진 머리털을 쥐고 길게 입을 맞추는데, 묘옥이 길산의 바지를 벗겨내리고 다리들이 아래에서 매듭처럼 꼬이며 서로 엇갈려 휘감았다. 길산이 입맞춤으로 묘옥의 가슴께를 어른거리는데, 묘옥의 젖은 엎어놓은 옥잔 위에 복사꽃잎이 내려와 앉은 듯하였다. 둘의 운우지정은 처음보다 침착해져서 서두르지 않고 천천히 쓰다듬고 비벼대고, 그 손짓이 은근하였다. 묘옥이 목구멍을 닫은 채로 가슴이 울려나오는 듯한 소리를 내며 이불을 발끝에 걸어 걷어내버렸다.

두 사람이 얼싸안고 이불 젖혀진 자리 위를 이리로 아등바등, 저리로 아등바등, 비비고 떨며 몸서리치고 어찌할 바를 모르는데, 어찌 남녀의 교합이 저러한 연분에 값하는 유일한 일이겠는가마는, 사랑하는 이의 살이란 제아무리 탐닉해보아도 서로가 믿기어지지 않는 법이라. 이것이 꿈인가, 생시인가.

뺨도 한번 덥석 물어보고, 귓밥도 잘근잘근 씹어보고, 아랫입술 윗입술을 엇갈려서 빨았다가, 코에 코를 맞대어 비벼보는데, 이마를 마주쳐 들여다보니 캄캄칠흑 속에 두 점 동자별이 반짝이는구나! 젖은 팽팽하여 꼭지가 굳어졌고, 아랫배는 암탉의 가슴이요, 허벅지는 물 위로 펴얼떡 솟구치는 가물치인 듯, 뒤틀린 허리가 춘삼월에 늘어진 수양버들인데, 뒤로 돌려 안으니 목덜미가 톡 치면 부러질 백옥병의 주둥인지 아슬아슬하고, 등판은 연화 사이에 띄운 태을선녀(太乙仙女)의 꽃배〔花舟〕인 듯 파초선인 듯 가녀리고, 궁둥이는 동산에 떠오른 만월이요 삼천갑자 동방삭(東方朔)이 서왕모(西王母)께 훔쳐먹던 천도(天桃)처럼 찌르면 터질 듯이 무르익어, 에라 못 참겠다, 되돌려 안고 섞으니 눈앞이 아뜩하다. 몸이 섞여 핏줄이 곤두서며 터질 듯이 일어선다. 에헤요, 넘친 물은 빠르게 흘러가는구나. 콸콸 콰르르릉 퐁퐁 쿨럭쿨럭 아득하게 떠내려가는구나. 이골 물 저골 물이 합수하여 와당탕 퉁탕 흘러나가는데, 산굽이 들굽이로 이리 휘휘 돌고 저리로 넘실넘실 굽이쳐서 잔잔히 흘렀다간 다시 급해지며 쏴아 몰려가다가 스리스을쩍 층암절벽으로 휘들어진다. 떨어져내릴 때 우르르르 콰앙 출출 좌르르 컬컬 흘러 이 바위 때리고 저 바위 부뒷쳐서 막힌 듯 터지고 헤쳤다간 다시 모인다. 묘옥이 길산의 허리를 끊어져라고 당길 때, 길산의 몸짓은 더욱 거세어져 장마 뒤의 물방앗공이처럼 힘차게 내리찧었다. 여자하고도 회한 많은 여자는 조금만 찔러도 한꺼번에 쏟아져나올 눈물 주머니라서, 사내가 못되게 굴 적은 물론이요, 너무 좋아져도 노상 울음일밖에…… 귀밑을 타고 흐르는 묘옥의 눈물이 삼베 씌운 베갯잇을 흠뻑 적시었다.

길산은 묘옥의 가슴에 머리를 얹고 눈을 감은 채였고, 묘옥은 한 팔로 길산의 머리를 안고 다른 팔로는 울퉁불퉁한 등을 쓸며 어둠속을 향한 채 울고 있었다. 그 여자는 해송이 어우러진 바닷가에 앉아서 먼 고장으로 떠나갈 배를 기다리던 밤이 생각났다. 안개 속에서 바다와 강이 합치는 중화의 쓸쓸한 갯벌과 마을이 보이는 것이었다. 장독(杖毒)에 반신불수로 산 송장이 되었던 아버지, 그리고 양장교와 어머니의 축축한 웃음소리, 옹진에서의 객줏집 부엌데기 시절의 굶주림, 강령으로 색상(色商)에 팔려가던 저녁, 무엇보다도 어둠속에서 자기에게 차례로 달려들던 네 명의 장승 도깨비 같던 우람한 몸집들과, 그 뒤의 캄캄한 하늘 위로 흘러 지나가던 개똥벌레의 음산한 빛 조각들이 자꾸만 되살아 떠오르는 것이었다.

"하, 모질어라……"

라고 그녀는 생각했는데 흐드득하는 어깻짓과 더불어 저도 모르게 중얼거려졌다. 길산은 묘옥의 가슴에 기댄 채 꼼짝도 하지 않았다. 묘옥은 이 사내의 마음이 쫓을 수도 없는 저 머나먼 길 위에 떠돌고 있음을 알았다.

꼬부라진 길, 비탈길, 굽이굽이 영을 넘는 높다랗고 먼 길, 바람이 세차게 몰아치는 벌판의 길, 숲길, 산길, 수많은 길을 이 사내는 휘적휘적 걸어가고 있는 것이다. 그의 등이, 괴나리봇짐이, 행전을 친 다리가, 미투리가, 멀어져갔다. 그리고 먼 곳을 스쳐지나는 바람소리처럼 광대들의 풍악이 희미하게 건너왔다. 지는 해를 향하여 걷는 나그네의 그림자같이 이 사내의 자태는 쫓으면 쫓을수록 멀어져가는 것이었다. 묘옥은 본능적으로 남자를 분간할 줄 알았다. 아, 이 사람은 저 물과 같은 사람이다. 저리도 밤새껏 잠을 깨워놓고 두런두런 도란도란 하염없이 흘러내려가는 까막내의 물소리처럼 문득, 가버릴 사람이로구나. 묘옥은 고개를 옆으로 돌리고 까막내의 물소리를 듣고 있었다. 물아, 흘러가거라. 두런두런, 도란도란, 두런두런, 도란도란.

길산은 묘옥의 가슴에 머리를 기대고 그녀가 숨쉴 적마다 오르내리는 파동에 실려 있었다. 가슴에 실려서, 그는 한 번도 가보지 못한 고장을 그리고 있었다. 무당인 양어머니가 언젠가 일러준 도솔천(兜率天)이라는 세상인 것 같았다. 그를 낳고 쫓기다 길에서 죽어간 가엾은 어머니는 이젠 이미 그곳에 이르지 못하나, 아니 그 자신도 이를 수는 없으되 뼈의 곳곳에 스며 있는 목숨의 씨는 계속해서 자라나 한 걸음씩 도솔천에 가까워질지도 몰랐다.

저때에 세존(世尊)께서 한 음성으로 백억이나 되는 다라니문을 말씀하시고 마치심에, 그때에 대중 가운데에 한 보살이 있으니 이름은 미륵이라. 부처님이 말씀하시는 바를 듣고 때를 응하여 백억 다라니 법문을 얻었는지라, 미륵이 죽어 다시 태어나는 세상은 반드시 도솔타천(兜率陀天)일 것이니, 그제야 이루어지리라. 그때에 대지가 지극히 평탄하고 거울처럼 밝고 깨끗하며 대지 안에는 곡식이 풍족하여 백성이 평안하고 모든 마을과 마을의 닭이 우는 소리가 서로 접하여 있느니라. 이때에 아름답지 아니한 꽃이며 과실의 나무는 말라서 없어지고, 추하고 악한 것이 또한 스스로 소멸하여, 달고 아름다운 과

실나무의 향기롭고 가장 좋은 것만이 그 땅에 피어나느니라. 기후가 화창하고 적당하여 사시의 계절이 순조로우므로 사람의 몸에 여러가지 병환이 없으며 탐하는 마음과 성내는 마음, 어리석은 마음이 커지지 아니하고 은근하여서 사람이 평등하여 모두 한가지 뜻으로 서로를 보게 되매 기쁘고 즐거워하며, 착한 말로 서로 오가는 뜻이 똑같아서 차별함이 없느니라. 이때에 백성들이 부귀영화를 일컬어 서로가 말하기를, 옛날에 사람들이 이것으로 말미암아 서로 상하게 하고 해롭게 하며 가두고 때리어 무수한 고통이 있었는데 이제는 부귀가 쓸모없는 돌조각과 같아서 아끼는 사람이 없게 되었다 하더라.

"잠들었어요?"

묘옥이 길산의 머리를 흔들었다. 길산은 가만히 고개를 저었다.

"방금 주무시는 것 같았어요. 숨소리가……"

"꿈꿨어."

"무슨 꿈이에요?"

"몰라, 잠깐 깜박했던 모양이군. 어딘가 갔었는데…… 그렇지, 도솔천."

"응, 미륵님 세상이오."

"옛말루 어머니한테 하두 여러 번 들어서……"

"미륵님은 안 와요. 그건 정말 꿈을 꿨네요."

먼 데서 닭의 홰치는 소리가 길게 들려왔다. 길산이 고개를 들었다.

"날이 샜나봐."

"벌써 가시게요?"

묘옥이 길산의 몸을 꼭 잡았다.

"가야지. 가노라면 해가 뜰 텐데."

"아니에요, 닭은 한밤중에두 곧잘 우는걸요."

길산은 벌떡 일어났다. 그가 옷을 주섬주섬 꿰고 나자, 묘옥이 따라 일어나 이불자락으로 벗은 몸을 가리고 길산을 애타게 올려다보았다.

"가시기 전에 부탁이 있어요."

그녀는 가슴을 가리도록 치마만을 걸쳐입고 웅숭그린 자세로 재빨리 부엌으로 뛰어나갔다. 길산이 영문을 몰라 앉았을 때에 묘옥은 간장 종지를 들고 돌아왔다. 종지 안에는 솥 그을음이 가득 들어 있었다. 묘옥이 반짇고리에서 바늘을 찾아내더니,

"제 왼쪽 가슴 위에, 서방님의 길할 길(吉)자 넣어주셔요."

묘옥이 치마끈을 풀어내리고 젖가슴을 드러낸 채 고개를 반대편으로 돌렸다. 길산은 바늘을 들고 연약한 살갗으로 가져갔다가 차마 찌르지 못하여 손을 내렸다.

"어서 찔러넣으셔요."

길산은 바늘의 끝부분을 잡고 살 위를 한 번 두 번 찍다가 멈추었다. 묘옥이 길산의 손을 잡으며 말했다.

"더 깊이 찌르라니까요."

길산의 찔러나가는 바늘 자국마다 피가 방울져 흘러나왔다. 묘옥의 목덜미에서 맥이 팔딱이는 것을 길산이는 똑똑히 보고 있었다. 士까지 되었고 口의 첫 획을 찍는데 벌써 길산의 눈이 아물거렸다. 한 줄기로 모아진 피가 가슴을 타고 흘러 치마끈에 머물다 번져갔다.

"검정 넣어주셔요."

묘옥은 아직도 고개를 돌린 채였다. 길산이 약손가락으로 침에 갠 그을음을 찍어 상처 위에 두드렸다. 검게 길자가 나타났다. 묘옥은

무명끈을 찾아내어 가슴에 동였다. 저고리를 입은 묘옥이 다소곳이 머리를 숙이고 한 무릎을 세우고 앉아 중얼거렸다.

"계집이 제 몸에다 연비(聯臂)함은 저승에 가서도 임을 잊지 못한다는 정표입니다. 참으로 제 한은 서방님의 상투를 올려드리지 못함이어요. 다른 착하고 정결한 아낙이 있어 서방님의 머리를 빗겨드리고 동곳을 꽂아드리겠지요."

길산은 멋쩍게 웃었다.

"동구 밖으로 나가서 상투를 올리지. 아무래두 이 나이에 떠꺼머리로는 망신스러워서……"

"길 가시다 요기하셔요."

묘옥이 송화에서 무명으로 바꿔온 찹쌀로 만든 인절미를 겹겹이 싸서 손에 들려주었다. 길산이 마루 끝으로 나서는데 손돌 노인의 헛기침 소리가 들려왔다. 길산은 방문을 보고 꾸뻑했다.

"총대어른, 갑니다. 안녕히 계십쇼."

"응, 가나? 잘 다녀와."

길산이 까막내를 건너 고개를 넘을 때까지 묘옥의 작은 몸은 삽짝 앞에 붙박인 듯 지켜 서 있었다.

광대들이 모두 행장을 갖추고 재인말을 떠나는데, 가족들이 작은 잿말에서도 한참이나 떨어진 오리정까지 쫓아와 그들을 배웅했다. 그중에는 부자가 함께 연희에 나가는 경우도 있었고, 형제들이 모두 각 대에 분산되어 떠나는 일도 있었다.

오리정 앞에서 그들은 여기저기 흩어져 앉아 이별주를 들었다. 길산은 장충과 무당댁을 모시고서 술 한잔을 마셨다. 길산의 모친이 가슴속에다 부적과 나무로 깎은 관음보살상을 넣어주었다.

"옜다, 이건 몸에 질병이 범접하지 못하는 부적이니라. 그리구 이거는 먼 길 가는 사람들을 지켜주시는 관세음보살님이란다."

"어머니…… 고맙습니다."

"헌데 어제는 어디서 잤니. 봉순이하구 나하구 새벽까지 기다렸다. 네게 할 말이 있댔는데……"

"무슨 말씀인데요?"

"네 혼인 말이다. 이번 출행에서 돌아오면 성혼을 해야 한다."

고개를 숙이고 말이 없는 길산을 이윽히 들여다보던 그의 모친이 말했다.

"너 간밤에 잠을 안 잤구나. 눈 속이 붉은걸. 혹시…… 어느 계집이랑 정분이 난 게 아니냐."

"아닙니다."

"뭘…… 내 눈은 못 속인다. 너 어젯밤에 작은잿말 내려갔었지, 그렇지?"

"예."

"작은잿말의 누구냐? 너는 무슨 일이 있더라도 봉순이와 혼인해야 한다."

길산이 대답 없이 시무룩하게 앉았는데 비켜앉아 곰방대를 빠끔거리던 장충이 그의 처를 힐난했다.

"원, 길 떠나는 사람에게 혼인말을 꺼낸다구 귀에 들어오겠나. 여하튼지 나가면 그 욱하는 성미 좀 버리구, 싸움질하지 말아라. 요즈음은 세월이…… 우리네 같은 유민에게 아주 가혹해져가는구나. 관에서 우리네를 싫어한다. 제발 말썽 피우지 말구……"

"잘 알겠습니다. 그런데 아버님, 여쭐 말씀이 있습니다."

하고 나서 길산은 다정한 눈으로 장충을 바라보았다. 제 탯줄을 이빨로 끊어냈다는 아버지, 돌림젖을 먹이며 길을 가던 아버지, 생모를 추노에서 구해준 아버지, 그리고 친혈육보다 더한 정을 주었던 그를 바라보는 사이에 길산은 갑자기 고맙고 감격스런 마음이 되어 장충의 어깨를 안았다.

"아버지, 은혜를 잊지 않겠습니다. 제가 입신해서 편히 모시게 될지……"

"이 녀석아, 이게 무슨 짓이냐."

"다 알구 있습니다. 제가 도망하던 비녀(婢女)의 소생이란 얘기를 들었습니다."

장충이 길산을 밀어내고 찬찬히 그의 얼굴을 살폈다.

"누가 그런 소릴 하더냐."

"손돌 어른께 들었습니다."

장충은 한숨을 내쉬며 짧게 내뱉었다.

"지각없는 늙은이 같으니."

충이 돌아앉았고, 그의 모친이 눈물을 찍어냈다.

"이날 엽때껏 너를 남의 자식이라구 생각한 적은 없단다."

장충이 돌아앉은 채 말했다.

"사람이 제 도리는 지켜야지, 망해사에 꼭 들러 네 아비 보라는 사람의 소식을 물어봐라. 그리구 연안의 봉고개에두 가보구……"

"예, 하지만 저는 두 분의 아들입니다."

길산은 떨쳐내듯 벌떡 일어났다. 그리고 잠시 후에 광대들은 길을 떠났다.

|제2장|

수초
水草

1

신복동의 졸개들이 해서 장터들을 휩쓸다가 해주로 돌아온 것은 길산이네가 재인말을 떠나기 사흘 전이었다. 행수 되는 자는 제법 상리(商利)가 많았다고 의기양양했으나, 송화 무더리 장터에서 본바닥 광대들께 톡톡히 망신을 당한 사실이 이미 신복동의 귀에 들어가 있던 것은 몰랐다.

물주로 따라나갔던 신복동네 집의 겸인(傔人)이 도착하여 짐을 풀자마자 그 사실을 일렀던 것이다. 포교와 비장 나부랭이들과 술을 마시던 신복동은 상단이 돌아왔다는 말을 듣자 상을 찌푸렸다. 그는 곁에 와 섰던 몸집이 좋은 부하에게 일렀다.

"그 행수로 나갔던 덕이놈을 당장 끌어와라."

"예……? 덕이를요?"

"소두령 노릇두 못 할 녀석이 행수 노릇 하고, 내 얼굴에 먹칠까지 했으니 그냥 둘 수는 없다."

밖에서 네댓 명이 또 들어왔다. 그들은 우르르 몰려나갔다. 활 한 바탕 거리에 신가의 여각 창고가 있는데, 덕이라는 행수는 물건을 풀어 넣는 중이었다. 그들이 몰려가자 덕이는 오히려 큰소리를 치는 것이었다.

"아무 일두 않구 색주가나 노름방에 붙어 앉았으면 제일이여? 이 사람들아, 밖에 나가서 벌어올 생각들을 해봐야지."

"그나저나 생원나리가 보자우."

"그래, 내 물건 다 쟁여놓구 올라갈래는 참이다."

"시방 빨리 가야겠는데……"

"이놈들아, 네놈들이 뭔데 빨리 가구 말구야."

텁석부리에 가죽 배자를 입은 자가 팔짱 꼈던 손을 쓱 뽑더니 삿대질하며 말했다.

"이게 죽을려구, 이놈 저놈 하구 있네. 이놈아, 너는 오늘부터 행수고 지랄이고 쪽박차게 되었다."

"뭐라구……?"

텁석부리가 손짓하며 외쳤다.

"얘들아…… 모양을 내어라."

우르르 달려들어 아직도 그 기분이 긴가민가하던 행수를 앞뒤로 잡아 치고 박으니, 여럿의 매를 견딜 수가 없어 행수는 땅바닥에 엎어졌다. 팔을 뒤로 돌려 밧줄로 친친 동여매고는 텁석부리가 홧김에 면상을 두어 번 내지르는데 코피가 터져버렸다.

"이눔, 타관서 온 놈이 쇠도리깨 조금 돌릴 줄 안다구…… 금방 행수질 해처먹더니 꼴 좋다."

"왜…… 왜 이러는 거냐?"

"몰라서 물어. 쓸개 빠진 놈, 촌것들께 얻어터지고 장터를 쫓겨난 놈이 무슨 염치루 신생원 아래 붙어 있으려느냐? 일으켜세워라. 끌구 가자."

그들은 덕이를 잡아일으켜 화풀이로 어제까지도 눌려지냈던 행수 사내를 툭툭 발로 내지르면서 신가의 대청 앞으로 끌고 갔다. 신가는 이미 주위 사람들을 물리치고 나서 친히 매를 들고 기다리는 중이었다. 그들이 안마당으로 우르르 몰려들자 신복동이 말했다.

"그놈을 멍석에 말아라."

덕이 뒤에 섰던 자가 발을 걸어 휘딱 쓰러뜨리고는 멍석에 굴렸다. 멍석과 사람을 함께 똘똘 말아가자 다리와 머리만이 밖으로 비어져 나왔다. 덕이가 고개를 흔들며 애원했다.

"생원나리, 이게 어찌된 일입니까? 제가 상리를 못 봤습니까, 물건을 잃었습니까, 왜 이러십니까?"

"이눔, 너는 우리 해주 신씨 여각의 체면에 먹칠을 한 놈이다."

신복동이 매를 들어 멍석 위를 닥치는 대로 두어 대 내려치는데 행수의 비명이 터졌다. 다시 매를 쳐들자 행수 덕이가 고함을 쳤다.

"생원께서는 고정하시구 내 말을 좀 들으시우!"

"뭐냐, 이눔."

"구월산 광대들 중에 다른 자들은 하나도 염려할 것 없사오나, 이 갑송이란 놈과 장길산이란 놈이 있사온데 그 기운과 무용이 훈련원 장교들보다두 월등합디다. 그자들을 잡아서 혼을 낼 꾀가 있습니다. 생원나리, 제발 제발 좀 들으시구 용서하우."

신가는 매를 천천히 휘저으며 빙긋 웃었다.

"그자들을 내 앞에 잡아오겠느냐?"

"예예, 뭐 잡아오구 말구두 없습니다. 그자들이 며칠 뒤에 관시놀이에 나올 것인즉, 조금만 화를 가라앉히시구 얽어맬 궁리나 하옵시면 됩니다."

"만약에 해주에 오지 않으면 망신을 만회할 길이 없을 터인데?"

"하오면…… 제가 놈들의 마을을 쑥밭을 만들어버리지요. 생원나리의 함자를 욕되게 하진 않겠습니다."

신복동은 끄덕였다.

"그래, 우리 체면을 되돌릴 기회가 있다면 잘되었다마는 이왕 그르쳐놓은 일이니…… 열 차례만 맞아라."

"어이구, 생원나리!"

"자, 헤아려라."

신가가 매를 들어 십 장(十杖)을 치는데, 일곱에 가서 매가 부러져 버렸다. 다시 장목을 가져오라 이르고, 나머지 석 대를 채웠다. 매가 끝난 연후에 신복동은 다시 웃는 낯이 되었다. 그는 매우 잘생긴 남자였다. 얼굴은 희고 턱은 뾰족한데 입술이 유난히 붉었으며, 눈이 크고 차가워 보였다. 눈가와 입에는 언제나 야릇하게 비웃는 듯한 냉소가 실려 있었다. 턱의 모양처럼 뾰족한 턱수염과 코밑의 가느다란 수염은 그의 전체적인 인상을 더욱 날카롭게 해주는 것이었다. 의관은 이름난 오입쟁이의 행색으로 번듯하고 귀티가 났는데, 다만 흠이 있다면 왼쪽의 손가락이 엄지에서 차례로 셋이나 잘라진 것이었다. 그래서 그는 왼손을 항상 넓은 소매 안에 감추어 늘어뜨린 채 잘 움직이질 않았다. 매에 혼찌검이 나서 땀투성이가 되어 주저앉아 있는 행수 덕이에게 신가가 말했다.

"좀 들어오너라. 네가 할 일이 있느니라."

하고 나서 신가가 텁석부리 사내를 손짓했다.

"막개두 같이 들어오너라."

신가는 마치 글을 읽고 난 선비처럼 조용한 걸음걸이로 안마당을 빠져나갔다. 행수와 막개라는 사내가 뒤를 따랐다. 그들이 밖 사랑채에 가서 좌정하고 들어앉자, 신가는 다시 인자한 가친이 그의 어린 자식들께 대하듯 태도가 바뀌어 있었다.

"다름이 아니라, 너희들 용당포 임유학을 아느냐?"

"예, 그 우리께 삼천 냥을 빚진 주상(舟商)이 아닙니까?"

"그렇지, 채무관계를 청산해놓아야겠다."

"관원을 몇 데려가면 되잖습니까?"

"아니다, 우선 임가놈을 없애버려야겠으니…… 너희들두 머리를 짜내야 되겠다."

막개가 제 가슴을 치며 웃었다.

"생원어른, 까짓 것 쇠몽치루 해골을 바숴놓지요. 밤에 기어들어가서요."

"어리석은 소리…… 함부로 죽일 순 없다."

신생원이 놋재떨이 위에 얹힌 장죽을 끌어당겨 입에 물었다. 막개가 재빨리 가죽 배자 주머니에서 부시를 꺼내어 척 켜서는 불티 붙은 깃을 담배에 붙여주었다. 신가는 주욱 빨아들이고 나서 담배 연기를 길게 내뿜었다.

"돈 삼천 냥 때문에 위험한 놀음을 하려는 게 아니여."

하긴 신가의 말이 맞았다. 그는 해주에서는 가장 화려한 색줏집을 셋이나 운영하고 있었으며, 순명문(順明門) 밖 삼거리에 있는 여각(旅閣)은 송도의 것에 비할 만큼 장사 규모가 큰 것이었다. 그리고 세 겹 담장과, 행랑채 바깥채 안채로 나누어진 집은 어느 높은 벼슬아치에 비겨도 꿀릴 데가 없었고, 여각에 딸린 주막에서는 밤마다 도박이 성행했는데, 전은자모가(錢銀者母家, 典當鋪)도 겸하고 있었다. 그러니 신복동에게는 삼천 냥쯤은 있으나마나한 돈이었다. 매를 맞아 기가 죽어 있던 행수 덕이가 조심스럽게 말하였다.

"샌님, 돈 삼천을 못 갚을 상대가 아닌뎁쇼. 돈은 별문제겠지요."

"시비의 핑곗거리는 되지."

신가가 말했고 막개도 거들었다.

"예, 나중에라두 밝혀질 때 차용증을 관에 보일 수가 있습니다."

임유학(幼學)은 용당포에서도 가장 성공한 주상의 한 사람이었다. 그는 배를 열세 척이나 가지고 있었고, 특히 송도의 부상들에게 신용이 돈독했다. 하여튼 해운 쪽으로는 해주에서 그를 당할 사람이 없었던 것이다. 이제 육로 행상을 막 개업하기 시작한 신복동에게 있어서는 해운마저도 탐나는 장사임이 틀림없었다. 그러나 해주에 임가가 있는 한 그는 송상에게 잇댈 끈이 없었으며, 행상 중에는 순명문 밖의 그의 여각을 지나쳐서 곧바로 용당포로 나아가 임가의 객주에서 묵는 상인들도 많았다. 비록 신가가 감영에 안면이 두텁다고는 하나, 임가도 만만치 않게 개점세를 내고 있었다. 신가는 송도의 시전(市廛) 상인들과 관계를 맺기를 원했는데, 그 이유는 임가가 사상(私商)들과 연줄이 있어서 그들에 맞서기 위함이었다. 언제나 관에 붙는 일이 이롭다는 것이었다. 눈에 가시 같고 명치에 걸린 찹쌀 알심 같은 임가를 어쨌거나 망쳐주고는 싶었건만 그쪽도 만만치가 않았다. 그의 수하에는 거친 물결을 타는 뱃놈 나름의 사나운 사내들이 여럿 있었던 것이다. 특히 우대용(禹大用)이란 자는 배를 부리기에 명수인데, 힘이 세고 성질은 표한하며, 원래는 강령에서 고기잡이하던 놈을 임가가 데려다놓았다는 것이다. 즉, 그를 데려오게 된 동기가 우대용의 작살 솜씨를 보고 비범함을 알았기 때문이란 소문이었다. 물가에 서서 작살을 쳐들고 몇각을 노리다가 번개처럼 찍어 올리는데 펄펄 뛰는 농어가 한꺼번에 두어 마리씩 꿰이더란 얘기였다. 수십길 물속을 제 집 안방같이 드나들며, 아침 구름만 척 올려다보아도 그날 뱃길을 안다는 자였다. 그런데 임가는 인색한 사람이었다. 부리는 사람들로부터 인심을 잔뜩 잃고 있다는 소문이었다. 신복동이 덕이 쪽을 지그시 바라보며 은근하게 말하였다.

"이번 일은 역시…… 자네가 적임이군. 성사가 되면, 내 만화루(萬花樓)의 운영을 자네께 일임하겠네."

"분부만 허십시오."

신가는 말을 꺼내기 전에 막개와 눈을 맞추어 씽긋 웃었다.

"우선 그 삼천 냥 얘기를 해야겠지."

"그 얘긴 제가 허지요."

하며 막개가 나섰다.

"임유학에게 팔푼이 같은 건달 애송이 하나가 있는 건 잘 알겠지. 말하자면 임가의 화근덩어리란 말이야. 그 녀석이 우리네 기방 출입을 하다가 취련이란 년에게 홀딱했거든. 이년을 시켜서 골패판으루 끌어내왔지. 초저녁에 시작을 해서 따게 했다간 잃게 하고, 돌려주고 뺏기를 여러차례 한 뒤에 간신히 본전만을 찾게 했단 말이야. 그러니 안달이 났지. 아니나달러…… 이튿날 오백짜리 어음을 가져와서 세 판에 몽땅 털렸어. 열이 났지. 취련이년을 통해서 채은(債銀) 천 냥을 빌려가도록 해주었지. 그날 저녁나절에 그 녀석이 삼천을 털렸네. 우리가 담보 없이 돈을 내주었겠어. 그 머저리가 하인을 갯가로 보내어 경강(京江)으로 올려보낼 화물의 사금파리 어음 쪼가리를 제 아비의 분부인 듯 빼내오게 하였단 말이지. 사금파리 어음이라면 자네두 알지. 오천 아래로는 없는 법일세."

덕이가 낄낄 웃어댔고, 신복동은 글귀를 생각하기라도 하는 표정으로 눈을 감고 상체를 앞뒤로 꺼떡거리며 앉아 있었다. 덕이가 물었다.

"임가는 그걸 아는가?"

"아는 정도가 아니야. 제 아들을 친히 매로 다스린 뒤 골방에 가두었다더군. 한양에 통기해서 어음을 바꾼 모양이야. 이쪽으론 얼씬두 않거든."

"삼천 냥은 날랐군!"

"천만에…… 멍텅구리가 제 손으로 각서까지 썼어. 그러니, 각서와 사금파리 어음을 엮어서 고발하면 송사는 이겨놓은 거지. 돈을 빌린 것과 노름은 아무 상관이 없으니까. 어음 보고서 돈 안 내줄 놈이 어딨으며, 그 돈 가져다가 계집 밑구멍에 틀어박든, 노름을 하든, 저자에 뿌리든, 녹여서 개편자를 박아주든 우린 알 배가 아니라구."

"그렇군……"

"이야기는 뻔하잖나. 시비가 붙어두 일단은 우리 쪽이 말발이 선단 말이거든. 우선 오늘이라두 당장 찾아가서 개판을 쳐놓고 여러 사람 있는 데서 시비의 원인을 밝혀놓는다 이거지. 그러고 나선 자네가 좋은 기회를 잡아 임가를 박살을 내버린단 말이야."

"허나 돈 삼천에 살인이면…… 나는 꼼짝없이…… 안 그렇습니까, 샌님?"

눈을 감고 장죽만 빨고 있던 신복동이 눈을 크게 뜨고 덕이를 노려보았다.

"이 옹졸한 놈! 설마 내가 네깐 놈을 오라지게 해놓고, 이득을 구하려 하겠느냐. 너는 저자의 도리도 모르는 놈이다. 다 방법이 있느니라. 감사가 신연(新延) 때 쓴 부채가 있어, 관전을 우리 자모가에 넣어두고 변리를 놓고 있는데, 그것의 원금이 꼭 삼천이다. 그래서 액수를 맞췄다. 우리께 있는 임가 아들놈의 각서를, 감영에서 입금된 내역이 적힌 초일기(草日記)와 명심록(銘心錄)의 원금에 맞추어놓으면, 그자들은 감영의 돈을 횡령한 것이 되지 않겠느냐? 그리고 임가를 꼭 죽이기까지 할 필요는 없다. 기동을 못 할 병신만 만들어놓아라. 좋은 데가 있지 않느냐?"

"샌님, 참으로 신인(神人)처럼 묘한 꾀입니다. 저는 그럼 마음을 푹 놓고서 그 영감태기의 허리뼈를 딱 분질러놓습지요."

"그래, 닷새 말미를 주겠다. 자, 계당주(桂糖酒)가 익었을 테니 맛이나 좀 볼까?"

신가는 하인 부르는 설렁줄을 잡아당겼다.

딸랑거리는 쇠방울 소리가 들리자 마당쇠가 뛰어왔다. 신가는 술상을 조촐히 차려 내오도록 이르고서, 문갑에서 사금파리 어음을 싼 주머니와 각서를 꺼내어 덕이에게 내밀었다.

"감영의 관전(官錢)이 원금이라는 걸 임가 쪽에서 알면, 돈을 당장 갚을 게다. 갚고 나면 일은 모두 글러버리는 게야. 네 사삿돈이라구 외치며 핍박하여 임가의 분통을 잔뜩 건드려놓으란 말이야. 될수록 구경꾼이 많으면 더욱 유리할 것이니까."

"염려 마십시오. 그래서 틈을 보아 임가의 골통을 깐 연후에 허리뼈를 부러뜨리지요."

"아니야, 그자를 물고를 내는 것은 아무도 안 보는 데서 해야지. 그러니 며칠 뜸을 들이는 게 좋을 게야. 오늘은 소란만 피우고 오게나. 취련이년두 함께 데려가라구. 너는 취련이 서방 행세를 한단 말이지."

곁에서 막개가 물었다.

"샌님, 그런데 임가가 창피하여 돈을 갚아버리면 어쩝니까?"

"원금이 관의 변릿돈인 줄 모르는 한, 임가는 돈을 절대로 갚지 않을 거야. 더구나 임가는 아들이 사기 노름에 걸려들었다구 생각하거든. 헌데…… 염려가 되는 것은 우대용이란 놈이 송도에서 올라왔는지 모르겠어. 저희 상전이 당하고 나면 펄펄 뛸 게란 말이야."

덕이가 제 가슴을 쥐어박으며 외쳤다.

"에이, 샌님 걱정 마십시오. 까짓 뱃놈이 거슬리신다면 아예 배때기를 푹 쑤셔서, 발끝에 돌을 매달아 용당포 깊은 물에 던져버릴 게유."

"아니야, 나는 살생을 좋아하지 않는단 말이야. 놈이 들썩이기만 하면, 감영에 손을 써서 얽어넣으면 간단하지. 좌우지간에 유리한 건 우리 쪽이야."

그때 술상이 들어왔다. 신생원은 마당쇠를 불러 말했다.

"만화루에 가서 취련이 좀 들오라구 일러라."

"아닙니다, 제가 이 길루 나가서 데리구 가지요."

덕이가 일어서는 자세로 엉거주춤하며 말하자, 신가는 고개를 흔들었다.

"술 한잔 하면서 좀 기다려. 내 취련이가 오면 함께 단단히 일러둘 말이 있으니까."

신생원이 두 사람에게 술을 따라주었고, 막개와 덕이는 황송해서 기가 죽은 시늉이 되어 술을 마셨다. 신복동은 명심록과 초일기를 문갑에서 내어 차질이나 틀린 데가 없는가를 살피기 시작했다. 초일기라 함은 매일 금전출납이나 여러가지의 거래를 기재하는 것으로, 금전이 들어오는 것은 상(上)으로 하고 나가는 것은 하(下)로 쓰는데, 단순히 거래만 행해져 실제로 금전의 수급(受給)이 없는 경우에는 내

역만을 입하품기(入何品幾) 등으로 쓰게 되어 있었다. 큰 여각이나 객주는 물론 상인은 누구나 초일기와 명심록이 필수 장부였다. 임가를 반죽음시켜놓은 뒤에 그 아들이 쓴 각서와 사금파리 어음, 그리고 관전의 이자를 놓은 내역이 적힌 이 장부를 감영에 제출하여 폭행을 합법화할 것이었다. 신가는 장부를 덮으며 빙글빙글 웃었다. 해주에서 임유학이 없는 용당포라면, 이제부터는 자기가 경강 해운을 독점하게 될 것이었다. 임가가 장사에서 손을 떼면, 신복동은 달포 안으로 송도와 한양의 해로 행상들의 신용을 얻어낼 자신이 서 있었다.

"자, 술 좀 들게나!"

신복동은 연신 빙글거리며 웃었다.

"샌님, 취련이가 왔습니다."

마당쇠가 장옷을 쓴 기녀를 데리고 들어왔다. 취련이는 허리를 구부리고 섬돌 아래 읍하고 서 있었다.

"음, 잠깐 올라오너라."

취련이가 방문턱에 무릎을 세우고 앉자 신생원이 여태까지의 계획을 낮은 목소리로 일러주었다. 얘기가 모두 끝난 뒤에 신가는 다짐했다.

"그러니 자네는 덕이의 아내 노릇을 해얀단 말이야. 또 덕이가 오늘 거기서 낭패하여 봉변을 당하게 됨직하면, 자네가 임가 아들놈과의 관계를 떠들어대며 악다구니를 쓰게. 만약에 임가가 망신을 견디지 못하여 돈을 내주게 되더라도 너희는 크게 떠들며 소란을 피우다가 땅에 던지고 오란 말이지. 그러면 오늘 할 일은 끝난다. 내일 새벽에 담을 타넘구 들어가서 임가를 덮치고는, 그 길루 관가에 자수를 허게. 뒤에는 우리 변리놀이 장부와 어음이 있으니, 감사를 은근히 난처하게 만들면…… 오히려 수월히 처리될 테지."

"여하간 덫에 딱 걸린 오소리새끼올시다. 우리는 슬슬 가죽이나 벗길 궁리를 허면 되겠군요."

"나귀를 내줄 테니 이 아이를 태우고 시방 나가도록 하게."

취련이와 덕이가 읍하고 나갔다. 신생원은 다시 글이라도 암송하는 듯 상체를 흔들거리며 눈을 감고 앉아 있었다. 막개가 틈을 보아 말을 걸었다.

"나리…… 저, 여쭐 게 있습니다."

"뭐냐?"

"예…… 저…… 외람된 말씀이오나, 제가 아이들의 머리가 되어 샌님을 모셔온 것이 벌써 십 년이 넘었습니다요. 덕이놈이야 싸움깨나 한다구 타관서 데려온 놈이 아닙니까. 이번에 송화 무더리 장터에서 애송이 시골 무뢰배에게 망신까지 당하였으니, 싸움 솜씨도 그리 신통치 못한 게 분명합니다. 헌데 그따위 놈에 이렇게 중요한 일을 시키시고, 더구나 성사가 틀림없는데…… 만화루의 운영을 맡기신다니, 저는 모르겠거니와 밑에 아이들의 불평이 높아질 것입니다."

신생원은 상체를 흔드는 채로 잠잠히 듣고 있다가 또 차가운 웃음을 빙글거렸다.

"하나는 알고 둘은 모르는군. 일석이조(一石二鳥)란 말일세. 덕이 녀석은 임가를 해치는 데 쓰고, 우대용이는 덕이를 처치하는 데 쓴다 그 말이지. 우대용이란 놈이 성질이 표한한 뱃놈이니 분을 참지 못하여 덕이놈을 그냥 두지는 않을 게 아닌가. 살인죄를 지게 되면 관에서 우가놈을 없애줄 것이고, 우리는 용댕이 앞바다를 손에 넣게 되는 게야."

"나리…… 아무래두 저희는 샌님 앞에선 관세음보살 손바닥의 잔나비올시다. 참으로 제갈량 윗길 가십니다."

막개가 머리를 휘휘 내저으며 감탄을 했으나, 신복동은 눈을 감은 채 말했다.

"자네 여각으루 나가봐. 짐 푸는 일을 감독해야지. 그리구 아이 하나를 덕이네 뒤로 딸려보내어 동정을 살피구 오도록 하게."

"예, 소인 물러가겠습니다."

막개가 나간 뒤에 신복동은 사랑채에서 나와 안채로 들어갔다. 갓과 도포를 내어 의관을 갖추고 나갈 채비를 했는데, 감영에 현신할 작정이었다. 덕이란 놈이 용당포에 가서 난동을 부리는 동안 관의 아전 비장 나부랭이들을 끌어내어 부용당에서 한판 흐드러지게 놀 작정이었다. 신가는 나귀에 안장을 얹어 순명문 안으로 들어갔다.

신복동이 생원을 모칭(冒稱)해온 것은 거의 십여 년이 되었으나 원래는 양주 관아의 통인으로 어릴 적부터 술수가 뛰어나 아전에까지 입신했다. 양주는 경부(京府)에 가까워 아전이 이를 얻기엔 빡빡한 고장이라 생기는 것이 없어 신복동은 조정에 연줄이 드센 원이 충청도로 나아갈 때 향리직(鄉吏職)으로 편승하였다. 그 고을의 아전 출신이 아니고는 맡지 못할 직이었으나 신가는 원의 심복으로서 백성들에게서 재물을 수탈하는 데 능란하여 최적의 하수인인 때문이었다. 도서원(都書員)이란 직임은 지방의 조세를 받아들이는 직책을 맡은 아전직의 우두머리를 말하는 것이었다.

공주 도서원은 생기는 것이 많다고 하니 그 자리를 제게 줍시오.

공주는 향리가 드센 고을이네. 도서원이란 이속들의 노른자위 같은 자리인데, 어찌해서 타처 출신 아전에게 넘겨줄 텐가. 그 일만은 관장의 위엄으로도 안 되는 일일세.

하며 사또가 난처해하는 것을 신가는 은근히 졸라대었다.

사또께 빼앗아줍시사고 여쭘이 아니올시다. 제가 두어 달쯤 미리 내려가 살며 저를 이안(吏案, 아전명부)에 올립지요. 이안에만 오르면 안될 까닭이 있겠습니까?

내가 내려간들 그리 쉽게 이안에 붙여질까 모르겠네.

사또께서 도임하신 뒤에 백성들의 송사(訟事)에 판결문을 불러주실 때 형리(刑吏)가 미처 받아쓰지 못하거든 죄를 주거나 도태시키시고, 또 이따위 무능한 자를 형리로 불러 썼다는 이유를 들어 이방(吏房)을 치죄하십시오. 매번 이처럼 하시면 자연히 도리가 생길 것입니다. 그리고 만약 보시는 공문서가 제 손에서 나온 것이면 잘했다고 칭찬해주십시오. 이러기를 며칠 하고 명을 내려 형리를 뽑되, 현직에 있는 자와 물러나 있는 자를 가림없이 문필이 감당할 만한 자는 모두 취재(取材)에 들게 하시면 저를 첫째로 뽑으실 수가 있습니다. 그 다음 제게 도서원 자리를 주신다면, 삼 년 안으로 나으리의 평생을 안락히 보내실 재물을 마련해드리리다.

이리되어 신가는 먼저 공주로 내려가 아전 출신임을 내세워 주막에 기거하면서, 군현의 아전 서리배가 사무를 보는 길청을 드나들며 그들과 술친구가 되었다.

신가가 원래 사람이 영민하고 붙임성이 있어 문자와 셈에 능통하니, 여러 이속들이 그를 대접하여 길청 고지기에게 기식하며 길청에서 잠을 자도록 해주고 제반 문자를 그와 상의하는 것이었다.

신가와 미리 짰던 신관(新官)이 도임하여 관청에 가득 밀린 민소(民訴)에 제사(題辭)를 부르는데 형리가 미처 받아쓰지 못하면 반드시 잡아내어 곤장을 엄히 쳐서 하루 사이에 벌을 받은 자가 부지기수였다. 상관께 보고하는 공문이나 전령(傳令)에 있어서도 반드시 트집을 잡아내어 엄하게 다스리고, 또 이방을 잡아들여 형리를 잘못 택했다는 이유로 날마다 치죄하였다. 그래서 길청은 날마다 시끄러웠으며, 아전들은 감히 관장에 가까이 나가는 자가 없었다.

문서가 들고 나가는데 만일 신가의 필적이 들어가면 반드시 무사하였다. 이 때문에 길청의 여러 이속들은 그들이 미리 계획한 것을 알지 못하고, 모든 일을 신가와 상의하게 되었으며 신가는 자연스럽게 사무를 관장하게 되었다. 원님이 모른 체하고 이방에게 분부하기를,

내 서울서 들으니 너희 고을이 원래 문향(文鄕)이라 하더니, 이제 본즉 가위 한심하구나. 형리에 적합한 자가 단 하나도 없다니, 길청에서 일하는 아전과 읍내 사람들에 문필이 쓸 만한 자들은 모두 시험을 보여 뽑아들이라.

이방이 명을 받고 나가서 여러 이속과 문필이 있는 사람을 시험 보이는데 신복동이 원의 눈에 드는 유일한 사람이었다. 이방이 아뢰었다.

신복동은 본읍의 아전이 아니라 다른 고을의 퇴임 아전인데 저희 길청에 우거하며 도와주고 있습니다.

이 사람의 문필이 기중 뛰어나고, 퇴임 아전이라니 이역(吏役)을 맡겨도 무방하겠다. 그를 이안에 올려라.

신복동이 도서원을 맡아 아전의 우두머리 노릇을 할 때, 책망이 내리거나 벌을 받는 사례가 없었다. 신가는 기생 한 명을 첩으로 들이고, 집을 사서 살림을 차렸다. 날마다 문서를 들이고 낼 때마다 바깥 소문과 실정을 기록하여 백성의 숨은 일이나 서리의 부정을 사또에게 은밀히 보고해서 그들 외의 다른 자의 부정은 용납하지 않았다. 하리배들의 약점을 손안에 쥔 이상, 그들은 두려울 것이 없었다. 둘의 소득이 부임 첫해에 거의 만오천 냥에 달했는데, 신복동은

오천을 제가 착복하고 만냥은 사또의 본가로 올려보냈다. 그 부정의 방법은 교묘해서 누구도 까탈을 잡을 수가 없게 하였는데 백성을 직접 수탈하지 않고 권력을 이용해서 이권을 얻거나 간접적으로 이서배들의 부정을 묵인하고 상납을 받아먹는 수를 썼던 것이다.

신복동이 천래의 간교한 술수를 발휘하여 부정을 하는데 겉으로는 국법에 어긋나는 바가 없었다.

은결(隱結)이라 하여 토지대장에 올리지 않은 논밭을 이용하였다. 잡초가 우거진 황폐한 밭과, 홍수에 무너지고 사태가 난 밭이며, 백성들이 흩어져 내버리고 간 밭을 관아에 기록된 원정의 총결수에 메워놓고서, 기름지고 수확량이 좋은 논밭을 대장에서 빼돌리는 것이었다. 따라서 수확량이 모자라니, 그 과중한 충당량을 백성들이 메워야 하였다. 세(稅)를 수납할 때가 되면 먼저 온 고을 안에서 가장 좋은 전지만을 뽑아서, 그것은 은결에 빼돌려놓고, 그러고 나서는 황무하고 온갖 나쁜 논밭만을 나라의 세금을 징수하는 대상으로 삼았다. 돈을 받고 부잣집의 풍작된 논밭을 거짓 재해지(災害地)로 보고하고, 그 세를 정말 재해를 입은 가난한 백성들의 논밭에 전가하기도 했다. 또는 재해를 답사할 때 자기 혼자서 재해를 더 많이 잡아두었다가 돈을 받고 농군에게 팔아먹기도 했다. 수확량의 잉여분을 모았다가, 백성들의 세를 감하여 대신 납부해주고 그 다음에 변리를 붙여서 곱으로 만드는 법도 있었다.

민적 옮겨놓기, 군적을 빼주기, 풍헌과 약정을 시켜서 군전과 세액을 횡령 착복케 하고 상납을 받기, 규장각책지가(奎章閣冊紙價), 새로 원이 올 때의 부임 여비인 신관쇄마비(新官刷馬費), 갈려갈 때의 귀향 여비로 구관쇄마비, 신관 부임 때의 관아수리비(官衙修理費), 민고전(民庫錢), 표선전(漂船錢) 등등의 수많은 명목의 잡부금을 빼돌리는데 물론 원호적의 수를 속이거나 가중부과하는 것이었다. 풍년에는 이리저리 생기는 것이 많아서 좋고, 흉년에는 또한 재해로써 세액을 감면해주게 되니 착복할 거리가 생겨서 좋았다.

사또의 임기가 끝날 때까지는 이미 신복동이 빼돌린 돈은 이만 전이 되었다. 사또가 떠나기 며칠 전 신가는 먼저 자취를 감추었는데, 신관이 오게 되면 추궁받아 모두 환상시키게 될지도 모르기 때문이었다. 그가 원과 짜고 한 일이니 더이상 그의 행방을 궁금하게 여기는 자도 나오지 않았다. 어쨌든 이렇게 해서 귀임하는 원은 만오천 냥을 벌었고, 신복동은 이만삼천 냥을 긁었다.

신복동이 한양 양반과 갈라지더니, 배천의 안면 있는 관리에 손을 써서 관전을 빼돌려 담배모를 심었다. 거름을 두껍게 깔고서 모판 덮는 가자를 매고 그 안에 담배씨를 파종했다. 그리고 한편으로는 미곡 판매를 벌이는데, 특히 관의 비축미를 빼돌려 팔고 나서 감영의 재고 조사가 있을 때엔 수량을 채워 빌려주었다가 다시 거둬들이는 수를 써서 폭리를 남겼다. 거듭 두 해 만에 신복동은 배천의 제일가는 갑부가 되었으며, 이어서 해주로 옮겨가 색주가를 벌여놓고, 여각을 꾸며서 부고(富賈)를 자처하게 되었던 것이다.

이어서 그는 자신의 족보를 도감을 통해서 사들였는데, 평산 신씨 가문의 세종 때 정승 신개(申槩)의 후손으로 하여 뒤로는 인조 때 장군 신경원(申景瑗)의 먼 친척으로 해놓았다. 그리고 홍패도 없이 자신이 소과 급제한 생원이라 일컬어 당당한 양반의 열에 끼여들게 되었다. 이제 그가 바라는 것은 물론 장사가 번창하여 대 부가옹이 되려는 것도 있었으나, 무엇보다도 그는 한양의 정승댁에 길을 뚫어 고을 현감자리나 하나 맡아보는 일이었다. 그는 자기가 만일 한 고을의 수령이 될 수만 있다면, 조정에 나아가 출세 영달하는 것은 여반장이리라 믿었다. 그는 언제 어디서나 사람을 상대하는 일에는 자신이 있었던 것이다.

행수 덕이는 제가 중임을 맡게 된데다 일이 잘되면 해주 색주가의 노른자위인 만화루의 운영을 맡아보게 된단 말에 가슴이 잔뜩 부풀어 있었다. 더구나 이것은 함정에 이미 빠진 노루새끼를 잡는 일처럼 성사가 뻔하지 않은가.

그는 코끝으로 타령을 흥얼대며 나귀의 고삐를 잡고 갔다. 취련이는 안장 위에 비스듬히 걸터앉아 흔들거리며 아무 말이 없었다.

덕이가 나귀의 볼을 툭툭 두드리며 말했다.

"이 녀석아, 네가 지금 누굴 태웠는고 하니…… 이 어르신네의 애첩에 만화루 기방어멈을 태웠다 그 말이다."

"흥……"

취련이는 장옷을 깊숙이 쓰고서 덕이 쪽은 흘낏도 하지 않고 코방귀를 뀌었다.

"얘, 어째서 코바람을 내느냐. 임가놈만 물고를 내버리면, 너희 만화루 바깥채엔 내가 들어앉는다. 그리되기만 한다면, 너는 이제 머릿기생이 아니라 어엿한 기모(妓母)루 올라서는 게야."

"참 나, 기맥혀 죽겠네. 나는 뭐 언제나 기방에서 사내들 까실림이나 받구 있나. 보아요, 나는 생원나리 작은방으루 들어앉을 텐데 혼자서 신명일세."

"에라, 이년…… 무엄한 소리 지껄이지 마라. 네 따위가 감히 샌님의 소실루 들앉아? 다 의논이 되었으니, 오늘밤엔 손님 받지 말구 이 행수님이나 기다려라."

"잡소리 그만하시구 길이나 보아요. 견마를 잡았으면 좀 고분고분해야지."

"고이헌 계집이로다."

그들이 이렇게 시시껍절히 주절대며 용당포로 내려가는데, 결성(結城)을 나서니 해주 앞바다가 훤칠하게 펼쳐져 있었다. 포구 쪽에는 각종 어선과 상선이며 나룻배가 가득 차 있고 오색깃발에 큰 돛을 올린 관선(官船)들이 바다 바깥쪽을 천천히 오르내리고 있었다. 동쪽으로 광석천(廣石川) 물이 실처럼 흘러내려가는 포구 안쪽에 즐비한 기와집의 지붕들이 내려다보였다. 임가의 객주는 이곳에 두어 채 있었고, 살림집은 좀 떨어져서 결성포 못 미쳐서 있었다. 객주는 포구에 가까워 자칫하면 임가 수하의 뱃놈들에 봉패당할 염려가 있었다. 덕이는 광석천 쪽으로 내려가지 않고 곧장 임가의 살림집이 있는 결성포 방향으로 향한 채 비탈길을 지나갔다. 길가에서 사공인 듯한 노인과 마주쳤으므로 덕이가 물었다.

"여보슈, 용댕이 사슈?"

"예, 왜 그러우."

"용댕이 임부자 알지요?"

"바루 우리 동네 살우."

"그 양반 시방 집에 기신가요?"

"내 그 댁 사랑에서 나오는 것두 아닌데 어찌 알겠수. 하오마는, 대개는 집에 기십디다. 더구나 집안에 우환이 있는갑디다."

"우환이라니?"

"그 댁 큰서방님이 내로라는 한량인가 봅디다. 해주 나가서 주색잡기와 투전을 했다구 임대인께서 성이 나셨지요."

"거 남의 집안일을 영감님은 어찌 그리 소상히 꿰시우."

"우리 딸내미가 그 댁에서 품을 팔거든요. 안 그래두 그 댁 큰서방님과 나리어른 사이가 나쁘다구 온 해주 바닥이 다 알지요. 헌데, 그 댁에 가슈?"

"그렇소."

"허, 낭팬걸. 공연히 헛소리했네."

"염려 마우. 우린 먼 길 가는데 게서 며칠 기식이나 해볼까 하는 참이우."

"가거들랑, 아예 아는 내색 하지 마오."

덕이와 취련이는 임유학의 솟을대문 앞에 이르렀다. 덕이는 높다란 처마를 쓱 올려다보고 나서 일부러 무지막지하게 대문을 발과 주먹으로 요란하게 두드렸다. 안에서 사람의 기척이 들리건만, 덕이는 고함을 내질렀다.

"이놈, 임가놈아…… 불쌍한 계집의 돈을 울궈냈으면 갚아줘야 할 게 아니냐. 임가놈 나오너라."

하자마자 대문 안께가 소란스러워지면서 여럿의 발걸음 소리가 들려왔다.

"웬놈이 남의 집 대문을 부수려고 소란이냐."

문이 열리면서 서넛의 하인이 울레줄레 문가로 나섰다.

"이 집 큰서방님짜리를 만나러 왔다. 비켜라."

하인들이 알겠다는 듯이 서로 눈을 맞추는데 덕이가 그들 사이를 가르며 안으로 들어가려는 몸짓을 했다.

"어어, 감히 여기가 어디라구 함부루 생떼야."

"보슈, 큰서방님은 지금 안 계셔."

덕이가 막무가내로 안으로 제 몸을 쑤셔넣으려고 버둥댔고, 하인들은 양쪽에서 그의 겨드랑이를 끼고 버티었다.

"괜히 매나 흠씬 맞구 나서, 나중에 의원 찾지 말구 좋은 말 할 때 가슈."

"이놈들, 이 집 주인을 만나야겠다. 아들 빚은 애비 빚이 아니라더냐?"

덕이가 일부러 힘을 쓰지 않고 발을 허우적대며 악을 쓰니 지나가던 동네 사람들이 하나둘씩 걸음을 멈추고 서서 구경했다.

"놔라, 이놈들아."

"이놈이 정말 죽을려구 환장을 했군."

"그놈 보아하니 허우대가 멀쩡한 놈이 마누라 아랫구멍을 팔아 제 윗구멍을 처막는 놈이로세. 이놈, 떠들 것 없다. 야, 쥐박질러라."

곁에서 관망하던 청지기가 하인들께 걸찍한 패설 섞어 분부했다. 덕이의 겨드랑이를 끼고 있던 자들이 그의 가슴팍을 치면서 둘이 일시에 떠박지르니, 덕이는 빈 자루처럼 풀썩 나둥그러졌다. 나둥그러졌을 뿐만 아니라 한참이나 일어나지 못하는 시늉으로 입만 딱 벌리고 나자빠져 있었다. 취련이가 손발을 맞추느라고 우선 비단 찢기는 소리로 비명을 내지른 다음에 달려와서 덕이를 부축하는데 이미 눈에서 눈물이 비 오듯 했다.

"애고…… 우리 서방님, 계집 몹쓸년 만나 이 괄시가 웬말이오."

"놓아라, 이년…… 그러게 내가 뭐라더냐. 이제는 봉양해드릴 부모님도 안 계시고 빚도 모두 갚았으니 기적(妓籍)을 떠나 애들 맡긴 사촌 댁으로 돌아가자고 그리했지. 잘되었다, 십 년 동안 먹도 않고 쓰도 않고 온갖 천작을 하여 마련한 전재산을 금수 같은 파락호에게 모두 뜯겼으니, 이젠 알거지로구나."

하며 부부가 땅바닥에 주저앉아 우는데, 그 소리와 짓이 제법 처량하고 구슬퍼서 아무리 남의 일이라지만 차마 못 볼 정경이었다. 더구나 임가네 맏아들이라면 뜨르르한 건달이요, 시방도 제 아비가 골방에 가두었다는 소문이 동네 안에 파다하고 보면 누구나 그들 기생

부부가 침탈당했거니 여길 수밖에 없었다. 한 사람, 두 사람, 혀를 차더니 이윽고 속삭이는 말로 임가네 욕을 지껄인다. 그맘때에 덕이가 활활 털고 일어났다.

"좋다, 내 아무리 천한 기부(妓夫)라지만 네놈들께 이런 모멸을 당하구 돌아서진 않겠다."

덕이가 하인들이 막아선 대문으로 다가서자 그들은 폭소를 터뜨렸다.

"허 그놈, 독사 아가리에 큇잔등 넣는구나."

"자는 범 코침 주지 말구, 네 계집 데리구 가서 일찌감치 방굴이나 굴러라."

취련이가 제법 곱상하게 생긴데다, 덕이의 나자빠진 양을 깔보던 하인들은 마음을 턱 놓고 팔짱을 끼고 섰다.

"끼놈들."

덕이가 한 녀석의 오른발 딴죽을 걸며 왼쪽 목을 치니, 그놈은 살판쇠의 곤두박질 재주나 벌이듯 공중제비를 했다가 처박힌다. 다른 놈이 멈칫하는 것을 멱살을 잡아 바싹 끌어당겨 마빡으로 박치기를 하자 코피를 콱 터뜨리며 주저앉는다. 이렇게 두 장한을 단매에 보내고 나니 남은 하인 두엇과 청지기가 안색이 변하여 뒷걸음질쳤다. 구경꾼들이 감탄하는 소리가 들렸다. 그럴밖에 없는 것이 덕이야 소싯적부터 여러 고을을 싸다니며 소악패 노릇을 해서 싸움하는 요령이 제법인 반면에 하인들이야 쌀섬이나 지라면 모를까 주먹질엔 능하지 못하고 더구나 상대를 너무 가벼이 알고 방심한 탓이었다. 닫히려는 대문을 밀치며 덕이가 행랑채를 돌아 쫓아갔고 취련이도 뒤를 따랐다.

"이놈들, 돈 빼어먹고 사람 치는 놈의 집구석에 불을 확 싸지르련다. 게 섰거라!"

덕이가 사랑채 앞 바깥마당에 선 채 고래 고함을 지르자, 역시 퇴창문이 후닥닥 열리면서 정자관을 쓴 임유학의 뻘겋게 상기된 얼굴이 나왔다.

"웬놈이 백주에 남의 집에 돌입해서 이리 떠드는고."

"어른은 누구시오, 임유학 어른이시오? 아니라면 잠자쿠 계시우."

덕이가 슬쩍 누그러든 어조로 우물거리자, 임가의 수염이 떨리면서 호통이 떨어졌다.

"이 고얀 놈! 양반에게 욕을 보이면 어떤 벌을 받게 될지 아느냐."

"양반이시면 가도를 세우시오."

"온 저런, 박살을 낼 놈이……"

"양반의 아들이면 모두 불쌍한 계집들 돈이나 우려먹는답디까."

"으음……"

하며 임가는 잠깐 사이를 두었다가, 체통을 찾아 노기는 띠었으되 나직하고 강력한 말씨로 고쳐 물었다.

"그래 네가 온 연유가 무엇이냐?"

"빚돈 삼천 냥을 받으러 왔소이다. 헌데 이 댁에서는 언제나 남의 돈을 빼앗고 사람이나 때려 쫓아보내는 모양입디다. 용댕이 임부자 댁이라구 해서 우리는 뭐 재물 모은 사연이 기이한 줄 알았더니, 세상에 이리도 인륜에 어긋나는 일이 어디 있습니까."

"이놈…… 돈이란 무슨 돈이냐?"

"만화루에서 이 사람께 빌려간 삼천 냥 말입니다."

"좌우지간에 빚은 모르겠다마는, 있다 한들 네가 간여하는 까닭이 무어냐?"

"예, 소인은 저 계집의 기부 되는 사람이올시다."

"천하에 몹쓸 놈이로군. 너희들은 신복동이 수하에 있는 것들이 분명하렷다. 이 못된 연놈들, 그래 물정 모르는 양가의 소년들을 꾀어내서 사기 투전을 시키고 노름빚돈까지 지우느냐. 세상에 어느 못난 놈이 투전쟁이가 내어준 빚돈을 잃고 갚겠는가. 삼천이 아니라 세 푼도 못 주겠다. 너희 주인에게 가서 일러라. 직접 받으러 오면, 내 인근 촌로들 앞에서 소상히 밝히고 내주마 하더라고."

덕이가 놓칠세라 고함을 지른다.

"우리께 사금파리 어음도 있고 댁네 자식이 몸소 수결(手決)한 각서도 있소이다. 그래두 잡아떼시려오."

"허튼소리 마라. 아무리 계집의 손으로 빚돈을 내주었단들, 너희 업주가 누구인가? 신복동이가 전주(錢主)이니 직접 오라구 해라. 너희들은 내가 모르겠으며 한 푼도 내어줄 수가 없어. 냉큼 나가지 못하겠느냐."

임가는 마당에 모여든 하인들께 말했다.

"빨리 저것들을 내쫓아라. 뭣들 하느냐. 고분고분 말을 듣지 않으면 무리매를 놓아두 괜찮다. 양반에게 행악한 죄는 중형이니까."

하고 나서 퇴창문이 거세게 닫히며 임유학은 모습을 감추었다. 덕이가 소리를 질렀다.

"권세 없고 비천한 놈은 돈을 떼여도 주인이 찾아주지 않으면 못 받는단 말이오? 계집이 웃음을 팔아 한 푼 두 푼 모은 것을 파락호 아들놈은 잘라먹고 제 아비는 비호하는구나."

여럿이 사방에서 달려들어 덕이를 잡아끌고 행랑채 앞을 지나 중문을 나서고, 대문께에 이르러 냅다 밖으로 던져버렸고 취련이 역시 질질 끌려서 문밖에 쫓겨나왔다. 대문이 육중하게 닫히고 빗장 지르는 소리가 들렸다. 이 모양을 지켜보던 구경꾼들이 모두 덕이네 거짓 부부에 동정을 하고, 임가의 인색함을 은근히 비방하였다. 덕이가 다음 일을 위하여 가장 억울한 체 울상으로 호소하기 시작했다.

“아이구, 장사해처먹는 공명첩 양반이 백성의 등을 치는구려. 아이구…… 내가 죽일 놈이지, 국으루 화전이나 갈며 주림을 참을 것을 거듭 흉년 호환에 아이들은 차례로 잃고 남은 목숨이며 부모님이나 풀칠하겠다구 대처루 나왔더니, 배운 재주라곤 땅 파먹는 일이라, 걸식을 하다 못해 병이 들어, 마누라를 기적에 넘기구 말았수. 진작에 죽을 것을 그래두 하늘이 낸 목숨이라, 자진하지두 못하구 아내의 웃음 판 돈냥이나 모아 낙향하려던 참인데, 저 도적들이 빼앗고 주질 않으니 세상에 우리에겐 국법도 없단 말이우.”

하며 덕이는 땅을 치며 통곡하는 시늉을 벌이는데, 취련이가 온몸에 꼿꼿이 힘을 주고 덕이의 무릎에 쓰러져 실신하는 모습을 보인다.

“허어, 목불인견(目不忍見)이로고!”

“사정을 듣구 보니 참 불쌍하구먼.”

“관가루 가서 호소해보시우. 여기서 이런다구 저 수전노가 눈썹하나 까딱 않을 게요.”

“보시우, 거 아낙들 중에 누가 좀 나와서 손발 좀 주물러요.”

구경꾼들이 제각기 떠들었고, 늙수그레한 부인 하나가 눈자위가 불그레해져서 달려나와 취련이의 손발을 주물러주는데 연신 한숨에 혀를 두드려댄다.

“하이구, 세상에 이럴 수가…… 응? 참 하이구.”

그때 대문이 다시 열리더니 하인들이 한 떼거리 몰려나와 구경꾼들의 등을 떠밀었다.

“가요, 가. 무슨 구경 났어, 이거?”

“나중에 얼굴 봐뒀다가 여쭈면 괜히 경칠 게요. 가서 볼일들이나 보슈."

하인 하나가 나귀를 끌고 와 고삐를 덕이의 코앞에 내밀며 윽박질렀다.

"되잡아들이기 전에 냉큼 이 동네서 나가. 우리네는 그래두 성깔이 느리지만, 포구에서 뱃사람들 들이닥치면 뼈마디 부러질 게야."

"놔둬, 대용 성님께 걸려서 물귀신 되라구. 이 자식아, 그분한테 잡히면 너는 성한 몸으룬 못 나가. 성미가 개백정이여."

하인들의 말이 으름장만은 아닌 성싶었다.

"패가망신한 놈이 죽은들 두렵겠느냐. 내 어찌하더라도 이 원한을 씻으리라."

이빨을 드러내 보이며 덕이가 끄응 일어났고, 자세한 내막을 모르는 하인들도 더 심하게 행역은 못 하고 무덤덤히 서 있었다. 덕이는 취련이를 부축하듯이 끼어안고 고삐를 쥔 채 절뚝이며 마을에서 나갔다. 비탈을 넘어서자 취련이는 손뼉을 치며 깔깔 웃었다.

"아이, 이제 보니 행수의 짓이 꼭 창우 뺨치게 잘하는구려."

"호들갑 떨지 마라. 관가에 끌려가서 해내던 남지기다. 그나저나 이제는 일이 벌어져도 소문은 우리께 유리하것다. 감사두 약점이 있으니 우리 편을 들 게고…… 임유학을 아주 물고를 낸다 해두 중죄는 받지 않겠구먼, 그저 유배 천 리는 될까……"

"용댕이루 우리 샌님이 나오시게 되면, 저 집은 날 달라구 그래야지."

"예끼, 이년…… 나리의 작은댁들이 자그마치 셋이요, 네년은 기중 못생기고 배운 것두 없는 년인데, 용댕이 나와서 작은댁 노릇을 해여? 아예 만화루 기모자리루 편하게 작정하여, 오늘밤엔 나를 모실 준비나 해둬라."

취련이는 금방 토라졌고, 덕이는 식은 죽 먹듯 해치운 일이 대견해서 돌아가는 걸음이 자연 빨라졌다.

그날 밤에 신가의 사랑에 덕이와 막개가 둘러앉았다. 일의 앞뒤를 듣고 난 신복동은 매우 흡족해하였다.

"내 그럴 줄 알았다. 아주 잘되었어. 허나, 내일 임가놈을 덮치는 일이 가장 중요하니 잘해내야 헌다."

"여부가 있겠습니까요. 소인의 경험으루 본다면, 일이 이쯤 되었으니 아예 임유학을 죽여버려두 될 듯합니다."

"흐음…… 죽인다?"

"그렇지요, 쇠몽치루 골통을 한 번만."

하며 덕이가 내려치는 시늉을 하고 나서,

"임가가 병신이 되어 살아 있게 되면 실상 실권은 그 큰마누라가 쥐게 되니, 제멋대로는 못 할 것입니다. 허나, 아주 죽어버리면 유산은 자연히 서자인 그 바보놈에게로 넘겨질 테니까, 우리가 먹어치우기엔 매우 쉬워지겠지요."

"나는 살생을 좋아하지 않는단 말이야. 사람을 상하게 하는 것까지는 감사가 적당히 보아주겠으나, 살인이 나면 서울로 장계를 올리게 될 텐데 피차의 입장을 생각해둬야지. 임가가 없는 용댕이란 대들보 빠진 집채와 같네. 자식놈이든 마누라든 별 상관이 없네. 그러니 임가를 아주 죽여야 일만 커질 따름이여. 죽지 않을 정도루 아예 병신을 만들어놓으라구. 평생 드러누워 미음이나 받아먹도록 끔…… 그 허리를 말이지…… 분질러놓으면 충분해."

신복동이 조심스럽게 얘기를 마치자, 덕이도 산전수전을 겪은 무뢰배 출신이라 만만치 않았다.

"알겠습니다. 분부대루 시행합죠. 그런데…… 소청 하나만 들어주시겠습니까?"

"뭐냐……"

"만약에 뒷일이 시끄러워져서 수습하기가 난처해진다면, 소인은 달아나야 되겠습죠?"

"그래서……"

"달아날 때 이왕 빚돈으루 말이 나왔으니 돈 삼천 냥과 취련이를 내주십시오. 조용해지면 다시 찾아와 샌님 밑에서 돕겠습니다만……"

곁에 앉았던 막개가 기분이 상하여 덕이의 어깨를 두드렸다.

"사람두 걱정이 많에. 시끄럽긴 무에 시끄러워. 취련이가 빌려준 걸루 된 돈의 원금이, 실상은 감사의 것이라구 장부에 적혀 있단 말이야. 감사가 우리께 맡겨서 변리놀이를 하던 돈이라고 슬쩍 귀띔만 해주면, 감사는 꼼짝없이 우리 편을 들어 일을 무마하려구 애쓸 게야."

"말썽이 없다면 또다른 소청이 있습니다, 샌님."

덕이는 막개의 말은 들은 체도 하지 않고 질기게 물고늘어졌고, 막개는 그의 말을 막으려고 불끈해서 덕이를 만류했다.

"아니 이 사람이…… 떼를 쓰는 게야 뭐야?"

"가만……"

신복동이 빙글빙글 웃으면서 두 사람의 실랑이를 막았다.

"그래 자네의 소청이란 뭔가?"

"예, 저 앞전에 말씀하신 만화루의 영업권에 대해서인뎁쇼, 제가 취련이와 열심히 해볼 테니 진정 맡겨주시겠습니까?"

신복동이 고개를 끄덕이며 껄껄 웃었다.

"뭐, 소청이랄 것두 없구먼, 당연하잖은가. 자네 말구 또 누가 적

임자가 있겠어. 다 알아서 할 테니, 내일 밤 일이나 실수 없도록 하게."

임가를 습격하는 시각은 새벽 파루(罷漏)가 해주 성내에 퍼질 무렵으로 정했다.

이튿날 신복동은 역시 감영 벼슬아치들과 어울려 수양산으로 단풍놀이를 나갔는데, 그는 일부러 밤새도록 그들과 골패를 벌이며 보낼 작정이었다. 덕이는 순명문 밖 주막에서 혼자 술을 마시며 밤이 이슥해지기를 기다려서 용당포 쪽으로 넘어갔다. 그러나 덕이는 막개가 벌써 포구의 주막에 당도하여 은밀히 파루 때를 기다리는 것은 모르고 있었다. 막개는 은밀히 신복동의 지시를 받고 포구에서 누군가 나타나기를 기다리고 있었던 것이다. 막개는 빈 대청에 앉아서 혼자 술잔을 기울이다가, 주모를 손짓해서 불렀다. 설거지를 하고 있던 주모가 단호하게 말했다.

"술은 더 없수. 밤이 깊었으니 문을 닫아야지."

"술 달라는 게 아니라, 뭣 좀 물어볼려구 그러오."

주모가 앞치마에 손을 씻으며 막개에게 가까이 왔다.

"우대용이를 아슈?"

"알다마다, 우대용일 모르면 용댕이 사람이 아니지……"

"쉬이, 그렇게 큰 소리루 떠들지 말구."

막개는 입가에 손가락을 세워들었다가 다시 속삭였다.

"할멈, 돈벌이해볼라우?"

"돈벌이……?"

"내 시키는 대루만 하면 닷 냥 드리리다. 자, 이건 술값 두 돈이구……"

막개가 작은 쾌미에서 술값을 빼내어 던지자, 주모가 아직은 미심

쩍은 얼굴로 연신 막개의 허리춤을 넘겨다보면서,

"우서방을 찾으려구 허슈?"

"아니, 그 사람께 말 한마디만 전해주면 되우."

"그깟 일에 닷 냥을? 아이, 모를 일일세."

"우가는 지금 어딨수?"

"뭐 그 사람야, 배 띄우지 않을 젠 언제나 저어기 갯가에서 뱃사람들이랑 술을 마시거나 투전을 하지. 어계방에 젊은이들이 많이 모이는갑디다."

"그러면, 내 오늘밤 할멈네서 좀 잡시다. 내 이따 새벽녘에 할멈에게 말을 전해달라 부탁할 것이니…… 자아, 닷 냥에 더 얹어서 남은 일곱 냥 모두 가지시우."

막개가 남은 꿰미를 인심 쓰듯 건네주니, 주모는 호들갑을 떨었다.

"어이구, 참으루 대인이셔. 이 많은 돈을 선뜻 내주시네. 염려 마슈, 내 과부를 호려내라두 해낼 테유."

"술이나 좀더 주우."

"예, 알이 통통 밴 자반아치를 맛나게 구워 올릴 테니, 술은 탁주루 하실라우 화주루 드실라우?"

"화주 반 되 주시오."

주모가 자반을 굽다가 갑자기 생각이 났는지 막개에게 물었다.

"우서방을 잘 아슈?"

"듣긴 여러 번이나 만난 적은 없소. 힘깨나 쓴다면서요?"

"그 임대인이 부리는 뱃사람 중에 가장 힘끌이 세답디다. 연평 사람이지요."

"까짓 놈, 뱃놈이 뭍에 올라오면 별거 있겠나."

"수군 다니다가 임대인이 군적을 빼주었답디다. 술 잘 먹고, 성질이 개차반인데, 약한 사람들께는 아주 부드럽지요. 댁두 용댕이 와선 그 우서방과 인사를 해둬야 편리하겠구먼. 헌데 전하라는 얘긴 도대체 뭐유?"

"가만있수. 어련히 내가 알릴 때가 되면 말하지 않을까봐?"

"문을 닫아야겠네."

"문을 닫으슈. 가만있자, 우대용이가 틀림없이 포구에 있을까."

"걱정 마시래두. 내일 배가 한양으루 올라간다구 버얼써 낮에 선적이 끝났어요. 아마 투전이나 벌이구 있겠지."

한편, 인시(寅時)쯤에 덕이는 광석내를 따라 결성골로 내려갔다. 임유학의 커다란 기와집 지붕이 내려다뵈는 언덕빼기에서 그는 성내와 부근의 각 절에서 들려올 종소리를 기다리고 있었다. 마을은 불빛 한 점 없이 캄캄했다. 닭이 여러차례 울고 나서 먼 데서 종소리가 들리더니, 잇달아 산사(山寺)의 동종 때리는 소리가 간격을 두고 울려퍼졌다. 덕이는 검은 보자기로 얼굴을 감싸고 두 눈만 내놓았다. 그러고는 고양이걸음으로 임유학의 담을 향해 내려갔다. 담이 한 키 반이나 되도록 높아서 맨손으로는 도저히 뛰어넘을 수가 없어 보였다. 그는 긴 담벽을 따라 한 바퀴 돌아보았다. 아무래도 안채와 바깥 사랑채 행랑채 사이에는 다시 중문과 담장이 있겠으니, 사랑채에 가까운 곳으로 넘어 들어가야 할 것 같았다. 덕이는 사랑채의 처마끝이 삐죽이 올라간 옆에 섰는 소나무 가지를 눈여겨보았다.

그는 품안에서 닷 발짜리 삼승줄을 꺼내어 돌멩이를 매달고 휘휘 돌려 나뭇가지에 걸었다. 매듭을 탄탄히 지어서 여러 번 당겨본 뒤에 서너 번 끌어당겨서 담 위에 올라섰다. 담장의 기와가 밤이슬에 젖어 미끄러지지 않도록 조심하면서 그는 줄을 담 아래로 넘겨두고는 사뿐히 미끄러져 마당에 내려섰다. 행랑채에 불빛이 보였는데, 코 고는 소리가 높직하니 수직하는 하인들도 이제는 잠든 모양이었다. 그는 허리춤에 찔러넣고 온 짤막한 쇠몽치를 꺼내들고 사랑채의 대청마루로 올라섰다. 그는 미닫이를 조용히 열었다. 어둠에 익은 눈으로 아랫목에 누운 임유학의 흰 수염과 그 머리가 들어왔다. 단매에 쳐죽이는 일이 아니라서 설맞고 소리를 지를 것이 걱정이었다. 우선 머리를 치면 혼절할 테고 이어서 척추 허리께를 내려갈길 작정을 했다. 그는 쇠몽치를 번쩍 쳐들었다. 잠든 사람이 스스로 인기척을 느꼈음인지 끙 하면서 돌아누웠다. 덕이는 주저하지 않고 쇠몽치를 가볍게 내리쳤다. 잠결에 뒤통수를 얻어맞은 자는 헉 하는 소리만 내고는 꼼짝하지 못했다. 이어서 덕이는 이불자락을 젖히고 임유학의 허리께에 곧추세운 쇠몽치로 지끈지끈 내려박았다. 통나무도 부러졌을 텐데 육순이 넘은 노인의 허리뼈쯤이야 부러지다 못해 박살이 났을 것이다. 찍짹 소리 없이 일이 끝났다. 덕이는 이불을 임유학의 머리끝까지 덮어놓고 잠시 바깥 동정을 살폈다.

파루가 되자마자 기다리고 있던 막개는 잠든 주막집 노파를 깨웠다.

"보슈, 할멈 일어나요, 일어나. 시방 우대용이께 말 좀 전해주어야겠어."

"하필 신새벽에 심부름시킬 건 또 뭐유."

"우대용이께루 쫓아가서 임대인을 때려죽이려던 놈이 방금 달아났다구 전하슈."

"아, 아니…… 누, 누가 맞아죽어요?"

"임대인 댁에서 도망친 놈이 지금 용댕이고개 넘을 테니 광석내 앞에서 목을 지키면 된다구 전해주면 됩네다."

"광석내요?"

"그렇지, 방금 결성골에서 나왔을 테니까. 내 여기서 기다릴 테니 냉큼 다녀오슈. 또 닷 냥을 더 드리지."

사색이 되어 있던 주모가 닷냥이란 말에 발걸음이 떨어져서 꽁지에 불 달린 들쥐처럼 뛰어나갔다. 갯가에는 배에 매어단 불이 휘황하게 밝혀져 있었고, 해창(海倉)과 어계방 쪽에도 관솔 횃불이 대낮같이 타오르고 있었다. 주모가 방문을 벌컥 열었을 때, 제각기 손에 쥔 패에 열중한 장정들은 아무도 눈을 돌리지 않았다. 주모가 우선 소리를 질렀다.

"여보아요! 큰탈 났수, 큰탈이 났어."

장정들이 일제히 어리둥절해져서 문밖에 섰는 주모를 쳐다보았다. 입빠른 자 하나가 실없는 소리를 던졌다.

"어, 죽은 영감 귀신이 찾아와서 합환하자구 졸라댑디까?"

"미친 녀석 같으니. 농하자구 달려온 줄 알어? 우서방 어디 갔수?"

좌중에서 한 사람이 일어났다. 검은 배자 받쳐입고 머리는 검은 수건으로 질끈 동였는데 뺨에 기다랗게 상처가 났으며 콧수염이 뻣뻣하게 곤두서서 입술을 덮고 있었다. 걷어올린 다리에는 털북숭이가 무성했는데 바닷바람에 그을려 몸 전체가 벼룻돌처럼 단단하고 시꺼먼 몰골이었다.

"왜 그러우?"

내뱉는 목소리가 섬술깨나 좋이 마실 듯싶게 거칠고 탁했다.

"댁네 대인어른을 언놈이 죽이려다 방금 달아났대요. 광석내 쪽으루 갔다구요, 빨리 쫓아가보라잖아요."

우대용이 우물쭈물하지 않고 후닥닥 뛰쳐나오며 제 등뒤에다 소리쳤다.

"빨리들 가보자."

장정들이 우르르 몰려나왔다. 우대용은 끝이 두 가닥으로 갈라진 고기잡이 작살을 찾아들고 있었다.

"주모, 정말이지?"

"아따, 거짓소리 했다간 외상값 다 떼이게?"

"외상 정도가 아니라, 우릴 놀렸다간 초가삼간에 불을 확 싸질러 버릴 테여."

그들은 갯가에서 광석내를 향해 달려올라갔다. 우대용은 결성골서 나오는 자가 어느 길을 택할지는 제 손바닥 보듯이 잘 알고 있었다.

우대용이네 뱃놈들은 광석내의 물이 겨우 발목에 차오르는 얕은 목을 건너가서, 용당포와 해주성 밖의 경계가 될 언덕을 막고 지켜 있었다. 낯선 고장의 갯가에서 타관 뱃놈들과 무수한 싸움을 치러온 그들인지라, 누가 말하지 않아도 숨소리마저 죽인 채 엎드려 있었다.

결성골에 들어온 자는 누구든지 이제는 보쌈 항아리 안에 들어온 피라미새끼였다. 들어올 적엔 쉬이 들어왔으나, 아무도 용댕잇개 앞을 빠져나가지 못할 것이었다. 그들은 목소리를 낮춰 수군거렸다.

"임대인 나릴 노리는 게 언놈들이겠어. 신가놈들이 온 모양이야."

"억지 채무로 망신을 주었다던데, 그놈 아닐까."

"복동이패는 원래 용댕잇개로는 넘어오지 않기루 되어 있어. 잡아봐서 틀림없으면, 이번엔 우리가 주내방(州內坊) 신씨 여각으루 쳐들어가야지."

"웬일일까, 지난 이태 동안 서루 아무 말썽이 없었는데."

"이봐, 감사가 갈렸잖나. 우리 임대인께 줄이 닿던 양반은 경부(京府)루 올라가셨단 말이야."

그때 광석내 건너편에 희끗한 사람의 자취가 나타났다.

"쉿, 저기 누가 온다."

나타난 자는 허리를 굽혀 바짓가랑이를 걷어올리더니 내를 건너오는 것이었다. 그가 내를 건너 고갯길로 들어서는 참에, 장정들이 후닥닥 양쪽에서 뛰쳐나갔다. 우대용이 질그릇 깨어지는 듯한 목소리로 위협했다.

"이눔, 게 꿈쩍 말고 섰거라!"

"허?"

덕이가 놀라서 발을 멈추고 두리번대는데 벌써 상대편의 몽둥이가 날아들었다. 덕이도 피해 뒷걸음치면서 쇠몽치를 꺼내들었다.

"느이들 왜 이러느냐?"

"네 이눔…… 임대인 집에서 도망 나오는 길이지?"

"그래, 빚돈 받으러 갔었다."

"잡아랏!"

서너 명이 한꺼번에 달려드는데, 덕이의 쇠몽치 쓰는 솜씨도 제법인지라, 머리와 어깨를 제각기 얻어맞고 에쿠지쿠하면서 되떨어진다. 덕이가 이리 뛰고 저리 피하면서 쇠몽치를 휘둘러대건만 워낙 상대의 수가 대여섯 되고 보니 달아날 길이 막연했다. 더구나 우대용은 작살을 내던지고서 두 손바닥에 침을 퉤 내뱉고는 씨름장사처럼 두 손을 벌리고 달려드니 그 우악스런 기세에 덕이는 우선 기가 죽어버렸다. 덕이가 쇠몽치를 휘두르며 내달으면 우대용은 몸을 유연하게 흔들어 피하면서 오히려 몽치 자루를 잡으려고 손을 내밀었다. 틈을 노리던 우대용이 앞발을 들어 널름대더니 덕이의 정강이

뼈를 콱 내질렀다. 덕이가 휘청하면서 무릎을 꿇는 사이에 우대용의 억센 손아귀가 덕이의 몽치 든 손목을 죄어잡아 이끌면서 배때기의 허릿바를 틀어 힘을 썼다. 덕이가 버둥대면서 공중에 쳐들렸는가 싶자,

"에라잇, 니미랄 거."

우대용이 투덜대면서 땅바닥에 메태기를 쳐버렸다.

"어이구……"

얼굴을 왕모래에 갈고 처박혀서 버르적대는 덕이의 뒷덜미를 잡아 끌어올린 우대용이 우선 박치기로 상대의 면상을 으깨놓고 주먹으로 연신 가슴팍을 쳐올렸다. 상대가 늘어지자 그래도 성이 차지 않는지, 작살을 들어 등을 겨냥하고 번쩍 쳐들었다.

"여…… 참아."

한 사람이 우대용의 팔을 붙들고 또다른 사람이 그의 허리를 껴안아 뒤로 끌어냈다.

"사람 죽이겠다."

말린 사람이 핀잔을 주니, 우대용은 씨근거리면서 침을 퉤퉤 내뱉었다.

"까짓 놈 죽으면 대수야. 발목에 돌이나 두어 개 달아 바닷물에 내버리지."

"그래두 죽으면…… 살인이다."

"아따, 아무리 고리게 굴었어두 임유학은 우리 주인이여. 시방 이 놈이 죽였는지두 모를 텐데…… 살인자를 쳐죽인들 어떨라구."

"사유를 알아야 쟁송에 유리하지."

그들이 이렇게 다툴 적에 덕이를 끌어올리던 장정이 소리쳤다.

"여보게들, 이리 와보게."

"뭐야, 왜 그래."

"이놈이 죽은 모양이야. 축 늘어졌어."

모두 달려들어 덕이를 더듬는데, 우대용은 다시 성을 내며 발길로 호되게 걷어찼다.

"이놈, 엄살떨면 속을 줄 아느냐."

그러나 늘어진 놈은 꼼짝도 않는다. 그뿐 아니라 구린내가 고약하게 풍겼다. 방분(放糞)해버린 모양이었다.

"어이, 구려. 이거 무슨 냄새야."

"허, 변을 놓쳤으니…… 틀림없이 절명했네. 여게 불을 켜봐."

그제야 우대용은 만져보기 시작했고, 한 사람이 부시를 꺼내어 마른 잎을 모아 불을 붙였다. 불빛에 드러난 덕이의 몰골은 끔찍했다. 눈을 홉뜨고 있었고 코는 으깨져 콧날개가 찢어져 너덜댔는데, 입도 터져서 흘러내린 피가 목덜미를 타고 저고리를 흠뻑 적시고 있었다.

"쳇, 그놈 어이없이 뒈졌네."

우대용이 꺼림칙해졌는지 얼굴을 돌리며 투덜거렸다.

"단매 석 대에 뒈어질 놈이 설치기는 왜 오줌 맞은 개구리새끼처럼 폴짝거려……"

"자, 이 일을 어찌한다."

"뭘 어찌해. 지금 서둘러서 바다에 내다버려야지."

우대용이 주장했으나, 처음부터 말리던 자가 짜증을 냈다.

"그러게 내가 뭐랬나. 사람 죽인다구 그랬잖아. 자넨 그 성미 때문에 언제나 일을 그르쳐놓는단 말이야. 자네 벌써 이게 몇번째야, 네번째지. 여긴 타관이 아니란 말이야. 이제 어쩔 테야. 이놈이 신가놈의 수하라면 가만있지 않을 게야. 우선 대인 댁으루 가봐서, 대인이 죽지 않았다면 자넨 이 고장서 달아나야 해. 만약에 나리가 죽었다면, 자넨 자수해서 곤장이나 맞구 두어 달 옥살이하다 나오는 게 나을 테고. 하여튼 나리 댁으루 가보자."

"이놈은 어떡할까?"

"끌구 가야지."

"젠장맞을…… 누가 그리 쉽게 뒈질 줄 알았나."

우대용은 침을 퉤 뱉고 나서 덕이의 시체를 등에 짊어졌다.

"재수 옴 붙은 날이네. 어유, 망할 자식 같으니. 웬 똥냄새가 이리 구리냐."

그들이 한데 몰려서 광석내를 건너고 결성골로 들어가는데, 한 떼거리의 사람들이 횃불을 켜들고 마주 달려오다가 주춤 서버렸다.

"누구야……"

"대인 댁 하인배들이로군."

"웬일들이냐?"

하인들은 그제야 마음을 놓았는지 마주 다가왔다.

"큰일났소, 웬놈이 집에 들어와서 주인나리를 패구 달아났소."

"그래, 돌아가셨나?"

"시방 식구들이 의원을 부르러 보냈는데, 어찌된지는 자세히 모르겠소."

그들 틈에서 청지기 사내가 나섰다.

"돌아가시진 않구 숨은 붙어 계시네. 그래 그놈을 잡았나?"

주상(舟商)단의 총대 선인 되는 자가 근심스럽게 말하면서 우대용을 돌아보았다.

"잡긴 잡았는데…… 자네 곤란하게 되었구먼. 신가네 패가 잠자쿠 있진 않을 걸세."

청지기가 우대용이께로 횃불을 비추다가 기겁을 하며 물러났다.

"에키! 이게 뭐야. 송장 아녀?"

"쳇, 주먹으루 두어 대 패니깐 뻐드러지잖어. 정말 송장 치구 살인 났다니까."

청지기가 총대 선인에게 물었다.

"그래, 어쩔 셈인가들?"

"인제부터 의논을 해봐야지. 어이, 누가 이 사람들 따라가서 주인 나리가 어떠신가 알아보구 와. 우리는 대용이 처신 문제를 생각해볼 테니까."

하인들은 되돌아갔고 그들은 용댕잇개의 어계방을 향해 돌아섰다.

"거기 가면 더욱 남의 눈에 띄기가 쉽지 않나."

"그럼, 이런 판국에 송장을 떠메고 우환이 난 집으루 들이닥친단 말이야? 더구나 그 집서 송장이 나와봐. 신복동이놈만 기승이 나는 게지."

"어이, 무거워."

우대용이 덕이의 송장을 다른 쪽으로 바꿔 메면서 투덜대자, 총대 선인이 말했다.

"이 사람아, 기운깨나 쓴다면서 사람 한 몸이 무겁단 말이야?"

"내 손에 죽은 놈이니 기분이 나빠 그렇지."

그들은 갯가를 따라 걸어갔다. 뱃사람 일행이 포구로 나가는데, 주막 앞에서 서성대던 노파와 마주쳤다. 주모가 겁도 없이 냉큼 나섰다.

"어찌들 됐수, 그놈을 잡은 게유?"

"떠들지 말어. 나중에 관에서 조사 나와두 모른 체하란 말이야. 입 잘못 놀렸다간 용댕이서 장사 다 해먹는 줄 알라구."

"아니 이이들이 내가 뭐랬다구 이렇게 살기가 등등해서 겁을 주구 야단인감."
주모는 뒤처져 가는 우대용이 메고 있는 송장을 보자,
"에구머니나!"
하며 주저앉았다. 우대용이 걸음을 멈추고 번들거리는 눈으로 돌아다보자 주모는 턱을 떨며 주막 쪽으로 달아났다. 노파가 사립문을 열고 들어서자 마당 한쪽에 칼을 빼어들고 숨어 있던 막개가 마주 나오며 물었다.
"잡혔습디까?"
주모는 숨을 한참이나 몰아쉬고 나서,
"아이고…… 말두 말우. 오줌 쌀 뻔했네. 잡힌 게 뭐야. 그 우서방이 둘러멘 게 틀림없이 송장이더라니까."
"지금 어디루 갔수?"
"몰라요. 아마 저희 어계방으루 갔거나 배루 갔겠지."
막개는 고개를 끄덕였다.
"일이 척척 맞아떨어지는군. 할멈, 여게 포도군관이 나와 있는 데가 어디유?"
"이 용댕잇개에서 한참 올라가면 관선(官船)이 대이는 선창이 있지요. 게서 털벙거지 몇사람 본 듯하우."
막개는 주막을 나서려다 말고, 돌아서서 허리에 감았던 나머지 돈꿰미를 풀었다. 막개는 뒷일을 위해 주모에게 입막음을 해놓고서 밖으로 뛰어나갔다. 멀리 계방 쪽의 불빛이 반짝이고 있었다. 그는 멀찌감치 돌아서서 관선이 대이는 해창(海倉) 쪽으로 뛰었다. 해창거리 초입에서 막개는 역시 순라꾼을 만날 수 있었다.
"누구야?"

"예, 여기 포교나리가 어디 계십니까?"

"무슨 일이오?"

"살인이 났소."

"살인이라구……?"

하더니 순라가 앞장서서 뛰어갔다. 길 밖으로 툇마루가 달린 수군청 앞에서 그가 어느 방문을 벌컥 열고 소리쳤다.

"나리, 일어나우."

"뭐야……"

"살인 났답니다."

안에서 부스럭대는 소리가 들리더니, 포졸 세 사람과 포교가 뛰쳐 나왔다. 포교는 어둠에 익지 않았는지 두리번대며 물었다.

"누군가…… 고자(告者)가."

"예, 소인입니다."

"어디야?"

"용댕잇개 계방이랍니다. 저두 지나가다 얼핏 봤는데, 뱃사람들이 시체를 떠메구 그리루 갔습니다."

곁에 섰던 포졸이 말했다.

"임유학네 패거리 아닐까요?"

"그렇겠군."

"나리, 저 좀 봅시다."

포졸이 포교를 끌고 비켜서서 얘기를 했다.

"임대인 댁 사람들이라면, 나중에 우리 입장이 곤란합니다. 사실 우리네가 그 댁이 없으면 어찌 밥술이나 먹겠습니까요. 허고…… 우리도 이런 때 슬쩍 눈감았다가 나중에 은근히 비쳐보시면 돈냥깨나 쏟아져나올 듯합니다."

"글쎄 나두 그런 생각이지만, 저기 목도한 놈이 있으니 뒤가 께름하구나."

"분명 여기 놈이 아닐 거올시다. 미적미적하다가 나중에 조사해 보고 나서 오히려 허위로 고했다며 으름장을 놓으면, 잠잠히 예서 떠나겠지요."

그들이 이렇게 수군거리며 청을 떠나지 않으니, 현장 포착을 원하는 막개는 자연 애가 달았다. 그가 참지 못해 포교의 소매를 부여잡았다.

"아니, 어쩌시려오. 살인한 당들이 물증을 없애는 걸 기다리는 게요?"

"이거 놓아라. 너는 어디서 온 놈이냐?"

"허, 보자 보자 했더니…… 내는 주내방, 신생원 어른의 수하 사람이오. 부장두 잘 알고, 형리어른두 잘 아우. 감사께 이 관내 일을 소상히 여쭐 수도 있소이다."

"에…… 그러시우?"

"빨리 가서 현장을 덮치지 못할 때엔 내 가만있지는 않으리다."

당황한 포교가 그제야 동작이 빨라지면서 뛰기 시작한 막개의 곁을 따랐다.

"실은 허위 고자가 많아서요. 또한 우리두 여기서는 진장나리께 일일이 고해야 하니 어려운 점이 많습니다."

"좌우간 빨리 가십시다."

그들은 계방 쪽을 향해서 뛰어갔다. 계방 주위에는 이미 횃불이 모두 꺼졌고 그들의 등뒤에 새벽빛이 부옇게 밝아와 바다가 훨씬 선명해져 있었다.

"저쪽입니다."

포졸이 배가 닿는 선창 쪽을 가리켰다. 검은 그림자들이 부산을 떨며 돛을 올리려는 중이었다. 막개가 포교를 잡아세웠다.

"잠깐, 내 말 좀 들으시우. 저놈들이 내 얼굴을 알고 있으니, 혹시 번거로울까 해서 그러우. 가서 살인자 한 놈만 잡아 감영에서 압송 나올 때까지 잡아두시오. 내 지금 돌아갈 테니까……"

포교가 처음보다는 훨씬 고분고분한 태도로 물었다.

"염려 마시오. 헌데, 죽은 자가 누구요?"

"우리 신씨 여각의 차인 행수로 있는 사람이외다. 빨리 가서 잡으시우."

막개는 그들이 선창 쪽으로 달려내려가는 모양을 확인하고서 돌아섰다. 일이 이렇게 척척 맞아떨어졌으니, 이제는 용댕이에서 어물거릴 필요가 없었던 것이다.

포졸들은 선창으로 우르르 몰려갔는데, 뱃사람들은 벌써 닻을 감아올리는 중이었다. 포졸 하나가 달려가서 닻줄을 마주 잡았고, 포교는 환도를 썩 빼어들고 소리쳤다.

"모두 배에서 내려라."

뱃전에 섰던 자가 할 바를 모르고 있을 때, 포졸 두엇이 날렵하게 뛰어올라가 육모방망이를 흔들면서 그들을 내몰았다. 막 떠나려던 배가 대어졌고, 내려진 널판자로 포교가 올라갔다. 선인 행수와 우대용은 선미 쪽에 선 채로 배에 남아 있었다. 포교가 뭍에 남은 포졸에게,

"한 놈도 달아나지 못하게 묶어놓아라."

이르고 나서 배에 오른 포졸에게 명했다.

"배 안을 샅샅이 뒤져봐."

"대체 뭣 땜에 이러시오?"

행수 선인이 별로 자신 없이 물었다. 우대용은 여차직하면 바닷물에 뛰어들 자세로 고물께에 바짝 붙어 서 있었는데, 포교가 다가서더니 다짜고짜로 환도의 끝을 등뒤에 대면서 앞으로 내몰았다.

"배에서 내려."

"왜 그러냐니까요?"

"몰라서 묻는가?"

"그 양반, 참 야속하게 구는구려. 우리가 평소에 섭섭히 해드린 적이 없는데 이게 웬 난리요."

포졸들이 이물에서부터 차례로 뒤지다가 선복 아래로 내려가 화물이 쌓인 창고를 뒤지고 나서 올라왔다.

"아무것두 없습니다."

"뭐요. 혹시 당화(唐貨)라두 있는가 해서 그러시우. 우리가 실은 건 미곡과 객주에서 거둬들인 잡화밖엔 없수."

포교는 대꾸하지 않고, 발끝으로 멍에 아래 덮은 판자를 들었다. 무엇인가 삐죽이 솟아나와 있는데, 마대자루였다. 포교가 칼을 두 사람의 등판에 겨누고 자기는 한눈팔지 않고 포졸들에게 지시했다.

"멍에 널판을 들쳐봐라."

포졸 하나가 엎드리며 판자를 들치는데, 우대용이 그를 발길로 차내면서 뱃전을 건너뛰었다. 앞으로 쫓으려는 포교를 행수 선인이 밀치면서 함께 넘어졌다. 포교는 넘어지면서 외쳤다.

"투승 던졋!"

대용이 널판자를 후닥닥 뛰어내려갈 때, 이물 쪽에서 내달은 포졸이 오라를 펼쳐 던졌다. 원을 그리며 날아간 붉은 줄이 대용의 상체를 둘러씌웠고, 포졸이 익숙한 솜씨로 잡아챘다. 죄어든 오랏줄은 대용의 목을 졸라매고, 그는 널판자 위에서 보기 좋게 나가떨어지며 물속에 텀벙 빠졌다. 포졸이 이를 악물고 줄을 당겼다. 포교가 행수 선인을 밀어젖히며 일어났다. 넘어졌던 포졸은 달려가 줄 잡은 동료와 합세했고 다른 포졸은 육모방망이로 행수 선인에게 실컷 홍두깨 모시기를 해주었다. 포교가 뱃전으로 상체를 기울여 물밑을 내려다보았다.

"놈이 배 밑바닥에 붙어 있다. 사정 주지 말고 당겨라."

대용이는 줄 끊을 시간을 벌기 위해 안간힘을 쓰며 버둥거렸으나, 물속이니 힘을 쓸 수가 없었다. 더구나 목에 꽉 죄어든 명주 밧줄은 거의 그의 숨통을 끊어놓을 정도였다. 그가 물 위로 펄쩍 솟았고, 포졸들은 개 잡듯이 그를 끌어올렸다. 이미 뻣뻣해진 우대용을 끌어내어 목에서 줄을 끄르고, 대신 팔을 뒤로 돌리고 팔꿈치 사이에 나무를 끼우고 상투와 두 팔과 나무를 한데 묶는 곱사배기로 모셨다. 그런 뒤에야 대용은 숨통이 뚫렸는지 긴 숨을 토해냈다. 포교가 그를 정면에서 바라보며 조용하고 위압적인 목소리로 말했다.

"이실직고하여라. 네놈이 주내방 신씨 여각의 차인을 죽였지?"

대용은 상투가 뒤로 젖혀 매어져 있으므로 고개를 들어 위를 향한 채 눈알만 간신히 아래로 치뜨고 대답했다.

"언놈인지는 모르나, 우리 주인어른을 반죽음시켜놓고 도망가는 자를 몇차례 패주었소."

"얘들아, 그 판자에서 마대를 끌어올려라."

포졸들이 멍에 판자를 들추고 마대자루를 끄집어냈다. 자루를 찢고 들여다본 포졸이 말했다.

"송장입니다."

그는 시체에서 피가 묻은 자기 손을 흔들어 보였다.

"네가 죽였지?"

"그리된 모양이우."

우대용을 뭍으로 끌어내자 행수 선인이 맞은 어깨며 다리를 주무르는 시늉으로 다가와 포교에게 호소했다.

"에이, 여보 나리, 이럴 수가 있습니까? 철마다 어육이며 쌀섬에 술까지 내리시는 우리 대인의 은덕이 기신데, 우릴 이리도 괄시하기요?"

포교는 뭍에 올랐던 사람들을 풀어주라 이르고 나서 처음과는 딴판인 얼굴로 오히려 행수 선인에게 사정했다.

"나두 어쩔 수가 없네그려. 살인이란 조정에까지 장계가 오르는 중죄인데, 어찌 적경(賊警)을 받고 나서 모른 체할 수가 있단 말인가."

"그게 누구요? 적경을 고한 자가……"

"발설하기 난처하네."

"주막집 할멈입디까?"

"아닐세. 좌우간 모조리 살인죄로 얽지 않는 것을 평시의 의리루 생각해주게나. 우린 대용이만 넘길 테니까. 그러구…… 시체는 갯가에서 건졌다 하겠으니 어서 배를 몰구 행상이나 다녀오지. 돌아올 때쯤엔 아마 잠잠해져 있을 거야."

포교의 자세한 말이 일리는 있으되, 그냥 배를 몰고 떠나기엔 하도 억울한 것 같아서 행수는 자연 노기를 띠었다.

"놈들이 고육지책을 쓴 게 분명합니다. 이 죽은 녀석이 주인나리를 쇠몽치로 깨구 달아나는 걸 우리가 잡았지요. 주막 노파가 와서 대인을 죽였다구 하길래, 모두들 살기가 등등했었수. 죽은 놈이 입을 열 리 없으나…… 모두 신복동이놈이 시킨 짓일 게요. 먼저 상해한 자를 쳐죽인 것이 그리 중죄란 말요?"

"자네들이 불리하지. 죽은 자는 임대인께 채권자가 아닌가?"

"억지 채무지요."

"어찌됐든, 소문에는 임유학 어른이 양민의 재물을 피침하였다고 짜아하데그려."

포교의 말에 의해서 모든 것이 분명해졌고, 행수 선인이 우대용의 묶인 몸을 잡아흔들며 탄식했다.

"이 사람아…… 자네가 성미만 조금 느긋했던들, 이젠 꼼짝없게 되었네."

"내 걱정일랑 말고 어서 뱃길이나 떠나."

"까짓 놈에, 이런 형편에 장사는 다 무에야."

한탄하고 섰는 행수 선인을 밀쳐내면서 포교가 은근히 속삭였다.

"기왕 망해가는 집안 장사는 뭣 할라구 해. 어서 배나 몰구 가지."

그들은 갯가에 남았고, 포졸들은 앞뒤로 대용이를 둘러싸고 해창 쪽으로 올라갔다. 포교는 포졸 하나를 감영에 통기하도록 띄웠고, 자신은 직접 대용이를 감시하며 청에 남아 있었다. 혹시나 뱃사람들이 몰려와 그를 탈취해가기라도 한다면 신생원의 현재 영향력으로 보아 자기 목이 열 개라도 남아나지 않을 것이겠기 때문이었다. 우대용은 이젠 곱사배기엮음이 아니라 상좌 무반의 장군 모심으로 대접받고 있었다. 목에 나무칼을 쓰고 발에는 족쇄까지 찼는데다, 호위장도 따라붙었기 때문이다. 민가에서 포교의 밥을 날라왔다. 겸상이었는데, 그것은 물론 안면이 있다는 포교의 호의에서였다. 포교가 수저를 들며 말했다.

"끌러주고 함께 먹고 싶지만 달아나면 내가 경을 치겠으니 헐 수 없네. 내 다 먹구 나서 자네 먹여줌세."

"고맙수, 밥은 필요 없구…… 술이나 한 말쯤 시켜주시우."

"누구 망하게……"

"젠장, 술 한 말엔 겨우 목줄기나 축이는 겐데…… 참말 취토록 멕일라우?"

"거 왜 사람을 쳐죽이구 남까지 귀찮게 만들어, 이거."

"누가 죽을 줄 알았나, 홧김에 두어 대 패구 보니까 녀석이 똥을 싸구 죽어 자빠졌습디다."

"자네보담두 죽은 놈은 더 불쌍하게 되었어. 신생원 쪽에서 아예 범 잡을라구 내어논 토끼새끼 미끼였거든."

"어째 그러우."

"사람 공연히 숭어처럼 펄펄 뛰기만 하구, 세간의 간사한 꾀는 이해를 못 하네그려. 신생원네서는 용댕이 선창이며 객주가 탐이 나는 게야. 헌데, 기운깨나 쓰는 자네하구 상재가 비상한 유학어른이 골치란 말일세. 돌멩이 하나루 새를 세 마리 잡은 게란 말이야. 이 미련한 사람아, 신생원네 사람이 또 하나 넘어와서 주막에서 약조된 시간을 기다리구 있었어. 우린 그자가 알려주어 잡으러 갔다니까. 자네 이런 사실을 안다 해두 감영에 들어가 발명해보았자 죄를 덜어내는 데엔 아무 보탬이 안 될 게야. 공연히 형과 국문만 오래 끌 뿐이지. 목숨이나 부지해보도록 애쓰는 게 나을 게야. 이제…… 겨울이지, 까딱하다간 사거리로 굿하러 끌려나가기 전에 옥중 원혼이 될지도 모르이."

우대용은 훨씬 침울해진 표정이었으나, 그렇다고 기가 꺾인 것 같지는 않았다. 포교가 술을 시키려는 참인데, 행수 선인과 뱃사람 몇이 뜨락에 들어섰다. 뱃사람 하나는 커다란 부담롱을 어깨에 메고 있었으며, 행수 선인이 그것을 마당에 내려놓도록 일렀다. 그가 우대용이께로 다가와 손을 덥석 잡았다.

"대인 댁에 갔던 자가 돌아왔는데, 목숨은 붙어 있으되 사람 구실은 못 하겠다더군. 우리는 배를 몰구 떠나려네. 대인나리네 집안은 이젠 다되었어. 신가네서 가만있지 않을 거야."

우대용은 한숨을 푹 쉬었다.

"어서들 떠나…… 내야 운이 나빠서 이리된 것이니."

"이건 자네 몫일세. 우리가 실은 잡화에서 기중 값나가는 것으로만 골랐어."

"목숨이 어찌될지두 모르는 판에 뭣 허러 가지구 왔어. 나눠 가질 게지."

"여하튼지 우리가 다시는 용댕이에 돌아오지 않을 작정이네. 비단하구 무명일세. 옥에 있는 동안 밥이나 대먹도록 하게."

행수 선인이 부담롱의 뚜껑을 열어 포교에게 내밀었다.

"우리는 떠나겠수. 비단에서 절반은 우리의 마지막 성의라 생각하구 받아두슈. 그리고…… 대용이 옥에 있는 동안 옥사장에 손을 써서 뜨뜻한 밥이나 끼니 거르지 않게 넣어주시구려."

포교는 비단과 무명을 보자 눈이 휘둥그레졌고, 좋아서 입이 함박만큼 벌어졌다.

"나두 인정이 있는 사람일세. 자네들은 일이 터지기 전에 용댕이에서 떠난 것으루 보고를 올리지. 그리구 대용이 일두 걱정을 말게나. 내 어찌어찌 손을 쓰면 목숨을 부지하는 길이 있을지두 모르겠네."

포교가 부담롱을 받아 기거하는 방에다 깊숙이 감추었다. 밥상 날라왔던 아낙이 큰 동이에 찰찰 넘치게 탁주와 안주를 개다리소반에 받쳐서 가져다놓았다. 포교가 한 바가지를 그득히 떠서 대용의 입에 대어주니, 그는 목이 말랐는지 단숨에 들이켜버렸다.

"어, 술맛 이렇게 단 줄은 몰랐네!"

"자…… 이별주가 없을 수 있나. 자네들두 한잔씩 돌리구 떠나게."

포교가 술을 권했으나 뱃사람들은 사양했다. 행수 선인이 우대용이께 바짝 다가와 귓속말로 속삭였다.

"우리는 강화에 가려네. 일단 거기서 여각을 잡아 경강을 오르내리며 장사를 하다가, 잘 풀리면 송도루 올라갈까 한다네. 예성나루에 있게 될지두 모르겠어. 며칠 뒤에 송도 배대인 댁의 박대근이가 용댕이에 올 걸세. 내 자세한 얘기는 어계방 사람들께 미리 고해두었어. 부탁이네만, 겨울 동안 목숨이나 부지하도록 해여. 봄이 되어 우리네가 자릴 잡으면 무슨 수가 생겨도 생길 것일세."

포교가 걱정스런 듯이 말했다.

"빨리들 배를 띄우게. 감영서 몰려나오면 내 입장이 아주 난처해지니까."

뱃사람들이 우르르 몰려나갔고, 행수 선인은 마지막으로 술 한 바가지를 푹 떠서 우대용이께 먹여주었다. 우대용이 꿀꺽이며 바가지를 비우는데, 둘 다 비감한 마음이 되어 눈물이 솟아나왔다. 행수 선인이 대용의 묶인 손을 잡아준다.

"명심하게. 국문받을 때 그저 수걱수걱 고분고분하여 모두 시인을 하구…… 자네가 살인한 것은 사실이니까. 우선 형벌이나 적게 받도록 해두게. 박대근이두 와서 소식을 듣게 되면 도와줄 걸세. 의리를 소중히 아는 사람이니까."

우대용은 그저 고개만 연신 끄덕거렸다. 그들은 포구를 향해 멀어져갔다. 포교와 대용은 권커니잣거니 하면서 술 한 동이를 비웠다.

우대용은 잠시 후에 감영에서 나온 포졸들에 둘러싸여 성내로 압송되었다. 감사가 의관을 갖춰입고 동헌으로 나오기 전에, 신복동이 현신을 아뢰었다. 감사는 짚이는 바가 있어, 주위를 물리친 다음 신복동과 은밀히 마주 앉았다. 감사가 말했다.

"그래, 듣자하니 죽은 자가 자네 수하 사람이라며……?"

"예, 그러하옵니다. 소인이 경영하는 만화루 기생 취련이란 계집의 기부 되는 자인데, 이번에 육로행상으로 원행을 다녀왔습지요. 헌데 용당포 임유학의 자식이 주색잡기에 빠진 자여서 삼천 냥을 취련이께 빚지게 되었습니다. 그 돈을 받아내려고 기부란 자가 임유학을 찾아갔으나, 갚아주기는커녕 오히려 뭇매를 뚜드려 쫓아버렸지요. 여기에 원한을 품고서 그날 밤에 침입을 하여 임유학을 상해하였습니다. 그런데 그 수하인 우대용이란 잔인한 자가 포착하여 때려 죽이게 된 것입니다."

"음, 그러니까 죽은 자는 용당포 임가를 상해만 하였단 말이지?"

"예, 그러하옵니다."

"임가가 누구의 채무자인가?"

"그야 문서상으로는 취련이의 채무자로 되어 있습지요. 더구나 그 아들이 담보물로 선적한 물품의 사금파리 어음을 잡혔으나, 빚돈을 재촉받자 화주(貨主)에 통기하여 무효로 하였답니다. 그러니 삼천 냥은 허공중에 뜨게 되었고, 취련이란 계집은 그자가 수결(手結)한 채무각서를 가지고 있습니다."

감사는 빙글빙글 웃으면서 신복동을 빤히 건너다보았다.

"말하자면 임가 부자가 공히 사기를 했단 말이로군. 그 빚이 노름에 날린 것이라며?"

신복동도 싱긋이 웃고 나서 머리를 조아렸다.

"예, 영감마님의 자모지리는 이제 두 곱절이 되어 금 육천에 이르렸사옵니다. 행운이 성하게 되오면 이달 안으로 만 전은 족히 될 것입니다. 원금 장부에 그렇게 기입해놓겠사오니, 언제든지 환전하셔도 될 줄로 아옵니다."

"그래…… 자네는 무얼 원하는가?"

"황공한 말씀이나, 돌보아주시는 천은을 입어 이제 해주에서는 육로행상으로 크게 일어났으나, 아무래도 경강을 오가는 해운에는 못 미치는가 하옵니다. 용당포에서 객주와 선창을 개점하도록 허락해주십시오."

감사는 수염을 쓰다듬으며 잠깐 생각에 잠겼다가 고개를 끄덕였다.

"알겠네, 다 법대로 조처할 것인즉, 소신대로 해운에두 손을 대보게나. 그리고 내가 경기도 어름에다 제위답(祭位畓)을 장만하려 하니, 자네네 차인들 중에 용의주도한 자를 골라 내려보내도록 해주겠나?"

"아믄요, 여부가 있겠습니까? 늦어두 달포 안으로 구입하여 제반 문서를 바치겠습니다."

"음, 그러면……"

감사가 대청으로 나서며 대기하고 섰던 비장을 불러 지시했다.

"용당포 임유학의 자식놈을 잡아들이라 하여라. 그리고 살인한 자의 도당들도 빠짐없이 잡아 대령하라. 그 연후에 추국청을 열리라."

"예, 분부대로 시행하오리다."

감사의 지시는 득달같이 전해져 털벙거지들의 한 떼거리가 용당로로 몰려갔다. 이제부터는 신복동 이외의 다른 자는 부고(富賈) 노릇을 못 해먹도록 된 것이다. 그러나 세간에서는 모두 감사의 처사가 국법에 따른 것이려니 알았다.

우대용은 살인죄로 사형이 결정되어 하옥되었고, 취련과 임유학의 아들이 대질하여 어음과 각서를 증거로 내보이게 되니 판결이 내렸다. 즉 삼천 냥의 자모지리(子母之利)를 이할 가산하여 빚을 갚고, 벌과금 삼천을 별도로 감영에 납부할 것이며, 물의를 일으켰으니 용당포의 객주 개점을 폐한다는 것이었다. 임가의 아들은 담보물 사기로 옥살이나 귀양을 면하게 된 것만이 다행이어서 당장에 육천육백 냥을 장만하여 감영에서 풀려나오기로 하였다. 그러나 육천 냥이 넘는 돈은 부상인 임씨가에서도 큰돈이었는데, 납부 기일은 닷새밖에 여유를 주지 않았다. 더구나 아직 수금되지 않은 돈도 많건만 이러한 소문을 듣고 모두가 약삭빠르게 모른 체하는 것이었다. 지방의 화주(貨主)나 경주인(京主人)께 통기하여 환전토록 해야겠는데 당사자인 임유학이 의식불명인 채 산 송장이 되어버렸으니, 설령 통기를 한다더라도 이젠 응해올 리가 만무하였다. 또한 행수 선인과 몇몇 원행 장사에 밝았던 뱃사람들이 막대한 잡화와 미곡을 실은 채 달아나버려서 현금 육천육백 냥을 물어내는 일은 임씨네에서도 난감한 일이 되어버렸던 것이다. 임씨네에서는 신복동이께 사람을 보내어 남은 배와 객줏집을 고스란히 넘겨줄 것이니, 빚돈 삼천육백 냥과 관에 갖다바칠 삼천 냥을 탕감해달라 하였다. 신복동은 좀 두고 보자며 일러 보내놓고 차일피일 날짜를 끌어 납부기일 바로 전날이 되었다. 감영의 판결날짜를 어길 수 없게 된 임씨네서 할 수 없이 집까지 넣어 육천육백 냥으로 결정하고는 신복동이께로 넘겨주고 말았다. 임씨네서는 모든 산과 토지를 마름들에게 맡겨둔 채로 온 가족이 용당포를 떠나갔다. 신복동은 사건이 생긴 지 채 열흘도 못 되어 임유학 대신에 용당포의 해운까지 독점하게 되었고 이제는 명실공히 해서의 제일가는 부상대고가 된 것이다.

선창과 객주는 해주 본바닥 무뢰배 출신인 왈짜패의 막개가 운영하게 되었고, 임씨네 집은 해로 장사를 다니는 자들을 상대로 한 색주가로 변모되었다.

만화루의 일개 창기이던 취련은 자기의 소원대로 색주가로 변모된 임씨네 기와집에 열 명의 창기들을 거느리고 들어앉았다. 그제야 임유학이 수전노라고 욕하던 결성골 사람들도 어렴풋이 이번 사건이 신가의 술수에 의한 함정이었음을 깨닫게 되었다. 그러나 누구도 밖으로 드러내놓고 이야기하지는 못했다.

막개는 전에 임유학 아래서 배를 타거나 객주에 붙어 있던 차인들 중에 쓸 만한 왈짜를 댓 명쯤 골라내어 그대로 제 밑에 거두었다. 선창 어계방에는 죽은 차인 행수 덕이와 함께 지방 행상을 나갔던 무뢰한 꺽돌이란 자를, 행수 선인의 오른팔로 함께 있도록 하였다. 우대용이 하던 역할이었다. 용댕잇개에는 이제는 그들과 앙숙지간이던 주내방 신씨네 왈짜들이 설치게 되었던 것이다.

2

박대근네 상단이 봉산서 올 때 두 패로 나뉘어 한 패는 금교역으로 해서 예성강을 건너 송도로 들어가는 길을 택하고 또다른 패는 해주로 나와 용당포에서 선편에 짐을 보내게 되었는데 박대근이 인솔하여 해주로 들어서게 된 것이었다. 그들이 용당포에 닿은 것은 예정보다 하루 앞당겨진 관싯날(關市日) 이틀 전이었다. 저녁 무렵 그들이 나귀를 줄줄이 이끌고 용댕잇고개를 넘는데, 누군가 길목에 지켜 앉았다가 마주 달음질쳐오는 것이었다.

"송도 배대인 댁 분들이슈?"

머리타래를 늘어뜨린 총각놈이었다. 그는 장사 패거리 중의 아무나 붙잡고 묻는 것이었다.

"여기 박대근이란 어른이 기십니까?"

"우리 행수어른이네."

"그분 좀 봅시다."

박대근이 후미로 따라오다가 앞으로 나섰다.

"자네가 누군데 날 찾나?"

"벌써 열흘째 이제나저제나 하며 매일 여기 나와서 기다렸수. 허니…… 돈 내요."

총각 녀석 지리하게 기다리던 것은 참말인 듯 반갑자마자 손부터 내밀었다. 박대근이 영문을 모르면서도 하 어이가 없어 헛기침을 두어 번 하고 나서,

"이 사람아, 자네가 누구냐는데 돈이라니?"

"오 참…… 내 임대인 나리 객주 하실 제 중노미 해처먹던 놈이우. 우리 행수 선인 아저씨가 떠나면서……"

총각의 말이 점점 엉뚱해서 박대근이 말을 막았다.

"가만, 무어라구 했느냐. 임대인 나리가 객주 할 적이라면…… 지금은 하지 않는단 말이냐?"

"허, 온 해주 바닥이 발칵 뒤집힌 것두 모르시구 장살 다닙니까. 그분네는 쑥밭이 되어 버얼써 며칠 전에 온 식구가 소리두 없이 이살 가버렸수. 이거…… 이걸 전할라구 내가 말뚝 장승 모양으루 이 고개를 지켰다우."

하면서 총각이 허리춤에서 꼬깃꼬깃해진 봉서 한 장을 꺼내어 내밀

었다. 박대근이 펴서 읽어보니 행수 선인의 글인데 대략의 사건이 적혀 있고 우대용에 관한 부탁이 씌어 있었다. 어떻게 손을 써서 사형을 연기시켰다가 귀양쯤으로 면하게 해줄 수 없느냐는 것이었다. 강화로 갈 것인즉 거기서 만나면 모든 경비는 돌려주겠다는 부탁이다. 그러나 간략히 적어놓은 내용으로는 우대용이 살인한 일이 어째서 임유학네가 패가하게 된 일과 관계가 있는지 납득이 가질 않았다.

"그렇다면 지금 용당포는 신복동이네가 모조리 독점하게 되었단 말이냐?"

총각이 울먹이며 대답했다.

"주내방에서 몰려온 놈들이 어찌나 우리를 못살게 구는지, 전에 대인 댁에 몸 붙이던 자들은 모두 여길 떠났습니다. 저두 나리가 노자나 좀 주시면 송도 대처루 떠날 참입니다."

"그럼 어계방에는 누가 있느냐. 알 만한 사람이 있겠느냐?"

"두엇 남아 있지만, 꺽돌이란 놈의 지시를 받으니 똑같은 놈들이지요."

"그래, 그거 참 낭패로다."

박대근이 짐 속에서 무명과 엽전 한 꿰미를 후하게 내어주니, 총각이 놀라서 뒷걸음쳤다.

"아니올시다. 이건 너무 많구요, 그저 한 냥만 주십시오."

"가져가거라. 사흘 길 방자질에두 조가 닷 말이니라. 그리구 네가 옛주인께 대한 의리가 있음을 기특히 여겨 이러는 것이니 노자 하여 떠나거라."

총각은 그것들을 받아 몇번이나 절을 꾸뻑이고서 고개를 넘어갔다. 박대근은 전처럼 선창으로 나아가 행수 선인과 직접 만나려 하질 않고, 우선 결성골 들어가기 전에 있는 주막으로 가기로 정했다. 주막에 가서 돌아가는 분위기를 알아본 다음에 아예 육로로 내치든지 전과 같다면 객주에서 일단 거래를 틀 작정이었다. 그들이 파도소리가 요란한 갯가에 이르니 날은 이미 저물어 있었다.

박대근의 일행은 마바릿짐을 끌고 용댕잇개 앞을 지나 결성골 들어가는 초입에 있는 주막에 당도하였다. 주모가 뛰어나와 호들갑을 떨면서 그들을 반겼다.

"아이구, 손님들 어서 오시오."

"이 집에 마구간은 있소?"

"웬걸요, 한두 마리라면 빈 외양간이 있는데, 거기다 나귀를 매어두겠지만 너무 많은 것 같습니다."

"마당에 들여놓지두 못하겠는걸."

"사립 바깥에 말뚝 박아 매어놓으시우."

노파는 손님들을 놓치지 않을 셈으로 사립문을 열고 나귀를 끌어들이는 것이었다. 박대근이 그것을 막으면서,

"아, 서두르지 마오. 방이 몇이나 있습니까?"

"아주 큰 방 하나하구 작은 방이 둘 있습니다."

"역시 이 집은 좁구 작아서 안 되겠네. 잠깐 요기나 하구 가겠어."

"예예, 그러십시오."

주모가 분주하게 다른 아낙과 머슴이랑 어울려 술상을 차린다 생선을 굽는다 국을 데운다 하며 대청과 부엌을 오르내렸다. 박대근이 보냈던 자가 돌아와 어계방은 그전 그대로이고 주상(舟商)들로 들끓고 있다는 말을 전했다. 객주로 갔던 차인이 돌아와서 물품의 위탁비가 종전보다 좀 박하기는 하지만 별로 달라진 것은 없는 듯하다는 것이었다. 박대근은 그에게 시켜서 물건을 넘길 것은 객주에 가져가

고 해운할 것은 선창에 부치라고 일렀다. 우선 저녁들을 먹고 나서 일부는 마바리를 끌고 결성골로 들어가고, 박대근은 선창에 나가기로 하였다. 사람들을 보내놓고 나가려던 대근이 주모를 불렀다.

"주모, 뭣 좀 물읍시다."

"예! 뭔데요?"

"우대용이 일을 알구 있소?"

"아이구, 우린 그런 거 모릅니다. 딴 일이람 몰라두 그건 묻지 마슈."

주모가 기겁을 하여 물러서려는 것을 박대근이 소매를 꼭 잡고 물었다.

"우대용이가 살인을 했다는데, 임유학은 또 어째서 반신불수가 되었소?"

"예, 그 사람이 빚돈을 갚지 않고 버티다가, 그 꼴을 당한 뒤에 우대용이가 그자를 때려죽였다우. 임유학 얘기는 예서는 못 하게 되어 있수. 공연히 경친답니다."

"여기에 신복동이가 나와 있소?"

"신생원 나리는 여기 안 계시구, 그대신 전에 주내방 차인 하던 사람이 회계어른으루 나와 계시우."

"주내방 차인? 그자를 지금 어디로 가면 만날 수 있겠소?"

"결성골 용정루(龍井樓)엘 찾아가보슈."

"결성골 용정루…… 처음 들었는데."

"예, 게가 전의 임대인 댁이지요."

박대근은 짧게 신음했다.

"나쁜 놈들! 남의 집을 빼앗아 창가를 만들다니……"

"아유, 무슨 말씀이 그렇게 어패가 있으슈. 빼앗긴 뭐, 그 바보 같은 작은임씨가 헐값에 팔았지."

박대근은 눈을 부릅뜨고 노파를 건너다보다가, 음식값을 치러주고는 나서려는데 노파가 불렀다.

"나리, 셈이 맞질 않는데요."

"뭐요, 밥 겸상 열에 술 한 말이면 셈이 꼭 맞는데."

"아니…… 또 있잖우. 얘기값을 주셔야지."

"그래?"

박대근은 두말 않고 닷 푼을 내던졌다.

박대근의 상단 사람들이 선창에 이르러 물품을 위탁하느라고 행수를 찾는데, 어계방에서 꺽돌이가 나왔다.

꺽돌이는 상단 사람들을 쑥 훑어보고 나서 물었다.

"어디 임방 동무 되시우?"

"예, 송도 배대인 댁입니다."

"송상(松商)이시우?"

"예, 경강(京江) 마포의 강주인(江主人)에게 물품을 부치려 하오."

꺽돌이는 어둠속에 서 있는 나귀들의 머릿수를 눈짐작으로 헤아렸다.

"몇바리요?"

"이십 바리가 넘습니다."

"한 척 값을 내슈."

"한 척이라니…… 전세를 내란 말이우?"

"그렇소. 다른 짐들이 모두 떠나버렸으니 배를 낼 수가 없소이다."

박대근네 차인이 고개를 저었다.

"한 척 값이라면 화물에 비해 너무 비싼걸."

"아예 물건을 우리 객주 여각에다 위탁매매해버리든지, 아니면 다른 화물이 모일 때까지 기다리슈."

박대근이 도착하자 그들은 분개하여 제각기 떠들었다.

"행수어른, 이곳 놈들은 순전히 도적들입니다. 말짐 이십여 바리에 배 한 척 값을 내랍니다."

"물건을 저희 객주에 넘기랍니다."

박대근이 나섰다.

"인사 틉시다. 나 송도 임방의 박대근이우."

꺽돌이는 그를 뚫어지게 노려보면서 인사는 트지 않고 오히려 되물었다.

"당신네들 송화서 난장 텄지?"

"우리네는 관에 개시세를 내고 장을 설치했소이다. 송화에두 갔었소."

꺽돌이가 그제야 생각났다는 듯 빙그레 웃으며 고개를 끄덕였다.

"흥, 그러구 보니까 약산골서 장을 텄던 사람들이군."

"알고 있소. 무더리에서 장을 냈었지요?"

꺽돌이가 다짜고짜로 박대근의 멱살을 잡았다.

"네 이놈들 잘 만났다. 여기 우리가 있을 줄 몰랐지. 어디 한번 맛 좀 보아라."

박대근은 멱살 잡은 손을 틀어쥐고 뻣뻣이 버티면서 부드럽게 말하였다.

"장사하는 자들이 원행 나가면 서루 경쟁하게 마련인데, 이거 이러지 말자구. 댁네들두 송도 들를 것 아닌가."

"잔소리 마라, 이놈. 너희들이 문화 광대 패거리와 안악장까지 갔다는 걸 알구 있다. 우리가 얼마나 별렀는지 아느냐."

"허, 이 사람들 상대 못 하겠군."

박대근도 은근히 부아가 솟아올라 상대를 쥐어박으려는 참인데 누군가 그들 사이를 가르며 뛰어들었다.

"왜들 이러나. 이러지들 말게."

"말리지 말어. 저놈들께 빚 받을 게 있단 말이야."

"자넨 좀 가만있어. 장사하는 사람들이 쓴 것 단 것 가려서는 오래 못 가네."

하고 나서 그는 박대근을 향하여 허리를 굽혔다.

"손님, 욕보셨습니다. 나는 여기 선창서 행수 선인을 맡아보는 사람입니다."

"나 모르겠소? 박대근이오."

"아이구, 참 오랜만이올시다. 내가 이번에 선창에서 머물게 되었습니다."

"아는 이가 있으니 마음을 놓았소. 짐 좀 부칩시다. 종전대루 말이오."

"그러시지요. 반 척 값만 내십시오."

"좋소. 그러면 송증을 써서 객주로 보내주오. 우린 거기서 묵을 테요."

"차인으론 누가 동행하시게?"

"이 사람이 갈 거요."

하며 박대근이 차인 한 사람을 지정해주었다. 새로 된 행수 선인이 말하였다.

"그럼 이분은 남아서 물품과 송증을 확인해주실까요. 내일 새벽 조수 때에 배가 떠납니다."

박대근이 선인의 소매를 끌어 사람들에게서 멀찍이 떨어진 다음에 낮은 목소리로 물었다.
"우대용이의 사형이 확정되었소?"
새 행수 선인은 뒤를 힐끗 돌아보고 나서 대답했다.
"확정되었답니다. 아마 한 달 안으루 주내방 사거리서 집행할 모양이오."
"무슨 수가 없겠소?"
"글쎄요, 나는 이미 신씨네 사람이 되었으니 주인을 배반할 수야 있겠습니까만……"
하며 망설이는 선인을 박대근이 달래었다.
"댁이야 예전 안면으루 내게 말해줄 뿐인데 배신이랄 게 있소."
"이번 일은 모두 우대용이의 살인으로 해서 신생원이 유리하게 된 겁니다. 그러니 신생원 쪽에서는 대용이를 한시바삐 처치하는 게 원입지요. 그 사람을 빼내는 것은 바다에서 여의주 건지는 일과 같소."
"무슨 통기라두 넣어볼 구멍이 없을까?"
"글쎄…… 나는 잘 모르겠소마는, 저쪽 관선 선창에 가면 포교가 나와 있습니다. 그이가 맨 처음에 현장을 포착하여 대용이를 압송했으니, 무언가 알 수 있을지두 모르겠소."
"고맙소."
"내가 그러더란 말은 아예 하지 마시우."
박대근은 상단 사람들을 객주로 보냈다. 선창에는 꺽돌이란 자가 없는 것으로 미루어 객주 쪽에 먼저 간 모양인데, 박대근은 시비가 벌어질까 몹시 걱정이 되었다. 그래서 그는 어떤 일이 있더라도 고분고분 눌러 참으면서 상대를 하지 말라고 사람들에게 신신당부해두었다.

그가 포교를 만나 우대용에 관하여 물으니 포교는 단번에 경계하는 빛을 보였다.

"여보, 사형이 결정된 자를 내 어찌 알겠다구 묻는 거요?"

"우가는 나허구 친동기간이나 다름없는 사이라서 그럽니다. 비록 도형수(徒刑囚) 노릇을 하게 된다 할지라도…… 어떻게 봄까지만 목숨을 부지할 길이 없겠습니까?"

포교는 입을 꾹 다물고 고개를 젓기만 하는 것이었다.

"나두 장사치들 중에는 꽤 알려져 있는 사람이올시다. 만약에 구명할 길을 알려주신다면 그 은혜는 꼭 갚겠소."

한참이나 묵묵히 생각에 잠겼던 포교가 입을 떼었다.

"나두 인정상 가엾어서 옥사장께 부탁하여 하루 두 끼를 넣어주고 있소이다. 그런데 그것두 며칠이라면 모르되, 경비가 이만저만 드는 게 아니오. 댁네가 돈을 좀 쓰겠다면 목숨을 연명시킬 길이야 있지요."

"어떤 길입니까?"

"희광이로 뽑히는 것이지요."

"희광이라니, 사람 죽이는 망나니 말입니까?"

"그렇소. 대개 사형이 유예된 자로 말썽을 부릴 기미가 없으면, 옥사장이 남은 식량으로 먹이면서 형 집행 때마다 부려먹지요."

포교는 박대근에게서 돈냥이나 나올 것을 짐작하고 있었다. 그는 이전 행수 선인이 배를 몰고 떠날 때 받았던 포목으로 처음 며칠간을 우대용의 사식비로 넣어주었으나, 아무도 알 리 없은즉 혼자 착복해버리고 만 것이었다. 포교가 말하였다.

"관내의 전과자를 회자수(劊子手)로 미루었다가 별일이 없으면 오래 살려두는데, 우대용이가 만약 회자수에 임명된다면 명년 말까지는 생명을 부지할 수 있을 것이외다."

"누가 회자수로 임명하우?"

"그건 형방 비장의 소관이지요. 옥사장이 청원하면 비장이 허락을 내리게 되어 있습니다. 회자수 망나니가 되면 식사도 관에서 시켜주고, 감옥 안에서도 비교적 자유롭소. 다만…… 기왕에 죽을 목숨이 다른 자의 목을 치는 일로 연명하게 되는 것이 좀 께름할 것이외다."

"어쨌든 상관없겠소. 나는 우대용이의 사형 집행 연기만을 바라고 있으니까. 어떻게 손 좀 써주시구려."

"글쎄…… 들은 바에 의하면 벌써 강도 전과자 하나와 불알 발린 형을 당한 종놈이 내년의 망나니 회자수로 결정이 내려진 모양이오. 우대용이를 살리려면 그중 하나를 죽여야겠지요. 죽이는 방법이야 많소. 밥에 독을 넣어도 될 것이고 몰래 끌어내어 비공개로 처형시킬 수도 있지요. 아무래도 죽을 놈들이니까. 한데 경비가 좀 들겠소이다. 우선 옥사장에게 돈 좀 주어야 할 것이고, 형방에 뇌물을 써야 하오."

"얼마쯤이면 되겠소?"

"글쎄요…… 기왕에 있는 망나니를 없애버리는 일까지 해내야 하니까, 모두 합쳐서 삼백 냥쯤 올리시오."

박대근이 헤아려보건대 포교는 절반쯤 떼어먹을 것이겠고, 옥사장이란 하리(下吏)이니 고작해야 한 오십 냥 먹을 것이며 나머지는 형방 비장께로 갈 것이었다. 석방도 아니요 회자수로서 집행만을 연기시키는데 삼백 냥은 몹시 지나친 가격이었다. 박대근은 고개를 저었다.

"터무니없군! 감영 포청에 찾아가 형방에 직접 여쭐까 하오."
하고 나오자, 포교는 몹시 난처하고 당황해진 기색이 되었다.
"꼭이 얼마쯤 준비되었소?"
돌아가려던 박대근이 말하였다.
"예, 이백오십 냥 있소이다."
"이백오십 냥이라……"
포교는 뭔가 속으로 꿍꿍이속을 따져보더니 하는 수 없이 응낙하였다.
"이백오십으루 결정합시다."
"지금 내게 아무것두 가진 것이 없으니, 결성골 객주로 갑시다. 내 거기서 수표를 떼어주겠수."
포교는 군말 없이 박대근을 따라나섰다. 한참을 말없이 걷던 포교가 물었다.
"한데 댁네는 뉘시길래 우대용이를 살려줄려구 애를 쓰는 거요?"
"예전 의리 때문이외다. 내 아무리 장사를 다닌다 할지라도, 거래를 하던 자가 죽게 되었는데 어찌 모른 척할 수가 있겠소."
"면회해보겠수?"
"시켜주실 수 있습니까?"
"내 감영 있는 동료들께 알선해드리리다. 모레가 관싯날이니, 어쩌면 감옥청 안으루 출입이 가능할지두 모르겠수."
"감형은 어렵겠수?"
"그것은 감사나으리의 뜻에 달렸소이다. 절대루 그런 일은 안 될 거요."
그들이 결성골 객주에 이르니, 차인들은 모두 싸구려로 물건을 넘겨 손해를 톡톡히 보았다고 투덜거렸다. 더구나, 객주놈들의 행패가 두려워 모두들 봉놋방에 처박혀 있었고 감히 술청에 나가는 자가 없었다. 박대근이 이백오십 냥 수결하여 포교에게 내주었다. 포교는 수표를 접어넣으면서 자신 있게 말하였다.

"두고 보시우. 내일이면 우대용이가 당장에 회자수로 임명이 될 게요. 내 지금 이 길로 당장 감영에 들어가야겠군."

"내 술 한잔을 사리다. 마시고 가시우."

"아니…… 좋소이다."

포교가 바삐 가버린 뒤에 박대근은 역시 출출하여 그냥 자기도 뭣해서 술청으로 나가보았다. 술청은 몹시 소란했다. 마당에 불이 훤히 밝혀졌고 멍석 위에는 술상이 즐비했으며, 한쪽 평상 위에서는 한창 골패놀이가 벌어지고 있었다. 박대근은 마루로 올라가 자리를 잡고 앉았다. 중노미가 다가와 주문을 청했다.

"열 푼어치 술을 다우. 안주는 돈육이 좋겠군."

"열 푼어치는 팔지 않습니다. 스무 푼어치 자시지요."

"그러려무나."

중노미가 시원스레 고함을 내지르며 오가더니 개다리소반을 받쳐들고 왔다. 박대근이 첫 잔을 한 번에 비우고, 자작하여 술을 따르는 중인데 갑자기 평상 위의 투전판이 소란스러워졌다.

"아니, 이런 법이 어디 있소? 패가 바뀌었단 말이우. 판돈은 전부 내 거요."

패랭이 차림의 보부상인 듯한 자가 격한 목소리로 따지면서 좌중에서 일어났다.

"이 자식이 눈깔은 포청에다 빼놓구 나왔나. 어디서 생트집이야."

판돈을 긁어모으던 험상궂은 개가죽 배자 차림의 사내가 맞받으며 함께 일어섰다.

"속임수다, 속임수. 내 돈 내놔."

"허, 이놈이 노름판에서 판돈 게워내라네."

개가죽 배자가 벌떡 일어나 장사꾼을 힘껏 떼밀었다.

"돈을 잃었으면 판에서 얌전히 물러나, 코피 터지기 전에……"

장사꾼도 제법 성질이 있는지 상대편을 붙잡고 늘어졌다.

"어어? 이놈이 돈 잃고 시비를 거는구나."

개가죽 배자가 고개를 푹 숙이는가 했다가 치솟으며 장사꾼의 면상을 들이받았다. 에쿠, 소리를 지르며 그가 벌렁 나자빠지자 그자가 발로 짓이기려고 쓰러진 자의 가슴팍을 향해 발을 쳐들었다.

"애걔걔!"

하면서 나뚱그러진 것은 개가죽 배자 입은 사내였다. 뭔가에 발목이 걸려서 제 힘에 겨워 앞으로 고꾸라져 박힌 것이었다. 개가죽 배자가 콧등을 땅에 문대고 엉금엉금 일어서려는데, 등뒤에서 껄껄대는 웃음소리가 들려왔다. 돌아보니 낯선 키 큰 녀석이 빙글거리고 있었다. 박대근이 쫓아나와 늘 갖고 다니던 물미장 지팡이로 그의 다리를 슬쩍 걸어버렸던 것이다.

"이놈 봐라!"

"미안하게 됐소이다. 어찌나 마당이 혼잡한지 지나가다 걸린 모양이우."

"일부러 딴죽을 걸고 나서, 사람을 놀리기까지 하기냐."

그자가 벌떡 일어나 박대근을 바라고 덤벼들었다.

"어허! 몹쓸 손이로고."

박대근이 비양대면서 뒤로 몇걸음 물러났다. 개가죽 배자는 달려들 자세를 멈춘 채로 제 패거리를 돌아보았다.

"어디서 온 말뼉다구인지 아직 주내방 솜씨를 모르는 모양이로군."

"문 앞을 막아라."

"헛간에 끌어다가 때 좀 벗겨줘야겠다."

하면서 투전판의 패거리들이 박대근을 빙 둘러쌌다. 상대편들이 팔뚝을 걷고 눈알을 부라리며 다가들건만 박대근은 여전히 싱글거리는 표정을 흐트러뜨리지 않고서 물미장을 짚고 서 있었다. 박대근이 말하였다.

"그래, 송도서 온 말뻑다구인데, 내 한 사람에 다섯은 너무하지 않수."

"흥…… 송상 차인이로군. 네 이놈, 해주 용댕이가 예전 같은 줄 알았더냐?"

"나는 싸움은 질색인 사람이외다. 투전판에서 남의 골을 빼먹는 짓두 싫어하우. 우리두 댁네들 손님인데 이러지들 마슈."

"여러 말 할 것 없다. 쳐라!"

서너 놈이 한뭇에 대근의 팔다리 면상을 바라고 달려드는데, 대근은 그 자리에 선 채로 물미장을 들어 정면에 오는 자의 가슴팍을 쿡 찌르고 나서 휘익 돌려 앞으로 새어나가는 자의 뒷덜미를 호되게 후려갈겼다. 한 놈은 에쿠 하면서 궁둥방아를 찧고 뒹굴어 숨이 막혔는지 꼼짝 못 하였고, 또 한 놈은 앞으로 꼬라박힌 채 머리를 감싸고 비척거렸다. 삽시에 벌어진 광경이어서 남은 세 놈이 감히 덤벼들지를 못하고 비슬대다가, 일시에 쪼르르 흩어지더니 부엌과 광에서 쇠스랑과 식칼을 들고 나왔다. 박대근은 마당 가운데 꼼짝 않고 서서 그들을 관찰하고 있었다. 넘어졌던 놈들도 재빠르게 기거나 몸을 굴려 멀어지자 벌떡 일어서서, 제각기 낫이며 지겟작대기를 잡고 마당 가녘을 돌고 있었다. 넘어졌던 자는 터진 입술에서 흐르는 피를 소

매로 쓱 문지르며 낫을 잡고 그의 주위를 빙빙 돌았다. 박대근의 눈이 잠깐 사이에 표독한 빛을 띠면서,

"나는 하나, 너희는 다섯이다. 네놈들 정녕 피를 보아야겠느냐."

말하자마자 날카로운 쇳소리를 내면서 물미장의 환도를 뽑았다. 대근은 뽑은 칼을 들어 허공에서 땅으로 바람 가르는 소리를 내며 두어 번 뿌리쳤다. 호되게 당한 놈들은 멈칫거리며 감히 달려들지를 못했다.

"저놈…… 환도를 가졌다."

"내가 말하지 않더냐. 너희는 다섯이고 나는 혼자다. 맨손으로 덤비면 모르거니와 무기를 든다면 내 쾌히 베어주리라."

한참을 노리던 자들이 아직도 무기를 놓지 못하고 동작을 딱 그친 채 기가 죽어 있자, 대근은 고개를 들어 크게 웃었다.

"그래, 불알이 천 근쯤 되느냐. 왜들 그러고 섰어. 조무래기 왈짜패들을 어찌 이 칼로 베겠느냐. 허나…… 이왕 칼은 뽑은 것이니……"

박대근이 웃음을 그침과 함께 칼을 곧추 내뻗었다. 그러고는 달음박질로 한걸음에 내달으며 마당 가녘을 일시에 훑었다. 장검의 날에 어딘들 빈틈이 있으랴. 칼바람 한 번으로 꽉 채운 뒤 박대근은 물미장에 환도를 꽂아넣었다. 술청 안은 쥐 죽은 듯하였고, 장사치들은 넋을 잃고 마당을 바라보았다. 박대근이 웃음을 터뜨렸다. 객줏집 토담 가에 둘러섰던 자들은 목을 한껏 움츠린 채 서 있었다.

목이 날아간 줄 알고 있던 자들이 그제야 정신이 들어 와들거리기 시작했는데, 어딘지 이상했다. 머리카락들이 안면을 덮으며 흐트러져내렸던 것이다.

잘린 상투가 그들의 발밑에 떨어져 있었고, 흐트러져내리는 머리

카락에서 빠진 동곳이 얼굴을 타고 떨어져내렸다.

"허허, 그놈들 상투를 잘라놓으니 꼭 종루저자의 화냥년 꼴이로다."

달려들던 자들이 얼이 빠진 채 제 머리꼭지를 움켜쥐고 씨근대는 판인데 밖에서 왁자지껄하는 소리가 들려왔다. 술청 안의 길손들은 모두들 이제야말로 큰 싸움이 벌어지리라 짐작하고서 제각기 숨을 곳을 찾아 뒤꼍으로 다락으로 몸을 피하느라고 법석이었다. 객줏집 홍대문이 와지끈 젖혀지면서 용댕잇개의 꺽돌이가 여남은 명을 이끌고 들어서는 중이었다. 뒤채에서 낌새를 알아챈 박대근의 상단 보부상들이 저마다 작대기며 병장기를 찾아들고 안에서 뛰쳐나왔다. 박대근이 그들을 돌아보며 꾸짖었다.

"무슨 짓들이냐. 여기는 험산 준령두 아니고 화적이 나선 것도 아니다. 뻔히 감영이 내다뵈는 대처에서 병장기가 무슨 소용에 닿겠느냐. 소란 피우지 말구 사처에 물러가 있거라."

했으나 보부상들은 물러갈 기세가 아니었고 오히려 여기 와서 당한 괄시를 풀어보려는 모양이었다. 짜른 환도며 쇠몽치나 포청의 쇠도리깨를 가진 자들을 거느린 꺽돌이가 문 앞에 팔짱을 끼고 버티어 서 있었다.

"흥, 좋다. 남의 마당에 와서 떡을 치려는 모양인데, 나락값이라두 받아둬야지. 인명이 상한단들 관은 우리께 더욱 가깝단 말이야. 시정 무뢰배 싸움질에 포청이 눈 하나 꿈적할 것 같으냐. 여기서 한 놈 두 놈 성히 나가지는 못하리라."

"그래? 더욱 잘되었군. 이놈들이 화적떼인 모양일세. 장사치를 괴롭히는 떼도둑이니 사정 두지 말구 물고를 내버려라. 자아, 덤벼보아라."

상단 사람들이 우르르 몰려나와 대근의 좌우에 벌려섰다. 보부상단이 유사시에 자위할 수 있도록 관에서 허락한 것은 멀리는 태조대왕 시절부터였다. 그들이 패랭이에 목화솜을 달고 다니던 것은 부상자의 치료용이기도 했고, 뒤에 와서는 화승총의 화약제조에 쓰이기도 했던 것이다. 또한 때로는 암행어사나 군장의 수행도 했었다. 박대근은 막대한 상업자금을 가지고 관에 줄을 대고 있는 송상의 차인행수로서 지방 무뢰배를 두려워할 필요가 없었다. 다만 말썽이 일어나게 되면 그는 그 지역에서의 행상권을 박탈당하게 될 뿐이었다. 지방 장터나 객주에서 상인이나 무뢰배가 다투는 일에 관이 상관하지 않는 것은 당연한 일이었다. 장세는 지방 관아의 중요한 세원(稅源)이었고, 지방 유력자의 비호 아래 있는 무뢰배나 거주가 일정치 않은 자들의 분쟁을 규찰하기에는 관아의 행정력이 미약했던 것이다. 따라서 각지에서 날뛰는 난장(亂場)꾼들은 어느정도 관의 무능 아래서 번성했던 것이다. 지방 장시에서의 송상들의 영향력은 실로 막강하여 있었다. 그런 형편이니 박대근이 무뢰배들께 꿀릴 이치가 없었다. 꺽돌이는 쇠도리깨를 들고 상대편을 노리면서 싸움을 과연 벌일 것인가 망설이는 중이었다. 박대근이 말했다.

"그래, 나오는 기세는 장익덕[張飛]이 모양이더니, 어찌해서 파리 삼킨 두꺼비 꼴이 되었느냐."

창피를 당한데다 기세까지 눌리고 보니 아무리 벽지의 소악패라도 욱할 것인즉, 더구나 대처의 왈짜패로서 참지 못할 일이었다. 꺽돌이 앞뒤 가릴 새 없이 한달음에 내달으며 대근의 앞으로 나섰다.

"네놈의 해골을 바수기 전에는 내 여기서 물러나지 않겠다."

꺽돌이 쇠도리깨를 휘젓고 달려들자 대근은 물미장을 잡은 채로 좌우로 비켜서다가 내려치는 것을 받아냈다. 하지만 제놈이 일찍이 무더리 장터에서 길산에게 혼찌검이 났으니 그 솜씨로 환도깨나 쓸 줄 아는 박대근을 당할 재간이 있나. 단번에 뒤통수를 얻어맞고 주저앉는데, 틈을 주지 않고 대근의 물미장 지팡이가 꺽돌이의 목젖을 찔렀다. 꺽돌이는 그 자리에서 숨통이 막혀 파랗게 죽어 자빠졌다. 대근이 침착하게 꺽돌의 등을 지그시 밟고 서서 천천히 환도를 빼었다.

"나는 평산에서도 억보라는 소악패를 잡아 이마에 표시를 하여 경계한 적이 있다. 또 한번 네놈 면상에 칼줄을 그어주겠다."

문간에 몰려섰던 자들이 꺽돌의 뒤를 이어 달려들 판인데 사람들을 헤치며 누군가 마당으로 들어섰다.

"행수, 잠깐 칼을 거두오."

소동이 일어났다는 전갈을 받고 달려온 용당포 회계 막개였다. 그는 말쑥한 도포를 입고 말총갓을 점잖게 쓰고 있었다. 그리고 맨손이었다. 박대근이 칼날을 거두면서 그를 바라보았다. 예의에는 예의로 상대함을 잘 알고 있기 때문이었다. 막개가 허리를 굽혔다.

"인사합시다. 나는 주내방 신생원 아래서 용당포 회계를 맡고 있는 사람이오."

박대근이 쓰러진 꺽돌에게서 비켜서며 답례했다.

"송상 배대인 댁 차인 행수입니다."

"우리 손님이신데 아이들이 무슨 행패를 한 모양이지요? 워낙 장사에 서툴러서 혈기로 방자하게 군 모양이나, 저자의 상사로 아시고 노기를 푸시지요."

막개는 노련한 사내였다. 구변이 좋은 만큼 속셈도 깊고 싸움에도 능란한 자였다. 자기를 드러낸 곳에서 강대한 적을 치는 일이 얼마나 불리한가를 그는 잘 알고 있었다. 박대근은 한눈에 그가 임유학을 제거한 장본인임을 알아챌 수 있었다. 그 침착한 예의며 만만치 않은 눈빛으로 보아 과연 오래 묵은 대처의 왈짜패다웠다.

"상도(商道)를 아시는 양반 같수. 내가 벌인 싸움도 아니니 거두지요."

박대근이 자기 사람들을 돌아보며 조용하게 말했다.

"그만들 물러나게. 이젠 끝난 모양이니……"

막개도 선창 사람들을 돌려보내고 기절한 꺽돌이의 얼굴에 냉수를 뿜어 정신을 차리게 했다. 회생이 되자마자 그래도 선창의 실력자랍시고 놈은 벌떡 일어나 대근에게로 달려들었다. 막개가 큼직한 손으로 그의 뒷덜미를 잡아끄는데, 한 손에 견디지 못하여 뒤로 질질 끌릴 정도였다. 막개가 속삭였다.

"이놈…… 뒤통수를 치랬지, 누가 콧잔등을 물라더냐."

막개는 꺽돌의 등을 밀어내면서 큰 소리로 말했다.

"내 집을 찾아온 손님께 행패를 했으니, 이제 가는 길로 네놈을 혼내겠다. 대죄하고 있거라."

막개가 대근에게 말했다.

"누추하지만 저희 용정루에 모시겠습니다. 오늘 봉변하신 값으루 제가 톡톡히 한턱 쓰지요."

박대근이 고개를 저으며 대답했다.

"그보다는 우선 청이 있소이다. 우리가 일부 잡화를 객주에 넘겼으나, 제값을 받지 못하였소. 일반 시세대로 셈하여주신다면 제가 한잔 사지요."

"좋소이다. 앞으루 계속 거래할 분께 손해를 끼친다면 주내방 여각의 신용이 말이 아니지요. 어떻게…… 선편으로 화물은 부쳤습니까?"

"예, 송증만 받으면 됩니다."

막개가 객주의 점주(店主)를 불러 지시했다.

"가서 거래한 장기를 가져오너라."

대강 훑어보고 나서 막개는 새삼스럽게 혀를 찼다.

"정말 손해를 드렸군요. 눈짐작에도 차액이 백여 냥은 되는 것 같습니다. 곧 돌려드리도록 하지요. 자아, 가십시다."

박대근은 막개를 따라서 결성골로 나갔다. 홍등이 걸린 예전 임유학의 기와집에서는 여자들의 웃음소리와 풍악소리가 요란하였다. 막개와 박대근은 취련이를 사이에 두고 안채에 마주 앉아 술을 들었다. 대근이 처음에는 방심하지 않고 조심스럽게 술을 들었으나, 취기가 오름에 따라 소리도 한 가락씩 하게 되고 곁에서 술을 치는 취련이에게도 농지거리를 던지게 되었다. 막개가 넌지시 설렁줄을 당긴 뒤에, 새 술병이 들어왔다. 은밀히 상 아래 들이밀 적에 취련이 냉큼 집어들어 술잔이 아니라 아예 대접에다 둘을 나누어 퐁퐁 쏟아놓았다.

"원래 화해술이란 양자가 벌주이오니 콧김 막고 단숨에 드소서."

박대근이 알맞게 취한 김에,

"이게 무슨 술이냐?"

하며 턱밑으로 가져가는데 취련은 대접을 받쳐주며 대답했다.

"예, 서도(西道) 명주 감홍로(甘紅露)이옵니다."

"화해술은 벌주라? 그거 좋다! 박행수 드십시다."

막개도 자기 앞의 대접을 들어 마셨고, 박대근도 계피 냄새 나는 달콤한 술을 꿀꺽꿀꺽 단숨에 들이켰다. 그러나 막개는 박대근이 마시는 사이에 다른 대접에다 자기 술을 재빨리 쏟아놓고 나서 상에 요란히 내려놓으며 입바람 소리를 냈다. 대근의 천성이 침착하고 용의주도하건만 한 가지 흠이랄 것은 사람 사귀기를 즐겨하는 점이었다.

원체 뒤가 없는 성미이고 보니, 싸움한 상대편에서 예의를 갖추어 대하는 것에 마음이 풀어졌던 것이다. 더구나 술자리에서는 술을 사양하지 않는 버릇이었으며, 그만큼 웬만해서는 취하지 않는 때문이기도 하였다. 박대근이 잔을 내려놓는데 역시 입에서부터 명치까지 온통 불을 삼킨 듯하였다.

"거 술이 보통이 아니로다."

"아이, 대장부가 이깟 술 한잔에 뭘 그러셔요. 하루 삼백 잔은 못 되어도 석 잔은 채우셔야지."

"벌주치고는 아주 호강이구려. 감홍로를 대접째로 들이붓는데, 우리가 제법 호걸 숭내를 내게 되는 모양이오."

막개도 어물쩍거리며 술 따른 대접을 쳐들었고 박대근이 벌컥이며 들이마셨다. 아니나다를까 반 대접을 넘기지 못하여 손이 풀려 그릇이 상 위에 엎어졌다. 그가 손을 맥없이 떨어뜨리는데 이미 눈에 총기가 사라지고 눈꺼풀이 반쯤 내리덮였다. 막개가 빙긋 웃으면서 박대근에게 물었다.

"술이 별로 세지 않은 것 같소이다."

"에…… 에 술이 어쨌다구?"

박대근이 간신히 상머리를 짚으면서 얼굴을 쳐들려고 애썼다.

"이놈…… 주내방의 맛 좀 보아라."

막개가 박대근의 볼따구니를 손끝으로 두드리면서 빙긋대었다.

"뭐라구, 자네 뭐라구 그랬나."

"쓸개 빠진 놈."

박대근이 몸을 가누려고 애를 쓰면서 궁둥이를 들다가 그대로 상에 머리를 처박더니 움직일 줄을 모른다. 막개가 박대근의 상투를 잡아 뒤로 젖혀보고 나서 취련이에게 말했다.

"약을 너무 탔던 거 아냐?"

"보통때보다는 좀 많이 탔어요."

애먹이는 술꾼들에게 몽혼처방을 준비하여 술에 타서 재우는 것은 색주가에서 가끔 있는 일이었다. 취련이 손뼉을 쳤고, 밖에서 투닥거리는 발걸음 소리가 들리더니 꺽돌을 위시한 패거리들이 미닫이 밖에 우르르 몰려섰다.

"광으루 데려가거라."

막개의 말이 떨어지자 꺽돌과 몇몇 장정이 송장처럼 늘어져버린 박대근의 몸을 맞들고 방에서 나갔다. 그들은 완전히 인사불성이 되어 늘어진 박대근을 광으로 데려갔다. 관솔불을 밝히고 광문을 단단히 잠근 다음, 줄을 내어 대근의 두 손목을 묶고 그 줄을 대들보에 걸었다. 팽팽히 당겨서 높직하게 매달리게 되자 줄을 기둥에 매어놓았다. 박대근은 두 손목을 쳐들고 공중에 매달린 채 고개를 떨구고 있었다. 막개는 멀찍이 서서 팔짱을 낀 채 구경을 하였다.

"정신이 날 때까지 찬물을 끼얹어주어라."

꺽돌이가 웃통을 벗어던졌다. 그는 이 무력해진 상대에 벌써부터 흥분이 되어 연신 볼을 떨고 있을 정도였다. 큰 동이에 떠놓은 물을 바가지로 떠서 대근에게 뿌리기 시작했다. 다리는 모아진 채 흠칫거리더니 눈을 떴고, 떴다가 다시 감고 물을 뒤집어쓰면 또 눈을 떴다. 몇번 거듭되다가 박대근은 완전히 젖어버린 머리를 미친 듯이 흔들어대고 나더니 부릅뜬 눈으로 아래를 내려다보았다. 밑에서 이를 악물고 흥흥대면서 꺽돌이가 씹어서 말하였다.

"정신이 들었느냐? 무어 내 얼굴에 표적을 해준다구? 네놈이 다시는 해주 바닥에 발을 들여놓지 못하도록 아예 두 무릎을 꺾어줄 테다. 그뿐야, 다신 칼질 못 하게 손가락 하나 남기지 않을 거니까."

꺽돌이 몽둥이를 들었다가 차마 아까웠는지, 그것을 내던지고 나서 맨주먹이 되었다.

"어이, 줄 좀 낮춰줘."

줄이 풀리자 대근의 발이 땅에 한 치쯤 남기고 뜰 만한 높이가 되었다. 꺽돌이 힘껏 대근의 아랫배를 쥐어박았다. 헉 하면서 허리가 휘청했다가 다시 꼿꼿해졌다. 꺽돌이 발을 들어 대근의 옆구리를 호되게 걷어찼고 줄에 묶인 그의 몸이 팽그르르 돌아갔다. 상투를 잘렸던 놈들이 뒤에서 차례를 내달라고 보챘다. 막개가 껄껄 웃으면서 말했다.

"이놈들아, 개는 천천히 두드려패서 잡을수록 고기맛이 나는 게야. 밤새껏 두드려서 말랑말랑하게 된 연후에 우리게서 쫓아내버려라. 주내방서 하던 그대루 시행해야지."

둘러섰던 자들이 와르르 웃었다.

"꼭 그대루라면 잊은 것이 있소이다."

"무엇이냐?"

"예, 계집의 월경서답 말이우."

다시 한번 폭소가 터졌다.

"그래, 창기년들께 가서 얻어오너라."

축 늘어진 채 묶여 있는 박대근을 둘러싼 자들이 목청을 합쳐 폭소를 터뜨렸다.

"가장 묵은 걸루 얻어와라."

"계집의 밑씻개를 주둥아리에 처박으면 삼 년 횡재한다더라."

"그놈 오늘밤에 운수대통이로다."

막개가 좌중을 제지하고 나서,

"고개를 들도록 해주지."

하고 조용히 말했다. 졸개들이 달려들어 몽둥이로 박대근의 턱밑을 치받쳐올렸다.

"이제부터 너희 송상패의 버릇을 가르칠 텐데…… 다시는 해주에 얼씬거릴 생각을 마라. 평산 쪽으루 가든지, 직접 평양으루 올라가든지 다 좋은데, 해주에 다시 나타나지 못하도록 가르쳐주겠다."

막개가 말하는 동안 완전히 정신을 차린 박대근이 부릅뜬 눈으로 그를 노려보았다. 웃통을 벗어버린 꺽돌이는 참을 수 없다는 듯 가슴을 부풀리며 뛰어나왔고, 기방에 나갔던 자가 계집 월경대를 손가락 끝에 걸치듯 들고서 달려들어왔다.

"농 밑에 처박힌 걸 끌어내느라구 혼났네. 한 보름은 묵었을 게야."

"이리 줘. 내가 저놈 아가리에 틀어박을 테니……"

꺽돌이가 그것을 움켜쥐더니 고개를 돌리며 버둥대는 박대근의 앞으로 다가섰고, 허공에 떠 있던 대근의 다리가 간격을 맞추어 솟구치면서 꺽돌의 면상을 걷어찼다.

"어이쿠!"

꺽돌이 뒤로 폴싹 주저앉았는데 턱주가리를 정통으로 얻어맞은 모양이었다.

"무엇들 하느냐."

몇은 꺽돌이를 부축해 올렸고, 막개가 그들의 앞으로 몽둥이를 던져주었다. 꺽돌이 터진 입술을 소매로 쓱 닦아내고서 일어나면서 집어든 몽둥이로 박대근의 옆구리를 내질렀다. 그러고는 미친 듯이 등이며 가슴을 난타질했다. 박대근은 이를 악물고 간간이 신음소리를 내면서 허공에서 흔들거렸다. 막개가 뒤에서 꺽돌이의 몽둥이를 빼앗았다.

"성급히 굴지 마라."

"아주 때려죽여버릴 테유."

"주린 놈이 체하는 게야. 범은 아주 천천히 노려가며 조반을 든단 말일세."

막개는 몸소 물동이를 들어 박대근의 머리서부터 들이부었다. 대근이 몸서리를 치면서 떨구었던 고개를 들었다. 그러고는 맹수처럼 이빨 사이로 으르렁거렸다.

"내가 살아만 나간다면…… 너희들을 그냥 두진 않으리라!"

"허, 그놈 참 담대한 놈일세."

"그 담을 쥐새끼 불알만큼 만들어줄 테니 염려 마시게."

"두 발 묶어라. 이제부터는 답교맛이 어떤가 즐기라구."

완강하게 두 다리를 휘젓는 대근의 배를 몽둥이로 힘껏 내지른 꺽돌이와 상투 잘린 자들이 달려들어 두 다리를 묶었다. 그러고는 줄을 늦추어 다리 사이에 몽둥이 둘을 엇갈려 끼운 다음 무릎을 꿇어앉혔다. 여러 사내들이 차례로 몽둥이를 바깥쪽으로 돌리고 비틀었다. 악물린 대근의 이빨 사이로 신음소리가 새어나왔다. 그가 실신할 듯하면 머리를 뒤로 잡아당겨 허리가 휘게 하고서 두 놈이 번갈아가며 무릎과 몽둥이를 차례로 밟으며 널을 뛰었다. 이러한 악형이 동틀 무렵까지 계속되어 박대근은 완전히 기를 잃고 빈 자루처럼 늘어져버렸다. 몰골로 보기에도 그는 수개월 동안은 기동조차 못 할 정도가 된 것 같았다. 꺽돌이의 벗은 몸은 땀으로 번질거리고 있었다. 그는 발길로 박대근을 툭툭 건드려보았다.

"임가마냥 힘을 못 쓰게 아주 허리뼈를 분질러놓읍시다."

막개는 반대했다.

“아니여, 호랑이는 죽은 고기는 먹지 않는 법이다. 날이 샜으니 송상 패거리에게 내다줘라. 다신 얼씬거리지 못할 테지. 그리고 다른 장사치들두 우리 용댕이를 깔보진 못할 테니까.”

박대근의 옷은 갈가리 찢어졌고 사이사이로 터진 상처와 말라붙은 피딱지가 보였다. 안색은 검푸르게 죽어 있었는데 그들이 양쪽에서 끌어올렸으나 두 다리가 너덜너덜하여 땅에 질질 끌렸다. 막개가 말하였다.

“남의 눈에 띄겠구나. 타관 상인배들은 괜찮지만 결성골 사람들 눈에 띄면 인심을 잃는다. 거적에다 말아서 지고 가거라.”

“이젠 그 문화 광대 패거리만 타작하면 우리 빚은 모두 갚게 됩니다.”

“언제지?”

“관시놀이는 내일 저녁부터 모레 새벽까지입니다.”

“다른 놈은 건드릴 필요가 없느니라. 기중에 가장 날랜 자가 누구인가?”

“예…… 장씨 성을 가진 길산이라는 총각 광대 하나이 있는데, 권술도 잘하고 단검도 제법 휘두를 줄 안다 합니다.”

“여럿이 패싸움을 벌일 게 아니라, 머리를 짜서 잡을 생각들을 해둬라. 나두 내일은 생원나리께 들어가 여쭤야겠다.”

“이 정도면 소문은 제법 나겠지요?”

“그럴 게다. 용댕이 와서는 우리께 대적하기보다 타협하는 것이 낫다고들 여기겠지. 시골 장터의 조무래기 소악 패거리들과 다르게, 너희들두 함부로 날뛰지 말구 체통 있게 처신들 하여라. 사람을 치는 일두 거듭되고 소문이 많아지면 자연 격이 떨어지는 것이야.

자…… 저 보기 싫은 것을 빨리 내다버려라."

그들은 박대근을 거적에 말아 어깨에 메고 결성골을 나섰다. 그들이 객주 근처에 왔으나, 아무도 대근의 행방을 염려하여 기다리는 자가 없었다. 화해술을 마시러 색주가에 갔으니 아무래도 밤을 새우고 돌아올 것이 뻔했기 때문이다. 용댕이 패거리들은 곤히 잠든 송상패들의 방문을 요란하게 열고는 박대근을 거적때기째로 던져넣어주면서 방 안의 어둠에다 대고 떠들었다.

"빨리 용당포에서 나가거라. 날 밝을 때까지 어슬렁대는 놈이 있다면 모조리 잡아서 이 꼴을 만들어주겠다."

"너희가 객주에 위탁한 화물에서 차액은 우리 동무 상투 잘린 값으루 제하여두겠다."

"아니…… 이게 무슨 끔찍한 변고요!"

방금 잠에서 깨어난 보부상과 차인들은, 헤쳐진 거적 위에 벌렁 나자빠져 혼절한 자기네 행수를 보자 우르르 모여들었다. 회계 차인이 박대근의 코에 귀를 바짝 들이대고 숨이 붙어 있는가를 확인하였다. 전혀 낌새가 없는 듯하여, 그는 다시 대근의 가슴에 머리를 얹었다가 재빨리 고개를 들고 제 동료들에게 다급하게 말하였다.

"아직 숨은 붙어 있는 것 같수. 회생시켜봅시다."

"아니우, 그자들의 말을 못 들었수? 해가 뜨기 전에 용댕이서 나가라는 게요."

"그러면 성내를 채 못 가서 행수어른은 숨이 끊길지두 모르오. 우선 손쉬운 대로 회생이나 시킵시다. 그렇지, 분탕(糞湯)을 끓여서 흘려넣어주면 되겠네."

차인 한 사람이 마개를 단단히 막은 호리병을 들고 뒷간으로 달려갔다. 그는 줄에 맨 호리병을 푹 담가서 오랫동안 기다렸다가 건져냈다. 병 속에는 맑은 분수(糞水)가 고여 있었는데, 거기에 계란과 화주를 섞어 휘저은 다음에 박대근의 입을 벌려 흘려넣었다. 분탕이란 원래 심한 타박상을 입은 경우에 응급처치로 쓰게 되는 처방이었다. 차인들은 둘러앉아 박대근의 가슴과 배를 문지르고 고개를 뒤로 젖혀놓았다. 한참 뒤에 호흡이 터지면서 신음소리가 들려오기 시작하였다. 박대근이 회생한 것이다.

"자, 모두들 짐을 챙겨서 여길 떠납시다."

"우선 의원을 보여야 할 텐데……"

"아예 이럴 바에는 성내루 들어가는 것이 어떻겠소?"

"안 되여. 의원을 보이려면 성내루 들어가야겠으나, 주내방 패거리들이 보면 우리를 그냥 두지는 않을 걸세. 그보다도 박행수를 잘 아는 분이 수양산 정각사(正覺寺)에 주지로 계신데, 몇이 가서 도움을 청하세. 행수어른은 거기서 정양토록 해놓고 우리는 바삐 송도루 가야 허네."

차인들은 박대근을 데리고 가서 곁에 시중들 사람들을 정하고서 용댕이 객주를 떠났다. 그들이 성내에 들러 의원에게서 고약치료를 받게 한 뒤에 수양산에 오른 것은 한낮이 기울어서였다. 정각사 주지스님과 박대근은 한 고향 사람이었고, 대근이 장삿길에 해주를 지나게 되면 꼭 한 번씩은 들러 만나거나 밤새워 얘기하고는 헤어지는 사이였다. 절에서는 깨끗한 방을 치워 내주고 상좌승까지 붙여주어 시중에 불편이 없도록 해주었다. 고약을 붙였건만 대근의 몸은 퉁퉁 부어올랐다. 열기 때문에 입술이 새카맣게 말라붙어 있었다. 눈을 뜬 대근이 주위를 둘러보고 나서 한참이나 생각 중이더니 겨우 입을 열었다.

"내게 귀한 약속이 있는데…… 어기지 않도록 도와주게."

"무슨 약속이신지요. 저희가 전하고 오겠습니다."

"오늘 저녁에 용당포 어계방에서 문화 장총각과 이총각네 사람들을 만나기루 했었네. 아마도 그 사람들은 이런 일을 모를 것이니…… 잘못했다간…… 나처럼 크게 당할 게란 말일세. 누가 달려가서 주내방 앞 사거리를 지키구 섰다가, 용당포로 나가는 문화 재인들에게 사실을 알려주고 두 사람을 내게 데려오게."

"예, 착오 없이 시행하리다."

차인이 나는 듯이 산을 내려가 주내방 쪽으로 나갔다. 과연 명일이 관시일이어서 해주의 장사치들은 물론이고 여러 지방 행상과 객주, 점주들이 거래도 트고 물건도 구입하려고 몰려왔고, 남촌 서촌의 비렁질하는 각설이도 모두 모여들고, 한량들이나 구경 좋아하는 총각들이 들끓고 있었다. 이런 혼잡 가운데서 차인은 길 위에 벌여놓은 노천 주막에 앉아 탁주를 마시며 문화 광대 패거리를 기다렸다. 땅거미가 질 무렵에는 주내방 사거리에 곳곳마다 색등이 켜지고 사람들은 더욱 많아졌다. 거리굿을 벌일 참인지 사거리 가운데 제단이 차려지고 있었다. 차인이 그쪽으로 주의를 돌리고 섰는데 누군가가 곁을 지나다가 그의 어깨를 치면서 말하였다.

"이거 박행수 수하 차인 아니시우?"

차인이 놀라 고개를 들어보니 문화 광대 중에서 낯을 익힌 사람이었다. 차인은 반가운 김에 그의 손목을 덥석 잡았다.

"장총각이 지금 어디에 계슈?"

차인이 낯익은 문화 재인말의 광대를 붙잡고 물었다. 광대는 뒤편에 울레줄레 섰는 자기 패거리들을 돌아보았다.

"우리는 큰돌네 패요. 길산네 패는 아마도 돌다리(石橋)께에 있을 거요. 말고개에서 만나 함께 점심을 지어 먹었으니까. 인제 관시놀이가 시작되면 이곳 주내방 사거리루 내려올 거외다."

"혹시 용당포루 나가지 않았겠수. 우리네와 거기 선창서 만나기루 했었는데……"

"그렇더라도 틀림없이 주내방은 거쳐가야 할 게요. 길이 이곳뿐이니."

"연희장 근처서 기다리면 꼭 만나지겠구먼."

차인은 재인말의 큰돌네 패를 따라 연희장 근처에 가서 쭈그리고 앉았다. 점포의 주인들이 돈을 거두어 놀이터와 청과 자리를 만들어 놓고서 주변에 간이 주점을 개설하여 놓았다. 사방에서 인파가 밀려들고 있었다. 강령이나 배천에서 올라온 다른 파의 광대들도 있었고, 양주에서도 두어 패 내려온 것 같았다. 그리고 전국의 장터를 찾아 떠도는 거사패와 괴뢰배들도 끼여 있어서, 장터에는 울긋불긋한 광대들의 연희옷으로 가득 메워졌다. 그들은 밀려드는 대로 주최하는 점주들의 대표에게 참가를 알리고 미리 행하(行下)를 타내었다.

어두워지면 해주의 개시를 기념하기 위한 흐드러진 잔치가 시작될 모양이었다. 박대근의 차인이 그때에 인파의 혼잡 속을 헤치며 다가오고 있는 기다란 청기의 글자를 알아보았다. 앞장서서 기를 들고 오는 것은 분명히 덩치가 커다란 이갑송이었다. 그들은 요란하게 풍악을 잡히면서 연희장으로 오고 있었다. 차인은 구경꾼들의 어깨를 젖히며 가운데로 뚫고 나아갔다. 패랭이에 통장고를 메고 짓치며 지나가는 길산의 모습을 보자 다짜고짜로 장고채를 잡은 길산의 소매를 붙잡았다.

"여보 장충각, 일이 났소."

길산이 곧 그 차인을 알아보고 행렬에서 비켜서며 말하였다.

“웬일이우. 우린 여기서 연희 순서를 알아보고 용당포에 다녀오려던 참인데.”

“용당포엔 아예 가지두 마우. 댁네들이 송화 무더리 장터에서 혼을 내주었던 무뢰배들이 쫙 깔렸습니다.”

“대근이 성님은 어디 계시우?”

차인이 주먹으로 눈물을 씻어내면서 말하였다.

“그놈들께 얻어맞아 초주검이 되셨소이다. 시방 수양산 정각사에 누워 계시는데 한 두어 달은 기동을 못 하실 것 같소.”

길산은 침울한 낯으로 잠깐 생각하고 나서 말했다.

“좀 기다리슈. 내 갑송이를 데리구 오리다.”

길산이는 언제 상투를 올렸는지, 패랭이 아래쪽의 머리 뒤꼭지가 위로 틀어져 올라가 있었다. 길산이 갑송이를 불러 뭔가 속삭이자 갑송이가 먼저 바삐 뛰어왔다.

“대근이 성님이 다쳤다구? 어디우, 그놈들이 누구냔 말요?”

“용당포 객주와 선창에 있는 놈들입니다.”

“당장 달려가서 모조리 밟아 죽여버릴 테요.”

하며 씨근대는 것을 길산이 팔을 붙잡고 조용히 눌러놓았다.

“우선 대근이 성님부터 만나보구 자초지종을 들어보자. 그 뒤에 놈들을 찾아가두 늦진 않을 게다.”

“들어보구 자시구 할 거 없다.”

“대근이 성님이라구 그렇게 생각 없이 당하기만 했을 리 있겠냐? 여긴 대처야, 시골 읍내하군 다르다. 만사 조심하지 않았다간 관밥이나 먹게 된다.”

길산은 투덜대는 갑송이를 달랜 뒤에 차인을 따라 수양산으로 올라갔다. 정각사에 이르렀을 때에는 이미 밤이 깊어 보름달이 산머리로 훤히 솟아올라 있었다. 발걸음 소리가 들려오자 객방의 문이 열리며 대근을 간호하던 차인이 고개를 내밀었다.

“장총각 모시구 오나?”

“음, 이총각두 오시네.”

“아이구, 어서들 오시우. 여태 기다리시다 지금 막 잠이 드셨소.”

갑송이 짚신을 후닥닥 팽개치듯 벗어던지며 방 안으로 뛰어들더니, 삭신을 못 쓰고 누운 채 퉁퉁 부어오른 환자를 대하고는 곧 목을 놓아 울음을 터뜨렸다.

“에구 성님, 이게 무슨 변고유. 다 죽게 되었구려.”

길산이 다가앉아 박대근의 손을 잡고 말없이 눈물을 흘렸다. 과연 세 사람이 정이 남달리 두터워진 게 확연하였다. 박대근은 겨우 고개를 돌려 두 사람을 바라보는데, 따라서 흘린 눈물이 베갯잇을 적신다.

“내가 어리석은 탓으로 아우님들께 걱정을 끼치나 보우.”

길산이 부어오른 박대근의 몸을 만지면서 물었다.

“어째…… 의원은 보이셨습니까?”

“음, 한 두어 달 기동하지 말구 누워 지내랍디다. 이곳 주승이 나와 잘 아는 사이인데 제법 의술을 아는 모양이오. 교꾼을 세내어서라도 어서 송도루 돌아가야 할 형편이나, 아우님들 일이 걱정되어 미루고 있었소.”

“저희들이야 별일 있겠습니까. 타관 병환에 수심이 깊더라고, 어서 송도루 가셔서 정양하셔야지요.”

“아니오, 신복동이네 패들이 해주 바닥에 온통 깔렸는데, 벼르고 있습디다. 관시놀이에는 나가지 말구 나하구 함께 한 닷새 여기 머물렀다가 내 부기가 좀 빠지면 송도루 갑시다. 광대 물주에 관해서

두 우리 배대인과 의논할 겸……"

갑송이가 큰 소리로 말하였다.

"아니우, 성님이 이 꼴이 되었는데 형제지의를 맺은 우리가 꼬리를 감추고 내뺄 수야 없습니다. 신가놈들을 모조리 잡아 다리 몽갱이를 꺾어놓을랍니다."

길산이도 곧 맞받았다.

"해주는 대처입니다. 신복동이 외에도 다른 상인들이 많이 있을 테고, 감영에 줄을 앗긴 자들의 원망이 드높아 있을 것입니다. 또한 관시놀이라면 각처의 장사치 행상이 모이는 법인데, 그들 가운데서 신복동이 패거리가 우리들께 혼찌검이 났단 소문이 돌면 모두 통쾌히 여길 것입니다. 그냥 물러난다면 다른 데서 난전을 트기에도 어려워질지 모르지요."

"글쎄 나두 아우님의 생각과 같으나, 저들의 수가 워낙 많은데다 남의 터에 들어와놓고 보니 섣불리 손을 쓸 수도 없게 되었구려. 더구나 그전에는 우리네가 임유학의 패와 가까이 지냈더니, 그들이 함정에 빠져 패가한 뒤로 신씨 여각에서 득세하여, 송상 알기를 술청 바닥의 술찌끼 정도로나 대하려 하오. 우대용이라구 의기 있는 장정이 있었건만 시방은 옥에 갇혀 언제 죽을지두 모르오. 겨우 손을 써놓고 기다리는 중이었는데, 또한 아우님들까지 일을 벌이면 이제 무슨 사단이 일어날지 모르겠구려. 정면으루 대적했다가는 감영의 규찰에 걸려들 것이니, 해주 무뢰배를 징치하였음을 세간에서 알도록 하면 될 것이오."

박대근의 말을 듣고 나서 길산이 안을 내었다.

"저들이 우릴 별러왔다면, 틀림없이 오늘 사거리 장터를 지키겠지요. 우리는 관시놀이에 나가지 않을랍니다. 그대신 용당포로 스며

들어 그 막개라는 자가 있다는 색주가를 습격하지요."

"아니…… 기왕에 저놈들의 간담을 서늘하게 해주려면 아예 주내방의 신복동이네 집을 찍는 게 나으리다."

"그렇겠군. 신복동이를 잡아 사람이 없는 산속에 끌어다 놓고 치죄하여 벌한 뒤에, 읍내에다 광을 퍼뜨리고 달아나면 되겠군요."

"그게 좋은 생각이오!"

그들이 신씨 여각을 들이칠 공론들을 한 뒤에 나서려는데, 박대근이 간신히 상체를 일으키려다 자지러지는 신음만을 발하고 다시 쓰러졌다.

"일을 끝낸 다음에 이리루 오겠소. 교꾼을 세낼 거 없이 우리가 짊어지구 송도까지 모셔드리리다."

"아우님들 조심하우. 특히 사거리 연희장 부근에는 얼씬두 마우."

"제게 다 생각이 있습니다."

길산이 나올 적에 그들을 데려왔던 차인을 불러내어 당부하였다.

"우리는 사거리루 가지 않구 여각으루 갈 터이니, 댁은 우리 패거리께 사정을 전하고, 내일 새벽에 모두들 데리구 연안 가는 길루 나가서 기다려주시우."

"예, 행수어른께 여쭙고 그렇게 하리다."

길산이와 갑송이는 악기 등속이 든 짐을 정각사에 벗어두었다. 그들은 만일의 경우를 생각하여 짐 속에서 반 팔 길이의 짜른 칼과 오줌독에서 두어 해 묵었음직한 단단한 참나무 몽치를 제각기 찾아들고 수양산을 내려왔다. 그들은 돌다리께서 주내방 사거리로 가는 길을 택하지 않고, 막바로 근양문(近楊門) 앞을 돌아 순명문(順明門) 쪽으로 질러가는 길로 들어섰다. 순명문 앞의 객주거리에 신씨 여각과 집이 잇달아 있었던 것이다. 그들은 둘 다 의관을 벗어버리고 간편하게 바지저고리에 행전을 단단히 치고서, 주막에 들어가 요기를 하면서 시간을 보내었다. 마당의 평상 위에 앉았으려니, 맞은편으로 신생원네 솟을대문이 빤히 건너다보였다. 장정들이 들락거리고 잠시 후에 사인교가 세 채나 나와서 관시놀이가 벌어질 사거리 쪽으로 올라갔다. 순명문 앞은 비교적 한산해져 있었다. 모두들 사거리에 구경 나간 모양이었다. 신생원네서도 하인배들과 아녀자까지 구경 나가는 눈치였다. 말 끄는 구종배와 호위 둘을 거느린 생원이 솟을대문 앞에 이르렀다. 아마도 감영에 들어가 비장붙이들과 교제하다가 저녁을 먹으려고 들른 모양이었다. 갑송이가 일어서려는 것을 길산이 잡아앉혔다.

"왜 그래. 지금 덮치지 못하면 저놈은 곧 나와서 관시놀이 구경 갈 텐데."

"아니다, 남의 눈에 띄면 득달같이 졸개들이 달려올 테니, 우리가 안방으로 따라 들어가는 게야."

"지금 곧 가야 한다니까."

"좀더 한산해지길 기다리자."

그들은 탁주를 두어 되 나누어 마시고 나서 주막을 나섰다. 여각 앞은 보다 더 한산해져 있었다.

길산이와 갑송이는 솟을대문 앞에 서서 잠깐 망설이고 있었다. 갑송이가 속삭였다.

"문을 왈칵 밀어붙이면, 까짓 빗장은 부러져버릴 게야. 어때, 대문을 부수구 들어갈까?"

"가만있어."

하며 갑송이를 제지하고 나서 길산이 목청을 돋워 외쳤다.

"이리 오너라!"

그러나 문안은 괴괴하였다. 다시 한번 길산이 크게 찾으니, 그제야 툴툴대는 소리와 함께 문 앞으로 인기척이 다가와 목소리만 들렸다.

"뉘시우?"

"급하오. 이 댁에서 송도루 놓았던 방자(房子) 도착이오."

제놈이 서신 연락 다니는 방자란 말에 의심 없이 삐끄덩 문을 여는데 빗장이 풀리자마자 두 장한이 왈칵 밀며 들어섰다. 소리 지를 새도 없이 갑송이의 주먹이 아랫배를 쥐어박았고, 욱 하며 꺾인 놈의 뒤통수를 다시 한번 박으니 날벼락에 썩은 솔나무 부러지듯 앞으로 꼬라박힌다. 길산은 다시 조용하게 대문 빗장을 걸어잠그고, 갑송이가 넘어진 놈을 질질 끌어다가 행랑채의 기다란 툇마루 아래 굴려넣었다. 그들은 재빨리 양쪽으로 갈라섰다. 길산은 대문 오른편으로 나가 중문을 엿보며 섰고 갑송이는 행랑채를 돌아 바깥 사랑마당을 건너갔다. 갑송이가 방들이 연달아 붙은 사랑채를 살피고 나서 아무도 없다는 시늉으로 손을 내저어 보였다. 사랑방 뒤로는 잇닿은 누마루가 안채 부엌에까지 연결되어 있었다. 인기척 소리가 들리자 갑송이가 먼저 사랑채 툇마루 아래 숨었고, 길산이는 젖혀진 중문 뒤로 뛰어들어 몸을 감추었다. 하인 두 사람이 후원 별당에서 나와 바깥마당을 지나고 중문을 통과했다. 길산이 나와 마루 밑에서 기어나온 갑송이에게 별당 쪽을 가리켜 보이고, 자기는 중문 안쪽을 손짓하였다. 갑송이가 별당문 안으로 사라졌다. 길산은 중문에 들어서서 한눈에 대청 툇마루에 잇대어진 세 칸의 광을 바라고 잽싸게 뛰었다. 그는 건넌방 툇마루에 가장 가까운 끝엣광 속에 잠깐 숨어 있었다. 문틈으로 내다보니 계집종 두 년이 부엌에 있었고 사환비(使喚婢)인 듯싶은 계집아이가 숭늉을 받쳐들고 안방문을 여는 순간이었다. 중치막이 벽에 걸려 있는 것이 보였다. 안방에서 저녁을 끝낸 신복동이 담배라도 한 죽 태우고 있음에 틀림없었다. 그는 사환비가 부엌으로 들어갈 때를 기다렸다. 계집아이가 빈 쟁반을 들고 섬돌을 내려 부엌으로 들어갔다. 저희끼리 무슨 재담이라도 나눴는지 재깔대며 웃을 즈음에 길산은 고양이걸음으로 툇마루에 올라섰다. 그러고는 발을 끌면서 연달아 붙은 두 칸의 방 앞을 지나 대청 안쪽으로 깊숙이 들어갔다. 만일 누군가 중문에 들어서든가, 안마당을 지난다면 길산의 모습을 똑바로 볼 수 있는 위치였다. 길산이는 주저하지 않고 안방의 미닫이를 싸악 열면서 뛰어들었다. 한 손으로는 품안의 단검을 빼어들며 다른 손으로 뒤의 미닫이를 닫았다.

"웬놈이냐?"

장죽을 떨어뜨리며 보료 위에서 몸을 일으키면서 신복동이 외쳤다. 그의 아내가 입을 딱 벌리고 질린 얼굴로 방구석에 쫓겨갔다. 물린 밥상을 살짝 건너뛴 길산은 일어나려는 신가의 상투를 잡아 뒤로 당겼고, 팽팽해진 목줄기에 차가운 칼날을 대며 힘주어 속삭였다.

"꿈쩍하면 모가지를 도릴 테다."

"으으…… 누, 누구냐?"

사지에서 힘을 쭈욱 빼내고 겁에 질려 흰창이 드러난 눈알을 위로 치뜨면서 신가가 중얼거렸다. 신가 여편네가 방구석에서 떨고 섰는데 언제 소리를 지를지 몰라, 길산이가 오금을 박아놓는다.

"찍짹 소리 했단 봐라, 네 서방의 모가지는 기우젯날 돈(豚)생원 꼴이 될 터이다. 이불을 내려라. 어섯!"

아낙이 와들거리며 이불을 내렸고 길산은 신가의 상투를 잡아끌어 일으켜세웠다. 아낙네가 다음에는 어찌할 바를 몰라 이불자락을 움켜쥐고 앉았을 때, 길산이 다시 속삭였다.

"부엌에 있는 년들은 모두 관시놀이 구경을 내보내라. 딴소리 하면 칼 들어간다."

신가 여편네가 입술을 달싹여보았으나 소리가 되어 나오기는커녕 깔딱하는 딸꾹질이 대신 솟구쳤다. 길산이 신가의 상투를 더욱 팽팽히 당기면서 칼날을 곧추세워서 지그시 눌러대니, 신복동이 참지 못하여 이빨 새로 다급하게 내뱉었다.

"이년아, 빨리 부르라는데 뭣 하구 섰니."

"이애…… 자…… 자근년이야, 자자…… 자근년이야!"

기척이 들리며 마루 아래서 대답하는 소리가 들렸다.

"마님, 불러 계시와요?"

"응…… 저……"

"마님, 어디 불편하셔요?"

"아…… 아니다. 느이들 사거리 저자 나가서 구…… 구경하구 오너라."

"아이, 정말이어요? 그럼 쇤네들 바삐 다녀오겠습니다."

대답을 기다릴 새도 없이 그동안 좀이 쑤셔 안달하던 종년들이 말 한마디가 떨어지기 무섭게 재잘거리며 중문을 나서는 소리가 들렸다.

길산이 신가를 잡은 채 미닫이를 열고 동정을 살피고 나서 후원 쪽을 향하여 날카로운 휘파람을 날렸다. 이미 별당을 샅샅이 뒤져보고 나서 안채를 살피고 있던 갑송이가 부엌 옆의 문을 밀치고 들어와 안방으로 다가왔다. 길산이 턱짓으로 여자 쪽을 가리켰다.

"홑청을 뜯어 저 아씨마님을 잘 모셔라."

갑송이가 이불 홑청을 좔좔 뜯어낸 뒤에 끝을 주욱 찢어서 아낙의 손발을 묶었다. 그러곤 발에서 버선을 벗겨서 입에다 틀어박았다.

"한숨 푹 자구 나면 몸에 아주 이로울 게요."

갑송이는 묶인 여자 위에 이불을 들씌워놓았고 신가를 묶기 시작했다. 역시 남은 버선 한 짝을 입에 틀어넣으려는데 신가가 부르짖었다.

"어디…… 두고 보자!"

"두구 봐야 똥 쌀 놈은 바루 자네여. 자아, 한 대 잡수시게."

갑송이는 퍽 하며 배지를 쥐어박아 몸에서 기력을 뽑아놓은 다음, 축 늘어진 신복동을 남은 홑청에 둘둘 말아 어깨에 짊어졌다.

"자, 별당 뒷문으루 나가자."

"별당엔 누가 없든?"

"애새끼들뿐이여."

그들은 잠깐 마당을 살펴본 뒤에 부엌 옆문을 지나 별당으로 들어섰는데, 그때 하인 서넛이 짐바리를 메고 안채의 광으로 운반해 갔다.

"들킬라. 빨리 나가자."

그들은 후원 나무숲으로 해서 뒷문에 닿았다. 뒷문은 오랫동안 사용하지 않았는지 걸쇠에 걸린 자물통에 녹이 꺼끌꺼끌하게 슬어 있었다. 불빛이 훤한 별당 쪽에서는 아이들의 글 읽는 소리며 늙은이의 기침소리가 들려왔다. 길산은 자물통을 잡아비틀었고, 붕어자물통이 걸쇠째로 나무에서 뽑혀나왔다. 그들은 인적이 전혀 없는 뒷담 아래서 다시 집안의 동정을 살피고서 곧장 순명문을 왼쪽으로 멀찌감치 우회하여 노인정(老人亭)을 바라고 뛰었다. 해주성을 돌아 수양산 기슭에 닿기 위해서였다.

놀이판이 벌어진 사거리 저자 한가운데에서 높다란 장작불이 타오르고 있었다. 장작불뿐만 아니라 구경꾼들이 저마다 들고 나온 발등거리로 해서 주위는 대낮처럼 밝았다. 탈광대들의 탈판이 끝나고 사이사이에 거사패들이 나와서 근두질이라든가 어름을 탔다. 이미 문화 큰돌네 패와 길산네 패는 연희를 포기하고 저자에서 빠져나간 뒤였다. 즐비한 초가의 간이 주막마다 손님들로 들끓었고, 자릿세를 미리 내고 놀이판을 겹겹으로 싸고 둘러앉은 구경꾼들도 주막에서 날라온 술과 안주로 서서히 취해가고 있었다. 주내방 패거리들은 돌다리서 오는 길목과 적동방(滴東坊)서 오는 길목, 그리고 근양문에서 순명문으로 가는 길이 합쳐지는 쌍머리고개 앞을 제방 쌓듯 막아놓고서, 막개와 꺽돌이가 패를 나누어 사거리의 주막과 저자 속을 뒤져냈다. 그러나 문화 길산네 패는 이미 씨알머리도 없었다. 막개가 놀이판 뒤의 개복청(改服廳)을 턱짓하면서 꺽돌이께 지시했다.

"저 자들은 어디냐?"

"강령패들입니다."

"지금 나가 노는 것들은……?"

"창(唱)하는 계집들이 있으니…… 거사패가 분명하우."

"강령패에서 한 놈 데려오너라."

꺽돌의 졸개들이 달려가 영문을 모르는 중년의 광대 하나를 멱살잡아 끌고 왔다.

"페엣 페페페! 무슨 일이 생겼쉐까? 이 양반들이 뒤 한번 달라구 이러나…… 이 몸은 오늘 아침에 왕고추 반찬으루 먹구 나온 사람이니 페엣 페페, 아예 후장 딸 생각은 마슈."

탈박을 쓴 채로 엮어내리는 광대의 사설이 제법 약을 올릴 만하다. 그러나 막개는 빙글대면서 말하였다.

"끼놈, 뉘 앞에서 패설을 씹느냐. 평생 뒤만 대주다가 오장이 썩더니 주둥이까지 짓물렀구나."

"예? 아닌뎁쇼. 소인은 워낙에 맵고 신 음식을 좋아하와 암동모는 못 되옵고 주로 수동모가 되었삽기, 이제 나리를 뵈온즉 그 수염이 깊고 울창하와 문득 소인이 귀빠지던 일이 생각나옵니다."

"이놈 봐라. 음담은 좋다마는 남의 입을 들어 욕을 하는구나."

막개가 서슴지 않고 광대의 낭심을 올려차니 광대가 겅중겅중 뛰면서 죽는 소리를 내질렀다.

"탈박을 벗어라."

급한 중에도 매맞을 일이 두려워 광대가 탈박을 머리 위로 젖히자,

"문화놈들이 어디 있는지 아느냐?"

물었는데, 본성은 잃지 말더라고 대답이 또한 재담이다.

"어디 있긴 어디 있습니까요. 용궁 선봉장으루 서해 용왕님을 모시구 있다가 엊저녁에 냉큼 낚시에 걸려 저어기 사거리 주막집 초장 속에 담겨 있지요."

"이놈아, 누가 결말 쓰라더냐?"

꺽돌이가 다시 광대의 궁둥이를 호되게 걷어찼다.

"페엣, 페페페…… 아이구 아파, 문어가 어딨냐니 대답이야 분명하지요."

"이놈아, 귓구멍이 뚫렸으면 잘 새겨들어라. 문화 광대 패거리들이 아무도 뵈질 않으니 모두 어디로 갔느냔 말이다."

"예, 천성이 길을 좋아하와 비럭질 석삼 년에 한뎃잠 자기와, 가는 곳마다 욕을 먹고 매를 맞아, 약하고 천한 백성이 느느니 조동아리 살뿐이올시다. 허니…… 볼따구니에 재담살만 불어나고 이빨은 튼튼치 못하와 잘 새기질 못합니다."

광대의 능청은 매를 가지고도 어쩔 수가 없어서 막개도 중치막 자

락을 젖히고 엽전 두 푼을 꺼내어 던졌다.

"허는 수 없는 손이로다. 자, 이젠 얘기하겠느냐?"

"무얼 말씀이우?"

"길산네 패 말이다."

"오오, 구월산 아래 사는 아이들 말이웨까? 벌써 땅거미 어름에 여기서 떠났소이다."

"가만있자……"

주춤거리던 막개가 그제야 제 이마를 찰싹 두드리더니,

"아뿔싸!"

그는 자기 패에게 당황한 어조로 외쳤다.

"모두들 생원어른 댁에 가보자."

그들이 사거리를 빠져나와 주내방 쪽으로 몰려 내려가는데, 벌써 두어 놈이 입에 거품을 물고 달려오는 중이다. 막개가 짐작하고 그 자리에 서버렸다.

"집에…… 집에 화적이 들어……"

"나리가 어찌됐느냐?"

"나리께서는…… 잡혀가셨습니다."

막개는 눈앞이 아득해졌다. 어느 길로 쫓아야 할지 갈피를 잡을 수가 없었던 것이다. 해주는 사방으로 길이 통하는 물길 가운데 뜬 편주(片舟)와도 같은 대처였다. 신천 송화 장연 옹진 강령 재령 등의 읍이 모두 주위에 접해 있었다. 그는 하인들에게 우선 떠오르는 대로 지시하였다.

"이 길로 감영에 들어가 고하여라. 화적이 들어 나리가 인질이 되었으니 영병을 모조리 동원시켜서 잡아달라 아뢰어라."

막개는 꺽돌이에게 말하였다.

"너는 사거리 목을 지키구 섰는 아이들을 풀어 길산네 광대패가 어디루 지났는가를 보았다는 자들을 찾아내어라. 만일에 자시가 지날 때까지 방향도 못 잡아내면 너의 신근을 잘라버릴 터이다. 알겠는가?"

꺽돌이 정말로 뿌리가 빠진 놈처럼 황황히 달아났다. 막개가 그 뒤통수에다 대고 소리쳤다.

"종적을 잡은 즉시 순명문 앞에 모여서 대기하여라."

막개는 한달음에 객사(客舍)를 지나 동헌을 바라고 뛰다가 구슬 상모에 철릭을 입고 환도 차고 훈련원서 나오는 병방 비장과 부딪쳤다.

"나으리, 어디 가십니까?"

"이 사람아, 자네 어른 댁을 대적이 범했다네. 목을 잘라 갔다면서? 사또께 현신하고 포졸을 풀 모양일세."

"예에, 재물을 겁탈하고 나리를 인질로 잡아갔답니다."

이리 수작하며 동헌에 닿으니, 벌써 부용당(芙蓉堂)에 밤놀이 나갔던 감사는 책방을 대신 보내어 포졸을 내어 각수요로(各守要路) 하라는 영을 내린 뒤였다. 정병 오십여 인에 십여 명의 총포수까지 끼였으니 화적이 관내에 들어와 사람을 납치해 갔다는 사실에 몹시 놀란 모양이었다. 감영에서는 우선 파발을 띄워 해주성 외곽의 파수 진장들께 길을 막도록 하고 나서, 남산에서 시작하여 우이산 줄기와 그 맞은편 수양산 기슭을 수색해나가기 시작했다.

해주서 바깥으로 나가는 요로마다 행인을 규찰하는 진(鎭)이 있으되, 북으로 신천 가는 조화골〔助化洞〕이요, 서쪽으로 장연, 옹진 길이 갈리는 영유벌 삼거리, 동으로 평산으로 빠지는 까치내〔鵲川〕와 남으로는 연안 가는 길의 돌장승백이 못 미쳐서 신구 감사가 갈리는 영송 지점인 우름내(泣川) 등등이었다. 순명문 앞에 모인 주내방 패거리들은 막개의 지휘에 따라 주내방 사거리에서 시작하여 돌다리 쪽으로 짚어나가기 시작하였다. 벙거지와 장한들이 이리저리로 휩쓸고 다닐 적에 이미 저잣바닥에는 문화 길산네 패와 큰돌네 패가 사실은 화적떼와 작당하여 신복동을 죽였다는 소문이 번져가고 있었다.

주내방 패거리가 저자의 좌판장수들에게서 수소문을 할 적에, 초저녁에 문화 광대 패거리들이 용댕이 쪽으로 나갔다는 사실을 알게 되었다. 그러나 그들은 결성골 쪽으로는 나아가지 않고 남산 가녘을 길게 우회하여 연안 가는 길로 빠진 것이 확실해 보였다. 그들이 우왕좌왕하며 추적을 하는 사이에 시각은 이미 새벽이 되었으니 서둘러서 추이방(秋伊坊) 학밭거리로 내달았다. 산속을 뒤지던 감영 군졸들도 통기를 받아 뒤이어서 남로(南路)를 향하였다. 막개가 거느린 이십여 명의 신가네 장한들은 학밭거리 주막에서, 얼마 전에 광대패로 보이는 자들이 우름내 해변을 따라 내려갔다는 얘기를 들어 더욱 추적을 재촉하였다.

한편 길산이와 갑송이는 수양산 아래턱에서 차인들의 들것에 들려 내려온 박대근과 만났다. 갑송이가 메고 있던 홑이불 속의 신가는 벌써 제정신이 들었는지 사지를 버르적거리고 있었다. 갑송이가 꿈틀대는 신가를 어깨에서 땅바닥으로 몰인정하게 내치면서 말했다.

"성님…… 쥐새끼를 잡아왔수."

박대근은 나뭇가지에 줄을 엮은 들것에 꼼짝도 못 하고 누운 채 목쉰 소리로 대답했다.

"어서 그 보를 풀으시게."

갑송이가 홑청을 훌떡 벗겼으나, 신가는 맨상투를 사타구니에 처박고 고개를 들어 바라볼 엄두가 나지 않는 모양이었다.

"지금부터 네놈을 징계하리라."

길산이 말했고, 갑송이는 벌써부터 매를 고르느라고 이 가지 저 가지를 꺾으며 부산을 떨었다. 신복동이 가까스로 용기를 내어 어둠속에서 움직이는 사람들을 살피려 애쓰면서 떨리는 목소리로 물었다.

"댁들은…… 뉘시길래 나허구 무슨 웬수가 졌다구 이러는 거요?"

박대근이 누워서 그를 바라보며 나직하게 웃었다.

"우린 천한 백성이다. 일찍이 네놈들의 악행을 들었으되, 썩은 관리들의 비호로 징치할 바가 없더니 이제야 기회가 온 모양이로구나. 이제 네 죄를 말할 터이니 들어보아라. 원래 재물이란 여러 사람들 가운데서 모으는 것이니, 물건을 사거나 바꾸는 일에서 정당할 일이요, 또한 작은 이를 골고루 나누고 나머지를 모아야만 실로 하늘의 뜻에 합당한 재물이 되는 것이다. 남에게서 훔치지 않고 남에게서 빼앗지 않으며 남을 속이지 않을뿐더러 나아가서는 그것이 여럿을 위하여 쓰여짐이 가하다. 무릇 장사치라는 것은 애초부터 농공(農工)의 아래로 가장 천역인데, 그것은 생산이 근본이요 교역은 그를 돕는 일일 뿐이기 때문이어서 성현이 정한 바이다. 그러나 이제 시세가 재화를 중히 여기게 되어 반상(班常)을 막론하고 상업에 종사하는 일은 대수롭지 않게 되었다. 그러나 재물이란 소리(小利)를 모아 대리(大利)를 이루는 것이니, 장사치는 민생의 근본이 되는 생산을 돕는 일임을 스스로 잊지 말아야 할 것이다. 너는 지방 장시를 횡행하며 가난한 백성의 산물을 위협으로 침탈하였으니 그 축재의 그릇됨이 첫째이다.

상업이 성행하는 것은 물화(物貨)가 풍부하게 생산됨에 있고, 물화가 무성히 되는 것은 관이 깨끗하여 백성의 생활을 보호함에 달려 있다. 그럼에도 불구하고 네놈은 오히려 썩은 관리와 결탁하여 영세 행상들의 판로를 막고 혼자 저자를 독점하였으니 그 축재의 그릇됨이 둘째이다.

하늘이 사람을 낳으매 모두가 먹고 입는 것이 마련되어 있는 법인데, 물자를 만드는 일과 물자를 쓰는 일이 형평하다면 가난한 자가 없을 것이 천하의 법도이다. 장사를 하는데 민생에 중한 물산은 그 이윤을 도모함을 너그러이 하며, 당화나 방물과 같은 사치품에 이를 넉넉히 남겨 상도의 평정함을 추구할 일인즉, 너희 여각 객주에서 폭리하는 물산이 무엇이더냐. 너 같은 간상배가 대저 물가를 비싸게 하는 장본인이다. 그러니 행상은 몇날 며칠을 돌아다녀도 그 이윤으로 먹을 길이 막연하고 자연히 교역이 침체하여지는 것이 아니냐. 폭리로써 네 혼자의 이윤만을 도모한 나머지 가난한 자는 더욱 가난하게 만들고, 탐욕스런 부자는 너희 상행위에 결탁하여 더욱 재화를 늘리니 네 재물의 그릇됨이 그 셋째이다.

그뿐이더냐. 재물을 여럿 사이에서 도적질하듯 빼앗아 권세를 사고 팔며 관에는 야비한 아첨으로 뇌물을 바쳐 국세를 좀먹고 관리를 타락시키며, 백성에게는 혹독하고 선행에는 침을 뱉으니 네놈 간상의 죄 무수하여 차례를 따지기도 어렵구나.

일찍이 요순시절에는 치세와 인심이 공히 순박하여 광물을 녹이고 바닷물을 쪄서 소금을 굽고, 물고기를 잡으며, 미역을 따고, 누에를 치며, 베를 짜고, 나무를 심어 과실을 거두고, 닭과 돼지를 치고, 곡식을 심고 거두는 일들이 모두 자연의 이치에 따라서 민산(民産)은 하늘의 뜻 가운데 있었다. 이제 난세에 모든 사람의 도의가 혼란하여 비록 남의 물산으로 이윤을 도모한다 할지라도, 종내에는 그 이를 도와준 백성의 것으로 되돌려주어야 마땅할 것인즉, 내 이름 없는 장사치로서 백성에게 돌려줄 자산을 모으려는 뜻을 품은 지 오래더니 너 같은 자를 죽여야 마땅하다. 그러나 내가 정한 대명률(大明律)도 아닌즉 곤장이나 때리고 갈 터이니 달게 맞고 스스로 부끄러움을 알아라."

낮게 그리고 위압적으로 줄줄 이야기하고 난 박대근은 작대기를 네댓 개 꺾어들고 있는 갑송이에게 말했다.

"태(笞) 삼십만 치시오."

"예, 집장사령 시행하겠소."

말이 떨어지자 신복동이 재빨리 기어서 멀찍이 피하는 것을 차인 둘이 달려와 팔과 두 다리를 내리눌렀다. 갑송이가 대근의 차근차근한 징계의 말에 자신이 더욱 생겨 제법 엄숙한 기분으로 매를 날리기 시작했다. 길산은 팔짱을 낀 채 묵묵히 서 있었다. 갑송이의 사정없이 치는 매가 떨어질 적마다 신가는 자지러지는 고함을 쳤다.

"이놈아, 네 직접 맞아보니 기분이 어떠하냐? 아예 모가지를 비틀어 죽일 것이로되 인생이 불쌍하여 곤장이나 몇대 치겠거늘 대장부답게 맞아라."

세엣, 네엣, 다섯 하면서 수를 헤아려나가다가 스물에 이르러 신가의 궁둥이가 터져버렸다. 매가 삼십에 가까워질수록 신가의 신음이 가냘프게 들렸다.

"이놈을 벌거벗겨 신평 사거리에다 묶어놓자. 남북을 오가는 행인들이 모두 보아줄 테니까."

매가 그치자 길산이 말했고, 모두들 그럴듯이 여겨 수양산 아랫녘을 떠나 신평골 쪽으로 내려갔다. 사거리에 인가 몇채가 있었으나 모두 불이 꺼져서 캄캄하였다. 그들은 입을 틀어막고 손발을 묶고 벌거벗긴 신가를 길가 버드나무 가지에 높다랗게 매달아놓았다. 이제 날이 밝아 해주 저자에서 사람들이 밀려나오면 이 해괴한 꼴을 볼 것이었다. 나무둥치에는 박대근이 미리 써두었던 방(榜)을 붙였으되, 징치(懲治) 해주간상무뢰배(海州奸商無賴輩) 신복동(申福童)이라 쓰고 나서 가난하고 약한 자들을 괴롭혀온 쥐새끼를 만인에 대신하여 징계하노라고 밝혔다. 그들은 신가를 길가에 버려두고, 큰길을 피해서 들판을 따라 우름내 상류 쪽으로 길을 재촉하였다. 앞에 길산이가 나서고 두 사람의 차인이 메고 있는 들것 위에 누운 박대근과 맨 뒤에는 갑송이가 따라왔다.

"모두들 우름내 상류 살여울로 모일 겁니다. 살여울을 건너 청태산 마루를 지나 삽다리까지만 간다면 관군이나 주내방 일당을 걱정할 건 없겠지요."

길산이 말하자 박대근이 들것 위에 누운 채로 걱정하였다.

"신가놈을 혼내주어 마음이 후련하나, 틀림없이 감영이 발칵 뒤집혀 있을 거외다. 내 생각으로는 두 분 아우님들과 함께 일단 정각사로 돌아가 한 달포 지냈다가, 잠잠해진 형편을 보아 송도로 가는 것이 나을 듯하우."

"아니우. 이왕 이렇게 되어버렸으니, 우리는 북관 쪽으로나 연희를 돌아야겠습니다. 명년 봄까지 광대 물주 일은 미뤄두십시다."

"우리가 연안까지 성님을 모셔다드리구 올라가겠습니다."

그들이 우름내에 가까워질수록 바다와 인접한 강변은 질퍽질퍽 빠지는 뻘밭과 수렁으로 변해갔다. 달이 져서 캄캄한데다 안개까지 자욱하여 사위를 알아볼 수가 없었다. 살여울이란 원래 바닥의 요철(凹凸)과 물의 경사가 급하여, 하류 쪽 바다로 내려가는 흐름이 빠르고 거칠 뿐만 아니라, 물이 썰면 드러나는 바위가 많아 배도 다니지 못하는 곳이었다. 그렇다고는 하여도 썰물때에 얕은 물길에 익숙한 지방 사람들은 바짓가랑이를 걷고 건널 수가 있었다. 가장 깊어보았자 가슴께가 고작이고 대개는 무릎 정도의 깊이로 얕아지는데, 물속의 깊은 웅덩이가 곳곳에 있어 헛딛거나 미끄러지면 위험하였다. 또한 얕은 곳이라도 상류의 사태흙으로 이루어진 진수렁에 빠지면 기동을 못 하고 익사하는 적이 있었다. 살여울의 양안은 흰 꽃을 달고 있는 갈대와 왕골이 사람의 키를 훨씬 넘도록 빽빽하게 자라나 있어서 안개와 어우러져 음침한 풍경이었다. 강변에 나가서 수위를 살펴본 차인이 돌아와 아직 물때가 이르다고 알렸다. 그들은 갈대밭에 앉아서 물이 빠져나가기를 기다렸다. 거기서 만나기로 했던 길산네 광대 일행들은 아직 도착하지 않고 있었다.

막개가 거느린 신가 패거리와 통기를 받고 수양산 쪽에서 급히 방향을 돌려온 포수를 포함한 삼십여 명의 포졸들은 우름내를 향하여 몰려들었다. 우름내나루에는 네 사람의 포졸을 거느린 기찰군관이 있었다. 그들은 도사공의 초가 앞에 몰려드는 사람들의 무리에 얼이 빠진 모양이다. 지휘하던 별장이 말했다.

"파발을 받지 못했는가?"

"방금 받고 나루를 지키는 중이오."

"광대패가 이리로 왔을 텐데?"

"못 봤습니다."

"허수아비 같은 놈들……"

하고 나서 별장은 다시 물었다.

"분명히 밤늦게 배를 띄운 적이 없겠지?"

"예, 이와 같이 밤이면 배를 끌어다 땅 위에 엎어놓고 말뚝에 사슬을 끼워 쇠를 채워둡니다. 열쇠는 제가 관리하지요."

"그렇다면 강을 건너지 못했으니 이 부근에 있을 것이다. 관솔불을 밝혀 강가 아래위를 세세히 뒤져라."

도사공 집에서 횃불을 장만한 포졸들이 삼삼오오 짝을 지어 갯가에서 흩어졌다.

"나으리, 여깁니다."

한 포졸이 상류 쪽에서 외쳐서 별장은 그리로 달려갔다. 뻘흙이 발목에까지 푹푹 빠지는 곳이었다.

"저 보십시오. 발자국입니다."

훤히 비춰진 횃불빛으로 진흙 위에 어지럽게 찍힌 여러 사람의 발자국이 보였다. 발자국들은 곧게 상류를 향하여 계속되고 있었다. 별장이 말했다.

"자국이 선명하고 물이 고였으니 방금 지나간 것이다. 일대는 마른 땅을 택하여 질러가고 나머지는 나와 함께 발자국을 따라간다."

막개가 저희 패거리를 끌고 밭에서 나가 강변의 자갈길을 뛰어올라갔다. 불을 비춰든 포졸의 뒤를 따라서 별장이 거느린 포졸들은 넓게 퍼져서 뻘밭 가운데로 찍혀진 발자국을 쫓아갔다. 갯가에는 안개가 자욱하여 서너 걸음 떨어지면 곧 앞사람의 자취를 잃어버리게 되므로 별장이 군호를 정하였다. 물이 썰기 시작하여 새로 드러난 갯벌은 더욱 질척했으므로 행군이 늦춰졌다. 어디선가 물을 차는 듯한 텀벙대는 소리가 들렸다.

"쉿, 무슨 소리가 들렸다."

별장이 나직이 말했고, 횃불의 뒤를 따르던 포졸들도 발을 멈추고 기다렸다. 앞의 어둠속에서 찰박거리는 소리가 계속 들려왔다. 여러 사람이 뛰어가는 소리임에 틀림없었다.

"횃불을 꺼라. 도적들이 가까울 때 내가 소리치면, 포수들은 화약을 내어 터뜨려라. 화광으로 포착할 수 있겠지."

그들은 횃불을 끄고 어둠속을 내달았다. 발걸음 소리는 더이상 들리지 않았다. 과연 물이 덜 빠진 작은 웅덩이가 있었고, 그곳을 지나니 짙은 갈대숲이었다. 세찬 강바람으로 갈대가 비벼대는 쏴아 하는 소리만이 주위에 가득 차 있었다. 도망하는 자들이 갈대숲 속으로 들어간 게 틀림없었다. 별장은 잠깐 망설이다가 부하들에게 물었다.

"여기가 어디쯤인가?"

"예, 조금 더 올라가면 살여울입니다."

"살여울이라……"

"살여울에선 물이 빠지면 걸어 건널 수가 있습니다."

"그렇다, 도적들이 모이는 장소가 바로 그곳이군. 여울목을 아는 자가 앞장서라."

큰돌네와 길산네의 두 대가 합쳤으니 광대들의 수는 이십 명이 넘었다. 개중에는 길산이와 갑송이의 공연한 싸움질에 휩쓸렸다고 불평하는 자들도 있었다. 차라리 포도군사에게 자수하여 자기네의 죄 없음을 밝히자는 자들도 있었다.

"언제는 죄 있어서 가는 곳마다 의심을 받고 규찰당하구 했던가. 더구나 이번에는 길산이가 화적 소리까지 듣게 되었으니, 우리만 잡히고 그들이 내빼는 날에는 숨은 곳을 대라구 닦달받다가 물고장 받기 맞춤일세. 잡히면 죽는 게야."

라는 큰돌의 일리 있는 말에 모두들 혼비백산하여 뛰고 있었다. 억센 갈잎에 팔과 얼굴이 긁혔고 이미 너덜너덜해진 짚신 바닥을 파고든 부러진 갈대의 줄기가 발바닥을 사정없이 찔러댔다. 아무것도 보이지 않는 갈대밭 속을 헤매는 중에 그들은 방향을 분간 못 하여 이리저리로 달려가고 있었다. 한참을 달리다가 문득 앞이 터지는데 바라보니 강변을 떠나 풀이 자라난 뭍 쪽으로 나와 있었다. 마침 인기척이 들려 광대들은 누가 시키기도 전에 갈대밭 속에 엎드렸다. 희끗희끗하면서 여러 사람들이 뛰어 지나갔다.

"뭐야, 벙거지들이 아니잖나."

"해주 왈짜들이겠지. 가만있거라…… 보자, 우리가 꼭 길산이와 갑송일 만날 필요가 있나. 이 길루 내빼어 감영 관역을 벗어나는 게 좋겠다."

"그렇지! 재령으루 해서 안악 쪽으루 빠지세."

"지금 모면한단들, 관에서는 우리가 문화 재인말서 왔다는 걸 알 텐데 뒤가 깨끗할까? 차라리 날이 밝으면 감영으루 현신하여 죄 없음을 밝힘만 같지 못할 걸세."

"그때는 또한 그때구 시방은 우선 모면함이 급하이. 불족산(佛足山)을 타구 재령으루 넘어가세나."

"걸립두 못 해먹게 됐구먼."

"하여튼 뒷소문이 들릴 걸세. 형편 보아가며 촌읍에서나 놀이를 팔지 뭐."

그들은 의논을 정하고 나서 강변을 떠나 신평 쪽으로 되돌아갔다.

빠르게 빠져나가던 물살이 늦춰지고 살여울의 여울목에는 드문드문 모래톱과 갯벌이 드러나고 있었다. 초조하게 자기 동료들을 기다리던 길산이가 말하였다.

"지금 지체했다가는 다시 물이 불어나기 시작할 텐데…… 웬일일까?"

박대근의 차인이 재촉했다.

“우선 건넙시다. 댁네 사람들은 아마 추적이 급박하여 잡혔거나 길을 잃었을지두 모르오.”

“조금만 더 기다려봅시다.”

그들이 갈대숲 속에 얼마 동안 기다리며 앉았을 때, 길산이가 잠들어 곯아떨어진 갑송이의 입을 막고 흔들어 깨웠다.

“음……?”

“방금 이상한 소리가 들렸다.”

“뭐야, 바람소리 아냐.”

“가만있어…… 저 봐! 누군가 갈대를 헤치구 오는 중이다.”

박대근이 재빨리 말했다.

“그렇군, 어서 뛰어 건넙시다.”

갈잎이 서걱대면서 쓰러지는 소리가 차차 똑똑하게 들려왔다. 차인 하나는 들것을 버리고 대근을 등에 업었다. 길산이 앞장서서 여울목을 바라고 뛰었고 차인 한 사람과 갑송이가 잇달아 뛰기 시작했다. 길산은 물속에 들어섰다. 그때에 뒤에서 화광이 충천하며 사위가 훤히 밝아졌다. 고함소리와 함께 총 놓는 소리가 들려왔다. 맨 뒤를 따르던 갑송이가 어이쿠 하면서 허리를 꺾었다.

“맞았다!”

앞으로 고꾸라지며 갑송이가 소리쳤고 여울을 건너던 길산이 되돌아섰다. 그가 갑송이를 일으켜 비스듬히 떠메는데 뒤에서 포졸들의 고함소리가 터졌다.

“빨리 뛰자!”

일으켜세웠어도 비틀대는 갑송이에게 길산이 애가 달아 말했으며 남은 차인이 뛰어와 갑송이를 부축했다. 박대근을 업은 차인은 벌써 여울목 중간에 서 있었다.

"다시 방포하려면 시간이 걸린다. 어서……"

몇걸음 다리를 끌며 갑송이가 따라 뛰는데 세 사람이 한데 뭉쳤으니 추적하는 포졸들의 걸음을 당할 수가 없다. 뒤로 바짝 쫓은 별장이 환도를 빼어 휘두르며 소리쳤다.

"도적들 꼼짝 마라!"

다급해진 길산이가 갑송이 곁을 떠나며 차인에게 말했다.

"업구 뛰시우."

하자마자 단검을 빼어들고는 사나운 기세로 군사들을 향하여 마주 달려갔다. 감영의 정예 군졸들이지만 쫓기던 자가 맹호처럼 맞달려드니 화급하게 좍 흩어진다. 길산이 무리 사이로 뚫고 들어가며 별장의 칼날을 받아쳐 넘기고는 포졸들의 장검을 후려치고 두엇을 베면서 뛰는데 다시 갈대밭 방향이다. 포도군사는 완전히 대오가 흐트러져 잠시 방향을 잃었다. 대근이와 갑송이는 차인들의 등에 업히고 부축당하여 여울 건너 짙은 안개 속에 스며들었다.

방포 소리와 화광을 보고 달려온 주내방 패거리들이 길산을 뒤따라 잽싸게 흩어져 갈대밭 속으로 쫓아들어갔다. 숨어 있는 자나 뒤쫓는 자나 모두 숨을 죽이고 서로가 먼저 움직이기를 기다렸다. 별장은 길산이 숲에서 뛰쳐나와 다시 여울을 건너지 못하도록 갈대숲이 끝난 곳을 따라서 포졸들을 풀어놓았다. 숲 안에서는 오랫동안 아무 기척이 없었다. 바람에 불린 갈잎이 서걱대는 소리만 스산하게 들려왔다.

길산은 가만히 엎드려서 그들이 먼저 움직여오기를 기다렸다. 그러고는 날이 새기 전에 갈대밭을 따라 이곳에서 더욱 멀리 달아날 작정이었다. 한편으로는 자기가 잡힐 경우도 생각해보았다. 해주의 세력자인 신복동이께 모욕을 주고 포졸을 몇명 베어버렸으니, 잡히게 되는 경우에는 자신의 목숨을 부지하는 일은 틀려버린 일이었다. 서걱이는 소리가 들리다가 멎었다. 바람에 불리는 소리는 그 박자가 길고 짧아 불규칙하지만 사람의 몸이 헤치는 소리는 규칙적이다. 마치 빗소리 가운데서 낙숫물 소리를 분간하는 것과 같았다. 멎었던 소리가 다시 들리더니 사람의 숨결소리가 들렸다. 길산은 땀내가 끼치는 어둠속으로 칼날을 날렸다. 부욱 하면서 베어지는 소리와 비명이 들린다. 길산은 넘어지는 상대를 밟고 다른 방향으로 뛰었다. 사방에서 부산하게 갈잎을 헤치는 소리가 들렸다. 뭔가 번뜩하는 것을 맞받는데 챙캉 하는 소리가 칼날이다. 무릎으로 올려차고는 몸을 날려 갈대밭 속에 꼬라박고는 재빨리 기어갔다.

막개는 비명소리가 들리던 곳을 향해 뛰다가 옆에서 뛰는 기척을 느끼고는 반사적으로 칼을 들이밀었다. 사람이 넘어지는데 멱살을 잡아 쳐들어보니 제 졸개였다. 상대는 하나인데 이쪽은 수가 많으니 아무래도 불리했다. 그는 움직이기를 멈추고 손뼉을 쳤다. 그의 주변으로 울쑥불쑥 부하들이 나타났다. 그는 둘을 지적하고는 모두 나가라는 시늉으로 뒤편을 가리켰다. 두 사람의 부하만을 남기고 모두 내보낸 막개는 칼 쥔 손을 위로 향해 몸에 찰싹 붙인 채 배밀이로 갈대숲 속을 기어나갔다. 그는 곧장 기어나갔고, 꺽돌이와 다른 졸개는 좌우로 각각 돌아나갔다.

길산이는 신경을 곤두세우고 기다렸다가, 아무 기척이 없는 것을 알고는 상대편이 방법을 바꾸었음을 알았다. 길산은 칼을 위로 곧추세운 채 하늘을 향하고 누워 있었다. 땅에 가까우니 인기척을 느끼기에는 가장 좋은 자세였고 몸을 솟구칠 때에도 다리만 한번 펄쩍이면 곧 방어와 공격을 겸할 수가 있었다. 갑송이네들은 무사히 여울목을 건넜으니 지금쯤은 석장승고개를 넘고 있을지도 몰랐다. 감영이 발칵 뒤집혔는데 재인말은 어찌될 것인가. 그는 어느결엔가 묘옥을 생각하고 있었다. 그녀의 가슴에 새겨 넣어준 연비 자국이 떠올랐다. 당분간 재인말의 어느 누구도 만날 수 없을 거라는 생각이 들었다. 그는 해주로 들어오기 전에 봉고개 마루턱에 있다는 어머님의 돌무덤에 가보지 못한 것이 못내 후회스러웠다. 그는 만일에 자기가 이 살여울에서 무사히 몸을 빼쳐 달아나게 된다면 동쪽으로 길을 잡아 북관을 향할 작정이었다. 아니면 낮에는 숨고 밤에만 산길을 타고 재인말에 은밀히 들렀다가 구월산의 감동이에게 몸을 의탁하겠다는 생각도 들었다. 그러나 길산은 아직 세상도 모르고, 사내가 해야 할 일에 대한 깨달음도 전혀 없이 고작 세상을 등지고 도적질이나 하면서 살아가기는 싫었다. 그는 마음속으로 박대근의 넓은 포부와 도량을 존경하였고, 심지어는 글을 안다는 감동이의 영리함도 부러워하고 있었다. 무동 노릇을 하던 아잇적에는 머릿광대가 그의 원이더니, 박대근을 알고 나서는 자신의 신분을 뛰어넘도록 하는 어떤 신념이 생겨났던 것이다. 그는 동쪽을 염두에 두었고, 지금쯤은 살여울의 물살이 거세어져 남하할 길이 완전히 막혔음을 알았다. 잡혀서는 안 된다. 그는 칼을 곧추세운 채로 위로 달려들지도 모르는 상대편의 움직임을 기다렸다.

왼쪽으로 인기척이 들렸다. 길산은 꼼짝도 않고 누워서 적이 다가오는 데로 칼을 향했다. 그의 팔을 뻗으면 닿을 수 있는 곳에서 갈대가 흔들렸다. 그가 몸을 굴릴 적에 상대편도 알아채고는 상반신을 훌쩍 일으키려는 찰나에, 나무를 뛰어오르는 살쾡이처럼 아래에서 위로 칼을 쑤시면서 상대편의 무릎 아래에 찰싹 달라붙었다. 칼날이 꽂힌 상대가 길게 부르짖으며 길산의 어깨 위로 늘어지는데, 그는 벌떡 일어나면서 칼을 뽑고는 잽싸게 갈대숲을 뛰었다. 부르짖음과 갈대 흩어지는 소리를 들은 막개가 방향을 잡고 그를 쫓았다. 길산이 움직이면 막개도 움직였고 그가 잠잠하면 막개는 절대로 먼저 움직이지 않고 끈기있게 기다렸다. 날이 새어 불리한 것은 길산이 쪽이었기 때문이다.

길산은 갈대 사이에서 일어났다. 댓 발짝 앞에서 우뚝 일어서는 상대편의 몸이 보였다. 길산은 적의 환도를 대적하기 위해서 단검을 역(逆)으로 쥐었다. 막개는 산시우(山時雨) 자세의 첫 동작으로 칼을 제 가슴 앞에 수평으로 겨누었다가 천천히 돌았다.

"이야……!"

진전살적(進前殺賊)의 자세로 칼을 아래로 후려치면서 삼진(三進)을 거듭 두 곱으로 뛰면서 즉시로 멈추고 돌아서서 곧장 찔러들어왔다.

후려쳐 벨 때 흩어진 갈대잎들이 허공에서 날아내려왔다. 길산은 칼날을 받아치지 않고서 몸을 비틀어 피했고, 상대가 돌아서며 찌른 역습에는 양각(羊角)으로 무릎을 꿇으면서 머리 위로 칼날이 지나가도록 하였다.

다시 제자리로 돌아간 막개가 호흡을 고르면서 다리 아래 갈대들 사이로 칼을 내려뜨려 감추고 몇각인가 기다렸다.

길산은 단검 쥔 손을 머리 위로 쳐들고 다른 한 손은 수도(手刀)로써 제 시선 정면에 펼쳐 적을 가늠했다. 바람소리와 숨 고르는 소리만이 들렸다.

둘이 한꺼번에 동시에 달려들었다. 갈대가 좌우로 어지럽게 갈라진다. 막개의 칼이 길산의 허리를 향해 날아드는데 길산은 단검으로 비스듬히 받아내면서 떨어져 물러나지 않으니 그대로 둘의 몸이 밀착되었다. 칼날이 엇갈리는 날카로운 쇳소리가 들렸다. 베어진 갈대잎이 그들의 흩어진 머리 위에 수북이 내려앉는다.

길산이 도봉(刀峯)으로 권을 바꾸면서 막개의 목을 쳐내자, 막개는 팔굽으로 맞받았고 다시 길산이 쇄골 처넣기로 재차 공격하자, 막개는 수도를 쳐들어 머리 위로 막으면서 발을 차올려 길산의 사타구니를 공격했다. 길산이 무릎을 꺾어 상대의 발을 맞받는다. 길산의 주먹이 막개의 비장급소를 노리고 옆구리에 처박히자 막개는 숨을 헉 들이마시면서 넘어졌다. 길산은 틈을 주지 않고 단검으로 찌르고 들어갔고 막개도 넘어진 채로 두 발을 들어 돌려차기로 길산의 하체를 퉁겨냈다.

막개와 길산이 나가떨어졌다가 동시에 일어서는데, 길산의 배후로 돌아온 꺽돌이가 쇠몽치로 길산의 머리통을 후려갈기며 뛰쳐나왔다. 길산이 상체를 휘청 숙여 뒷걸음치면서 거꾸로 쥐고 있던 단검을 수직으로 획 돌리면서 내리그었다. 배에서 가슴으로 베어진 꺽돌이가 제 공격하던 힘에 못 이겨 앞으로 내처 기우뚱하는 것을, 길산의 중지일지권(中指一指拳)이 창끝같이 날카롭게 꺽돌의 뒤통수 대구(對口)를 강타했다. 넘어지는 꺽돌이에 이어서 막개가 검을 호미(虎尾)로 뒷전에 꼬리처럼 끌고서 달려들어 제 몸으로부터 바깥쪽으로 회전시키며 베었고, 길산은 표두(豹頭)로써 위로 번쩍 치켰던 단검을 발톱으로 할퀴듯 싹 그어내렸다. 바람 가르는 소리만 들렸을 뿐 칼날이 부딪치는 소리는 들리지 않았다.

헤어졌을 때, 길산은 왼쪽 겨드랑이가 따가워서 손을 대어보는데 축축한 피가 옷을 적시고 있었다. 막개는 가슴에서 배로 일직선으로 베어져 옷이 좌우로 찢어져 있었으며 바지는 처음 칼날이 닿았던 가슴의 깊은 상처에서 흐른 피로 젖어갔다. 동녘에는 부옇게 새벽의 전조가 번져오고 있었다. 강변에서 물새들이 지절대는 소리가 들려왔다. 그들은 칼날을 늘어뜨리고 헐떡이며 서 있었다. 막개가 먼저 재빨리 허리를 굽혀 갈대 사이로 몸을 감췄고 숲을 헤치는 소리가 들렸다. 길산이도 갈대 속에 몸을 숨기면서 위치를 바꾸고 허리를 낮춘 자세로 기다렸다. 막개의 남은 부하들과 포졸들이 그들이 싸우던 장소를 포착하여 양쪽으로 그물처럼 숲을 싸고 있었다. 길산은 덫에 걸린 맹수처럼 배를 벌떡이며 숲 사이에 몸을 감추고 있었다. 정면에서 풀 끝이 갈라지고 있는 게 보였다. 길산이 무릎을 숙였는가 했다가 퉁겨 일어나며 몸을 날려 갈대의 키를 넘어 뛰쳐올랐다.

길산의 솟구쳐오른 몸은 이미 상체가 앞으로 나가 있었고, 곧추세운 단검은 백사농풍(白蛇弄風)으로 마치 독사의 딱 벌린 아가리 위로 솟아나온 이빨처럼 곤두서 있었다.

막개가 몸을 피하려고 발을 뗐으나 이미 먼저 움직인 자의 공격인지라 등을 깊숙이 찔리면서 길산과 함께 나뒹굴었다. 길산이 단검을 뽑아내어 다시 공격하려 들자 막개는 환도를 간신히 쳐들고 앉은걸음으로 바삐 뭉개어 몸을 빼쳤다. 길산은 적을 버리고 갈대숲을 뛰었다.

그가 갈대를 헤치고 움직이는 곳을 따라서 총 놓는 소리와 함께 탄환이 몇방 날아왔다. 감영 군사들은 곧잘 호랑이사냥에 동원되었고 지친 맹수를 몰아나가는 법을 잘 알고 있었다. 즉 포위를 든든히 하고서 맹수가 나오면 물러서고 들어가면 다시 다가들며 둘러싼 거리를 유지하는 것이었다. 주위가 희끄무레하게 밝아졌으나 사방은 아직도 짙은 안개 속이었다. 길산은 그제야 자기가 갈대숲 속에서 싸우는 동안에 위치가 발각되고 완전히 포위되어 있음을 알았다. 그는 목이 바싹 탔고 입술은 꺼칠하게 말라붙었으며, 어느 쪽을 향해야 될지 분간을 할 수가 없었다.

그때에 연기 냄새가 나는 듯하더니 바자작거리는 소리와 함께 더운 불길이 주위에 솟았다. 포졸들이 맞불을 놓아버린 것이다. 줄기차게 불어대는 서북풍을 타고 불길이 재빠르게 번져왔다. 연기가 가득 찼다. 마른 갈대 타들어오는 소리는 마치 거대한 짐승의 침착한 발자국처럼 다가왔다. 길산이는 입을 틀어막고 기침을 터뜨렸다. 눈을 뜰 수가 없었다. 열기 때문에 온몸이 쓰라렸다.

그는 남쪽을 얼핏 생각해냈다. 살여울을 향하여 뛰자. 물에 뛰어들어 급류를 타면 혹시 잡히지 않고 살아남을지도 몰랐다. 그는 남쪽을 알아내려고 애썼다. 그러나 사방은 벌써 키가 넘는 불의 혀가 벽처럼 일어나 너울거리고 있었다.

길산은 아랫배에 힘을 주어 호흡을 끊고 불을 향해 뛰었다. 불속을 지날 때에, 그는 전신에 큰 몽둥이의 타격을 맞은 것처럼 아뜩하면서 의식을 잃었다.

그가 불탄 자리에 떨어져 뒹굴자마자 벌떼처럼 달려든 포졸들의 병장기가 온몸에 겨누어졌다. 머리는 누렇게 그슬렸고 온몸은 칼자국과 갈대에 긁힌 상처투성이였으며, 타버린 재 위에 뒹굴어 검은 그을음에 더러워진 길산의 가슴 위로는 창검의 끝이 내리누르고 있었다. 길산은 차차 정신이 들어 눈을 떴다. 그는 땅에 편안히 누워서 써늘한 바람을 몇번이나 깊숙이 들이마셨다.

"묶어라……"

들여다보고 섰던 별장이 지시했다. 길산은 손을 뒤로 묶이고, 팔꿈치 안으로 긴 막대기를 끼워서 두 다리 사이에 겨우 간격을 떼어 매어진 줄에 겹겹이 묶였다. 줄 끝을 쥔 자가 조금만 힘을 써서 당겨도 나뒹굴 형편이었다. 포졸들은 죽은 꺽돌이의 그을린 시체와 거의 반주검이 된 막개를 끌어냈고, 부상자들을 수습하였다.

"물 좀 주오."

끌려 일어난 길산이가 말했고, 별장은 그를 마주 바라보더니,

"나루에 가서 술 한잔 사주마."

라고 대꾸하였다. 자고 이래로 상대가 대적일 때에는 예우하여주는 것이 관의 습관인즉, 별장은 길산이 밤새껏 갈대숲 속에서 치러낸 싸움에 은근히 놀라고 있었다. 그들은 지쳐버린 길산이를 앞뒤로 둘러싸고 대오를 정비하여 우름내나루로 내려갔다.

3

날이 훤하여 길산을 체포한 감영 군졸의 무리가 나루에 당도하여 보니, 이미 형방 비장이 몸소 나와서 그들을 기다리고 있었다. 비장은 험상한 몰골로 끌려오는 길산의 숙인 턱을 채찍 끝으로 쳐들어보고 나서 말했다.

"네가 화적패의 일당이냐?"

"아니오."

길산은 뚜릿뚜릿한 눈알을 부라리고 대답하였다.

"흠, 그놈 목자 한번 불량하고나. 네 이놈, 대살을 면치 못할 죄를 지은 놈이 눈을 부라리면 어찌하겠는가. 네놈의 일당들은 모두 어디로 달아났느냐?"

"모르오, 나는 본래 연희나 팔구 다니는 광대이지 화적패가 아니우. 저자의 소악 패거리들이 침학하는 고로 분김에 싸움을 벌인 것이 커졌을 뿐이외다."

비장이 별장에게 물었다.

"장교, 상한 군졸이 없는가?"

"예, 군졸 두엇이 부상했고, 신생원 댁 장정이 셋이나 죽고 다쳤습니다."

"보아라, 네 모가지 하나로는 아예 큰 죄를 감당하기 어렵겠다. 여봐라, 즉시 감영으루 압송하여라."

길산이 다리를 뻣뻣하게 버티면서 말했다.

"당장에 장살을 당하여도 여한이 없사오나, 왈짜의 협기를 빌어 한 말씀 여쭙시다."

"허, 그놈 맹랑한 놈이로다! 왈짜의 협기라니…… 까짓 짜른 칼이나 쓴다고 네놈두 협기를 찾느냐. 허나 곧 효수당할 몸이니 가긍히 여겨서 듣겠다. 말해보아라."

길산이 껄껄 웃어젖혔다.

"과연 명관이시오. 하옥으로 내쳐져 죽기 전에 기회는 지금 단 한 번이니…… 술이나 양껏 먹구 싶소이다."

"좋다. 내게 그러한 궁량이 전혀 없는 바는 아니지만, 세상이 아다시피 소리(小吏)의 녹이 작아 네게 술을 살 형편이 못 된다. 돈이 있다면 사먹는 것은 허락하겠다."

비장쯤이라면 제법 한량을 자처하던 자들이고 왈짜의 예를 모른 양할 수는 없고 보매 형방 비장은 길산의 청탁을 받아들였다. 그는 곧 길산의 행전(行錢)을 내어 우름내의 주막에서 돼지고기와 술 한 동이를 내오게 하였다. 길산이 아랫도리는 차꼬에 묶이고 두 손만이 놓여나 땅에 주저앉아서 술을 마시는데, 그 짓거리가 대적 살인한 자답지 않게 기탄이 없었다.

"커어, 술맛 한번 좋구나. 사나이 평생에 고작 저자 무뢰배들 몇을 베이고 죽는 일이 부끄럽다만, 이렇게 물 좋은 경개를 두고 술을 들게 되어 비장나으리께 치하하겠수."

"발칙한 놈, 네놈의 치할 받자니? 어서 서둘러 처먹어라. 감영에서는 형틀에 동헌 좌기(坐起)하고 네놈의 고기를 기다리는 중이다."

"글쎄, 어육이 될 때는 되더라도 먹는 일에 죄 따루 있답디까? 이 술은 내가 주인장이니 비장나으리가 손이 되어 대작 좀 하십시다."

길산이 하도 맛나게 고기를 씹고 술을 마시므로 비장도 민망하여 돌아서버렸다. 길산이 술 한 동이를 거의 비울 적에 소리 한 가락을 풍류 있게 후려넘긴다.

"적막강산에 술잔을 들고 나서 취한 눈으로 세상을 바라보니 대장부 가는 길이 광풍 위에 낙엽이라, 미친 세월 거친 날에 배 주리고 잠 못 이뤄 하마 떠났으니 내일은 어디메냐, 슬픈 노래 긴 한숨을 동무 삼아 떠돌다가, 어찌타 깨어보니 묶여 있는 몸이로다."

"술을 다 비웠느냐?"

"그리됐나 보우."

"자, 인제 일어서라."

길산이 형방 비장의 독촉으로 일어났는데 말술을 좋이 비우고도 걸음새가 흩어지질 않았다.

"그놈 술 한번 세구나."

하며 비장이 감탄하였고, 곁에 섰던 별장이 초를 쳤다.

"날래기가 범 같습디다. 저놈 하날 잡느라구 삼십여 명이 갯가를 둘러싸구 온 밤을 새웠소."

"내 보기에두 광대라기엔 인물이 잘났네. 죄만 없다면 내 수하 장교루 거두어 포교를 시켰으면 맞춤이겠네."

"허기사 해주서 신생원이 상인들께 포학이 심하였소."

"좌우지간에 우리네야 사또 수족이니 그런 말 함부루 입 밖에 내지 말게."

그들이 길산을 이인교에 태워 엄히 묶어서 압송하여 성내로 들어올 때, 길가에서 구경하는 백성들이 마치 대갓집 담장 둘러치듯 양쪽에 늘어서 있었다. 신평 사거리에서 벌거벗고 묶여 있던 신복동이 행인들에 발견되었다는 소문이 파다했고 그를 벌한 것이 바로 문화의 젊은 광대라는 사실도 알려져 있었다.

동헌 길청에는 감사가 친히 나와 앉았으며, 좌우편으로 형장 갖춘 집장사령들이 추상같이 벌려서서 길산이 형틀에 오르기를 기다리고 있었다. 국문이 시작되는데 말귀가 어긋날 적마다 사정없는 매가 무릎 위에 떨어졌다.

"네 관향이 어딘고?"

"본시 천한 광대로 태어났으니 관향이 따루 있을 리 없고, 문화 재인말에서 태어나 거기 살구 있습니다."

"광대마을이라면 관에서 허락하여준 너희들 부락이냐?"

"예, 저희 선조 때에 재인청에서 윤허하여준 고장이올시다."

"호적에는 들어 있느냐?"

"유기장이 역을 지구 있습니다."

"그렇다면 어찌하여 너희 마음대로 제 고장을 떠나 각처를 돌아다니는고."

"윤허하여준 곳이 땅을 부칠 데가 없어 고작 조갈이나 하는 터에, 양식이 달려 부득불 걸립을 해서 먹구살아갑니다."

"음, 그런가. 광대들의 마을 이야기는 처음 들었는데 사후 조사할 수 있도록 기록하여두라. 네가 감히 감영 관내의 양가에 침입하여 양반과 부녀를 능멸하고 가산을 탈취하였다지. 보아하니 그놈이 화적이로구나!"

"아니올시다. 실은 신생원을 혼이나 좀 내주려고 하였소이다."

"이놈, 어찌 천민이 양반을 능멸한단 말이냐."

"양반이 그 구실을 못 하고, 사람 같지 않을 때에는 관에서 다스려야 하온데 관이 방임하니 무지한 백성이라도 어찌 참겠습니까. 신생원은 저자에서 완력으로 모리를 취하는 간상배올시다."

"그놈 아가리를 못 놀리게 매우 치라."

"예에이."

나졸들이 득달같이 매를 들어 길산의 차꼬에 묶인 무릎을 때렸다. 길산은 매를 맞으며 입술을 굳게 다물고 꼼짝도 하지 않았다.

"네 일당들이 모두 몇이었더냐?"

"소인 혼자였소."

"저놈…… 거짓소리를 하는구나. 신가의 말에 의하면 여러 놈이라는데 어느 안전이라고 그따위로 속이려느냐. 그놈이 이실직고할 때까지 태형을 멈추지 마라."

다시 뭇매가 퍼부어졌다. 국문이 계속되는 중에 앓아누운 신복동이 올린 자술서가 길청에 들어왔고 길산이 더이상 발명할 길은 없게 되었다.

"네놈과 함께 신가네 규방을 침입한 자가 누구냐?"

"저자에서 사귄 사람이니 얼굴을 보면 알겠으되 이름은 모르오."

"신가네 장정 하나이 증언하기를 너희가 송화 무더리 장터에서도 행악을 저질렀을 때 함께 있었다 한다. 이름을 대지 못하겠는가?"

"모릅니다."

"좋다. 그렇다면 너희 광대 패거리가 산다는 문화군수에 통기하여 너희 가속을 모두 잡아들이고, 마을을 폐하여버리라 이를 터이다."

잠시 잠잠하던 길산이 다시 입을 열었다.

"죄를 지은 소인이 잡혔으니, 죄 없는 사람이 피침되어 무얼 하겠습니까. 죽여줍시오."

"살인한 사람이 자그마치 셋이나 되는데, 육시의 형도 면키 어려우리라. 형국이 극심하여지기 전에 어서 동범인을 이실직고하라."

감사가 손짓하니 인두를 꽂아넣은 오동 화로가 나왔다. 형리가 길산의 저고리를 등뒤로부터 부욱 찢어내렸다.

"공연히 신고하지 말고, 샅샅이 아뢰어라."

옆에서 집장사령이 인두를 뽑아들며 말했고, 형방 비장이 외쳤다.

"네 동무를 잡노라고 너희 가속과 마을 사람들이 닦달을 받을 것이다. 광대마을은 지금 당장이라도 영을 내려 관지(官地)로 몰수할 수가 있다. 어서 아뢰지 못할까?"

길산이 고개를 떨구고 한동안 생각하다가,

"이갑송이라구 소인과 같은 광대요."

"이갑송…… 광대란 말이지? 그래 이갑송이와 양반가를 내전 돌입하여 무엇을 강탈하였는가?"

"아무것두 훔치지 않았소. 다만 신가를 홑청을 씌워 떠메구 나왔을 뿐이며 곤장 삼십 도를 때렸소이다."

"무엇 때문에 곤장을 때렸는가?"

"간상 무뢰배를 많은 저자 사람들을 대신하여 벌하려 하였소이다."

"억울한 일이 있으면 관가에 와서 고할 것이지, 어찌 흉악한 무리를 지어 사람을 치는가?"

"신생원이 감영에서 비호를 받는다는 사실을 온 세상이 다 알구 있소이다."

"저…… 저런 무도한 도적놈이! 뭣들 하느냐."

감사의 노성이 터지자마자 붉게 달구어진 인두가 길산의 등을 지져댄다. 살 타는 냄새가 고약했고 이 사이로 새어나오는 길산의 음울한 신음소리가 터졌다. 다시 국문이 계속되었다.

"너희 광대 패거리들은 신평골 너머서 모두 잡혔다. 너와 이갑송이가 일을 저질렀고, 어울린 장사치들이 있었다는데, 송상 차인패가 아니냐."

"연희 내려올 제 도중에서 사귄 사람들이오."

"그들은 너희와 공모하지 않았단 말이지."

"다만 길동무로 같이 왔을 뿐이외다."

감사가 지시했다.

"이갑송이의 얼굴을 기억하는 자를 화공에게 붙여 화상을 꼼꼼히 그리게 하여 각 고을로 돌리도록 하라. 또한 송도유수에 통기하여 송상 차인배들 중에 어느 임방 놈들인가를 탐문하게 하여라."

길산을 사형수로 하여 삼문 밖으로 내쳤다가 한양에 올리는 장계가 떨어진 다음에 주내방 사거리 저자에서 목을 쳐서 죽인다는 판결이 내려졌다. 길산의 목숨은 이제 겨우 달포 남짓 남아 있는 셈이었다. 의식이 까무룩해진 길산의 늘어진 다리와 목에 차꼬와 나무칼이 씌워져 하옥되었다.

옥은 객사 건너편에 있었는데, 원래 영에서 군기고로 쓰던 것을 개축하여 옥으로 바꾼 건물이었다. 일자로 길게 지어진 두 채의 기와집이 마주 보고 섰는데, 사방에 돌담을 쌓아 막아놓고 네 귀퉁이에 옥리들이 번을 서고 있었다. 죄수들의 가족들이 감옥 부근 일가에 들어 밥을 붙이면서 뒷바라지를 하느라고 옥전거리는 언제나 음식장수들이 모여들게 마련이었다. 관에서 죄수에게 먹일 양곡을 내는 법이 없으니 가족이 없는 죄수들은 동료나 옥리들이 먹다 남은 찌꺼기 음식으로 겨우 연명하다가 굶어서 죽는 수밖에 없었다.

좌옥 우옥이 있는데 우옥은 좀도둑이나 부녀자들이 갇힌 곳이요, 좌옥은 전과자와 강도와 살인자들의 옥이었다. 창고로 쓰이던 일자 집의 앞쪽 벽을 완전히 허물고 굵은 나무 칸막이로 막았으니 옥마당에 서서 둘러보면 좌우옥의 구석구석이 환히 들여다보였다. 길산은 좌옥의 가운데 칸으로 끌려갔다.

제일칸은 전과자의 칸이요, 제이칸은 살인 도형수의 칸이며, 세 번째 칸은 관리로서 중죄를 지은 자들의 칸이었다. 가장 중한 형벌이 역시 참형(斬刑)인데, 그 다음에 목숨을 구한다 할지라도 사람 구실을 못 하게 만드는 중형이 있었다. 이른바 다섯 가지 벌이라 하여 세인을 경계하였으니 쪄서 죽이든, 사지를 토막내든, 목을 치든, 사형을 대벽(大辟)이라 하였고, 불알을 까버리는 궁형(宮刑), 발꿈치를 베어내는 월형(刖刑), 코와 귀를 베어내는 의괵형(劓馘刑), 그리고 바늘 수십 개를 묶어서 이마와 얼굴을 꼭꼭 찌른 뒤에 먹물을 넣어 면상에 벌표를 한 자자형(刺字刑)이 있었다. 감옥 안에도 죄수들끼리 정한 자리가 있었으니 이른바 삼칸이었다. 남쪽이 일칸, 북쪽이 이칸, 동쪽이 삼칸이었고 감옥 안에는, 맨땅바닥에 널빤지를 깔아놓은 청이 있는데, 대개 연장자와 고참자는 청 위에 올라앉고 신참자와 연소자는 청 아래 앉도록 되어 있었다. 옥졸이 칼 쓰고 차꼬 찬 길산을 끌어다 좌옥 이칸에 처넣는데,

"쌀과 무명을 낼 수가 있는가?"

물었으나 길산은 묵묵히 고개를 저었다. 옥졸이 발길로 내차며 그를 희롱하였다.

"신참 행하도 못 할 놈이 살인은 뭣 땜에 저질렀느냐. 우리는 법대

로 시행하거니와 옥 안엣놈들이 너를 그냥 두지 않을 터인즉 열흘이 못 가서 장작개비가 되어 나올 것이다."

옥문이 육중한 소리로 열리자 죄수들의 눈이 모두 길산에게로 집중되었다. 옥졸이 길산을 안으로 떼밀고 쇠를 채우면서 다시 희롱하는 말을 던졌다.

"귀한 객이 오셨으니 행수는 잔치를 베풀어 접대하라."

옥졸이 물러가고 길산은 스물 남짓 되는 죄수들을 잠시 내려다보았다. 모두들 상투가 풀어헤쳐져 사방으로 산발되었으며 얼굴을 오랫동안 닦지 않아서 눈알만 번뜩이고 있었다. 길산이 제자리를 찾지 못하여 엉거주춤하다가 간살 앞에 앉으려고 궁둥이를 내리는데 청위에 앉았던 의복이 멀끔한 자가 호통을 내질렀다.

"이놈, 남의 집에 들어왔으면 예법을 지켜야지 어디에 앉으려느냐. 고이헌 놈이로다. 여봐라 색장(色掌), 어서 거행하라."

청의 가운데 자리에 앉았던 자는 의복도 깨끗했고 머리도 봉두난발이 아니라 말끔하게 틀어올린 상투 그대로였다. 나이는 한 오십 되어 보였으며 제법 어깨가 다부지고 체격이 탄탄해 보였다. 색장이라 불린 사내가 좌중에서 일어서는데 키가 보통 사람보다 두어 뼘은 더 커 보였으며 눈알이 퉁방울 같고 수염은 뻣뻣이 곤두서서 체격은 고사하고 상통만 척 보기에도 매우 우악스러워 보였다. 힘깨나 쓸 것 같은 그 사내의 목소리는 외모와 걸맞게 질그릇 깨지는 소리처럼 들렸다.

"예, 간장(間長)어른 불러 계시오."

"추국청을 벌여라, 법대로 시행하리라."

길산은 빙그레 웃으며 그들이 주고받는 수작을 듣고 있었다. 색장이란 자가 다가와 길산을 눌러앉히려고 두 팔로 어깨를 잡고 힘을 쐈다. 길산은 짐짓 힘을 주어 버티고 서 있었다. 그의 어깨를 내리누르던 색장이 말했다.

"어랍쇼, 이놈 보게. 말뚝처럼 꿈쩍두 않네."

길산이 껄껄 웃어 대답했다.

"대체 왜들 이러시오. 앉으려니까 앉지 말라 해서 서 있는데 이거 장난이 너무 심하지 않소."

"허, 이놈이…… 감영 전옥의 규칙을 모르는구나. 꿇어앉아 추심을 받으라."

"나는 다리가 아파서 꿇지 못하겠소. 어디 앉혀보시구려."

청 위에서 간장의 짜증난 말이 떨어졌다.

"색장은 무얼 꾸물대는가. 빨리 꿇어앉혀라."

색장이란 자가 손을 쓱 비비고 나서 길산의 어깻죽지를 움켜잡았다. 그러고는 아래로 짓누르며 힘을 쓰는데 얼굴에 홍조가 떠오르고 두 다리는 억세게 버티면서 팔이 부들부들 떨렸다. 길산이 마주 힘을 쓰며 연신 빙글거렸다. 내리누르던 색장은 기운으로 못 견디겠는지 상대를 위로 치켜들려고 한 손을 길산의 사타구니 아래로 집어넣으려는 모양이었다.

"예끼 놈!"

길산이 목에 쓰고 있던 나무칼째로 휘익 돌려서 색장의 뒷덜미를 후려갈겼으며, 그는 에쿠 소리와 함께 죄수들을 향해 앞으로 넘어졌다.

"몰매를 놓아라."

청에서 간장이 떠들고, 죄수들이 일어나 길산의 몸을 잡으려고 우왕좌왕하는데 두어 놈이 길산의 발길질을 얻어맞고 나뒹굴었다. 여러 놈이 감히 덤벼들지 못하고 안쪽으로 피해 들어가자 자리가 널찍해졌는데 길산은 청 위로 쫓아올라갔다. 당황해서 몸을 빼치려는 간장의 멱살을 날렵하게 틀어쥔 길산이 바닥에 밀어 목통을 죄면서 말했다.

"다 같은 도적놈들끼리 추심이 웬말이며, 너 따위가 무슨 색장이니 간장이니 하느냐. 나는 곧 죽을 사람이매 시끄럽게 굴지 마라."

길산이 그를 옆으로 밀어내치고 청에 앉으려는데 소란한 기척을 눈치챈 옥졸들이 감옥 밖에 모여들었다.

"어느 놈이 난동을 부리는가?"

죄수들 속에서 고하는 자가 있었다.

"신참이 말을 듣질 않습니다."

"저놈을 끌어내라."

옥졸들이 우르르 몰려들어 길산을 끌고 나갔다.

길산은 좌우옥의 끝에 가로질러서 지어진 옥리들의 숙소로 끌려갔는데 옥사장인 듯한 장교가 기다리고 있었다.

"소란을 부린 것이 바로 이놈인가?"

"방금 들어온 광대 자식이올시다."

"광대라면…… 살여울서 잡힌 그놈이란 말이지."

길산은 뻣뻣하게 대답했다.

"기왕에 죽을 놈인데 귀찮게 다루지 마시오."

"네가 장길산이란 놈이냐?"

"그렇소."

"음, 그렇다면 용댕이 우대용이를 아는가?"

"얘긴 들은 적이 있으나 안면은 없소이다."

"그가 너를 보고자 한다. 말썽을 부리지 않고 얌전히 있겠다면 관곡을 내어 먹여줄 터이니 옥내의 규칙을 지켜라."

하고 나서 옥사장은 옥졸들에게 말했다.

"회자수의 칸으로 이놈을 데려가거라."

옥졸들은 길산을 끌고 제일칸의 곁에 따로 간막이를 해놓은 작은 옥으로 데리고 갔다. 옥졸들이 간살 앞에서 외쳤다.

"대용이, 네가 찾던 자가 왔다."

한편 문이 열리고 죄수가 마주 나오며 길산은 안으로 떠밀려 들어가는데 얼굴이 시커먼 자가 대뜸 길산의 손을 잡는 것이었다.

"어서 오슈, 오늘 아침부터 종일을 기다렸소이다."

"용댕이 우서방 말은 오래 전에 들은 적이 있으나 이런 데서 만나리라곤…… 뜻밖이오. 댁이 어찌 나를 알며 어떻게 내가 잡혀온 것을 알았소?"

"좀 앉읍시다."

옥 안에는 그 외에도 두 사람이 더 있었는데 모두 신수가 멀쩡하고 산발한 머리는 뒤로 가지런히 넘겨 무명끈으로 질끈 동여매었다. 하나 한결같이 인상이 험악하고 눈빛이 날카로웠다.

"인사를 합시다."

먼저 우대용과 길산이가 맞절을 하고 나머지 사람들과는 반절을 나누었다. 우대용이 말했다.

"송도 박대인을 아시오?"

"예, 오늘 새벽에 살여울에서 헤어졌으나 무사히 송도로 향했는지는 나두 모르겠소. 거기서 혼자 잡혔으니까."

"아마 지금쯤은 연안 근처에 갔을 거외다. 아침에 용댕이 사창 군관에게서 연락이 왔소."

하고 나서 우대용은 제가 잡혀들어온 앞뒤의 사연을 대강 얘기했으며, 박대근이 용당포 사창 수직 포교를 통하여 뇌물을 써서 자기를 회자수로 빼돌려 구명해준 사실을 말하였다. 또한 통기한 자의 말에 의하면 살여울을 건너간 박대근이 차인을 용당포로 보내어 길산이 잡힌 사실을 전했고, 길산의 급식비로 어음을 들여놓았다는 것이다. 우대용은 회자수로서 당분간 목숨을 부지하겠지만 길산은 이미 한 달 안으로 참수당할 판결이 내려졌으므로 송도부중이 아니라 직접 한양에 손을 써서 구명을 하겠다는 전갈이 있었다.

"옥사장이란 자는 내가 갇힐 때부터 많은 뇌물을 주어 인심을 얻어놓은 사람이오. 앞으로 박대인이 사창군관과 옥사장을 통해 연락을 해줄 것이니 장서방은 몸이나 튼튼히 하고서 기회를 봅시다."

"꼼짝없이 죽는 목숨에 세상이 적막하더니 이젠 달리 생각하게 되었구려. 그나저나 내 방의 놈들이 신참례를 하길래 혼을 내던 참이었소."

"그놈들 내가 잘 아는 강령 뱃놈들이오. 옥중 관습이라고 놈들이 행패를 했나 보우. 근성은 모두 착한 백성인데, 몹쓸 죄를 짓고 이판사판이 되어 악착스러워진 거요. 어쨌거나 오늘은 우리 방에서 함께 지내고 내일부터 이칸으루 건너가우. 소문이 옥내에 파다히 돌고 나면 섭섭히 대하지는 않으리다."

우대용이 껄껄 웃으면서 말했다. 우가의 방에 함께 있던 회자수 중의 하나가 가는 쇠끝을 들고 다가앉더니 길산이 차고 있는 차꼬의 쇠구멍에 끼워넣고 이리저리 비틀었다.

"우선 그 칼과 차꼬를 벗겨드리리다."

"옥리들이 꾸짖지나 않겠소."

"저들은 우리를 감히 괄시하지는 못합니다."

차꼬와 칼이 차례로 벗겨져나가자 길산은 상을 찡그리고 사지를 펴서 기지개를 켰다. 곤장 맞은 궁둥이와 무르팍과 인두질당한 등때기가 몹시 쓰라리고 아팠으나, 워낙에 기력이 왕성한 나이인지라 그리 못 견딜 것도 아니었다. 다만 시장하고 목이 말라 견딜 수가 없었다.

"뭐, 요깃감이나 없수?"

"아직 밥때가 안 되었으니 기다려야 하우. 가만있자…… 회자수가 옥내에서 주린다는 법은 없으니 먹을 게 있습지요."

우대용이 널빤지 아래에 손을 깊숙이 넣어 부스럭거리더니 종이에 겹으로 싸둔 뭉텅이를 꺼내었다. 종이를 끄르는데 콩 박은 무리떡이다.

"딱딱하지만 꼭꼭 씹다 보면 입맛이 제법 살아날 게유."

"이거 참 염치가 없소이다. 물도 한 모금 마실 수 없소?"

"동이에 남았나?"

"다 떨어졌네. 까짓 거 옥졸에게 부탁하지."

동료 회자수가 창살 앞에 서서 번 서고 있는 옥리에게 외쳤다.

"봅시다. 물 좀 떠와야겠는데……"

"아예 옥바닥에 우물을 파든지 해야겠군. 젓국을 처먹었나, 물은 자주 찾구 지랄이야."

"젠장맞을 싫으면 그만두어. 술이나 한 동이 들여주든지."

"술 처마시구 밤새 잠 못 자게 행악할려구, 물이나 떠다 주는 게 내 속이 편하지. 에이, 더러워서 느이들 망나니 자식들 땜에 어디 옥리 노릇 해먹겠어. 나라님보다 더한 상전이니."

"수틀리면 참수 귀신 붙어버리라구 악담할 테여."

길산이 듣고 보니 옥리와 망나니의 농지거리가 도통 기탄이 없어서 마치 한통속과도 같았다. 우대용이 말했다.

"의아할 게 없소이다. 우리가 행악질을 하거나 소동을 일으키면 저희들도 귀찮고 우리네 일이 비록 천역이되, 쓰임새로는 막중하니 깔보지 못하게 되어 있소."

"형을 집행하여보았수?"

"이 두 사람들은 삼 년이 넘었으니 수십 차례 될 것이나 나는 꼭 한 번 참례했소이다. 참말 못 할 짓입디다. 목숨을 부지하기가 끔찍한 일이오. 일테면 제 목숨 붙이느라고 남의 목을 치는 사람 백정인 셈이우."

길산이 물을 말을 잊고 묵묵히 앉았는데, 회자수 하나가 입을 열었다.

"그래두 살아야지요. 나는 이제 육 년을 채울 것이며 이 사람은 칠 년을 채우게 되면 풀려날 것입니다. 회자수 십 년이면 제정신 가지구 세상 밖에 나가는 자가 드물지만, 혼만 똑똑히 차리면 마빡에 먹물이나 들이구 세상을 등져 숨어 사는 수가 있소이다."

옥졸이 물을 떠다 주어 길산은 한편 달게 마시고 굳은 떡을 씹어 온종일 주렸던 배를 채웠다. 그들이 저녁밥때를 기다리는 중에 자연히 신세타령들이 나오게 되어 먼저 감옥에 오래 있었던 두 회자수가 번갈아 얘기들을 하였다.

"나는 원래 본관이 배천이고 평산서 사령질을 다니다가 검수역말로 나아가 마방직을 했던 사람이외다. 하루는 한양으로 올라가는 부담마를 정돈하고 땅거미질 무렵에 술이나 한잔 마시려고 역참거리를 내려오는데 갑자기 소나기가 한줄금 비치더란 말이오. 그래 비를 피하여 잠시 어느 민가의 처마끝에 무료히 서 있었수. 줄기차게 쏟아지는 빗줄기로 아랫도리가 금방 젖어버렸지요. 그냥 비를 맞으며 걸을까 하고 막 처마밑을 나서려는데 길가 퇴창문이 드르륵 열리더니 계집의 반쯤 가리운 얼굴이 나온단 말입니다. 여보셔요. 바쁘지 않으시다면 저희 집안일 좀 도와주구 가시지요. 목소리가 청아하고 손짓이 은근하여 나두 모르는 새 겹대문 안을 들어섰지요. 일이란 별것이 아니고 광에 있는 쌀섬을 져다 빈 뒤주에다 쏟아넣어달란 것입니다. 일을 해주는데 계집이 연해 추파를 던지고 집에 남정네가 없어서 하며 눈치를 보입디다. 알고 보니 계집은 평산 아전의 첩인데 근래 서방의 거동이 뜸하여 적조했던 탓이라 음욕을 이기지 못한 듯합디다. 물을 것 없이 술상을 차려 마시고 농탕질을 하다가 자리를 깔고 한참 행음을 놀았지요. 자리 속에서 그년의 허릿짓이며 감창소리가 얼마나 대단한지 세 번을 거듭했소이다. 밤이 거의 삼경이 되었을 무렵인데 문 밖에서 사람 부르는 소리가 들렸지요. 계집이 당황하여 나를 다락으로 밀어올리며, 주인이 왔어요, 포착되면 큰일이오, 수선을 떱디다. 그년이 발가벗은 몸 위에 간신히 치마와 저고리를 꿰고 나가 제 서방을 들이는데, 시골 아전치고는 늙은이가 풍채 있고 점잖습디다. 내가 다락에서 엿보고 있자니 계집은 새침하게 토라져서 제 서방을 면박 주는데, 이 밤중에 어인 일루 평산서 달려왔수. 큰마님께나 가실 일이지. 독수공방 한이 맺힌 내게 와서 어쩌시려오. 이렇게 수작질하며 타시락거리다가 서방이 제 계집을 희롱하려 하는데, 계집은 백방으로 거부하고 순종하지 않는 것이었소. 아마 그동안 뜨음했던 서방의 애간장을 태워 다음을 경계하려나 보다 여겼는데 실은 나중에 알구 보니 그게 아닙디다. 나를 끌어들인 것두 처음부터 계획이 있어서였지요. 아전이란 자가 전장이 제법 많고 장사를 하여 점포를 두셋 가지구 있는 터에 슬하에 딸만 자매가 있었지요. 첩의 소생이 있었는데 아마도 아전의 자식이 아닌가 봅디다. 아무튼지 술상을 차려 제 서방을 대취케 하여놓고는 다시 치마를 걷어올리고 음사를 한판 더 벌이는데, 계집이 한편으로는 입을 벌려 감창소리를 내고 손을 뒤로 뻗쳐 뒤꽂이를 뽑습디다. 매서운 독부지요. 뒤꽂이를 세워 서방의 목줄기를 노려 대번에 깊숙이 찔러 넣는데 한참 그짓을 벌이던 자가 긴 신음 한 소리에 사지를 뻗습디다. 이년이 검불 떨어내듯 사내를 밀어내렸지요. 나를 다락에서 내리우더니 피가 낭자한 시체를 손가락질하면서 이 시체를 치웁시다. 나는 도적이 들었다고 할 터이니…… 만약에 댁이 거절하면 소리쳐 사람들을 부르겠어요. 계집의 얘기가 아전이 이미 늙어 사는 재미도 없으나 재산을 떼어 받으려면 이런 수밖에 없다는 것이지요. 도리없이 걸려들구 말았지요. 오밤중에 난데없는 시체를 치우게 되었으니 정욕은 고사하고 팔다리가 후들후들 떨립디다. 계집의 말이 이제 당신과 연분을 맺어 백년해로 하여보자는 것이었으나, 시체를 치우고 난 뒤에 새벽 선잠을 깨어 문득 마음속으로 깨달아지는 바가 있습디다.

나는 한갓 음욕을 채우려고 몸을 그르친 바 되었거니와 계집은 외간남자를 끌어들여 제 하늘 같은 가장을 죽인 뒤에 시체 치우는 일로 공모하여 영영 묶어버렸으니 나는 완전히 수노가 되었구나. 앞으로 이런 잔인한 년이 또한 전철을 밟지 않으란 법도 없겠거늘, 사람이란 뉘우친 다음엔 고쳐야 하는 법이다. 내 차라리 이 계집을 죽여버림만 같지 못하리라 작정하고서 자고 있는 년을 식칼로 쳐죽여버렸지요. 그러고는 벌거숭이 채로 도망을 나와버렸으나, 그 집 안에 검정 더그레와 벙거지를 그대로 두고서 동저고리 바람으로 나왔으니 발각되지 않을 리가 있겠소이까. 잡혀죽게 되었다가 사실이 밝혀지게 되어 회자수로 쓰였던 것이오."

본관이 배천인 회자수가 전력을 대략 얘기하고 나자, 다른 회자수도 얘기를 꺼내었다.

"나는 보다시피 경친 놈이올시다. 전에 두 번이나 옥살이를 했던 적이 있지요. 봉산서 원래는 옹기장수를 하다가 골패에 손을 대어 돈에 쫓기게 되었소이다. 원래 손이 빠르고 눈치가 밝아서 오히려 장사보다는 도적질에 능하게 되었수. 장터에서 남의 주머니 뒤짐을 했는데 봉산 부엉이라면 왈짜패들은 모두 압니다."

길산이 잠깐 말을 막았다.

"만동네 형제를 아시우?"

"알다뿐입니까. 그자들은 내게 돈냥깨나 얻어 썼습니다. 원래 내가 골패잡이를 하며 투전을 시작했을 적에 손끝으로 패를 더듬어 맞히느라고 날마다 손가락 끝을 물에 담가서 단련시킬 적부터 장사 생각은 집어치워버렸소이다. 우리네가 솜씨 자랑을 해 보일 적에 빈 대접에 콩알을 가득 담아 어깨와 다리로 해서 몸 뒤로 올리고 내리고 돌려도 한 알 흐트러지지 않을 정도로 손맵시를 부드럽고 날렵하게 합니다. 또한 그뿐이 아니오. 담넘기, 기둥타기, 지붕뚫기, 개피하기, 장롱과 패물함과 온갖 광의 열쇠를 쇠끄틀 하나로 열기에도 능해야 하는데 한창때에는 서도에서 이 봉산 부엉이만 한 도적이 없었소이다.

가장 처음에 잡힌 것이 옹진서였지요. 장물아치 맡은 자가 물건을 옮기다가 포교에게 발각되어 잡히고 추심 중에 매를 못 이겨 나를 찍어냈습니다. 일 년 동안 살고 나서 이렇게 이마에 먹물을 찍혔습니다.

두 번째는 관아의 담을 넘어들어가 봉물짐 하나를 슬쩍했습니다 그려. 한동안 색주가에 박혀 떵떵거리며 지냈건만 한량패들과 시비가 붙어 싸움질 끝에 꼬리를 잡혔지요. 포교가 와서 창끝으로 기방의 천장을 꾸욱 찔러 올리는데 대국 비단이 주르르 풀어져내리지 않겠습니까. 심한 매를 맞고 삼 년을 살았지요.

그리고 마지막으로 사 년 전에 이 해주 저자에서 평양 상고의 돈 전대를 빼냈다가 동행 상인들께 띄어 뭇매를 맞고 잡혔습니다. 이미 세 번째이니 십 년 동안 망나니 노릇을 감수하지 않을 수 없게 되었지요."

봉산 부엉이와 배천 사령인 두 회자수의 전력 얘기가 대강 끝나고 나서 밥때가 되었다. 옥졸들이 풀려나와 우선 칸마다 지켜섰고 옥 마당으로 음식장사치와 옥바라지하는 사람들이 몰려들어왔다. 옥바라지하는 가족들은 옥졸의 죄인 점고에 따라 하나씩 나와 반합과 찬합을 건네고 특히 관원이 들어 있는 삼칸 쪽에는 개다리소반이나마 번듯한 밥상도 들여갔다. 옥졸에 뇌물을 쓰고 옥전거리 임집에서 밥을 대어 먹는 죄수들도 저녁을 들여 먹는데 그 층이 다담(茶啖)에 못지않은 것에서부터 주먹밥 개떡에 이르기까지 천차만별이었다. 회자수칸에는 옥사장이 내리는 관밥이 있게 마련인데 점심에 먹고 남은 밥과 젓국이 고작이라 아예 물리고 그 대신에 용당포서 떠날 때 행수 선인이 입금시킨 것과 박대근이 우대용과 길산이께 넣은 어음 탓으로 옥전거리 주막집의 그럴듯한 밥을 대어 먹었다. 주막 주인 사내가 직접 날라온 겸상밥이 옥 안에 들어왔다. 국과 밥은 물론이요, 비린 것까지 끼였는데 상 위에는 따로 막걸리도 한 병 얹혀 있고 식후 연초랍시고 남초에 곰방대까지 올라 있었다. 밥을 먹으며 한편으로 주막집 사내와 우대용이 수작을 하는데, 그가 바깥 소문을 전해주는 것이었다.

"김서방, 어찌되었나. 집행은 한다던가?"

"낼 모레라구 하데. 일감 생겨서 좋겠구먼."

"예미랄, 일감은 또 뭔 소리여?"

"좌우간에 바람 쐴 일이 생겼지."

"그나저나 딴것보담 압송한단 소리는 못 들었어?"

"누구를……"

"내야 이리되었지만, 이 장서방 말이야."

"장서방…… 옳아, 내 정신 좀 보게. 송도 어른이 부탁하신 그 양반 말이로군. 아까 사창 포교가 들렀어. 장계 올린 것이 떨어질려면 달포는 끌겠다더군."

"그놈에게서 얼마 맡았나?"

"백 냥 받아두었네. 한 석 달 먹을 건 되니까…… 염려 없어. 저 양반 물고 치른 뒤에 자네 양식값으로 챙겨두지."

"뭐라구, 이놈?"

길산이 상 위를 수저로 때리며 외치는데, 우대용은 저대로 화를 냈다.

"그 찢어죽일 놈 같으니…… 박대인이 어음을 냈다면 못 되어도 삼백 냥은 될 터인즉 다 짤라먹었구나."

"두 사람 다 노염을 풀라구. 내 초면에 입바른 소릴 하는 게 아니라 오늘 들어오신 장서방은 듣기에 신생원하구 원한이 있다며? 그 사람이 눈을 시뻘겋게 뜨구 노려보는데, 만약에 형방께서 돈깨나 먹고 슬쩍 눈을 감는다 할지라두 옥에 찾아와 죽이려 할 것이요, 더구나 살인 대적이라 장계까지 올랐는데 정승도 구명해내지 못합니다. 그저 참형당하기 전까지 신관이나 편히 지낼 꾀를 쓰시우. 내 술을 못 들일까, 계집을 못 들일까, 돈만 좀 쓰면 원님 부럽잖게 옥살이시키리다. 그리고 우서방…… 분기 내는 것은 모르는 소치여. 어디 돈 삼백 냥이라면 사창포교 그 사람 혼자 먹는가. 형방 비장께 한 백 넣고 옥사장과 자기가 공히 오십 냥씩 나누면 내게 떨어진 양식대가 백 냥으로 계산이 맞아떨어진다구."

잠자코 듣고 있던 길산은 한숨을 쉬며 밥상에서 물러났고, 우대용이 창살 사이로 팔을 뻗어 주막 사내의 멱살을 움켜잡았다.

"그래, 말 잘했다. 원님 부럽잖게 호강시켜준댔지? 오늘 내 방에 손이 들었으니 술상 보아올 테냐?"

주막 주인이 껄껄 너털웃음을 웃었다.

"아니 이 자가 뭘 믿구 이리 드센 척하구 야단이야. 가만있어. 내 이따가 늦은 밤에 약주 한 동이 들여줄 테니까. 그보다두 이리 귀 좀 대어봐."

우대용의 귀를 잡아당긴 사내가 재빨리 속삭였다.

"사창포교 말이 송도 사람 전갈에 자네들을 늦어도 겨울을 넘기게 하진 않을 거라데. 우선 저기 장서방이란 손을 구명해내는 일이 급하네. 송도 분은 한양에다 줄을 대겠다구 하지만서두 아예 싹수가 글른 일이여. 그렇다구 자네처럼 내정 돌입한 적당을 과실로 살인한 것두 아니요, 관군과 싸워 살상시켰으니 죽는 건 꼼짝없네."

"그래, 무슨 수라도 있단 말인가?"

"있긴 꼭 한 가지 방법이 있네."

어느결에 우대용이 바싹 긴장하여 길산을 곁으로 손짓해 불러앉혔다. 막상 반응이 이렇게 되자 주막집 사내가 슬쩍 딴전을 피우면서,

"있긴 있는데…… 자네들 얼마나 낼라나? 돈이 있어야지."

"돈…… 양식값두 근근할 정도루 엄청난 판인데 우리가 옥 밖이라면 도적질이라두 하겠지만 갇힌 놈들이 무슨 돈이 있는가."

"허허, 옥에 갇힌 자가 들보를 뽑는단 말두 있네. 하다못해 마누라까지 팔 건 팔구 보는 게야. 더구나 자네들껜 뒤가 든든하지 않나?

지금 세상에 송상이라면 오품 벼슬까진 바꿔 앉힌다잖아. 돈 가지구 안 될 일이 어디 있겠나. 역적질하는 것두 아니구 살인난 옥사나 좀 바꾸려는 겐데."

길산이 제 목숨값이 흥정되는 데에 고지식한 성미가 발동하여 퉁명스레 내뱉으며 물러나 앉았다.

"고만들 두슈. 까짓 죽으면 흙 한 줌이긴 빠르나 늦추나 매일반인데, 공연스레 관원들과 구차히 흥정하긴 싫소이다. 술이나 좀 마시게 해주면 고맙겠수."

우대용이 침착하게 물었다.

"그래, 얼마쯤이면 구명이 되는데?"

"돈 천 냥이면 되어."

"뭐라구? 천 냥이 뉘 집 워리새끼 이름인 줄 알어."

"참, 이게 보통 돈이람야 팔도 행상을 휘젓고도 남을 대금이지만, 사람의 목숨값이란 말이야. 자네들은 그저 시름 놓고 앉았으면, 내가 송도루 쌍급주를 사서 급히 놓을 테니 그 송상 댁네나 일러달란 얘길세. 벌써 두 사람 양식대로 누백 냥을 썼으니 자네들께 애착이 단단허달밖에. 틀림없이 아깝다 않고 구명해줄 걸세. 이 사람아, 비록 옥살이는 해두 우선 목숨이 붙어남구 봐야지. 북망산으루 가고 나면 여름 한철의 구더기보다두 못한 게야."

우대용이 고개를 끄덕이며 듣고 있다가 말했다.

"하긴 자네 말이 옳지만, 까짓 사람 백정이나 하며 살아간들 무엇하겠나."

"내가 옥전거리서 이 장살 해오며 한둘을 겪어온 사람이 아닐세. 우선 연명이 급하구 그 다음에 날을 봐야 하는 법일세."

"날을 보다니……"

"아니, 예서 참말 옥살 맞은 아수라귀신이 되구 싶어?"

"그럼 어째…… 날구 기는 재주가 따루 있어야지."

"이봐, 옥사장의 연중 녹이 얼만지나 아는가. 나락 두어 섬이야. 자네들 돈냥이나 나올 듯싶어 귀띔해주는데, 옥사장의 후생 팔자나 고쳐줄 듯싶다면 두 몸이 광명 천지에 나서는 것쯤이야 여반장일세."

"그렇다면 구명보다두 탈옥쯤 시켜주어."

"쉿…… 목소리 한번 크다. 지금 성내에서는 아무 데두 도망 못 가네. 천상 궁방전으루나 수철장으루 노역을 나가면 몰라두 읍성 안에서는 잡히구 마네."

"언제 노역을 나가나?"

"이제 곧 겨울이니 해 안으룬 틀렸네. 봄이 되면 노역들을 내보낼 게야. 그때까지 우선 구명이나 해놓고 틈을 보아야 하네."

"내가 놓인 몸이라면 강화나 마포를 뒤져 우리 행수 선인을 만나 몸값을 받을 수가 있겠건만 아무튼 송도루 기별은 해야겠지. 송상 배대인 댁을 찾아서 차인 행수 박대근이란 양반에게 대이도록 하게나."

"쉿, 옥졸이 온다. 내 이따 술 들일 적에 다시 와서 의논을 허지."

옥졸이 각 칸마다 옥바라지들을 몰아내며 끝칸으로 다가왔다. 그는 옥사장이 평소 우대용이께 대하는 것이 너그럽고 또한 새로운 죄수를 합방시키는 것에 더욱 기가 죽어서 마구 대하지는 못하는 눈치였다.

"어떻게 저녁은 다 먹었나?"

"이제 막 끝나서 상을 물리는 참일세. 번 끝나면 우리 주막으루 오게나. 주안상 봐둘 테니……"

"우리 먹을 술이 있어?"

"암, 있다뿐인가. 낮에 새루 걸러논 약주가 한 독인데."

너스레를 치는 주막 주인은 역졸이 쇠를 따주어서 상을 들어 내갔다. 모두들 물러가자마자 다시 한번 각방의 죄인 점고가 있고 나서 조용해졌다. 옥마당에 큰 모닥불이 피어올랐고 번이 갈려나갔다. 대용의 방에 있는 네 사람은 각자 기대어서 주막 사내가 넣어준 곰방대 한 죽을 돌려가며 피웠다. 우대용이 길산에게 대를 넘겨주면서 말했다.

"장서방, 사람이 우선 살구 봐야 하오. 송도에 통기하여 구명할 방도를 뚫어봅시다."

길산이 상처가 닿지 않도록 꾸부정히 앞으로 숙이고 앉아서 길게 한숨을 쉬며 대답했다.

"글쎄, 비록 박대인과 형제지의를 맺었다고는 하지만…… 내가 그이께 구명을 요구할 만큼 큰 은덕을 입혀드린 바가 없소이다. 사나이가 무슨 염치루 아무 사유 없이 신세 지기를 바라면서 목숨에 연연하겠소."

"그렇게만 생각할 일이 아니외다. 돈이야 쓰구 나면 곧 벌 수도 있구, 물질은 갚을 수나 있지만, 장서방과 박대인께서 형제의 의리를 맺었다 할 제 돈냥이 문제가 아닙니다. 또한 그 어른두 이 얘기를 들으면 가소로이 여길 것이오. 주막 사내가 비록 허풍이 심하고 간교하기는 하지만 감옥 사정에 저만큼 밝은 자의 제안이니 확실한 구명책이 있을 것이오."

길산이 침통하게 앉았을 때 봉산 부엉이와 배천 사령 출신의 두 회자수가 나서서 말참견을 하였다.

"우리가 예서 더러운 목숨을 잇고 있는 것은 그나마 회자수이기 때문입니다. 만약에 그냥 죄수였다면 굶어서 한 달이 못 되어 죽었을 거요."

"관에서 남겨주는 한밥을 먹다가, 이제 우서방 덕분으루 밥에 술에 호강은 하오만 참으로 목숨이 모진 것이지요."

봉산 부엉이가 얘기를 계속하였다.

"다른 놈들은 목이 잘려 황천으루 가고, 어떤 놈들은 반병신이 되어 나가고 귀양으로 내쳐지구, 관노루 부려 나가구 하여 옥 안에서 서너 달을 넘기는 자가 드물건만 우리네는 십 년을 기한하구 남의 목을 베어야 합니다. 처음에는 자처(自處)할 생각두 없지 않아 몇번이나 목을 매달고 죽어버릴려구 했으나, 이제는 십 년 세월을 기다리게끔 되었소이다. 우선 장서방두 살구 볼 생각을 해두시오. 헌데 이건 우리 생각인데 저 주막집놈을 믿진 마시우. 돈냥에 닳구 닳은 놈이라서 언제 배신할지 모릅니다. 지금 두 분께 뒤가 든든하단 낌새가 있으니까 저리 다정하게 아첨을 붙이지만, 나올 게 없을 듯하면 당장에 송장이 되어 나가두 거적 한 장 덮어줄 위인이 아니외다."

"여기 죄수가 모두 몇이나 되오?"

길산이 묻자 배천 사령이 말했다.

"글쎄올시다, 시골 군옥이라면 토옥이니 한 열 명 남짓이면 가득 찰 것이며 서울 포청의 전옥서에는 수백 명이 끓는답디다. 그래두 해서감영의 옥이니 줄잡아 오십은 넘을 것이오."

"들구 나는 인원이 많으니 대략 반년부터 석 달짜리루 쳐서 늘상 삼사십 명은 되겠구먼."

하며 우대용이 셈을 잡았고,

"아니우, 좌옥만 쳐서두 그쯤은 되고 우옥에는 온갖 잡죄인이 들락날락하는데 사흘거리에서 보름거리까지 좀이나 많습디까."

봉산 부엉이가 가장 그럴듯이 얘기하여 남은 두 사람의 회자수는 역시 옳겠다며 고개를 끄덕였다.

"우옥 사람들이야 거지반 약한 백성들인데, 우리게 비하면 그야 말루 법 없이 살 수 있는 양민들이지요. 밥때 되어보시우. 옥바라지 하는 이들이 모두 아낙네거나 늙은이들 아닙디까."

얘기들을 주고받는데 갑자기 바로 옆방에서 창살을 두드리며 외치는 소리가 들려왔다.

"일칸에 고택골이오."

번을 서던 옥졸이 느릿느릿 걸어와서 일칸 앞에서 수작을 나누는 소리가 들려왔다.

"누구야?"

"예, 장물아치 영감이오."

"사흘 전부터 운신을 못 하구 드러누웠더니 여하튼 오늘 안으루 죽은 모양이우. 자리를 좁힐려구 밀어붙이는데 뻣뻣해서 죽은 걸 알았습니다."

옥졸이 몇사람 더 뛰어오는 소리가 들리고 자물통을 따면서 투덜대는 소리도 들렸다. 봉산 부엉이가 나직하게 말했다.

"내가 알기로는 저 영감태기 죽은 지 며칠 되었소."

"그럼 시방은 썩어내렸겠구먼."

"뭣 하러 시체를 방에 껴들리구들 알리지 않았을까?"

봉산 부엉이가 다시 설명을 하였다.

"저 영감이 일찍이 옹진서 좀도적들의 장물을 넘겨 팔아왔는데, 돈냥이나 모았다지요. 나두 거래깨나 있어 잘 아오만 그 왜 하루 아침때 저녁때 두 번씩 반합을 들이던 이가 양자 노릇 하는 총각이우. 일칸놈들이 영감 죽고 나서 앓아누웠다며 총각을 속이고 반합 받아

먹는 재미루 신고를 않더니 아까 밥 먹으며 내다보니 총각이 오늘은 안 왔습디다. 어제 저녁이 마지막이었으니 죽은 걸 눈치챈 게 분명하지요. 이제 차입두 끊겼으니 제놈들이 시체를 방에 두어둘 까닭이 있나요."

옥졸들이 놀라서 외치는 소리가 들려왔다.

"이런! 썩은 송장인걸. 이놈들아, 거적 밑 깊숙이서 썩어나는 시체를 이제 알리느냐. 모두 대장으로 치도곤이를 주리라."

"이 방의 간장과 색장이 언놈이냐, 이리 나서라."

함부로 매우 치는지 에구 지구 하는 소리와 매 떨어지는 소리가 투닥이며 들려왔다.

"들구 나서라."

회자수칸의 네 사람은 창살에 붙어서서 바깥을 내다보았다. 거적에 둘둘 말아 들린 시체의 축 늘어진 목과 뻣뻣한 팔이 허공중으로 뻗쳐 있었다. 길산이 무심결에 중얼거렸다.

"어디 야산에라두 묻어나 줄까?"

"쳇…… 묻긴 뭘 묻소."

"그럼 화장허우?"

"내다버리지요. 전에는 순명문 밖을 지나 동강방(東江坊) 부근에다 버렸는데 역병이 한 번 있고부터는 송림방(松林坊)까지 차부(車夫)를 시켜서 실어다가 썰물때에 바다에 던진답니다. 연고 있는 시체는 동강방에 내다놓고 며칠 말미를 주어 수습해가도록 하지요."

시체가 옥마당을 지나 우옥의 뒤로 들려 나가는 게 보였다. 어느덧 달이 높이 솟아올라 모닥불이 희미해질 정도로 새하얗게 우옥의 기와지붕과 그 너머 높다란 담장 위와 마당에 내리깔렸다. 담그림자가 길게 남쪽에서 북으로 엇비슷이 드리워져 있었다.

"술 생각이 나는데 이 자가 좀 늦는걸."

우대용이 투덜거렸고, 봉산 부엉이가 맞장구쳤다.

"저 자의 말을 믿지 마우. 내 네 해를 예서 망나니로 썩었지만, 여태껏 감영 옥내에서 탈옥했다거나 파옥했단 말은 듣지 못하였소. 셋인가가 뛰었다가 성내에서 잡혀죽고 총 맞아 죽은 일은 있었수."

"구명시킬 방도야 있겠지."

"그건 모르죠."

다시 주위가 조용해지고 달이 창살 틈으로 나타나자 옥내에서 가느다란 울음소리와 노랫가락이 흘러나왔다. 한 칸인 듯하더니 이어지는 노래에 화답하고 끊기면 곧 뒤를 이어서 사방에서 노래가 일어났다. 노래가 끊긴 곳에서는 푸념하는 중얼거림과 울음소리가 시작되었는데,

"아이구 하늘이여, 죄 없는 내가 죽어지면 부모님은 어디 가 의지하며 처자는 뉘게로 간단 말이오."

"이놈의 세상아, 한 많은 내 육신이 무슨 쇠로 만들어서 달리고 두드리고 식힘이 이다지도 대단하냐."

"어마님, 날더러 어찌하라구 이제는 뭘 바라구 살라구 애통해 돌아가신단 말요. 어마님 시신 하나 수습하지 못하구…… 눈은 감으셨습니까요."

"에이 이년아, 네년이 후살이 갔다구 내가 서러워할 줄 아느냐, 이 찢을 년아 발길 년아."

"배고파 죽겠다. 나 밥 좀 다우, 밥 좀 줘. 배고파 미치겠다. 너희들만 처먹구, 너희끼리만 처먹구, 에이 이년들, 느이 지아비 가장은 이렇게 굶겨 죽이기냐. 밥 좀 다구."

이런 한탄 속에 건너 옥에서 청아한 여인 죄수의 노랫가락이 흘러

나왔다. 길산이도 어느결에 감정이 동하여 함께 따라서 흥얼대는데, 제 목소리와 여수(女囚)의 목소리는 곧 다른 이들의 목소리에 먹히어 버리는 것이었다.

바람소리인 듯 물소리인 듯 나지막하게 옥에서 담장 밖으로 퍼져 나가는 노랫가락 소리가 새하얀 달빛을 더욱 처연하게 하였고, 특히나 여인들의 떨리는 목청은 듣는 이의 가슴을 찌르고 헤쳐놓았다.

석산에 피는 꽃은 해마다 피건마는 가신 님 어이하여 풀같이 못 되는고 채금터 깊은 골에 금 캐러 가셨는가 오색돌 고이 갈아 장사로 가셨는가.

하고 나면 다른 창살의 어둠속에서 곧 받아 다른 곡조가 되어 나왔다.

남산 밑에 남도령아 서산 밑에 서처자야 하늘가에 올라가서 뿌리 없는 낭굴 캐어 별당 안에 심어놓고 그 낭굴랑 크고 커서 한 가지에 해가 열고 한 가지에 달이 열고 한 가지에 별도 열고 해를 따서 겉을 대고 달을 따서 안을 대고 금낭 하나 지어놓고 중별 따다 중침 놓고 상별 따다 상침 놓고 외무지개 끈을 달아 임 줄라고 지은 영낭 임을 보고 영낭 보니 임 줄 뜻이 전혀 없네.

이렇게 정한(情恨) 노래가 나오고 사는 일의 모진 것을 탄하는 노래도 나오는데,

명이 짧은 무덤은 있어도
서러워 죽은 무덤은 없네
죽은 이라 헤치어 묻어
산 이들은 근심이구나
본디 저녁 어둡는 집에
오늘이라 밝은 때이랴

어둡거든 밤이라 말리라

밤도 아니 어두워러라.

노래들은 느리고 길게 신음소리처럼 이어졌다. 어둠속에서 밝은 마당을 건너 두꺼운 벽을 뚫고 멀리멀리로 퍼져갈 것만 같았다. 잠시 노래가 끊길 적에 먼 곳에서 밤새 우는 소리들이 들렸고 성내의 개 짖는 소리와 어디선가 삼현육각 소리도 들려왔다. 길산네 곁방에서 누군가 흐느끼는 소리가 들렸다.

우리는 무삼 죄로 매를 맞아 죽단 말가. 한 달 만에 죽은 사람 보름 만에 죽은 백성 두견새 우는 소리 가는 빗소리에 영혼인들 아니 울랴. 불쌍하다 저 귀신아 가련하다 저 귀신아 용천검 비껴들고 일산(日傘) 앞세워 전배(前陪) 서며 아침 저녁 여단을 제 피나게 울어예니 빈 산 위 조각달과 소슬바람에 버들가지 날리는데 원통하다 우는 소리 밟혀 죽을망정 찍소리나 하오리라. 고개 들고 눈 부릅떠 꾸짖으며 쓰러질 제 망하리라 망하리라 망할 것을 알고 가네. 입 살은 놈 눈 살은 놈 귀 살은 놈 치죄하여 죽일 계교 차릴 적에, 어마님 거동 보소 청상 과부 기린 자식 악형함을 보기 싫어 혀를 물고 먼저 가니, 애달프다 권세 영욕이여 너희 죄가 누대에 미치리라.

노랫가락 반 푸념을 겸하여 탄식하는 음성이 들리는데 길산이 듣기에도 소리에 능하거니와 사설 또한 사람의 간장을 태우는 듯하였다. 길산은 저도 모르는 사이에 옥벽을 쿵쿵 두드렸다. 토벽에서 흙덩이가 우수수 떨어진다.

"거 소리하는 사람이 뉘시오?"

노래가 끊기고 잠시 조용해졌다가,

"그리 묻는 사람은 또 뉘시우?"

착 가라앉은 사내의 굵은 목소리가 들려왔다.

"나는 오늘 추심을 받고 들어온 문화 사람 장서방이란 사람이오."

"허허허, 그곳은 회자수의 칸인데 댁네가 내 목을 칠 게 아니오. 칠 때는 치더라도 부탁이나 한 가지 해둡시다. 작두의 날을 갈아 부디 단칼로 쳐주시오. 이 사람은 헛되이 과거공부로 이십여 년을 허송하고 지사(地師)질로 여기저기 떠돌다가 관원을 찔러죽인 죄로 참형을 기다리는 가평의 김학생이외다. 내 시체를 수습할 사람이 아무도 없으니, 속참행하(速斬行下)는 없을 것이오만 말마디나 주고받은 인연으로 고통 없이 죽게 집행허우."

길산이 대답할 말을 잊고 앉았는데 대용이가 말했다.

"여보슈, 아마도 댁네가 감영 집행 판결이 떨어진 사람인 모양인데 이 밤과 다음 밤을 지내고서 내게 차례가 온 모양이오. 내가 당신의 목을 치게 될 텐데 원망일랑 마우, 다 더러운 목숨들이우."

"다만 좋은 세상을 못 보고 가는 것이 한스럽소. 곧 좋은 세상이 올 거외다. 나는 두루 우리 산천을 보고 다녔는데 산의 맥은 길고 줄기차건만 하천이 협착하고 장대하지 못하오. 이것은 인물은 많으나 뜻을 두루 펴지 못함과 상통합니다. 장한 인물들이 뿔뿔이 흩어지니 모여서 힘을 합치는 이만 같지 못하오. 이제 진인이 오는 때를 준비해야 합니다."

"진인이라니……"

"허, 미륵으로 환생할 정진인(鄭眞人)도 모르시오. 요즘 민간에서는 이씨가 진하여 정씨의 세상이 온단 말이 널리 퍼져 있소이다."

"세상이 바뀐단 말이오?"

"그렇소. 우리가 왜인들의 난에 일차 시달리고 대명은 이미 오랑캐의 나라로 바뀌어 또 한번 난리를 겪었소이다. 조정은 이미 썩어서 기운이 다하였소. 새 세상이 오지 않고서는 백성들은 모두 살 길이 없소이다. 송도에서 정씨 성을 가진 분이 일어나 옳은 세상을 일으켜세우리라는 소문도 못 들었소?"

"댁네는 이제 한 번 해를 보고 죽을 몸이어든 세상이 바뀌어 무슨 소용이 있수."

"내가 해를 한 번 쳐다보고 죽는단들 해가 뜨지 않을 리가 있소이까. 사나이가 죽어 이름이 남는 것도 귀하다 말들 하지만, 세상에 끼친 바가 없을진대 허명이오. 세상에 살면서 헛된 공부로 허송하였으되 좋은 일을 못 하고 죽으니 참으로 애통한 일이구려. 좋은 세상이 오면 댁네도 남의 목을 베면서 연명하지 않고 광명 천지에 바로 살 수 있지 않겠소."

이때 배천 회자수가 버럭 고함을 질렀다.

"그렇다. 너는 글줄이나 읽고 남의 묘자리나 써주고 밥술을 먹었으되, 옳게 살아 억울하게 죽는단 말이렷다. 나는 흉악한 살인죄를 지어 갇히고 망나니가 되었으니 네 목을 쳐서라도 살아야 되겠다. 죽여줄 때 큰소리치지 말려무나."

봉산 부엉이도 욱하여 함께 외쳤다.

"그래, 나는 거듭 세 번이나 죄를 짓고 이마에 먹물 들인 도적이다. 너두 대살죄를 면치 못함이 분명 살인 대죄를 지은 놈이어늘 우리들의 행사를 비웃지 마라. 되도록 무딘 칼로 오래오래 베어줄 테다."

벽 너머에서 도형수의 한숨소리가 길게 들려왔다.

"내가 댁네의 회자수 됨을 비웃는 것이 아니오. 댁네를 회자수로 만든 세상을 한탄하는 것이외다."

길산과 대용은 서로 말없이 벽에 기대어 앉았고 봉산 부엉이와 배천 사령도 저쪽의 말을 곰곰이 씹어보는 눈치였다. 우대용이 침울하게 말했다.

"저 사람과 그만 얘기하지."

마당을 건너오는 사람의 자취가 보였고, 주막집 사내가 술 한 병을 들고 다가왔다. 옥졸들도 회자수칸에는 별로 성화를 부리지 않았다. 진주(鎭酒)라 하여 사람 백정 망나니의 기를 눌러준다며 죽는 가족들에게서 행핫돈을 거두어 술을 먹이는 게 항례인데, 그들 자신이 술을 사먹는 것은 더욱이나 묵인되었다. 볼 장 다 본 놈이란 형을 받는 자가 아니고 그것을 집행하는 망나니를 지칭한 말이었다. 회자수 망나니는 희광이라고도 부르니 미친 도깨비란 말과 다를 바 없었다. 그러나 제 손에 죽을 사람의 목숨을 앞에 두고 밤을 새우는 거짓 미친 자들의 외로움을 그 누가 알랴. 죄지은 선비의 가냘픈 탄식 몇마디에 가슴이 찔려 그 짐승 같은 사내들은 생각이 복잡하였다.

주막집 사내가 술을 넣어주며 길산을 구명시킬 방도를 얘기하는데, 사고무친의 도형수 한 사람을 설득시켜 기왕지사 죽을 목숨이니 그동안 밥이나 먹여주겠다며 대신 참형당할 것을 청 들인단 것이었다. 목숨이 붙어 있는 한 먹어야 하고 이왕에 매도 먼저 맞는 놈이 나으니 길산의 이름으로 먼저 처형을 자청할 자가 분명히 있다는 것이었다. 참형수를 바꿔치고 나서 기일을 끌며 지내다가 회자수로 될 적에는 죽은 자의 이름으로 대처할 수 있다는 것이었다. 주막집 사내가 이러한 구명의 방법을 누누이 말했으나 길산은 거의 듣지 않고 있었다. 어쩐지 제 목숨이 너무나 치사스럽게 여겨지는 것이었다. 그들은 들여진 술을 모두 나누어 마시고 청 위에 거적을 덮고 누워 잠이 오기를 기다렸다.

사방에서 노랫소리와 앓는 소리, 흐느끼는 소리가 그치질 않았는데, 봉산 부엉이와 배천 사령은 곧 코를 골며 잠이 들었으나 길산은 오만 가지 생각에 눈이 더욱 말똥하여졌다. 이리 눕고 저리 뒤채며 생각하는데 죄가 없는 사람들도 술은커녕 밥도 제대로 못 먹어 죽어 나가는 판이고, 저 선비만 하더라도 죽음을 두려워 않고 좋은 세상에 대한 원망을 얘기하는데 참으로 얼마나 구차히 목숨에 매달려 있는 것이냐. 더구나 자기는 사람을 여럿 죽인 죄를 분명히 저지른 자이니 조용히 앉아서 죽을 날을 기다리자, 박대근에게 신세를 질 필요는 없다. 눈보라 속에서 죽어 길에 묻힌 어머니의 낯선 얼굴이 여러 사람의 얼굴에 겹쳐서 떠오르다가 그것은 묘옥의 하얀 얼굴로 바뀌었다.

"묘옥이……"

하는 중얼거림이 밖으로 새어나왔고 가슴속까지 함빡 젖어들 듯한 달이 묘옥의 얼굴처럼 창살 사이에 걸려 있었다. 목숨에 치사스레 매달리지 않으련다.

옥졸이 회자수칸에서 길산을 나오도록 하여 좌옥 이칸으로 옮겨 가도록 했다. 다시 칼을 쓰고 발목에는 차꼬를 차고서 옥문을 나서는데 우대용이 그의 등뒤에 대고 말했다.

"장서방, 몸조심허슈. 밥은 주막에서 매끼 붙여줄 거요."

"우서방두 건강히 지내우."

그가 좌옥 이칸으로 들어서는데 죄수들 가운데서 술렁임이 일어났다. 길산은 잠시 옥문 가에 서서 그 여럿의 번쩍이는 눈을 내려다보았다. 여러 죄수들의 상좌에 청 위에 올라앉은 서너 명의 죄수들이 있었는데, 거기 수염이 뻣뻣이 곤두서고 눈망울이 커다란 자와 의복이 깨끗하며 상투까지 틀어올린 자가 있었다. 얼마 전 약간 혼을 내준 색장과 간장이었다. 길산은 마음속으로 작정해둔 바가 있어서 허리를 굽히며 공손히 말하였다.

"신참 문안드리오. 저는 어디에 앉는 것이 좋겠소이까?"

간장은 곁에 있는 색장과 다른 사내를 번갈아 쳐다보았다.

색장이 고개를 끄덕이자 간장은 다른 사내와 한 번 더 눈을 맞춘 뒤에 말했다.

"이 청 위로 올라오우."

길산이 머뭇거리며 청 위에 올라가 걸터앉자 색장이란 자가 퉁명스레 물었다.

"망나니칸의 우서방을 잘 아우?"

"어제 처음 인사를 나눴수."

"어제는 우리가 좀 심했던 모양이오만 원래 옥규가 그래놔서…… 내 뒤통수가 조금 터졌수."

"미안하게 됐수."

청에 올라앉은 자는 모두 네 사람이 되었다. 간장이 말했다.

"다 같은 목숨들인데 사이좋게 지냅시다. 우리 인사 틉시다. 나 강령의 손가요."

"문화 장서방이올시다."

"내는 강령 배씨유."

"재령 양선달이오."

색장과 다른 사람이 각각 말하였다. 양선달은 나이 오십줄에 들어서 보였는데 신수가 좋아 보이는 것이 막되게 살아온 것 같지가 않았다. 얘기를 나누는 중에 길산이 눈치채기로는 양선달이 바로 색장과 간장의 밥을 함께 붙여주는 물주인 것 같았다. 덕택으로 양선달은 힘깨나 쓰는 두 사람의 보호를 받고 있는 듯하였다.

관원을 찔러죽이고 잡혀들어온 지사 김학생의 참형이 집행되는 날이 왔다. 아침부터 옥마당이 술렁대더니 밥때에 회자수칸에는 난데없는 술과 고기가 들어왔다.

"우대용이와 부엉이가 오늘 집행에 나간다."

술을 들여준 옥졸이 알려주었다.

"그래서 한 밥인가……"

"오늘 감참관(監斬官)은 형방 비장나리이시고, 관찰사 어른의 자제되시는 한양 도련님이 특히 참관하신다. 착오 없이 거행하라는 분부시다."

"마당은 어디야?"

"그야…… 주내방 사거리 저자이지."

"언제……"

"삼현육각 울리구 나서 곧 나갈 걸세."

봉산 부엉이가 표주박 그득히 술을 퍼서 벌컥이며 마셨다.

"제길 술맛 나는구나."

우대용은 술을 들고 있는 봉산 부엉이와 배천 사령을 바라보며 중얼거렸다.

"나는 안 마시겠어. 간밤의 꿈자리가 뒤숭숭하던데 어찌 번을 바꿀 수 없을까?"

"망나니가 꿈자리 가려가며 옥살이하게 됐남. 취해놓지 못하면 집행 때 낭패를 본다구."

"피맛을 보아 도깨비가 몸에 씌면 칼질두 잘 나가구 죽는 이두 편한 게야. 공연히 께름칙한 것 따지다간 자네 비루먹어 말라죽네. 나두 처음엔 밤잠을 도통 이룰 수가 없더구먼. 온갖 허깨비가 보여서 전신을 식은땀으루 목욕을 하군 했지."

부엉이와 사령이 제각기 말하였다. 부엉이가 술을 떠서 우대용이께로 내밀었다.

"여게 좀 마셔두게. 주내방 저자에 나가 칼춤이나 한번 그럴싸하니 추어야지, 뭘 그러구 앉았어."

우대용이 술항아리 쪽에 돌아앉더니 거친 손길로 탁주를 퍼마시기 시작했다. 길청이 열리는 소리가 들리면서 잠시 후에 군졸들이 옥의 정문으로 몰려들어왔다. 죄수를 저자로 압송해 나가려는 모양이었다. 옥졸이 회자수칸의 자물쇠를 따주며 우대용과 봉산 부엉이를 나오도록 하였다. 집행 행렬이 출발하기 전에 옥사장은 그들 두 망나니에게 날이 널따란 작두〔斫刀〕를 내주었다. 맨 앞에 망나니가 서고 그 뒤에 좌우를 갈라선 군졸들이 번쩍이는 창검을 치켜들고 따랐으며 두 열의 가운데로 옥졸에 포위된 사형수인 김학생이 섰다. 그는 짤막한 나무칼을 썼고 팔뚝이 잔뜩 묶여 있었다. 행렬의 맨 뒤에 고수(鼓手)가 간간이 북을 메기며 따라왔다.

주내방 사거리 저자에는 길 복판에 나무 기둥이 세워지고, 감참관으로 나선 형방 비장이 저자의 모퉁이에 있는 점포 좌판을 걷어치운 평상 위에 관찰사의 젊은 자제와 나란히 앉아 있었다. 길 가녘으로 수많은 장꾼들과 부근 촌사람들이 겹겹이 둘러싸고 앉거나 서 있었는데, 그들 앞에는 포졸을 거느린 환도를 찬 포도군관들이 엄한 자세로 섰다. 행렬은 똑바로 군중들의 가운데로 헤치며 나아갔다. 이미 취기와 군중들로 흥분하기 시작한 봉산 부엉이는 맨 앞에서 작두칼을 휘두르며 경정거리는 것이었다.

"에이잇, 베일까 말까."

그가 칼을 휘두르며 군중들께 가까이 가면 놀란 군중들이 으아 소리를 치며 흩어졌고, 창검 든 군졸은 망나니를 안쪽으로 내몰았다. 돌아서면서 부엉이는 입을 죽 찢고 희광이 웃음을 터뜨렸다.

"히히 헤헤헤 히히히……"

부엉이는 칼로 제 목을 자르는 시늉을 해 보이고 고개를 들어 하늘을 향하여 웃었다. 봉산 부엉이는 작두칼을 쳐들고 어슬렁거리며 걷고 있는 우대용의 옆을 지나치며 재빨리 속삭였다.

"웃어…… 입을 벌리구."

우대용은 저도 모르게 목구멍 속에서 웃음이 솟아나오고 있음을 알았다. 온몸에 전율이 일어나고 있었다. 육신(肉身)이란 무엇인가, 목숨은 또한 무엇이냐, 오랜 세월을 피맛을 보고 해묵어온 작두칼이 그의 손안에서 무당의 신대처럼 와들와들 떨기 시작하는 것이었다.

"에이잇! 히히히……"

옥졸들이 사형수를 감참관 앞에 꿇어앉혔다. 감참관은 감영의 판결이 떨어진 문서를 펼치고 간단한 집행 심문을 하는데 이름과 관향을 확인하고 판결 내용이 틀림없는가를 옥사장에게 묻고 나서 거행을 명하였다. 북이 천천히 느린 박자로 두드려지고 있었다. 봉산 부엉이는 양손에 화살 두 대를 잡고 껑충껑충 뛰면서 형장 주위를 한 바퀴 돌았다. 북소리가 크게 한 번 들리자 무릎 꿇린 죄수에게로 부엉이가 달려들었다.

화살로 사형수의 양쪽 귀를 꿰는 것이다. 귀가 맞창이 뚫렸으나 이미 넋이 반쯤은 빠져나간 사형수는 소리 한번 지르지 못하고 몸을 꿈틀거렸을 뿐이다. 옥졸 하나가 다가와 죄수의 얼굴에 회칠을 해주었다. 북이 또 한번 울리자 봉산 부엉이는 죄수의 귀에 꿰인 화살을 꼬나잡고 저자 쪽으로 끌고 나갔다. 구경꾼들께 회술레를 돌리는 것이다. 회술레가 끝나자 죄수는 다시 형장에 끌려와 기둥에 두 팔이 높직이 묶이고 머리를 틀어 위로 잡아맸는데 죄수가 마음대로 목을 가누지 못하게 하는 것이었다. 우대용과 부엉이는 작두칼을 좌우로 번쩍이며 죄수의 주위를 넘나들며 껑충거렸다. 부엉이가 낄낄대면서 구경꾼들께로 나아가 손을 벌리고 돌아다녔다. 군중들도 이것이 관례인 줄 알고 망나니가 제 앞에 가까이 오기 전에 돈닢을 땅에다 내던졌다. 행하를 거두고 다니면서 부엉이는 연신 하늘을 향하여 웃어댔다. 감참관이 속히 거행하라 일렀건만 부엉이는 들은 척도 않고 계속 행하를 거두고 다녔으며 드디어는 감참관에게까지 나아가 손을 내밀었다.

"헤에……"

그가 손을 내민 쪽은 젊은 도령이었는데 놀란 나머지 핼쑥해진 젊은이가 뒤로 물러나 앉으며 말했다.

"비장, 이게 무슨 짓을 하는 거냐?"

감참관인 비장이 재빨리 대꾸했다.

"예, 속참행하라구 원래는 가족들에게서 받게 되어 있으나 저 죄수는 아무도 없으니 우리에게 달라는 것입니다."

하고 나서 비장이 상을 찌푸리고 고함을 쳤다.

"이놈, 태장을 맞고 싶으냐? 속히 거행하라."

"헤에……"

콧등으로도 여기지 않고 망나니는 그대로 버티고 서 있었다. 젊은 도령이 주머니를 끄르고 엽전 댓 닢을 꺼내어 내던지자 그제야 부엉이가 물러났다. 북소리가 차츰 빨라지기 시작했다. 우대용과 부엉이는 물동이에서 물을 퍼서 입에 머금고 연신 칼날에다 뿜어 보였다.

"에에헤헤! 히히히……"

단칼에 베지 않고 오래오래 죽이는 것이 바로 망나니의 특권이었다. 부엉이는 칼을 죄수의 목에 댔다가는 떼곤 하는 것이다.

봉산 부엉이가 한참이나 죄수를 놀리고 돌아서는데 갑자기 칼을 쳐들었던 우대용이 번뜻 내려쳤다. 좌우로 손목이 묶여 있던 죄수의 몸이 빈 쌀자루 구겨지듯 털썩 무너져내렸다. 기둥 위에 붙들어매어진 머리카락 때문에 목은 달랑 매어달렸다. 눈은 부릅뜬 채이고 얼굴의 근육들이 부들부들 떨리고 있었다.

일그러졌던 표정이 한순간에 정지해버리면서 머리는 기둥에 매달려 흔들흔들했다. 잘린 목에서 피가 뿜어져나와 저자의 마른 땅 위에 콸콸콸 번져나갔다. 역졸이 삼태기에 재를 담아 뿌렸다. 그리고 근처 주막에서 다시 술 한 동이가 날라져왔으며, 망나니들이 행핫돈을 받아 갔다. 부엉이와 우대용은 작두칼을 빼앗기고 발목에 쇠사슬이 채워졌다. 망나니가 집행 뒤에 피맛을 보아 발광할까 염려해서였다. 집행된 자의 시체가 감영에서 나온 의원에 의하여 형식적으로 검시되었다. 거적에 둘둘 말린 시체가 소 끄는 수레에 실려나갔다. 두 망나니는 턱과 가슴으로 술을 줄줄 흘리면서 연거푸 들이켰고 옥졸들도 속을 가라앉히느라고 함께 잔을 나누었다. 봉산 부엉이는 몰려드는 구경꾼을 향하여 연신 이빨을 드러내고 눈을 희뜩이며 짐승 같은 소리를 질렀다. 시체는 송림방을 향하여 멀어져갔다.

우대용이 회자수칸으로 돌아온 뒤 그대로 곯아떨어져 잠이 들었는데 깨어난 것은 어스름한 저녁때였다. 아침까지도 미친 숭을 내던 봉산 부엉이는 구석자리에 초라하게 쪼그려앉았고, 배천 사령은 남은 행하로 들어온 술을 마셨고, 대용은 아까 일을 생각하고 있었는데, 죽은 자의 얼굴을 도무지 기억해낼 수가 없었다. 다만 속히 죽여달라고 부탁하던 사내 목소리가 뚜렷하게 기억되었다. 대용은 부엉이 쪽을 힐끔 돌아보았다. 부엉이는 두 무릎 사이에 고개를 처박고 골똘히 무슨 생각엔가 잠겨 있었다. 우대용은 견딜 수 없을 정도로 외로웠다.

"여보게, 시방이 저녁인가 아침인가?"

말을 붙였으나 봉산 부엉이는 고개를 들지 않았다.

"자네 어디 아픈가……"

다시 한번 묻자 그제야 고개를 드는 봉산 부엉이의 얼굴에는 물기가 번져 있었고 눈빛이 번들거렸다. 우대용은 더이상 할 말을 잊고 고개를 돌려버렸다. 그때 발걸음 소리가 가까워지더니 옥졸이 다가와 발길로 칸살을 탕탕 차면서 말했다.

"너희들을 누가 찾아왔다."

대용이 칸살에 매달리며 머리를 내미는데 누군가 그의 손을 덥석 잡는다.

"우서방, 날세. 얼마나 고생이 많은가."

대용이 자세히 보니 박대근 상단의 차인으로 따라다니던 사내였다. 평시에 용댕잇개서 거래관계로 서로 안면을 튼 사이였다.

"어, 이게 웬일이야?"

"문화 장서방은 어디 있나?"

"저 둘째 칸에 있네. 헌데 다쳤다던 대인께선 어찌됐나?"

"내 떠나올 제 방금 도착하셔서 분부 내리시데. 까짓 장독쯤이야 인삼 한 근 달여 먹으면 거뜬할 걸세. 박대인께선 자네와 장서방 일루 여간만 걱정하시는 게 아닐세. 그 때문에 내가 일부러 왔네. 장서방을 일단은 대시수(待時囚)로 만들어놓잔 분부일세. 대시수는 봄과 가을에만 집행하게 되니 이 겨울 안으로는 별일 없을 게 아닌가."

우대용이 차인에게 말하였다.

"허나 구명이 된다 한들 이 꼴인데, 제길 겨울이 온다구 무슨 뾰족한 수가 날까?"

"아무튼 기일을 끌다 보면 묘책이 생기겠지. 시방은 박대인이 일어나려면 짧게 잡아두 보름은 넘어 걸릴 게야."

"예서 파옥은 안 되네. 시골 읍의 토옥하군 다르네. 적어두 감영의 전옥이란 말이야. 군졸과 포수가 풀려나와 사방 대문을 막아놓으면 수십 명 작당해두 빼치기 힘들고 설령 한둘을 빼낸다 할지라도 인명이 많이 상할 것일세."

"다 방법이 있다니까. 옥전거리 주막 주인놈이 이상한 소리를 하데그려."

차인은 다시 목소리를 낮추었다.

"그놈은 옥전에 붙어서 죄수들 등을 치는 간교한 놈일세. 어쩌면 신복동이네 끄나풀일 걸세. 그쪽엔 아예 얘기두 꺼내지 말게나. 내 박대인의 분부루 형방 앞으루 나가는 선사품을 가져왔네. 장서방의 구명쯤은 잘될 거야. 그러면 나는 저쪽에 들렀다가 가려네. 기간 몸조심 잘하게."

"안부 전해주어."

차인은 좌옥 이칸으로 올라가 장길산을 만났다. 길산은 박대근의 안부부터 급히 물었다.

"어찌되었소? 성님께선 차도가 있으슈?"

"배대인이 친히 의원을 붙여주었소이다. 그뿐요, 송도엔 갖은 약초에 대국 약재가 쌓였으니 그만한 병쯤이야 한 열흘이면 거뜬하겠지요."

"총을 맞은 갑송이는……?"

"예, 고약을 붙이고 행수어른과 함께 기거하구 계시는데 거기 얘기를 잠꼬대까지 합디다."

"걱정 말라 전해주시우."

차인이 길산의 머리에 가까이 다가들며 속삭였다.

"구명이 될 듯하오. 섣달 그믐을 넘기지 않아 우서방과 장서방을 건져내시겠다구 다짐하십디다."

"같이 연희 나왔던 우리 식구들은 송도루 가지 않았습디까?"

"행방을 전혀 모르구 있소이다."

"여기에 잡혀 추국을 받다가 내가 갇힌 뒤에 곧 풀려났다는데 서도나 북관 쪽으루 올라간 모양이로군. 갑송이더러 몸이 다 나아 길을 걸을 수 있거든 재인말에 가서 부모님들을 안심시키도록 일러주시우."

"아마 지나는 길에 이리 들를지도 모르겠수."

길산이 잠깐 생각한 뒤에,

"그리구 되도록이면 밥 붙여주는 주막을 바꾸게 해주오. 그자가 마음에 들지 않습디다."

"예, 대강의 얘기는 들었소. 내가 형방을 통하여 놈이 섣불리 굴지 못하도록 해놓으리다."

차인은 말을 전하고는 곧 옥을 나갔다. 길산이 청으로 돌아가 앉는데 간장이 넌지시 물었다.

"어째 장서방은 뒤가 든든한 것 같우."

길산은 대꾸 없이 앉았다가 퉁명스레 받았다.

"아는 체 마시우."

"어떻게 파옥이라두 해줄 듯허우?"

이번에는 곁에 앉았던 색장이 물었고, 양선달은 곧장 눈물을 흘리는 것이었다.

"우리네가 아무리 대시수라고는 하나 일생에 한철이란 촌음과도 같지요."

간장이 상을 찡그렸다.

"거 오십이면 오래 살았는데 뭘 찔찔 짜구 그러우."

길산이도 감옥 안의 생활에 익숙해졌고, 국문받을 때에 입었던 화상과 매에 터진 상처도 딱지가 앉았다. 몸이 풀리니 식욕이 왕성해져서 밥 할멈이 날라다주는 매끼니를 먹어치우고 때로는 회자수칸에서 보내온 술도 마셨다. 과연 돈이란 어쩔 수 없는 것이어서 옥사장은 길산이에게 매우 관대하였다.

송도서 보낸 차인이 사흘 걸러 찾아와 바깥 소식을 통기해주었는데, 형방 비장이 길산을 대시수로 바꿔주겠다고 약조를 했다는 것이다. 차인은 주막거리 임집에서 아예 묵으며 길산의 집행 날짜를 기다리는 중이었다. 차인이 찾아온 다음날부터 길산은 밥붙이를 바꾸었다. 아들의 옥바라지를 하느라고 옥전거리에서 방을 얻어 떡도 팔고 밥도 붙여주는 할머니를 차인이 대주었던 것이다. 사람의 마음이란 간사한 것이라고 길산은 생각했다. 첫날 매를 맞고 들어와 주위의 참상을 대하고는 차라리 집행 날짜를 바랐었지만 배부르게 먹고 건강을 회복하니 한 열흘 남짓 남아 있는 제 목숨에 매달리게 되는 것이었다. 해질 무렵 서쪽 하늘에 번진 저녁놀의 남은 빛이 차차 꺼져갈 적에, 길산은 전에는 한 번도 생각하지 않았던 사는 일과 죽는 일에 관해 생각했다. 하루의 끝은 놀에서 박명으로 침침한 땅거미로 그러고는 어느결에 갑자기 캄캄한 어둠으로 이어졌다. 어둠이 깃들이자마자 깊어진 가을의 벌레소리와 더불어 땅속에서 울려퍼지는 듯한 산 송장들의 가냘픈 노랫소리와 신음소리가 감옥 담벽 안을 가득 채웠다. 길산은 밤새껏 잠을 설치며 이리저리 돌아눕다가 새벽닭이 울 즈음해서야 간신히 잠이 들었고, 누군가 흉몽에 시달린 자의 비명 섞인 잠꼬대 소리에 놀라서 벌떡 깨어 일어나곤 하였다. 서리가 지붕마다 허옇게 내려 덮일 무렵이라 새벽에 옥내로 스미는 냉기가 뼛골을 후비는 듯했고 창살 가녘으로 나가 드러누운 돈 없고 힘없는 죄수들의 떨며 앓는 소리가 끊임이 없었다. 그중에서도 가장 심한 것은 사흘 전에 잡혀들어온 사십대의 사내였는데, 국문을 받는 중에 입은 상처가 날로 더해져서 온몸이 부어 있었다.

"어, 그놈 되우 엄살 떠는구나. 이거 시끄러워 잠을 잘 수가 있나."

하며 간장이 참다못해 일어나 앉았다. 색장이란 자도 따라서 일어나며,

"조용하도록 해줄까."

"정말 목을 졸라버리든지…… 무슨 방도를 써야겠네."

색장이 이리저리 널브러진 사람들의 몸을 건너뛰어 앓는 사내에게로 갔고 창살 바깥을 살폈다. 간장이 속삭였다.

"그깐 놈 죽는 게 나을 테니 없애버려."

"물…… 물 좀."

인기척을 느낀 사내가 간신히 중얼거리는데 색장은 재빨리 그를 타고 앉아 목을 졸랐다. 캑캑대는 소리와 함께 간신히 뿌리치려고 손을 내젓는데 색장은 힘을 주어 내리눌렀다. 길산이 이상한 기미를 알고 깨어나더니 한걸음에 청에서 달려내려오며 발뒤꿈치로 색장의 등골을 내리찍었다.

"어이쿠!"

색장이 나동그라져서 사람들 위로 넘어졌다. 소란에 놀란 다른 죄수들이 기겁을 하며 일어나 구석으로 몰려섰다. 길산이 색장의 뒷덜미를 잡아일으켰다가 다시 면상을 쥐어박는데 단번에 입술이 터지면서 앞니가 부서져내렸다.

"간장…… 네 이놈, 혼 좀 나봐라."

"나는…… 모르는 일이오."

간장이 앉은걸음으로 벽에 붙어앉아 다가드는 길산에게로 손을

내저어 보였다.

“이놈, 약한 자에 잔인하고 강한 자에 비굴한 네놈이 무슨 옥규를 잡는 간장이란 말이냐.”

“용서하우.”

길산이 말을 더듬는 간장의 따귀를 올려붙이고 나서 양선달을 잡아 끌어내렸다.

“모두 죽기는 마찬가지다. 저 사람을 여기 눕혀라.”

길산이 앓는 사내를 번쩍 들어다가 청에 뉘었다. 그는 잠깐 씨근대며 앉아 있다가,

“이제부터 우리 칸에서 간장이니 색장이니 하여 남을 침학하는 일이 있으면 내 가만있지 않을 테요. 늙고 아픈 사람은 청에 앉히고 우리네 펄펄한 놈들은 바깥쪽으루 나와 앉는 것이 이치에 맞소.”
하고 나서 길산은 사내가 누웠던 썰렁한 창살 가까이 가서 앉았다. 이미 날이 밝았으니 다시 잠을 청할 수도 없었다. 색장이나 간장이란 자가 저마다 성깔을 죽이고는 있으되 길산에 대하여 앙심을 갖게 된 것만은 숨기지 못할 사실이었다. 특히 색장은 빠진 앞니를 손바닥에 들고 연신 흘러내리는 피를 닦으면서 타는 듯한 눈길로 길산의 뒤통수를 노려보았다.

아침밥때가 되어 옥전거리에서 기다리던 백성들이 제각기 음식을 장만하여 옥내로 들어왔다. 그러나 좌옥에 와서 보니 밥을 제대로 먹는 죄수는 반 정도밖에 되지 않아 일반 죄인들 중에서도 시름시름 앓다가 굶어죽는 자들이 많았다. 그래서 밥때가 되면 가족이 있거나 밥붙이를 대고 있는 자들끼리 옹기종기 창살을 중심으로 모여들었고, 사고무친이거나 가족에게서 버림받은 자들은 뒷전에 밀려난 채 하염없이 바라볼 수밖에 없었다. 때로는 동료 죄수들이 동

정하여 밥덩이를 덜어주기도 하고 남긴 것을 얻어먹기도 했으나, 워낙에 수가 많고 보니 모두들 밥때에만은 서로 마주 보려 하지 않았다. 가끔 뒷전에 섰던 자들이 등뒤로 덮쳐 밥을 움켜쥐는 경우도 있었으나, 대개는 간장과 색장에게서 뭇매를 맞고 쫓겨갔다. 그래서 뒤를 대일 식구도 없고 힘도 없는 자들은 뒷전의 어둠속에 꾸겨박혀서 아무도 몰래 죽어갔다. 왕성히 먹어치우고 있는 자들도 그가 언제 가족에게서 버림받을지 모르는 일이었다. 우옥에서는 버림받은 가장이나 부녀가 옥으로 찾아오던 가족의 이름을 부르는 소리가 밥때마다 시끄러웠다. 바깥에서도 굶고 있으니 갇힌 자를 돌볼 수가 없었던 것이다. 물론 상풍음녀(傷風淫女)의 경우였으나 개중에는 얼굴깨나 해끔하여 옥리들께 눈을 맞추고 관밥을 얻어먹고 연명하는 여자들도 있었다. 모두들 관사비(官私婢)로 팔려갈 신세들이니 족히 몸을 내줄 만하였다. 길산이 갇힌 좌옥 이칸에서도 굶는 자가 네댓 명이나 되었는데 옥에서 버리는 음식 찌끼로 간신히 목숨을 이어나가는 판이라 눈이 퀭하고 수족은 넓은 소매 안에 작대기처럼 솟아 있고, 목이 길쯤하게 삐어져나온 몰골들이었다.

길산이 할멈에게서 밥과 소채가 들어 있는 바가지를 넘겨받고 첫술을 뜨는데, 할멈이 옷고름으로 눈물을 닦아내는 것이었다.

"어째 그러우?"

"아무래두 우리 아이가 오래 못 살 것 같소."

하며 할멈은 한숨을 쉬었다.

"몹쓸 병이 들었소. 며칠 전부터 몸을 잘 쓰지 못하더니 실성기를 보입디다. 음식을 배앝는 고로 죽을 주면 넘길까 하였으나 바닥에 자꾸 쏟아버립디다. 고사나 지내줘야겠어요. 아마 몹쓸 망나니귀신이 씐 모양이지."

"그게 다 밖에 나가면 나을 병이우."

"옥송(獄訟)이나 빨리 열려서 차라리 귀양으루 내쳤으면 제정신을 찾을 텐데…… 아무래도 세상엔 벌써 인연이 끊겼나 보오."

노파는 창살 속의 어둠을 향해 젖은 눈으로 물끄러미 들여다보다가,

"아들이 죽으면 나두 아마 살지 못할 거외다. 내 들어 있는 집이 옥졸의 집인데 그 계집에게 댁네 뒷바라지를 부탁하여두지요."

"원 별말씀두 많으슈."

그들이 이러한 수작을 나누는 중에 뒷전에서 다투는 소리가 요란하였다. 돌아보니 양선달이 그의 여종이 들인 밥을 남겼고 그를 두고 밥붙이 없는 주린 죄수들이 서로 밀치고 닥치는 판이었다. 먼저 그릇을 잡은 자가 가슴에 껴안고 있었으며 비틀걸음으로 달려든 자들이 그것을 서로 뺏으려는 중이었다.

"밥 남은 것 있수?"

길산이 묻자 할멈은 고개를 저었다.

"아예 밥 나눠줄 생각 마우. 내 코가 석 자라구, 상여 목도를 거들어서 죽은 사람 삽디까?"

"할멈 입 닥치슈."

곁에 앉았던 색장이 발끈하면서 할멈에게 눈을 부릅떴다.

"아침부터 재수 없이 거 무슨……"

길산이 제 밥을 조금 남겨 할멈에게 다시 내밀었다.

"여기 물을 부어 밥물이나 꺼룩하게 내어주."

하면서도 길산의 심사는 편안치 않았다. 그래서 어쩌자는 말인가. 지금 자기가 무엇을 믿고 있는가. 제 등뒤에서 굶어죽어가고 있는 자를 두고 모두들 밥때를 넘기지만 지금 이런 판국에 굶어죽건 목

잘려 죽건 죽기는 매일반이나, 자기의 죽는 일을 앞에 두고 남의 죽음이 심기에 걸려 밥술을 넘길 수가 없다니, 그런 불편은 밥붙이를 갖고 있는 모든 죄수들이 느끼고 있었다. 반대로 주린 자를 뒤에 둔 그들은 더욱 식욕이 왕성해졌고 자신들의 보다 편안한 식욕을 위하여 제 밥에서 고시레를 떠내듯이 남겨서 뒤로 밀어주는 것이었다.

길산이 노파가 짓이겨준 밥물을 들고 앓는 사내에게로 가니, 사내는 희미한 눈을 떠서 그를 올려다보았다.

"이것 좀 들겠소?"

길산이 바가지를 쳐들어 보였으나 사내는 입을 꾹 다문 채로 고개를 내저었다. 길산이 무력하게 그것을 내려놓자 다른 죄수가 아무 말 없이 끌어다가 손으로 건져서 후루룩거리며 들이마셨다. 길산이 자리를 뜨려는데, 병자가 손을 뻗어 길산의 저고리 자락을 잡아당겼다.

"응…… 고맙소이다."

병자는 나약하지만 또렷하게 말했다.

"고마울 것 없수. 오늘 아침은 속이 좋지 않아 아무래두 버릴 것이기에……"

길산은 그렇게 말하고 나서,

"댁은 병으로, 내는 집행으로 열흘을 못 넘길 목숨들이오."

하고는 껄껄 웃었다. 병자도 하얗게 열에 들뜬 입술을 달싹이며 미소를 짓고 부드러운 표정으로 물었다.

"뭘루…… 잡혔수?"

"관원과 무뢰배를 셋이나 베었소이다."

중년의 병자는 끄덕이는 시늉을 하였다.

그가 마른 삭정이 가지처럼 뻣뻣한 손을 내밀어 길산의 손을 슬며시 잡았다.

"금년에…… 몇이오?"

"예, 을미(乙未)생이올시다."

"지금 거긴…… 내가 나선(羅禪)싸움에 되놈들께 끌려나갔을 나이겠군."

병자는 눈을 감고 있더니,

"후통강에서 송가라강까지 올라갔지. 오랑캐들께 강제로 끌려가서 싸웠소. 나선이란 서양국의 별종들인데 오랑캐와 땅싸움을 합디다. 세상의 끝까지 안 가본 데가 없소. 병자넌 난리통에 태어나 태평성대에 죽는다 하지만, 이것이 태평성대는 아닌 듯하오. 댁네는 뭘 해서 먹고살았수?"

"하천(下賤) 중의 광대요."

"나두 구경 많이 했지. 소리 잘하오?"

"잘은 못 하나, 흥은 아오."

"춤도?"

"탈박놀음이 좋습디다."

"허…… 그 참 김이나 매다가 땀 들일 때 그늘에서 탁배기 한잔 마셔봐. 어깨춤 다릿짓 신명에 농사 다 버리지."

병자는 정말 풍악이라도 잡혔다는 듯 입을 벌죽거리며 박자 소리를 흉내내는 것 같았다. 길산이 물었다.

"어디 살우?"

"서흥(瑞興) 잔벌〔細坪〕서 양반네 땅 갈아먹구 살던 사람이오."

"헌데 어째 처자식이 없수."

"둘 다 사노비로 팔려갔소. 환곡이랍시고 도적놈같이 몇곱절 빼앗아가려는 나졸을 괭이로 찍어 상하게 하고 나는 처자식들을 데리고 야반도주를 하였소. 내 땅은 아니지만 정든 고향과 집을 버리고 어디루 갔겠소. 대처에서 장사라두 얻어걸릴까 하여 황주로 갔소이다."

병자는 숨차하면서도 얘기를 털어놓았다. 황주에서 얻어걸린 일거리란 가진 것이 없으니 고작해야 저자에서 짐을 부리는 짐꾼이나, 장이 서면 점포 모퉁이에 서서 사람을 불러주는 결꾼 노릇을 하여 간신히 처자를 부양했다. 큰달골에서 토굴을 파고 살았는데 그 동네는 촌에서 농사를 짓다 못하여 대처를 찾아온 유민들이 모여 살고 있었다. 그러니 자연히 토박이들의 괄시가 심하였고 큰달골 움마을은 자주 포교들의 기찰 대상이 되었다. 사는 사정이 험악해지니 순박한 농군이더라도 차차 생활에 악착스러워졌다. 사내들이 일거리를 찾아 나가면 부녀자와 아이들은 구걸과 품팔이를 하느라고 사방 동네를 싸돌아다니는 것이었다.

그가 하루는 양반댁에서 서찰을 받아 강서 쪽에 방자를 다녀오는데 산속에서 노루 사냥꾼을 만났다. 화승총을 갖고 있었으며 제법 총포를 잘 쏘듯이 이야기했고, 예전에 조총수의 조련을 받고 싸움까지 해본 그는 엽사의 총을 빌려 장끼 한 마리를 쏘아 떨굴 수가 있었다. 그와 곧 의기투합하여 사냥질을 다니기로 하고서 산속을 헤매고 다녔는데 벌이가 괜찮았다. 하루는 물정 모르고 첨사 일행의 사냥터에 끼여들었다가 잡혀가 볼기를 맞고 총포마저 빼앗겼다. 알고 보니 사냥꾼은 군적에서 달아난 자라 하여 옥에 갇히게 되었는데 그의 움집으로 피하여 함께 숨어 지내게 되었다. 사내가 둘씩이나 아무 일도 못 하고 누워 뒹굴고 있으니 밥이 입에 들어올 리가 없었다.

"이놈이 안달이 나서 자꾸 나를 꼬드기는 것이었소. 우리 꼭 한 번만 강도를 하자 그것이오. 주린 배가 나라님이라고 언놈이 마다하겠소. 황주서 가장 큰 여각을 밤에 뚫고 들어갔소그려."

그는 밖에서 망을 보았고, 엽사가 먼저 들어가 주인을 식칼로 위협하고 돈냥을 빼앗았다. 갑자기 순라꾼의 고함소리가 들리더니 그들이 달아난 골목에서 뛰쳐나오는 것이었다. 그는 얼결에 달아나려는데 순라가,

"네 이놈, 뭣 하는 놈이냐?"

하고 등뒤를 덮쳤고, 그는 돌아서면서,

"칼이나 받아라!"

하며 순라의 배때기를 푹푹 쑤셔버렸다. 그러는 동안에 다른 조들이 들이닥쳤으며 그는 사방에서 던져진 투승에 꼼짝없이 잡히고 말았던 것이다.

"이럴 줄 알았으면 나두 그 녀석처럼 칼로 내 배를 긋고 가는 것인데…… 아주 독하구 야무진 놈이었소. 생각해보면 참으로 덧없는 인생이 아니겠소. 누구에게 말이라도 전하고 싶지만…… 쓸데없는 노릇이지요. 여보 젊은이, 만약에 내가 오늘밤에라도 죽게 되면 넋건이라도 불러주오. 진혼(鎭魂)이 못 되면 또다시 구천을 떠돌며 행악을 저지를 나쁜 귀신이 될까 두렵소."

"그게 무슨 행악이우? 내 댁네 말을 가만 듣는 중에 한 생각이 떠올랐소이다."

"무슨 생각……"

길산이 병자의 손을 꼭 쥐어주며 낮게 말했다.

"나는 꼭 살아야겠소. 어찌됐든 살고 나서 여기서 도망갈 테유!"

사내는 눈물이 그렁그렁해진 눈으로 길산을 올려다보면서 애타게 말하였다.

"내 몸이 회복되어 건강해지면 날 데리구 같이 가주오!"

"그럽시다, 함께 달아납시다."

그러나 얼마 안 되어 사내의 머리가 옆으로 떨어지며 눈물이 주르륵 흘러내렸다.

"아니오, 사람은 자기 죽을 때를 아는 모양이오. 내…… 오늘 밤…… 넘기지 못할 것만 같구려."

사내의 말은 틀림이 없어 보였는데 이미 혀가 까부라지고 숨소리가 죽이 끓는 듯한 탁한 소리로 가라앉아 있었다.

과연 그날 밤에 사내가 운명하였다. 죽는 마지막 순간에 가서 사내는 눈에 총기를 빛내며 길산에게 속삭였다.

"죽지 마우…… 달아나오. 달아나면 황주 가서…… 소식이나……"

혀가 점차로 굳어지는 말소리이다가 딱 끊기며 사내에게서 기(氣)가 빠져나갔다. 길산은 한 많은 그 사내의 육신을 무릎에 얹고 한참 동안이나 앉아 있었다. 다른 죄수들은 모두 잠이 들었거나 깨었어도 잠든 체하고 있는 모양이었다. 죽을 사람들이라 남의 죽음을 대하기가 싫은 것 같았고 그만큼 죽음은 그들과 가깝게 붙어 있었으므로 이미 구경거리도 슬픔도 아니었다. 길산의 넋건이 소리가 나직하게 옥 안에 울리고 있었다.

"넋이야 넋이야 넋이로구나. 암흑천지에 가는 넋이야. 넋일랑 넋반에 담고 몸에 시체는 관에 담고 북망산천을 돌아가니 한심하고 처량하다. 저승길이 멀다더니 대문 밖이 저승일세. 이 터전에 각인 각성 열에 열 명이 댕기시더라도 뉘도 탈도 보지 않으시는 영부정 영부정 가망해, 산 간 데 그늘이요, 용 계신 데 소(沼)이라, 깊숙컨만 모래 우에 해소로다. 넋이야 넋이야 넋이로구나. 암흑천지에 첫 넋이야. 넋일랑 넋반에 담고 신에 시체는 관에 모셔 세상 나오신 상제님 놀고나 갈까. 서낭당의 뻐꾹새야 울지를 말어라."

길산이 옥에서 달포를 지내는 중에 문득 설움받는 백성의 삶을 스스로 깨우치게 되었다. 어렸을 적부터 헌헌장부로 되어진 지금까지 받은 온갖 수모는 자신이 오직 천출(賤出) 광대이기 때문이려니 하여 세상의 귀천과 빈부를 숙명으로 받아들였던 것이다. 그러나 이제 남칸 살옥에서 죽어나가는 사람들의 숱한 사연을 보고 듣는 가운데, 일찍이 박대근과 초대면하여 그가 포부를 말할 적에 느끼지 못했던 점이 이제 와서 환히 보이는 듯하였다. 지금까지 자기가 무턱대고 관원께 느끼던 적개심이나 양반 호족들에게 가졌던 원한은 얼마나 우직하고 무모하였던가를 알았다. 이제부터는 보다 더욱 지혜롭게 더욱 강하게 되어야만 할 것이다. 불행히 황해감영 남칸에서 참수귀신이 된다면 모르되, 꼭 살아나가게만 된다면 그는 세상을 알고 지혜를 갖추어 진실로 강한 사나이가 되리라는 결심을 하였다. 주먹과 칼날을 휘둘러 싸움에 능함을 자랑삼는 것은, 마치 곰이나 범이 이빨과 발톱을 내세우는 짓과 다름이 없을 것이었다. 힘은 지혜로움만 같지 못하니 맹수가 함정에 빠지는 격이요, 지혜는 또한 덕에 미치지 못하니 여러 사람의 마음을 움직일 수가 없을 것이 아닌가. 여럿의 마음을 움직이려면 마음이 올바를 것이요, 따라서 마음을 닦아야 할 것이었다. 아, 여기서 내 미욱하고 짧은 젊음을 마칠 수는 없구나.

집행 기한이 다하였으나, 밖에서는 아무런 기별이 없더니 옥졸이 와서 자물통을 따면서 외쳤다.

"죄인 장길산은 칼과 차꼬를 가지고 나오라."

"왜 그러시우?"

길산이 영문을 몰라서 주춤거리는데,

"나오라면 빨리 나올 것이지, 어째 꾸물거리는가."

재촉이 심하였고 뒤에는 환도와 창을 겨눈 다른 옥졸들의 서슬이

푸르렀다. 길산이 벗어두었던 칼과 차꼬를 들고 옥 밖에 나오자 옥졸들은 달려들어 칼을 목에 씌우고 발목에는 차꼬를 채웠다.

"너를 독칸에 넣으라는 엄명이시다."

길산이 돌아서는데 그의 등뒤로 색장의 텁석부리 얼굴과 돼지 같은 양선달의 머리가 창살로 내밀어지면서 제각기 떠들었다.

"이놈아, 꼴 좋게 되었다. 걸핏하면 사람을 치더니 네 목은 강철인가 하였다."

"그 광대 천출이 양반을 수모하였으니, 부디 참수하지 말구 대매에 때려죽이슈."

길산이 고개를 돌리지 않고 걸음을 멈추어 그들의 외침을 들었다. 다시 간장이란 자가 나서서 색장과 양선달을 뒤로 끌어들이고는,

"저승에 가서 만날 텐데 그리하면 쓰는가. 여보, 먼저 가서 자리나 잡아놓으슈, 덕 좀 보게."

낄낄대는 소리가 들리자 옥졸이 조용하라고 윽박질렀건만 길산은 그들에 덩달아 너털웃음을 웃었다. 옥졸 하나가 마음에 쓰였는지 부드러운 어조로 길산을 위로하였다.

"여게 맘 놓으시게. 이칸이 협소해 불편할 듯하여 옥을 옮기는 겔세."

"괜찮소이다. 이미 살인 대죄를 지은 대장부가 그깐 일에 안달할 리가 있겠소. 집행이 내일이지요?"

하니, 옥졸은 헛기침을 몇번 하고 나서 서로 미루다가 한 사람이 대답한다.

"우리는 잘 모르지만 내일 집행할 자의 이름이 장길산이라네."

4

길산이 큰 죄를 짓고 옥에 갇혔다는 소문은 진작에 재인말에 파다하게 알려져 있었다. 문화 관아에서 포졸들이 풀려나와 온 재인말의 남자라면 노소를 가리지 않고 잡아다가 문초를 하였다. 광대들이 틀림없이 화적패들과 내통을 했을 것이란 추측 때문이었으며 실상은 감영의 관문(關文)을 핑계로 하여 재인들이 화전 개간해놓은 토지를 현감이 빼앗으려는 꿍꿍이속이었다. 만약에 원래가 유민지배(流民之輩)인 광대의 무리를 내몰고 그 땅을 관전으로 바꾸어놓으면 같은 결수만큼의 비옥한 토지를 착복할 수가 있는 셈이었다. 대지주와 짜고서 세입의 전부를 관아가 먹고 척박한 개간지의 수확을 대신 납세하는 것이다. 양민도 아니요 떠도는 천한 무리들을 화적으로 내몰면 현감은 자신의 수입이 늘어나는 셈이었다. 그는 새봄이 오기 전에 광대들이 문화 경내에서 떠나기를 명하였다. 첫째로 풍속을 해친다는 것이며, 둘째로 궁벽하여 화적패와 서로 내통하기 쉽다는 것이며, 셋째로 농사에 게으른 자들에게 농토를 맡길 수가 없다는 등의 이유였다. 문화현감은 감영에 계(啓)를 올려놓고 관찰사의 하명이 떨어지기를 기다렸다. 뿐만 아니라 길산의 어미 아비를 토옥에 하옥시켜놓고 국법에 준하여 도적의 친족을 관노비(官奴婢)로 처분한다는 것이었다. 관문이 감사에게서 왔는데 떠나기를 원하는 자만을 보내되 신역에서 벗어난 자들만을 놓아보내고 농사를 짓고 국세를 납부하며 걸립하지 않겠다는 자들은 토지를 그대로 맡겨 농사를 권유하도록 조치하라는 내용이었다. 현감의 분부가 아전을 통하여 득달같이 재인말에 전해졌으나, 연희로 철마다 걸립하여 살던 광대들 사이에는 의견이 엇갈려 서로 아무 작정도 못 짓고 갈팡질팡하였다.

젊은이들은 재인말에서 달아나 먼 대처로 나가고 싶었으나 신역이 있는 고로 길산과 갑송의 부모처럼 제 혈족에 죄가 내릴까 하여 움직이지도 못했다. 그러나 가족 전원이 떠나기로 결정한 집은 밤 사이에 봇짐을 싸서 어디론가 소리 없이 떠나갔다.

길산의 양어미 무당의 신딸이던 봉순이는 두 양주가 관가에 잡혀간 뒤, 까막내 갖바치 박서방네 집에 가 있었다. 거기서 길산의 누이와 봉순이가 번갈아 읍내를 드나들며 늙은 두 양주의 옥바라지를 했다.

작은잿말의 묘옥이도 그런 사실을 누구보다 자세히 수소문하여 알고 있었건만 봉순이나 그 누이처럼 앞에 나설 수 없는 제 처지를 괴로워하였다. 어서 달려가 임을 보고 싶은 마음에 밤마다 베갯머리가 흠씬 젖을 정도였으나 묘옥은 우선 그의 부모님들을 돌봐드리리라 작정하게 되었다. 관아에서 타처로 두 분을 보내기 전에 얼마쯤의 돈이라도 장만하여 잡숫고 싶은 음식이라도 넣어주고 싶었다. 그날부터 묘옥은 인근 부촌으로 나다니며 날품을 팔았다. 어느날 온정마을의 부잣집에서 하루종일 잔치일을 거들다가 까막내 쪽으로 올라오는데 멀리 들판으로 사람들의 무리가 걸어오고 있는 것이 보였다. 묘옥이 처음에는 무심하다가 그들이 가까워져 살펴보니 통장고와 구슬상모와 울긋불긋한 옷차림이 연희 나갔던 패가 분명하였다. 묘옥은 그들 틈에 길산이 없을 것을 뻔히 알면서도 행여나 하는 그리움에 눈시울이 화끈하여 정신없이 마주 달려나가며 소리쳤다.

"여보아요!"

광대패들이 주춤주춤 걸음을 멈춘다.

그쪽에서 먼저 달려오는 그녀를 알아보았고, 패거리 중에 큰돌이가 나서며 말했다.

"길산이 찾는 모양인데, 여긴 없수."

묘옥이 그제야 좀 부끄러워져서 할딱이는 숨을 가라앉히고 나서,

"함께 가셨던 패가 아닌가요?"

"응, 우린 을대니까…… 하여튼지 갑대나 을대나 간에 길산이가 감영에 갇혔다는구려."

"무슨 소식 없던가요?"

큰돌이가 제 패거리를 돌아보고 잠시 망설이다가 말했다.

"해주 관싯날에 길산이와 나하구 수룡이네 팔문이네가 모두 만나기루 했었는데 우린 용댕이서 만났지. 해주 바닥이 발칵 뒤집혔데. 그래 포졸들을 피해서 갈대밭에 숨었다가 신평서 잡혔어. 풀려나오는 길에 길산이가 갇혔다는 걸 알았소. 모두들 코가 석 자나 빠졌지요. 갑송이는 어디로 달아났는지 모르지만 무사할 것이고, 길산이는 살인을 한데다 양반댁 내정 돌입한 일로 화적죄까지 뒤집어썼대요."

묘옥이 가슴을 죄며 물었다.

"그건 대강 알아요. 판결이 어찌 났답니까?"

큰돌이가 우물쭈물하더니 몸을 돌리면서 곁에 사람에게 미루었다.

"나는 잘 모르니…… 자네가 말하게."

"왜 공연히 날더러 미루구 그래."

묘옥은 부끄러움도 잊고 큰돌이의 소매를 잡아흔들었다.

"그분이…… 죽게 되나요?"

큰돌이가 하는 수 없이 일단 고개를 끄덕이고 나서 말했다.

"참수형이랍디다."

살인 대적죄를 지었으니 참수형이 뻔하건만 묘옥은 국법이 제 마

음이나 되는 것 같아 행여 귀양형이나 내릴 줄로 믿으려 했던 것이다. 그러나 놀라지 않고 묘옥은 다시 물었다.

"집행 일자가 어떻게 나왔나요?"

"거야 낸들 알 수 있겠소. 관찰사와 형방이 아는 일이지. 허나…… 오래 끌지는 않을 거외다. 그냥 살인수는 봄 가을로 처형한다지만 도적은 한양서 장계 떨어지면 곧 죽인답디다."

하고 나서 큰돌이는 멍하니 선 채로 까막내의 흘러내려가는 물을 바라보는 묘옥에게 물었다.

"마을은 별일이 없소?"

"네……"

"관가에서 조용히 있더냐 말이오?"

"포졸들이 몰려와 여러 사람을 잡아갔었지요. 모두들 고생했대요. 여러 집이 대처루 떠났어요."

광대들이 서로 우리집은 괜찮으냐, 누구네가 떠났냐는 등으로 중구난방 질문을 던졌으나 묘옥은 벌써 그들 곁을 떠나고 있었다. 그들은 서로 탄식을 주고받았다.

"길산이 곁기 땜에 못 살 고장이 되었구나."

"누가 아니래. 예서 쫓겨나면 어느 골 수령이 우리를 발붙여줄까나……"

"떠들 것 없네. 정 살 수 없으면 산에 들어가 녹림당이라두 짜자구."

"터전을 닦아놔야 도적질두 하는 게야. 살 길이 막연하게 됐구먼."

묘옥은 아무 정신 없이 타박타박 걸었다. 작은잿말의 밭두렁과 그 너머로 동구에 섰는 노송이 보였으며 어느결에 묘옥의 흐려진 눈앞에 길산의 낯익은 걸음걸이가 나타났다. 달빛을 온몸에 받으며 길산이 다가오고 있는 듯하였는데 묘옥은 뛰는 가슴으로 그를 기다렸다. 다시 제정신이 들었을 때는 아직 훤한 저녁이었고 소나무 밑에 아무도 보이지 않았다. 그제야 묘옥은 울음을 터뜨렸다.

묘옥이 자기 설움에 겨워 마음껏 울고 난 뒤에 다시 길산에 대한 생각이 이어졌다. 우물쭈물하고 있을 때가 아니었다. 그가 처형되기 전에 감영 옥으로 찾아가 손이라도 잡아보아야만 원이 없을 듯하였다. 제 몸에 찍혀 있는 연비(聯臂)의 또렷한 글자, 정표를 해준 사내, 거친 세상을 살아오며 처음으로 마음까지 바치었던 유일한 남자, 그러나 어쩐지 인연이 박하여 멀리 떠나버릴 듯 스스로 조바심치게 하더니 먼저 저세상으로 가는 사람이 아닌가. 그가 죽고 나면 묘옥은 더이상 아무에게도 마음을 주게 될 것 같지 않았다. 가자, 해주로 가서 마지막으로 서방님의 모습을 뵙고 그러고는 속세를 떠나리라. 삭발하고 절에 의탁하여 평생 청정하게 살다가 가리라. 묘옥은 그날따라 적막해 보이는 손돌네 초가삼간으로 들어섰다. 퇴창문이 밖으로 밀쳐지며 곰방대를 물고 있는 손돌의 얼굴이 나타났다.

"이제 오냐?"

"예, 아버님 시장하시지요. 얼른 저녁 지어 올릴게요. 온정 나갔다가 비린 자반을 조금 얻었습니다."

"얘, 네 눈이 왜 그러하냐? 퉁퉁 부었구나."

묘옥은 얼른 손돌의 시선을 피하여 부엌으로 들어갔다.

"너 울었구나."

묘옥이 대답을 못 하자 손돌은 혼자 고개를 끄덕였다.

"해주서 기별이 온 모양이구나."

"아무것두 아니에요."

"길산이가 어찌되었느냐? 그의 부모가 옥에 갇히었으니 화적질이라도 했더란 말이냐. 그 녀석이 성깔은 팔팔하되 남의 재물을 탐내거나 인명을 가벼이 알 놈은 아니다."

이때 부엌에서 입술을 물고 참고 섰던 묘옥이 흐드득하는 소리를 내어버리니 손돌은 당황하여 맨발로 뛰어내려와 부엌으로 들어선다.

"길산이놈이 어찌된다더냐. 숨기지 말고 바른대로 말하여라."

"참수형을…… 달포 안으루 집행한대요."

"누가 그러더냐?"

"읍대로 나갔던 큰돌 아저씨네 패가 돌아왔어요."

"알겠다."

손돌이 묘옥의 손을 잡고 한 손으로 그 머리를 쓰다듬었다.

"그래서 네 마음이 상하였구나. 내일 식전에 해주로 떠나거라."

"예…… 하오나 소녀가 은혜를 저버리고 떠날 수는 없습니다."

"아니다. 이젠 나도 이 재인말도 모두 기한이 다한 것 같구나. 여기 다시 돌아올 생각을 말아라. 관에서 재인말을 폐촌(廢村)시키고 남은 자는 권농하여 관전의 소작인을 만든다더라. 우리들의 업을 저들이 미워하는 것이니 남아 있을 필요가 있겠느냐. 어서 너 갈 데로 찾아가 새로 살아라. 내가 아무것도 해주지 못하고 너를 보내는 것이 이리도 박절할 수 있겠느냐."

"아니어요. 다 죽게 된 저를 활인하여주셨음은 낳아주신 부모보다 더합니다."

"그래, 어서 밥이나 맛있게 지어 먹자꾸나. 그동안에 내 어디 다녀올 데가 있다."

"어딜 가셔요?"

"까막내에 다녀오겠다."

손돌이 까막내에 가려는 것은 제 장의감으로 간직한 무명과 죽은 아내의 초라한 패물 몇가지를 팔아 묘옥의 노자를 마련해주려는 것이었다.

묘옥은 모처럼 쌀밥을 지어 아랫목에 묻어두고 국은 남은 잿불 위에 얹어 식지 않도록 해놓고는 곧 여장을 꾸리었다. 그동안에 모은 품삯이 한 이십 냥 되었는데 열 냥은 내어 길산의 누이에게 전해주고 그 부모에 차입이나 들이라 할 것이며 나머지 열 냥으로 자기 노자를 할 작정이었다. 어찌되었거나 해주 가서 길산을 만나 맛있는 음식이라도 들여주고 노자 떨어진 뒤에는 산속으로 들어가버리면 그만이었다. 온정서 구해온 쌀 서 되에서 두 되를 내어 방아에 찧고 오가리를 켜켜이 넣어 호박떡을 쪘다. 육포나 영계는 대처에 가서 살 요량을 했다. 묘옥은 속이 허한 자에 마늘을 넣은 닭활갯국이 좋다는 것을 알고 있었다. 밤이 이슥해서야 약간 취기 어린 손돌 노인이 돌아왔다. 두 사람은 밥상을 마주하고 앉았다. 손돌이 앞섶을 헤치더니 돈 한 꿰미를 내어주었다.

"옜다, 네 혼수 비용인 셈치고 가지구 가거라."

"이 많은 돈이 어디서 생겼어요?"

"온정말에 이잣돈을 놓아두었는데 삼 년 지나니 원금 빼고 스무 냥이더라. 반만 받아왔다."

"제게두 약간의 노자가 있습니다."

"그동안 내 곁에서 고생 많이 했지. 그게 품삯으로는 모자라는 돈이다."

묘옥이 정색을 하고서 말하였다.

"아버님 말씀이 너무 박정하십니다."

대답 없이 손돌이 수저를 놓더니 벽을 향해 목침을 베고 누웠다.

"술 몇잔 했더니 피곤하다. 너두 어서 건너가 일찍 자거라. 새벽길 놓치겠다. 그리구 새벽에 떠날 제는 날 깨우지 마라. 못 일어날 듯하니……"

손돌이 일부러 그러는 짓인 줄 잘 아는 묘옥은 상을 들고 나왔다. 대강 괴나리봇짐을 꾸려놓고 나서 묘옥은 남장으로 갈아입었다. 초립동이 행세를 하며 갈 작정인데, 천상 날이 저물어 봉놋방의 뭇사내들 틈에 끼여 자려면 여자의 몸에 위험이 많을 듯해서였다.

"하, 도화살(桃花煞)이 떠나지를 않는구나."

사랑하는 사내를 이제 죽음의 길로 떠나보내는 묘옥은 저절로 장탄식을 하는데, 일부종사(一夫從事)는커녕 창기의 신세에서 헤어날 수가 없는 자신의 팔자소관이 끔찍하도록 미워졌다.

이튿날 아직 컴컴한 새벽녘에 묘옥은 길 떠날 채비로 방을 나섰다. 손돌의 방 앞에서,

"아버님, 소녀 떠납니다."

라고 불러보았으나 손돌은 잠이 깊이 들었는지 코를 드높이 고는 소리만 들려왔다. 손돌이 밤을 꼬박 새우며 이 생각 저 걱정으로 몸을 뒤채다가 묘옥이 나오는 기색을 알고 짐짓 건성 코를 골고 있었던 것이다.

"부디 오래오래 사십시오."

묘옥이 삽짝을 열고 나가는 소리가 들리자마자 손돌 노인은 황급히 마루로 나섰다. 담에 가려 아직 길목에 나선 묘옥이 보이질 않았다. 잠시 후에 초립 쓰고 봇짐을 멘 묘옥의 음영(陰影)이 나타났고 길 저쪽으로 멀어져갔다. 손돌은 고적감 때문에 견딜 수가 없었다. 그가 묘옥을 구완해내어 부녀의 정으로 지내오긴 하였으되 손돌은 저

도 모르게 묘옥을 여식으로가 아니라 여인으로 사랑하게 되었던 것이다. 손돌 노인은 무녀 출신이었던 그 아내의 기박한 운명을 사랑했음과 마찬가지로 묘옥의 슬픔을 사랑하였다. 길산과의 연분은 손돌 노인께는 한 괴로움이었으나 묘옥의 행복은 자신의 소망이기도 하였다.

묘옥이 떠나가고 말았을 때 이 늙은 광대는 자신의 사랑이 얼마나 깊어졌는가를 깨닫고 태산이 무너지듯 주저앉아버렸다.

"모두 떠나가는구나!"

그는 한참이나 현기증이 가시기를 기다리다가 북이며 탈박이 들어 있는 버들고리를 마당으로 끌어냈다. 그는 오랫동안 자기 손때가 묻고 표정마다 그의 솜씨가 깃들인 탈들을 차례로 들여다보았다. 그것들은 모두 제 분신들의 얼굴인 것만 같았다. 무섭게 부릅뜬 눈, 짓궂고 장난스러운 입, 억센 코, 곰보 얼굴, 하얀 얼굴, 찌그러진 얼굴, 새카만 얼굴, 모두가 그의 서러운 광대의 인생처럼 여러 모양으로 흘러 지나갔다. 희로애락의 수많은 나날들이 탈의 표정 속에 정지되어버린 듯하였다. 그는 부시를 쳐서 불꽃을 일구어 탈박을 하나씩 태우기 시작했고 그의 눈은 빛나고 입술에 경련이 떠오르며 차차 열광해가는 기색이 보였다. 아득하게 장단 맞추는 소리가 들리는 듯하는데, 그것이 제 머릿속에서 부서져라 두드려지고 있었다. 손돌 노인은 타는 탈박을 방 속에 던졌다. 문 창호지에 옮은 불이 널름대며 타오르기 시작했다. 손돌은 싱긋 웃고 나서 회색 장삼에 붉은 가사를 걸치고 염주를 목에 걸고 송낙을 얹었다. 그리고 늙은 중의 탈박을 얼굴에 썼다. 북을 들어 잔약한 소리로 두드리다가 박자를 맞추어서 힘껏 후려치며 몸짓으로만 춤사위를 잡았다. 그동안에 불길은 더욱 커져서 바자작대는 소리로 널름널름 지붕 위로 올라갔다.

동녘은 훤히 밝아 있고 집 타는 연기가 맑은 하늘로 퍼져가고 있었다. 손돌은 북과 북채를 불속에 던져넣고 기다란 한삼을 등뒤로 경쾌하게 내뿌리면서 다리를 들어 굽혀 펴기를 반복하며 깨끼리사위를 한바탕 추고 돌아 갔다.

"어허, 얼쑤."

늙은 광대의 마지막 연희는 그 장삼소매를 휘젓는 품이며 돌아나가는 동작이며가 능숙하고 힘차서 아름다웠다. 도도리장단에서 굿거리곡으로, 다시 타령곡으로 춤의 동작이 바뀌다가 잦은타령조로 되었다. 학이 날아가듯 소매를 양쪽으로 너울거리기도 하고, 마당 가녘으로 빙빙 돌기도 하다가, 제 몸이 불꽃이나 되었는지 솟구쳐 꿈틀대며 위로 치솟는 것이었다. 여다지와 곱사위춤에서는 좌우로 흩뿌려지며 모이는 한삼자락이 마치 바람에 나부끼는 꽃잎인 듯하더니, 솟구쳐지자 동작은 거칠고 열기가 있어 보였다. 온 집에 불이 붙어 활활하는 불바람 소리가 들렸고 초가지붕 위로 불꽃이 널름대며 퍼져갔다. 춤이 고조되어 몇번인가의 도약(跳躍)이 거듭되더니 마치 퇴장할 때이듯,

"잘 놀구나 가오……"

긴 말가닥과 한삼자락을 한결같이 뒤로 끌면서 손돌 노인은 재빨리 불속에 몸을 감추었다. 불이 집 전체를 휩쓸어 맹렬히 타올라서 집채의 윤곽이 불 가운데 묻혔을 무렵에야 작은잿말 사람들은 외따로 떨어진 총대 노인의 집으로 달려왔다. 그러나 물을 끼얹는다 하여도 다 타버린 즈음이었다. 서로 아무런 말들이 없건마는 광대들은 총대인 손돌의 집이 타고 있는 의미를 아는 듯 침통하게 둘러서서 불길이 잦아들기를 기다렸다. 재인말에서의 생활은 이제 모두 끝난 것이다. 그들의 연희 출행 앞에는 돌아올 기약 없는 길만이 뻗쳐져 있는

것이었다. 거처를 잃었으니 이제는 떠나는 길만이 남아 있었다. 불길이 자취를 감추고 잿더미 속에 숯이 벌겋게 드러났을 때까지 마을 광대들은 지켜보고 서 있었다.

묘옥은 까막내를 따라서 걸었는데 무더리내〔水回川〕에 이르자 시장해졌으므로 호박떡을 조금 내어 아침 끼니를 때웠다. 묘옥은 까막내에서 갖바치 박서방네에 들러 돈 열 냥을 삽짝 너머로 던져두었다. 봉순이와 박서방댁이 길산네 부모들께 좋은 음식을 넣게 하기 위해서였다. 묘옥은 봇짐이 이상스레 무거워서 헤쳐보았다. 묘옥이 거절하였던 노자를 잠든 사이에 손돌 노인이 넣어두었음을 알았다. 무더리서 장호령(長浩嶺)까지가 삼십 리요, 장호령에서 학령(鶴嶺)까지가 이십 리 길이었건만 계속 험한 산길이요, 영이 둘이나 겹쳤을뿐더러 고개도 많이 있었다. 장호령서 대모현(大母峴) 사이에 있는 주막에 들어가 얼른 중화 하고 학령을 바라고 걷는데 발바닥에 물집투성이요, 고개를 오르내리느라 기운이 진하여 꼼짝할 수도 없었다. 해가 아직 남아 있기는 하였으되 여자의 걸음으로 온종일 칠십 리를 걸었고, 마땅한 숙소를 찾으려면 해지점(蟹池店) 사거리까지는 가야만 그럴듯한 주막이 있다는 것이었다. 묘옥은 선뜻 학령을 넘을 용기가 나질 않았다. 도중에서 날이 저물거나 호젓한 곳을 걷다가 봉변당할까 두려웠다. 하는 수 없이 숙소를 찾으리라 작정하고 산길 초입에서 되돌아섰다. 밭고랑 너머로 집 한 채가 보였다. 묘옥은 과객질을 하기로 마음먹고, 생솔나무 울타리 앞에 서서 애써 굵은 목청을 지어 외쳤다.

"주인 계십니까……"

윗방에서 한 남자의 얼굴이 나오더니 묘옥의 아래위를 쓱 훑었다.

"주인은 왜 찾나?"

"하룻밤 묵어가게 해주십시오."

"거 아직 해가 높직이 걸렸는데 학령 넘어가 해지점 주막을 찾아갈 것이지…… 우린 과객을 재우지 못해."

"고갯길이 험하여 도중에 날이 저물면 낭패할까 그래서 청하는 것입니다. 길양식도 낼 수 있고 돈도 있습니다."

"보아하니 총각인 모양인데, 우리넨 집 꼴이 이래봬두 양반이야. 상사람이면 상놈의 집을 찾아가야지."

애초에 사람을 욕을 보여 쫓으려는 수를 쓰는 것이었다. 묘옥은 아무 말 없이 그 집을 떠나 마을 쪽으로 향해 걸었다. 한 마장쯤 더 내려가니 제법 포실한 마을이 나왔고 솟을대문이 높직한 기와집이 보였다. 다시 사람을 찾는데 문틈으로 누군가 내다보는 듯하고 나서 해사하게 생긴 하녀가 문을 조금 열고 말했다.

"왜 그러셔요?"

"하룻밤 묵어 갈까 해서 그러오."

"보통때 같으면 모르지만 집안에 환난이 있어놔서 어렵겠어요."

"아무리 환난이 있다 한들 이렇게 큰 집에 광이나 마구간이라도 있을 것이요, 하다못해 조밥에 푸성귀라도 없겠소. 지쳐서 도무지 움직일 수가 없구려."

"글쎄 안 된다니까요."

하며 대문을 닫으려는 것을 묘옥은 별 생각 없이 계집아이의 손목을 잡고 말았다.

"아이고머니나!"

비명에 묘옥이 깜짝 놀라 손목을 놓는데 부끄러워진 하녀는 이미 문안으로 멀찍이 달아났다. 묘옥은 망설이지 않고 열린 대문으로 해서 마당에 들어섰다. 제법 중문까지 있는 큰 집이었다.

중문간에서 하녀가 밖을 손짓하며 나오고 건장한 하인 두엇과 도포에 유건을 쓴 점잖은 선비 한 사람이 뒤따라나오는 것이었다.

묘옥은 당황하여 마주 나오던 선비에게 허리를 굽혔다. 무어라 사과의 말도 하기 전에 선비가 정중히 말했다.

"계집아이가 경망을 부린 모양인데 죄송하오. 어디 숙소를 찾구 계십니까?"

묘옥은 봉변을 당할까봐 순간 겁을 먹었으나 선비의 태도에 안도의 한숨을 내쉬었다.

"예, 해주까지 가는 길인데 하루종일 걷고 보니, 학령을 넘을 일이 아득하여 염치 불고하고 돌입하였습니다. 어디 마구간이라도 좋으니 밤이슬을 피하게만 해주신다면 천만 고맙겠습니다."

선비가 고개를 끄덕이며 얌전하게 말하고 있는 묘옥을 찬찬히 훑어보았다.

"원, 마구간에서 사람이 묵을 수야 있겠소. 우리 별당이 비어 있으니 묵어가도록 하시오. 얘, 손님을 안으로 모셔드려라."

선비가 지시하자 마당쇠가 묘옥을 안으로 인도했다. 후원문을 밀치고 들어가는데 석등과 괴석이며 연못과 돌다리를 꾸며놓은 것이 시골 토족의 지체로는 지나칠 정도였다. 방에 들어서니 문갑이며 병풍이며 서화들이 모두 다 천출 묘옥에게는 처음 보는 것들이라 오히려 마음이 산란하였다. 또한 과객질하는 사람에 이리도 접대가 은근하니 혹시 무엇을 바라는 게 아닐까 하는 의심도 들었다. 한참이나 좌불안석하고 누마루를 오가기도 하고 걸려 있는 서화들을 들여다보며 공연히 서성대는데, 마당쇠란 놈이 번쩍이는 놋대야와 사기대접에 세숫물과 양칫물을 각각 들여다놓으면서 연신 벙글대는 얼굴로 말했다.

"손님, 소세하십시오. 그러구 저…… 사주가 어찌되시는가 알아오랍니다."

"사주요? 그건 뭣에 쓰게……"

"예, 저 우리 서방님께서는 역(易)풀이를 좋아하시는데 손님이 오시면 꼭 팔자를 보아드려야 직성이 풀리십니다."

묘옥이 적당히 사주를 대어주자 마당쇠는 몇번이나 속으로 중얼중얼 되씹어보고 나서 안으로 사라졌다. 어둑어둑해지자 마당쇠가 다시 나타나 별당이 훤하도록 등을 걸고 방 안에는 밀초 한 쌍을 밝혀놓았다. 계집아이 둘이서 떡벌어진 다담상(茶啖床)을 내오는데 갈비와 제육에 탕반이 곁들였고 각종 보음이며 어회 등속과 산나물에 전과 과일까지 있어 어느 재상의 생일잔치를 만난 듯하였다. 기명이 깨끗하고 음식이 정갈하여 묘옥은 감히 수저를 대기가 황홀할 지경이었다.

어쨌든 하루종일을 험산준령을 넘어왔으니 시장기에 쑥개떡을 내어주어도 꿀맛일 텐데 다담을 대하니 속이 느끼하여 몇점 집어먹는 중에 벌써 배가 부른 듯하였다. 뒤이어 하녀가 생률, 대추, 배, 송이무침 등의 상큼한 안주와 술병을 얹은 소반을 따로 차려다가 상옆에 밀어내어주었다.

다담상을 내가려는 하녀를 보니 문간에서 시비하던 계집아이였으므로 묘옥은 아는 체를 하였다.

"아까는 내가 실수로 그리했네."

계집아이가 부끄러움에 얼굴을 들지 못하고 외면한 채로,

"어리석은 계집이라 경망을 부렸으니 손님께서 해량하십시오."

같은 여자끼리 목청을 바꾸어 점잔을 부리자니 묘옥이도 등에서

땀이 솟는 기분이었으나 내친걸음이라 어찌할 수가 없었다.

"그래 마음이 풀렸다니 고맙군. 헌데 아까 내가 들은즉 이 댁에 무슨 환난이 있다더니…… 무슨 일이지?"

"환난이라뇨…… 쉰네는 그런 말을 하지 않았는걸요."

"내가 유숙을 청했을 때 네가 집에 환난이 있어 객을 받을 수 없다고 얘기하지 않았니?"

"아, 네에, 그건요 별 대수로운 일은 아니지요. 우리댁 작은아씨 일입지요. 다만 축객하려고 제가 과대히 말씀드렸던 거예요. 손님은 마음 놓으시구 푹 쉬었다 가십시오."

하며 계집아이가 다담상을 들고 달아나듯이 나가버렸다. 묘옥이 비록 창기 노릇은 했을망정 술을 들 생각은 없어 배 한 쪽을 집어먹고는 피곤하여 길게 누워보려는 참인데 밖에서 헛기침으로 인기척을 알리는 소리가 들렸다. 방으로 들어서는데 아까 너그러이 대해주던 젊은 주인이었다.

"저녁은 드셨습니까?"

묘옥이 황급히 일어나 단정하게 앉아 주인을 맞았다.

"예, 염려 덕분에 오히려 송구스러워 몸둘 바를 모르겠습니다."

"허허허, 마음 놓으십시오. 원래 제가 한양서 자라다가 궁벽한 시골로 퇴향하고 보니 적적하기가 이루 말할 수 없소. 그래 손님을 좋아하지요. 옛 벗의 집에 오신 것이나 다름없으니 제 집같이 하십시오."

묘옥이 일어나 자세를 가다듬고 예를 올린다.

"평양 사는 김막동이올시다."

주인도 함께 맞절을 하면서 인사를 허하였다.

"강초시요. 헌데 초립을 쓰시고 머리상투를 올리지 않았으니 아직 장가 전인 모양이오."

"예, 봉양할 식구가 많아 아직 성혼하지 못하였습니다."

젊은 주인이 술상을 앞으로 내밀고 다가앉으면서 잔 들기를 권하는 것이었다.

"우리 술이나 들면서 얘기하시지요."

"아닙니다. 저는 이날 여태껏 술을 가까이해본 적이 없는 사람입니다."

"아무리 그렇기로 술 석 잔을 못 드시겠소. 내 석 잔만 드리고 더는 권하지 않으리다."

하면서 술을 따르는 것이었다. 묘옥은 잔을 받을 수밖에 없었다.

"김총각은 어디루 가시는 길이오?"

"제가 농사는 못 짓고 장사를 다니는데, 이번 길에서는 약재나 좀 해올까 하구 해주를 거쳐 송도엘 다녀올까 합니다."

"임방 동무도 없이 혼자 행상을 다니는구려."

"뭐 밑천이 있어야지요."

"하여튼 그 나이에 자수성가하시려고 꽤 애쓰시는데, 나두 실은 내 힘으로 입신한 사람입니다. 허나 장가는 드셔야지. 가내가 안정되어야 돈도 모이고 힘도 덜 드는 법이오."

"저같이 미욱하고 무지한 밥쇠에게 어느 규수가 시집을 오겠습니까?"

"원 당치도 않은 말씀이오. 꼭 학문을 하여야만 똑똑한 사람이랄 것은 아니외다. 내 김총각의 행동거지를 보아하니 다 법도에 맞고 참으로 인물이시오. 생기기는 귀공자 같으신데 초립에 행상인 차림이라 나두 이상스러워서 이렇게 실례를 무릅쓰고 묻는 것이오."

"대대로 농사나 짓고 그도 못 하여 행상으로 먹구살던 집안에 태어났습니다. 저 같은 아랫사람을 예로 대하시니 더욱 어렵습니다."

젊은 주인은 그저 고개만 끄덕이며 뭔가 깊은 생각에 잠기는 것 같았다.

"김총각은 사람의 팔자소관을 어떻게 생각허시우?"

불쑥 물어오는 주인의 말에 묘옥이 대답할 말이 없어 잠깐 머뭇거리는데, 다시 그가 말했다.

"사람의 팔자란 미리 알고만 있으면 방비할 수가 있소."
하는 밑도 끝도 없는 말을 혼자 중얼거리는 것이었다. 묘옥과 주인은 무덤덤히 앉아 있었다. 그는 더이상 술을 묘옥에게 권하지 않았다.

"봉양할 식구들이 많다니 대체 총각은 돈을 얼마쯤 벌구 싶소?"

"예…… 뭐 별루 많이두 원치 않습니다. 하루갈이 밭과 논 열 두락에 집 한 채쯤이면 됩지요."

젊은 주인 양반이 자꾸만 엉뚱한 말을 걸어오므로 묘옥은 그저 생각나는 대로 적당히 둘러대고 있었다.

"자아, 그러면 피곤하실 텐데 내가 일찌감치 물러가야 되겠군."

주인은 일어서서 장지문을 열고 마당쇠를 찾았다.

"손님 자리 보아드리고 술상은 내가거라."

신을 끌고 나가려던 주인이 무슨 생각이 났는지 되돌아서며 새삼스럽게 물었다.

"참, 김총각이 어디서 산다구 그랬소?"

"평양 산다구 했습니다."

"평양 무슨 골이오?"

거 참으로 별스럽게도 꼬치꼬치 묻는다는 생각이 들면서도 묘옥은 적당히 꾸며 대답했다.

"예, 윗물골이오."

"음, 윗물골이라……"

젊은 주인은 연신 고개를 끄덕이면서 안채로 사라졌다. 마당쇠가 자리를 깔아주고 술상을 내가면서,

"손님 복 텄소이다. 편히 쉬시우."

라는 까닭 모를 소리를 던졌다. 묘옥은 밤도 늦은데다 거짓말을 꾸며대며 신경을 쓰느라고 몹시 피곤했으므로 이불 위에 털썩 누워버렸다. 손끝 하나 달싹일 수 없을 정도로 온몸이 무거웠고 저절로 눈까풀이 내려앉았다. 밖에서는 바람에 흔들리는 나뭇가지의 쏴 하는 소리만이 들려왔다.

집주인 강초시는 원래가 가난한 훈장의 아들로 태어나 지각이 들며부터 과거급제를 목표로 공부를 해온 사람이었다. 신념이 굳고 목적을 위해서는 수단과 방법을 가리지 않는 사람이었다. 세 번을 연거푸 낙방한 뒤에 공부에 뜻이 없고 오히려 세태를 좇아 재물을 쌓아 입신을 하리라 결심하게 되었다.

부친을 비롯하여 한참 일할 나이의 젊은이들인 두 형제가 날마다 책과 씨름을 하였으니 입에 풀칠하기도 어려웠다. 고생만 하던 노모가 죽고 부친마저 그 뒤를 따르자 강초시는 십 년을 기한하고 치산하여 패가된 집안을 일으킬 것을 식구들 앞에 선언하였다. 아우는 남의 집에 일꾼으로 맡겼으니, 아무리 양반이지만 굶어죽는 판에 신분 지체를 따질 여유가 없었다. 두 누이동생은 먼 친척집에 비녀(婢女)나 다름없이 내버려두고서 가산을 정리하니 오십 문(文)의 돈이 되었다. 이 반 냥의 돈을 가지고 미역을 사서 때마침 풍년인 면화를 바꾸러 다녔다. 그리고 인물이 박색인 중인의 여식을 아내로 얻었는데 사람됨이 근검해서 함께 재물을 모을 만하였다. 모은 면화로 강

원도의 귀리 백여 석을 사두고 십 년을 두고 귀리죽으로 끼니를 에울 준비를 해두었다. 강초시는 거추장스런 의관을 벗어 내던지고 적삼에 잠방이 차림으로 주야로 아내의 길쌈을 돕거나 자리도 치고 도롱이도 엮으면서 한시도 일손을 놓지 않았다.

한양에서 소식을 들은 동접배가 찾아오면, 절대로 안에 들이지 않고 양반의 체면과 예의를 이미 버린 사람이니 상종하지 말라며 쫓아보냈다. 뿐만 아니라, 심지어는 바쁜 틈을 내어 찾아온 아우조차 문간에 들이지 않았다. 강초시 부부가 작심한 지 이 년에 길쌈과 날품으로 마련한 밑천이 수백 냥에 이르렀다. 그 돈으로 한양 사람의 논 열 두락과 밭 하루갈이를 사들였다. 강초시는 남의 손을 빌려 땅을 가는 것이 비용이 들 뿐만 아니라 성의도 없겠다 싶어서 소에 쟁기를 붙여 논에 들어가서 토박이 농군을 맞아 잘 대접해서 두둑에 앉혀두고 쟁기질을 배웠다. 논이건 밭이건 수십 번 갈아 땅을 깊숙이 파헤치고 길가 주막에서 행인들의 대소변을 받아다가 두엄더미를 산더미처럼 장만하여 수시로 뿌려주니 땅이 비옥해질 수밖에 없었다. 따라서 소출이 많아 열 두락의 소출이 거의 백여 석에 이르렀다. 또한 어영청(御營廳)의 둔전(屯田)으로 여러 해 묵어 있던 황무지를 개간하여 메밀과 보리, 콩을 심어 육칠백 석을 거두었다. 해를 거듭하여 논으로 일구고 벼를 심는데, 이때에는 이미 넉넉히 일꾼을 부릴 만하였다. 강초시는 어영청에 가서 묵은 땅을 개간한 사실을 아뢰고, 마름〔舍音〕의 영구권을 얻어냈다. 이로부터 재산이 매달, 매해 늘어나서 오륙 년 동안에 논밭이 늘어나, 십 년이 되던 해에는 인근 사방 골에 그의 토지가 안 걸린 데가 거의 없는 만석꾼으로 입지하였던 것이다. 농사를 경영하여 치부하였으나 환로에 나가지 않으면 대접을 받지 못하므로 초시 직함을 따두었던 것이다. 이러한 강직하고 의지 굳은 형의 뒷바라지로 아우는 정시(庭試)에 무난히 급제하여 홍패를 받고 벼슬길에 올랐다. 이로부터 강초시는 십 년이나 고생한 식구들을 행복하게 해주는 데 전력을 다하게 되었던 것이다.

친척집에 맡겨두었던 누이들을 데려다 언니는 선전관으로 발신한 무인에게 시집을 보냈고, 동생은 판서가 여럿 났다는 경기도의 향족 집안에 시집을 보내주었다. 만난을 극복하고 뼈를 깎는 고통을 참으며 입신한 그에게는 식구들 아무에게도 그러한 고생을 겪게 해서는 안 되었다. 그에게는 한 걱정거리가 있었던 것이다.

묘옥이 깊은 잠에 빠져 있을 때 별당으로 누군가가 신 끄는 소리가 다가왔다. 잠시 장지문 밖에서 서성대는 듯하더니 문이 열렸다.

나이는 스물 안팎으로 보이고 얼굴에는 수심이 가득한 소복의 여인이 방 안으로 머뭇머뭇 들어섰다. 키는 중키요, 얼굴은 오목조목 예쁘지는 않아도 깨끗하고 점잖게 생겼으되, 다만 눈두덩에 푸른 기가 도는 것이 곧 그 소복의 사연에 일치해 보였다.

여인이 잠든 묘옥의 곁에 다가앉아 한참이나 들여다보며 긴 한숨을 연거푸 내리쉬었다.

"어쩌면…… 이리 잘난 사내를……"

여인이 묘옥의 홍조가 번진 뺨을 살그머니 만지다가, 안채 쪽에서 두런대는 인기척에 흠칫 놀랐다. 놀란 김에 저도 모르게 묘옥의 어깨를 잡고 흔들어대기 시작했다. 묘옥이 실눈을 떴다가 퍼뜩 깨어 일어나며,

"누…… 누구……"

하는데 여인이 재빨리 손을 뻗쳐 입을 가려주며 속삭였다.

"손님, 빨리 달아나세요. 생명이 위험합니다."

"다…… 당신은 누, 누구요?"

"손님을 죽이려구 합니다."

묘옥은 완전히 잠이 깨어 자기가 남자의 옷을 입고 있음을 깨달았고, 이곳이 낯선 고장의 과객질한 숙소임을 알았다.

"당신이 누구시냐구 물었소."

"아까 여기 오셨던 이가 제 오라비올시다."

"그분이 어째서 날 죽이려 한단 말이오?"

"글쎄 어서 피하셔요. 제가 저녁나절에 중문 뒤에 숨어서 손님을 뵙고는 여태껏 애가 달아 잠들지 못하구 있었어요. 자, 어서……"

두런두런하는 사람들의 말소리가 들려오고 있었다. 여인이 촛불을 불어 껐다.

"하인들이 몰려오기 전에 어서 뒤뜰루 달아나요. 뒷담 쪽에 가까이 가면 등나무넝쿨이 있을 것이니 그걸 타구 담을 넘어가셔요. 되도록 멀리 가셔야 할 겁니다. 뒤쫓아갈 테니까요."

"고마워요, 아씨."

묘옥은 옷차림을 가다듬을 사이도 없이 초립과 괴나리봇짐을 손에 들고 섬돌에 내려 미투리를 꿰자마자 담으로 달려갔다. 정신없이 넝쿨을 잡고 담을 오르긴 올랐는데 아래가 까마득해 보여서 도저히 뛰어내릴 자신이 없었다. 부들부들 떨리는 것을 참고 다리를 하나씩 내려뜨리고 걸터앉는 참인데, 뒤로 하인들이 별당 대문을 젖히며 몰려들어오는 게 보였다. 다급한 김이라 묘옥은 뛰어내렸고 역시 겁을 먹은 탓인지 그만 발목을 접질리고 말았다. 일어서서 뛰려고 힘을 주는데 시큰하여 다시 넘어졌다. 발을 주무를 새도 없었다. 겅정거리면서 상한 발을 쳐들고 깨금발을 치며 뛰었다. 도망갔다느니 잡으라느니 하고 주고받는 얘기 소리가 먼 데까지 들려왔다. 마을을 벗어나 무턱대고 낮에 내려왔던 학령의 고갯길을 바라고 뛰는데 돌아보니 집 앞에 네댓 개의 횃불이 움직이고 있었다. 다친 여자의 걸음을 장정 걸음이 따라잡지 못할 리가 없었다. 그들은 곧 묘옥의 자취를 발견하고 더이상 떠들지도 않고 곧바로 쫓아왔다. 처음에 유숙을 청하였던 외딴집 앞에 와서 묘옥은 또 넘어졌고 그만큼 거리가 좁혀졌다. 그제야 묘옥은 미련하게도 길을 따라서 뛰고 있음을 깨달았고 더구나 학령의 깊은 숲 어둠속으로 들어가면 저편에서 죽이기가 안성맞춤이 되리라 판단하였다. 어디 마땅한 곳에 숨거나 인가에 들어가 도움을 청하고 안 되면 숨겨달라고 사정할 생각이 났다. 묘옥은 길에서 벗어나 움푹한 곳으로 무작정 뛰어들었다. 개천이었는데 물이 거의 배에까지 차올랐다. 그녀는 물의 흐름을 따라 몸을 띄우다시피 하고 아래로 자꾸만 내려갔다. 뒤쫓던 자들이 갈 바를 잃었는지 서로 흩어지면서 저쪽이라는 둥, 여기라는 둥, 떠드는 소리가 들려왔다. 묘옥은 우선 안심은 할 수가 있었으나 살에 와닿는 물의 냉기가 지독하여 온몸이 얼어붙는 듯하였다. 물이 차차 얕아졌다. 묘옥은 기진맥진 물속을 텀벙대며 뛰다가 개천 건너편 어둠속에서 반짝이는 불빛 한 점을 발견했다. 묘옥은 엉금엉금 기어서 낮은 둑 위로 올라갔다. 먼 곳을 오르내리는 횃불에 우선 주의를 하고 나서 거의 기다시피 콩밭을 지나 불빛으로 가까이 다가갔다. 보기보다는 제법 멀었고 가끔 불이 가리워지는 것으로 미루어 앞에 숲이 있는 모양이었다. 과연 불빛은 숲 가운데서 흘러나오고 있었다. 그것은 땅 위로 간신히 지붕만 내밀어져 있고 들창문이 땅에서 두어 뼘의 높이에 뚫려 있는 움집이었다. 묘옥은 움막의 거적문을 다급하게 들쳤다.

"누구요?"

하는 날카로운 목소리가 먼저 묘옥의 귓전을 때렸다.

"살려주세요. 사람을 죽이려 합니다."

"뭐라구……"

밖에서 들려오는 여럿의 발걸음 소리를 들었는지, 제정신이 없는 묘옥을 누군가가 끌어다가 구석에 처박고 잡동사니를 들씌워주었다. 묘옥의 머리 위로 다른 묵직한 짐들이 얹히는가 하자, 험상궂은 목소리가 들렸다.

"방금 이리루 총각놈 하나 왔지?"

"어, 난 또 누구라구. 이 밤중에 무슨 일여."

"낯선 젊은 놈 못 봤어?"

"젠장할, 이 깜깜한 밤중에 움막 속에 틀어박혀서 젊은 놈이구 늙은 놈이구 살펴보게 됐어. 나는 요 사흘째 바늘끝밖엔 아무것두 못 봤다."

"허 참, 이놈이 어디루 달아났지?"

"무슨 일이야…… 도적 들었나?"

"알 것 없어. 멀리는 못 갔을 텐데…… 여보게, 여기두 없네. 그래 그쪽으루 가봐."

제 동료들에게 외치는 소리가 들리자 조용해졌다. 묘옥이 꿈틀거리니까 다른 목소리가 소곤거렸다.

"아직 꼼짝 마시우. 다시 올지두 모르니까."

역시 다른 자들이 다시 한번 들러서 살펴보고는 다짐을 두었다.

"나중에라두 여길 찾아오면 잘 꼬드겨서 붙잡아놔, 알겠지."

"글쎄 알았다니까. 헌데 무슨 일이냐구. 누가 겁간이라두 하러 들어왔어?"

"입 닥쳐, 이놈아. 뉘 집에 대구 그따위 말버릇이야."

"망신일세! 대갓집 충복들께 칭찬 대신 욕을 먹었으니……"

"아니 이놈이……"

"그만 가세. 미안하오, 영감."

하인배들이 사라지자 늙은이의 목소리가 들렸다.

"쓸개 빠진 놈들 같으니, 색시 어서 나오게."

묘옥은 뒤통수를 맞은 느낌으로 화들짝 놀랐다. 그의 머리 위에서 짐들이 내려지고 묘옥은 희미한 등잔불 아래 드러났다. 비록 남장은 했건만 총각처럼 땋아서 두건으로 질끈 동였던 머리가 풀어헤쳐져 있었고, 물에 젖어 찰싹 달라붙은 옷 위에 부푼 가슴의 윤곽이 드러나 있어 누가 보든지 그가 여자임을 간단히 알 수 있을 정도였다. 그곳은 갖바치(皮鞋工)의 움집이었는데 부자가 나란히 앉아 밤을 새워 신을 꿰는 중이었다. 늙은이가 턱짓으로 오지 화로를 가리켰다.

"쯧쯧, 온몸이 젖었구먼. 거기 말리시게."

젊은이는 묘옥의 여자다운 수줍음을 안다는 듯 줄곧 시선을 바늘에 대고서 쳐들 줄 몰랐다. 묘옥이 화롯가로 다가앉으면서,

"목숨을 구해주셔서 감사합니다."

늙은이는 모를 일이라는 듯 고개를 갸우뚱하더니 묘옥에게 물었다.

"헌데 강초시가 그리 야멸찬 사람은 아니건만 무슨 연유로 댁네를 죽이려 했누……"

"저두 모르겠어요."

하고 나서 묘옥은 해주 가는 길에 학령을 밤에 넘을 일이 걱정되어 초저녁부터 아예 과객질을 나섰다는 얘기부터 차근차근 꺼내었다.

"음, 여인네가 혼자 길을 가려면 남장을 입어야겠지, 그래서……"

묘옥은 처음부터 웬일인지 강초시가 깍듯이 대하더라는 얘기를 했다. 계집종이 환난이 있다면서 축객을 하더니 어쩐지 젊은 주인이

나와서는 별당으로 모셔두고 귀히 대접하던 일, 마당쇠가 사주를 물어가던 일, 술상을 놓고 주인과 얘기하던 일, 돈이 얼마나 필요하냐는 둥 사는 데가 어디냐는 둥 동행이 없느냐는 둥 꼬치꼬치 물어서 여자라는 행색이 탄로날까봐 궁색했던 일, 그리고……

"잠을 잤지요. 곤히 자구 있는 중에 누군가 와서 깨우지 않겠어요. 난데없는 소복한 여자가 나타나서 달아나라구 그러는 거예요."

"음, 이제 훤히 알겠구먼."

늙은이와 젊은이가 서로 눈을 맞추었고, 젊은이는 아예 일손을 놓아버렸다.

"그게 보쌈이란 겁니다."

"보쌈이오?"

"그렇지. 청상과부들 액땜을 그렇게들 하는 경우가 왕왕 있다오." 하며 이번에는 늙은이도 일손을 놓아버린다.

"그 작은아씨란 여자가 얼마 전에 과천으루 시집을 갔었지. 신랑이 본시 몸이 약하고 고질병이 있어서 제대루 남편 구실두 못 하고 죽었소. 강초시가 제 식구에게는 끔찍하게 해주는 사람이라 시집 귀신 만들지 않으려고 당장에 교꾼을 내어 데려다놓았어. 헌데 사주를 꿰고 보니 팔자소관이 남편을 셋이나 잡아먹는다구 나와 있더란 말이야. 우리게선 이미 소문이 짜하게 돌았을걸. 자, 이 양반이 누이를 다시 시집 보내자니 또 과부 신세가 될 것이요, 아니 보내자니 평생을 음양의 이치두 모르고 살아갈 게 너무 애처롭다 그런 얘기여. 해서 액땜을 하겠단 묘한 궁리를 했겠지. 지나가는 타관 사람을 꼬여다가 사주단자를 지어서 형식으루 예를 갖춘 뒤에 세상모르게 죽여버리는 게요. 오늘밤 댁네가 총각 차림으로 그런 곳엘 제 발로 찾아들었으니 안성맞춤이었겠지. 그래 댁네는 그 과수댁의 셋째 남편 노릇만 하고는 객사 원혼이 될 뻔했소. 아마 강초시 같은 사람은 재물이 제일이니, 댁넬 죽여놓구 그 거짓 고향으루 돈냥이나 보낼 생각이었겠지. 사람 속두 모르구 다 피차에 좋은 일이려니 여겼던 게요. 아무리 팔자를 고친다지만 그 과수댁 당사자야 얼마나 끔찍한 생각이 들었겠소. 더구나 댁네가 남장을 입어놓고 보면 신선 같은 미남자일 테고…… 그래 요놈은 살려주자 했겠지."

늙은이가 연신 웃어대며 이야기를 했고, 묘옥은 마치 여우에 홀린 기분이 들었다.

"그러면 제가 실은 계집이라고 밝혔다면 이런 고생은 하지 않을 걸 그랬네요."

"아니지, 여자라 밝혔어두 댁네는 죽었을 거야. 말이 나가서 소문이 밖에 퍼지면 저희 가문이 위태로울 테니까. 이왕지사 작정 내린 대로 죽였을 거요."

"제 팔자 고치겠다구 남의 목숨을 끊다니요."

"다 복에 겨우면 그리되는 게요. 말 타면 견마 잡히구 싶다잖소."

"아버지, 지난번에 그 집에 녹피혜를 전하러 갔더니 웬 도령이 별당에 앉았데요. 가만 살펴보니 빈천한 집에서 소년을 사온 모양입디다. 그때엔 그냥 강초시가 후사가 염려되어 양자를 들였나 생각했었지요. 며칠 후에 신값을 받으러 갔을 때엔 총각이 보이질 않았어요. 참 이상하다구 생각했지요."

"죽였겠지."

늙은이가 말했고, 묘옥은 그제야 두려움이 실감되어 덜덜 떨기 시작했다.

"닭 울 녘이 지났겠지요. 어서 떠나야 되겠습니다."

묘옥이 길 떠날 것을 서두르며 일어서자 늙은 갖바치가 만류했다.

"이렇게 어두운데 학령을 넘으려고? 옷두 젖었으니 한기에 견디지 못할걸……"

"동이 트면 제가 길안내를 서드리겠습니다. 그동안 눈이나 좀 붙여두시지요."

젊은 갖바치도 친절하게 말했으므로 묘옥은 다시 주저앉았다. 그들이 가죽을 꿰매면서 서로 얘기를 주고받는데 묘옥은 끄덕끄덕 졸면서 듣는 둥 만 둥 했다.

"엊저녁에 큰우물골에 거사패가 들어왔습디다. 사당들이 어찌나 고운지 총각놈들 애가 달아서 밤새껏 사처 근처에 서성거리데요."

"그 모가비(某甲)는 내가 잘 아는 사람이다. 안성 높은쇠 달근네 패라구 여러 장터를 돌아다닌 사람은 대개들 알구 있지. 고달근(高達根)이는 무동이 때부터 나다녔으니 나보담 위또래까지 모두 얼굴을 알걸. 달근네 여사당들은 기생들 빰치게 절색이고 가무가 뛰어난데, 거의 도망친 비녀(婢女)들이라는 소문이 파다하지."

"아버지, 그 패거리가 하루 더 묵으면 구경 좀 갑시다."

"미쳤구나. 일거리가 산더미 같은데, 언제 신 다섯 죽을 재가에 넘기려느냐."

어느새 묘옥은 화로 곁에서 잠이 들고 갖바치 부자는 부지런히 가죽 꿰는 작업을 계속했다.

"에구머니, 벌써 이렇게 되었네."

날이 훤해진 다음에야 잠이 깬 묘옥이 놀라서 후닥닥 일어났고, 갖바치 부자가 조밥 한 그릇을 밀어주었다. 그들은 아침을 먹는 중이었다.

"걱정 마시오. 아직 사람이 나다닐 때는 아니니까. 조반 마치고 영을 오르면 맞춤일 게요."

늙은이가 말했다. 묘옥은 머리도 가다듬고 두건도 단단히 동인 다음 초립을 쓰고 행전을 조여맸다.

조반 뒤에 따라나서려는 젊은이를 끝내 사양하고서, 일러준 대로 큰길을 피하여 숲속으로 들어갔다. 골짜기가 깊어진 다음 가파른 산길을 올라 길에 들어섰다. 나무들이 거지반 낙엽을 떨구어 앙상한 가지를 드러내고 있었으나 울창하여 굽돌아진 길 앞은 잘 보이지 않았다. 달마산(達摩山) 줄기가 남북을 가로지르고 동서쪽으로 백운산(白雲山)과 불타산(佛陀山)에 이르고 다시 바다까지 치밀어가서 연지봉과 장산곶을 이루게 되어 있었다. 또한 남북으로는 구월산 줄기의 끝에서 수양산에 이르니 학령은 참으로 녹림당들에게는 그럴듯한 요충의 지점이 아닐 수 없었다.

해서를 횡으로 가르고 지나가는 멸악산맥(滅惡山脈)의 연이은 산줄기는 구월산 줄기처럼 깊은 골짜기와 숲이 많고 길이 여러 곳으로 통하여 세상을 등진 자들이 숨어 살기에 적당했다. 더구나 학령은 풍천 은율 문화 송화의 여러 읍에서 해주로 닿는 직로의 가운데 지점이었으므로 포도군관이 해지점(蟹池店)을 근거로 산길을 순찰하였다.

묘옥은 굽이굽이 도는 영 넘어 길을 올라 달마산에서 내달은 등성이가 왼편에 보이고 오른쪽으로 백운산, 불타산으로 닿는 등성이가 보이는 영 중턱에 이르렀다. 사방은 잣나무와 도토리나무, 사철나무의 짙은 숲인데 어디선가 낙엽을 밟는 사람의 발걸음 소리가 들렸다. 겁이 덜컥 생긴 묘옥이 걸음을 빨리하는데 좌우 등성이에서 맨두건 바람에 몽둥이를 든 장한 두엇이 우뚝 일어섰다.

"이놈, 게 섰거라."

섰거라 했다고 그 자리에 섰는 사람이 있을 리가 없으니, 묘옥은 귀 떨어지면 내일 줍자고 내리막길을 달음질쳤다. 뒤에서도 뛰는 발걸음 소리가 났다. 쫓아오면서 그들은 각기 위협을 하는데,

"이놈, 서지 않으면 박살을 낼 테다."

"달아나면 너는 다 살았다."

순간 묘옥은 눈앞이 캄캄하였다. 정면 길 가운데에 날이 시퍼런 환도를 빼들고 섰는 텁석부리 사내를 보았기 때문이다. 묘옥이 발을 멈추고 뒤를 돌아보니 몽둥이를 든 두 녀석은 뛰지도 않고 싱글거리면서 걸어왔고, 앞에 섰던 털보도 칼을 두어 번 뿌리쳐 보인 다음 느릿느릿 다가섰다.

"잘 걸렸다. 안 그래두 피맛을 보지 못한 내 칼이 마수걸이를 기다리던 참이다."

묘옥은 장딴지와 무릎에서 저절로 기운이 빠져버려 스르르 주저앉아 괴나리봇짐을 벗어 그들의 발 앞에 던졌다.

"달아나지 말라구 몇번이나 일렀지. 이젠 살아갈 생각 마라."

"어디 우선 봇짐이나 뒤져볼까."

"어이, 묵직한데."

그들은 봇짐을 끌러보고 돈꿰미가 두 줄이나 있는 것을 보자 입이 주욱 찢어졌다.

"아침 해장치고는 꽤 배가 부르겠네."

"대강 치워버리구 내려가지. 달마산 수돌네가 목 잡으러 나오면 가만있지 않을 테니."

"생피할 놈들, 멸악에나 자빠져 있지 예까지 와서 남의 목을 빼앗아……"

"시끄럿, 쓸데없는 소리들 말구 내려가."

털보가 두 놈을 윽박지른 뒤에 묘옥을 물끄러미 내려다보더니 그 여자의 턱에 슬그머니 칼끝을 대어 치켜들었다.

"어디 보자. 허허, 그놈 참 계집처럼 예쁘게도 생겼고나. 어디부터 베어주랴. 헌데 웬 상놈이 이렇게 속살이 희단 말이냐. 가만있자……"

칼을 거둔 털보가 묘옥을 훑어보다가 다리를 포개고 얌전히 앉은 모습을 확인하고 픽 웃었다. 그의 입가에서 웃음이 가시는 듯하자 와락 달려들어 묘옥의 저고리 앞자락을 움켜쥐었다. 묘옥이 본능적으로 비명을 내지르는데 새된 여자 목소리를 감출 수가 없었다. 털보는 묘옥의 가슴을 더듬고 나서 앙탈하기 시작한 여자를 가볍게 들어 안고 후미진 고랑으로 내려갔다.

"내 이런 봉을 봤나! 이년아, 사지를 찢어 죽이기 전에 가만있거라."

"사…… 사람…… 살려요."

"네년이 소리쳐봤자 듣는 이는 우리 아이들뿐이다. 공연히 곱으루 당하지 말구 얌전하게 한 번만 주면 봇짐두 찾아주지."

잡초가 무성한 풀숲에 묘옥을 내던진 털보는 묘옥의 바지를 끌어내리려고 허리끈을 찾았고, 묘옥은 눌린 상체를 빼치려고 버둥대면서 한 손은 바지를 꼭 잡고 놓질 않았다. 기왕지사 천기(賤妓)가 사내를 가릴 것인가마는 이제 묘옥은 예전의 묘옥이 아니었다. 처형을 기다리는 사랑하는 지아비를 찾아나선 아내와 같았던 것이다. 혀를 깨물고 죽을지언정 그 어느 사내의 몸도 닿게 해서는 안 되었다. 그러나 여자의 힘에는 한도가 있는지라 우악스런 사내의 힘을 당하지 못하여 저고리는 찢기고 아래도 속곳이 드러났다. 여자의 목소리를 듣고 달려온 나머지 놈들도 이 뜻밖의 광경을 보고 희희낙락하여 제 두목을 도우려고 풀숲으로 들어섰다.

"다리 좀 잡아, 다리를."

텁석부리는 거친 숨을 내쉬며 다급하게 외쳤다. 다른 두 놈이 묘옥의 다리를 슬쩍 비틀어잡고는 지그시 누르고 앉아 기쁨을 어쩌지 못하여 낄낄거렸다. 묘옥의 속곳이 막 끌어내려지는데 길 위쪽에서,

"거, 뭣 하는 짓이냐!"

하는 찌렁찌렁한 목소리가 들려왔다. 텁석부리는 아직 정신을 돌이킬 여유가 없었고 묘옥의 다리를 누르고 있던 두 놈이 벌떡 일어났다. 덩치가 제법 크고 어깨가 탄탄해 보이기는 하였으나 지게에 물건을 얹은 품이 혼자서 시골마을로 장사나 다니는 녀석이 분명하였다. 행상꾼이 다시 호통을 쳤다.

"까짓 계집 하나에 사내 셋이 달라붙어 바둥대누나."

"저놈이 죽지 못해 환장했나."

"감히 장사치 녀석이 달마산주를 몰라보구……"

두 놈이 번갈아 시선을 마주쳤고, 텁석부리도 못내 아쉬운 듯이 속을 드러낸 채 죽은 듯이 자빠진 묘옥의 몸 위에서 일어나 환도를 집어들었다.

"사지를 토막내주마."

행상꾼은 지게를 벗어 작대기에 받쳐 세워놓고 무언가 한 줌을 집어들었다.

"예끼 놈들, 희한한 구경을 하노라 말참견 좀 했기로서니…… 에, 더럽다 더러워, 부정 탄다 부정이요 부정이오. 쉬이……"

사내가 손에 쥔 것을 아랫녘의 세 도적에게로 뿌리는데 바로 소금이다.

"저 망할 자식 같으니!"

"등골을 분질러놔라!"

몽둥이를 든 두 놈이 행상꾼의 양쪽으로 다가섰고 환도를 비껴든 털보는 잠시 관망하고 서 있었다. 행상꾼은 전혀 놀라는 빛도 없이 싱글벙글하는데, 두건으로 동이지도 않은 더벅머리가 등뒤로 늘어져 있었다.

"어허…… 이러지들 말자구. 나는 그저 지나가다 구경이나 하려던 참인데 잠자코 지나가기가 아까워서 그만, 실수했네."

"어린 놈이 입만 살았구나."

"소금장수 반십년에 별별것을 다 봤지만, 청천백주에 사나이 세 놈이 계집 하날 같이 깔구 앉은 꼴은 또 처음 봤군."

더이상 지지재재할 것도 없이 두 놈이 제 깐엔 악에 받친 고함을 내지르며 몽둥이를 휘두르고 달려들었다.

"어!"

황소라도 그런 매를 맞고는 뼈다귀가 으스러졌겠는데 의외에도 행상 총각은 양손에 몽둥이를 턱 받아쥔 것이다. 양쪽의 몽둥이를 잡고 섰는데 두 놈이 서로 죽을 힘을 다하여 당기건만 꼼짝도 않는다.

"이놈들아, 똥 싸겠다. 헛기운 쓰지 말어라."

총각이 별로 힘도 주지 않고 슬쩍 잡아채니 두 도적이 고꾸라지며 몽둥이를 놓쳐버렸다.

"뭘, 이까짓 작대기 따위로 그렇게 항우 같은 소리만 냅다 질러댄담."

총각은 벌벌 기어서 몸을 빼쳐나가는 놈들을 거들떠보지도 않고서 굵기가 한 주먹감은 넘어 뵈는 몽둥이 두 개를 포개어잡고서 끙 한번 힘을 주었다. 웃는 얼굴인 채 잠깐 입이 다물어졌나 싶었는데 우지직하며 몽둥이 두 개가 대번에 꺾어졌다.

"옜다, 가져다가 느이 집 뒷간에 부춘대루 박아놓고 된똥 나와 힘쓸 때마다 붙들구 용써봐라."

두 녀석은 완전히 기세가 죽어서 제 두목의 얼굴만 바라보았다.

"네놈의 목을 치지 못하면 내 불알 찬 사내가 아니다."

기세 좋게 환도에서 쨍 소리가 나도록 좌우로 휘둘러 보이며 털보가 소금장수 총각에게로 달려들었다.

"어어라…… 나는 맨손이여. 다칠라, 그 위험한 짓 그만두게."

뚝심깨나 믿고 있는 듯한 총각은 조금도 놀라지 않고 오히려 농지거리를 하면서도 뒤로 물러섰다. 날이 시퍼런 환도는 들었으되 검술 한번 배운 적이 없는 두목은 무지막지하게 휘둘러대면서 총각을 덮쳤다. 총각은 뒷걸음질치기도 하고 옆으로 빠져 달아나기도 하면서 칼날을 피하다가 무슨 생각이 들었는지 텁석부리에게서 멀찍이 달아났다. 털보가 의기양양하여 칼을 연신 내리찍으면서 쫓아갔다. 총각이 잠시 구부리더니 길가에 박힌 다듬잇돌 두어 배 됨직한 바윗덩이를 쑥 뽑아냈다. 총각은 짚덤불 다루듯 가볍게 머리 위로 치켜들며 텁석부리에게로 마주 섰다.

"칼 치우지 못해."

하도 어처구니가 없어져서 입을 뻥하니 벌린 채 섰던 텁석부리가 칼을 늘어뜨리고 섰더니 돌아서서 달아나기 시작했다. 총각은 바위를 쳐들고 성큼성큼 따라간다.

"이 자식아, 어디로 도망가니."

"아이구, 미련한 놈 다 보겠다. 네까짓 거하구 상대 안 할란다."

"바위찜질이나 맞아봐라."

에잉 하면서 총각이 쳐들었던 바위를 냉큼 집어던지는데 달아나는 털보의 다리 장딴지에 가서 떨어지며 그는 애고 소리 한번에 앞으로 고꾸라진다. 오른발을 바위가 찍어눌렀는데, 갈데없이 다리뼈가 요절이 나버린 모양이었다. 총각은 숨결 한번 거칠게 내쉬지도 않고 어슬렁어슬렁 다가와서 도적의 상투를 꺼들어올리고 쇠스랑 같은 손바닥을 펴서 번쩍 치켜들었다.

"옳지, 주먹으루 치면 뒈질 테니까 따귀나 몇대 때려줄까."

"아이구 장사님, 살려주…… 목숨만 살려주시우."

그렇지 않아도 총각의 괴력에 정신이 아뜩한데다 왼쪽 다리를 바위에 찍혀눌린 털보는 이빨을 맞부딪치면서 싹싹 빌었다. 멀찍이 섰던 도적들이 제 두목의 당하는 꼴을 보고 나서 달아나는데, 총각이 그 자리에 서서 고함을 꽥 내질렀다.

"쫓아가 모가지를 뽑아놓기 전에 게 섰거라. 거기 섰어!"

주춤하더니 두 놈이 발을 떼지 못하고 서버렸다. 총각이 또 한번 외친다.

"이 우애 없는 놈들, 제 동무를 버리구 달아나면 어쩌느냐, 이리 와!"

두 도적들은 내키지 않는 걸음으로 다가오더니 비실비실 무릎들을 꿇고 엎드러졌다.

"비록 눈은 있으되 분별이 모자라 경거망동하였습니다."

"천하장사를 몰라뵙고 죽을 죄를 지었소이다."

"어서 이 녀석을 끌어내라."

바윗덩이를 치우니까 피에 흠뻑 젖은 털보의 발목은 아주 으스러졌는지 너덜대고 있었다.

"너희들 달마산 패거리냐?"

사색이 되어 빌고 엎드린 세 도적을 내려다보며 총각이 물었다.

"예, 저희는 본시 탑벌(塔坪) 두내리 사는 농투성이들인데 마름에게 빌렸던 땅을 빼앗겨 먹구살 길이 막막하여 백운산에 들어가 이짓으루 부모처자를 봉양하구 있습지요."

다른 자가 다시 늘어놓았다.

"여기 학령이 원래는 저희 백운산에서 나와 지키던 목인데 달마산 아이들이 수 많은 것을 믿구 우릴 밀어냈습니다. 그래 저희는 식전부터 오정때까지 그저 한둘 지나는 행인의 봇짐뒤지기루 연명하구 있습니다."

"백운산에 너희 같은 놈들이 몇이나 되니?"

"백운산엔 저희말구 너덧 명 있을 뿐이고, 그보다는 불타산 천불사 근처에 도망한 종놈들이 패를 짠 천불사패가 있습니다."

총각이 제 가슴을 두드리며 제법 큰소리를 쳤다.

"응, 천불사패라면 해적질두 나가는 심백이 식솔들이군. 달마산엔 수돌이가 있을 게구…… 그 자식들께 내 이름을 대어봐라, 모두 내 하수뻘 되는 놈들이니까."

한 녀석이 용기를 내어 총각에게 물었다.

"장사의 존함이 뉘십니까?"

"나는 장연(長連)의 소금장수 강선흥(姜善興)이란 사람이다."

총각의 말이 떨어지자마자 신음소리만 내고 있던 털보가 말했다.

"어이구, 그러면 남대천(南大川) 자갈밭에서 황소뿔을 잡아뽑았다는 그 강총각입니까?"

소금장수 총각은 고개만 끄덕였다. 이제 도적들은 완전히 기가 죽었을 뿐만 아니라, 인근에 왁자한 소문이 나 있는 장사에게 걸려 이만이라도 다행이거니 여겨 한숨들을 내쉬었다. 남대천 자갈밭에서 싸움하는 황소들의 가운데로 달려들어가 양손에 뿔을 잡고 떼어 말리고는, 그중 끝내 날뛰는 놈을 붙잡아 태기를 쳐버린 소금장수 강총각은 도적들 사이에서도 잘 알려져 있었다. 천불사의 심백이와 달마산 수돌이는 강선흥과 술먹기 내기도 했던 사이였다.

"물건이나 뺏으면 그만이지 아낙네를 겁간하면 어쩌누. 어서 그 다친 사람 데리구 가거라."

총각이 받쳐놓았던 지게 앞으로 돌아가며 말하자 도적들은 이제 살았다는 동작이 되어 발목 부러진 텁석부리를 양쪽에 부축하고는 게발걸음으로 사라졌다. 지게를 지려던 강선흥이 그제야 풀숲에 쓰러진 아낙네 생각이 나서 뭐라 혼자서 툴툴대며 아래로 내려갔다. 강선흥이 내려가니 찢어진 옷자락을 추스르고 있던 묘옥이 경계의 눈빛으로 쏘는 듯 바라보며 일어났다.

"무서워 마우. 도적놈들은 달아났으니까 그 옷이나 좀 갈아입으슈. 그래가지고 어디 사람들 앞에 나서겠수?"

묘옥은 대답 없이 돌아앉아 머리를 쓰다듬어 올리고 초립을 얹었다. 바지는 흙이 묻어 털어내면 말짱하겠으나 저고리는 온통 찢어지고 고름도 떨어져나가 입을 수가 없었다. 묘옥이 새 저고리를 꺼내며 돌아보니 총각은 길 멀찌감치 물러섰는지 보이질 않았다. 그 여자가 복장을 단정히 하고서 길 위에 올라 소금이며 미역이며 굴비두름을 가득 얹은 지게를 진 총각을 살피고야 그가 도적의 일행이 아니라 행상꾼인 줄로 알게 되었다.

"욕을 보고 죽게 된 것을 살려주셔서 고맙습니다."

묘옥이 단정하게 허리를 굽히며 치사를 했지만 총각은 지게를 지고 앞서 걸어가며 내외하는 말투로 건네왔다.

"거 아무리 남복을 했다지만, 이렇게 호젓한 길을 다니려면 동행을 구해야지, 욕을 보아 싸다구 말허우."

"죄송하다고 여쭙니다."

소금장수 총각과 묘옥의 내외하는 수작이 오고갔다.

"어디까지 가시느냐구 여쭈오."

"해주까지 가는데 오늘 해 안으로 닿아야 한다구 여쭙니다."

"어째서 그 먼 길을 혼자서 가시느냐구……"

"우리 댁 어른이 도적으로 몰려서 해주 저자에서 참수형을 당하시게 되어, 먼빛으로 얼굴이라두 볼까 하여 찾는 길이라구 여쭙니다."

"허, 그 참 딱한 사연이라 하오."

강선흥이 박대근과 아우 형 하는 사이라서 길산이가 만났다면 대번에 기억해낼 수도 있었건만 두 사람 모두 알 턱이 없었다. 갑송이의 기운에 맞간다고 박대근이 여러 번 자랑해오던 아우였던 것이다. 선흥이가 인정이 뚝뚝 돋는 말씨로 얘기했다.

"거 같잖게 내외 말투를 쓰자니 거북해서 안 되겠소. 그저 댁네 시동생 만난 셈치구 이물 없이 말하슈. 나 지금 해주에 물건 하러 가는 길이니 댁네를 데려다드리리다."

묘옥이 눈을 내리깐 채 고개를 숙여서 사례를 올렸다.

"정말 고마워요."

강선흥과 묘옥이 동행하여 영을 내려와 해지점에 이르렀는데 아직 점심 먹을 시각은 아니지만 중간에 마땅한 곳도 없어서 이른 대로 주막을 찾기로 하였다. 겉보기에는 보상(褓商)과 부상(負商)이 사이좋게 장사 다니는 것만 같았다. 하나는 광대뼈가 불거지고 얼굴이 시커먼 쇠도적놈처럼 우락부락한데 다른 하나는 선비같이 해사하고 얌전하여 기이한 대조를 이루었다. 아직 길 가는 사람들이 모여서 넘을 시각이 이른지라 마당 안이 텅 비었으려니 생각했는데, 주막의 싸리 울타리로 다가서자 여럿의 웃음소리와 떠드는 소리가 들려왔다. 안으로 들어서니 사당패들이 마침 점심을 먹는 중인데, 거사 몇사람과 여사당들이 마루와 마당의 멍석을 차지하고 앉아 있었다. 툇마루에 포교와 포졸 두엇이 앉아서 막걸리잔을 들고 여사당들과 농을 주고받는 중이었다. 강선흥과 묘옥은 멍석 한쪽에 주저앉으면서,

"요깃거리 좀 주오."

선흥이 말하니 주모가 다가온다.

"국밥하구 탁배기두 좀 하시려오?"

"국밥 둘만 말아주구, 막걸리 두 되쯤 주오."

묘옥이 선흥이와 마주 앉아 옆에 시선을 주지 않고 고개를 숙이고 있는데, 타령을 낮은 곡조로 흥얼대던 사당 하나가 중얼대는 소리가 들렸다.

"참으로 인물일세! 저리 잘난 사내는 처음 보겠네."

묘옥이 얼결에 얼굴을 들어 바라보니 녹의홍상 받쳐입고 얹은머리에 붉은 댕기 길게 드리웠는데 눈가에 요염한 기가 서려 있었다. 묘옥과 눈이 마주치자 여사당은 입가에 웃음을 흘리면서 종알거렸다.

"행하를 안 주어도 정분이 나겠네."

거사가 그 소리를 듣고 돌아보는데 다른 사당들도 맞받아 속삭였다.

"에구, 저런 사내나 따라가 어디 들어앉아 살았으면."

술상이 올라와 묘옥이 국밥을 뜨는데 사당 하나가 몸을 기울이며 말을 건넸다.

"여보셔요, 술 한잔 주시겠어요."

강선흥이 부릅뜬 눈으로 바라보다가 껄껄 웃고는 묘옥이 대신 술을 권한다.

"그래라, 한잔 마셔라."

"누가 총각보구 달랍디까, 저분에게 그랬지."

"얘, 이것아 술맛이 인물 따라 간다더냐. 한잔 먹어라."

사당이 받으려 하지 않고 묘옥의 쪽만 바라보는데 곁에 앉았던 거사가 핀잔을 주었다.

"무슨 짓이야, 모가비님께 혼찌검당할려구 그래?"

"얘, 너 이리 와서 술 좀 따라라."

툇마루에 앉아 사당의 거동을 보고 있던 포교가 말하였다. 흘긴 눈으로 포교를 노려보면서 사당이 새침하게 받았다.

"나리는 행하도 주실 리 없으니…… 싫소이다."

"이년아, 행하를 누가 안 준다더냐, 어서 술 좀 쳐다우."

불그레하게 술기가 오른 포교가 비실비실 웃더니 성큼 툇마루에서 내려와 사당의 손목을 붙잡아끌었다.

"에구, 이 손목 놓아요."

"이년, 말 안 들으면 민가에서 상풍한 죄로 끌어다가 가두리라."

"언제 내가 상풍했나요?"

"모르는 행인에게 버젓이 드러내놓고 매음을 하려 드니 여기가 놀이마당두 아닌데, 상풍이 아니고 무엇이냐."

포교가 막무가내로 사당의 손목을 잡아끄는데, 다른 사당들은 모두 제가 봉변당할까 두려워 움츠리고 있었으며, 거사들은 또한 제 계집이 아닌 외사당인지라 포교의 하는 양을 방관하고 앉았다. 강선흥이 참지 못하고,

"나리, 거 너무 심하우. 나리두 상풍하시는구려."

"뭐야…… 네놈은 누구냐?"

"보시다시피 장사 다니는 사람이오."

"그래 장사 다니는 녀석이라면 무엇을 파느냐, 짐뒤짐을 해봐야겠다."

"마음대루 하슈. 소금하구 미역에 조기 몇두름 있을 뿐이오. 그나저나 거 손목 좀 놓아주시지요."

"이 건방진 놈 보아라."

포교가 사당을 놓고 강선흥의 멱살을 잡더니 대뜸 빰따귀를 철썩 올려붙였다.

"어……"

눈에서 불이 번쩍 나도록 얻어맞은 선흥이가 드디어 분기를 참지 못하고 포교를 달랑 들었다.

"명색이 포교라면 도적을 잡아야지, 어디서 건주정이야. 나중에 관가에 가서 토설할 셈치고 혼 좀 나야겠어."

강선흥은 포교가 지푸라기 뭉치나 된다는 듯이 위로 번쩍 치켜들고 빵빵이 맴돌기를 시켜주고 나서 땅에다 쿵 내려놓았다. 어지럼증에 비틀대면서 포교는 감히 달려들지 못하고 강선흥을 멍청히 올려다보았다.

"이놈이 학령에 출몰하는 화적패가 틀림없다. 달려들어 오라를 지워라!"

포교가 벌떡 일어나 쇠도리깨를 허리춤에서 빼어내며 말했다. 포졸들이 육모방망이를 잡고 손바닥에 침을 뱉고 나서 강선흥을 둘러쌌다.

"여러 거사님네들, 나중에 말 좀 해주시우. 내 이 나리님들 버릇 가르칠 테니."

거사들이 대답은 하지 않았으나 속으로 은근히 즐거워하였다. 포교가 멍석에 차려진 밥상을 발길로 걷어차내고 강선흥이께로 달려들었다. 한꺼번에 와락 달려들 기세들인데, 마침 싸리문으로 들어서던 사당패 모가비 고달근이 가운데로 들어섰다.

"아이구, 나리들 이거 웬일들이슈?"

고달근의 목소리는 마치 솥바닥 긁는 소리처럼 되게 갈라졌다. 고달근은 검은 얼굴이 심하게 얽어 있었다.

그는 방금 해지점 사금터에 찾아가서 광부마을의 공연 허가를 얻어가지고 돌아오는 길이었다. 고달근은 문밖에서 소란한 소리에 이미 주인께 물어 대강 자초지종을 알고 있었다.

"나리, 고정하시우."

"음, 달근이 왔느냐. 이놈 너희 사당 하나를 불러 술 한잔 쳐달랬는데, 내게 욕을 보이는구나. 너희들두 모두 상풍 혐의루 잡아가야겠다. 우선 이 행상놈을 때려잡고 나서……"

달근이는 눈짓으로 제 패거리를 문밖에 내몰도록 하고 보퉁이에서 무명을 꺼내어 취한 포교를 달랬다.

"나리, 술값이나 하시지요. 얼마 되지는 않습니다만……"

포교는 곁눈질로 무명을 내려다보고 나서 제 졸개들에게 받아두도록 하였다. 강선흥이 잔뜩 손을 벌리고 포교의 도리깨를 막을 태세를 취하고 있다가 휑하니 돌아서더니 지게를 지는 것이었다.

"이놈아, 어디루 갈려느냐."

"죄지은 일 없으니 나는 가겠소."

"공무 중인 포교를 꼬나잡고서 죄가 없다……?"

"이거 왜 이러슈. 나두 감영엔 아는 이가 많다우. 내가 누군고 하니 장연 사는 강선홍이요."

"소금장수 강선홍이냐?"

"글쎄 당장 굶어두 남의 쌀 한 톨 넘보지 않는 사람더러 화적이라니 화가 안 나겠수. 좌우간에 시비가 모두 끝났으니 나는 갈라오."

머쓱해진 포교를 남겨두고 강선홍은 주막을 나섰다. 나와 보니 묘옥이와 사당패들은 밭둑길에 웅기중기 앉고 서서 떠날 채비를 하고 있었다.

"이년들, 너희 때문에 벙거지 나부랭이와 시비할 뻔하였다. 추파를 던지려면 나 같은 대장부께 던져야지."

강선홍이 주절대며 그들께로 다가서는데, 고달근이 따라왔다.

"여보 총각, 나 좀 봅시다."

"왜 그러우?"

"당신 땜에 상목 한 필을 빼앗겼으니 조기 몇두름 두고 가슈."

강선홍이 어이없다는 듯 껄껄 웃어젖힌다.

"별꼴 다 보겠군. 제 발이 저려서 뇌물 쓴 것을 누구보구 물어달래. 여보, 중화 자신 것 얹혔수?"

고달근도 객지 물을 평생 먹은 사내라 만만치 않았다. 곰보 얼굴이 시뻘겋게 되었으나 그는 꾹 참고서 점잖게 나왔다.

"사리를 따져보시우. 우리 아이를 포교가 희롱했다손, 댁이 중뿔나게 나설 게 무어요. 예서 사단이 터지면 혹시 마을 놀이에 지장이 있을까 하여 수습했는데 이건 모두 총각 때문이 아니오. 당신 관가루 끌려갈 것을 무마해주었으니 어서 굴비 서너 두름 내놓우."

강선홍도 코웃음을 치고 섰더니 지게를 벗으려고 어깨를 구부렸다. 그러나 벌써 눈치를 챈 고달근이 손을 내저었다.

"댁네 성깔만 울락불락했지 도통 물정을 모르는구먼. 여기선 남의 눈두 많으니까 또 벙거지들 밥벌이시켜줄 게야. 청산내 모래밭에서 얼려보지."

"좋두룩 해. 만약에 씨름을 해서 내가 이기면 거기 갖구 있는 상목을 모두 내게 내놓구 거기가 이기면 이 지게째 몽땅 내줄 테여."

고달근이 누런 이를 드러내며 씩 웃었다.

"우린 씨름 같은 건 안 해."

고달근은 강선흥을 깔보는 듯한 어조로 말했다.

"그런 따위 기운 자랑은 않는 성미라서……"

"좋아, 한바탕 싸워보잔 말이지. 허리뼈가 부러지거나 다리가 꺾어져두 원망 말라구."

"누가 부러지는가는 실지루 해봐야지. 헌데 보아하니 면총각두 못 한 주제에 누구에게 대구 반말지거리야?"

"겨루는 마당에 반말 온말 가리게 됐나?"

"이 사람아, 그래두 예의는 있는 법인데…… 나는 거의 반팔십 된 사람이야."

"이기는 사람이 성님이지 나이가 무슨 소용이래."

둘이 쓸까스르는 어조는 험악하다기보다 어딘가 장난스러운 데가 있었다. 모르는 사람이 볼 적에는 오랜만에 만난 소년들이 서로 젠척하며 타시락대는 것으로 여길 정도였다. 묘옥이도 곁에 따라가면서 그들의 어조가 자못 흥겨운 데 안심을 하였다. 사당패들은 콧노래를 흥얼거리며 두 사람의 뒤에 멀찍이 떨어져서 왔다. 청산내 모래밭이 내려다뵈는 둔덕에 이르러 다른 사람들은 남고, 웃통을 벗어던진 강선흥과 고달근이 아래로 내려갔다. 강선흥이 먼저 손을 뻗쳐 달근이를 잡으려고 덤비자 그는 공중 곤두질로 휘익 떴다가 선흥의 반대편으로 섰다.

"여기야, 여기!"

선흥이 다시 내달으며 달근을 잡으려고 손을 뻗치자 그는 뒤로 넘어지듯 하다가 팔랑개비처럼 재주를 팔딱 넘으면서 멀찍이 물러섰다.

"싸움하겠다더니 다람쥐처럼 도망만 다니면 젤인가?"

선흥이 투덜대면서 아예 잡을 생각도 않고 코를 행 풀더니 둔덕 위로 슬슬 올라가는 것이었다.

"쳇, 이따위 싱거운 싸움질은 못 하겠네."

이때 뒤로부터 달려온 달근이 뛰어오르면서 선흥의 목덜미를 끌어안아 꺾으려고 힘을 썼다. 힘은 썼으나 선흥이 기운에는 당할 상대가 없는지라 한번 손을 뻗쳐 달근의 앞섶을 잡자마자 바싹 끌어 앞으로 메다꽂았다. 달근이 보통 사람 같았으면 엉치뼈가 으스러졌겠지만 워낙에 살판에서 곤두질로 익힌 몸매라서 다리를 세워 버티며 일어선 자세였다. 선흥이 잡았던 앞섶을 놓치지 않고 그대로 머리 위로 치켜들어 공중제비로 한참 동안 맴을 시킨 뒤에 멀찍이 휘익 내던졌다. 달근이 거꾸로 박히기는커녕 오히려 제 몸을 솟구쳐 껑충 뛰어올라 두어 바퀴를 돌고서 똑바로 서버렸다.

"아따, 거 희한한 재주일세."

"집어던지지 말고 우리 뭐 병장기라두 가지고 싸워보지."

"옳지, 나는 병장기가 따로 없으니 나무나 한 그루 뽑아 쓸까?"

고달근은 강선흥이 두 뼘 굵기는 좋이 되어 뵈는 나무를 훑어잡이로 수월하게 쓰윽 뽑는 것을 보고도 별로 놀라지 않고 빙그레 웃었다. 강선흥이 나무의 잔가지를 툭툭 쳐내고 중동을 뚝 꺾어 손아귀에 쥘 만한 길이로 만들어 쥐었다. 그제야 고달근이 허리띠 뒤에 꽂고 있던 장죽만 한 길이의 말채를 뽑았다. 그가 말채에 친친 감긴 채찍을 털어내듯 하고 나서 허공으로 좍 흩뿌리니 쌩 하는 날카로운 바람 가르는 소리가 들리며 세 팔 길이쯤 되는 채찍이 윙윙거리며 돌아갔다.

선흥이가 몽둥이를 휘두르면서 달려드는데 달근의 휘두른 채찍이 휭 날아가 선흥의 뺨을 때렸고 붉게 피맺힌 자국이 생겨났다. 선흥이 얼굴을 찡그리고 주춤했으며, 이어서 채찍은 선흥의 몽둥이 잡은 손등을 날카롭게 파고들었다.

"어디를 때려주랴. 콧잔등, 귀, 눈알까지 마음먹은 대로 떼어주겠다. 납방울을 떼었으니 망정이지 달아두었더라면 네 살점이 한 움큼씩 떨어졌으리라."

"까짓 당나귀 궁둥이나 두드리는 것으로 내 뚝심을 당하겠냐?"

강선흥이 앞으로 몇걸음 내닫는데 다시 날아든 채찍이 그의 콧잔등을 호되게 때리고 지나갔다. 거의 눈마저 제대로 뜰 수 없을 정도로 날아든 채찍이 강선흥의 사지를 곳곳마다 찢어놓았다. 분기탱천한 선흥이가 전신에 채찍을 맞아가며 파고들어 몽둥이를 휘둘렀다. 고달근은 여유 있게 뒤로 물러서며 채찍을 휘두르다가 채를 잡은 손을 뒤로 뿌리치지 않고서 앞으로 내민 채 힘을 끊으니 채찍의 끝이 몽둥이에 뱀 서리듯 겹겹이 감겼다. 휙 낚아채는데 그만 불시의 일이라 선흥이는 몽둥이를 놓쳐버렸고, 퉁겨오른 몽둥이가 드높이 올라갔다가 멀찍하게 떨어져버렸다.

"자, 이젠 졌으니 굴비두름을 내어놓아라."

고달근이 곰보 얼굴에 웃음을 가득 떠올리고 양양하게 말했다. 그는 말채를 땅에 늘어뜨리고서 한 번씩 퉁겨올려 보이곤 하였다.

"잡히기만 하면 병아리처럼 모가지를 비틀어줄 테다."

선흥이 제 결기를 이기지 못하여 두 팔을 앞으로 내뻗고 벽력 같은 고함소리로 덤벼드는데, 고달근은 재빨리 채를 들어 휘둘렀다. 채찍이 선흥이의 안면을 또 한번 후려갈기는 듯하다가 앞으로 뻗친 손목에 휘감겼다. 선흥이 한번 휘감긴 채찍을 잡자마자 두어 번 틀어서 웬만한 힘에는 빠져나가지 못하게 움켜잡았다. 달근이 당황하는 기색이 농후해졌고 선흥이는 채찍을 몇번 당겨보고 나서 껄껄대기 시작했다.

"그러면 그렇지. 어디 마음대루 휘둘러보아라."

달근이 두 손으로 말채를 당기는데 선흥이는 전혀 기운도 쓰지 않건만 꿈쩍도 않는다. 선흥이 훽 당기자 달근의 손에서 채가 빠져나왔고, 그는 돌아서서 달아나기 시작했다.

"끼놈…… 어딜 달아나니?"

강선흥이 태산처럼 덮쳐 고달근의 몸을 두 팔째로 껴안고 쳐들었다가 땅바닥에 메어쳤다.

"어이쿠!"

강선흥은 전혀 몸을 사릴 틈도 없이 고달근의 멱살을 잡아 위로 치켜들었다.

"어디에 처박아줄거나?"

청산내의 모래밭을 두리번대던 선흥이는 무슨 생각이 들었는지 사당패와 묘옥이가 한데 어울려 앉은 둔덕 위로 올라왔다. 사당패들은 저희 모가비가 봉패를 했는데도 전혀 개의하지 않고 키들대며 웃고 있었다. 강선흥이 그를 치켜들고 둔덕을 올라 밭고랑을 따라갈 때에야 사람들은 그가 어디로 가려는가를 알고 배를 잡으며 웃어댔다.

"애애, 이젠 좀 놓아다우. 내 상목 쓴 거 물어내라지 않을 테니."

"가만 좀 있어. 좋은 거 먹여줄게."

"뭘 먹여준단 말이냐?"

"난생 처음 먹는 것이니 좋은 보신 될 게다."

"내 잘못되었네. 내려놓아주면 상목 끝동 떼어내어 술 사줌세."

"헤헤, 잘못 요동치면 등뼈 부서져. 자, 조금만 더 가자구."

선홍이가 달근을 쳐들고 가는 곳은 바로 밭고랑 가에 패어 있는 거름구덩이였다.

명년 봄을 위하여 모아놓은 거름에 더께더께 굳은 딱지가 앉아 두꺼비 잔등 같았는데 물기라곤 조금도 없어 보였다. 선홍이는 구덩이 앞에 서서 달근을 금방 내꽂기가 못내 아깝다는 듯이 몇번이나 추슬러보았다.

"거꾸로 박아주랴, 아니면 곧추세워주랴?"

"여…… 여보게, 상목 다 내줄 테니 던지지 말게. 나는 옷이 단벌이여."

"가이새끼! 옷 버릴 걱정이네. 네 입으루 밥알 들어갈 일이나 걱정하렴."

"던질려면 멀찍이 서서 던져야 힘이 가지, 이 사람."

"멀찍이서 던지면 또 메뚜기 사촌마냥 팔딱팔딱 뛰려구…… 에라, 실컷 처먹어라!"

인정사정없이 선홍이는 거름구덩이에 고달근을 내팽개쳤다. 다리와 팔은 위로 쳐든 채 달근은 궁둥이부터 떨어졌다. 두껍게 덮여 있던 인분의 거죽에 균열이 갈라지면서 속으로 누런색이 드러났다. 드러난 것도 잠깐이요, 진흙에 돌멩이 박히듯 달근은 아래로 쑥 빠져들었다가 몸을 가누며 일어나는데 이미 얼굴의 반쯤이 인분투성이가 되었다. 그는 더이상 빠지지 않으려고 허우적대면서 구덩이에서 기어나오는데,

"망할 자식 같으니, 쇠도적눔 같으니, 날아가는 화류병을 콱 잡아다가 자모전가(子母錢家)에 맡겨놓구 이자만 조금씩 뜯어 대대손손이 물려받을 자식 같으니."

"에, 더럽다 퉤퉤. 무서운 게 아니라 드러워서 너하군 싸움 안 할란다."

"이놈아, 기왕이면 꺼내다가 저 냇가에두 던져다우."

"별놈 다 보겠네. 아랫녘말에 물맛 버릴까봐 못 하겠다."

강선흥이 실컷 놀려대고 나서 휘적휘적 밭에서 나가버린다. 겨우 구덩이에서 기어나온 고달근이 엉거주춤 선 채로 고래 고함을 질렀다.

"이놈아, 분풀일 했으면 굴비라도 내놓고 가. 우리 식구 길양식 허게."

"언제 네 녀석이 재주 팔았데?"

강선흥이 사람들께로 와서 지게를 지려다 말고 웃음기 어린 얼굴로 고달근을 돌아보았다. 그는 씩 웃고 나서 웃음판이 터진 사당패의 가운데로 선뜻 굴비 두 두름을 꺼내어 던져주었다.

"똥 처먹은 자식은 주지 말구, 거 색시들이나 먹어라."

"고마워요, 총각."

고달근이 궁둥이를 뒤로 빼고 양팔을 좌우로 쳐들고 엉기적걸음을 걸어오다가 다시 소리쳤다.

"얘얘, 가지 말아라."

강선흥은 지게를 지고 둔덕을 내려가다가 돌아보았다.

"왜 불러. 이번엔 오줌이 먹구 싶냐?"

"이름이나 남기구 가거라. 어디 사는 뉘 집 자식이냐?"

강선흥과 고달근은 서로의 하는 짓들이 별로이 고깝지 않고 시원스러워 인사를 나눌 기분이 내켰던 것이다.

"장연의 소금장수 강선흥이다. 너는 누구냐?"

"허 이놈아, 장유유서한데 말 좀 놓지 마라. 나는 안성 고달근이다."

"상판대기가 정말 드럽게두 생겨먹었구나."

"이놈, 내는 천생이 곰보딱지라서 그렇지만 네 녀석은 꼭 밀물에 걸려 나온 망둥이새끼처럼 눈깔은 툭 불거지고 주둥이는 하두 두꺼워 썰면 세 접시는 좋이 나오겠다."

"누가 재담하재? 나는 간다."

강선흥과 묘옥이 함께 둔덕을 내려가니 사당패들이 제각기 한마디씩 떠들었다.

"총각들 안녕히 가시게."

"잘난 서방님 해주서 봅시다."

묘옥이 못내 말을 걸고 싶어 하던 애사당을 돌아보고 웃어주니 그 여자는 아예 자지러져버렸다.

"애고, 내 간장 다 녹네!"

강선흥도 농을 던질 기분이 났는지 묘옥에게 넌지시 말하였다.

"저년들이 댁네와 정분을 맺으면 맷돌이 될 줄 모르는가베."

중화 시각을 해지점에서 많이 흘려버렸기 때문에 그들은 걸음을 재촉하였다. 해지점에서 해주까지가 칠십 리 길이었다. 미륵산 중턱을 넘어 뱀고개(巳峴)를 지나 돌못(石潭)에 이르니 먼 길을 처음 걷는 묘옥이 발이 부르트고 물집이 생긴데다 절뚝거려서 자연히 길이 늦어지게 되었다. 워낙 걸음 빠른 강선흥의 뒤를 쫓을 수가 없었던 것이다.

수양산의 서쪽 줄기인 문산(文山)에서 시작한 돌못내의 굽이치는 물결이 길을 따라서 계속되는데 왼편은 전나무와 은행나무의 울창한 숲이었고, 숲 가운데 서원(書院)의 기와지붕들이 보였다. 그들은 영유벌이 내려다보이는 안장고개 마루턱에서 잠시 쉬고 있었다. 해주서 나오는 듯한 장꾼들이 넘어오다가 역시 고갯마루에서 그들의 곁에 앉아 다리쉼들을 하는 것이었다. 그들은 저희끼리 얘기하는 중에,

"자네, 주내방 사거리에 갔었나?"

"아니, 나는 근양문 앞에서 재가에 들렀다가 왔지."

"이 사람하구 주내방 사거리 저자에 나갔다가 차마 못 볼 꼴을 보았네그려."

"사람이 죽었다며?"

"허허, 참 목숨이란 별게 아니더군. 칼로 내리치니 모가지가 뚝 떨어지는데, 몇번 꿈틀대다가 그만이더군."

"그런 걸 왜 보구 섰었나. 나 같으면 아예 얼씬도 않았을 거야."

"군관들이 나와서 기둥을 꽂구 설치길래 뭔가 해서 기다리구 섰었지. 참형받는 죄수가 끌려나올 줄 알았나."

"하필이면 저잣바닥에서 사람의 목을 칠 건 또 뭐야."

"이 사람아, 그래야 모두들 구경하구 중죄를 짓지 않잖나."

"아니, 그보담두 사방이 통한 네거리에서 죽은 귀신이라야 발동을 못 하거든. 길에서 죽으면 텃귀신이 못 되는 법일세."

"하긴 장사치가 저자에서 참형하는 걸 보구 나면 이문이 많이 생긴다네."

"재수 좋겠구먼. 그나저나 나는 우리 집사람이 요번 산달인데 안 볼 걸 그랬어."

하면서 얘기들을 나누니 곁에 앉았던 묘옥의 귀가 번쩍 열리는 듯하

였고, 이를 짐작하는 강선흥도 궁금하지 않을 수가 없었다.

"해주에서들 오십니까?"

묘옥이 물었고, 강선흥도 잇달아 말을 걸었다.

"오늘 주내방서 참수형이 집행되었소?"

"예, 그러합디다."

묘옥이 아득해지는 감정을 억제하면서 바싹 다가들었다.

"죄수의 이름이 뭔지 아시오?"

"글쎄…… 화적죄를 지었다는…… 뭐라던가?"

"사람을 셋이나 죽였답디다. 한 목숨으로는 모자라지. 제 모가지가 서넛 된다면 모르되…… 죽어 마땅하지."

"이름은 모르시나요?"

"예, 죽는 도적의 이름을 알아 무엇 하겠소. 저자에 죄명과 죄수의 이름이 걸렸는데 자세히 봤어야지."

묘옥은 더이상 지체할 수가 없어서 바삐 일어났고 강선흥도 지게를 지고 따라 일어섰다. 묘옥은 벌써 눈물이 글썽해져서 앞이 보이질 않았고, 마음만 급하달 뿐 맥빠진 다리로는 걸음이 걸려지지 않았다. 강선흥이 묘옥을 위로했다.

"너무 염려 마오. 혹시 다른 사람일지두 모르지요. 또한 판결 송사가 끝났다 할지라도 나라에서 좋은 일이 생기면 모면할 수도 있지 않겠소. 나두 해주 가면 아는 이가 많으니 어떻게든 옥바라지에 도움이 되도록 해드리겠소."

묘옥은 억지로 눈물 어린 얼굴을 들어 끄덕이며 강선흥의 말에 대꾸했다. 그들은 파장이 되어가는 주내방에 황혼 무렵에야 당도하였다. 드문드문 주막의 등롱이 내걸려 있었고 아직 돌아가지 않은 장꾼들과 숙소를 찾는 장사치들로 저자는 시끄러웠다. 그들은 주막에 들어가 국밥을 시켜놓고 중노미에게 말을 시켜보기로 하였다.

중노미 사내가 바쁘다는 핑계로 귀찮아하여 두 닢의 돈을 주고 나서 죽은 죄수가 누구인가를 물었다.

"글쎄올시다요, 이름이 뭐라던가…… 음, 하여튼지 광대랍디다."

"광대요? 어디 강령이나 옹진 아니래요."

"아니오, 옳지 문화에서 나온 광대라구 그럽디다. 이름은 잘…… 기억이 나질 않네."

묘옥은 간신히 입을 열었다.

"장길산…… 아니었나요. 문화 광대 장길산."

"맞았어요. 어떻게 아슈? 문화 광대 장길산, 화적 살인 대죄인이라구 그럽디다."

묘옥은 한참 동안이나 개다리소반을 뚫어지게 내려다보았다.

"시신은 어찌되었소?"

묘옥은 기운이 빠져서 넋을 잃고 앉았는데 강선흥이 아무래도 안 되겠는지 대신 물었다. 중노미는 무엇인가 심상치 않게 느꼈음인지 자기도 침울한 내색을 하면서 대답했다.

"연고가 있으면 동강방에 내다놓구 찾아가도록 하지만……"

"연고자가 없었을 게요."

"그럼 송림방으로 가보우. 차부(車夫)가 싣고 나갔을 테니까."

강선흥은 시체가 바닷물에 잠겨 있음을 알고 더이상 묻지 않았다.

중노미가 엽전 두 닢어치의 얘기를 모두 끝내고 손님 시중을 나섰다. 강선흥이 말없이 술을 마시고 앉았는데, 묘옥이 봇짐을 들고 일어났다.

"저는 이제 가봐야 되겠습니다."

"아니, 어디루 가신단 말씀이우. 숙소도 마땅한 데가 없을 텐데……"

"공연히 장사일루 바쁘신데 저 때문에 낭패가 많으셨을 줄 압니다. 저는 해주에 아는 분이 계셔서 그리루 찾아가 자고 내일 고향으로 돌아갈랍니다."

"내 되짚어갈 제 모셔다드릴 수도 있는데 그리 서두르시우."

"아닙니다. 정말 고마웠습니다. 내내 복 받으셔요."

강선흥은 안되었는지 뒤통수를 긁으며 망연히 서 있었다. 묘옥은 누구하고도 제 슬픔을 나누고 싶지 않았다.

묘옥은 차부가 실어갔다는 길산의 시체를 찾아서 송림방을 향하여 걸었다. 연고자 없는 시체는 바다에 버린다 하였으니 그 근처 어디에라도 찾아가서 길산을 삼킨 물결이라도 만나고 싶었던 것이다.

해창을 지나다가 수직 군사를 만났다. 묘옥이 사내의 목소리를 꾸며 물었더니 그는 아래위를 훑어보고 나서 되물었다.

"화적놈이 버려진 데는 알아 뭐 한다구 물어."

"예, 우리 가형인데 진작부터 마음을 고치지 못하여 식구들의 애를 먹이더니 드디어 관에 잡혀 죽었습니다. 허나 인생이 불쌍하여 재라도 올려줄까 하고 여쭙는 것이오."

수직 군사도 묘옥의 고분고분한 말에 더이상 까탈을 잡으려 들지 않고 고개를 끄덕였다.

"연고자가 있음을 관가에 알렸으면 시신이나마 수습했을 텐데, 안됐군."

"예, 소식을 뒤늦게 들었습니다."

"산길을 타구 쭉 나가시오. 마을이 하나 나오고 저길 지나 솔밭을 따라가노라면 깎아지른 벼랑이 나오는데 말바위라고 그러지. 말바위 꼭대기가 바루 기요."

"근처에 어디 절간은 없는지요."

"절이라…… 가만있자, 송림방 부근에 사자암이란 암자 하나가 있을 거요."

묘옥은 곧 지쳐서 쓰러질 것만 같은데도 간신히 기운을 내어 산길을 오르니, 저녁놀의 남은 빛이 멀리 퍼져 있는 수평선이 바라다보였다. 먼 해변마을에서는 연기가 올라왔고 소나무와 측백나무 숲에는 짙은 어둠이 덮여 있었으며 바다 위로 검은 수면을 뒤집고 흩어지는 물결이랑의 흰 거품들이 내다보였다. 마을에 방금 켜지기 시작한 관솔불의 희미한 빛들이 들판 가운데 점점이 빛나고 있었다. 묘옥은 새삼스럽게 솟는 눈물을 닦지 않고 오랫동안 그 자리에 서 있었다. 고향을 떠나던 새벽에 내다보던 중화의 갯가와는 달랐다. 이제는 가슴이 두근거릴 것도, 무서울 것도, 미지의 것도 남아 있지 않은 저 고해와 같은 세상이 그녀의 어두운 등뒤로 흘러 지나간 것이었다.

그녀는 마을을 지나 송림 사이를 헤맨 끝에 다 쓰러져가는 초가로 지어진 사자암을 찾아냈다. 누구 주승에게 허통을 넣을 것도 없이 승려는 한 사람뿐이었다. 그는 마침 부억 봉당에 질펀히 앉아서 군불을 때는 중이었다. 불빛이 어른거리는 아궁이를 들여다보고 있는 불승은 몹시 외로워 보였다.

"스님."

묘옥이 찾았으나 그는 여전히 아궁이 속의 불빛에 눈을 주고 있을 뿐이었다.

"스님……"

"무슨 일인지 말씀하시오."

승려는 여전히 아궁이를 향한 채로 조용히 말했다.

"기도를 드려줍시사구 찾아뵈었습니다. 시주는 충분히 하겠습니다."

승려가 고개를 돌려 묘옥을 돌아보았다.

"나는 혼자 공부하는 행자라서 염불은 폐하구 있소이다. 암자를 찾지 마시고 수양산의 큰절루 찾아가보시지요."

"그런 게 아니라 실은…… 저는 계집입니다. 주인이 억울하게 참수형을 당하시고 송림방 말바위께에서 버려졌다 하온데 넋이라도 건어갈까 하여 스님을 찾았습니다. 가엾고 한 맺힌 혼을 부처님께서 거두어주시도록 도와줍시오."

묘옥은 다시 깊숙하게 허리를 굽혔다.

"벌써 기도는 드렸소이다."

승려는 그제야 일어나 마주 합장하면서 부엌에서 나왔다.

"여기서는 저기 언덕길이 환히 올려다보이지요. 가끔씩 감영 전옥에서 나오는 수레가 참형당한 시체를 싣고 이곳을 지나갑니다. 오늘도 지나갔지요."

하더니 승려는 누더기로 기운 회색 장삼을 걸치고 앞장을 서는 것이었다.

"아낙이시라니 그럼 소승이 행보를 하겠습니다. 길안내를 해드리지요."

"스님, 고맙습니다."

그들이 송림방을 지날 때에 귀신의 울음 같은 밤바람이 부르짖으면서 숲 사이를 지나가고 있었다. 승려는 가지고 나섰던 싸릿가지 홰를 쳐들고 여러 번 부시를 쳐서 불길을 일으켰다. 바다에 가까워질수록 바윗길이 가파르고 험해졌다. 승려가 뒤떨어진 묘옥에게로 횃불을 높이 쳐들어 비춰주면서 물었다.

"주인장의 죄목은 무엇이오?"

"예, 감영에 줄을 댄 무뢰배들과 싸웠다고 화적죄를 씌웠어요."

"설령 화적질을 했다 치더라도 별 죄 될 것두 없소이다. 먹지 못해 굶어죽는 죄가 더욱 크지요. 나두 가끔 도적질을 합니다."

하면서 승려는 나직하게 웃었다.

"스님께서 도적질이라니요……"

"우리네는 신선과는 달라서 소나무껍질이나 풀뿌리를 캐먹고 학을 타고 다니지를 못하지요. 그렇다구 도학 하는 선비처럼 글로 끼니를 때우지도 못합니다. 밭을 일구어서 곡물도 내어 먹지만 하도 척박하니 농사가 제대루 되어야지요. 그래 가끔 성내 부잣집을 찾아가 도적질을 한답니다. 재물이 많은 자들은 그것을 잃을까 염려하여 우리네보다 근심 걱정이 많으니까요. 그만큼 신심도 깊지요. 신심이래야 별게 아니라, 물건인 부처님상이나 부적 따위들에 꼼짝 못 하는 것입지요. 소승은 주로 부적을 그려 팔기도 하고 주역도 보아줍니다. 이것이 도적질이 아니라면 무엇이겠소. 내 양식감만 조금 남기고는 모두 해남골서 조개 줍고 사는 가난뱅이들께 나눠주는데…… 시주 받아 대들보를 올리고 기와를 얹어 찬란한 금불상을 들어앉힌 절을 지어 무엇 하겠소이까. 다 도적질 밑천을 장만하는 짓이지요."

묘옥은 그의 말이 무슨 뜻인가를 어렴풋이나마 짐작할 수 있었다.

승려는 잠깐 생각하고 나서 말하였다.

"이런 저녁에 많이 배우지요."

파도가 때리고 마주쳐 부서지는 울부짖음으로 가득 찬 절벽을 향하여 두 사람은 올라갔다. 승려에게는 익숙한 길이었는지 습기에 젖어 미끄럽고 비탈진 바윗길을 그는 앞장서서 재빨리 올라갔고, 묘옥은 몇번이나 넘어질 듯한 몸을 가누곤 하였다. 바람으로 횃불의 불꽃이 뒤로 바싹 잦혀져서 금방 사그라질 듯 팔딱였다. 말바위에 오르니 까마득한 낭떠러지 아래로 날뛰는 바다의 흰 물결이 요란하게 벽을 때리며 부서지고 있었다. 바다 저편은 이미 캄캄한 어둠이었는데 괴물 같은 파도가 연이어 몰려오고 있었다. 묘옥은 이 너른 물밑 어딘가에 잠겨져 깊은 바다 밑바닥으로 흘러갔을 정든 사내의 덧없는 육신을 생각하였다. 그녀는 바위에 무릎을 꿇고 두 손을 모으고서 눈을 감았다. 곁에서 목어(木魚)를 때리면서 나직하게 읊조리는 승려의 염불소리가 들렸다.

"무아상 무인상 무중생상 무수자상이니 시고로 수보리야 보살은 응이일체상하고 발 아뇩다라 삼먁삼보리심일세."

죽은 자에게 넋이 있어 애절한 뜻에 닿는다면 바다 위에서 떠올라 이 벼랑 끝에 화답해올지도 몰랐다. 그러나 절벽을 때리는 바다의 포효하는 소리만이 들려왔고, 세상의 온갖 찌꺼기들을 쓸고 핥고 어루만져서 깨끗하게 지워버리는 파도는 마치 세월과도 같았다. 묘옥의 가슴속에서는 이미 첫밤의 더럽고 끔찍한 상처가 닳아져 없어진 것처럼 길산을 잃은 슬픔도 곧 뭉개어져 세월에 씻기어 사라질 것이었다.

"나막 살바다타 아다바로기제 옴 삼바라 삼바라 훔 나모 소로바야 다타아다야 다냐타 옴 소로소로 바라소로 사바하……"

묘옥은 물결에다 제 기구한 몸을 떠내려 보내어 어딘가 아무도 모를 기슭에 도달하고 싶었다. 그 여자는 순간적으로 벼랑에서 뛰어내리려는 동작으로 몸을 굽히며 앞으로 나섰고 승려가 재빨리 묘옥의 팔을 붙잡았다. 그는 억센 힘으로 묘옥을 끌어당겨 벼랑 끝에서 물러서게 하였다.

"슬픔에 잡히지 마시오."

묘옥은 온몸에서 맥이 풀려 제자리에 주저앉고 말았다. 승려가 염불을 그치더니 차분하게 얘기를 꺼냈다.

"목숨이란 돋는 햇빛에 스러지는 이슬과 같은 것이지만 영롱하게 초목을 적시듯 아름답고 귀한 것이오. 부처님께 마음을 의지하고 병든 아이를 간호하는 일처럼 제 인생을 사시오. 건강하게 살 수 있게 되면 다른 사람들에게도 그것을 나누어주어야 하오. 알고 보면 이렇게도 소중하게 쓰일 목숨을 함부로 저버린단 말이오."

"스님, 저는 더럽고 천한 창기였습니다. 이젠 달리 살아갈 길도 없습니다. 또다시 색주가에 얹히든지, 아니면 죽든가, 끝으로 니승이 되는 길이 남았습니다. 거두어주시겠습니까?"

"아니되오. 승려와 창기가 무슨 다를 바가 있겠소. 불심은 모두 같은 것이오. 댁네는 진흙탕에 빠져 있다더라도 본성을 잃지 않을 사람이오. 거짓이 없는 마음과 부처와 같은 평안한 사랑을 행하도록 애쓰며 살아가시오. 댁은 이미 많은 것을 베풀었는지도 모르오. 잃은 것이 아니라 보시한 것이니 찾으려 하지 마오."

"잃은 것은 다시 찾지 않겠습니다. 하지만 더이상 잃고 싶지 않아요."

"잃어버릴 것이 없도록 모두 베풀어버리시오. 남는 게 없다면 얻으려고 안달을 하지도 않을 테니까."

승려는 길게 한탄하듯 웃고 나서,

"이 미욱하고 병든 것이 또 한번 날마다 되풀이하던 법문이랍시고 장광설을 폈소이다. 나무관세음보살……"

묘옥은 어느덧 마음이 가라앉아 바람을 한껏 들이마셨다. 그러고는 괴이하게도 사람을 안정시키고 힘을 내게 해주는 이상한 중을 향해 물었다.

"스님은 누구십니까?"

"까짓 천한 땡중에게 누구냐구 물어 무엇 하실려오?"

"스님의 법명을 일러주십시오."

"여환(呂還)이라 하오."

여환이라는 승려는 다시 목어를 때리며 염불을 외웠다. 밀물이 시작되자 파도는 점점 높아져갔고 벽을 때리는 물보라가 절벽 위에까지 끼쳐올랐다. 아우성치는 파도소리를 뒤에 두고 그들은 말바위를 떠났다. 송림방으로 되돌아오자 여환스님은 묘옥에게 권유했다.

"마땅한 사처가 없다면 소승의 암자에서 묵어가십시오."

"아닙니다. 제 염려는 마셔요. 성내에 가서 묵겠습니다. 여환스님의 말씀을 언제나 지니고 살아가겠습니다. 이제 참말 강한 계집이 될 것만 같습니다."

"불쌍하고 천한 것들을 사랑하며 사십시오. 부세(浮世)의 인연으로 뵙고 소승 물러가오."

승려는 누더기의 장삼을 휘적이며 어둠속으로 사라졌다. 묘옥은 송림을 벗어나서 하염없이 산길을 걸었다. 사방 천지로 길은 달리고 있건만 제 초라한 몸을 붙일 산천은 아무 데도 없었다. 묘옥은 문득 해지점에서 만난 고달근네 사당패를 떠올렸다. 지금쯤은 사금터 부근 마을에서 놀이를 끝내고 쉬고 있겠지. 내일 정오에는 주내방 사거리 저자에서 연희를 놀 것이었다. 정처 없이 흘러다니며 이 저자 저 고을에서 노래와 춤을 파는 물풀과도 같은 생활이 떠올랐다. 묘옥은 벼랑 위에서 제 몸을 던져 물의 흐름에 맡기려던 것과 마찬가지로 자기를 끝 간 데 없는 길 위로 떠나보내고 싶었다.

묘옥이 주막 봉놋방에서 장꾼들에 섞여 새우잠으로 설친 이튿날 점심때가 되어서야 고달근네 안성 사당패가 주내방 저자로 들어섰다. 저자 임방을 통하여 놀이 허가를 얻어내고 곧 놀이판이 이루어지는데 묘옥은 모가비 고달근을 찾아갔다. 고달근은 첫눈에 묘옥이 여자임을 알고 있었던 것이다.

"불알 없는 총각이 왜 날 찾나?"

"저두 패거리에 끼워주셔요."

"그 황소 아재비 같은 미욱한 녀석은 어디다 떼치구 그래."

"길동무였는데 헤어졌지요. 패거리에 끼워주실래요, 어쩔래요."

고달근은 유쾌해서 참을 수가 없다는 듯이 키들키들 웃어대며 묘옥의 어깨를 두드렸다.

"노래나 춤은 할 줄 알아?"

"색주가에서 삼 년을 굴러먹었지요."

"허, 그 참 잘되었군 그래. 우리네 거사 한 놈이랑 짝지어주지. 노래나 부르고 팔도강산 유람을 다니겠다, 가는 곳마다 제 맘에 닿는 대로 님도 만나겠다, 그야말루 봄바람같이 훨훨 날아다니는 팔자지."

"헌데 소청이 한 가지 있어요. 나는 사내라면 딱 질색이거든요. 거사 대신에 애사당 하나와 인연 맺게 해주셔요."

고달근은 찌푸린 눈으로 묘옥을 한참이나 살펴보았다.

"어쩐지 남장을 했더라니…… 뭐야, 맷돌이란 말여? 자네가 수동무를 하고 홍련(紅蓮)이가 암동무를 한다 이거지. 그럼 행하는 자네가 물어낼 텐가?"

"행하라니요?"

“꽃장사를 해야지. 허나 재예만 출중하다면, 우리 청룡사에 시주나 들게. 홍련이는 자네가 계집이라면 몹시 실망할 게라. 이름이 뭐여?”

“묘옥(妙玉)이에요.”

“해주엔 뭣 허러 왔나?”

“어디 기방에나 붙일까 하여 왔는데 적당한 곳이 없군요.”

고달근은 맞춤한 사당을 하나 얻게 되어 몹시 흡족한 기색이었다.

“잡가나 춤은 할 줄 알겠지.”

“춤뿐인가요, 잡가에 타령에 엮음도 하지요.”

“자, 오늘은 첫날이니 주막에 가서 기다리게. 아마 저녁때엔 신참례를 톡톡히 치를지두 모르니 푹 쉬라구.”

“내일 떠납니까?”

“떠나야지. 날마다 떠나는 게야.”

묘옥은 고달근네 사당패에 끼여들어 남쪽으로 향하게 되었던 것이다.

|제3장|

비승비속
非僧非俗

1

송상(松商) 배대인네 집은 남산 아래 있었는데 깊은 소나무숲에 둘러싸인 아흔 간이 넘는 대가였다. 배대인은 아들 하나를 두고 딸을 셋이나 낳았는데 그 귀한 아들마저 배냇병신이었다. 장성하여 이십 세가 넘었건만 아직도 징징 울며 보채고 옷에 멋대로 방분하는 바보였고 가족들은 배대인이 늘그막에 아들을 보겠다고 산삼을 많이 먹어서 그리되었다고 말들을 하였다. 위로 두 딸은 같은 상인 신분의 부잣집에 시집을 보냈고 이제 십팔 세로 접어든 막내딸이 후원 별당을 지키고 있었다. 세 딸 중에서도 막내는 영리하고 정숙한데다 특히 배대인이 귀여워하게 된 것은 이재(理財)에 밝았기 때문이다. 그 여자가 십육 세 때 이런 일이 있었다.

배대인 행상단에 차인으로 다니는 자가 있었는데 마누라는 일찍부터 배대인네를 드나들며 여러가지 잔시중을 들곤 했다. 특히 귀엽고 활발한 막내딸에게는 유모처럼 정이 각별하여 설빔도 손수 지어주었고 관등놀이나 다리밟기 같은 때에는 제 등에 업고 나가서 구경을 시켜주는 것이었다. 한데 어느 해에 삼남 쪽으로 행상을 나갔던 그의 남편이 객줏집에서 노름을 하다가 지방 불량배의 칼을 맞고 죽어버린 것이었다. 과부가 되어 혼자 살아가기에는 또한 남은 자식이 여럿이요, 늙은 부모가 며느리만을 바라보고 남아 있으니 앞이 캄캄한 일이었다. 이런 일을 알고서 막내딸은 그 아비 배대인께로 나아가 백 냥쯤 도와줄 것을 청하게 되었다.

"우리 송상은 돈 알기를 목숨보다 중히 여긴다. 아무 까닭 없고 노력 없는 일에 백 냥은커녕 일 전도 내어서는 안 된다. 그 여편네가 당장 굶어서 죽는 것두 아니니 부지런히 품을 팔아 살아가면 될 것이다."

하며 배대인이 거절을 했으나, 막내딸은 또라지게 응수하는 것이었다.

"누가 거저 쓰쟀나요. 이자까지 붙여서 한 달 안으루 갚으면 되지요."

"이자를 붙인다…… 그렇다면 내 백 냥은 내어주마. 그 대신에 담보를 잡아야겠다. 네까짓 게 담보 잡힐 만한 물건이라도 있느냐?"

"예, 있습니다. 제 나이 이제 십육 세이오니 이팔이 넘어 성혼을 시켜주시겠지요?"

"그래서……"

"다른 건 몰라두 노리개며 패물은 해주시겠지요."

"그거야 앞으루 몇년이 지나야 할지 모르지 않느냐?"

"각서를 받으십시오. 만약에 제가 백 냥을 갚지 못하게 되면 혼숫

감은 물론 패물도 받지 않겠습니다."

배대인이 어린 계집아이의 소견으로 거래하는 법과 신용을 나누는 일과 바른 일에 열을 내는 것을 보고 은근히 마음속에 기특하여 응낙을 하게 되었다. 그는 어찌하나 시험해보고 싶어서 두말 없이 각서를 받고 제 딸에게 돈 백 냥을 내주었다. 막내딸은 돈을 가지고 사랑에서 나가더니 거의 갚을 기한이 차도록 한 번도 나타나는 적이 없었다.

"그러면 그렇지, 하긴 이번 일로 네가 이재의 어려움을 알게 되면, 이다음에 살림 경제를 꾸릴 적에 도움이 될지도 모르지."

배대인은 아예 백 냥이 돌아올 것은 바라지도 않고서 기한이었던 날을 맞았다. 그날 저녁에 계집아이가 맨손으로 들어왔다. 배대인은 짐짓 얼굴에 노기를 꾸며서 꾸짖었다.

"이년, 돈 백 냥을 어찌할 테냐?"

"아버님, 너무 서둘지 마시고 고정하십시오."

하더니 뒤에 감추고 있던 어음을 펴서 내미는데 백이십 냥짜리가 아닌가. 배대인은 그것이 가짜인가 하여 이리저리 뒤적였으나 낯익은 거래인의 수결이 있으니 틀림없는 어음이었다.

"누가 만들어주더냐. 네 어미가 곤경을 면해주려고 만든 모양이구나."

"아니올시다. 제가 아버님께서 꾸어주신 백 냥으로 삼백오십 냥을 벌어 그중 원금을 제한 이백삼십 냥에서 이백 냥은 이천 아주머니 주막을 열 밑천으루 드리구, 삼십 냥은 제가 부린 차인들 행상비로 지불하였습니다."

배대인은 놀라고 궁금하여 딸에게로 바싹 다가앉으며 은근하게 묻자, 막내딸은 방글거리며 얘기하기 시작했다.

"돈을 얻어 나가는 즉시루 사람을 시켜서 요즘 시중 약재 중에 가장 헐값인 것이 무엇인지 알아오게 하였지요. 납가새 풀뿌리인 택사(澤瀉)가 지천인데 한 근에 이 전이요, 두 근에 삼 전, 엿 근은 오 전이라구 하데요. 재가에 남아 있는 아버님 차인들 중에서 다섯 사람을 임시로 고용하여 송도 곳곳에 있는 약국에서 택사를 사들이게 했어요. 약국 주인들은 택사가 지천으로 있는 터여서 얼씨구나 하고 모두 털어내주었지요. 열흘 동안이나 이렇게 사들이구 나니까 택사가 완전히 동이 나버렸어요. 며칠 있다가 약국을 돌아다니며 택사를 찾으니 한 근에 여덟 돈으로 값이 뛰었어요. 택사를 약간 덜어서 풀었는데 약국에선 두어 전의 이문 때문에 다투어 사갔지요. 고의로 약간을 내어서 그 값에 전부 거두어들이니까, 일 년 중에 서너 근 팔릴까 말까 하던 택사가 거래가 활발해진데다 동이 나고 품귀해지니 다시 열흘 뒤에는 한 근 값이 이십 전으루 올랐지요. 매번 사나흘 또는 대엿새 사이를 두어 번갈아 차인들을 바꾸어 많이 사들이고 적게 내니 값이 나날이 올라가 한 달 사이에 한 근 값이 오십 문(文)이나 되었습니다. 그저께부터 차인들이 약국거리를 싸돌아다니며 선전하기를 지금 시골 약국에서는 택사가 급히 소용되어 값을 묻지 않고 많이 사들이려 한다구요. 그러곤 마바리에 싣고 나간 돈꿰미를 내보였답니다. 약국 주인들은 단 한 근의 재고도 없는데 현금을 보고는 모두 애가 달아서 이런 판국에 택사만 있었다면 이득이 클 텐데 공연히 팔았다며 아쉬워했다지요. 그래서 바로 어제부터 택사를 삼사십 전 가격으로 냈더니 약국 사람들은 씨가 말랐던 뒤끝이라 반가워하고, 게다가 시골 약국에서 급히 구한다는 소문에 너도나도 사들이더군요. 그래서 이렇게 백 냥으로 삼백오십 냥을 벌게 되었습니다."

배대인은 연신 고개를 끄덕이며 딸의 얘기를 주의 깊게 듣고 나서 조금도 기쁜 빛을 띠지 않으며 말했다.

"백 냥으로 삼백오십 냥을 벌어들인 것은 잘한 노릇이다. 그러나 이문 이백오십 냥에 성실한 노력이 깃들이지 않았으니 이러한 재물은 뿌리가 없어서 또한 쉽게 나가버릴 돈이니라."

"한 달 동안 차인들이 저자를 헤맸는데 성실한 노력이 부족하다는 것은 어인 말씀이십니까?"

"첫째, 속임수를 쓰지 않았느냐. 헛소문으로 거래를 활발하게 하여 일단 이문을 보았으되 신용을 잃어 다시는 그런 이들과 거래를 트지 못할 것이다. 장사는 신의를 쌓아올리지 않으면 도적질 같은 짓으로 지탄받게 되는 게야. 둘째로, 싸고 헐한 약재를 택한 것이 잘못이다. 부는 풍족한 자에게서 얻어야 하고, 일반 가난한 자들의 원망을 받으면 오래가지 못하는 것이다. 일반 사람들이 쉽게 취하여 쓰는 약재를 매점하였으니 피해가 없었다고는 할 수 없다. 끝으로 셋째는 상도(商道)를 타락시킬 위험이 있었다. 이런 축재가 알려져 그 방법이 널리 퍼지면 시장은 마비되고 말 것이니라. 허나 그 용(用)은 그릇되었으되, 취재(取財)는 제법 잘하였다."

이리되어서 배대인은 그의 막내딸을 팔푼이 아들보다 훨씬 믿음직스럽게 여겼던 것이다. 또한 파주 박진사의 서자라는 박대근이 상단에 나타나 유능한 수완을 보여서 행수를 시킬 적에, 배대인은 그들이 좋은 배필이 될 것이라고 은근히 작정해두었다. 인품도 그러려니와 허우대도 멀끔하여 누가 보기에도 믿음직했고, 자신이 늙어 더 이상 사업을 하지 못할 적에는 데릴사위로 집안을 맡기려는 것이었다. 날이 갈수록 배대인의 대근에 대한 신임은 두터워져갔으며 주위 친척들이나 상단 사람들도 모두 박대근을 젊은 주인처럼 여기게끔 되었다. 박대근이 갑송이와 더불어 몇사람의 차인들에게 업혀 초주검이 되어서 나타나자 배대인네는 온 집안이 발칵 뒤집혔다. 배대인은 박대근의 상단이 제법 높은 이득을 올리고 돌아왔지만 관원들과 다투었다는 사실을 알고는 몹시 노하여 대근을 따라갔던 늙은 차인들을 단단히 꾸짖었다. 갑송이와 박대근은 바깥 사랑채를 썼는데 갑송이도 외로웠고 해서 둘이 한방을 쓰면서 몸조리를 하였다. 그동안에도 박대근은 갇혀 있는 길산이 염려되어 잇달아 사람을 해주로 보내서 기별을 알아오게 했다. 그리고 은밀히 교제용의 돈냥과 물건을 감영 쪽에 들이밀었던 것이다.

한 달 만에 갑송이는 약간 절뚝이며 걷게 되었고, 박대근은 오랫동안 쉬고 좋은 약재를 달여 먹은 효험이 있었는지 전보다 더욱 원기 왕성해졌다. 먼저 보냈던 차인에게서 해주 길산의 소식이 없어 궁금하던 중에 방자를 놓아 보냈더니 곧 좋은 소식을 가지고 왔다. 때는 이미 늦가을에 접어들어 정원의 나무는 잎이 모두 떨어지고 아침 저녁으로 지붕과 담에 두꺼운 서리가 덮였다. 갑송이는 답답함을 이기지 못하여 마당에 나와 공연히 정원석을 이리저리 옮기며 기운을 썼고, 박대근은 오랜만에 병서를 읽으면서 무료함을 달래고 있었다. 해주서 돌아온 자가 중문 안으로 들어서자 갑송이가 와락 달려들어 그 소매를 잡는다.

"그래, 어찌됐다던가?"

"서방님 어디 계십니까?"

"이 사람, 우리 길산이가 아직 무사헌가?"

갑송이가 손목을 잡고 무지막지하게 흔들어놓으니 방자는 자지러지게 비명을 질렀다.

"아이구, 손목 부러지우. 장총각은 무사하니까 내 손목두 좀 무사하게 해주오."

마당이 시끌덤벙하여 미단이를 열었던 박대근도 그 말을 들었는지라 얼굴이 활짝 펴지면서,

"그래, 참수형 집행은 연기가 되었는가?"

"예, 해주서 머무는 김차인 말루는 형방이 적극 손을 써서 대시수로 머물렀답니다. 헌데…… 장충각 이름으루 다른 참형수가 죽었지요. 시방 해주서는 장길산이 죽었다는 소문이 파다합니다."

대근과 갑송이 서로 마주 보며 고개를 끄덕였고, 박대근은 중얼거렸다.

"음, 계획한 대루 되었군."

"나두 이젠 전보다두 더욱 힘꼴이 땡겨서 못 견디겠으니 파옥하러 가십시다."

벌써부터 길산을 만날 생각과 담장 안에서 썩는 나날이 좀이 쑤시고 진력이 나 있던 갑송이가 신이 나서 말했다. 박대근은 방자를 놓았던 자에게 두둑이 주어 보내고는, 갑송이와 겸상하여 반주를 들면서 앞으로의 일을 의논하였다. 형방과 옥사장에 손을 써서 다른 참형수로 일단 죽음을 바꾸어놓았으나 길산의 목숨이 몇달 연장되었을 뿐이고 차일피일 끌다가 감영에서 알아차리기라도 한다면 즉시 죽는 몸이라 시각을 지체할 수가 없는 노릇이었다.

"그렇다고는 해도, 감영의 옥을 친다는 것은 무리일뿐더러 큰 난리이니 조정에서도 가만있지는 않게 될 것이오. 다만 내게 한 가지 꾀가 있은즉 적당한 사람을 물색하고 있는 참이었소."

"어떤 꾀유?"

박대근은 대답 없이 웃기만 하였다.

"내 차차 알려주리다. 헌데 아우님 다리는 어떻소?"

"쳇, 돈닢만 한 흉터만 남았지요. 이젠 나무둥치를 한꺼번에 서너

개 뽑아 보일 수가 있수."

"좀이 쑤시는 모양이지. 어떻소, 요 며칠 상간으루 구월산에나 좀 다녀오지 않겠소?"

박대근의 말이 떨어지자마자 갑송이는 벌써 달려내려가 신이라도 꿸 태세로 궁둥이를 들썩이며 말했다.

"아이구, 우리 성님이 오늘에사 내 심사를 조금 알아주시네. 가는 길에 아주 해주 들러서 길산이 얼굴도 보구 재인말두 휘둘러보구 오지요."

"안 되오. 해주 쪽으로는 절대루 가지 마오. 선불리 거기 들렀다가 주내방 패거리에 들키기라두 한다면 길산이도 아우도 모두 위험할 테니까. 신가네 패거리가 우리 얼굴을 알고 있거든. 아예 연안길을 가지 말구 평산길루 돌아서 문화루 들어가오. 그리구 재인말에 갈 때에도 절대루 낮에 닿도록 하지 말구 밤에 들어가오. 장충각이 화적으로 몰렸고, 아우님은 잡히지 않았으니 필경은 두 아우님네 부모님께서 곤경을 치르고 있으리다. 내가 구월산 가서 마감동이를 찾아보라는 것은, 그의 도움을 얻어 옥에 갇혔을 부모님을 꺼내어 안돈시켜놓으란 얘기외다."

조목마다 옳은 얘기를 하는 고로 갑송이는 잔뜩 풀이 꺾여 맥없이 중얼거렸다.

"우리 길산이는 그럼 어찌됩니까?"

"글쎄 내 앞으로 한 달 안에 장충각을 살려낼 터이니 염려 말래두. 식구들 일은 감동이와 의논하면 능히 해낼 수가 있을 거외다."

"내일 당장 길을 떠나겠수."

"아니…… 그전에 아우님이 한 번쯤은 만나야 할 사람이 있으니 며칠 더 있다가 떠나기루 하우."

"내가 송도서 만날 사람이 어딨수?"

"언제 기운 겨루어보겠다던 내 아우 강선흥이 생각 안 나오?"

"어, 그 소금짐 지구 다닌다는 장연 녀석 말이우?"

"그 아이가 두어 달에 한 번씩은 우리 객주에 들르는데, 이번 달에는 틀림없이 송도엘 올 게야. 선흥이두 만날 겸 우리가 그동안 집구석에서 밥만 죽여왔으니 흠뻑 놀아볼 겸 해서 며칠 더 있다가 떠나오. 그리구 오늘 저녁에는 나하구 어디 갈 데가 있소."

"어디 기방에라두 데려갈려우?"

"허허, 아우님이 한 달 동안 박혀 지내노라구 도인이나 된 듯싶구려. 우선 사람 하나를 만나보구 기방에 놀러 가도록 허지."

박대근과 갑송이는 그날 저녁에 의관 정제하고서 청교방(靑郊坊)으로 나아갔다. 주막에 들러 박대근이 술청 안을 휘둘러보다가 툇마루에 걸터앉아 막걸리를 마시고 있는 젊은 사내들에게 말을 걸었다.

"느이 사또 어디 갔느냐?"

"예, 행수어른 나오셨수? 학선이 성님두 요샌 죽을 맛입니다요."

"어째 사또나리두 그리 죽을 맛이라면, 우리네 따위 천한 백성은 하나두 살아남지 못하겠다."

그들은 박대근의 곁에서 눈을 부라리고 섰는 갑송이가 못내 꺼림칙한 모양이었다. 그들은 갑송이가 중앙에서 나온 무슨 포도부장쯤이나 되는 줄 여기는 눈치여서 대근을 밀어내고 슬슬 꽁무니를 뺄 태세들이었다. 대근이 곁눈질로 갑송이를 쳐다보고 나서,

"맘들 놓게. 내 아울세. 학선이 있는 델 좀 가르쳐주어."

"가르쳐주었다간 우리가 경을 칩니다요."

"갑자기 그 성님을 행수께서 무슨 일루 찾으십니까?"

하고 그들은 발뺌들을 하였다. 박대근이 주모에게 청하여 다시 약주

술에 고기 닷 근을 내오게 하고 나서 말했다.

"내 한턱 쓸 테니 잘들 마시게나."

"어유, 이거 무슨…… 술을 이렇게까지……"

"내가 학선이를 찾는 것은 다름이 아니라, 일 때문이야."

박대근이 말하자 두 사내는 영리한 눈을 반짝이며 서로 마주 보고 나서 다른 하나가 지그시 눈을 감고 끄덕여 보였다. 한 사내가 앞장을 서면서 말했다.

"절 따라오십시오."

"학선이가 죽을 맛이라니 또 뭘 저지르구 몸을 피하는 중인가?"

"그게 아니라, 고용을 사는 중입니다."

"아니…… 깍정이로 이름나서 빤빤한 사또가 고용을 살다니 거참 천지개벽할 일일세. 그간에 마음을 고쳐먹구 일손을 잡았단 말이야?"

"글쎄 따라와보시면 안다니까요."

그들이 안내하는 자를 따라서 청교방을 벗어나 성내로 들어갈 때, 어언 주위를 살피니 홍등이 즐비하게 걸려 있고 풍악소리가 일어나는 못골 근방이었다. 송도 또한 돈 흔코 계집 흔한 고장이라 기방이 유명한데 못골의 기루에는 절색이 많았다. 박대근이 무엇을 알아챘는지 싱겁게 웃음을 터뜨렸다.

"또 노름빚에 몸이 잡혔구먼."

"이거 큰탈이 났습니다. 이번에는 자그마치 백오십 냥이니 못 살아두 이삼 년은 살아야 탕감이 되겠네요."

몸집 작은 사내가 약삭빠른 눈을 굴리며 호소하는 눈짓으로 대근을 올려다보았다. 그러나 박대근은 그의 말이 구실일 뿐 사실은 학선이가 다른 기생을 물고 기둥서방으로 들어앉아 투전판의 자릿세를 받는다는 것을 대뜸 알아차릴 수가 있었다.

"몸 잡은 년이 언년이냐?"

"헤헤헤, 그야 행수나리두 아다시피 춘래(春來) 아니겠습니까."

"허, 그 서방에 그 계집이로다."

사내는 등이 내걸린 대문 앞에 이르러 길게 불렀다.

"이리 오너라!"

안에서 계집아이의 목소리가 들려왔다.

"안성맞춤으루 되었네. 사람도 찾고 기방에도 오게 되었으니 오늘 아우님이 놀 복이 터졌구려."

박대근이 말했으나 갑송이는 뭔가 심사가 틀렸는지 툴툴거리며 받았다.

"보아하니 건달 오입쟁이 녀석을 만나려나 본데, 그따위 것들하고 우리넨 성깔이 맞지 않아 난 갈라우. 요담 강선홍이가 오면 그때나 놀지요."

"선홍이두 좋겠지만 이학선이란 놈두 제법 재미나는 놈이니, 아우님은 곁에서 꼴이나 보며 노시게."

계집아이가 대문을 열더니 앞서 있는 학선의 부하를 보고 대뜸 코방귀를 뀌어버렸다.

"칫, 지까짓 게 뭔데 오너라 가너라야."

"에끼 년! 내 등뒤에 누가 오셨나 봐라. 배대인 댁 서방님이시다."

"에구머니, 행수나리 오셨네."

하며 하녀가 대문을 활짝 열어젖혔다. 안으로 들어서며 대근이 물었다.

"학선이 예 와 있느냐?"

하녀가 새침해져서 말했다.

"허구헌 날 뒷방에서 나오지두 않구 지내시는데 우리 아씨 속을 얼마나 썩이는지 몰라요."

몇 패거리가 와 있는지 방 안이 제법 화들짝하니 웃음판이 벌어져 있었다. 그들은 장지문을 열고 방 안으로 들어섰다. 박대근은 윗목에서 가야금 줄을 고르던 춘래에게 인사를 건넸다.

"평안하오. 무사한가?"

"서방님, 어서 오십시오."

"선래손들 좀 조입시다."

먼저 와 앉았던 자들이 아뭇소리 없이 자리를 내며 물러났고, 잠시 후에 졸개의 전갈을 받은 학선이가 부리나케 달려나왔다. 좋은 옷을 입고 돈피 배자까지 걸쳤는데 신수가 멀끔하여 과연 송도의 이름난 건달 값을 할 만하였다. 키는 중키에 콧날이 번듯하고 칠흑 같은 수염이 멋지게 늘어져 있으며, 눈은 총명했고 입에는 언제나 냉소가 흐르는 듯한 인상이었다. 학선이는 벌써 댓돌 위에서 방 안의 사람들 얼굴을 재빨리 확인하고서 그중에 갑송이가 낯선 얼굴임을 알고는 잠깐 노려보았다.

"자네 오랜만일세. 요즈음 깨가 서 말이라며?"

"성님, 오랜만이우. 내 요새 몸값 치러내느라구 밤을 날마다 새워 몰골이 말씀이 아닙니다."

"밤마다 골패쟁이들 셈판해주느라구 벌이가 짭짤하다던데."

"에이…… 거 밤참 심부름하느라구 붙어앉아서 행하 받아먹는 돈이니 오죽하겠습니까?"

"함께 술 한잔 어떤가?"

학선이는 아직 낮잠이 덜 깼다는 듯이 선하품 시늉을 해 보이면서 일부러 관심이 없는 체해 보였으나, 송도의 이름난 차인 행수 박대근의 용건이니 몫이 클 줄을 알아 적이 궁금한 기색은 감출 수가 없었다. 그는 말했다.

"뒷방에 아직 투전 손님이 들지 않았으니…… 그리루 자리를 옮깁시다. 우린 호젓한 델 좋아하는 성미라서."

"두 손을 들면 딱 소리가 나는구먼. 그렇게 허지."

그들은 학선이의 안내로 뒷방에 둘러앉았다. 잠시 후에 춘래가 왔으나, 학선이는 눈초리를 날카롭게 뜨고서 슬쩍 한마디 던지는 것이었다.

"누가 투전판에 계집을 끼운대. 이 방에 아무두 들이지 말어."

술상이 들어오기까지 박대근은 장사 나갔던 얘기만을 늘어놓았고, 학선이도 천연스레 맞장구를 치고 앉았다.

"사실은 내 자네에게 부탁할 말이 있네."

박대근이 학선이를 향하여 말했다.

"내게 부탁할 일이라면 뭐 좋은 일은 아니겠군."

학선이는 눈을 교활하게 빛내면서 대근과 갑송이를 재빨리 살펴보았다.

"자네 요새두 벌이가 신통찮을 땐 가어사 노릇을 하는가?"

"에이, 그야 벌써 오래 전 이야기입지요. 요즈음은 관에서두 어찌나 까다로워졌는지 여간해 속지를 않습니다. 그저 예전에 한양서 판서 댁에 청지기로 있을 제 눈 귀 동냥한 지식으루 제법 대감 흉내를 냅니다만, 고작해야 속는 것들이 시골 양반이나 아니면 말단 하리들입죠. 그래 부탁할 일이란 뭡니까?"

박대근이 잠깐 뜸을 들이듯 학선이를 건너다보았다. 이학선(李學先)은 송도서 웬만한 오입쟁이라면 모두 알고 있는 건달이었다. 원래가 한양서 태어나 어릴 적부터 대갓집 통인 노릇을 하다가 판서 댁에서 겸인 노릇을 하더니, 워낙에 투전을 좋아하여 판서가 외임 나갈 때 빌렸던 호조돈 삼백 냥을 모조리 날려버리게 되었다. 하는 수 없이 내친 김이라고 다시 오백 냥을 빼돌려 달아나버린 것이었다. 위인이 엉뚱하고 배포가 있는데다 영리하여서, 가끔 제 부하 몇 명을 거느리고 지방으로 나다니면서 어사또 흉내를 내는데 제법 그럴듯하다는 것이었다. 그가 한 바퀴 돌아올 적이면 많은 봉물을 벌어서 가지고 왔고 남의 청탁까지 해결하여 오는 수도 있었다. 박대근은 진작부터 이러한 학선이의 행각을 들어왔고, 딴엔 쓸모가 있을 녀석이라고 점찍어놓았던 것이다.

"부탁할 일이란 다름이 아닐세. 자네 금부도사 행세를 좀 해볼 수 없나?"

박대근의 말에 학선이는 빙긋 웃음을 머금었다.

"흥, 누가 옥에 갇힌 모양이구려."

"그렇다네. 옥에서 빼돌려야 할 사람이 있네."

"금부도사라…… 옥은 어디며, 죄수는 몇이우. 설마 한양 전옥서는 아니겠구. 만약 한양이라면 저두 용빼는 재주가 없소이다."

"황해감영 옥일세. 죄수는 둘, 모두 대시수일세."

학선이가 고개를 저었다.

"감영 옥이라면 난 못 하겠수. 더군다나 대시수라니 시일을 끌다간 꺼내기 전에 죽을 수도 있잖습니까."

"허, 경비는 얼마를 쓰더라두 내가 모두 뒤를 댈 테니까 뽑아내기만 하게."

"감영 옥이라…… 삼백 냥 내우."

"그렇게 많이 드는가."

"대시수 둘에 삼백 냥이람 너무 싸지요. 싫으면 그만두슈."

"좋아…… 내겠네."

이때 곁에서 잠자코 앉아 술을 들이켜던 갑송이가 눈을 부릅뜨며 투덜거렸다.

"순 도적놈의 심보로군. 삼백 냥이면 팔자를 고칠 대금인데 까짓 거짓행세 한번에 무슨 놈의 돈이 그리 많이 든단 말이야."

학선이가 갑송이에게서 돌아앉으며 박대근에게 말했다.

"내 아까부터 이 자의 목자가 거슬려서 께름칙했소이다. 이 자를 내보내구 얘기하든지, 아니면 나는 일 않구 손을 뗄 테유."

박대근이 갑송이의 옆구리를 슬쩍 찔러주고 나서 학선이를 달랬다.

"이봐, 참게나. 서루 내막을 알게 되면 모두 친해질 사람들인데."

"쳇, 내가 자리를 비킬 테유."

하며 갑송이가 일어서려는 것을 다시 박대근이 만류했다.

"아우님은 왜 그리 참을성이 없소. 길산이 일은 어찌하려우?"

정색하고 은근히 꾸짖는 박대근의 말에 갑송이는 굳어진 얼굴로 연방 술만을 들이켜며 앉아 있었다. 그런 꼴을 보고 학선이는 실실 냉소를 흘리더니 박대근에게 말하였다.

"착수금을 내우. 요새 돈이 말라서 죽을 지경이더니 어디 성님 덕 좀 봅시다."

"좋지. 내 우선 이백 냥을 보낼 테니 준비를 하게나."

"당장에 저는 한양으루 올라갈랍니다."

"한양에……"

"예서도 송도부(府)에서 새어나오는 기별(寄別, 官報)을 얻어 볼 수는 있소이다. 새루 임명된 벼슬아치들의 전신 내력을 알 수는 있지요. 허나, 그것으로는 감영을 속이기가 아슬아슬합니다. 관찰사라면 높은 벼슬이니 조정 내막을 대개는 훵하니 알겠지요. 도사(都事)는 종오품이요, 중한 직함입니다. 직접 의금부 근처에서 며칠 묵으면서 내막을 소상히 알아내어 착수를 하겠습니다. 천상 겨울쯤에나 일이 시작될 것이니 그리 아십시오."

박대근은 학선의 말을 듣고 고개를 끄덕였다.

"과연 빈틈없는 생각일세. 그럼 나는 자네만 믿구 있겠네."

"성님께서 부탁하셨으니 망정이지, 믿지 못할 상대라면 절대루 그런 위험한 노릇은 못 합니다."

"자네에게 이런 일쯤이야 손 뒤집기 아닌가."

"그게 다 예전에 돈 떨어져 죽지 못해서 몇번 해봤던 짓입지요. 그저 시골 군수의 봉물이나 빼먹었을 뿐이구요, 해주 같은 대처에서야 쉬운 일이 아닙니다."

하고 나서 학선이는 평안도에서 가어사로 행세하며 횡행할 때 자기가 잡은 다른 가어사의 얘기도 하였다.

"참 신났던 것은 용강(龍岡) 관아에 어사 출두를 했던 일이지요. 좌우간에 수령(守令)의 볼기를 쳤다니까요. 마패가 없겠습니까, 역졸도 너덧 명 꾸몄겄다, 저 밖엣녀석들은 그때 서리 노릇을 했지요. 떡 들어서며 암행어사 출두를 외치고 나니 태수는 간 곳이 없고 아전붙이들도 모두 달아나서 동헌이 텅 비었습니다. 한참이나 기세등등해서 기다리노라니 그제야 하나둘씩 나타나 현신하는데, 문서를 모두 압수하고 관인(官印)과 병부(兵符)를 몰수한 다음에 봉고(封庫)하였지요. 제껵 파직당할 판이니 그 수령이 어찌되었겠습니까? 관복을 입고서 거적을 깔고 엎드려 죄를 비는데 참으로 가관입디다. 놈이 부임기간 동안 부정을 해처먹은 것이 도합 천 냥 돈이 넘는데 반을 뜯어냈지요. 그런데…… 우스운 것은 바로 그 이듬해에도 부근 읍에서 해먹었는데도 소문이 없더란 말이지요. 서로들 창피하여 쉬쉬하는 것이겠습죠."

"그 혼찌검당한 관리들이 얼마나 자네를 욕했을까?"

"그러니 제 명이 길 것은 당연한 일입니다."

"이따가 우리집 사람들을 시켜서 착수금을 보낼 테니 내일 당장 한양으로 올라가도록 허게."

"여부가 있겠습니까."

송도 건달 학선이가 의금부의 내막을 탐지하러 한양으로 떠나간 며칠 후에 갑송이와 박대근은 행상단에 같이 나갔던 차인들 몇과 어울려 들놀이를 나갔다. 박대근이 그 식객으로 갑송이를 데리고 있었지만 한 번도 송도부중을 돌아본 적도 없으려니와 원래 나돌아다니던 사람을 담 안에 가두어놓다시피 했으니 미안하기도 했다. 또한 길산이 일도 그러하고 이제 재인말에 돌아간다는데 한번 헤어지면 또 몇달이 걸릴지 모르는 일이므로 들놀이에는 여러가지 뜻이 있었던 것이다. 그들은 찬합에 갖은 안주를 꾸리고 풍로도 가지고 갔으며 약주를 한 동이나 지워 갔다. 술 쳐주고 흥 돋울 기생도 두 명을 따라 잡혔다. 천마산 기슭에는 절승지가 많은데 특히 박연폭포가 뛰어났고 여름철에는 곳곳에 놀이하는 한량들이 들끓었다. 낙엽으로 발이 푹푹 빠지는 산길을 돌아 이곳 저곳을 돌아보고 난 다음에 폭포가 내다보이는 시냇가 반석에 자리를 정하였다. 그들이 술을 데우고 안주를 익히며 이제 술자리가 점점 흥겨워질 무렵인데 의관 정제하고 혈색 좋은 양반 한량패들이 길에 나타났다. 그들은 위쪽에서 뭔가 쑥덕이는 듯하더니 글보다는 한량짓에 가까울 도포 차림의 허우대 커다란 사내가 굵은 음성으로 외쳤다.

"너희들은 어디서 온 누군데 남이 맡아둔 시회(詩會) 자리를 가로챘는가?"

대번에 나오는 말씨가 또라진 반말지거리였다. 박대근이 침착하게 한량들을 살펴보니 기세등등하고 의관이 깨끗한 품이 양반집 부스러기들인 모양이었다.

"무슨 말씀이신지? 산천에 임자가 따로 있단 말도 없거니와, 시회를 연다면 선비들일시 분명할 것이오. 예를 잃고 풍류를 어찌 알며 산천을 다툼하여 시는 지어서 무얼 한단 말요."

라고 박대근이 점잖게 꾸짖었다. 그중에 하나가 좀 겸연쩍었는지,

"여보게, 그만두세. 다른 곳으루 가면 될 게 아닌가. 지난번에 왔었다구 어디 게가 우리 자리루 정해놓았나."

그러나 처음에 반말로 소리치던 자는 박대근의 말에 더욱 비위가 상했고, 다른 자들도 은근히 얄밉게 생각하는 눈치였다.

"뭣 하는 놈들이길래 우리가 누군 줄도 모르느냐?"

"그래 뭣들이냐 너희들은?"

갑송이가 버럭 고함을 쳐서 대꾸했다.

"허, 망신일세. 다른 데루 가자니까."

"가만있어. 이놈들…… 이 어른은 진사님이시고 이분은 유수의 아우님 되시고, 이분은 전 판관(判官)의 자제분이시고……"

늘어놓는데 박대근이 말릴 틈도 없이 갑송이가 제 머리만 한 돌을 들어 물가에 집어던졌다. 풍덩 하면서 높이 튀어오른 물벼락이 끝에 바짝 다가서서 외치던 사내의 전신을 씌워버렸다. 도포는 물론 얼굴까지 어지럽게 물을 뒤집어쓴 사내는 뒤늦게 뒤로 물러섰다. 박대근 일행이 그 꼴을 보고 웃지 않을 수 없어 모두 껄껄대며 웃음을 터뜨린다. 갑송이도 너털대면서,

"우리는 장사나 하러 댕기는 불상놈이다만 너희처럼 겉만 멀쩡하고 예의 모르는 사람들은 아니다. 공연히 깊은 산중에서 호소할 데도 없이 망신당하지 말구 냉큼 없어져라. 내가 팔심깨나 쓴다구 하는 사람이니 자꾸 건드리면 모두 물에다 처박질러줄 테야."
하고 윽박지르니 선비들이 슬금슬금 꽁무니를 빼는데, 시비를 붙였던 자가 못내 분한 모양이었다.

시회패들이 놀이판에서 쫓겨가며 저희끼리 공론들을 하는데, 과연 망신은 큰 망신이었다.

"당장 내려가 나졸들을 풀어 잡아들이랄까?"

"별 죄두 없이 잡아달랠 수야 없지."

"염려들 말게. 내가 장교들 몇명을 데려다 놈들을 기찰해본 다음에 욕이나 좀 보이려네."

"처음에 말씨 부드럽게 나오던 자는 누구야. 그 정도라면 우리가 알 듯한데."

"글쎄…… 아마 양반은 아닌 듯싶으이. 양반이라면 내가 알아봤겠지."

"이놈들, 반상의 구별도 못 하고 욕을 보였으니 혼을 내야겠어."

"엥이, 그나저나 오늘 시회는 망쳤네."

"어서 내려가서 장교 두엇과 나졸 몇만 보내라지."

그들은 산길 어귀에 이리저리 흩어져 앉아서 사람을 보내어 부중의 장교가 오기를 기다렸다. 누구의 말이라 거역하랴. 송도 세도가 자제들의 시회를 망친 상놈들을 혼찌검내기 위해 육모방망이를 든 나졸 서넛과 인솔한 장교가 나타났다. 장교 일행이 선비들의 앞장을 서서 시냇가를 거슬러올라갔다. 그러나 막상 그 장소에 당도하여 대면해보니 그 또한 아무리 상인일지라도 송도부에서는 막볼 수 없는 배대인 댁의 박대근이 아닌가. 장교는 입장이 난처했다.

"아니, 난 또 뉘시라구. 박행수가 웬일요?"

"군관은 웬일이우?"

"내야 무뢰배들이 양반들 시회터를 침범했다구 그래서 이렇게 허겁지겁 달려오지 않았소."

"날 잡아가우."

"에이 거 참, 이럴 수도 저럴 수도 없게 되었네. 저기서 양반들이 바라보구 있단 말요. 가서 사과를 드리구 자리를 옮기시우."

"못 하겠네."

"글쎄 한양서 온 유수 아우의 친구들입니다. 자세가 여간만 심하질 않다우."

"유수를 누가 먹여살리는데……"

"글쎄 송도 관아에서야 박행수를 깔보는 사람이 있겠소마는……어찌하우."

"어서 꺼지지 않으면 네놈부터 거꾸로 처박아주겠다."

갑송이가 술김에 팔뚝을 걷으면서 일어섰다. 박대근이 바짓가랑이를 잡아당겼으나, 상대편에서는 마침 거리가 없어 망설이던 참이라 안면 없는 갑송이가 불쑥 나대니까 얼싸 좋다며 달려들었다.

"허, 이놈 봐라. 공무로 나선 관원에게 행역질을 하네. 네 이놈, 한번 맛 좀 보아라."

이리 치고 저리 달려들 판국인데 박대근은 제 고장 일인지라 막무가내로 싸움을 말린다. 아무래도 송도서 말썽을 부릴 필요는 없었고 관아의 주목을 받고 싶지도 않았던 것이다. 장교가 아무리 날래다 한들 갑송이의 적수가 아니라서 휘둘려 잡히자마자 물속에 내던져져 급류에 미끄러지며 열댓 걸음이나 떠내려갔다. 갑송이가 두 팔을 벌리고 나졸들에게로 달려드니 그들은 이미 눈으로 보았는지라 오금아 살려라고 달아났다. 이런 싸움은 드디어 박대근을 몹시 난처하게 만들었는데, 나졸 중의 기억력 좋은 자가 얼마 전에 황해감영에서 전갈된 화적 일당의 화상과 그 특징 등을 생각해냈던 것이다. 더구나 상인배들과 어울렸다니 어림짐작으로 한번 들이쳐서 잡아다 족쳐보자는 의견을 올렸다. 관아에서는 부장이 직접 나서서 병력을 대기시키고 그날 밤을 기다렸다.

놀이에서 돌아와 취흥이 아직 가시지 않아서 박대근과 갑송이는 사랑에서 다시 조촐한 주안상을 놓고 마주 앉아 술을 들고 있었다. 달이 휘영청하니 밝아서 나무 그림자가 문 위에 찍혀 있었다. 밤이 이슥해졌는데 갑자기 대문 바깥에서 소란스런 기척이 들렸다. 박대근이 이상한 예감이 들어 문을 열고 밖을 내다보는 중인데 하인들이 뛰어들어왔다.

"큰일났습니다. 지금 문밖에 포도군사들이 겹겹으로 둘러싸고 문을 열랍니다."

낮의 일도 있는지라 박대근은 별로 놀라지 않고서 일렀다.

"잠깐 지체하도록 하여라. 재촉하면 집에 앓는 아녀자가 있어 놀라게 하지 않으려고 방을 옮기구 나서 군사를 들이겠다구 핑계를 대어라."

하고 나서 박대근이 갑송이를 재촉하여 돈 한 꿰미를 꾸려준 다음에 뒷담께로 데려갔다. 바깥에 군졸들이 가진 횃불이 가득 차 있는 듯하였다.

"내 말대루 구월산에 가오. 길산이가 나올 때쯤 하여 내 한번 들르리다. 몸조심하시오."

"성님께 누를 끼치게 되어 정말 면목 없습니다."

"선홍이가 오면 만나구 가길 원했더니 아직 둘의 인연이 닿질 않은 모양이오. 자, 어서……"

"길산이 꼭 부탁드립니다. 성님, 나 가우."

갑송이는 담을 뛰어넘어갔다. 박대근이 그제야 바삐 대문 쪽으로 달려가 차분하게 물었다.

"이 밤중에 웬일루 집을 수색하겠단 말요?"

"어서 문을 여시오. 화적을 숨겨놓구 있다는 발고가 들어왔소이다. 통부도 떨어졌으니 거역하면 중벌을 받으리다."

박대근은 서슴지 않고 대문을 활짝 열었다. 전립에 철릭 입고 환도를 빼어든 부장이 살기등등하여 들어서는데 뒤로부터 군졸이 몰려들어 집안 사방으로 흩어졌다.

"내실도 뒤지려오?"

"하는 수 없소."

"화적을 숨겨놓았다구 누가 고합디까?"

"낮에 당신과 들놀이를 하던 자 중에서 화적으로 수배된 자와 용모가 흡사한 자가 끼여 있었다 하오."

"응…… 기정이 말이로군. 그애는 우리 차인 중의 하나요. 지금 당장 불러드리리까?"

"불러주시오."

"그러면 집 안에서 군사들을 모두 거두시오."

"좋소이다."

그의 지시에 따라 사방으로 흩어졌던 자들이 모두 사랑 앞마당으로 되돌아나왔다. 배대인네는 온 식구가 간이 졸아들어서 모두들 벌벌 떨고 있었다.

"가서 기정이 좀 들어오라구 전해라."

박대근이 은근히 지시하는데 하인이 부리나케 나갔다가 돌아오더니,

"시방 안 계시답니다. 친척에 초상이 나서 시골 갔다는데 사흘 뒤에나 돌아온답니다."

박대근은 난처한 기색으로 부장의 소매를 잡았다.

"이거 헛걸음하시게 되어 죄송합니다. 틀림없이 내가 데리구 있는 사람이니 사흘 뒤에 스스로 자수하여 치죄를 받도록 이르지요. 그보다는 일부러 나오셨으니 저희 집에서 소찬이나마 안주하여 술 한잔 하구 가십시오."

"아니 되오. 범인을 포착하러 나온 관헌이 어찌 술을 마신단 말요. 그보다는 기정이란 자가 나타날 때까지 당신을 인질 잡아야 되겠소이다."

부장은 못내 뻣뻣하게 닦달하는 것이었다. 그때 안채 쪽에서 계집 하인들의 어깨 너머로 내다보고 있던 배대인의 막내딸 귀례(貴禮)가 사람들을 헤치고 나섰다.

"아무리 상인의 집이라 한들 사람 사는 집인데 법도가 없이 이게 무슨 소란입니까. 우리집은 일찍이 송도에서 이렇듯 수모를 받아본 적이 없거늘, 부장은 어느 부에 계시길래 이리 자세가 심하시오."

목소리가 또렷하고 꾸짖는 어조에 힘이 있었다. 부장이 고개를 들어보니 양반댁 규수에 못지않도록 기품이 있고 영리해 보이는 처녀였다.

"아녀자가 나설 일이 아니니 처자는 안으로 들어가오."

"얼핏 들으니 양반들께 실수한 우리집 차인의 일로 오신 모양이군요. 그런 일이라면 낮에 사람 한 분을 보내어도 이쪽에서 예의를 갖추어 사과드리고 관가의 벌을 기다리게 할 터인데 무슨 역적의 집

이라고 아닌밤중에 군사를 풀고 횃불을 밝히고 집뒤짐을 하니 이것이 유수나리의 지시란 말입니까? 사또께서 부임하실 적에 비용을 우리네 상단에서 댔고, 지금도 적지 않은 봉물을 한양으로 보내드리고 있는 줄 압니다. 아무리 관장과 백성의 우의라지만 인정이 있는 터인데 이런 의리가 어디에 있단 말이오. 내 아버님을 대신하여 사또께 하소하여 만약 지시가 없었다면, 부장께서 경을 치도록 할 테야요."

"허허, 그 처자 말씨 한번 고약스럽게 하는구나."

귀례의 세찬 기세에 기가 죽은 부장은 그렇게 입속으로 중얼거리고서 박대근을 향하여 말했다.

"화적이 숨어 있다는 적경(賊警)을 받고 급한 김에 이렇게 되었으니 양해하시오. 그자가 돌아오는 즉시 관가에 보내어 판결을 받도록 해주시고, 오늘 일은 피차에 없었던 일루 합시다."

"이거 미안하게 되었소이다."

부장이 군사들을 휘몰고 나가버렸다. 박대근은 기왕에 혼사에 관한 얘기도 있었고, 그 성미도 잘 아는지라 미소를 머금고 귀례를 바라보았다. 귀례는 돌아서서 안채로 들어가며 들으라는 듯이 종알거렸다.

"까짓 하리 하나 구슬리지 못하면서 무슨 상단의 행수 노릇을 한다구 그럴까?"

"사내들 일에 아낙네도 아닌 미혼 처자가 불쑥 나선 게 장한 일인줄 아는 모양이네."

"요즈음 시정의 친구를 사귐이, 마치 손을 뒤집어 구름이요, 엎으면 비가 되는 경박한 세상(翻手作雲覆手雨)인데 너무 친구만 좋아하지 마셔요."

하고는 안채로 달아나버리는 귀례를 향하여 박대근은 웃음을 터뜨렸다. 배대인이 좀 들어오라는 지시가 있어 박대근도 안사랑으로 들어갔다. 배대인은 박대근에게가 아니라 부장의 무례한 짓에 대하여 노발대발하고 있었다. 그러나 박대근이 하리 따위를 상대할 일이 아니나 양반의 앙심은 귀찮은 일이니 자기가 직접 찾아가 사과하겠다고 배대인을 가라앉혔다. 박대근이 제 방에 돌아와 누웠는데 새삼 막내딸 귀례의 얼굴이 눈앞에 삼삼하여 잠을 이룰 수가 없었다. 그는 명년 봄에 귀례에게 장가들 일을 작정하고 있었다.

2

갑송이는 한밤중에 배대인네 집에서 뛰쳐나오자 내처 밤길을 걸었다. 마음 같아서는 당장 벽란나루를 건너 해주로 향하고 싶었지만, 박대근의 만류도 있고 하여 역시 안전한 길을 택하기로 하였다. 일단 길을 떠나고 나니까 새삼스럽게 재인말에 대한 걱정이 생겨나는 것이었다. 금천(金川) 가까이 당도하자 어느결에 날이 새는 중이었다. 갑송이는 봉놋방에 들어 아침을 먹은 뒤 해가 높다랗게 뜨도록까지 눈을 붙였다.

평산서 늦게 중화 하고서 밤늦어 금교역말에 들어갔다. 때마침 첫눈이 팔팔 흩날려오고 있었다. 길산이는 옥에 갇히고 재인말은 쑥밭이 된데다 혼자서 눈 내리는 초겨울 밤길을 걷자니 뚝뚝한 갑송이의 가슴에도 썰렁한 수심이 가득 차는 것이었다. 서흥까지 밤새껏 걷고 싶었으나 배도 출출하고 더욱 날씨 탓인지 목도 컬컬하여 마방(馬房)이 줄지어 선 주막거리를 찾아들었다. 계절이 계절인지라 금교역에는 역졸이나 역마가 몇 있었을 뿐이고, 사람의 자취가 끊겨 한산하였다. 그는 주막으로 들어섰다. 술청 안에는 아무도 보이지 않았다.

"나 좀 보세! 여기 아무도 없나?"

미닫이가 열리며 곰방대를 문 사십줄의 주모가 빼끔히 내다보았다.

"장사하시게."

"올라오슈. 날씨두 춘데."

"거 방이 뜨뜻하우?"

"아랫목이 절절 끓어."

"그럼 염치 불고하고 구들목 신세 좀 집시다."

갑송이는 주모가 앉았는 방으로 서슴지 않고 들어섰다.

"술 좀 주오."

"밥은 안 드시게?"

"밥 새길 틈이 있어야지. 술 반 말에 닭이나 두어 마리 삶아 내오우."

주모는 입에 곰방대를 문 채로 밖을 향해 중노미를 불렀다.

"천둥아! 이애 천둥아, 아니 이 녀석이 어딜 가서 자빠졌어?"

주모는 곰방대를 뽑아내고 다시 불러본 다음에 몸소 술상을 보러 나가려고 투덜대며 일어났다. 그때 아이 소리 듣기에는 나이가 많아 뵈는 중노미가 헐레벌떡 뛰어들어왔다.

"아이구, 큰일났수. 좀 나와봐요."

"왜 이리 수선을 떨구 지랄이람."

"저 뒤…… 뒷방에서 사, 사람이 죽어요."

"뭐라구!"

"뒷방에 들어온 선비 있잖아요. 목을 맬려나 보우."

"이 녀석아, 그러면 이리루 달려올 게 아니라 쫓아들어가 말릴 일이지. 아유, 큰일 났네."

"방문이 안으루 잠겼습니다."

아랫목에서 꺼벅거리고 앉았던 갑송이도 얼결에 벌떡 일어났다. 그리고 세 사람은 신발을 꿸 사이도 없이 주막 뒤꼍으로 돌아갔다. 갑송이는 중노미가 손짓하는 방 앞으로 가서 문짝을 흔들었다. 문고리째로 빠져나오면서 퇴창문이 벌컥 열렸다. 셋의 고개가 안으로 쏟아져 들어간다. 목에다 옷고름을 휘감은 사내가 쓰러져 있었다. 갑송이는 뛰어들어가 선비의 목에 감긴 옷고름을 풀어주었다.

"죽지는 않았구먼."

"에구, 하필이면 우리 주막에서 이런 짓을 할 게 뭐람. 까닭 없는 송장 치구 그 살은 누가 맞으라구."

"떠들지 말구 어서 냉수나 한 바가지 떠오시게."

사내는 얼굴이 새파랗게 되었으나 맥이 완전히 꺼져버린 것은 아니었다. 냉수를 사내의 얼굴에 뿜어주고 손발을 주무르니 차차 화색이 돌기 시작했고, 잠시 후에는 한숨을 토하면서 눈을 떴다. 사내는 제 목을 만져보고 주위를 둘러보았다. 주모가 성깔을 올리면서 삿대질을 했다.

"아니 이건 누굴 찬밥 멕일라구 이러는 거야. 뒈질려면 곱게 길에 나가 논두렁이나 베든지 할 것이지."

"아 소란 피우지 마슈. 가서 술이나 빨랑 데워와요."

"나 참 길가에서 술 팔고 먹구살려니 별꼴이 다 많어."

주모와 중노미가 사라진 뒤에 방 안에는 갑송이와 사내만이 남았다. 갑송이는 그가 겸연쩍어할 것 같아 일부러 말을 꺼내지 않고 덤덤히 앉았는데, 기력을 잃고 누워 있는 사내의 뺨 위로 눈물이 주르르 흘러내렸다. 한참이나 그러고 누워 있던 사내가 인사를 차리려는지 일어나 앉으려고 몸을 일으켰다. 갑송이가 그를 만류했다.

"아아, 누워 계슈. 번거로이 인사를 차릴 필요 없소이다."

사내는 다시 뒤로 누웠다.

"누구신지 모르오나 쓸데없는 선행을 하셨소이다. 어차피 죽을 목숨이니 또 한번 겪게 되었소."

"에이 여보, 보아하니 우리네 같은 천출은 아닐 듯싶은데 멀쩡한 사람이 목을 맨단 말유. 참말 죽고 싶다면 내일 내가 저 산속에 데려가서 목을 쳐드리리다. 그대신 수고비는 줘야 하우."

갑송이가 비아냥거리며 사내의 비위를 긁었건만, 그는 조용하게 누워 있었다.

주모가 그 방으로 술상을 날라왔다.

"거 고기두 좋지만, 국물도 뜨뜻하게 한 사발 갖다주시게."

갑송이는 날라온 국물을 사내의 앞에 밀어놓고,

"어찌 정신이 좀 들었으면 이거나 좀 드시우."

사내는 그대로 누워 있었으나 갑송이가 억지로 일으켜 벽에 기대게 하였다. 그는 갑송이가 술을 연달아 들이켜는 양을 구경만 하더니 드디어 제 잔을 내밀었다.

"나두 한잔 주시오."

갑송이와 사내는 마주 앉아서 묵묵히 술잔을 주고받았다. 갑송이가 물었다.

"어디루 가시는 길이오?"

"봉산으루 갑니다."

"게가 댁이시우?"

"그렇소."

"보아하니 양반이신 모양인데……"

"선고께서는 작은 벼슬을 하셨으나 내 위인이 우매하여 아직 출신하지 못한 학생이올시다."

"예끼 여보, 우리 같은 불상놈두 이렇게 눈을 멀쩡히 뜨구 살아가는데, 댁네 같은 양반이 이런 추태를 보인단 말요?"

사내는 술을 연거푸 들이켰다.

"부끄러워서 뭐라구 발명할 말두 없소이다."

"나는 지나던 나그네이매 댁에게 사연을 묻는 것두 우습지마는 또 혹시 압니까. 우리 같은 상놈의 말두 쓰일 데가 있을지……"

"자꾸 그런 말씀 하지 마십시오. 내야 외양이 이렇달 뿐이지 실은 농사를 짓고 자리를 짜고 나무를 해서 살아가니 양반이랄 것두 없소이다."

"어디서 오시는 길이길래?"

"한양서 오는 길입니다."

하고 나서 사내는 땅이 꺼질 듯 한숨을 내리쉬었다.

"한양서 죽어버릴 것을…… 지난 이십여 년 동안 나는 식년시를 다섯 번, 별시를 세 번이나 보았지만 그때마다 보기 좋게 낙방을 했습니다. 과거를 보느라고 젊음을 허송세월하였지요. 이제 나이 사십줄에 접어들어 가산은 기울 대로 기울고 훈장 노릇으로 코흘리개들의 설경료나 받아 사는 처지에 돈 삼백 냥을 몽땅 날리고 말았소그려. 그 삼백 냥이란 우리집에서 마지막으로 남아 있던 전답과 가옥을 담보 잡혀 빌린 돈이지요."

"그 나이에 점잖으신 양반나리가 투전이라두 했단 말이오?"

"차라리 투전이나 했다면 운수려니 셈치구 생각이나 않게요. 그만 간교한 도적에게 속아 모두 털리구 말았지요. 구사의 길을 트려다가 말이우. 어디 작은 직함이라두 얻어걸릴 줄 알았지요."

"평생을 글을 읽으셨단 분이 과거를 보시든가 해야지 돈냥으로 벼슬을 얻으려 하우."

갑송이의 빈정대는 말에 사내는 한숨을 쉬고 나서 말했다.

"모르는 말이오. 요즈음 과장은 순전히 아수라들의 저자나 같지요. 고관부가의 자제가 아니고는 과거는커녕 글귀 하나 제대로 적어낼 수 없는 세상이 되어버렸소."

"제길 그따위 글은 읽어 뭘 하우. 사나이는 논 매고 밭을 갈든지 나무를 해서 땀 흘려 먹구살면 되는 게지. 그래 벼슬자리 하나 못 얻어 자진할 사내라면 아예 내가 목을 쳐드리겠다니까. 환도가 없으니 이 집 부엌에 가서 식칼이라도 빌려올까?"

"참으로 부끄러우나 지당한 말이오. 허나 저간의 내 행적을 모두 얘기하면 사정은 족히 이해하리다."

봉산 선비는 먼저 과장의 얘기를 꺼내었다. 식년시 때가 다가오면 몇달 전부터 없는 살림에 요리조리 경제하여 우선 여비를 마련한다. 그리고 수년간 읽은 글들을 다시 총정리하고 조상의 사당에 기도를 드리고 나서, 몇년간 고생해온 아내에게 금의환향을 다짐하고 길을 떠난다. 양반의 신분으로 환로에 나가지 못하면, 상놈이 받는 것보다 훨씬 큰 수모를 견디며 살아야 하고, 이제는 상민들도 땅이 많거나 돈이 많으면 마음대로 양반을 부릴 수 있는 세상이었다. 남의 머슴을 사는 양반들도 있는 판이었다.

어쨌든 이런 자칭 선비들이 식년시 때마다 전국 각지에서 한양을 바라고 몰려드는데 적을 때는 팔구만이요, 많을 적에는 십오만이 넘었다. 한양 성내 사람들보다도 과거 보러 오는 자들이 더 많을 정도였다. 객주 주막마다 시제라든가 이번 과거의 동향에 대한 뒷소문으로 가득 차 있다. 이번 장원은 어느 판서의 자제라는 둥, 승지의 작은 사위라는 둥 글귀는 벌써 지어져 시관에게 가 있다는 둥의 별의별 소문이 들끓는다. 시골 향족의 자제들은 하인들을 서넛씩 데리고 와서 전날 밤부터 과장의 좋은 자리를 잡아 교대로 맡아 지키게 한다. 또는 글씨 잘 쓰는 자를 데리고 와서 과장에 동행하거나, 시깨나 읊는 자들로 글귀의 짝을 채우기도 한다. 한양 불량배들은 이러한 선비들의 행각을 잘 알기 때문에 자리다툼과 시고(詩稿) 내는 일과 대필하는 일 등에 관한 거래를 터주러 각 객줏집을 돌아다니는 것이다. 돈냥깨나 있는 자들은 이들을 고용하는데, 대개는 과장에서 각 선비들이 고용한 불량배들이 서로 자리다툼으로 때리고 차는 소동이 비일비재하였다.

"시고를 낼 때에 시관 가까이 있는 자가 아니면 한번 읽히게 할 수도 없소이다. 그 많은 것을 어찌 다 보겠소. 그저 성명이나 확인하고 첫 귀를 읽을까 말까지요. 또한 알려진 가문이나 향족의 자제들은 제 이름을 미리 써서 시관에게 많은 선물과 함께 넣어두지요. 이십여 년을 과거로 허송세월했는데 집안은 기울고 조상에 뵐 면목도 없어, 그냥 직함이나 따서 가족들과 일가들께 체면이나 내세울 생각을 했었지요. 우리 선친과는 함께 동문수학인 어른이 교리 벼슬을 하고 계시는데 그이를 찾아뵙고 부탁을 드려보리라 작정했소. 그래서 아무리 아는 분이지만 돈은 있어야겠기에 내 전답과 가옥을 담보로 봉산 자모전가(子母錢家)에서 돈을 삼백 냥이나 빌렸지요. 그 돈으로 장사나 했더라면 큰 이를 보았을 것을…… 돈을 마바리에 싣고 한양성을 찾아들었는데 교리 댁에 가서 청지기께 허통을 넣으니 그 어른이 저를 만나줘야 말이죠. 청지기가 말하길 우선 백 냥만 자기를 통해 넣으라는 겁니다. 오십 냥으로는 진귀한 당화(唐貨)를 사서 나리마님께 들여놓고 나머지 오십 냥으로는 산삼을 사다 올리겠다구 그럽디다. 하도 고마워서 나중에 직함이 떨어지면 꼭 사례를 하마 다짐하며 돈을 내주었지요. 그자가 사흘 뒤에 다시 찾아와 당신 직함이 결정되었다며 교리어른 혼자 하시는 게 아니라 다른 교리가 또한 계시고 판서도 계시니 각각 오십 냥씩 일백오십 냥만 넣으면 모두 깨끗이 끝난다는 것입니다. 두말 없이 내주었지요. 한 닷새 지나서 그자가 술과 고기를 사가지고 와 내게 술을 권하면서 축하를 해주는 거요. 벼슬자리가 생겼다는 얘기지요. 그러니 관복도 지어야 하고 인사도 다니려면 선사품을 준비해야 하므로 돈이 좀 필요할 거라는 말에 모두 일임하겠다며 돈 오십 냥을 선뜻 내주었지요. 그래서 내가 전답 가옥을 잡혀 마련했던 돈 삼백 냥은 모두 날아가버렸습니다. 헌데 아무리 기다려도 그 청지기 사내가 나타나질 않습디다. 나중에 애가 달고 의심이 부쩍 생겨서 주위에 물어보니 모두들 조롱하여 말하기를 대가에 겸인 청지기가 하나둘이 아닌즉 어느 자에게 당했는지 알 게 뭐냐는 것입니다. 공연히 양반댁에 와서 있지도 않은 돈 떼였다고 행역질 말고 다음에 조심하는 게 상수라는 것입니다."

"거 참 한양놈들이 순전히 날강도놈들이군."

갑송이가 눈을 부릅뜨고 중얼거렸다.

"그래 삼백 냥을 바쳐 벼슬자리가 나오면 그 돈 삼백 냥을 국록으로 갚는답디까. 아니지, 모두들 우리네 같은 상놈들의 목통을 조르고 비틀어서 우려내시겠지. 그깐 생각 하면서 글은 뭣 땜에들 읽는지 모르겄네."

"혼자서 지난 세월을 생각해보니 부끄럽고 욕스러워서 견딜 수가 없습디다. 고향에 가봤자 남은 땅도 없고 집마저 쫓겨나게 되었으니 무슨 면목으로 처자를 대하겠소. 그래서 자진할 생각을 먹었지요."

갑송이가 껄껄 웃으면서 말했다.

"좋은 일이 있소이다. 내 나리께 돈을 마련할 방도를 일러드리겠수."

"뭔데요?"

"같이 구월산으루 들어갑시다."

"구월산엘?"

"그렇소, 구월산에 들어가면 댁네 같은 글 잘하는 사람이 있어야 될 듯하우."

갑송이가 말했지만 선비는 아직 이해하지 못하는 것 같았다.

"구월산에 들어가 무엇을 하우."

"녹림당이 되자는 게요."

"그렇다면 명화적이 되잔 말이오?"

갑송이가 다시 너털웃음을 터뜨렸다.

"과거로 허송세월하고 가산을 날려 자진해 죽는 일보다는, 의로운 녹림당으로 그릇된 재물을 많이 가진 자에게서 빼앗고, 포악한 관원을 징계하는 일이 더욱 낫지 않소."

선비는 별로 놀라지는 않았으나 잠깐 마음이 내키는 듯한 눈치를 보였다. 실상 그로서는 막다른 길이었고, 이십여 년이나 억눌러온 불만이 있었던 것이다. 우직한 갑송이의 소견에도 이십여 년이나 하루도 빼지 않고 글을 읽은 선비라면, 비록 산채의 두령인 마감동이 글도 알고 꾀도 있지만, 선비 쪽이 훨씬 일을 도모하는 데 큰 도움이 되리라는 생각이었다. 선비가 상 위로 머리를 가까이하면서 되물었다.

"그래, 힘도 없고 병장기 하나 다룰 줄 모르는 우리 같은 책상물림을 데려다 뭣에다 쓴단 말요?"

"힘 따위야 나 혼자서도 이 집 기둥뿌리를 뽑아던질 수가 있소이다. 댁네의 궁량을 빌리잔 얘기우."

선비는 혼자 중얼거렸다.

"위로 임금에 충성하고 아래로 백성을 보살피는 성현의 가르침에 어긋나서 도적이 된다……"

"그거 다 책에만 있는 소리지, 실행이 없는 세상이우. 오히려 우릴 가르쳐서 그런 일을 행하느니만 같지 못하겠수. 내키지 않으면 그만 두시오."

"우선 생각해볼 여유를 주시겠소? 집에 노모도 계시고 처자가 딸렸으니 가볍게 결정할 일이 아닌 듯하오."

갑송이가 낮고 강한 어조로 다짐을 했다.

"우리가 나눈 얘기를 혼자서만 새기시오. 아무래두 봉산까지는 함께 가야 할 터이니……"

"여부가 있겠소. 당신이 나를 살렸는데, 내 어찌 그런 의리를 배신할 수가 있겠소."

"우리 작당하기로 결정이 되면 한잔 다시 나누기루 합시다."

하고 나서 갑송이가 선비의 방에서 나오려는데 그가 물었다.

"내 만약 댁을 따라 구월산으루 들어간다면 가족을 수습할 수가 있겠소?"

"염려 마오. 모두 안돈시켜드리리다."

갑송이는 선비를 혼자 남겨두고 뒷방에서 나왔다. 그는 주모를 불러 선비와 자기의 숙식비를 함께 치렀다.

손님이 없던 끝이라 주모는 희색이 가득하여 접대하는 뜻으로 술 한 상을 더 차려주었다. 이튿날 아침에 갑송이가 뒷방으로 건너가니 선비는 벌써 일어나 의관 정제하고 단정히 앉아 있었다. 갑송이는 퇴창문을 벌컥 열자마자 다짜고짜로 물었다.

"어찌하기루 작심했소?"

"함께 가십시다."

갑송이는 빙긋 웃었고 선비는 어제처럼 초췌한 몰골이 아니라 점잖고 침착하게 미소를 지었다.

"재주가 없으나마 도와드리겠소. 허명과 썩은 생각에 잡혔던 나는 어제로 죽은 것이고, 기왕에 그릇된 세상이니 그릇된 대로 이름이나 남기려오. 세를 키워서 팔도를 걸치는 녹림당으루 만듭시다. 나 김기(金起)라 하오."

"이갑송(李甲松)이우. 봉산 거쳐서 구월산으루 가십시다."

이갑송과 김기는 서흥과 검수역을 거쳐서 봉산에 닿았다. 갑송이가 주장하여 김기만이 제 집에 들러서 그 밤을 지내고 이튿날 식전에 지진(芝津)나루를 건너 안악으로 향하기로 의논이 되었다. 김기는 집에 들러서 우선 쌀섬이라도 들여놓고, 가족들에게는 평양으로 장사를 떠난다며 안심을 시켰다.

이튿날 걸음을 재촉해서인지 갑송이와 김기는 아직 해가 높다랄 때에 배고개를 넘어 고심산을 지나 실토봉(失土峯)으로 올랐다. 투구봉 기슭을 돌아 구월산의 가장 높은 봉우리 아사봉 아래편의 된목이골에 이르니 이미 사방이 컴컴해져 있었다. 된목이골의 분지에는 불빛이 몇점 보였다. 두 사람이 앞으로 더욱 나가려는데 문득 번을 서는 자의 군호소리와 함께 화살이 비 오듯 쏟아져내렸다. 그들은 황급히 바위 뒤에 몸을 숨겼고, 갑송이가 큰 소리로 외쳤다.

"나 이갑송이란 사람이다. 느이들 마두령의 성님뻘 되는 사람이니 활을 거두어라."

어둠속에서 목소리만이 들려왔다.

"앞으로 나오시오."

그들이 앞으로 걸어나가자 일시에 사방에서 창과 칼을 겨눈 자가 다섯이나 뛰쳐나와 두 사람의 앞뒤로 둘러쌌다. 어둠속에서 창을 비껴든 사람이 마주 달려나왔다.

"무슨 일이냐?"

"예, 부두령이십니까? 누가 두령님을 뵈러 오셨습니다."

"누군데……"

부두령이라니 전에 박대근이께 창으로 대어들던 안주의 오만석이 틀림없었다. 평안진군(平安鎭軍)의 초장(哨長)이었던 사내다. 갑송이가 얼른 손을 잡으면서,

"나 이갑송일세. 만석이 아닌가?"

하노라니 그쪽에서도 알아보고 반긴다.

"아이구, 성님이 웬일요. 소문은 들었습니다. 자, 어서 들어가십시다."

오만석이 그들을 안내하여 산채로 들어가는데 전보다 더욱 형세가 커진 것이 초가가 세 채이더니 이제는 여섯 채로 늘어나 있었고, 졸개들도 군율이 엄정해 보였다. 그들이 공회소로 쓰이는 초가에 다가들 때 벌써 전갈을 받은 마감동이 툇마루로 나왔다. 갑송이가 가까이 가자 감동이는 맨발로 뛰어내려왔다.

"성님이 웬일이야. 어서 오우."

"아우 잘 있었나?"

"소문은 들었수. 길산이 성님이 해주에 갇혔다며. 대근이 성님께서 무슨 연락을 주시리라 믿구 좀이 쑤시는 걸 참구 있었다오."

"다 나오게 되어 있으니 너무 걱정 말어."

그들은 모두 들어가 자리에 앉았고 서로 간단한 인사를 나누었다.

갑송이가 말했다.

"나두 녹림당으로 좀 끼여주겠나?"

"여부가 있수. 성님이 오셨으니 나는 두령자리를 물리겠수."

"아냐, 그럴 것 없네. 나야 식객으로 밥이나 먹여준다면 내 힘써 도와주겠네."

그들은 한참이나 두령이 되라거니 아니라거니 옥신각신하다가 김기의 말에 가벼운 다툼을 그쳤다. 김기가 말하기를,

"규율이 있는 곳에는 서열이 있게 마련이오만, 그것이 귀찮다면 제일 제이 두령을 각각 맡으시고 그때그때마다 의논하여 일을 정하면 될 것이오."

"내가 내일은 재인말루 내려갔다 오겠네. 그전에 길산이 부모님을 옥에서 구원해낼 일을 짜야겠어."

"아이들 데리구 문화 관아를 들이칩시다."

라고 오만석이 말했고, 마감동은 고개를 저었다.

"관아를 들이치면 세상의 이목을 모으게 되니 별루 좋지 않아. 또한 서루간에 죽고 다치는 자가 많이 나올 테니 우리가 손해구…… 속임수로 빼내어와야지."

다시 김기가 말했다.

"내일 이두령이 재인말에 들르실 제 감옥 내막을 대강 알아오시우. 그러고 나서 의논해두 늦지는 않겠소. 사실 시골 군의 옥이래야 두어 칸도 못 되는 토옥인데 사람을 많이 풀어서 선불리 형세나 드러낼 필요는 없겠지요."

"자, 날씨두 추운데 먼 길을 오셨으니, 술이나 실컷 마십시다."

감동이네는 그동안에 평안도, 강원도를 넘나들며 화적질을 거듭하여 재물이 풍족했고 이제는 입당한 졸개들도 수가 많은데다 만석

이와 감동이가 조련을 시켜서 제법 병장기들도 익숙하게 다룬다는 것이었다. 여러 얘기가 오가던 중에 갑송이가 선비 김기와 만나게 된 얘기를 꺼내니 마감동은 선뜻 돈을 봉산으로 보내어 잃은 땅과 가옥을 되찾아 김기의 가족들이 걱정 없도록 하겠다고 약속하였다.

갑송이는 이튿날 산채에서 하루종일 머물렀다가, 연락시킬 졸개 한 명을 데리고 광대산 줄기를 따라 재인말로 내려갔다. 큰잿말에는 빈집이 많이 있었고 눈 덮인 밭고랑에는 강아지마저 뛰놀지 않았다. 갑송이는 걸음을 재촉하여 우선 큰돌네 집으로 향하였다. 뜨락에 들어서서 헛기침을 했더니 부엌에서 뭔가 부스럭대던 큰돌의 처가 기웃이 내다보았다.

"아니, 이게 누구유?"

"형수씨, 안녕하슈. 큰돌 성님 어디 갔나요?"

하는데 방문이 열리면서 희미한 음성이 들려왔다.

"누군가? 나 여?네."

"웬일이오. 어디 아프오?"

큰돌의 아내가 말하였다.

"글쎄 무슨 병인지 온몸이 퉁퉁 붓고 옴짝달싹 못 하네요."

갑송이는 윗목에 털썩 주저앉았다.

"마을이 어째 이 모양이 되었소. 겨울인데 출행들 나갔을 리두 없구."

"출행이 다 뭔가. 관에서 이번 겨울 안으로 우리를 재인말서 모두 쫓아낸다네. 미리 떠난 사람들이 많다네."

"총대어른은 안녕허시고……"

"안녕이 다 뭔가. 돌아가셨네. 그 묘옥이란 아이가 여기서 떠나던 날 집에다 불을 지르시고는……"

갑송이가 차차 마음이 격해하면서 다급하게 물었다.

"우리집엔 별일 없지요?"

"자네 노모께서 요새 고생이 말이 아니라네. 낙상을 하셨는지 몸을 못 쓰신다네."

"이젠 예전의 재인말이 아니군."

"다 빼앗겨버린 거나 마찬가지야. 여기는 명년 봄부터 둔전으로 몰수된다네."

"좋다. 내 눈을 멀쩡히 뜨고서 이대로 물러가지는 않으리라. 문화현감을 쳐죽이겠어."

"여보게, 우리두 결정을 내려서 구월산으로나 들어가버렸으면 싶으이."

갑송이가 일어섰다.

"좌우간 며칠만 기다리우. 모두들 이사를 시켜놓구 일을 벌여야지."

갑송이는 우선 제 집에 들렀다. 마당에는 치우지 않은 눈들이 그대로 지저분하게 녹아 있고 퇴락한 울타리가 군데군데 뚫어져 있었다. 갑송이는 노모가 계신 부엌에 딸린 안방의 퇴창 밖에서 기침을 몇번 해보았다.

"게 누구요?"
하는 말소리가 이미 기력이 쇠잔하여 집안의 모습처럼 썰렁하게 여겨졌다. 갑송이는 눈시울이 뜨거워졌다.

"누구시우?"

끙 하며 일어나 앉는 소리와 함께 창이 밖으로 열렸다.

"어머니, 접니다. 갑송이요."

"응, 인제 오냐?"

어머니는 마치 마실 나갔다가 돌아오는 때처럼 갑송이의 귀가를 담담하게 맞았다. 그녀 자신이 예전에는 연희를 돌아다니던 굿중패였기 때문이고, 재인말의 흔한 관습이기도 하였으며 무엇보다도 그들은 길 위에 서 있는 생활을 잘 알아왔기 때문이다.

"관에서 시끄럽게 굴더라. 길산이하구 어울린 게 너 아니냐구 말이다. 끝까지 네가 북관 쪽으로 올라갔다구 발뺌은 해두었다만."

"어머니, 고생되시죠. 이제 재인말을 떠납시다."

"내야 재인말이든 한양이든, 저어기 되 땅에서라두 못 살 거 있겠냐. 아무 데나 좋다. 산 있고 물 있는 곳이면 어디에서나 살 수 있어."

"어머니, 그러면 대강 짐을 꾸려두십시다."

갑송이는 기동이 불편한 어머니가 일러주는 대로 초라한 세간살이 중에서 정 버리기 아까운 물건들을 추려 싸놓았다. 잠시 앉았노라니 문화 고을에서 정탐을 하던 졸개가 돌아왔다.

"다 알아봤습니다. 장두령께서 처형당했다는 소문이 있기 전에는 파옥을 두려워하여 경계가 엄중했답니다. 그렇지만 요즈음은 또 재인말이 아직 정돈되지 않아 광대들이 소란을 부릴까 걱정하는 모양입니다. 아마 조금이라두 이상한 기미가 있으면 군졸을 풀어 마을을 아예 쑥밭을 만들 것 같습니다."

"너는 이 길루 마두령에게루 가서 낱낱이 아뢰고, 나는 이사시킬 준비를 서두르겠노라 일러라. 내일까지 모두 이사를 시킨 다음에 모레쯤에 들이칠란다."

"관아루 쳐들어가게요?"

"아예 불을 확 싸질러버려야지."

"이번엔 큰 판을 치르겠네. 벌써부터 팔뚝이 욱신거리네요."

졸개는 그 길로 된목이골에 돌아갔다. 갑송이가 제 동무들을 찾아 다니는데 이미 많은 광대들이 산지사방으로 흩어진 뒤라 반도 남아 있지 않았다. 그들은 아직 결단을 못 내리고 정든 땅을 버릴 수가 없어 주저앉아 있는 중이었다. 갑송이가 이미 이사할 곳을 정해두었다고 말을 꺼내면서, 떠나기 전에 문화현감의 버릇을 고치자 하니 모두들 찬성해왔다.

다시 그는 까막내 갖바치 박서방네로 찾아갔다. 길산의 누이와 박서방 외에도 여태껏 읍내를 드나들며 옥바라지를 해온 봉순이가 함께 있었다. 봉순이는 그동안에 어느덧 계집아이 티를 벗고 이제는 처녀 꼴이 완연하여 갑송이가 막말을 주고받기에도 거북스러웠다. 갑송이가 들어서니 봉순이는 부엌으로 달아났고, 건너편 토방에서 가죽을 꿰매던 박서방이 뛰어나왔다. 봉순이는 툇마루에 와서 귀를 기울이고 섰고 박서방과 갑송이와 길산의 누이 셋이서 둘러앉아 해주 소문을 주고받았다.

"여기서는 길산이가 죽었다는 소문이 짜아했었네."

"어머니나 아버지두 그 얘기는 숨겨서 잘 몰라요. 어제두 길산이가 놓여나서 돌아왔느냐구 몇번이나 물으시더래요."

박서방과 길산의 누이가 말했다. 갑송이가 물었다.

"옥리는 몇명이나 됩니까?"

"뭐, 둘씩 번을 들어 교대루 지키는갑데. 허나 관아 안에 있으니 파옥하려면 싸움을 벌여야 할걸."

"까짓 놈에 썩은 군졸들이야 나 혼자서라두 문제없습니다. 그보다는 일단 까막내를 떠납시다. 얼마 동안 구월산에 가 있다가 마땅한 곳이 생기면 마을을 이루어 모여 살기루 하구 말이우."

"글쎄, 파옥을 정 해낸다면 우리가 예서는 더이상 살 수 없을 것이네."

"길산 오빠는 감영 옥에서 나오게 되나요?"

봉순이가 얼굴은 내밀지 않고서 밖에서 물었으며 갑송이도 내외 말투 비슷이 대답해주었다.

"이번 겨울 안으루 나오게 된다지."

"몸은 건강하대나요?"

"그전보다 더 팔팔하다우."

봉순이가 잠깐 망설이는 듯하더니, 억지로 묻는 것 같았다.

"묘옥이란 여자가 해주로 떠났다는데 옥에서 만났대나요?"

"그런 얘기는 못 들었다구……"

봉순이는 길산이 묘옥을 좋아했고 묘옥이도 길산이를 제 서방으로 여기고 있음을 누구보다도 잘 알고 있었다. 봉순이는 장충과 안무당이 자기와 길산이 두 사람을 이미 성혼시키려고 작정했다는 눈치도 알았다. 어릴 적에 무당의 신딸로 들어와서 철없이 자라나면서 길산이를 사내로 생각하지 못했던 봉순이었으나 어느결엔가 길산이를 그리운 남자로 생각하게 되었던 것이다. 봉순이는 눈물이 글썽글썽해가지고 툇마루에 앉아 있었다.

마감동과 오만석이 졸개들 십여 명을 데리고 재인말에 내려왔는데, 김기도 뒤따라 들어섰다. 그들이 도착하자마자 재인말 사람들의 은밀한 이사가 시작되었다. 그들은 간단한 세간살이들을 싸짊어지고 구월산 아사봉의 된목이골 산채로 들어갔다. 반나마 어디론가 흩어져버린데다, 구월산에는 들어가지 않겠다는 가족들이 있어서, 한 열댓 집 정도가 된목이골로 들어간 것이었다. 나머지 광대 식구들은 바닷가의 광대들이 모여 사는 강령이나 옹진 등지로 떠나갔다. 하루

만에 재인말은 인적이 끊어지고 빈집만이 남았다.

갑송이와 김기를 비롯하여 감동이, 만석이 등은 연희 나갈 때 계회장으로 쓰이던 마당에 모여 있었다. 김기는 도포에 통영갓을 쓰고 옥관자 달고 녹피혜를 신었으니, 누가 보기에도 한양서 유람 나온 높은 관리쯤으로 여겨질 만했다. 그에게는 졸개 둘을 구종배로 붙였다. 나머지 사람들은 모두 봇짐을 하나씩 짊어지고 머리에는 패랭이를 썼으니, 보부상 패거리의 행색이었다. 장사꾼으로 변장한 갑송이 등이 먼저 신천서 문화로 나가는 큰 한길로 나아갔고, 김기는 뒤미쳐서 말에 올라 거드럭거리며 따라갔다. 문화읍에 도착하여 김기는 객사를 찾아갔다. 수직하는 자에게 허통을 넣자 이르니, 그들은 어리벙벙하는 것이었다. 시중들던 졸개 하나가 김기의 눈짓에 따라 호통을 쳤다.

"이놈들, 이분이 누군 줄 아느냐. 영의정 김수흥(金壽興) 대감의 사촌 되시는 분이다. 어서 수령께 현신하라 일러라!"

누구의 말이라 거역을 하랴. 먼저 이방이 달려나와 문안을 드렸고, 잠시 후에 관복을 단정히 차려입은 문화군수가 와서 현신하였다.

"원로에 노고가 많으십니다. 저희 동헌으루 들어가시지요."

"아니오, 내는 객사에 있는 것이 훨씬 마음이 편하외다. 공무가 아니라 그저 갑갑하여 바람이나 쐬려고 유람을 나온 것이니, 사또는 너무 괘념하지 마오."

"이곳은 시골이라 사람 구경을 하기가 힘이 듭니다. 그래서 손님이 오시면 제가 친히 모시곤 합니다. 어서 저와 같이 드시지요."

김기는 그들이 관아에 들어가는 것을 원하고 있었고, 그것이 당초의 계획인지라 더이상 버티지 않고 사또를 따라 들어갔다. 좌정하여 조정 얘기며 서인이며 남인 쪽의 지면 있다는 인사들에 관하여 얘기하는데, 영상이 서인이며 또한 그들 일파가 득세하는 세월임을 알고 있는 수령은 연신 복제(服制)의 기년설(朞年說)이 타당함을 역설하였다. 몇년간이나 계속되어온 조정의 예송(禮訟)을 관리라면 누구나 잘 알고 있기 때문이었다. 김기는 능숙하게 기년설의 정당한 이론적 근거를 들어가며 설명을 해주었다.

"자리를 안으로 옮기시지요. 부끄러우나마 작은 자리를 장만하였습니다."

사또가 은근히 청하였다. 안으로 들어가니 이미 떡벌어지게 차려놓은 다담상 주위에 관기 서넛이 앉았고, 악공도 뒷전에 앉아 음률을 잡히고 있었다. 술잔이 오고 가는 중에 차차 취흥이 무르익어 사또가 먼저 말하기를,

"보아하니 거기나 나나 연수도 비슷한 듯하고, 또한 초시를 치른 해도 같으니 막역지우로 지내십시다."

하였고, 김기도 서슴지 않고 고개를 끄덕였다.

"아따, 그러지. 자네 내게 잘 보여야 내직을 얻어 하지. 내 한양 올라가면 아저씨께 말씀드려서 적당한 자리를 보아주겠네."

"황공합니다."

"이 사람, 막역지우로 하랬다가 어찌 말도 못 놓고 그리 설설 기는가?"

김기가 방자하게 상대방을 우롱하였으나 지방 수령은 조정의 권위있는 자에 줄이 있는 이 낯선 손님에게 그의 관운이 걸려 있는지라, 아첨이 실로 노골적이었다. 밤이 이슥하여 다담상은 다시 바뀌고 기생들의 춤과 소리도 여러차례 돌아갔는데, 문득 마당에 사람들의 기척이 들려왔다. 무심코 문을 열고 내다보던 기생이 질겁을 하여 외쳤다.

"에구, 웬 사람들이 마당에 가득 찼네."

사또가 술잔을 내려놓고 따라 일어서려는데, 기다리고 앉았던 김기가 품안에서 두어 뼘짜리의 날카로운 비수를 뽑아 그의 뒷덜미에 갖다댔다.

"꼼짝 말아라."

"에……? 무, 무슨 짓요?"

사또는 상머리에 두 손을 얹은 채 벌벌 떨고 있었으며, 기생년들은 방구석에 한데 몰려서서 고개를 처박았다.

"잘 모셨소이까?"

밖에서 우렁우렁하는 사내의 목소리가 들려왔다.

"예, 지금 모시고 있소이다."

문이 열리며 날이 시퍼런 환도를 든 장한이 들어서는데 마감동이었다. 그는 우선 상에 얹힌 술주전자를 들어 꿀꺽이며 한참을 마신 뒤에 안주 몇쪽을 태연히 집어서 맛을 보았다. 김기가 물었다.

"어떻게……?"

"예, 약속대루 관가 대문 밖에서 부엉이 소릴 냈더니 아이들이 열어줍디다."

마감동이 달려들어 사또의 몸을 묶었다. 그들은 결박 지은 수령을 동헌마루로 끌어냈는데, 벌써 관아를 점령하고 나졸들의 무기를 빼앗은 화적패들은 이어서 창고를 뒤져 피륙과 곡식섬들을 들어내고 있었다. 한편으로 갑송이가 옥을 부수고 길산의 부모를 데리고 나왔다. 장충은 그동안에 몰라보리만큼 늙고 쇠약해져 있었다. 김기가 데리고 들어갔던 졸개들이 대문 빗장을 빼어놓고 군호를 보내자 관가 앞에 숨어 대기하던 구월산 패거리들이 일시에 몰려들어와 미처 창칼을 쓸 새도 없이 군노 사령들을 제압해버렸던 것이다. 그들은 무명과 돈만을 가려내어 마바리에 그득히 실었고, 곡식은 밖에 내어 저자 복판에 멍석을 깔아놓고 그 위에 산더미처럼 쏟아놓게 하였다. 오가는 사람들이 저마다 이 광경을 보고는 자루나 함지를 들고 나와 다투어 퍼가는 것이었다. 관가 전체가 명화적에게 점령당한 것은 모르고, 사람들은 암행어사가 문화 고을에 출두했다고들 속삭였다.

김기와 갑송이와 감동이, 만석이 등은 고스란히 남아 있는 다담상을 동헌으로 내다놓고 술잔들을 돌렸고, 미처 달아나지 못한 기생과 악공들에게 곁에서 흥취를 돋우도록 하였다. 사또가 결박 지어져 섬돌 아래 꿇어앉혀지자, 먼저 감동이가 호통을 쳤다.

"네 이놈, 고을 수령이란 백성에게는 어버이와 같은 자리인데 어찌하여 죄 없는 양민의 땅을 빼앗고 내쫓으려 하느냐. 재인말을 관전으로 귀속시킨다는 것은 아무 근거가 없는 강탈행위가 아니고 무엇이냐?"

"아닐세, 지역이 외져서 규찰하기가 어렵고 또한 거기 사는 자들이 모두 유민들이라 감영에서 그렇게 지시가 내려와 복명했달 뿐이네."

갑송이가 벽력같이 소리치며 일어난다.

"네가 그렇게 계를 올린 게 아니더냐. 재인말은 일찍이 인조대왕 연간에 재인청을 설치하시고 우리 같은 연희꾼들을 모여 살도록 하신 이래로 우리가 대대로 살아온 고장이다. 비록 재인청이 폐하였다 할지라도 우리가 지어 먹은 땅인데 너 같은 쥐새끼 같은 도적놈이 지주 부가와 짜고서 관전과 우리 화전을 바꿔치려는 게 아니냐. 너야말로 실로 국고를 좀먹는 도적이다."

하면서 갑송이는 감동이의 환도를 집어들어 쑥 뽑고는 한달음에 뛰어내려갔다.

"이놈, 당장에 모가지를 베어버리리라."

"살려주오!"

갑송이가 칼을 위로 번쩍 치켜들자 수령은 목을 움츠리며 질겁을 했고, 감동이가 뛰어가 갑송이의 소매를 잡고 늘어졌다.

"매나 때려 징치하지, 이따위 놈의 피를 칼에 묻힌단 말이우."

"가만있어. 기왕에 뽑은 칼이니 그냥 집어넣을 수야 있나."

갑송이가 우악스런 손길로 수령의 머리에 얹힌, 꿩털 꽂힌 갓을 잡아 뜯어냈다. 그러고는 사또의 머리를 향해 쌩 소리가 나도록 칼을 휘두르고는 칼집에 철컥 넣어버렸다. 상투가 잘려버린 사또의 머리카락이 안면으로 흐트러져 내려왔다. 망보기로 나갔던 졸개 하나가 급히 달려들어와 보고를 했다.

"신천 쪽에서 관군이 삼십여 명쯤 들어오고 있습니다."

"적경을 알린 자가 있었군."

김기는 고개를 끄덕이고서 갑송이에게 말했다.

"반씩 떠나고 한편 싸웁시다."

김기와 오만석이 빼앗은 재물을 실은 마바리와 길산네 부모를 모시고 관가를 빠져나갔고, 그들은 송화 나가는 추산 줄기를 타고 구월산으로 향하기로 하였다.

병장기를 익숙하게 다루는 자들 이십여 명을 거느린 갑송이와 감동이는 군노 사령들이며 아전붙이와 수령을 상하 구별 없이 관가 창고에 가두고 자물통을 잠갔다. 그러고는 관가 대문 위에다 김기가 써주고 간 방문을 붙여두었다.

'억울한 백성들을 대신하여 악독한 관리를 징계한다. 창고의 재물 중에서 국고에 들지 않은 수령의 사재는, 백성에게서 부당히 빼앗은 것이므로 찾아가노라. 九月山 活貧徒.'

처음에는 대적하여 싸울 필요 없이 추격하는 자들을 늦추기나 할 작정이었다. 그러나 기왕에 관가를 점령하여 위세를 보였으니 아예 신천 군사들에게도 형세의 강함을 미리 알리는 것이 이치라 하여, 갑송이네들은 마주 나가서 싸우기로 하였다.

그들은 문화 읍내의 어귀에 있는 점포와 민가에 흩어져 숨었고, 동작 빠른 졸개 서너 명이 제각기 무기를 들고 관군을 향하여 나갔다. 신천서 오는 군사들은 관가를 빠져나간 통인아이의 적경에 따라서 날랜 자들만 뽑혀서 짓쳐들어오는 중이었다. 그들이 길 좌우로 벌리고 문화 읍내로 들어오는 중인데 바로 길 저편에 도적으로 뵈는 무명 수건을 질끈 동인 장정들이 환도와 창을 꼬나잡고 기다리고 서 있었다. 지휘하는 장교는 그 꼴을 보고는 하도 어이가 없어져서 뒤를 돌아보았다.

"원, 문화에는 지푸라기들만 있는 모양이구나. 저것들도 제 깐엔 도적들이라고 무기를 들었는데. 누가 쫓아가 사로잡겠느냐?"

포졸 몇이 화살을 메겨 쏘는데, 살이 서너 대 날아가자 벌써 꽁지가 빠져라고 뛰기 시작하는 것이었다. 그들을 잡으려는 군사들이 제각기 앞을 다투어 쫓으니, 마치 동네 아이들 석전(石戰)놀이판이 된 듯하여 군열이 어지러워졌다. 장교는 연방 문화 관아의 군사들을 비웃어대며 매사냥이라도 나온 기분으로 어슬렁어슬렁 부하들의 뒤를 쫓아갔다. 그들이 제각기 뛰어서 읍내 저자의 어귀로 막 들어섰으나 앞서 달아난 도적들 넷은 이미 자취가 없었다. 장교가 그제야 이상한 예감이 들어 환도를 뽑으려는 참인데 허공을 가르는 소리가 들리면서 살 한 대가 날아와 그의 뺨을 뚫었다. 꽂힌 화살은 그의 볼을 꿰뚫고 다른 쪽 뺨으로 맞창을 내었다.

"에구구……"

장교가 턱을 감싸쥐고 주저앉았고 연이어 쏟아지는 화살에 포졸 수 명이 맞아 쓰러진다. 화살은 양쪽에 늘어선 포점과 민가의 지붕에서 쏟아지고 있었는데 이미 앞뒤의 한길로는 병장기를 든 장한들이 뛰쳐나와 길을 가로막고 서 있었다. 텁석부리의 눈알 큰 자가 쇠 깨어지는 듯한 목소리로 말하였다.

"모두들 무기를 버리고 그 자리에 앉는 자는 살려준다. 저항하면 언놈이든 어육을 면치 못하리라."

초가지붕 위에는 활시위를 당기는 자들이 양쪽에 칠팔 명 서 있었다. 독 안에 든 쥐가 어쩌랴. 등등한 기세로 문화 고을을 도우러 나왔던 신천 군사들은 모두들 풀이 죽어서 제각기 들고 있던 병장기들을 내던지고 땅바닥에 주저앉았다. 활을 든 자들은 제 위치에서 꼼짝도 않고 앞뒤를 막아섰던 자들이 내던진 무기를 하나씩 수습하였다.

"신천으로 돌아가거라. 만약에 우리 뒤를 밟는 자가 있으면 살려 보내지 않을 것이니 아예 쫓을 생각 하지 말아라!"

갑송이가 호통을 쳤다. 군사들은 무기를 빼앗기고서 맨몸이 되어 짓쳐들어오던 기세는 어디로 갔는지 비 맞은 허재비 꼴로 돌아서서 달아났다. 싸움이랄 것도 없었다. 문화 읍내 사람들은 모두들 방문을 꼭꼭 닫아걸고 문틈으로 이러한 광경을 구경하였다. 뒤를 막아섰던 감동이가 다가오자 갑송이는 말하였다.

"아예 관가에다 불을 싸질러버리구 갈까?"

"그럴 필요는 없어. 공연히 일을 크게 벌여놓으면 토포군이 우리를 끝까지 추적할 테니까. 이만큼으로 겁이나 주었으면 됐지. 성님, 빨리 물러납시다."

"문화 수령이 화적을 접대하고 손님으루 모셨지, 동헌 아래 꿇어앉아 목숨을 구걸했지, 보통 망신이 아닐세."

그들은 서로 마주 보며 너털웃음을 터뜨렸다.

"오히려 소문이 안 나도록 쉬쉬할걸."

"어지간히 분풀이는 했지만, 그동안 받아온 수모를 생각하면 좀 미흡하이. 몇놈의 모가지를 그냥 뎅겅해버렸으면 가슴이 시원할 텐데."

"건지산(乾止山)을 넘어서 내고개를 타고 갈까, 아니면 추산(錐山) 마루로 해서 수렛고개를 돌아갈까?"

감동이가 퇴로를 정하지 못해 망설이는데 갑송이가 말하였다.

"추산으루 가지. 광대산(廣大山)을 지나다가 재인말에 남은 집들을 불이나 싸질러놓고 터줏대감께 하직인사나 해야지."

"핑곗김에 또 술 한잔 먹겠군."

그들은 대오를 정비하여 문화 읍내를 빠져나왔다. 오백 보쯤 앞에는 정탐을 내세워 사위를 살피게 하였고 맨 뒤에 갑송이와 감동이가 따라갔다. 이십여 리를 채 못 가서 추산 마루턱이 나왔다. 산의 응달진 골짝마다 희끗희끗한 눈자취가 남아 있었다.

"아무래두 오늘 안으루 된목이골에 닿지 못하겠는걸."

"수렛고개에 가면 우리 아이들이 몇명 나와 있는 토막 한 채가 있긴 한데 거기서 밤을 지내지."

"수렛고개서 된목이골까지야 한달음인데 쉬긴 뭣 허러 쉬어."

갑송이와 감동이는 그렇게 얘기를 나누면서 행렬의 뒤를 따라가고 있었다.

그들은 오후 늦게야 광대산을 넘었다. 갑송이가 감동이에게 말했다.

"내 잠깐 재인말에 내려갔다 와야겠어. 마을을 그대로 두고 떠날 수가 없네."

"그럼 어떡헐려구?"

"수렛고개 토막서 만나지."

"아이들 데리구 내려갈려우?"

"혼자 갔다오겠어."

갑송이는 그들에게서 떨어져 광대산을 내려왔다.

해가 뉘엿뉘엿 지고 있었는데 연기 한 점 없는 마을에는 겨울 저녁의 스산한 바람만이 지나가고 있었다. 컹컹대던 개 짖는 소리조차 들리지 않았다. 열려진 미닫이며, 퇴창문이며, 남겨진 그릇이나 장독이 더욱 비어 있는 집들을 적막하게 하는 것 같았다.

"예미랄…… 이젠 도깨비만 남겠구나."

중얼거리며 갑송이는 쭈그리고 앉아 부시를 쳐댔다. 초가지붕에서 한 움큼 뽑아낸 지푸라기에 불을 일구어 그것을 마른 소나무 가지에 옮겨 붙였다. 그는 불을 들어 지붕에 갖다댔다.

바싹 마른 초가는 한꺼번에 불꽃을 올리며 타올랐다. 그는 그 다음 집에도 불을 붙였다. 하나씩 둘씩 불이 댕겨진 집들이 타기 시작하자 재인말은 연기로 가득 차버리고 말았다. 광대들의 설움과 한이 서린 삼간짜리의 집들은 거센 불길 속에서 차례로 무너져내렸다. 온 마을의 집들에 불이 붙자 갑송이는 마을 큰마당에 우두커니 서서 불길을 바라보았다. 마을의 행사를 치를 때마다 춤판이 벌어지던 마당 한가운데에 그는 멍하니 서 있었다. 힘차고 경쾌하게 두드려대는 풍물소리가 먼 곳에서 아득하게 들려오는 듯하였다.

갑송이는 매운 연기에 숨이 막혀 기침을 터뜨리면서 불타는 마을길로 걸어나갔다. 큰돌이네 집도, 길산이네도, 박쇠네도, 육발이네도 모두모두 타고 있었다. 그는 작은잿말마저 불을 지르고 떠나고 싶었으나, 까막내가 가까우니 혹시 관군이 나왔는지도 알 수 없었으므로 그냥 광대산을 오르기로 하였다. 그는 산으로 오르며 타고 있는 재인말을 몇번이나 돌아다보았다. 회색 연기가 광대산 주위로 퍼져 올라오고 있었다. 갑송이는 주먹을 들어 뺨 위로 흘러내린 눈물을 쓱 닦았다.

"제기, 매우니까…… 눈물이 나는구나."

그들이 일궈놓은 밭고랑에는 녹다 남은 눈이 얼어서 희끗희끗했고, 서낭나무에는 색 바랜 헝겊들이 매달려 펄럭이고 있었으며, 불이 붙은 당집에서는 기와가 튀는 소리도 들려왔다. 귀신들께서도 집을 잃으셨으니 아무래도 광대들의 몸을 따라서 구월산으로 옮겨오실 것이었다.

갑송이는 밤길을 더듬어 수렛고개로 나아갔다. 구월산으로 산줄기가 바뀌는 둔덕에서 반짝이는 불빛들이 여러 점 보였는데 화톳불인 듯하였다.

"어이!"

갑송이가 고함을 치자 마주 고함치는 소리가 들려왔고,

"성님이야?"

하는 감동이의 목소리가 들렸다.

"지나다 보니까 재인말서 불길이 오릅디다."

다가간 갑송이에게 감동이가 말했다.

"까짓 땅두 뺏겼는데 그따위 굴속 같은 오막살이는 남겨 뭐 해여. 다 불싸지르구 말았지."

"잘했수."

"우리네가 언젠 집 두고 살았나. 길바닥이 내 집인데."

"뭐, 이제야 좋은 동네 이루게 되었지, 안 그러우?"

"그렇지만 어른들은 구월산 산채에서 살긴 싫어할 게야."

"염려 말우. 살기 좋은 데가 얼마든지 있으니까. 함께 찾아봅시다 그려."

토막에는 졸개 세 명과 작은두령 하나가 목을 지키고 있었는데 지나는 장사치나 양반네들의 봇짐과 부담을 뒤지고, 봉물이 오르고 내리는 소문을 주워내는 일을 하고 있었다. 방도 한 칸이요 집이 협소하여 눈을 붙이기도 어려웠으므로 술이나 한잔 마신 뒤에 잠시 쉬었다가 밤길을 걷기로 하였다. 토막의 소두령이 술 한 병과 자개 박은 찬합을 들여놓으며 갑송이께 문안을 올렸다.

"새로 오신 두령님, 인사 올립니다. 별것은 아니고 화주하구 육포인데, 어제 양반의 부담에서 털어낸 것들입지요."

"응, 잘 먹겠네."

하고 나서 갑송이는 찬합 뚜껑을 열며 물었다.

"부근에 우리네를 알고 있는 사람들두 사는가?"

"예, 은율 탑고개 쪽에 꼭두패가 몇대 있고, 구월산 월정사에는 사당패들이 오래 전부터 있습지요. 그자들은 우리를 압니다."

수렛고개 초장(哨長)의 말에 갑송이는 고개를 끄덕였다.

"구월산 사당들은 우리두 저자에서 부딪친 적이 있으니 대강은 알고…… 은율의 꼭두패 얘기는 처음 듣겠는걸."

"예, 원래가 경기지방에서 떠돌던 자들이라는데 얼마 전에 일대가 찾아와 움막을 지어놓고 모여 산다고 합니다."

곁에서 감동이가 말했다.

"성님, 구월산 월정사에는 풍열(楓悅)이라는 괴승이 있답디다."

"괴승이라니……?"

"낸들 아우. 아마 사당패를 두어 대 거느리구 있는 모양인데, 무예가 제법이구 병서도 많이 읽었다데. 그 땡중이 가르친 중놈들두 무술이 썩 높은 걸루 소문이 났수."

절의 중들이 무예를 익히는 것은 흔한 일이라, 산중의 큰절에서는 자위하기 위하여 젊은 중들이 무장을 하고서 산사를 지켰던 것이다. 갑송이가 다시 물었다.

"월정사에는 중놈들이 몇명이나 되는데?"

"뭐 늙은이들 빼구 나면 한 이십여 명 될 게야. 왜 그러우?"

"절에서 쫓아내버리는 게 앞으로 유리하겠네."

"아니우. 서루 소 닭 보듯이 모른 체하는 게 낫지요. 여태껏 그래 왔는걸."

"하여간에 김기하구 의논해서 월정사를 어찌할지 결정해야지. 서루 친척이 된다면 다행이지만, 그쪽을 끈으루 해서 토포군이 들이치면 우린 꼼짝없을 게야. 모조리 죽여버리든지……"

갑송이는 사납게 눈알을 부릅떴으나, 마감동은 싱긋이 웃었다.

"흥…… 제 동네에서 인심 잃은 놈 잘되는 거 봤어? 월정사 일은 내게 맡기라구."

그들은 졸개들이 해 올린 늦은 저녁으로 요기를 하고 나서 다시 산줄기를 타고 내고개를 지나 구월산 연봉을 타넘었다. 밤새껏 산길을 오르내려 사십 리 길을 걸어 된목이골에 당도하니 날이 샐 무렵이었다. 자고 있던 오만석과 김기가 마중을 나왔고, 먼저 도착하여 노숙을 하던 광대들도 모두 깨어 일어났다. 부녀자들은 집 안에 들어가 밤을 지내는 모양이었다. 김기와 오만석, 마감동, 이갑송 등이 둘러앉아 의논들을 시작하였다.

김기가 말하였다.

"구월산은 동으로 안악, 북으로 은율, 서로 송화, 남으로 문화와 신천에 둘러싸여 있소이다. 동쪽 줄기는 월호산(月呼山)에서 끝나 월당강에 막혀 있고, 서쪽에는 바다에 끊겼으니 위의 네 군이 둘러싸면 마치 조롱에 든 새의 격이요, 연못의 고기와 같소이다. 그러하니 중요한 것은 민심을 얻는 일이외다. 그것두 가난하고 약한 백성들의 인심을 얻어놓아야 이나마의 산채라도 그 형세를 불려나갈 게요. 또한 다음으로 이들 각 군현의 장교나 아전들 속에서 우리와 통할 수 있는 자들을 찾아내야 하우. 그리고 마지막으로 이들 군현의 요로에 있는 주막을 손에 넣거나, 주막 주인을 끌어들여야 하고 또 감영길과 한양 나가는 길에도 주막을 여는 것이 유리하외다. 이는 다 살피는 데 요긴한 때문이오."

김기의 말은 조리가 있고 이치에 맞았으므로, 모두들 고개를 끄덕이며 듣고 있었다. 다시 김기가 말하였다.

"우선은 주막을 잡아 우리 아이들이 운영하는 일이 급하고, 그 다음에는 인근 관아의 하리들과 통해야 하오. 이 일은 내게 맡기시우."

갑송이가 말했다.

"어쨌든 우리 마을 사람들이 자리를 잡아야겠소이다. 은율 탑고개쪽에 꼭두패가 몇대 어울려 산다 하니 그들 총대와 의논하여 정착을 시킬 테유."

"구월산에서 뒤를 보아주겠다면 그 사람들두 별루 반대하지는 않을 거외다. 산채를 여기에 둔다는 것두 차차 생각해봐야겠수. 자비령 산채두 손에 넣어야 하구, 멸악산 산채두 우리 콧김이 들어가야 합니다."

하는 감동이의 말에 갑송이가 말하였다.

"우선은 길산이가 옥에서 나와야 할 테니, 천천히 형세를 길러나가야지. 길산이가 나오면 대근이 성님이 사람을 보낼 테니까."

"날이 밝는 대루 이두령과 마두령이 탑고개에 나가보시우."

"그러지요. 나를 알구 있을 테니 괄시는 못 할 게요."

마감동이 광대들을 탑고개에 정착시키는 일은 제게 맡기라고 큰소리를 쳤다. 늦은 아침을 먹고 나서 감동이와 갑송이는 아사봉을 넘어 은율로 나아갔다. 탑고개로 가는 가파른 외길 아래엔 눈이 쌓여서 시냇물이 꽁꽁 얼어붙어 있었다. 탑고개 위에 오르니, 향나무와 잣나무들이 빽빽한데 몰아치는 북풍이 볼을 베고 지나는 듯하였다. 탑고개서 송화로 나가는 길을 따라 내려가지 않고 중도에서 서쪽으로 내려가니 골짜기 가운데 큰 봉우리가 우뚝 섰는데, 나한암이었다. 나한암이 가로막고 서 있어서 그곳은 아주 비좁고 험해 보였으나, 계곡의 협로 위에 걸린 외나무다리를 건너 봉우리 뒤편으로 돌아드니 갑자기 시야가 확 트였다. 바깥쪽에서 볼 때는 작은 내로 골짜기가 꽉차서 집은커녕 사람 하나 서 있을 수 없을 듯했다. 그러나 나한암 뒤에는 널찍한 분지가 있었고, 개천은 그 분지의 오른편 끝 벼랑 가로 감돌아가고 있었다. 마을이 아니라 성곽을 세울 만한 넓은 터전이었다. 감동이가 중얼거렸다.

"이 부근인 줄은 알았지만, 이렇게 후미진 곳인 줄은 몰랐는걸."

집 열두어 채가 작은 언덕 아래 옹기종기 자리를 잡았는데, 숲의 한쪽은 화전을 일구어 마치 부스럼 떨어진 자취처럼 흙이 드러나 있었다. 감동이와 갑송이는 마을로 들어갔다. 그들이 동구로 다가갈 때 얼핏 보이던 사람의 자취가 차차 가까워짐에 따라 하나둘씩 늘어나더니 칠팔 인이 버티고 서서 그들과 마주하는 것이었다. 한 사람이 나서서 그들에게 외쳤다.

"어디서 오시는 손이우."

두 사람은 아랑곳없이 다가갔다. 그들은 몽둥이며 팔매 칠 돌멩이들을 쥐고 있었다. 또 앞선 자가 외쳤다.

"이 마을서는 바깥 사람을 들이지 않으니 고개 너머루 나가시우."
"우리가 누군 줄 모르우?"
갑송이가 나서면서 말했다.
"나는 재인말 이갑송이란 사람이구, 여긴 구월산 녹림패의 마감동이우."
마을 사람들은 저희끼리 수군거린 뒤에, 앞으로 나섰던 자가 다시 물었다.
"구월산의 마두령이 무슨 일로 우리 마을에 오셨소이까?"
"허, 아무리 외방객을 꺼려한다 하지만 너무하오. 일부러 찾아온 사람을 이렇듯 길바닥에 세워놓고 용건을 물으려 하시오?"
마감동이 말하자 갑송이도 몇걸음 나서면서 말하였다.
"문화 광대산 아랫녘에 재인말이 있었다는 것쯤은 아시우? 우리는 몇대째나 게서 살아왔지만, 재주 팔아 사는 놈들의 의리가 이렇다는 소문은 듣지 못하였소."
"하두 외떨어진 곳이라 마을을 지키기 위해서 이러는 것이니 너무 섭섭히 생각지 마슈. 뭐 가진 것 없수?"
"뭐 말요?"
"환도나 무슨 병장기가 없느냐구요?"
"없소이다."
앞섰던 자가 뒤를 돌아보면서 말했다.
"총대 댁으루 모시지."
그들이 허락할 기색을 보였으므로 감동이와 갑송이는 가까이 다가갔다. 그리고 광대들이 안내하는 대로 두 사람은 마을 한가운데에 있는 그중 커다란 초가로 들어갔다. 마을 장정들의 대부분은 마당에 옹기종기 섰고, 앞서 나와서 말을 걸었던 자와 또 한 사람의 젊은이와 그리고 행수인 듯한 노인만이 갑송이, 감동이들과 마주 앉았다. 서로 인사를 건넨 뒤에 갑송이가 찾아온 뜻을 얘기하였다.

"우리 재인말은 문화 관아에서 관전으로 몰수하는 바람에 모두 뿔뿔이 흩어져 폐촌이 되었소이다. 아직 거처를 잡지 못한 식구들이 서른 남짓 되는데, 이 마을 행중에 끼여 함께 살도록 해주시면, 모두 여기 법도를 좇아서 한패가 되기를 원합니다."

총대 되는 노인은 근심 어린 얼굴로 묵묵히 앉았다가,

"여기 계신 구월산 마두령의 소문은 우리 같은 광대들뿐만 아니라 화전 부락들에서두 다 잘 알구 있소. 문화 재인말이 폐촌 된다는 것이며, 파옥한 일이며, 구월산 기슭에 파다하게 퍼졌지요. 우리네야 겨울에나 잠시 머물러 지내고 봄부터 가을까지는 줄곧 길에서 사는 사람들입니다. 떠돌다 보니 아이들 기를 일도 그렇구, 겨울을 나는 일도 큰 문제여서 몇패를 끌구 이리루 찾아들어온 것이오. 출행나가면 이 마을엔 아녀자 몇만 남게 됩니다. 어쨌든 관에서 찾고 있는 재인말 패거리가 우리 마을에 들어온다면 우리두 쫓겨나거나 그나마 연명해왔던 연희두 못 나가게 될 게요."

라고 하였고, 갑송이가 말했다.

"염려 마시오. 해서 도중에만도 우리네 같은 각색 광대들이 수십여 대 있지 않소. 더구나 광대들은 날이 갈수록 늘어나구 있습니다. 사당패다, 걸립패다, 괴뢰패다, 굿중패, 뭐 재주 몇가지 익혀가지고 떠도는 무리가 삼남에는 더 많답디다. 그러니 한때 관에서 기찰이 심하달지라도 이 마을 사람들을 화적 취급은 하지 않으리다."

노인은 한참이나 무릎을 만지며 생각에 잠겨 있었다. 마감동이 다시 말하였다.

"구월산 기슭에서 우리들과 통하지 않고는 살기 힘들 게요."

"월정사의 풍열스님을 만나보셨습니까?"

"아직 못 만나봤소이다."

"한번 만나보시지요."

"풍열이란 중이 당신네와 무슨 상관이 있소? 그 땡초가 이 동네의 임자란 말이우?"

괴뢰패의 총대 노인의 말에 아니꼬워진 갑송이가 되물었고 노인은 화내지 않고 침착하게 대답하였다.

"우리 패거리 중에서두 몇이 월정사 거사(居士)루 들어 있소이다. 이 나한암 아래에 마을 자리를 정해주신 것두 풍열스님이시지요. 우리네두 월정사의 불사를 도와드리구 있지요."

감동이는 뭐라고 욕지거리를 하려는 갑송이의 팔을 지그시 누르고서 물었다.

"그렇다면 풍열스님께서 허락한다면 되겠소?"

"만나보시겠소?"

"지금 당장 찾아갈 참이오."

"그러면 우리두 마음이 놓입니다."

마감동과 갑송이가 졸개들을 데리고 와서 힘으로 마을을 빼앗고 재인말 사람들을 정착시킬 수도 있었고, 또는 다른 곳에 터를 정할 수도 있는 일이었다. 그러나 제 동네서 인심을 잃는 일처럼 어리석은 짓은 없다 하여 마을을 빼앗는 것은 그른 의견으로 정해졌던 것이다. 또한 이미 살고 있는 광대마을에 정착을 하는 것이 뒷소문도 없을 테고 출행을 나가더라도 지장이 없을 듯해서였다. 재인말의 광대들은 대대로 기예를 물려받으며 살아오던 자들이었으나 갑송이의 말처럼 일반 농군들이 광대로 업을 바꾸는 일이 많았다. 흉년이 들어 굶주리거나 소작붙이를 잃은 사람들이 구걸이라도 하여 먹고 살기 위해서 대처의 저자나 향시를 떠돌았다. 그러다가 몇가지 춤과 노래와 재주를 익히게 되면 광대를 자처하게 되는 것이었다. 탑고개에 모인 자칭 괴뢰배들도 그런 유의 광대였고 선대 적부터 재인청에 올라 있던 재인말의 광대들과는 다른 사람들이었다. 그러나 나라에서 차차 이러한 유민지배(流民之輩)에 대한 탄압과 규제가 심해지면서, 이들은 연희 종목에 따른 잡다한 패거리를 이루어 절과 시장과 해변을 전전하게 되었다. 따라서 패거리와 패거리는 서로 구별하기 어렵도록 명화적(明火賊)이나 걸인(乞人) 또는 행상(行商) 등의 생업수단을 겸하게 되었던 것이다.

이갑송과 마감동은 탑고개서 다시 구월산으로 찾아들어갔다. 아사봉의 남측을 따라서 넘는데 된목이골의 북쪽 골짜기 쪽에 월정사가 있었으므로 갑송이는 투덜거렸다.

"제길…… 이럴 줄 알았으면 아까 먼저 그 땡초중을 찾아갈 걸 그랬지."

"어유 추워, 맞바람이로구나."

암벽 아래로 빽빽이 늘어선 적송(赤松)이 매서운 겨울바람에 윙윙 울어대고 있었다. 그들은 얼어붙은 눈에 몇번이나 미끄러지면서 절벽 사이의 조도(鳥道)를 기듯이 지나갔다. 계곡 아래로 소나무숲 사이에 절의 문루가 붉게 내다보이고 있었다. 절 뒤편의 둔덕에는 여러 채의 통나무 귀틀집이 있었는데, 아마도 사당패들이 겨울을 나는 마을인 것 같았다. 절 마당에는 아무도 보이지 않았다. 대웅전과 지부십대왕(地府十大王)을 모신 명부전(冥府殿)이 좌우로 벌려 있고 대중방의 문들도 굳게 닫혀 있었다.

"아니, 모두 어디로 갔게 이리두 조용허지?"

"좌우간 풍열인가 하는 중놈을 만나서 겁을 좀 줘야겠다."

그들이 대웅전을 돌아가니 대갓집의 큰 창고만이나 한 부엌문이 활짝 열려 있었고 아낙네 셋이서 점심을 짓느라 불을 때는 것이 보였다.

"말 좀 물읍시다."

"에구머니…… 깜짝이야!"

갑송이의 거친 목소리에 아궁이 앞에 쭈그리고 앉았던 보살 여인이 호들갑을 떨면서 일어났다.

"말 좀 묻자니…… 누가 잡아먹소. 놀라긴 예미랄. 풍열이 어디 있소?"

"풍열스님은 왜 찾아요?"

"글쎄 어딨냐니까……"

"여기 안 계셔요. 어디서들 오셨수?"

갑송이가 빙긋 웃더니 절 마당의 왕모래를 한 줌 쥐고는 부엌으로 성큼성큼 들어갔다.

"아니, 여자만 있는 부엌엔 왜 들어오구 야단이야. 어서 나가지 못해요."

그중 나이 들어 뵈는 여자가 불기 옮은 부지깽이를 들어 쑤셔대는 시늉을 하며 갑송이를 막아섰다. 감동이는 팔짱을 끼고 빙글대며 구경하고 서 있었다. 갑송이는 부지깽이를 휘두르는 여자의 손을 가볍게 잡아 비틀었고, 여자는 비명을 내지르며 부엌에 주저앉는다. 갑송이는 킬킬거리면서 큰 독만 한 쇠솥의 뚜껑을 철그렁 열었다. 밥이 끓고 있는데 갑송이가 왕모래 움켜쥔 손을 쳐들고 말하였다.

"어디 이 절 중놈들 점심이나 좀 굶겨볼까. 아냐, 반찬이 없을 테니 간 좀 맞춰줘야지. 헤헤헤, 풍열이 어디 있는지 가르쳐주면 얌전히 나갈 테여."

"아이구, 저런 도적놈 보아."

"풍열스님은…… 달마암(達磨庵)에 계셔요."

구석에 웅크리고 서로 부여잡고 떨고 섰던 여자들 중의 하나가 바삐 발설하였다.

"헤헤, 진작 그럴 게지. 아주머니들 미안허우."

갑송이가 너스레를 치면서 부엌을 돌아나오는데, 웬 구 척 장신의 사납게 생긴 행자 하나가 감동이의 뒤편에 넌지시 서면서 굵은 음성으로 말하였다.

"손님들은 뉘신데 이 행패요?"

감동이와 갑송이가 바라보니 회색 물들인 승복은 입었으되, 중 같다기보다는 꼭 쇠도적놈 같은 얼굴이었다. 눈썹은 마치 송충이 기는 듯하고, 머리는 깎아서 반들거리지만 돼지털 같은 수염이 멋대로 자라나 있으며, 목덜미에서 헤쳐진 저고리 앞섶의 가슴팍에까지 온통 시커먼 털이었다. 원래가 불한당이란 상대방의 눈만 보고도 척 동류임을 알아보게 되어 있는지라, 상대의 말이 아무리 곱다 한들 예의로 먹힐 리가 없는 법이었다. 갑송이가 침을 퉤 뱉고 나서,

"온 저런 것두 중이라구 꼴에 승복을 걸쳤네."

하며 들으라는 듯 중얼거렸다.

"손님들이 뉘시냐구 물었소이다."

키 큰 승려는 다시 공손히 허리를 굽히면서 말하였다. 마감동이 마주 예를 올리면서 대답한다.

"예, 저희는 풍열스님을 만나뵈러 온 사람들입니다."

승려는 감동이 쪽은 쳐다보지도 않고 갑송이를 뚫어지게 바라보며 물었다.

"부엌에 들어가신 것을 뵈오니 몹시 시장하신 모양인데, 여기엔 입에 맞는 음식이 없소이다. 대신 저 아래루 가보십시오. 소승이 손님께 맞춤한 음식을 내드리겠습니다."

"허, 그래? 그냥 갈려구 그랬더니 점심을 대접한다는데 사양할 수야 있나. 한 상 떡벌어지게 절밥이나 먹구 갈까?"

갑송이도 심심하던 차이고 더구나 승려의 몰골이 그냥 넘기기에는 제법 농을 쳐보도록 괴이쩍게 생겨먹었으니 입담 자랑이나 해볼 생각이었다. 쇠도적 같은 승려가 법당 앞마당에서 마을 쪽을 손짓한다.

"바로 저쪽에 가면 손님의 동무들이 두 분이나 있습지요. 음식이 아주 걸고 맛이 있으실 겝니다."

승려가 손짓하는 곳을 따라 바라보니 사당마을 쪽인데 도야지의 꿀꿀대는 소리가 들려왔다. 마감동이 팔짱을 풀고 웃음을 참느라고 돌아섰고, 갑송이는 귓전이 시뻘게졌다.

"어……? 이놈이 욕을 하잖나."

그제야 털 많은 승려의 두툼한 입술이 주욱 찢어지며 온통 이빨이 드러났다. 씩, 한번 이빨을 내보였다가 다시 감춰지는데 전혀 표정이 없었다. 갑송이가 팔을 걷어붙였다.

"한번 겨룰 테여?"

마감동이 나서서 갑송이의 가슴을 떼밀며 승려에게 말했다.

"고만둡시다. 우리는 구월산 산채에서 온 사람들인데 풍열스님을 만나서 상의할 일이 있소이다."

승려는 여전히 공손했다. 그러나 말을 하면서도 시선은 줄곧 갑송이의 미간에 꽂히고 있었다.

"도적놈들이 산간의 도인은 찾아 뭘 해?"

하고 나서 그가 갑송이께 말하였다.

"보아하니 힘을 많이 믿는 모양인데, 소승도 평소부터 무예를 좋아하여 겨루기를 즐겨합니다. 한번 지도해주신다면 영광이겠소이다."

마감동도 그 말에는 아니꼬워서 말소리가 거칠어질밖에 없었다.

"이 중놈들이 된목이골 감동이네 녹림패를 뭘루 아는 게야?"

"무도한 도적놈으루 압지요."

감동이와 갑송이가 대번에 달려들 기세로 벌려서는데, 승려가 한 걸음 물러나며 손을 쳐들었다.

"내가 한마디 외치면 지금 선방(禪房)에 들어 수도 중인 대중이 모두 병장기를 들구 나와서 손님을 족칠 테니, 내가 원하는 바가 아니외다. 그러지 말구 이 계곡을 따라 올라가면 칠성암(七星庵) 아래 우리 수련장이 있으니 거기서 한판 얼릅시다."

"멱 따는 소릴 내지르려무나. 한꺼번에 모가지를 비틀어놓을 테니까."

"좋다. 그리루 가지."

갑송이는 당장 싸움을 벌일 기세였지만, 마감동이 즉시 찬성하였다. 그들이 대웅전 앞마당을 지나는데, 어느 틈에 보살 여인이 전했는지 선방에 남아 참선 중이던 승려들 십여 명이 하나둘씩 몰려나왔다. 그러나 그들은 마당으로 내려오지는 않고 웅기중기 둘러서서 내려다볼 뿐이었다. 갑송이가 그들을 향하여 큰 소리를 내질렀다.

"너희들두 모두 내려오너라. 박치기를 시켜줄 테니."

그러나 그들은 덤덤히 구경만 할 뿐이었다. 세 사람이 계곡을 따라 올라갈 적에 나이 든 승려 하나가 뒤를 따라오고 있었다. 칠성암 아래에는 밭터인 듯한 너른 마당이 있었고 계곡 건너편에는 과녁이 있었으며 작은 일자의 헛간이 있었는데 벽이 없는 헛간 안이 들여다 보였다. 헛간 안에는 창이며 봉이며 환도며 활이며 철퇴 같은 병장기가 나란히 정돈되어 걸리고 세워져 있었다. 먼저 성큼성큼 걸어들어간 털보 승려가 앞을 턱짓으로 가리키며 갑송이에게 말하였다.

"자아, 손님의 손에 맞는 것으루 하나 골라 잡으십시오."

갑송이는 몇번 써보았던 터라 눈에 뵈는 대로 철봉을 손에 들었다. 승려가 빙긋 웃으면서 다시 물었다.

"손님께선 진정 살전(殺戰)을 원하시오?"

"그럼 살전이잖구. 피맛을 좀 봐야겠다."

갑송이가 철봉을 위위대며 휘두르니까 승려는 빙그레 웃으면서 바라보다가,

"소승은 불자이오니 함부로 살생을 할 수는 없습니다. 진기(眞器)는 피하시지요."

"왜 겁이 나는 모양이구나. 이 땡초놈아!"

"예, 겁이 납니다. 혹시 파계를 할까 해서 말이우. 보아하니 봉을 다루는 법두 모르구 힘만 믿고 있으니 내 월도(月刀)에 목이 떨어질 게요."

갑송이가 분노하여 철봉을 잡아 눈앞에 가로 들었다.

"이놈아, 구경 좀 해봐라. 이 쇳대가 어떻게 되는지 볼 테냐?"

철봉을 양손에 잡은 갑송이가 볼을 부풀리며 기운을 쓰는데 굵다란 철봉의 중동이 구부러지기 시작한다. 팔을 부들부들 떨던 갑송이가 목덜미에 핏줄이 드러나게 끄응 한번 힘을 썼다. 엄지와 검지의 한 둘레나 되는 굵은 철봉이 햇볕에 녹은 엿가락처럼 휘어져버렸다.

"땡초야, 네 허리를 이 꼴루 만들어줄까?"

휘어진 철봉을 발 아래 던지면서 갑송이는 호흡 한번 헐떡이지 않

고서 말했다. 마감동도 놀랐고, 곁에 따라와 섰던 중년의 승려도 놀랐으나, 털 많은 승려는 눈빛 하나 흐트러지지 않았다.

"그렇다면 나두 보여드리겠소이다."

승려가 빙긋 웃더니 중년 승려에게 눈짓을 하였다. 중년 승려가 헛간으로 들어가 두 뼘 둘레의 통나무 하나와 빨래판만큼이나 되어 뵈는 넓적한 구들돌을 들고 나왔다.

"뭐 하는 거냐?"

승려는 갑송이의 말에는 대꾸하지 않고서 우선 구들돌을 한 손에 받쳐서 세우고 허리를 구부렸다.

"작은 재주이오나 한번 보여드릴까 하오."

승려가 정권을 세웠다가 호흡을 끊고 위에서 아래로 내리치는데 허리가 홱 돌았다가 온몸의 중량을 속도에 넣는 듯하였다. 돌에 부딪치자마자 주먹은 다시 재빨리 뒤로 당겨지니, 속도만 남고 거기에 실렸던 힘은 절도 있는 타격으로 바뀌었다. 돌이 마치 흙처럼 부서져나갔다. 갑송이가 고개를 끄덕였다.

"흥, 태껸이로구나. 태껸 모르는 광대 보았느냐. 그따위쯤은 나두 대가리루 해낼 수 있다."

승려는 다시 말없이 통나무를 쳐들었다. 눈앞에 들고서 잠깐 노려보다가 고개를 쳐들었다. 하늘을 바라보는 자세이더니 목줄을 당겨 앞으로 처박는데, 역시 당긴 만큼 뒤로 빼는 속도가 거의 같았다. 부러진 통나무가 내동댕이쳐졌다. 승려는 합장하며 공손히 말했다.

"목봉으로거나 아니면 맨주먹으로 겨루자면 모르되 진기살전은 우리 계율 때문에 사양하겠소이다."

"좋다. 작대기루 하자꾸나. 뻭다귀를 부숴서 병신을 만들어줄 테니……"

중년의 승려가 헛간에서 다시 두 자루의 목봉을 내어오는데, 끝에는 솜 넣은 가죽뭉치가 씌워져 있었다. 월정사 승려들의 단련용인 모양이었다. 중년 승려는 그것을 두 사람에게 건네기 전에 가죽뭉치에다 숯칠을 하고 나서 말했다.

"규칙은 급소에 닿아 칠해진 쪽을 패로 보고, 봉에 맞아 넘어지거나 봉을 빼앗겼을 때에도 패로 봅니다. 다만 서로 동시에 공격하여 접촉되었을 때에는 무승부로 정합니다. 대련은 십 합이올시다. 자, 그러면 마주 서십시오. 나무관세음보살."

갑송이는 목봉의 중간을 잡고 수평으로 쳐들고 서 있었으며, 승려는 봉의 끝부분을 잡고서 가죽뭉치가 땅에 닿을 듯한 자세로 마주 서 있었다. 승려가 허리를 굽혀 예를 올렸으므로 갑송이도 얼결에 답례하고서 두어 걸음 내디디며 봉을 위에서 아래로 비스듬히 휘둘러쳤다. 승려가 아래에서 위쪽으로 쳐올리며 봉으로 찌르는데, 갑송이는 허리를 굽히면서 등뒤로 빠져나간 봉끝을 어깨에 얹은 채로 승려에게로 파고들었다. 갑송이가 발을 쳐들어 승려의 허벅지를 짓밟았다. 승려가 옆으로 고꾸라질 때 갑송이는 봉으로 그의 머리통을 노리고 후려갈겼다. 승려가 맞받아쳐올렸다. 그가 일어나면서 가로 들었던 봉을 옆으로 휘익 돌려치니 곧 적수세(滴水勢)였다. 갑송이가 옆구리를 호되게 얻어맞고 헉 소리를 내면서 물러섰다.

갑송이는 주마회(走馬回)를 하면서 재빨리 승려의 측면을 찔러들어갔고, 승려는 십면매복세(十面埋伏勢)로 공격을 맞받으며 다시 반격하고, 반격하는가 하다가 곧 물러서면서 봉은 앞으로 내어밀어 거리를 유지시켰다. 뒤로 일 보 물러나는 체하다가 단번에 지남침이 되어 앞으로 곧게 찌르면서 연이어 삼 보 나아왔다. 갑송이는 봉의 끝을 잡고 길어진 막대를 수평으로 쳐들어 상하좌우로 맞받아내는

데 선인봉반(仙人棒盤)의 자세였다. 승려는 그 공격과 방어의 기교가 뛰어났고, 갑송이 쪽은 공격에 있어서는 힘이 월등하며, 방어할 때엔 그 몸짓이 가락에 저절로 맞춰진 춤사위처럼 본능적이었다. 목봉의 부딪치는 소리가 숲속에 가득했는데 칠성암에서 승려 몇이 나와 구경하고 서 있었고, 더 위쪽의 달마암에서는 오십대의 늙은 중이 빙그레 웃음을 띠고서 계곡을 따라 내려왔다. 두 사람의 대련은 점점 더 치열해져서 모두 전신이 땀으로 흠뻑 젖어 있었다. 그들은 삼합째에 이르러 서로의 어깨와 다리를 각각 후려치고 물러났다. 한참이나 바위 위에서 내려다보던 늙은 중이 외쳤다.

"대련을 멈추어라!"

갑송이와 승려는 서로 공격할 자세 그대로 정지하여 위를 올려다보았다. 회색 장삼 위에 붉은 가사를 어깨에 둘렀는데, 기다란 사장(蛇杖)을 짚고 있었다. 그가 바로 월정사의 주지인 풍열(楓悅)이었다. 풍열스님은 갑송이와 마주 서 있는 승려에게 말하였다.

"옥여(玉如)야, 손님을 모시구 올라오너라."

"아직 대련이 끝나지 않았습니다."

옥여라고 불린 승려가 대답하니, 풍열은 나직하게 웃으면서 다시 말하였다.

"승부는 이미 정해졌다. 옥여야, 네가 졌느니라."

옥여가 사나운 눈길을 들어 갑송이 쪽을 노려보고 나서 퉁명스레 물었다.

"스님, 아직 아무도 급소를 맞히지 못했습니다."

"글쎄 손님들 모시구 올라오라니까. 너희들이 내 참선을 방해하였으니, 이제 내가 대련을 방해한들 어떠하겠느냐."

"예, 알겠습니다."

풍열은 돌아섰고 칠성암에서 나와 서 있던 몇몇 늙은 중들도 그에게 예를 올렸다. 옥여가 갑송이와 감동이를 향하여 공손히 말하였다.

"손님들, 달마암으로 오르십시오. 이분이 큰스님이십니다."

"대련은 그럼 다음으루 미룰까?"

상대방의 철저한 공손함에 이젠 혼자서 씨근대기도 쑥스러워진 갑송이가 부드러운 어조로 중얼거렸다.

옥여를 선두로 갑송이와 감동이는 달마암으로 올라갔다. 계곡의 가파른 바위 그루터기 위에 지어놓은 삼간초가였는데 거기서 풍열 스님은 상좌 하나를 데리고 기거하고 있었다.

"올라들 오시오."

예의고 염치고 따지지 않는 갑송이도 흰머리가 듬성듬성하며 눈빛이 쏘는 듯한 이 중에게는 무엇인가 함부로 대할 수 없는 점이 있어서 고분고분하게 선방으로 올라갔다. 눈치 빠른 마감동이 두 손을 합쳐 예를 올리자 갑송이도 우물쭈물 흉내를 냈다. 네 사람이 마주 앉자 마감동이 먼저 인사를 올린다.

"소생은 구월산 된목이골에 사는 마감동입니다."

"이갑송이우."

"이 절의 주승으루 있는 풍열이외다."

하고 나서 주지가 다시 물었다.

"헌데 무슨 일로 소승을 찾으셨소?"

마감동이 얼른 대답했다.

"예, 실은 탑고개에 갔다가 스님을 찾아뵈라기에……"

"뭐, 여러 말루 길게 끌 것이 없겠소이다."

갑송이는 뻣뻣한 자세로 풍열을 마주 보며 말했다.

“실은 저희는 본시 양민이었으나, 얼마 전에 관가의 침학으로 도적놈이 된 사람들이우.”

풍열은 눈을 감고 염주를 한 낱 두 낱 헤아리며 고개를 끄덕였다.

“그래서 어디 정착할 곳이 없나 찾던 중에 탑고개에 유민들이 모여서 산다기로 더부살이를 청하였던 것입지요. 그랬더니 댁의 허락을 맡으라구 합디다. 까짓 것 쫓아들어가 몇놈 베어버리구 불을 싸지르면 온 마을이 금세 비워질 것이지만, 인심 잃기 싫어서 타협하러 온 거유.”

어찌하겠냐는 어조로 갑송이가 눈알을 부라려서 풍열을 노려보는데, 순간 이마빡이 번쩍하면서 정신이 아뜩해진다.

“어이쿠!”

갑송이는 얼결에 머리를 감싸쥐었다. 애놈 대갈통만 한 목어(木魚)가 그의 미간을 호되게 치고는 방바닥에 굴러떨어진 것이다. 여간하여 엄살을 떨 갑송이가 아니건만 하도 놀라고, 워낙에 미간은 급소중에 급소라서 잠시 눈앞이 보이질 않았다. 풍열은 그렇게 때리고 나서는 다시 다정한 자식을 타이르는 듯이 부드럽고 나지막한 음성으로 말하였다.

“이놈 갑송아, 너는 천성은 순직하고 착하다마는 어리석은 놈이다. 그 어리석음이 큰 죄이니 매를 좀 맞아야겠다.”

갑송이가 당황한 중에도 화가 치밀어 주먹을 쥐어 단매에 풍열의 면상을 처박으려는데, 이번에는 숨이 칵 막히면서 앞으로 고개를 처박고 엎어졌다. 풍열의 일지관수(一指貫手), 곧게 뻗친 손가락이 상반신을 내미는 갑송이의 목젖을 날카롭게 찔러버린 것이다. 갑자기 기를 끊긴 갑송이가 곧 안색이 새파래지면서 눈을 까뒤집고 사지가 굳어졌다. 마감동은 풍열의 가벼운 동작 하나로 곰 같은 갑송이가 혼절해버린 모양을 보고 엎드려서 사정을 하였다.

"스님…… 버릇없이 굴었기로서니 제 성님을 죽이시렵니까. 한 번만 용서해주십시오."

옥여는 제 스승의 하는 양을 바라보며 빙글빙글 웃고 있었다. 풍열이 축 늘어진 갑송이를 끌어다가 얼굴을 쓰다듬으면서 말하였다.

"입산시키면 훌륭한 승려가 될 것이다. 순직함은 간교함보다 더욱 불심에 가까우니라. 그 성품은 어리석은 범부에 있어서도 덜하지 않고, 성현에 있어서도 더하지 않고, 번뇌에 머물러서도 어지럽지 않다고 하시던 육조 혜능의 말씀을 아느냐. 육조께서도 일찍이 글 한 자 모르는 무지한 나무꾼이었느니라. 내 이 녀석을 행자로 들이고 싶구나. 허나 아직은 아무 말도 말아라. 이는 틀림없이 비구가 될 것이다. 그것도 아주 덕이 높은 비구가 될 것이니라."

풍열은 작은 대나무통을 꺼내어 그 속에서 쇠침을 꺼냈다. 쇠침을 단전(丹田)과 비중(祕中)과 인중(人中)에다 차례로 놓으니 검은 피가 반점이 되어 나오고 이내 기맥이 통하여 안면에 화색이 돌았다. 그제야 한숨을 휘이 토해낸 갑송이가 눈을 멀뚱히 뜨고서 두릿거리는데 풍열이 말하였다.

"그래, 이젠 정신이 좀 들었느냐?"

갑송이는 머리통이 지끈거리고 사지의 기운이 쪽 빠진 듯하였다. 어찌되었던 영문인가를 몰라 속으로 따져보는 중에 그제야 주지승에게서 뭔가 날카로운 것으로 찔리었다는 걸 깨달았다. 갑송이는 저도 모르게 엉거주춤 일어나 무릎을 꿇고 앉아 머리를 조아렸다.

"스님, 잘못했수."

"무엇을 잘못했느냐?"

갑송이는 그저 뭔지 알 수 없게 기운을 빼어버린 괴승의 술법에 놀라 저자의 무뢰배 예의로 강한 자에 드리는 인사를 건넸을 뿐이다. 그러하니 제가 잘못한 점이 딱히 떠오를 리가 없었다.

"감히 스님을 치려구 한 것이 잘못이지요."

"예끼, 이 녀석 또 맞을 테냐?"

"에구구……"

갑송이가 제풀에 놀라서 뒤로 궁둥이를 빼면서 손을 쳐들어 막는 시늉을 하였다. 풍열은 빙그레 웃었다. 감동이와 옥여도 킬킬 웃어댔고, 갑송이는 얼굴이 붉어져서 두 사람을 향하여 사나운 눈알을 부릅떴다.

"무얼 웃구들 지랄이여."

"네가 무엇 때문에 내게 맞았는지 모르느냐?"

"거 아시면 속시원히 이래저래 잘못되었다구 가르쳐주시우. 스님을 치려구 한 건 잘못이 아니라니 그럼 제게 한 차례만 맞으시든지요."

"허허, 이놈 보아라. 네가 맞은 연유란 바로 이렇다. 네놈의 입으루 말하듯이 너희는 가난한 양민인데, 관가의 침학으루 할 수 없어 도적이 되었다지 않았느냐?"

"그러우."

"그러하면 너희와 똑같은 처지인 탑고개 광대들을 죽이고 불을 지르겠다는 말이 잘못이냐, 잘한 일이냐?"

"그건…… 잘못이구려."

하고 나서 갑송이가 투덜댔다.

"하오나, 그놈들이 자리를 내어주지 않으면 그 수밖에 더 있겠습니까?"

"내가 사람을 보낼 테니 탑고개에 정착하는 일은 염려 놓아라. 그리고 마두령이라구 했나? 너희는 도둑질을 하되 작은 장사치의 봇짐이나 가난한 백성의 것은 털지 말고, 탐학한 부자와 더러운 관리의 재물을 털어 그 절반은 내게 바치도록 하여라. 이 구월산에서는 중생의 고를 모르는 것들은 살 자격이 없느니라."

갑송이가 더욱 두 눈이 커졌다.

"아니…… 도적질한 물건을 중이 먹자니 어찌된 영문인지 모르겠군. 이제 보니 복색만 스님이지 우리네와 사촌지간이구려."

풍열은 껄껄 웃었다.

"불신(佛身)은 곧 중생이니, 우리 부처님께서 너희 도적질한 재물을 받을 것이니라. 그 재물은 포학한 관리와 그릇된 부자들의 것이지만, 가난한 백성들 가운데서 도적질하거나 빼앗은 물건이니 부처님 뜻대루 돌려주어야만 한다. 그렇게 하겠다면 모르되, 안 그런다면 내 곧 월정사의 승병을 일으켜서 너희 된목이골을 치겠다."

감동이가 말하였다.

"우리두 그저 무도한 도적이 되기는 원치 않는 바이옵니다. 녹림패라면 의협이 있어야 한다는 생각으루 패를 지었습니다. 백성들에게 재물을 나누어주겠다는 의논은 벌써 정해졌습니다."

"음, 좋은 일이다. 전부터 빈민구제를 해오는 비구들이 있으니 그들에게 시키도록 하면 편이할 것이다."

갑송이는 아직도 골치가 지끈거리는지 제 골통을 손가락으로 눌러대면서 중얼거렸다.

"거 무엇으루 때렸길래 혼절을 했었누. 기운 다 사그라지는 모양일세."

"사람이 원래 가지고 있는 기운은 중요한 것이지만 그것을 부릴 줄 알아야 한다. 오뉴월 폭풍이 분다고 풀잎이 꺾어지더냐. 힘과 움직임은 매 일각에 따라서 적절히 변하는 것이다. 내 너를 기절시키는 데 이 검지손가락 하나로 창호지를 뚫는 힘을 보태어 살짝 밀었을 뿐이다."

"저두 그런 것 좀 가르쳐주시우."

"먼저 사람을 활인(活人)해내는 법을 알면 사람의 사법(死法)두 알게 되는 것인데, 너는 아직 활인할 생각이 없는 놈이니 사람 목숨의 중함을 먼저 깨우쳐야겠다."

곁에서 묵상을 하듯 꼿꼿이 앉아서 듣고만 있던 옥여가 풍열스님을 향하여 물었다.

"스님, 아까 이 사람과 소승이 대련을 할 적에 어찌하여 제가 졌다구 말씀하셨습니까?"

"음, 너는 삼 년 동안이나 여기서 무예를 익혔다. 내가 보았을 적에 갑송이는 병장기 한번 잡아보지 않은 천래의 역사(力士)일 뿐이었다. 허나 그 무예의 자질에 있어서 옥여는 갑송이를 당할 수 없더구나. 갑송이는 막는 것과 찌르는 것 모든 동작이 몸에 붙어 있어서 마치 손가락이 가까이 가면 저절로 감겨지는 눈꺼풀과 같고 물것이 깨물면 날아가 때리는 손바닥과 같더구나. 옥여가 오히려 그의 힘을 이용해 한 번만 공격했으면 이겼을 것이다. 공격과 방어가 거듭되니 갑송이는 그 가락을 몸으로 알았던 것이다. 그러하니 옥여 네가 진 것이 아니냐?"

옥여는 머리를 숙였고, 풍열이 갑송이에게 물었다.

"너같이 우악스런 사내가 어찌 음률을 아는 듯하니, 춤을 출 줄 아느냐?"

갑송이는 겸연쩍어져서 뒤통수를 긁었다.

"헤헤, 실은 저는 근두자올시다."

"그런 줄 알았다."

풍열이 고개를 끄덕였다. 갑송이 문득 입맛을 다시면서 중얼거렸다.

"제기랄, 컬컬해 죽겠네! 거 절엔 탁배기두 한잔 없나?"

"저 아래 거사마을에 가서 한잔 얻어먹구 가려무나."

마감동이 몸을 일으키면서 말하였다.

"저희들은 그럼 이만 물러가겠습니다."

갑송이도 덩달아 일어났다.

"스님, 좋은 말씀 많이 배웠수."

"자주 놀러 오너라. 된목이골이면 봉우리 하나 사이니까."

갑송이와 감동이는 옥여스님을 따라서 월정사 아래 계곡에 자리 잡은 사당마을로 내려갔다. 귀틀집 칠팔 채가 있는 사당마을에는 해끔하게 생긴 계집들이 산골 아낙답지 않게 고운 화장을 하고서 얹은 머리 위에는 색댕기를 매고 마당을 서성이고 있었다. 옥여를 본 사당들은 공손히 허리 굽혀 합장인사를 드리는 것이었다.

"스님, 평안하십니까?"

"어, 자네네 혹시 곡차 담은 것 없는가?"

"예, 어서 들어오셔요."

"모가비는 어디 갔나?"

"제가 불러다 드릴게요. 웬분들이신가요?"

사당은 옥여의 뒤에 섰는 갑송이와 감동이께로 연신 추파를 던지면서 물었다. 옥여는 빙그레 웃고서 뒤를 돌아다보았다.

"왜, 정분이라두 맺으려나?"

"혹시 또 압니까요. 좋은 연분이 닿을지…… 어서들 올라가 계셔요. 제가 술을 걸러 올리지요. 제 동무들을 불러올까요?"

갑송이가 계집의 아래위를 훑어보며 우악스럽게 말하였다.

"술이나 빨리 가져와라. 너희들과 노닥거리러 온 게 아니여."

"에이그, 참 뚝뚝도 하셔라. 곁에서 술을 쳐드려야지, 사내들끼리 앉아 안주도 변변치 않은 터에 술맛이 나시겠나요?"

"어, 그년 말두 많어. 어서 술독째 내오너라."

갑송이의 무뚝뚝한 말투에 찔끔한 사당이 부엌 쪽으로 내빼버렸고 옥여가 감동이와 말을 주고받았다.

"이서방이 승려두 아닌 터에 계집 보기를 원수같이 아는구려."

"원수같이 아는 게 아니라 저렇게 생겨먹었으니 똥 뀐 놈이 화낸다구, 지레 피하는 겁지요."

감동이의 농을 듣고 갑송이는 토방으로 들어서며 말했다.

"아우처럼 옴 오른 낯짝은 아니어. 계집 생각이 나거든 안방에 가서 지분거리구 오지 그래."

"성님이 내 해우채 좀 내줄라우?"

"내가 어디 기둥서방인 줄 알아. 네 오입값을 내주게."

그들은 농지거리를 하면서 토방에 둘러앉아 있었다. 모가비 임가라는 자가 뒤에 거사 두엇을 거느리고 마당으로 들어섰다. 임가의 머리는 상투잡이였으나 승복에다 염주까지 걸고 있었다.

"스님이 여긴 웬일이시우?"

"아, 절에 손님이 오셔서 곡차나 대접하자구 이리 모셔왔네."

"그러시면 저희 집으루 모시지요."

"아무러면 어떤가. 술이 있으면 되었지."

모가비 뒤에 따라왔던 거사가 말하였다.

"아 그러믄요, 편히들 기십시오. 여긴 우리집입니다."

"백련이 짝이 자네던가?"

"예, 그리구 홍도두 여기 있습죠. 어찌…… 불러다 술시중 들라구 할까요?"

옥여는 그들을 손짓해서 올라오도록 하였다.

"아닐세, 올라들 와서 세상 얘기나 좀 듣지."

"어유, 저희들이 뭘 안다구 세상 얘깁니까."

"자네들은 전국에 안 가본 데가 없으니 얘깃거리두 많겠지. 앉아서 얘기들이나 허지."

그들은 못 이기는 체 토방으로 들어섰다.

"심심허니 얘기나 해보라니까."

"원 참 옥여스님두, 무슨 얘깃거리가 있다구 늘 만날 적마다 그러십니까?"

하며 모가비 임가가 말하자, 거사 하나도 사양한다.

"우리네가 지껄여봤자 음담패설입지요."

갑송이와 감동이는 묵묵히 술을 마시고 안주를 집어넣었는데, 옥여는 놓인 술잔에 입도 대지 않고 그들에게 얘기만을 독촉하였다.

"그럼 지난 가을에 우리 행중에서 실지루 있었던 일 하나를 말씀드릴까요?"

"그래, 해보게나."

"우리가 한양 올라갔을 적이지요. 남촌 초동의 어느 마당에다 놀이판을 벌여놓고 한판 벌이는 참이었지요. 웬 이목이 수려한 미동자 하나이 구경을 하는데, 놀이가 다 끝나구 사방이 어두워질 때까지 돌아갈 생각을 않는 것이었습니다그려. 우리가 하두 이상히 여겨서 물었지요.

여보 총각, 어째서 갈 줄도 모르고 거기 서 있소? 집을 모르면 우리가 데려다드리리다.

했는데도 그 총각은 여전히 꿈쩍도 않고서,

나 같은 사람이 집에 간들 무엇 하오.

하며 대답할 뿐이었지요. 제가 거동을 보고는 저렇게 잘생긴 미동(美童)은 구하기 어려우니 잘 꾀어다가 행중에 넣어 무동을 시키면 벌이도 좋으리라 생각했었지요. 그래서는,

얘야, 네 성명이 무엇이며 네가 집에 가도 별 재미가 없다니 우리들과 함께 돌아다니며 노래나 부르고 산천경개나 구경하면 어떠냐?

하니까 그 소년은 즉시 응낙하더군입쇼. 그래서 제가 그 소년에게 기예를 가르쳐주니 위인이 영리하여 동료들의 뜻을 잘 받아주고 재주를 금방 익혀서 우리 행중의 사랑을 받았습니다. 그러니까 그것이 지나간 봄의 일입지요. 해서 그애는 우리 사당아이들보다도 더욱 돈벌이에 요긴하였소이다. 절에서 가져간 부적도 잘 팔릴뿐더러 아이들이 몸을 팔지 않아도 제법 벌이가 되었지요. 이것이 모두 그 무동이 때문이었습니다. 왜냐하면 무동이의 소문이 향촌에 널리 퍼져 있어 모두들 그애를 찾았기 때문이었습니다. 헌데 한 가지 이상한 일은 다른 때엔 그렇지 않다가도 밤 되어서 잘 때만 되면 언제든지 여러 사람들과 같이 자질 않고 으레 문을 꼭 잠그고 혼자 기거하는 것이었습니다. 제가 괴이하게 여겨서 여러 번 그러지 말라구 타일러도, 다른 일에는 거역하는 일이 없다가 그 일만은 듣질 않았지요. 정 그렇다면 행중을 떠나겠다구 그러잖습니까. 우리네 함께 다니며 가락이나 맞춰주는 거사들은 모두 제 사당이 있는지라, 내 생각하기를 저놈은 아직 어린 소년이지만 음양의 화합을 이루지 못하여 애를 태우는가 하여 우리네 애사당과 짝을 맞춰주기루 했습지요. 그애가 바루 도화(桃花)라는 아이입니다. 이 사람 집에 같이 살구 있지요. 제가 오 년 전에 원주서 흉년 든 농가에서 다섯 냥에 사들인 계집아이였

습니다. 스님께선 꾸짖으시겠지만 기왕지사 헐벗고 굶주려 죽게 된 집안에 사느니, 저희 부모도 구명시키고 저도 우리 틈에 끼이면 비록 몸은 천하나 밥을 주리는 일이 없으니 잘된 일 아니겠습니까. 하여튼지 이년이 그때에는 늘상 제 부모가 자기를 팔았다 하여 포한(抱恨)을 품고서 놀이판에 나서서 곱게 노래는 하여도 절대로 웃는 법이 없었습니다. 그러니 저희들께는 아주 밉상이었습죠. 그렇게 웃지두 않던 도화가 버들쇠〔柳〕 소년이 행중에 들어온 뒤부터는 언제든지 웃음을 띠고 그 앞을 떠나기 싫어하며 흔히 은근한 말로 속삭일 적두 있구 애달픈 표정으로 바라볼 때두 있었지요. 헌데 짝을 맞추어주었는데도 역시 그 녀석은 도화라는 년을 버리구 저 혼자 풀밭이나 헛간에서 잠을 잔단 말입니다. 우리들두 은근히 궁금하여 버들쇠 총각과 도화가 어떻게 되는가 지켜봤습니다. 허허, 가을이 다 되도록 아무 변화가 없습디다.

그러니까 그것이 지난 추석이었던가요? 경기도 어름에서 썰렁한 추석밤을 새우는데 나중에 알았지만 이년이 버들쇠의 곁으로 파고든 모양입니다. 헌데 이 녀석이 자꾸 돌아눕기만 하니 도화도 아무리 사모는 하겠지만 여자의 오기가 있는 터에 너무 사내를 밝힐 수야 있겠습니까. 그래 하염없이 울고 앉았으니까 우리 거사 하나가 그 울음소리에 잠이 깨어서는 슬쩍 일러주었지요. 사내란 술을 마시면 계집 생각이 나는 법이니 몰래 술을 먹이구 정을 맺도록 하라구 말입니다.

자, 이 지경이니 아무리 애사당이라지만, 사내가 많은 철광산이나 저자에 나가면 계집이 모자라는 터에 한 년이라두 아쉬운데, 이년이 해우채를 벌 생각을 해야 말이죠. 추석 이튿날은 달도 밝았고 음식도 푸짐하여 놀이판이 아주 흥청댔지요. 달 밝은 상당산성에서 두

견새가 울어예는데 참 집 없이 떠도는 신세가 처량해지는 밤이었지요. 더이상 참지 못하게 된 도화가 그날 밤에 단단한 결심을 했던 모양입디다. 둘이 숲속에 앉아서 술을 마시는데, 어린것들이라 그 정경이 더욱 아기자기했지요. 우리들두 그날 밤에 성사가 되지 않으면 버들쇠놈을 쫓아낼 작정이었거든요. 도화와 버들쇠는 노래도 부르고 춤도 추다가 서로 울기도 하고 웃기도 하다가 어느덧 술에 만취가 되었죠. 헌데 술자리가 치워지자마자 버들쇠놈은 전처럼 헛간으루 들어가더니 역시 고리를 딱 걸어잠그었단 말입니다. 도화가 정말 노했지요. 제아무리 철석 간장일망정 이럴 수야 있겠는가 하고, 저 사람이 여자라 한다면 수염자리가 보일 리 없고, 남자로서 자기 애타는 심정을 몰라준다면 차라리 죽여 미련을 끊음만 같지 못하다며 살기등등했지요.

결심한 도화가 행중에서 쓰는 큰 칼로 버들쇠가 자는 방문을 곁쇠질하여 열고 들어가보니, 서창의 달빛이 낮같이 환한 방 안에 홀로 누운 버들쇠가 술에 취하여 사람 들어오는 것도 모르고 곤히 잠들었고, 베갯머리는 눈물로 젖어 있더랍니다. 도화가 염치 가리지 않고 버들쇠의 곁에 달려들어 허리띠를 끄른 다음 그 바지 속에 손을 넣었다지요. 어, 이게 웬일이란 말입니까. 지금까지 미소년인 줄로만 생각했던 것도 한바탕 꿈이요, 도화는 허전한 마음으로 손을 꺼냈다는 것입니다. 있을 것이 잡히지는 않으나 버들쇠는 분명히 소년이었습니다그려. 도화는 비로소 버들쇠가 혼자서 잠자리를 버티는 이유를 알았습죠. 도화는 봄부터 버들쇠를 사모했던 정회가 이렇듯 허무하게 끝난 것도 야속하거니와 버들쇠의 처지가 불쌍해졌지요. 그래서 도화는 다시 밖으로 나가 칼을 더욱 날카롭게 갈아서 방으로 들어갔지요.

이 한 칼로 내 팔자는 정해진다. 버들쇠가 죽어지면 나도 살인한 죄로 따라서 죽을 것이요, 천만다행히도 그가 완전한 사내로 되어진다면 내 소원은 그밖에 다시없다.
라고 마음을 먹었던 것입니다.

도화는 버들쇠 총각의 바지를 헤쳐 내려놓고 불룩한 살주머니를 사정없이 죽 쨌단 말입니다. 버들쇠가 놀라서 저를 죽이려는가 하여 소리를 질렀기 때문에 우리는 모두 잠이 깼습니다. 도화는 버들쇠가 고함을 지르거나 말거나 계속 째어보니 피가 낭자한 가운데 살 속에서 사내의 것이 튀어나와 있더란 말입니다. 버들쇠는 벌떡 일어나 흘러내린 피를 씻을 사이도 없이 도화를 껴안았지요. 우리는 모든 것을 알고서 안도의 한숨을 내쉬었지요. 도화와 버들쇠는 서로 껴안고 웁디다. 평생을 불구자로 보낼 줄 알았던 버들쇠도 감격했던 것입지요. 도화가 반 울며 웃으며 하는 말이,

그런 까닭으로 쌀쌀하게 구는 것을 모르고 내가 사내들께 몸을 팔아 더럽게 여기는 줄 알았어요. 당신을 몰인정한 사람으로만 알고서 죽일 작정으로 문을 부수고 칼을 들고 들어왔건만……

이튿날 행중이 길을 떠나는데 두 사람의 거동을 보니 애틋하고 살뜰하여 젊은 것이 부럽습디다. 헌데 이것들이 정을 알고 사내 계집의 재미를 알게 되니 머물러 사는 세간의 생활이 그리워지지 않을 리가 있겠소이까. 나는 짐짓 모르는 척해두었건만 아마도 달아날 생각을 하구 있는 게 틀림없습디다. 실은 저두 어렸을 적에 애사당과 정분이 나서 둘이 도망쳤던 적이 있었지요. 허지만 우리 거사패와 사당이란 것들은 팔자에 역마살이 진동하여 양민의 생활을 이룰 수가 없지요. 한 두어 달만 정착해보면 좀이 쑤시고 갑갑하여 견딜 수가 없게 되어 훌쩍 떠나게 되지요. 계집은 계집대로 다른 사내와 눈

이 맞거나 여하튼지 역마살과 도화살을 면할 수가 없는 법입니다.
그날부터 도화와 버들쇠는 의논을 했던 모양입디다.

나는 부모를 잘못 만난 탓으로 이 몹쓸 구렁창에 빠졌으나 당신은 아마 몸이 불구임에 상심이 되어 이런 패거리에 빠졌군요. 이제는 정로를 밟아 다시 살으셔야죠.

저 구렁이 같은 모가비가 우리를 꼼짝 못 하게 하는데, 언제 어디로 빠져나간단 말요.

하, 이렇게 의논들을 했답디다. 버들쇠는 알고 보니 양반댁 도령이었지요. 즉 사대부댁 외아들이었다 그것입니다.

우리 부모가 나를 퍽 귀엽게 여기시면서도 한편으로 늘 섭섭하게 한숨지으시는 것을 보았지만, 어려서는 몰랐다가 십오 세가 넘으면서 부모의 뜻을 확실히 알게 되었지. 그래서 나도 병신 된 한스러움이 날로 깊어져 공부를 하려 해도 머리에 들지 않고 멍하니 섰거나 이것을 잊으려고 놀기만 했었소.
라구 얘기를 하더랍니다.

부모님들도 내 하는 것을 내버려두었는데, 그날 사당패가 초동 집 근처에서 판을 벌였기에 구경을 갔다가 도화의 거동과 노래에 그만 정신을 잃어서 멍하니 서 있었지. 모가비가 가자 하여 깊이 생각지 않고 서슴없이 따라나섰던 것이외다. 실상은 도화를 따라나선 것이었지. 그뒤 도화의 눈치를 짐작은 하였으나 그럴수록 내 병신 된 것을 감추려고 쌀쌀히 굴었던 것이오.

나중에야 이들이 빠져나갈 계획을 했던 것을 알았지요. 양반의 아들인 버들쇠와의 거리는 너무나 멀었습니다. 우리가 광주서 송파를 휘둘러보고 있던 어느날 두 사람은 우리의 눈을 피하여 달아나고 말았습니다. 아시다시피 우리들은 사람을 잃으면 각 향시를 떠도는 무리들께 통문을 보냅니다. 행중에서 발을 뽑겠다면 누가 안 놓아줄까봐서 밤을 타구 달아나버렸단 말입니까. 해서를 골짜기마다 돌고 보니 곧 겨울입디다. 그래서 월정사루 들어왔는데, 그 도화란 년이 먼저 와서 기다리구 있었다 그겁니다. 그래 일부러 매도 때리지 않고 뭣 때문에 도로 왔느냐구 살살 캐물으니까, 다음을 기약하구 헤어졌다는데 필시 버림을 받았던 모양입디다. 우리네가 겪어봐서 알지만 정분의 맛을 본 사당은 이미 장사에는 소용이 없습니다. 내쫓았지요. 이제 너는 우리 행중과 아무 관계가 없으니 떠나가서 네 마음대로 살아라 하구 말입지요. 허 그랬더니 도화란 년이 울음을 터뜨리며 말하기를 그 양반댁 아들이란 총각은 이미 세상에 없다는 것입니다. 총각이 죽게 된 얘기는 바로 이렇습니다.

초동의 유승지 댁으로 두 사람은 찾아갔었더랍니다. 유총각이 없어진 뒤에 승지 댁에서는 그가 병신 된 것이 한이 되어 물에라두 빠져 죽었나 싶어 한강에서 토정리까지 다섯 줄기를 샅샅이 훑어보아도 전혀 자취두 없더라지요. 할 수 없이 지면 있는 자가 지방관으루 내려가면 수소문하여 알아달라고 부탁한 것이 한두 번이 아니었건만, 병신 된 것으로 하여 더욱 애처로운 아들은 집으로 돌아오질 않았으니, 유승지는 양자를 들이게 되었답니다. 총각과 동갑이며 그에 못지않은 미남자에다 글도 열심히 읽는 시골 선비의 막내아들을 양자로 들여놓았고, 그해 식년시에는 과거도 보여 초시를 따고 이어서 홍패까지 받았답니다. 유승지는 가내에 엄명하여 버들쇠 총각이 행방을 감춘 사실을 절대 함구하도록 하고서, 양자를 버들쇠 총각으로 못박아 바깥 사람들이 눈치채지 못하도록 했다지요. 이제는 과거에도 나아갔고 또한 남자의 구실을 하여 대도 이을 수 있는 아들이 생겼으니 승지 댁은 전화위복이 된 것입지요. 헌데 이렇게 모든 일이 정해진 다음에 사라졌던 총각이 이상한 꼬락서니로 나타났단 말입니다.

양반의 아들이 유랑 광대패가 되어 가무를 팔아왔고, 게다가 창녀 애사당까지 달고 돌아왔으니 도저히 용납할 수 없는 일이었겠지요. 승지 댁에서는 모처럼 고생 끝에 돌아온 아들을 바깥사랑에 머물도록 하고 안에는 들이지 않았답니다. 그리고 승지는 그의 부인이 알게 되면 일에 지장이 있을까 하여 안채에 알려지지 못하도록 하인들 단속을 단단히 해놓았지요. 그날 밤에 힘깨나 쓰는 하인 네댓 명이 사랑을 덮쳤답니다. 그들은 불문곡직 버들쇠와 도화를 자루 속에 넣고 밧줄로 꽁꽁 묶은 다음에 밖으로 떠메고 나갔지요. 이제는 그가 돌아온 것이 바로 양반댁의 환난이 되어버린 것이었습죠. 원래 유승지의 지시는 마포에 내다버리라 하였으나 그중에 유총각을 동정하는 노비가 있어서 삼개쯤 가서 풀어주며 멀리 떠나라고 권고하더랍니다. 도화는 다시 행중에 돌아가자 하였으나 부모에게서 버림받은 양반댁 도령이 어디루 가겠습니까. 도화가 잠든 틈을 타서 그자는 강에 투신하구 말았습죠. 사당년들이란 아무리 나이가 어려두 사는 게 모질다는 걸 아는지라 아주 독합지요. 도화는 강에서 버들쇠의 시체가 떠오르기를 기다렸답니다. 서강에서 시체가 떴다지요. 도화는 동작나루에 있는 아는 사당패를 찾아가 도움을 청하여 소년의 시체를 수습하였답니다. 이렇게 기담 비슷하게 지껄이기에는 참으로 가슴 아픈 얘깁지요. 네, 우리 아이들은 별의별 일을 다 겪은 것들입니다."

그 애처로운 이야기를 듣는 동안에 옥여는 여러 번 한숨을 내쉬었고, 감동이는 눈시울이 그렁그렁해졌으며 무뚝뚝한 갑송이도 연신 헛기침을 했다. 갑송이는 타관에서 노숙하던 밤의 쓸쓸함을 잘 알고 있던 광대였으므로, 더욱 도화와 버들쇠의 얘기가 가련하게 들렸던 것이다. 옥여스님이 입을 떼었다.

"그래 그 도화라는 아이가 지금도 여기 있다는 말인가?"

모가비 임가는 머리를 조아렸다.

"예, 그러하옵니다. 그 일을 겪고 나서 도화는 전혀 다른 아이가 되어버렸지요. 저러다가는 아예 밥사당이 되어버릴 모양입니다."

"짝을 맞춰주지 그러나?"

"마음이 잡히지 않았습죠. 이 겨울이 지나 다시 출행하게 되면 좀 달라지겠지요."

마감동이 불쑥 물었다.

"도화가 그런 마음씨라면 얼굴은 제법 절색이오?"

임가가 빙그레 웃었다.

"절색 아닌 사당이 있답디까? 몸이 천하여 그렇지 생기기는 모두 나라님 뒷궁 마마님들 빰을 치게 생겨먹었지요."

"내 중신 좀 서리까?"

마감동의 말에 모가비 임가는 어리둥절한 표정이 되었다.

"중신이라뇨?"

"우리들 중에 총각이 많으니 서로 인연을 맺게 하자 그 말이지."

"아아, 좋지요. 우리 패거리하구두 어슥만하니 서루 지체두 떨어질 게 없겠습지요."

지체가 거의 같단 말에 앉았던 사람들은 모두 웃음을 터뜨렸다. 갑송이가 은근히 궁금해졌는지 감동이의 무릎을 꾹 찔렀다.

"누구게 중신을 선다구 그래?"

"누구긴 누구여…… 바루 우리 성님이지."

"내게……?"

하며 눈을 휘둥그레 떴던 갑송이가 씩 웃었다.

"이 자식아, 내는 고자여. 여자라면 천성이 아주 뱀처럼 여기는 사람이란 말이여."

"거 참 알맞은 연분이네요. 도화는 아마 고자하구 맞도록 돼 있는 갑네."

임가까지 농을 치자 갑송이는 얼굴이 시뻘게졌다.

"망할 놈 같으니…… 제놈이 장가들구 싶으니까 공연히 나를 부추기구 지랄이네."

했으나 갑송이는 그리 싫지는 않은 눈치였다. 임가도 그것을 아는지라 슬쩍 말을 내어보았다.

"첨 뵙는 분께 실례올시다마는, 생각이 있으시면 작수성례를 주선해보오리다. 가끔가끔씩 월정사에 들르시지요. 지금 당장이라두 도화년을 데려와 상머리에 앉힐 수가 있지만 덧들이는 것보다는 은근히 정이 들게 해야 될 듯합니다."

"거 이 사람두 별소릴 다 하눈."

어쨌든 사당마을에 내려온 감동이에게는 새로운 일이 생기게 되었던 것이다. 마감동은 도화의 얘기를 들으면서 어쩐지 갑송이의 우직하고 순박한 성미에 도화의 슬픈 그늘이 걷혀질 듯한 느낌을 가졌다. 갑송이도 도화를 한번 보고 싶었으나 총각다운 수줍음으로 참는 중이었다. 그들은 저녁때가 다 되어서야 옥여의 만류를 뿌리치고 일어섰다. 이튿날 탑고개로 이사를 할 일이 바쁜지라 두 사람은 옥여의 만류를 마다하고 된목이골로 향했다. 갑송이는 아직 모르는 도화의 흰 얼굴이 어렴풋이 눈에 삼삼하였다.

3

산채에 머물러 기다리던 광대들은 은율 탑고개로 이사를 갔는데, 이미 월정사 쪽의 전갈을 받은 마을 사람들은 모두 나서서 우선 집을 세울 동안 기거할 움막을 파는 일을 돕기로 하였다. 노인과 아녀자들이 지낼 집 한 채를 비워주기도 하였으니, 이제는 외래자로 생각하지는 않는 듯싶었다. 이사를 한 뒤에도 갑송이는 산채를 떠나려 하지 않았는데, 드디어 광대짓에 신물이 난 때문이었다. 길산이에 관한 소식이 궁금하여 당장이라도 해주로 떠나고 싶었고 박대근도 보고 싶었다. 그러나 단단히 다짐받은 말도 있어서 무료하게 산채에서 뒹굴거나, 옥여를 만나러 월정사에 들렀다가 탑고개 나한암 동네로 가서 자고 오고는 하였다. 다행히도 이사 무렵부터 날씨가 풀려서 엉성한 대로 바람을 막을 만한 귀틀집이 여러 채 섰다. 하루는 탑고개서 자고 된목이골 산채에 오르니 마감동이 몹시 걱정을 하고 있었다.

"어째 죽 먹은 시어미 상판대기냐."

"아무래두 마음이 안 놓이네. 성님은 그자를 믿우?"

"그자라니 누구 말여?"

"누구긴 누구겠소. 김기인가 하는 책상물림 말이지."

갑송이는 어쩐지 가슴이 철렁하여 눈을 휘둥그레 떴다.

"아니, 김기가 뭘 저질렀나?"

"슬쩍 없어져버렸소."

감동이는 미간을 잔뜩 찌푸리고서 고개를 내저었다.

"아무래두 달아난 것 같우. 큰일인걸…… 산채를 훤히 알구 있으니, 관에 찔러바치면 우리는 몰이사냥을 당할 게유."

"아뭇소리 없이 꺼졌단 말이야?"

"그런 건 아니지만……"

하고 나서 감동이는 얘기했다. 갑송이가 탑고개로 내려간 뒤에 김기가 의관을 차리고서 마감동의 방으로 찾아왔더라는 것이다. 봉산엘 다녀오겠다는 것인데, 이유를 물으니 아무래도 노모가 걱정되어 밤마다 잠이 오질 않는다는 얘기였다. 그것은 아마도 갑송이가 제 모친을 업고 탑고개로 이사시키던 광경을 보고 마음이 흔들린 모양이었다.

"졸개 하나에 상목을 짊어지워서 따라붙였수."

"뭐 걱정할 일인가. 제 몸이 편해지면 우선 부모 생각이 나는 것은 인지상정인데."

"글쎄 그건 맞는 얘기유. 헌데 어떤 생각이었는지 따라간 졸개놈을 따돌려버렸단 말이외다."

"따돌리다니……"

"그 바보 같은 녀석이 배고개에서 안악으로 내려가다가 김기를 잃어버리구 방금 되돌아왔거든. 도중에서 쉬어 가자더래요. 그래서 쉬고 앉았으려니 그자가 목이 마르다며 물을 떠달라구 그러더라지. 이 녀석이 표주박을 꺼내들고 비탈 아래를 내려갔다가 올라가보니까 상목두 없어지구 김기두 자취가 없더라데. 부근을 한참 헤매다가 하는 수 없이 되돌아왔다지. 그래서 어찌할까를 몰라서 망설이는 중이우."

"전에 약조했던 바를 아우가 지켰나?"

갑송이는 문득 김기가 산채에 들어올 때 집안의 안돈 문제를 걱정했고, 마감동이 한 기백 냥 봉산으로 보내겠다던 말이 생각났던 것이다. 감동이는 몹시 기분이 상한 것 같았다.

"우선 다른 일로 그럴 정신이 없었고, 아니 제깟 것이 무엇인데 다 같이 숨어 사는 처지에 그런 거액을 요구한단 말요."

갑송이도 고개를 끄덕였다.

"하긴 나도 애초에 김기를 만나 이리루 데려올 적에 집안 얘기를 듣고서 딱하기는 하면서도, 한편 아우께는 몹시 미안하데. 그러나 돈은 그가 먼저 달란 얘기는 없었잖나. 오히려 아우가 반갑고 사람 만난 기분에 선뜻 그렇게 맞장구를 쳤을 뿐이지. 섭섭하고 기대에 어긋나서 되돌아설 수도 있는 일이지."

"되돌아선다는 데 문제가 있소. 놈이 어쩌면 관가에 발고를 할지도 모른단 말유."

갑송이도 침울하게 생각에 잠겼다가 벌떡 일어났다.

"자네 갓하구 도포 좀 내주게."

"어쩌시게……"

"뒤를 밟아야지. 내가 어느 집인가는 몰라두 동네는 알구 있어. 수소문하면 단번에 알아낼 게야. 눈치를 보아서 정 발을 뽑을 생각이라면……"

"어쩌겠수?"

"없애버려야지."

"김기는 원래 궁량이 깊은 사람이니 벌써 그럴 줄을 알구, 그물을 쳐놓지 않았을까?"

"음, 그럴지두 모르지……"

감동이의 말을 듣고 나니까 갑송이도 조바심과 울화가 단번에 치밀어서 김기가 보이기만 하여도 즉시로 박살을 내어 죽이고 싶을 정도였다. 감동이가 말하였다.

"좌우간에 우리 산채를 알고 있는 자를 살려둘 수는 없수."

"내가 해치우고 오지. 처음부터 내 잘못이었으니……"

"책상물림들은 우리하구 종자가 틀려서 의리보다는 이해가 앞서는 자들이우. 그러니 평생을 글이나 읽구 보내지."

"내가 그만 워낙에 무식하여…… 일이 경솔히 되었구먼."

감동이가 안에서 갓과 도포를 내주면서 말하였다.

"성님, 가겠으면 혼자 가지 말구 만석이를 데려가우."

"에이, 봉산 가면 다 아는 이들이 있는데 만석이 데려가면 귀찮기만 허지."

"가시는 길에 말동무라두 삼으시구려."

"필요 없어. 거 두 뼘짜리 단검이나 한 자루 내줘. 안 가겠다는 말이 떨어지자마자 목을 뎅겅 베어서 차구 올 테니까."

갑송이는 비수를 가슴에 품고서 된목이골을 나섰다. 산을 타지 않고 곧장 부처고개로 내려와 안악 가는 큰길로 들어섰다. 한내를 건너는데 일단의 군사들이 지나는 사람들을 기찰하고 있었다. 그쪽을 피하여 다시 산길을 타고 가자니 실토봉 길을 오를 일이 아득하였다.

잠시 머뭇거리다가 갑송이 나름으로 꾀를 낸 것이 바로 기찰포교의 행세였다. 살피자니 군사들 몇몇이 길 아래 화톳불을 피워놓고서 주위에 둘러앉은 것이 보였다. 남은 서너 명이 행인들의 봇짐과 몸을 뒤짐하는 중이었다. 갑송이는 그쪽을 거들떠보지도 않고서 대뜸 불가에 모여 웅크린 포도군사들에게 성큼성큼 걸어갔다.

"이놈들! 모두 이리루 올라오너라."

무턱대고 고래 고함을 질러놓았는데 포졸들은 갑작스런 호통소리에 멍한 표정들이었다.

"뭣들 하구 있느냐. 냉큼 올라오지 못할까?"

그들은 아직도 납득이 안 가는지 서로 눈을 마주치고 모르겠다는 표정으로 올려다보고는 다시 쑤군거렸다. 그중 용기가 있어 뵘직한 자가 우물쭈물 물었다.

"나리는 뉘십니까?"

"어허, 이놈들 아주…… 바닷가 똥강아지 호랑이 몰라보듯 하는고나. 너희들이 왜 여기에 나와 있는고?"

"예, 보시다시피 행인을 기찰 중입니다. 구월산 일대에 화적떼가 발호하여 일전에는 문화 고을이 기습당한 적이 있었습니다."

"나는 감영에서 나온 기찰포교다. 구월산 일대를 정탐하는 중인데 너희는 도적을 잡아야 할 놈들이 불가에서 애녀석처럼 불알이나 굽고 있으니 내 그냥 지나칠 수가 없다. 곤장을 좀 때려주고 가리라."

버젓하고 점잖게 꾸짖으니 포졸들은 모두 송구하여 코를 쭉 빼고 둘러서 있었다. 다른 자가 숙인 고개를 쳐들지 못하고서 기어드는 목소리로 대답하였다.

"예, 저희들두 처음에는 부처고갯목을 열심히 지키면서 오가는 자들을 살폈으나, 며칠 되고 보니 끼니도 거르고 교대도 되지 않는 터에 날씨는 추워서 더이상 견딜 수가 없었습니다. 가엾이 여기시고 이번만은 덮어주십시오."

갑송이도 그들의 홑것 더그레 자락을 보니 측은한 생각이 들어 그냥 지나갈까 하였으나 또한 그렇게 하기도 난처하였다. 의심을 받겠기 때문이었다. 아주 기를 죽여놓지 않으면 혹시 댁이 어느 고을 무슨 직함에 있느냐고 꼬치꼬치 물어올지도 몰랐다.

"이놈들 안 되겠다. 정신이 번쩍 들도록 너희 사또어른을 대신하여 곤장을 때리구 가리라. 모두 그 자리에 엎드려라."

갑송이의 추상 같은 재촉에 포도군사들은 우물쭈물 땅바닥에 엎드렸다. 갑송이는 창대를 들어 거꾸로 잡고서 궁둥이를 호되게 몇차례씩 두들겨주었다.

"군율이 해이한 놈들에게는 매가 약이니라."

군사들을 잔뜩 겁을 주고서 갑송이는 휘적휘적 안악길로 나아갔다. 안악 읍내로 들어가지 않고 들길을 지나쳐 월호산 봉수대 옆을 지나 월당강이 가로막은 지진나루로 나아갔다. 구월산록은 안악에서 끝나 있으므로 나루에는 진별장과 포졸 네댓 명이 지키고 있을 뿐이었다. 어쨌든 구월산 사방의 군읍에서는 도적들이 내려올 만한 길목을 철통같이 막고 있는 모양이었다. 나루를 건너 봉산까지 사십 리를 걷는 사이에 날이 저물었는데, 워낙 된목이골서 늦게 출발한 탓이었다. 읍내 쇠전거리로 들어가 기웃거리는데 코가 납작하고 광대뼈가 유난히 튀어나온 불량하게 생긴 자가 마주 지나치다가 아는 체를 하였다.

"아이구 이거, 갑송이 성님 아뉴?"

갑송이는 얼결에 걸음을 멈추었다.

"이게 누군가?"

"누구긴…… 나 만동이요. 아따, 봉산 만동이 형제를 잊으셨수?"

"쉬잇, 어디 사처라두 우선 정하구 들어가 얘기하세."

"원 성님이 그 어울리지 않는 복색에 사처까지 찾아 구색을 갖추시니, 저는 나귀라두 대령해야 되겠소이다."

"그런 게 아냐."

"걱정 마십시오. 우리두 재인말이 폐촌 되구 길산이 성님이 감영옥에서 돌아가셨단 소문을 알구 있습니다. 저희 집으루 가십시다."

만동이는 그 아우 천동이와 더불어 봉산 쇠전거리에서 잔뼈가 굵은 이름난 불량배였다. 봉산 저자를 드나드는 장사치들치고 그들 형제의 이름을 모르는 자가 거의 없을 정도였다. 일찍이 길산이와 갑송이는 그들 패거리와 싸움 재주를 겨룬 적이 있었다. 갑송이는 하릴없이 주막 봉놋방을 찾아 돌아다니다가 기찰에 걸려들기보다는 만동이네서 묵는 게 나을 성싶어, 그의 뒤를 따라갔다. 갑송이가 인사조의 말을 던졌다.

"천동이두 잘 있나?"

"그 녀석은 요새 평안도에 가 있습니다."

"평안도엔 뭣 허러?"

"예, 잠채잡이를 하러 다닙니다."

"자네는 왜 여기 있나?"

"아우가 애들을 데리고 나가서 산을 파서 재물을 얻는데, 저는 여기 봉산 저자에 남아 장사를 해야 되지 않겠소이까."

"백정 노릇은 안 하는가?"

"그따위 일은 해서 뭣 합니까. 저자에서는 우리가 화척(禾尺)이었음을 아는 자가 이젠 별루 없지요. 우리는 그래두 사민 중의 세 번째인 공(工)입니다요."

"느이 형제가 그렇다면 나는 두 번째 농(農)이다."

갑송이의 말을 듣자 만동이는 낄낄대며 웃었다.

"에이, 성님네들야 사민 중에두 없는 도(盜)가 아닙니까."

"이 녀석아, 혓바닥 간수 좀 해라. 도는 그중 으뜸이니라. 큰 도는 바로 조정에 있는 벼슬아치들이고, 따지고 보면 입국하는 호걸들이 모두 도이다."

"헤헷, 구월산에서 신주(新主) 나겠네요. 나두 충렬 공신으루 한자리 끼워넣어주오."

"농지거리 그만두자. 누가 들으면 큰탈 나겠군. 자네 집이 정말 괜찮은가?"

"염려 마우. 우리집이야 늘 타관에서 오르내리는 잠채꾼들이 들락날락합니다."

만동이네 집에 이르러 보니 제법 덩치가 큰 초가인데 앞채와 뒤채로 나누어져 있었고, 길에 면한 앞채는 대장간이었다. 토벽으로 세운 도가니 속에 신탄의 불빛이 시뻘겋고, 손풀무가 세 대나 있었다. 웃통을 벗어붙인 살집 좋은 사내 넷이서 번갈아 쇠를 두드려대고 있었으며, 아이놈 몇이 둘러앉아 풀무질을 해서 도가니의 쇠를 녹이고 있었다. 갑송이가 의아하여 만동이를 돌아보며 물었다.

"풀뭇간은 언제 이렇게 이루었나?"

하니까, 만동이가 목소리를 낮추어 갑송이의 귓전에 대고 속삭였다.

"쇠뿐이 아닙니다. 금두 있습지요. 돌에서 뽑아내려면 제련을 해야 되지 않습니까. 그래서 지난해부터 이렇게 풀뭇간을 세웠지요."

"흐음, 취재가 막대하겠는걸."

"일손두 없구 관가의 기찰두 심하여 많이 못 하는 것이 한입지요."

"굴은 많이 있는가?"

"각지에 있답니다. 대개 지방 토호들이나 수령들이 나라 모르게 해먹는데 우리네야 그저 그 찌끼를 줏어온다뿐입지요."

그들은 안채로 들어갔다. 마당에 마구간이 있었는데 짐 벗은 골격 좋은 말들이 줄줄이 매어져 있었고, 사랑에는 장한들이 칠팔 명 들끓고 있었다. 갑송이가 보기에도 만동이네 형제는 이제 봉산 저자의 단순한 무뢰배가 아닌 듯하였다.

갑송이는 이러한 처지의 만동이가 어찌해서 자기처럼 세상을 피해야 하는 녹림패를 예전의 의리로 대하려는지 그 속을 알 수가 없었다. 그는 만동이가 끄는 대로 큰사랑에 마주 앉았다. 떡벌어진 다담상을 두 계집이 맞들고 들어왔는데 풀뭇간 주인의 밥상으로는 과분한 것이었다. 갑송이가 무뚝뚝한 표정으로 음식을 내려다보며 중얼거렸다.

"자네 예전의 만동이가 아니로군."

"예? 성님, 그 무슨 말씀이우."

"쇠전거리서 봇짐장수들 뒷덜미나 치던 자가 아니라 이제는 배부른 자가 되었단 말여."

"사람이야 어찌 변하겠습니까. 아직두 길산이 성님이나 갑송이 성님하구의 의리는 잊지 않구 있습니다."

"그걸 누가 믿어. 자네 서투른 수작 하는 건 아닐 테지."

술을 따르던 만동이가 잔이 넘치도록 주전자를 기울인 채로 딱하다는 듯이 입맛을 연신 다셨다.

"길산이 성님은 아마 제 심정을 아셨을 겁니다. 성님은 다 좋은데 그놈의 의심하는 버릇은 아직두 못 버리셨구려."

"의심이 아니야. 풀떼기 먹던 자가 이밥 먹으면 우선 뒷간 다니기가 수월하여지고, 뒷간 다니기 편해지면 세상살이두 편해지구, 그러면은 관아에 발길이 닿는 법이다. 네 이 고을 아전붙이들하구두 오삭가삭하렷다."

만동이는 역시 입맛을 한참이나 다시더니,

"성님, 제게두 꾀가 있구, 세상 사는 이치를 조금은 알 수 있습니다. 제가 성님을 길가에서 만나 반가워한 것은 물론 옛 의리도 의리려니와 제게 생각이 있기 때문이었소이다. 제 말씀을 듣고 나서두 의심이 가신다면 당장에 제 집에서 나가셔두 붙들지 않겠소이다."

“그래 무슨 생각이여?”

“다름이 아니라 우리가 잠채잡이를 합니다만 노중에 험로를 지나며, 각 곳에 들끓는 좀도적패에게 바치는 통과세로 거지반 다 빼앗깁니다. 그뿐이 아니지요. 좋은 굴자리가 있더라도 세력 있는 그곳 잠채꾼들과 다투게 되니 수가 적고 약한 저희 아이들은 넘보지도 못하지요. 또한 자금을 들여서 더욱 많이 파낼 수 있으나 돈이 모자랍니다. 헌데 이런 세상에서야 돈 있고 힘 있는 놈이 제일인데, 구월산에 기시는 성님들과 통하시니 저희들과 손을 잡으시면 위험을 무릅쓰지 않더라도 취재가 많을 것이 아니겠습니까. 저두 다 그런 생각으루 그렇지 않아두 구월산에 가서 산속을 헤매서라두 만나뵈려던 참이었지요. 정말 속내를 털어낸 말씀입니다.”

“그런 얘기라면 나는 잘 모르겠네. 내야 아직두 산채에서 더부살이하는 몸이니까. 여하튼 자네 얘기는 재미있구먼.”

“자, 그 얘기는 뒤로 미루고, 길산이 성님은 정말 돌아가셨습니까?”

“아니야, 아직은 무사하지.”

“그러면 산채에 와 계십니까?”

“차차 알게 될 걸세. 길산이만 오게 되면 여러가지루 협조할 일이 많겠지.”

“그야 말할 필요가 없겠지요. 어째 봉산에는 무슨 일루 오셨습니까? 벌이 앞전의 정탐을 나오셨다면 제가 세세히 일러드리리다.”

“사람 하나를 잡아죽이러 왔구먼.”

갑송이가 서슴지 않고 말하자 만동이는 목을 움츠렸다.

“어디…… 봉산 사람입니까? 힘깨나 쓴다면 제가 모를 리가 없을 텐데요.”

"우리네하군 씨알이 다른 놈일세. 그놈이 책상물림이여."
"어디 산답디까?"
"뭐라더라…… 동선령고개 어름에 도림골이라던가?"
"예, 여기서 가깝습니다. 혹시 이름을 아십니까?"
"김기라구 얼굴이 길고 하얗게 생겼는데 훈장질을 했다더군."
"제가 아이들을 시켜서 잡아다드릴 테니, 성님이 직접 가실 필요 두 없습니다."
"아닐세, 그리되면 나중에 소문이 나서 자네가 곤란해질 게야. 그보다는 자네 아이를 하나 보내어 정탐을 시키지. 아무 일이 없으면 나 혼자 찾아가서 만나겠네."
"만나서 정말 사람을 죽이시려우?"
"속을 떠봐야지."
만동이가 잠깐 나갔다가 들어오더니 동선령 기슭의 도림골로 사람을 보냈다는 것이다. 저녁을 마치고 술잔을 나누는데, 도림골을 다녀오는 자가 들어섰다. 갑송이를 대신하여 만동이가 물었다.
"그래 살펴보았느냐?"
"예, 김기라는 사람네는 그 집에서 쫓겨나 마을 뒤의 언덕빼기에다 토굴을 파구 삽디다."
"그쪽에두 가서 살폈느냐?"
"그러믄요. 가까이 가서 보니 거적을 쳐놓았는데 안에서 말소리가 두런두런하는 것이 그 선비가 있는 듯하옵니다."
"알았다. 수고했다."
갑송이가 일어나 신을 꿰는데 만동이도 따라 내려서면서 말하였다.
"어쩔라우. 내 성님을 따라가리까?"

“고만두어, 아침 식전에 들르지. 둘이 올지 아니면 혼자서 올지 모르겠지만.”

“잘 다녀오슈. 그건 그렇구…… 아까 제가 말씀드린 일두 있구 하니, 구월산 오르실 젠 저두 데려가주시우.”

갑송이는 만동이를 빤히 쳐다보면서 말하였다.

“글쎄 나중에 봐서……”

그는 만동이를 된목이골로 안내하기는 께름칙하였다. 그의 말대로 이제 그들은 유가 다른 사람들이었기 때문이다. 다만 나중에 봉산을 오락가락할 적에 그의 도움이 많이 필요하리라는 생각을 했던 것이다.

도림골에 이르러 만동이의 하인이 일러준 뒷산으로 올라갔다. 과연 흙이 드러난 언덕 아래서 희미한 불빛이 새어나오고 있었다. 그는 발걸음 소리를 죽여서 불빛으로 다가갔다. 그는 거적을 조금 들치고 안을 들여다보았는데 안쪽에 짚북데기를 두툼히 쌓은 자리에는 노모인 듯한 할머니가 누워 있었고, 김기는 그 옆에 앉아 담배를 태웠다. 김기의 처인 듯한 부인네가 까물대는 등잔머리에 붙어앉아 바느질을 하고 있었다. 갑송이가 아무리 기다려도 그들은 말 한마디 꺼내지 않았다. 갑송이는 더이상 엿들으려 하지 않고 가슴에 품은 비수를 옷 겉으로 쓰다듬어보고 나서 큰기침 소리를 냈다.

“거 누구요?”

날카로운 여자의 목소리가 들렸을 때 갑송이는 거적을 들치며 안으로 상반신을 들이밀었다.

“갑송이 왔소.”

여자가 질겁을 하며 김기의 뒤로 숨는데, 김기가 허리를 굽힌 채로 황급히 몸을 일으켰다.

“아니…… 이두령이 무슨 일루 이렇게 몸소 내려오셨소?”

갑송이는 안으로 상반신만 들이민 채 묵묵히 서 있었다.

“어서 좀 앉읍시다.”

김기가 갑송이의 손목을 덥석 잡고 끌어앉혔다. 갑송이는 다시 아무 말 없이 김기를 건너다보았다. 김기가 고개를 숙이면서 한숨을 길게 내쉬었다.

“자모전가에 돈을 갚지 못하여 이 꼴이 되었습니다.”

갑송이는 한참이나 묵묵히 앉았다가 불쑥 물었다.

“가족을 안돈시키는 일두 우선 급하고, 어서들 구월산으로 가십시다.”

그러나 김기는 고개를 내젓는 것이었다.

“저는 못 갑니다. 마두령께도 이해가 가도록 전언하여주십시오.”

갑송이는 가슴에 손을 넣으려다가 질린 얼굴로 바라보는 부인네와 남자들 목소리에 잠이 깨어 상반신을 일으키고 앉은 노파를 둘러보았다. 노파의 더 안쪽으로는 짚더미에 싸인 어린아이 셋이서 갓난 짐승처럼 곤히 잠들어 있었다. 갑송이는 울컥 치미는 분노를 억누르며 일어났다.

“좀 보십시다.”

김기도 갑송이의 뒤를 따라 밖으로 나왔고, 그의 아내가 뒤따라나오며 소리쳤다.

“여보, 이 밤중에 어디 가셔요?”

“당신은 어머님 모시구 안에 있어. 내 잠시만 다녀올 테니……”

갑송이는 그들의 실랑이하는 말을 귓전에 들으며 앞서서 언덕을 올라갔다. 갑송이는 맞춤하다고 생각되는 곳에 와서 뒤로 돌아섰고 김기도 마주 섰다. 갑송이가 말했다.

"구월산에 가지 못한다면……"

"내 뜻은 아니지만 노모가 이곳을 떠나시기를 반대하시니 어쩔 수가 없게 되었구려."

갑송이는 김기의 그 말이 떨어지자마자 품안에 감추고 있던 비수를 꺼내들었다.

"못 가겠다면 나으리의 모가지라두 가져가야겠소이다."

김기가 온몸에서 힘이 빠지는 듯 무릎을 꿇더니 땅바닥에 털썩 주저앉았다.

"신의를 배신한 죄 죽어 마땅하오. 베시오."

갑송이는 칼을 쳐들고 머리를 내민 김기를 한참 동안 내려다보았다.

"처음부터 인연이 없었다면 모르되 혈당이 되자고 약조하지 않았소. 일단 녹림패로 작당이 되었다가 온다 간다 말 없이 산채를 나갔으니 당신이 관군에게 내통한 것과 다름이 없소. 우리는 앞으로도 나으리를 믿을 수 없어 화근을 끊고자 합니다. 원망 마시우."

김기가 고개를 숙인 채로 침통하게 내뱉었다.

"좋소이다. 그러나 과거로 허송세월 보내는 동안에 고생한 부모처자는 죄가 없으니 내가 이대로 죽어지면 천추에 씻지 못할 불효가 되오. 내게두 사정이 있고 핑계가 있으니 죽기 전에 한번 이야기나 하도록 해주겠소?"

"당신의 목을 가져가는 대신에 가족들이 살아가도록 처음에 약조했던 빚값은 우리가 탕감해주겠소."

김기는 고개를 흔들더니 이윽고 거칠게 어깨를 떨며 흐느끼는 것이었다.

"비록 빚이 탕감되어 살 방도가 생긴다 하더라도 우리 집안이 받은 원한과 수모는 씻기지 않을 거외다."

갑송이가 칼을 쳐든 채 망설이고 있는데, 김기의 아내가 외마디 소리를 지르며 언덕을 올라왔다. 여자는 저돌적으로 곧장 달려와서 뒷걸음치는 갑송이의 다리께를 붙잡고 쓰러졌다.

"나으리, 무슨 일로 저희 주인을 죽이려 하십니까? 그렇지 않아도 출사하지 못하여 세상을 못 만난 죄로 갖은 수모와 포학을 당하여 심신이 기진한 이를 죽여 무엇 하시겠습니까? 저를 죽여주십시오."

김기가 그의 아내를 떼어내려고 뒤에서 잡아당겼다.

"어머님 곁에 있으라니까, 이 무슨 행역인가."

"못 해요. 당신이 화적들의 꾀임에 빠져 녹림당이 되었다지만, 이제 다시는 못 가십니다."

갑송이가 쳐들었던 칼을 내려뜨렸다.

"아주머니, 댁의 주인께서 구월산으로 돌아오시겠다면 칼을 거두겠소이다. 허나 못 가신다면 우리들도 다 법도가 있으니 산에서 맹약한 대루 목을 칠 수밖에 없지요. 주인께서 입산하시면 아주머니도 노모를 모시고 들어와 인근 마을에서 평화롭게 살 수가 있습니다."

김기의 아내는 제 남편을 위에서 가리듯 팔로 막으면서 울부짖었다.

"우리 부부는 어디에 가서 산다 한들 두려울 것도 꺼릴 일도 없습니다. 다만 노모께서 몰락한 양반의 지체와 패가해버린 가문을 되찾기 전에는 고향을 떠나지 못하겠다는 것입니다. 우리는 묏자리만 남긴 선산까지 모두 빚으로 빼앗겼습니다. 그리고 갖은 포학을 당했으며 주인의 다정했던 동접 선비님들께서는 무고에 의해서 장형을 당하셨습니다."

묵묵히 서 있던 갑송이가 비수를 다시 칼집에 넣고 품속에 찌르고 나서 자기도 땅바닥에 쭈그리고 앉았다.

"좋소이다. 산에서는 그러한 저간의 사정을 모르고서, 다만 나으리가 우리를 관가에다 밀고하려는 것으로 알구 있지요. 이 댁의 포한을 풀고서 가산을 다시 일으키게 된다면 다시 입산하시겠습니까?"

김기는 아까처럼 담담하게 말하였다.

"내 심정은 그냥 훌훌 떨쳐버리고 산으로 들어가버리고 싶소이다. 다만 어머님을 설득하는 데엔 조금 시일이 걸릴 것이오."

"나으리가 이 고장에서 맺힌 사연이 있는 듯하온데 누구와 무슨 일이 있었단 말이오?"

"참으로 부끄러워서 내가 꺼내지 못하였던 일이 있소이다마는, 이제 무엇을 주저하겠소."

김기는 허공을 우러르며 한참이나 제 분노를 삭이는 듯하더니 얘기를 시작하였다.

"참으로 갯벌에서 게를 줍다가 광주리를 잃은 꼴이오. 저전(楮田)에서 혀로 밭을 갈다가 오로지 곤욕만 받은 꼴이 되어버렸소이다. 일찍이 이두령과 노중 주막에서 만나 내 생명을 건졌고, 세상에 쓸모없는 폐물이 유익한 재목이 될 성부른 느낌도 가졌습니다. 나뿐만 아니라 지금 세상의 선비라는 이들이 모두 그릇된 세상을 한하며 광기와 자학으로 나날을 보내구 있습니다. 내게는 봉산에만도 세 사람의 동문수학한 절친한 벗이 있지요. 나와 또 한 사람은 그간 과거 준비를 하며 훈장으로 연명하였고, 또 하나는 의생(醫生)이며, 다른 하나가 지사(地師)였소이다. 가진 실력이 빼어나고 일세를 뒤엎을 경륜도 있지만, 조정은 벌족 수십여 가의 각축장이 되었으며 과거는 있으나마나합니다. 내가 주막에서 자진하려다 이두령의 제지를 받고 회생하여, 이제는 깨우쳤지만 그릇된 세상을 혁파하지 않고서 그릇된 벼슬자리에 들어가겠다고 평생을 발버둥친다는 일이 얼마나 허망한 노릇이오. 글자깨나 읽었으니 우리 벗들은 모두 과거를 보겠다는 생각은 버리지 못한 채 쥐꼬리만 한 수입을 바라며 훈장, 의생, 지사질로 연명하며 갖은 수모를 당했습니다. 나도 봉산서 『사략(史畧)』 초권(初卷)이 조석간의 생계 길이 되었고, 천자(千字)를 떼고 난 아이들에게 초보적인 글을 가르치는 것이 생활 중의 생애로 되었지요. 아동들의 미둔(迷鈍)으로 이렇게 저렇게 가르치다 보니 자기 공부는 커녕 생각도 차츰 희미해졌습니다. 옛 성현께서 일찍이 말씀하신 속수오정지례(束修五定之禮)의 보수도 예나 이제나 같으므로, 내가 청하는 것은 언제나 조(租) 일 석, 전(錢) 일 냥뿐이었소이다. 그런데 제자배의 아비 되는 자들 중에 금력이나 권력깨나 있다는 향족 토반 부스러기들은 감투를 비뚜름히 쓰고 수염을 곤두세우며 고성대언(高聲大言)으로 모욕을 주곤 합니다. 이 양반이 물정을 모르는군. 시절이 이 같은데 예조(禮租)란 무엇이며 의자(衣資)란 다 무슨 소리요. 천 리 행상으로도 빈 채찍만으로 돌아오고, 일 년 머슴을 살고도 빈손으로 가는 터에 당신 문자가 그 값이 얼마길래 동짓달 모립(耗笠)값이오. 이렇게 욕하며 어깨를 걷어붙이고 눈을 부라리며 욕질을 하는데 마치 쥐가 얼굴 돌리듯 하고 호랑이가 덮치는 듯 사납지요. 만약 그들이 조가 없고 돈이 없어서 예조를 낼 길이 없다면 비록 해가 새도록 훈장을 하여도 원통하지 않으나, 그런 자들일수록 쌀을 곳간마다 쌓아두고 썩히며 돈냥은 궤 속에 차고 넘치는 형편입니다. 그렇게 한두 해를 살아오는 동안에 세상에 대한 깊은 원망과 불신이 가슴 깊이 맺히게 되었소이다. 참으로 몰락한 선비로서 우리가 향족 토반이나 벼락부자들께 당한 수모는 헤일 수가 없습지요. 그러나 그중에서도 원한이 깊은 자가 둘이 있으니, 하나는 예전에 내수사의 노비였다지만 지금은 부상(富商)으로서 호적과 공명첩을 사들인 여첨지(呂僉知)라는 자가 있습니다. 또 하나는 봉산 관아의 좌수질을 다니는 서(徐)가라는 자가 있습니다. 원래가 향소(鄕所) 벼슬이란 중인들이나 해먹는 말직이언만, 백성들을 착취하기에는 이보다 적당한 업이 없으니 몰락한 시골 선비들 중에는 신임 수령이 올 적마다 운동을 하여 이방이나 병방을 맡아 조세와 군역의 이를 탐하는 자들이 많은 법이지요. 사실 서가는 우리 동접의 벗이었습니다. 서가도 우리처럼 십여 년을 과거에 실패하고 가난에 허덕여왔던 사람입니다. 그자가 친구를 배신하고 작은 이익과 말직을 탐하게 된 연유가 있었습니다. 이두령의 말처럼 먹물깨나 먹은 자를 믿을 수 없음은 바로 그 깨인 지능이 세간의 고난을 간교하게 넘기려는 데로 쓰여지기가 쉬운 때문이지요. 그것은 또한 배운 놈은 약할 뿐만 아니라, 나아가서는 책상 앞의 신고는 알지언정 산야에서의 노고는 전혀 모르기 때문에 자연히 생활에는 허황한 뜻을 가지기가 쉽다는 말이지요. 은어 뱃바닥같이 희고 고운 손을 가진 자가 어찌 우직하고 순박한 백성의 고난을 함께 겪을 수가 있겠소이까."

김기는 서가라는 자가 친구들을 저버리게 되었던 날의 이야기를 꺼내었다. 몇해 전의 유월 중순 찌는 듯한 여름날이었다. 때는 흉년이어서 논밭의 곡식이 말라죽고 논은 드러난 바닥이 갈라지고 터져서 먼지가 풀썩거렸다. 흉년이라 제 먹을 것도 없는 터에 학동을 서당에 보낼 부모는 없는지라 김기는 빈 마루에 홀로 앉아 하릴없이 글을 읽고 있었다. 사흘 동안에 두 끼를 먹었는데, 한 번은 겨를 섞어 끓인 멀건 미음이요, 또 한 번은 황토와 밀 한 줌과 송기 껍질을 섞어서 쑨 죽이었으니 먹었다고 할 수도 없는 끼니였다. 아이들은 쇠잔한 기력을 다하여 울며 보채고, 노모는 누워서 헛소리를 하는 중이었다. 낭랑히 소리내어 자구에 운을 달 기운도 없는 김기에게 그의 처가 다가섰다. 처는 무엇인가 보에 싼 물건을 내밀었다.

"여보, 당신두 참으로 딱하오. 어머님과 아이들이 굶주려 사경을 헤매는데 읽는 글이 머릿속에 들어가십니까? 과거에 붙기 전에 가솔은 모두 죽고 말겠소."

"허어, 군자로서 식사하는 데는 배부르기를 바라지 않고(君子食無求飽) 거처하는 데는 편안하기를 바라지 않는다(居無求安)는 성현의 말씀도 모르오. 무슨 수가 생길 테지, 설마 굶어죽기야 할라구. 가서 나물이나 좀 뜯어오우."

"나물을 뜯으려도 기운이 있어야지요. 안방에서 마루를 건너오는 데도 한 식경이 걸린 듯하오. 뭘 잡수셔야 글두 읽으실 테니 읍내 가서 장이라두 보아오시구려."

하며 그의 처가 보를 던지는데 펴보니 한 묶음의 머리타래였다. 얹은 가체를 즐길 대가의 아낙이 탐내어 사들일 만한 탐스러운 머리카락이었다. 김기는 별반 감동도 없이 수건을 쓴 아내의 머리를 힐끗 올려다보고 나서 그것을 집어들고 일어섰다. 도림골서 읍내까지 시오 리 길을 걸어가는데 흉년의 붉은 해가 중천에 솟아 땅을 뜨겁게 태우고 있었다. 햇빛만이 붉은 게 아니라 말라서 먼지가 풀썩이는 황톳길은 더욱 붉었다.

그는 간장에 물을 타서 몇모금 들이켜고 나온지라 몸이 허하여 땀은 비 오듯 하였다. 읍내 장거리에 도달했는데 저자는 한산했고 물물교환이 간혹 있을 뿐이었다. 방물은 사치품인지라 머리타래를 곡물로 바꾸는 일은 하루종일 가봤자 이루어지지 못할 듯싶었다. 교환은 곡물과 옷감끼리가 고작이었는데 역시 곡물을 가진 자가 교환의 주도권을 잡았다. 누구 하나 찾아와 거들떠보는 자가 없더니 일찍 파장이 되었다. 그는 들고 있던 아내의 머리타래를 다시 보에 싸들고 읍내를 나서다가 평안도로 나가는 어느 벼슬아치의 내실 행차와 마주치게 되었다. 그 댁 하녀가 길을 묻다가 말이 오가게 되어 마침 가체를 구하려던 내실마님이 김기의 물건을 사게 되었는데 길양식을 내었는지라 쌀 닷 되박에 내주지 못하였다. 김기는 쌀보를 들고 먹지 않아도 배부른 마음으로 걸음을 빨리하였다. 오랜만에 쌀을 갖고 보니 문득 같은 처지로 굶주리고 있을 벗들이 생각나서 도저히 집으로 가는 걸음이 가벼워지질 않았다. 김기는 저도 모르게 같은 훈장질로 고생하는 친구 서선비의 집으로 발길을 돌렸다.

그 마을에는 지사 노릇 하는 또다른 친구도 살았고, 이웃 마을에는 의생 하는 선비가 살았던 것이다. 김기가 서선비의 집에 당도하니 그들 두 양주와 아이들이 차례대로 방에 누워서 기력을 아끼는 중이었다. 김기는 쌀자루에서 두어 되 남짓을 덜어내어 나물죽 끓이기를 청하고서, 이어서 부근에 흩어져 사는 동접 친구들을 불러모으도록 하였다. 가난으로 서로의 방문도 꺼리고 적조했던 벗들과 만나 오랜만에 학문에 대하여 토론하고 싶었던 것이다. 주림 중에 맛난 음식이 있고, 벗이 있고, 또한 학문을 논할 수 있으니 과연 가난이란 벗들끼리 더욱 다정하게 만드는 또다른 새로운 벗이 아닐 수 없었다. 그리해서 네 사람의 친한 동접이 마루에 모여앉아 고담준론을 나누고 있을 적에, 서선비의 아내는 부엌에서 취사를 시작하였다. 화제가 자연히 흉년을 지나는 백성들의 곤궁에 관한 걱정으로 번졌다가 다시 조정의 속수무책인 무능한 정치를 비난하게 되었고, 이윽고 봉산군수의 탐학한 정사를 공공연히 비난하게 되었던 것이다.

“군수는 이번 흉년에도 수천 냥을 벌었다는군. 이를테면 환자 갚을 때 붙인 구호미 있잖은가. 다른 대장을 만들어 머릿수를 많게 하여 빼돌리고 국세는 물지 않는다네.”

“그뿐인가, 부호들에게서 진발미(振拔米)를 거두어서 착복했다네. 읍내에 가면 솥을 걸어놓고 멀건 겨죽이나 한 그릇씩 나누어주는데, 기민을 구제한다고 흉내만 내는 짓이지. 환난이 거듭될수록 벼슬아치들은 배를 불리는 게야.”

“군역도 그렇지 않은가. 이런 흉년에는 모두 면제해주도록 되어 있건만 불알 차고 나온 놈은 모조리 들어 있어 무명을 내야 한다네.”

“그런 놈은 감영에 발고하여 봉고파직을 당하도록 해야 되네.”

“그렇지, 우리 같은 유생이 글을 써서 알리지 않으면 누가 군수 같은 높은 벼슬아치를 벌하겠는가?”

“아예, 감영에 올리지 말고 한양에다 상소문을 띄우지.”

“향읍 수령이란 백성의 생살여탈을 쥔 자리인데, 모두들 다투어 외임을 맡으면 평생 먹을 자산을 장만하는 데만 눈이 시뻘겋게 되어 있으니 아마도 관제가 잘못된 모양일세.”

“잘못된 것이야 우리가 벌써 여러 번 치른 과거부터가 썩어 있지 않은가.”

“혁파되지 않고서는 사람이 다스림을 받을 어진 세상이 아닐세.”

“몇년 동안 조정에서는 상례를 가지고 쟁송을 벌여, 그 남은 피가 파당을 갈라 골고루 젖어 있다네. 원래 성현께서 예를 논하실 제 사람의 생활에 맞는 규범을 그때마다 적절히 정한 것이지, 어디 형식에 매이라던가?”

“그렇지, 실제로 사는 일과 멀어진 학문은 형식에 기울게 마련이고, 형식에 기울면 고집스러워지고, 그러면 정지되어 썩으니, 지금의 현실과 멀어진 학문은 곧 썩은 관료와 손을 잡게 되게 마련일세. 나는 차라리 학문을 때려치우고 싶다네."

"아니, 백성을 위한 학문을 해야지. 우리가 글을 읽는 동안 그들은 땀을 흘렸으니, 그 글로써 갚아야지."

"내 재미있는 경험담을 해볼까. 어느 때, 옹진에 갔다가 날이 저물어 마침 시골 툇마루에서 이슬을 피하게 되었다네. 그날이 마침 제사여. 옳다 잘되었다, 객지에 나와서 술과 고기를 좀 얻어먹겠구나 싶었지. 제사 구경을 하노라니 축문이고 지방이고 뭐고 없더군. 그도 그럴 것이…… 무지한 농투성이가 글을 알겠는가, 예법을 배웠겠는가? 이자가 밖으로 나가더니 두 손을 앞으로 하여 정중히 허리를 구부리며 문간으루 들어선단 말이야. 그러더니 연신 뭐라고 중얼거리면서 음식을 들었다 놓았다 하더군. 나는 자는 체하구 실눈을 뜨고서 보구 있었네. 그러더니 제 아내를 끌고 들어가 제상 앞에서 흐드러지게 방사를 벌이는 모양이더군. 숨소리며 신음소리가 굉장하데. 원 별 망측한 상놈들두 있구나 싶더군. 생각들 해보게. 제사상을 펴놓고 방사를 하다니 그것이 어찌 성현이 가르친 예의인가. 나는 도저히 참을 수가 없데그려. 잡아서 그 고을 관가에라도 일러 고약하게 상풍한 죄를 다스리겠다고 결심을 하였지. 그래서 방사가 끝났을 제 일어나 의관을 차려 입었네. 두 연놈이 일어나더니 다시 제상에 절을 하고 나서 아까처럼 정중하게 두 손을 앞으로 치켜들고 밖으로 나갔다가 들어오더군. 나는 다짜고짜로 호통을 내질렀네. 네 이 고약한 것들 같으니 무슨 그따위 제사가 있단 말이냐 했지. 그랬더니, 그자가 하나도 놀라지 않고서 공손하게 절을 하더군. 즉, 그자의 말에 의하면 높게 배우신 선비와 자기네 같은 불학무식한 것들의 예법은 다르게 마련이라더군. 그자는 밖에 나가서 제사를 받아 잡수시러 오시는 귀신을 모셔들인 걸세. 모셔다가 손수 음식을 권하며 꼭 생시에 하던 대로 약주까지 공손히 따라드린 뒤에, 이제껏 자식이 없어 귀신께서 돌아가실 적에 걱정하시겠으니, 부부 합환하는 것을 실제로 알려드린 것일세. 그러고는 다시 배웅하고 돌아온다는 얘기였지. 나는 그자의 말을 듣고 문득 화를 냈던 내가 부끄러워지데. 그렇지, 그 앞에 가서 축문을 멋진 문장으로 지어 읽고, 곡을 해대고 절을 연거푸 해댄다고 귀신인들 편할 리가 있겠는가? 아마도 음식이 목에 걸리겠지. 중요한 점은 그 마음일세. 생시처럼 모신다는 그 마음으로 보면 무지한 농군의 제사는 성현의 가르침을 가장 합당하게 따른 것이 아니겠는가."

"거 훌륭하고 지당한 말씀이로군. 실생활의 사정에 따르지 않은 공론이란 아무것도 배우지 않은 농부의 지혜에도 훨씬 못 미치는 것일세."

그들의 이야기가 다시 썩은 정치와 받아들여지지 않는 관제의 모순에 이르렀을 때, 여태까지 잠자코 앉아서 김기와 다른 두 선비의 말을 듣기만 하던 서선비가 입을 열었다.

"사람이 우선 제대로 먹고 제대로 입고 나서 백성도 있고, 나라도 있는 게 아닌가. 나는 이젠 가난한 학문의 길이 진저리가 나도록 싫어졌네."

그때에 지사 하는 선비가 몹시 불쾌한 표정으로 돌아앉으면서 말하였다.

"조금씩 안락함을 참으며 도를 실천함이 과거를 준비하는 일보다 더욱 중대하고 귀한 일일세. 몸을 닦음이 보다 원대한 일이요, 벼슬을 하자는 것은 그 수단을 얻자는 뜻이 아니겠나. 벼슬을 얻어 호의호식할 생각으로 글을 읽는다면 이렇게 어지러운 세상에 학문도 망하고 몸도 망치며, 가문도 패가해버릴 걸세."

바로 그때 부엌에서 서선비 아내의 자지러지는 비명이 들려왔다. 서선비를 선두로 모두들 방문을 밀치며 뛰어나가 보니, 그 아내가 피투성이로 뒹굴고 있었다. 기력이 없는데다 마침 한여름이라 마른 나무가 없으니 빈 뒤주를 뜯어 식칼로 땔나무를 다듬던 모양이었다. 칼로 나무를 쪼갠다는 것이 실수하여 선반에 늘어진 제 젖을 찍었던 것이다. 피투성이 가슴에 찢은 옷자락을 싸매면서 서선비가 길게 탄식하였다.

"내 어찌하든 이 가난의 원수를 갚으리라!"

하는데 서선비의 눈엔 핏발이 섰고 이는 굳게 아물려 있었다. 참지 못한 지사와 의생이 제각기 자리를 떨치고 일어나며 한마디씩 하였다.

"자네는 분명히 선비의 몸을 버릴 인간이니 차후부터는 상종하지 않겠네."

"가난에 여한을 품은 자는 비록 제 처자에게도 사람됨을 잃는 법일세."

그래서 두 선비는 우의를 끊겠다며 훌훌 나가버렸고 김기는 서선비의 독하게 부릅뜬 눈 앞에 멍하니 섰다가 제 집으로 돌아갔다. 그해의 흉년은 곧 전염병을 몰고 와서 아이들이 죽어갔다. 해를 넘기자 다시 환난은 지나갔건만 서로의 마음을 잃어버린 벗들은 다시 모이지를 않았다. 서선비가 봉산군수와 바둑 친구가 되어 오락가락한다는 소문이 들리는 가운데 김기는 한양으로 떠났던 것이다.

김기가 한양으로 떠날 때 전부터 고리대금업으로 악명이 높던 도림골의 여첨지에게로 찾아간 것은 당연한 일이었다. 유생들이 과거를 보러 가거나 집안에 긴히 써야 할 돈이 급히 필요할 때에는 으레껏 여첨지의 자모전가(子母錢家)로 찾아가던 때문이었다.

여첨지는 앞에도 김기가 말했듯이 원래 내수사의 노비였다. 소문에 의하면 제 주인을 팔고 면천된 다음에 받은 상금으로 치가하여 부자가 되었다는 자였다. 즉, 제 주인의 정적인 우의정 대감께 주인의 비위 사실을 고하고 집안이 구몰된 다음에 황해도 땅으로 도망쳐 왔다는 것이다.

그러나 금력은 곧 권력과 잇닿는 세월인지라 첨지의 공명첩을 사들인 뒤에 지방 세력가로 변해버린 것이다. 여첨지의 횡포는 봉산 부근의 일반 백성들에게는 널리 알려져 있었다. 김기는 제 집 문서를 들고 여첨지를 찾아갔는데, 만약 그가 벼슬자리를 얻어 돌아오게 되면 그가 심한 행패는 하지 못할 것이고, 빚을 갚아낼 자신이 있었다. 의외에도 여첨지는 선선히 빚돈을 내주었을 뿐 아니라, 안장 올린 나귀까지 내주는 것이었다. 그러고는 은근히 수작하기를, 만약에 한양 가서 환로를 트시거든 자기의 취재를 도와달라고 하였다.

자기는 다른 것은 원하지 않고, 다만 자비령 남녘의 궁방전의 관리를 맡게 해달라는 것이었다. 아니면 둔별장이나 고직(庫直)의 이권을 부탁드린다고 하였다. 여첨지의 뜻은 백성의 곡물 수세를 가로채겠다는 얘기였다. 묵묵부답, 돈만 받아가지고 나온 김기는 만약에 운이 좋아 내직에 품이 높은 벼슬이 떨어진다면 손을 써서라도 그 돼지를 벌하리라 결심하였다. 하나, 그가 두어 달이나 한양서 지체하며 돈을 떼이는 사이에 봉산에서는 사정이 달라지게 되었다. 두 가지의 일이 서로 관련을 가지고 일어나게 되었다. 지사일을 하던 선비가 봉산군수의 탐학한 정사를 발고하는 글을 적어 감영에 보냈는데 그것이 군수의 아는 자에 가로막혀 되돌아왔던 것이다. 지사 선비의 글에는 봉산 유생 대여섯 사람의 성명이 적혀 있어서 모두들 득달같이 풀려나온 나졸들에 의하여 결박 지어져 관가로 끌려갔다.

한양 가서 없는 김기만을 빼놓은 동접 선비들과 평소에 불만이 많던 선비들이 모두 그 글에 관련되어 곤경을 치렀다. 그때에 서선비가 친구들을 배신하게 되었던 것이다. 그는 형국을 받는 자리에서 친구들이 역모를 꾀했다는 무고를 터뜨렸고, 좋은 이용거리가 생겼다고 믿은 사또가 이 사건을 모역에 관한 것으로 다루게 되었다. 서선비는 곧 풀려났고, 지사 선비나 의생 선비, 훈장 선비 등등 그의 친구들은 매에 못 이겨 숨지고, 풀려나온 사람들도 반병신이 되었거나 시름시름 앓다가 달포를 넘기지 못하고 쓰러졌다. 일단 어긋난 사람이란 애초부터 그릇된 길을 걷던 사람보다 더욱 악행을 거듭하게 마련이니, 그것은 사람이 결국은 제 자신과 싸우게 되는 때문일 것이다. 제 자신이 밉고 부끄럽고 자책으로 견디지 못하는 그만큼, 세상이 온통 자기를 비난하고 있다는 외로움에 싸이는 것이다. 배신하는 자는 스스로를 쏜다. 그가 행하는 모든 짓은 결국은 자기 자신에게로 향한 화살이기 때문이다. 동료 선비들을 무고에 의하여 살해한 서선비는 치욕스럽게도 중인이나 얻어 하는 좌수직을 타내게 되었다. 아전이 탐욕스러운 고장의 정사가 어지럽기로는 마치 쥐가 가득 찬 대가의 부엌이나 마찬가지일 것이다.

서선비는 일단 향소의 좌수가 되자 그가 뼈저리게 겪었던 가난의 원수를 갚기 시작하였다. 여첨지는 기한이 되도록 김기가 돌아오지 않자, 그의 집과 몇뙈기 안 되는 밭을 차압하였는데, 나졸을 거느린 서선비도 동행을 하였다. 이야기가 거기에 이르자 고개를 숙이고 듣기만 하고 있던 김기의 아내가 갑송이를 향하여 말했다.

"첨지와 좌수가 둘이서 왔었어요. 나졸놈들이 세간살이들을 모두 마당으로 내던졌지요. 저는 아이들을 달래노라구 정신이 없었고, 어머님이 손이 발이 되도록 여첨지께 빌었어요."

그들은 마당에 끌어낸 세간들 중에서 농짝이나 문갑 같은 좀 깨끗한 물건들은 모두 압류하였고, 쓰잘데없는 옹기와 고리들을 내주는 것이었다.

초겨울의 찬바람이 씽씽 불어대는데 갈 곳도 없는 김기의 가족들은 울부짖으며 사정하였다. 가족들을 내려다보던 여첨지가 문득 김기의 열일곱 살짜리 맏딸아이를 내려다보더니 다짜고짜로 손목을 덥석 잡아 끌어내는 것이었다.

과년한 처녀의 손목을 잡는 것도 포악한 짓이려니와 이를 말리려던 김기의 아내가 달려들어 여첨지의 옷자락을 잡아당기니 그자는 발길을 들어 아랫배를 내질렀던 것이다. 김기의 노모가 서선비에게 달려들어 옷자락을 붙잡고 호소하였다.

"여보게, 자네는 일찍이 내 아들의 친구가 아니던가. 이 늙은 것을 봐서라두 좀 말려주게."

그러나 서선비는 노모의 손을 뿌리쳤고, 김기의 노모는 땅에다 엉덩방아를 찧고 자빠졌다. 서선비가 말하기를,

"내 비록 한때에는 친구였다 하나, 관가의 밥을 먹는 이상 사감을 가질 수 없소. 또한 그자들이 대개는 음흉한 생각을 가지고 있는 역적임을 아지 못하였으니 이제 와서 어찌 친구의 우의를 논하겠소이까? 나는 관가에서 나온 좌수이지, 여기 놀러 온 게 아니외다."

행악을 부리는 여첨지보다도 냉랭하고 침착한 서선비가 더욱 끔찍해져서 김기의 가족들은 하릴없이 울기만 하였다. 몸부림치는 김기의 맏딸을 나졸들에게 지워 끌어가면서 여첨지가 말하였다.

"네 주인이 오거든 계집아이를 담보로 데려간다 해라. 빚돈을 따져 보니 밭과 집으로는 탕감하기 어렵겠다. 관가에서도 허락한 일이

다. 만약에 다음 기한을 어기면 계집아이는 색주가로 넘겨버릴 것이다."

저간의 사정을 이야기하는 김기 부부의 눈에서는 눈물이 비 오듯 했고, 갑송이도 분노가 끓어올라 몇번이나 주먹을 쥐었다.

"아니 그렇다면 더욱 우리들이 힘을 합쳐 쳐죽일 생각은 않구, 오히려 구월산엘 한사코 가지 않겠다는 건 또 뭐요. 이놈들을 당장에 때려죽이지 못한다면 차라리 온 가족이 자진하는 게 낫겠소."

"이두령은 모르시는 말씀이오. 노모께서는 가문을 생각하고 계신 거요. 우리 집안이 그래도 옛날에는 벼슬길에 올랐던 적이 있었고, 몸을 닦고 학문에 정진했던 유생의 집안이지요. 헌데 내가 만약에 구월산에 들어가 녹림패가 되어버리면 우리 집안은 완전히 구몰되고 어머님 당신 대에 와서 화적의 집안이 되어버린다는 게요. 다시 과거공부를 하여 높은 벼슬을 하기 전에는 이 고장을 떠나는 것은 안 된다는 말씀이지요."

"가문이 뭐 말라비틀어진 게요. 요즘 세월은 악독한 자가 득세하는 판인데. 여러 말 할 거 없수. 원수는 갚아야겠는데, 저놈들을 요정을 내면 나리가 무사하지 못할 게요. 이 길로 온 가족을 구월산에다 이사시키고 그 여식두 찾아와야 될 게 아니오."

"어머님 생전에는 못 할 짓이지요."

"염려 말우. 내 우격다짐으루 들쳐업어다 모실 테니."

"여보! 그애를 찾아오셔야죠. 이제 어느 세월에 다시 과거공부를 하실 테유."

"이미 벼슬할 생각은 없소. 다만 어머님을 거역하기가 어려워서 이러지도 저러지도 못할 뿐이지."

"이 고장을 떠나자구 말씀드리고 공부는 계속하겠다구 하시면 어머님께서 응낙하실 거예요."

김기의 아내가 애걸하였는데, 그녀는 봉산에서의 생활에 넌덜머리를 내고 있었다. 김기의 처는 남편이 도적패에 끼였다기에 끔찍하고 두려워서 노모와 함께 적극 만류했다. 그녀는 갑송이의 험상궂은 몰골에 더욱 놀랐지만, 이제 보니 비록 도적이라 하나 말씨와 행동거지가 충직하고 인정이 있어 보였다. 김기는 부모에 대한 효성이 뼈에 스밀 정도로 지극한 사람이었다. 그는 모친이 살아 계시는 동안은 구월산 화적이 될 수 없다고 결심했던 것이다. 비록 객주에서 갑송이를 만나 부끄럽고 격한 기분에 산채까지 동행은 했었지만 늘 마음 한편으로는 자기 대에 와서 난신적자(亂臣賊子)의 가문이 된다는 꺼림칙한 느낌이 가시질 않았던 것이다. 한참 동안이나 세 사람 사이에 침묵이 흐르고 나서 갑송이가 길게 한숨을 토해내며 일어섰다.

"좋소이다. 이제 나으리의 마음을 알았으니 더이상 권하지는 않겠고, 녹림패의 의리를 고집하여 칼을 뽑지두 않겠소이다. 그러나 다만 가족들의 정상이 딱하니 조용하고 아늑한 마을에 이사를 하여 안돈시켜드리리다."

"이두령의 은혜를 두 번이나 입었으니 어찌 다 갚겠소."

"자, 이 밤을 타구 어서 가십시다."

세 사람은 언덕을 내려갔다. 김기의 노모가 놀랄까 하여 갑송이는 멀찍이서 걸었고 김기가 노모를 업었다. 김기의 처는 누더기와 사금파리만 남은 세간이 버려지는 것을 안타까워했으나, 갑송이가 인도하는 마을에는 집도 있고 땅도 있다 하여 아이들만 들쳐업고 뒤를 따랐다. 갑송이는 만동이네 집에 들러 일꾼을 내어 들것을 만들어 김기 노모를 편히 모신 뒤에 구월산으로 오르지 않고 산아래를 돌아

수렛고개의 토막으로 향하였다. 갑송이는 구슬리고 달래어 김기의 가족을 끌고는 나왔으나, 산채로 들어갈 생각은 없었다. 우선 김기의 가족을 은율 탑고개에 안돈시킨 다음에 김기를 설득할 생각이었던 것이다.

그들이 토막에 당도한 것은 동이 훤히 밝아서였다. 만동이네 일꾼들을 거기서 되돌려보냈는데, 혹시 지형과 요소를 알아 관에 밀고할지도 모르기 때문이었다. 토막에서 아침을 지어 먹고 나서 졸개들을 내어 들것을 지게 한 뒤에 은율 탑고개로 내려갔다. 노모는 답답한 토굴에 누워 있다가 갑자기 흰 눈벌판과 평화스럽게 연기가 오르는 마을의 굴뚝들을 대하자 한결 가벼워진 듯 희희낙락하였다. 김기가 갑송이의 등뒤에서 웃음기 어린 말투로 중얼거렸다.

"이두령이 기운만 장사인 줄 알았더니, 또한 모사이시구려."

"나는 한번 마음먹은 것은 꼭 해내구 마는 성미지요."

"이두령, 봉산을 떠나올 제부터 나는 알구 있었소. 부처고개를 넘어오며 작정을 해두었소."

"무슨 말씀인지……"

"어머님을 속이더라두 살아생전에 편히 모셔드리고 싶소이다. 이미 나는 관을 거역하고 녹림패에 발을 담그었던 사람이오. 그동안 믿음을 갖진 못했으나 기왕에 이리되었으니…… 구월산으로 가더라도 원행장사를 나간다구 어머님께 거짓소리를 해야 합니다."

그제야 갑송이도 얼굴이 환해져서 웃음을 머금었다.

"염려 마오. 우리 모친도 계시고 길산이네 부모님도 계시니 이웃하여 친척같이 지내시리다."

그들이 탑고개를 넘어 나한암을 돌아 괴뢰배마을로 들어서니, 이미 먼 곳에서 보고 있던 사람들 몇명이 살피러 마주 나왔다. 그들은 이제는 갑송이를 제 동네 사람으로 여기고 있어 인사말들을 건네며 반겼다. 새로 지어진 재인말 사람들의 집들 쪽으로 다가서니 큰돌이며 광대들이 새로 오는 가족들을 동네 사랑으로 모셨다. 아무리 장한들이라고는 하지만 백여 리를 밤과 한나절에 걸쳐 걸었으니 몸이 바위처럼 무거웠다. 김기네 식구들은 따뜻한 구들과 아늑한 이부자리에 누워 쉬는데, 모두들 다시 사는 듯이 즐거워하였다. 특히 그의 노모가 산천경개가 좋다 하여 자꾸 뜨락으로 나가려는 양을 보고는 김기도 눈시울이 뜨거워졌다.

김기는 집이 정해질 때까지 사나흘 탑고개에 머물기로 했고, 갑송이만 된목이골로 돌아갔다. 모두들 궁금히 기다리고 있다가 수렛고개 소두령의 전갈을 받고서 마감동은 느긋해져 있었다. 갑송이의 이야기를 듣고 나자 감동이는 여첨지네 자모전가와 집을 들이칠 것을 제안했다. 우선 김기가 돌아오면 상의하여 거병하기로 의논을 하고 나서, 갑송이는 봉산 읍내 쇠전거리서 만동이를 만났던 이야기를 하였다.

"그 녀석이 요새 잠채잡이를 하여 가산이 풍족하다네. 천동이가 평안도에 나가 있다는군."

"뭐…… 쇠요, 금이오?"

"금두 있다더군. 풀뭇간이 제법 그럴싸하던데."

갑송이는 만동이가 요청했던, 잠채를 호위해주고 재물을 나누자던 이야기를 덧붙였다. 감동이가 고개를 저었다.

"아직 우리 형세가 그 정도까지는 못 됩니다. 산마다 숲마다 터가 다른데 남의 목을 잡으려면 우리가 팔도에 두루 걸릴 것이 없어야 될 겁니다. 만동이가 아직 녹림당의 물정을 몰라서 그러지요."

"그럴 거 같데. 이제 산채를 올린 지가 얼마나 됐게? 하다못해 자비령과 멸악산까지만 세력이 닿는다 해두 일세의 활빈도가 될 텐데.”

“우리가 기실 활빈도를 자처하고는 있으나, 아직은 형세가 조금 자라난 화적에 지나지 못합니다.”

“차차 커지겠지 뭐.”

“길산이 성님이 나오시면 송도 행수 성님과 의논하여 각처에 산채를 나눕시다.”

“길산이는 세상이 이렇게 바뀐 것을 모르고 있을 거야.”

하면서 고개를 쳐드는 갑송이의 눈은 금방 어두워졌다. 밖에서 쉴 새 없이 바람이 불어대더니 드디어 한밤중부터 눈보라가 휘날리기 시작하였다.

그날 밤부터 이틀 동안이나 눈이 펑펑 쏟아졌고 사흘째 가서야 말끔하게 개었다. 눈이 강산같이 덮였는지라 된목이골은 마을의 자취도 없이 사라진 듯하였다. 나무들도 온통 눈송이를 뒤집어썼고, 골짜기는 펑퍼짐하게 변했다. 지붕만이 남아 마을의 흔적을 드러낼 뿐이었다. 두령부터 졸개에 이르기까지 방 안에서 뒹굴던 산채 사람들은 모두 뛰어나와 눈을 치우고 길을 내느라고 아침부터 소란을 벌였다. 졸개들은 덫을 놓으러 간다고 설쳤고, 오만석도 고기맛을 보겠다며 졸개 몇을 끌고 사냥을 나갔다. 갑송이는 문득 어머니 생각이 나서 탑고개에나 다녀오겠다고 작정했다.

“월정사를 들러 탑고개에나 다녀올까?”

“눈이 많이 쌓였을 테니 며칠 있다 내려가도록 허시잖구.”

“도무지 답답해서 원. 김선비는 왜 안 올라오는 거야. 어서 봉산을 들쑤셔버리구 싶은데.”

"사냥이나 나가실라우?"

"우리네는 매사냥은 갑갑하구 쩨쩨해서 흥이 안 나네."

"만석이가 먼저 나갔으니, 우리두 아이들 몇명 데리구 실토봉 쪽으루 가봅시다. 큰 짐승이 걸리면 다행이구, 없어도 사슴이나 노루 새끼쯤은 만나지겠지."

"그럼 슬슬 움직여볼까."

갑송이와 감동이는 각기 장창을 하나씩 꼬나들고 궁수 두엇을 거느리고서 된목이골을 나섰다. 골짜기에는 눈이 많이 쌓여서 무릎까지 빠질 정도였으나 등성이에 오르니 바람 탓인지 별로 눈은 깊지 않았다. 이 등성이에서 저 등성이로 오르내리며 그들은 특히 골짜기 쪽이나 얼어붙은 개천 가녘을 살피며 뒤져나갔다.

"여기 있습니다."

아래편에서 족적을 살피던 졸개가 크게 외쳤고 모두들 미끄러지며 비탈을 내려갔다. 과연 큼직한 발자국이 어지럽게 찍혀 있었으며 다시 그 자취가 실토봉 북면 골짜기로 이어지고 있었다.

"눈이 그친 뒤이니 얼마 안 됐을 게다. 바싹 좇아라!"

그들은 발자국을 따라서 오 리는 좋이 될 만큼 걸었다. 골짜기가 후미지고 제법 험하였다. 잣나무와 향나무가 빽빽이 들어찬 숲 가운데를 들어서는데 무엇인가 거친 숨소리가 들리며 오른쪽으로 내달아 튀었다. 거의 송아지만 한 멧돼지였다. 어금니가 한 뼘도 넘게 솟아나와 있었다. 감동이가 외쳤다.

"크게 둘러싸라!"

갑송이는 별로 흥이 나질 않았으나 기왕에 나선 김이고, 또한 실물을 보니까 잡아야겠다는 생각이 들어서 멧돼지가 달려간 쪽의 등성이로 뛰어올라갔다. 멀찍이서 아래로 내몰려는 생각이었다. 그러나 정작 등성이에 올라선 갑송이는 다른 것을 발견하게 되었다. 갑송이가 등성이에 올라서며 무심코 실토봉 남면의 분지를 내려다보니 웬 사내 하나가 부지런히 아사봉 쪽으로 걷고 있었다. 작은 봇짐을 등에 짊어졌고, 가죽 배자 간편한 차림에 개잘량까지 덮어썼는데 가끔씩 멈춰 서서는 주위 지형을 살피는 것이었다. 꼴을 보아 초행일시 분명한데 이런 겨울철에 삼 캐는 놈도 아닐 테고, 구월산 깊은 골에 민가가 있을 리 없었다. 그렇다면 놈은 분명히 관에서 나온 정탐꾼인 듯하였다. 그는 감동이를 손짓하여 부르고 나서 낯선 사내를 손가락질하였다.

"틀림없이 기찰포교나 응모한 정탐꾼인 듯하네."

"하여간 나오긴 잘 나왔수. 놈이 아사봉 기슭에 이를 때 잡아죽입시다. 우리가 먼저 가서 지형이 좋은 곳을 지켜야겠수."

"사로잡아야 허네. 죽일 땐 죽이더라두 뒤를 캐봐야지."

마감동이 고개를 끄덕였다.

"내게 한 가지 꾀가 있소이다."

그들은 멧돼지 잡을 생각은 까맣게 잊어버리고 졸개들을 거두어 아사봉 쪽으로 바삐 움직였다. 그들은 된목이골로 들어서는 산기슭에서 양쪽의 숲에 눈구덩이를 파고 숨어서 낯선 사내가 가까이 오기를 기다렸다. 감동이가 한 졸개에게 낮게 속삭여 무엇인가 지시했고, 졸개는 길 가운데 나아가 눈밭에 엎어져 있었다. 잠시 후에 입김을 길게 헉헉 토하면서 사내가 나타났다. 제법 덩치가 커다랗고 인상도 어글어글해 보였다. 어슬렁대며 올라오던 사내가 길 위에 자빠진 사람을 보더니 걸음을 멈추고 재빨리 주위를 둘러보았다. 그는 다시 헛기침을 뱉고 나서 자빠진 사람 곁에 다가서서 물끄러미 내려다보더니 손으로 흔들어보았다.

"여보쇼, 여보 죽었소 살았소. 정신 차리슈. 안 일어나면 갈 테요."

그래도 자빠진 졸개는 죽은 듯 널브러져 있는데, 갑송이와 감동이는 놈의 하는 짓거리가 우스워서 어금니를 꽉 물고 참았다. 이제 졸개가 가슴에 감추고 있는 단검을 사내의 배에 들이대면 양쪽 숲에서 뛰쳐나가 적당히 몽둥이찜질을 한 다음에 묶어 데려갈 작정이었다. 한데 어떻게 된 녀석인지 그는 슬그머니 일어나더니 침을 퉤 뱉는 것이었다.

"아따, 그러면 누가 구해줄 줄 알구. 나두 모르겠다."

혼자 투덜대면서 다시 길을 가는 것이었다. 감동이는 제 꾀가 어긋난 것이 못내 서운하여 곧 득달같이 쫓을 자세로 엉거주춤 일어나는데, 사내가 우뚝 멈추는 것이었다. 감동이는 재빨리 다시 눈구덩이에 엎드렸다. 사내는 사람이 쓰러진 곳으로 되돌아왔다. 옳지 그러면 그렇겠지. 아무리 금수 같은 놈이라도 이런 산속 눈밭에 쓰러져 얼어죽어갈 사람을 버리고 갈 수는 없겠지. 감동이는 사내의 동작을 기다렸다. 그러자 이 녀석은 슬슬 돌아가서는 한쪽 발로 쓰러진 자를 지그시 밟고서 행전을 벗겨내리는 것이었다. 산채의 졸개들은 대개 토끼나 사슴 가죽으로 무릎 아래까지 덮이도록 행전을 치고 있었다. 사내가 돌아온 것은 바로 그 때문이었다. 발로 밟힌 자가 가만있을 리 없었다. 드디어 꿈틀대기 시작했다. 사내는 아랑곳하지 않고서 행전을 벗기면서 중얼거렸다.

"살아나는 척한다구 놀랠 줄 알구. 하여튼지 행전을 얻었으니 이제 겨울은 머리부터 발끝까지 모의(毛衣) 일습으로 따뜻하게 보내겠군."

쓰러진 자의 털행전을 벗기려 하니 어이없고 무도하여 도적들이 보기에도 기가 찰 정도였다. 참다못한 갑송이가 얼결에 소리를 질렀다.

“어…… 저 도적놈 보아라.”

일어나려고 버둥대는 졸개를 한 발로 지그시 누르고서 개잘량 쓴 객은 껄껄 웃어젖혔다.

“내가 모를 줄 알았느냐. 저 뒤에 어지러운 발자국을 보아라. 거기서 똥 싸니? 궁둥이 얼기 전에 어서 일어나려무나. 행전 뜨뜻해서 좋겠네!”

그자는 발길로 거짓 쓰러졌던 자를 탁 내지르고서 휘적휘적 걸음을 옮기는 것이었다. 마감동이 멧돼지를 노리던 장창을 비껴들며 외쳤다.

“게 섰거라!”

개잘량은 씩 웃어대며 돌아선다.

“왜 그래, 뒤지 주랴?”

갑송이도 힝 웃음을 날린다.

“그 자식 입담이 제법이로구나.”

상대편이 느긋하게 나올 때에는 한쪽도 느긋해지는 반면에, 전의는 차차 고조되는 법이다. 마감동은 외치기는 하였으나 놈의 짓거리가 그리 만만한 놈은 아닌 듯이 보였다.

“자아, 섰다. 어쩔래? 그 털토시 벗어주겠니? 어이, 육실허게는 춥네. 느이는 산속에서 토깽이나 잡구 사는 놈들일 테니 털 달린 것 있으면 이 대처 한량에게 좀 다우.”

갑송이가 어깨를 움찔거리며 어슬렁어슬렁 길손에게로 걸어갔다.

“농담은 그만둬라. 너 어디서 뭣 허러 여길 왔느냐?”

“토끼 잡으러 나온 창으루 나를 찌르겠다는 네놈들은 뭔데?”

마감동이 창을 곧추세운다.

“이놈이 맞창이 나구 싶어 안달났군. 성님, 아예 모가지를 비틀어서 눈구뎅이에 장사를 지내주슈.”

갑송이가 털배자를 벗어서 슬그머니 아래로 떨어뜨린다. 개잘량은 뒤로 몇걸음 물러나며 손을 내저었다.

“이거 왜 이러느냐. 나는 지금 점심을 굶어서 기운이 쪽 빠진 사람이여.”

그제야 둘러섰던 졸개들과 마감동이 픽픽 코웃음 소리들을 냈다. 아마도 갑송이의 기세에 완전히 주눅이 들어버린 게라고 짐작했던 것이다. 갑송이가 팔짱을 끼고서 상대를 찬찬히 훑어보았다.

“혓바닥만 미꾸리처럼 살아가지구 팔딱대더니 왜 어디 아프냐?”

사내가 한숨을 푹 내쉬더니 말을 뱉었다.

“쳇, 또 사람 하나 죽이게 되는군. 아예 죽더라두 내 원망 말어라.”

“그래, 누가 뒈질지는 조금 있으면 알게 된다.”

사내가 깊숙이 눌러썼던 개잘량을 벗었다. 더벅머리가 어깨 너머로 축 늘어졌다. 총각은 좀 쑥스러워졌는지 겸연쩍게 입을 헤벌리며 웃었다.

“난 또 뭔가 했더니 젖내 나는 강아지새끼로구나.”

“머리만 올리면 다냐. 너두 상판을 보아하니 이삭 팰 철인데.”

총각이 웃통을 벗어던지며 투덜거렸다.

“어이, 추워. 귀찮아 죽겠네.”

몸집이 우람하여 갑송이와 비등해 보였으므로, 역시 총각놈이 믿는 구석은 있었겠다고들 여겼다. 총각이 좌우로 팔을 휘둘러보더니, 의연하게 갑송이 앞으로 나서면서 물었다.

“뭐야, 맨손이여?”

“그럼 맨손이지 네까짓 것에 작대기라도 들란 말이냐.”

"죽고 살기루 싸우겠는가?"

제법 살기 띤 어조로 총각이 말하자 갑송이는 어이가 없어서 껄껄 웃었다.

"그래, 죽을 때는 죽더라도 네 기운 자랑이나 보자꾸나."

"너부터 보여다우."

총각은 허리에다 두 팔을 얹고 버티고 서서 갑송이의 약을 올리는 중이었다. 그러나 갑송이는 전혀 성낸 기색 없이 점잖게 꾸짖었다.

"허, 이놈의 버르장머리 좀 보아라. 그 더펄머리 올리구 나면 어른 대접 해주지. 좆밥도 가시지 않은 녀석이…… 아주 후레자식이로구나."

"맺은 놈이 푼다고, 너희들이 먼저 싸움을 걸었으니 어디 힘자랑을 해보려무나. 괜찮으면 내 엎드려 성님이라구 빌겠다."

갑송이는 자꾸만 웃음이 나오려는 것을 억지로 참고서 말했다.

"너두 똥깨나 뀐다는 모양인데, 어느 촌바닥에서 무뢰배 노릇이나 하였구나. 그러니까 싸움판의 예의두 모르지."

"에이, 귀찮아. 좋다, 그럼 두 눈구녁으루 똑똑히 봐두어라."

총각은 연신 귀찮다고 투덜대면서 주위를 두리번거렸다. 그는 굵기가 세 뼘은 되어 보이는 나무둥치를 눈짐작해보았다. 그러고는 길옆에 박혀 있는 한 아름드리 바위를 툭툭 차보더니, 두 손으로 잡고서 끄응 하면서 번쩍 치켜들었다. 갑송이가 팔짱을 낀 채 흥미 있다는 듯 주시하고 있었다. 마감동과 졸개들은 놈이 느긋하게 큰소리치던 대로 과연 힘이 센지라 어쩐지 불안해졌다. 총각이 바윗돌을 머리에 쳐들고 서너 걸음 뛰면서 대번에 나무둥치를 향하여 내팽개치니, 육중한 소리가 들리면서 나무가 휘청하며 휘어진다. 총각이 갑송이 쪽을 돌아보며 씽긋 웃었다. 갑송이도 웃는 얼굴로 말했다.

"고것두 기운 쓴다구 마빡에 힘줄을 세우며 지랄일세."

총각이 휘어진 나무에 상반신을 기대고 어깨로 힘껏 치니까 우지직거리며 나무가 반대편으로 넘어졌다. 중동이 딱 부러진 것이다. 갑송이는 고개를 끄덕였다.

"그래, 수고하였다. 너는 바위까지 쳐들구 법석을 떨었지만 내 정말 기운을 보여주지."

갑송이는 부러진 나무 곁에 섰는 비슷한 굵기의 소나무를 견주어 보았다. 두 손으로 휘어잡고 몇번 앞뒤좌우로 흔들어대니 밑동 근처에 눈이 쏟아져내린다. 갑송이는 나무 밑에 기운 쓸 발디딤을 만드느라고 우선 눈을 이리저리 헤쳐놓았다. 맨땅이 나오자 발뒤꿈치를 콱 박고 서서 두 팔로 나무를 얼싸안았다. 등과 어깨에 구불구불한 근육이 곤두섰다. 한참이나 힘을 쓰는데 눈을 헤집으며 흙덩이들이 솟아올랐다.

"에에잇!"

한꺼번에 기운을 쏟으니 나무가 뿌리째로 뽑혀올라왔고, 갑송이가 안았던 팔로 비틀어버리는데 뿌리 끊어지는 소리가 투두둑거렸다. 갑송이는 뽑힌 나무를 쳐들어 머리 위에서 이리저리 돌려 보이다가 멀찍이 던져버렸다. 호흡이 약간 거칠었으나 갑송이는 곧 가라앉히고서 총각의 앞에 돌아섰다. 총각은 기세가 좀 풀려 있었다. 그러나 오기는 아직 남았는지라 아까보다는 훨씬 자신 없어진 어조로 중얼댔다.

"뚝심 센 소가 어디 날랜 범 이기는 것 봤남."

"그래, 뭘루 상대해주랴?"

"씨름으루 하자."

총각이 두 손바닥에 침을 뱉어서 쓱쓱 비벼보면서 말했다.

"이놈아, 이런 눈구덩이에서 무슨 씨름이야? 주먹다짐으로 네 골통을 계란 으깨듯 할 터인데."

"싫으면 관두라지. 길구 짜른 건 대봐야 안다구 힘겨루기에 씨름 말구 뭐가 있어?"

"진 놈이 그래두 성님 소리 하긴 싫어서…… 좋다, 하자꾸나."

마감동과 졸개들은 비록 갑송이가 천하장사라는 말은 들었으되 여태껏 직접 본 적은 없었더니, 총각과 기운겨룸 하는 양을 보고는 완전히 안심을 하게 되었다. 갑송이가 졸개들에게 명하여 눈을 치우고 판을 정리하라 일렀다. 판 수습이 된 연후에 두 사람이 마주 섰다.

"샅바가 없으니 통씨름으루 하자."

총각이 말했다. 씨름은 왼씨름, 오른씨름이 있는데 이는 서로 고개를 엇돌리는 방향을 이름이요, 샅바 없이 바지허리를 잡고 할 적에는 통씨름이라 하는 것이다. 총각이 갑송이의 허리를 한 손에 잡고 다른 손은 허벅지에 얹었고 갑송이도 그와 같이 하였다.

"그래, 안쪽으루 걸든지 밖으루 걸든지 네 재간껏 해보려무나."

씨름에는 크게 나누어 팔재간과 다리재간, 들재간이 있으니, 우선은 그 동작의 재빠름과 경험에 의하여 승부가 나는 것이요, 가진 기운이란 부차적인 것에 지나지 않는다. 두 사람이 버티고 돌아가는데 갑송이가 총각의 허리를 껴안고 허리치기를 노리면서 꺾으면, 총각은 턱밀치기로 버티었고, 안낚시를 걸면 외로뒤집기 동작을 취하면서 발을 빼었다. 갑송이가 드디어 기운을 믿고서 배지기로 총각을 번쩍 쳐들었다. 이제 옆으로 후릴 순간인데, 달싹 쳐들린 총각이 슬쩍 덧걸이재간으로 갑송이의 힘에 그대로 편승한 채 가슴으로 슬쩍 밀었다. 둘이 붙안고 넘어지는데 갑송이가 먼저 궁둥방아를 찧고 나가떨어졌다. 총각의 재간이 몹시 민첩하고 익숙하여 갑송이가 아무리 나무를 통째 뽑는 기운이 있더라도 씨름에는 당하지 못할 듯하였다. 총각이 재빨리 일어나더니 달아날 자세로 몇걸음 물러섰다.

"봐라, 내가 이겼지?"

"이놈, 어디루 가느냐. 섰지 못하겠어."

"나는 간다. 판막음이 되었는데, 어째서 자꾸 또 하자구 성화여."

갑송이는 슬슬 분통이 치밀기 시작하는 것이었다.

"이놈아, 그따위 속임수로 씨름을 했으니 두 판으루 승부를 내어야지."

"삼판 양승으로 할까아? 기운 빼면 배고파지는데 점심 줄 테여?"

갑송이가 벼락같이 소리치며 달려들어 총각의 가랑이에다 손을 넣고 한 손은 멱살을 잡아 번쩍 치켜들었다.

"에구구구!"

덩치가 비슷하여 곰 같은 총각이 썩은 짚단처럼 들려 버둥댔다.

"자아, 점심 처먹어라."

갑송이가 힘껏 내던지니 총각은 골짜기의 깊은 눈구덩이에 거꾸로 처박혔다. 두 다리만 허공으로 나와서 버둥대던 총각이 벌떡 일어났다. 그는 눈으로 범벅이 된 낯을 씻으면서 눈을 부릅떴다.

"네, 비록 기운이 세기는 하나, 이제는 사생결단을 할 터이다. 나두 장연서는 황소의 뿔을 뽑은 강선흥이라면 모르는 자가 없다."

"뭐라구…… 이름자가 뭐랬느냐?"

"왜 함자를 알구 나니 불알이 저려서 그러느냐. 강선흥이랬다."

"네가 장연 사는 소금장수 강선흥이냐. 송도 박대근 행수를 알겠구나."

그제야 총각의 얼굴에 당황하는 기색이 비쳤다.

"구월산 기시는 분들이우?"

"나는 이갑송이다."

"아이구! 이거…… 갑송이 성님이네. 우리 대근이 성님께서 갑송이 성님을 찾아 만나보라구 신신당부를 하셔서 제가 지금 찾아오는 길이 아니우. 아우 인사받으슈."

강선흥이 돌연 무릎을 꿇더니 눈바닥에 머리를 붙이며 엎드려 절을 한다. 갑송이도 얼결에 엉거주춤하여 주저앉았다.

"강총각, 일어나시게. 이럴 거 없수."

"제가 성님께 무례히 굴었으니, 이제 대근이 큰성님 뵐 낯두 없습니다. 매를 때려주시우."

해라 정도가 아니라, 상말의 욕지거리를 주고받던 자들이 정중한 예의로써 점잖게 수인사하는 꼴들이란 자다가도 웃을 노릇이라서 마감동과 졸개들은 킬킬거리며 구경하고 섰다. 갑송이가 선흥이의 손을 잡아일으키며 다정하게 물었다.

"그래, 대근이 성님은 별일 없으신지? 내가 떠나올 제 일이 위급해 보이더니……"

"잘 무마가 된 모양입디다. 요새는 권력보다 금력이 더욱 세니까요. 송도서 그 댁을 건드릴 자가 어디 있겠소이까. 대근이 성님은 명년 봄에 혼사를 치르실 때까지는 행상두 나가지 않을 모양이라, 요즈음 차인들을 데리구 슬슬 매사냥이나 다니십디다."

"혹시 해주서 별 소식이 없습디까?"

"아직 뵙지는 못했으나 해주 옥에 갇혔다는 그 길산이 성님 말씀이군요. 두 성님의 얘기는 큰성님께 귀가 아프도록 들었습니다. 내가 송도서 떠나올 제 한양 갔던 송도의 건달 패거리가 도착했습디다."

"음, 학선이패 말이로군."

"예, 맞습니다. 가어사 해먹었다는 학선이란 사내가 한양서 내려왔지요.”

“그렇다면 며칠 안 가서 무슨 좋은 일이 나겠구먼.”

“열흘 뒤에 구월산서 큰 잔치를 할 것이니 며칠 놀고 있으라구 그러십디다. 길산이 성님이며 또 뭐라더라…… 용댕이 뱃사람이라던데.”

“우대용이 아니우?”

“예, 우가라구 그럽디다. 이제 사흘 지났으니 한 이레 남은 셈입니다.”

갑송이가 너무도 신이 나서 입을 크게 찢고 웃는 얼굴로 마감동을 돌아다보았다.

“이봐, 들었지? 이레가 지나면 길산이가 온다는군. 자아, 산채루 올라가지.”

마감동이 시큰둥하게 말했다.

“헌데 멧돼지는 놓치구, 손님을 잡았구려.”

“아무거나 하나 잡았으면 됐지. 만석이가 뭔가 많이 잡았을 테지.”

하고 나서 갑송이가 잊었다는 듯이 강선흥에게 감동이를 손가락질해 보이면서 말했다.

“둘이 인사하시게. 이 사람은 우리 산채 두령으루 있는 마감동이여. 나는 실상 이 사람의 식객이지.”

“안녕허우.”

고개를 뻣뻣이 쳐든 채 강선흥이 겨우 내뱉었다. 마감동은 내심 몹시 불쾌하였으나 주인 된 체면으로 꾹 참았다.

“나 마감동이외다. 어서 오슈.”

감동이가 인사를 하고 나니 강선흥은 벌써 갑송이 쪽으로 돌아서 있었다. 감동이는 더욱 불쾌했다. 어쨌든 서열이 정해지지 않는다면 앞으로 산채에서 처신하기가 어려울 것은 당연한 일이었다. 그러나 뭐라고 불쾌한 기색을 겉으로 드러내기도 어쩐지 좀스러운 듯하여, 마감동은 앞으로 이레 뒤에 모두들 모일 때 어떤 결정을 내려두리라 혼자서 작정하였다. 벌도 식구가 많아지면 분가를 하는 법인데, 하물며 녹림패에서 졸개들에 비해 두령이 많아지면 손발이 맞지 않고 일거리도 큰 것만을 노리게 되니 그만큼 나라의 포토(捕討)하려는 뜻이 커질 것이었다. 그들은 실토봉 기슭을 돌아 아사봉을 넘어서 된목이골로 들어섰다. 오만석은 사슴 두 마리와 토끼 스물 남짓을 잡아와 그들이 올 때만을 기다리고 있었다. 오는 길에 아직도 말을 제대로 놓지 않는 갑송이에게 강선흥이 말하였다.

"말 좀 놓으시우. 듣기가 아주 무겁소."

"왜 상소리로 욕을 보일 때는 언제구……"

"그야 모를 때엔 나라님두 욕하는 법이우. 아까는 길에서 만난 무뢰배끼리의 예법이고 시방은 대근이 성님께서 맺어주신 의리루 형제가 아니우."

강선흥이 제아무리 대근의 지시에 따라 호형(呼兄)한다지만 저보다 기운 없고 싸움질 못하는 자에게 형이라고 부를 리가 없었다. 그러나 실지로 대적했을 때 갑송이가 나무둥치를 맨손으로 뽑아내는 광경에는 완전히 기가 죽고 말았던 것이다. 오기로써 버티며 난처한 판을 벗어나려는데 서로의 이름이 밝혀졌으니 자연스럽게 성님이 되어버렸던 것이다. 박대근이 범처럼 날래고 곰처럼 장사인 문화의 두 광대에 대하여 얘기하더니 과연 듣던 대로 이갑송은 무서운 역사(力士)였다. 따라서 아직 보지 못한 장길산이란 광대의 날랜 재간까지 미루어 생각할 수가 있었다. 강선흥도 일찍이 장연의 남대천 모랫벌에서 싸움하는 황소의 뿔을 잡아떼어 말린 장사였으나 어딘가 갑송이에게는 미치지 못할 바가 있음을 스스로도 알았다. 오만석과도 인사를 나누었지만 선홍이는 역시 뻣뻣했다. 마감동이나 오만석이께 전혀 굽히는 기색이 없으니 더군다나 떠꺼머리인 선홍이를 그들이 좋게 볼 리가 없었다. 갑송이만이 선홍이와 어울려 탑고개로 놀러 갔다. 김기와도 인사를 나눈 뒤에 선홍이는 다시 오르고 싶어하지 않았다. 선홍이는 말했다.

"나는 아직 도적놈이 되기는 싫우. 그저 성님네들이 좋아서 사귀러 온 것이지, 녹림패에 가입하려는 건 아니외다. 제게는 장연에 부모님들이 계시고, 또한 장사에두 이력이 나서 밥술깨나 먹구 지내는 건 문제가 아닙니다. 나를 같은 녹림패루 취급하지 마우."

선홍이가 된목이골을 싫어하는 것을 아는 갑송이도 아예 모두들 모이는 날까지 산채에 가지 않겠다며 탑고개에 주저앉았다. 그러니 자연히 세 사람이 술타령밖에는 할 짓이 없었다. 김기의 원한풀이는 더욱 큰일인 길산이의 탈옥이 무사히 끝난 다음에 벌이 삼아서 한판 벌이기로 작정이 되었다.

그들은 정 심심하면 가끔씩 은율 읍내의 주막에 나가서 놀고 오는 적도 있었다. 며칠 사이에 갑송이와 선홍이는 친동기간처럼 도타운 정이 생겨서 호형호제(呼兄呼弟)하는 데도 별 격식이 없이 자연스럽게 되었다.

4

송도에서는 박대근이 한양서 돌아온 학선이패를 기다리다 못하여 안달이 났다. 벌써 사나흘이 지나도록 학선이가 남산 아랫녘엔 얼씬도 않는 것이었다. 잠깐 밤중에 들러서 곧 해주로 떠날 준비를 하겠으니 성님은 아무 말씀 마시고 돈이나 내시라 하여 백 냥을 받아가고는 감감무소식이었다.

"이놈이 일이 옹색하여지니 용챗돈을 얻어가지고 줄행랑을 놓았구나!"

박대근은 탄식하면서 날이 저물기를 기다렸다. 혹시나 남의 눈에 띄어 중대한 사업이 수포로 돌아갈까 염려해서였다. 어쨌든 청교방을 찾아가본 다음에 학선이가 달아난 것이 확실하다면 차인들을 부근에 풀어서라도 기어코 잡아 분풀이를 할 셈이었다. 날이 어두워진 뒤에 박대근은 아무도 거느리지 않고 혼자서 청교방으로 나아갔다. 일부러 주막거리를 피하여 샛길로 해서 성내 쪽으로 들어갔다. 못골에 이르니 때마침 한량들이 색주가로 몰려들 무렵이라 홍등에는 불이 켜지고 대문은 활짝 열렸는데 계집들의 방자한 웃음소리가 흐드러지게 들려오고 있었다. 박대근이 춘래의 집을 찾아 기억을 더듬는데, 아무리 부근을 헤매어도 맞힐 수가 없었다. 하는 수 없이 못골 초입서부터 하나둘씩 집뒤짐을 하며 대문을 살폈건만 모두가 기억에 들어맞질 않았다. 공연히 색주가를 기웃거리며 우왕좌왕하노라니 문간의 계집들 눈에 띄지 않을 재간이 있겠나. 계집들이 지분으로 얼룩진 상판을 문간에 내밀며 한마디씩 건드려본다.

"나으리, 창기에 절개 지키시렵니까. 아무 문간으로나 들어서시지요."

"칠 년 왕가뭄에 팔아버린 아낙 찾으시오, 아니면 이빨 뽑아준 정인을 찾으시오?"

색주가에 들어서서 눈을 휘둥그레 뜨고 문마다 살피니 창기들의 농지거리를 듣는 게 당연한 일이었다. 박대근이 원래 선비가 아니요, 팔도를 헤매며 온갖 산전수전을 겪은 장사치라 그따위 계집들의 입담에 얼굴을 붉힐 사람은 아니었다.

마침 색주가에서 나오는 아이놈을 만나 춘래의 집을 물었다.

"그 집에 가봐야 소용없습니다."

아이가 고개를 절레절레 흔드는 것이었다.

"왜 어디루 이사를 갔느냐?"

"아니오, 요즘 며칠 동안 대문을 닫아걸고 영업을 하지 않습니다."

"음, 그 자리에 있긴 있단 말이지?"

아이가 손을 들어 홍등 사이에 어두컴컴하게 끼여 있는 한 대문간을 가리켰다.

"저 집 아닙니까. 춘래가 고뿔이 들어서 며칠째 몸조리를 한답니다. 손님, 아예 저희 집으루 들어오시지요."

박대근은 아이놈이 가르쳐준 대로 대문 앞에 이르러보니 문이 굳게 잠겨 있고, 문설주에 걸린 홍등에는 불이 꺼져 있었다. 대근은 춘래네 집을 찾지 못했던 이유를 그제야 알았다.

"이리 오너라!"

그가 대문을 요란하게 두드렸다. 안에서 한참이나 지체하는 듯하더니, 뭔가 수습을 하는 모양이었다. 조심스럽게 다가오는 발소리가 들리고 나서 나직한 여자의 목소리가 문틈으로 새어나왔다.

"누구셔요?"

"음, 학선이 있느냐?"

빗장이 빠지더니 문이 열리는데 몸소 춘래가 나와 서 있었다.

"어서 들어오십시오, 행수나리."

"학선이 집에 있느냐구?"

춘래가 재빨리 대문을 닫으면서 뒤꼍을 손짓했다.

"있다뿐입니까. 지금 저 뒤에서 굿을 벌이구 있습지요."

"왜 고뿔이 걸려 장사를 못 한다더니……"

"말씀 마십시오. 저희는 이틀 밤낮을 꼬빡 새우느라구 고뿔보다 더한 생앓이를 하였습니다."

"이틀 밤을?"

춘래가 눈을 곱게 흘기면서 박대근에게 핀잔을 주었다.

"아이 참, 행수어른두…… 직접 시키신 일을 모른 양하십니까. 저희는 관복을 일곱 벌이나 짓고, 제반 행구를 차리노라구 혼났다니까요."

박대근은 그제야 춘래의 말을 알아들었다. 학선이는 역시 치밀한 녀석이라 해주 갈 채비를 차곡차곡 하고 있었던 모양이다. 그가 안마당으로 들어서는데 문 쪽을 지켜보던 계집종이 뒤꼍으로 재빨리 사라졌다. 박대근도 뒤꼍에 막 들어서려는데 머리 위에서 별안간 호통소리가 들려왔다.

"남칸 죄인을 항쇄(項鎖) 족쇄(足鎖)하여 꿇리라."

박대근이 머리를 치킬 사이도 없이 사릉장(四稜杖)이 양쪽에서 그의 어깨를 짓눌렀다.

"이게 무슨 짓들이냐?"

마루 위에는 주립(朱笠) 쓰고 홍철릭 입은 도사(都事)가 앉았는데 그 위엄이 가히 삼엄하고 저승사자처럼 서슬이 곤두서 있었다. 마루 아래 나장(羅將)이 흑단령(黑團領)을 입고서 주장(朱杖)을 세워들었으며 나졸들은 양쪽에서 사릉장을 뒤로 걸어메고 있었다. 박대근이 한편 놀랐으면서도 감탄하여 크게 웃었다.

"학선이 자네 수고가 많았구나."

"어서 올라오십시오."

금부도사(禁府都事) 차림의 학선이가 일어나며 박대근을 맞았다.

"안으로 들어가십시다. 그러잖아두 사람을 성님 댁으루 보낼까 하던 참이었소."

"어디…… 당장이라도 떠날 수가 있겠는가?"

마주 앉자 대근이 물었고, 학선이는 문갑을 뒤적이더니 공문서 한 장을 꺼내서 펴들었다.

"어제야 간신히 인장 위조가 끝났습니다."

"그것이 무슨 문서인가."

"예, 의금부 관인과 판의금(判義禁)의 인이 박힌 죄수 압송장이올시다."

"길산이와 대용이를 어찌 꺼내올 수가 있겠는가. 감사가 뜻대로 속아넘어갈까?"

"허허, 무슨 말씀이시오. 이 학선이가 한양 가서 맹물만 마시다 온 줄 아오. 나는 판의금 댁 하님〔女婢〕의 정인(情人)이었소."

"금부의 내막을 소상히 탐지해냈단 말이지?"

대근의 물음에 학선이는 그 풍채 좋은 수염을 쓰다듬으면서 자신 있게 고개를 끄덕였다.

"판의금뿐만 아닙니다. 지의금(知義禁) 동의금(同義禁)과 십도사(十都事)에 문사랑청(問事郎廳)의 식구들에서부터 작은댁에 이르기까지 모르는 일이 없고 형조의 내막까지 뚜르르 꿰고 있습니다."

"한양 올라갔던 보람이 있었군."

"보십시오. 내일, 그리고 모레까지는 죄수들을 빼돌리겠습니다. 너희들두 올라오너라."

학선이가 퇴창문 밖으로 소리를 지르니, 밖에 섰던 나장과 나졸들이 우르르 몰려들어왔다. 한 녀석이 털썩 주저앉으며 말했다.

"인젠 이 갑갑한 털벙거지와 더그레를 벗어두 되겠습니까?"

"안 된다. 완전히 익힐 때까지 좀더 연습을 해둬야겠다. 사릉장 다루는 것두 그렇고…… 어이 나장, 자네는 나졸들이 죄인을 꿇린 다음에 무엇을 하라고 그랬었지?"

"죄목을 외치라 하였던가요?"

"예끼 이놈, 내가 위에서 하는 말을 받아 복창 거행하라구 그랬잖느냐."

"성님, 저희들두 이젠 지쳤습니다. 좀 쉬어가며 합시다."

"그래, 행수 성님께서 오셔서 저녁을 들려던 참이다."

춘래와 계집종이 겸상과 원반을 차례로 들고 들어왔다. 학선이와 대근은 상을 마주하고 반주로 몇잔 걸치는데, 학선이가 한양서 겪은 일을 이야기하였다.

학선이 한양에 이르러 먼저 한 일은 판의금 댁을 알아내는 일이었고, 알아내자마자 사직골의 대감 댁 앞에다 사관(舍館)을 정하였다. 그러고는 데려간 부하들과 함께 그 댁을 드나드는 모든 사람을 일일이 파악하고, 손님의 말구종배들이나 교꾼이 잘 들르는 목로에 파묻혀 그들과 사귀면서 자세히 정탐을 하였던 것이다. 그래서 학선의 부하들은 판의금 댁 하인들과 절친한 술친구가 되어버렸고, 의금부의 관원 부스러기들과도 안면을 트게 되었다. 어느 저녁때에 학선이 심심하여 그의 오른팔인 아귀쇠와 더불어 투전을 노는데, 마흔 장짜리 가보잡기를 하고 있었다. 부하가 급히 뛰어와 방문을 벌컥 열고 고하기를,

"사또! 판의금 댁에 은등자에 은방울 올린 호마(胡馬) 한 필이 들

어갔습니다."

그러나 학선이는 쌍교자가 나갔다든가, 글방 도령이 외출에서 돌아왔다든가, 아침에 허청에 앉아 면회를 기다리던 꾀죄죄한 선비가 이제 자리를 떴다는 얘기처럼 무심히 들어넘겼다. 한참이나 투전에 열중하던 학선이가 갑자기 패를 던지며 아귀쇠에게 일렀다.

"그 말의 내력을 급히 알아오너라!"

학선이는 무슨 꿍꿍이속인지 아귀쇠를 대감 댁에 보냈고 잠시 후에 돌아온 부하가 알아본 바를 상세히 고하였다.

즉 병판에게는 십오 세 된 딸이 있었고 판의금의 아들이 이제 아홉 살인데 얼마 전 술자리에서 언약이 이루어졌다는 것이다. 이제 두 집안이 사돈이 되는 것은 정해놓은 일이었고, 마침 병판에게 북방에서 공물로 말 한 쌍이 바쳐졌다는 것이다. 그래서 병판은 장래의 사돈에게 말 한 필을 보내어 그 정리를 표시하는 것이라 하였다. 얘기를 듣고 난 학선이가 고개를 끄덕이며 빙그레 웃었다.

"아귀쇠야, 하나만 데리구 나서라."

하고 나서 학선이가 아귀쇠의 귀에다 대고 뭔가 잠시 동안 소곤거렸고, 아귀쇠는 알아들었다는 듯이 연신 고개를 주억거렸다.

"저쪽에서 널 알아보면 만사가 끝나는 거여. 감쪽같이 하여라."

아귀쇠와 부하는 재빨리 사관을 빠져나갔다. 그들은 광통교 다리께에 가서 삼패 기생년 하나를 급히 물색하여, 그들이 지적하는 행인을 끌어들여 무조건 만취하도록 해주면, 술값 외에 은자 열 냥을 주리라 약속하였다. 어느 시러베년이 거절을 하랴. 술 팔고 돈 받을 욕심에 눈에 불을 켜고 그들이 손가락질하기만 기다리며 애를 태우는데, 역시 학선의 예언대로 판의금 댁의 수노(首奴)가 옆구리에 가죽함을 끼고 어정어정 걸어왔다. 학선의 말에 의하면 선사품을 받았으니 사돈지간에 틀림없이 답례가 없을 수 없다는 것이었다. 즉시 답례가 있을 것인즉 판의금 댁의 수노가 갈 것인데 그자를 후려잡아야 한다는 것이었다. 이제 병판 댁이 모싯골(苧洞)이니, 사직골서 가려면 빠른 길이 적선방을 지나 종루(鍾樓)로 해서 광통교를 지날 것인즉 목을 지키라는 얘기였다.

"바로 저기 보퉁이를 옆에 낀 녀석이다."

아귀쇠가 지적하자마자 기생년은 수자리 가서 오랑캐와 싸움하다 돌아온 제 서방이나 마중하듯, 허겁지겁 뛰어나가 무조건하고 팔을 덥석 잡았것다.

"아이 서방님, 얼마 만이셔요. 그래 통 발길을 않으시긴가요?"

판의금 댁 수노가 입이 쩍 벌어져 어안이 벙벙하더니, 이윽고 정신을 차려 뿌리쳤다.

"자네가 날 어찌 안다구 이 요살을 떨구 야단인가. 내 수중엔 한 닢두 없네. 깝데기를 벗겨봐야 재작년 그러께 알 깐 서캐만 우수수하리."

"차암 서방님…… 아무리 노류장화인들 치마폭에 사연이 있더라고, 어디 까짓 쇳뎅이에 좌우되겠습니까요. 오늘 쇤네는 장사하지 않을랍니다."

"글쎄 이거 벼락 맞은 쇠고기가 너저분한가, 왜 길에 나와 서서 남 바쁜 사람 붙잡구 까실르구 그래. 아무리 그래보아야 호조돈 얻어올 사람두 아니라니까."

아귀쇠와 부하는 바깥 길로 난 들창문에 구멍을 뚫고 숨죽여 내다보고 있었다. 기생이 다시 허리를 비틀면서 수노의 옆구리에 바짝 붙어 매달렸다. 제깟년이 돈냥이나 준다니까 저 지랄이지만 평소에 구종배나 노자들을 거들떠보지도 않던 것이었다.

"허허, 이거 꽉 물렸네!"

수노란 녀석이 분냄새와 교태에 녹았는지 뿌리치지도 못하고 이끌려왔다.

"꼭 한잔이여. 내 시방 급한 볼일이 있단 말일세."

"서방님, 꼭 한잔만…… 예전에 서소문 밖에 있을 제 제가 서방님을 뫼신 적이 있다니까요."

하긴 홍제원과 모화관 부근에 하천들을 상대하는 색주가가 많이 있었으니 수노란 놈도 거기에 몇번 걸음을 했던 기억이 있는지라 알딸딸하면서도 그러려니 믿는 눈치였다.

"얘, 여기 다담으로 큰상 차려서 들여라."

기생년 재치 있게 떠들어대면서 드디어 판의금 댁 하인을 꾀어들이는 데 성공하였다. 놈이 아무리 목전에 다급한 일이 있다손, 미녀와 술을 버리고 어디로 가랴.

술잔이 거듭되자 수노는 차차 심부름에 대한 생각은 잊고, 퍼질러 앉아서 기생의 허벅지나 주무르며 밤을 새울 듯한 지경이 되었다. 염라대왕도 주색에 빠지면 저승사자가 묘지로 압송 간다는데, 아무리 눈치가 빠릿빠릿한 놈이지만 술에 장사 있나. 눈꺼풀이 게게 풀리고 혀가 비틀어졌으니, 기생이 이쯤이면 되겠다 싶어 손뼉을 요란하게 두드렸다. 손뼉소리가 들리자마자 문간방에서 기다리던 아귀쇠와 부하가 안방문을 벌컥 열고 들어섰다.

"그 녀석 아주 인사불성이군."

"술값하구 상금……?"

기생년이 손을 내미는데, 아귀쇠는 서슴없이 돈꿰미를 방바닥에 던진다.

"누…… 누구여……"

눈을 멀거니 뜨고서 연신 딸꾹질을 하며 수노가 말했고 두 사람은 대답 없이 보에 싼 가죽함부터 슬쩍 빼앗았다. 그리고 뭔가 알 수 없는 소리를 주절대는 판의금 댁 하인 녀석의 팔다리를 두 사람이 들고서 색주가를 나갔다. 원래가 광통교 부근은 깍정이들의 잠자리여서 그 아래로 던져버리니 곧 검은 그림자들이 다가와 수노의 옷을 벗겨가버렸다. 아귀쇠와 부하가 사관에 돌아가 학선이에게 가죽함을 바치고, 일의 자초지종을 얘기하였다. 학선이는 흡족해서 두 사람에게 용채를 두둑이 던져주고는 곧 가죽함을 열어보았다. 함 속에는 아이놈 팔뚝만이나 한 산삼이 두 뿌리나 들어 있었고 녹용이 한 재 들어 있었다.

"이제 그 녀석은 죽은 목숨이다. 감히 두 대감의 교분에 흙칠을 하고 답례품을 잃었으니 마땅히 거적에 말려 타살되리라. 너희는 문밖에 나가서 살피다가 그자가 돌아오면 즉시 알려라."

학선이는 이르고서 자리에 들었다. 새벽녘에 번을 서던 자가 와서 벌거숭이의 수노가 방금 돌아왔다고 알렸다. 학선이는 알았다고 고개를 끄덕이고는 다시 잠을 자는 것이었다. 적당한 시각이 되어 학선이는 복장을 단정히 하고 머리에는 상사람처럼 패랭이를 얹은 뒤에 옆구리에 가죽함을 끼고 판의금 댁 대문간의 허술청으로 찾아갔다. 녹사(錄事)에게 판의금께 통자(通刺)하여줍시사 청하니 녹사는 학선이의 주제를 보고는 코대답을 하는 것이었다. 학선이가 더이상 승강이하지 않고서 혼잣말로 중얼거리며 돌아섰다.

"그럼 하는 수 없군. 만약에 판의금 대감께서 오늘 아침에 역정을 내시는 경우에는 저쪽 맞은편에 있는 사관으로 나를 부르러 오시우."

녹사가 수염을 비틀고 서서 콧바람 소리를 냈다.

"별 미친놈 다 봤네!"

대감이 아침에 일어나 의금부로 나가기 전에 담배 한 대를 태우는 중인데, 문득 어제 병판에게 호마에 대한 답례품을 보냈던 생각이 났다. 하나 어찌된 일인지 여태껏 그 결과를 듣지 못했던 것이다. 대감이 적이 불쾌하여 설렁줄을 당기는 손짓이 거칠었다. 마당쇠가 달려오고, 살림 맡은 청지기를 부르라 일렀다. 청지기가 와서 뵙자마자,

"이놈들, 심부름을 시켰으면 일의 선후를 말해야지 어찌 아무런 뒷말이 없느냐. 심부름을 보냈느냐?"

"예예, 산삼 두 뿌리와 녹용 한 재를 보내드렸습니다."

"확인을 하였느냐?"

"아직 소인은……"

"그 수노란 놈을 부르라!"

대감의 호령이 추상 같았는데 하인은 거의 죽을 상이 되어 뜰 아래 부복하였다. 대감이 마루 위에서 소리쳤다.

"네가 심부름을 갔었드면 일의 내종을 고해야지 어째서 나타나지도 않았는가?"

"소인이 죽어도 남을 죄를 저질렀으므로 못 들어왔습니다."

"무슨 죄냐?"

"예, 답례품을 가지고 모싯골로 가는 도중에 그만…… 술을 두어 잔 하고서 정신을 잃었던 고로 함을 잃어버렸습니다."

"이놈, 그것이 뉘게로 가는 물건인데 그따위 버릇을 가르치더냐. 도중에 술을 먹고 정신을 잃었다? 그 무엄한 놈을 단매에 때려죽이라!"

수노를 타살하고자 형틀이 벌어지는데, 녹사가 가만히 생각하니

아무래도 식전에 찾아왔던 자가 심상한 일로 온 것은 아니고, 이제 생각하니 옆구리에 함을 가졌던 듯싶었다. 녹사가 나중에라도 통자 넣지 않은 죄책도 면할 겸, 대감께 자기 빈틈없음을 알릴 겸 하여 마루 아래로 나아가 아마도 잃은 물건을 찾을 수 있으리라 아뢰었다. 대감이 즉각 행형을 중지하고 직접 녹사를 사관으로 보냈다. 녹사가 함을 내어주기만 원하였으나 학선이는 신을 꿰고 나와 앞장서면서 말하였다.

"지금 댁에서는 난리가 나서 사람이 하나 죽을 모양일 텐데…… 내 직접 습득한 자로서 대감을 뵙고 구명을 청할까 하오. 하인들의 생사는 그 노주의 감정에 달렸으니, 잃었던 물건을 보고 또한 외인이 청하면 노염을 푸실 게유."

녹사가 들으니 이치가 가장 합당하여 주인께 생색내려던 것이 머쓱해져버렸다. 학선이가 판의금 대감께 현신하는데 대처의 오입쟁이로 잔뼈가 굵었으니 그 얼굴이며 태가 과연 남에게 좋은 인상을 줄 만하였다. 학선이는 공손하고 듣기 좋은 목소리로 아뢴다.

"제가 급한 볼일이 있어 성문 열릴 즈음하여 광통교 쪽으로 식전 길을 재촉하는데, 마침 깍정이들 두엇이 거적때기에 무언가 싸가지고 갑디다. 새벽이니 걸(乞)을 달아가는 길도 아니겠고 하여, 무심코 고개를 돌려 유심히 살피는데 거적 틈으로 함이 보이질 않겠습니까. 이것은 분명 귀한 댁의 물건을 도적질한 것이라 믿고 그놈들을 불러 세우고 두드려준 다음에 함을 빼앗았습니다. 열어보니 참으로 진귀한 약재가 있는지라 주인에게는 더욱 소중할 듯하여 하는 수 없이 안에 있는 일봉 서신을 읽었습니다. 그리해서 허술청에 와 녹사에게 통자를 넣었던 것입니다. 감히 서찰을 개봉하여 읽은 죄 죽어 마땅합니다."

대감은 함을 열어보고 물건을 확인한 다음에 마음이 몹시 흡족하였다.

"너는 어디 사는 누구냐?"

"예, 양주 살던 유가올시다. 본시 소인의 아비는 아전질을 했사옵고, 집안이 기운 뒤에 저는 한양 와서 어느 댁 청에라도 붙일까 하여 자리를 찾는 중이올시다."

"네가 중인의 자식이니 글은 알겠구나."

"예, 아옵니다."

"음, 그렇다면 오늘부터라도 책실에서 일하도록 하여라."

하고 나서 수노는 매를 때려 광에 가두어 사흘을 굶기라 하는데, 학선이가 은근히 품하였다.

"소인 황공하고 무엄한 말씀 올리겠습니다. 비록 저 사람이 죽을 죄를 지었다고는 하오나, 벌은 잃은 것에 내리는 것이요, 이미 찾았으니 소인께 일자리를 주시듯 저 사람도 사합시는 것이 도리인 줄로 아뢰오."

학선이는 판의금 대감 댁에서 책실(經理)을 맡아보게 되자, 졸개들을 모두 송도로 돌려보냈다. 책실에 있으니 의금부의 돌아가는 사정을 한눈에 짐작할 수가 있었고, 더구나 수노는 학선의 은혜를 잊지 못하여 그가 묻는 대로 의금부와 형조의 이야기를 해주곤 했다. 더구나 학선이는 수노의 여동생인 하님(下任) 여비와 가까워지게 되었는데, 그 여자는 정경부인(貞敬夫人)과 어릴 적부터 같이 자라난 소꿉동무였고 말이 종이지 친형제와 다름이 없는 사이였던 것이다. 판의금 댁의 책실과 안방을 소상하게 꿰고 있었으니, 학선이가 진짜 도사(都事)보다도 더욱 의금부의 사정을 아는 셈이었다. 학선이가 거기까지 얘기를 마치자, 흥미 깊게 듣고 있던 박대근이 껄껄 웃었다.

"미친놈 같으니…… 네가 이렇게 늦어진 것은 바로 그 여비와 통정하느라구 그랬구나. 재미는 봤으니 내가 주었던 착수금은 도로 내놓아라."

"어유, 무슨 말씀이슈. 밤에 슬쩍 빠져나오는데 그동안에 깊은 정이 생겨서 정말 발길이 내키질 않습디다."

"어디 내일 해주로 가겠나? 일을 급히 서두르지 않으면 우리 아우들은 모두 엄동에 얼어죽을 게야."

"내일 새벽밥을 지어 먹고 떠나겠습니다. 성님두 가실려우?"

"부하 하나를 내 집에 보내어 기별이나 해다오. 그럼 뒤따라 구월산으루 가겠다."

"장길산이와 우대용이를 꺼내어 구월산까지만 데리고 가면 된단 말씀이지요?"

"그렇지. 내일쯤이면 모두들 만날까?"

"아닙니다. 내일 저녁은 객사에 들어 하룻밤 쉬고 모레 죄수를 인계받아 압송하여 나올 작정입니다."

"그러면 기별 보낼 필요두 없겠군. 글피쯤에 내 구월산으루 가겠네."

"구월산서 뵙겠습니다. 어찌…… 저희들 연습하는 거나 더 보구 가시렵니까?"

박대근은 그냥 일어났다.

"일찍들 재우지 그래. 내일은 정말 피곤할 텐데."

"성님이 안 보시겠다면 저희두 그만두겠습니다."

박대근은 춘래네 집에서 나왔다. 이제 길산이와 대용이가 나오게 되면 당분간 구월산에 근신시켜두었다가, 삼남 쪽으로 내려갈 상단을 만들 작정이었다. 북으로는 선흥이와 갑송이가 있으니 또한 염려 될 바가 없을 듯하였다.

이튿날 새벽에 학선이네 패거리들은 행상의 차림으로 송도를 떠났다. 벽란나루를 건너 연안으로 해서 삽교에 이르기까지는 관복을 꺼내 입지 않을 작정들이었다. 그들은 부담을 얹기에는 호화스러운 백마 한 마리를 끌고 갔는데 행인들이 보기에도 장사치들이 백마에 다 짐을 올려놓은 꼴이 이상한 모양이었다. 말의 장식은 떼었으니 꾸며놓기만 하면 훌륭할 것 같았다.

드디어 삽교를 지나 석장승에 이르렀다. 그들은 길에서 내려가 숲속으로 들어갔다. 보따리 속에서 온갖 변장할 옷이며 무기들을 꺼냈다. 학선이는 주립을 쓰고 홍철릭을 걸쳐입었다. 부하들도 한 놈은 나장, 그리고 나머지 넷은 나졸로 차림새를 바꾸었다. 금부도사로 변한 학선이가 백마에 올라앉았고, 그 뒤를 나장이 거느린 네 명의 나졸들이 따르는데 지나던 사람들은 모두 그 위엄스러운 행렬에서 비켜났다. 그들은 해주 군관이 나와 있는 우름내(泣川) 쪽으로 다가들고 있었다. 학선이 일행이 우름내를 건너니 마침 나와 있던 군관이 금부도사의 행차를 보고서 놀라 뛰어와 군례를 드렸다.

"원로에 수고가 많으십니다."

"오냐, 너희 감영은 아직 멀었느냐?"

"해운정이 바로 저희 송별하는 곳입니다. 우름내서 성내까지가 삼십 리 되겠습니다."

"안전(案前)께서도 무고하신가?"

"평안하십니다."

백마 위에서 군관과 수작을 나누는 학선은 의연하고 빈틈이 없었다. 그들은 주내방을 지나서 순명문(順明門)을 향해 나아갔다. 이미 주내방을 들어설 때부터 금부도사가 해주에 떴다는 전갈이 관아로 득달같이 들어갔고, 도사가 감영에까지 온다는 것은 즉 역모에 관한 형옥이 있다는 사실을 의미했다. 역모에 관련된 자를 한양으로 압송하기 위해서 금부도사가 출현하면, 아무리 관찰사라 할지라도 그가 지목하는 죄인을 잡기 위해서 군졸들의 지휘를 맡기게 되는 것이었다. 그들이 순명문 앞에 당도하자 미리 전갈을 받았던 중군(中軍)과 형방 비장이 나와 있었다. 그들은 군영 옆의 객사(客舍)로 안내되었다. 형방이 죄수 압송장과 의금부의 공문서를 받아 관아로 들어갔다. 관찰사의 밑에는 정삼품의 목사(牧使)가 있었고 종사품의 무관 만호(萬戶) 등이 있게 마련이었다. 그리고 감영에도 도사가 한 사람씩 있어서 지방 관리들의 규찰을 맡아보았다. 해주감영의 도사가 객사로 학선이 일행을 찾아왔다.

"처음 뵙겠소이다."

학선이는 이미 그에 대해서도 뒷조사를 해두었는지라 서슴지 않고 말하였다.

"안녕하시오. 외직이 어떠하오?"

"한양에 가고 싶소이다."

학선이가 미리 해주도사의 입을 막아놓느라고 한마디를 찔렀다.

"들으니 동관께서는 현령(縣令)을 지내셨다니 치민(治民)도 잘 아시겠구려. 요사이 일반 백성들 중에 불충한 생각을 품는 자들이 있다 하오."

"허허, 제가 현령이었다는 것은 또 어찌 아시오? 의금부에 계신지 얼마 안 되셨을 터인데……"

"예, 형조에서 좌랑(佐郎)을 하다가 지난 가을에야 올랐습니다."

학선의 말을 듣고 난 해주도사는 다소 가볍게 여기는 눈치로 변하였다. 이제 막 정육품 좌랑 벼슬에서 종오품 도사로 순서를 밟은 신출내기이기 때문이었다. 눈치를 채고서 학선이가 말하였다.

"환로에 오른 지 여태껏 형옥에 관한 일만을 하여 사헌부와 형조와 의금부에서는 저를 모르는 사람이 없소이다. 이번에는 어명을 받잡고 역모에 가담한 것으로 알려진 두 죄인을 압송하러 내려왔소이다."

학선이의 어명이란 말이 떨어지자 도사는 갑자기 얼굴이 굳어졌다.

"압송장의 내용에 본즉 이미 장계를 통하여 신원이 알려졌다는데 어떤 자들 말씀이오?"

"그자들은 형조에서도 파악한 바와 같이 지금 감영 옥에 갇힌 우대용이라는 자와 임춘삼이라는 자요."

"예, 저두 대략 보아 알고 있습니다."

"서울에 압송하여 판의금과 각부 판사 지사 대감들을 모시압고 추국을 열라는 지엄한 분부를 받잡고 왔소이다."

"지금 형옥이 일어나고 있소이까?"

"그렇소, 하루가 급합니다. 내일 사또께 현신하여 말씀드리고 곧 압송 거행할 테니 동행을 바라오."

길산이 독칸에 갇히고 나서야 그곳에 갇혔던 자가 자기의 이름으로 처형되었다는 것을 알았다. 송도 박대근이 우선 길산의 목숨을 살려놓기 위해서, 옥사장에 돈을 쓰고 대시수(待時囚)로 바꾸었던 것이다. 봄까지 자기의 집행이 연기되었음을 알았으나 길산은 별로 기쁜 마음이 아니었다. 그는 감옥 안에서 비참하게 죽어가는 백성들의 피나는 사연을 알았고, 혼자서 차입되는 음식을 먹으며 편히 지내는 것이 몹시 괴로울 뿐이었다. 할 수만 있다면 감영 옥을 모두 깨뜨리고 갇힌 사람들과 함께 먼 북방으로 달아나고 싶기도 하였다. 어쨌든 그는 옥에서 생각이 많이 자라났다. 만약에 바깥세상에 나가더라도 제 일신을 버려, 좋은 세상을 만드는 공부를 하리라 작정하였다. 그는 자기가 얼마나 무력하고 어리석은가를 깨달았던 것이다. 보통 때처럼 저녁이 끝나고 비교적 바람이 들이치지 않는 구석의 짚덤불 속에 몸을 파묻는 중인데, 바깥에서 발걸음 소리와 불빛이 가까워졌다. 그는 재빨리 일어나서 칼을 목에 걸고 쇠를 채웠다. 그에겐 차꼬를 벗는 것이 허락되었으나, 지금 이러한 시각에 옥을 방문하는 자가 있다면 틀림없이 옥사장보다도 높은 관리일 것이 분명했기 때문이다. 아니나다를까 전립을 쓴 머리가 다가오고 있었으며 그 뒤로 옥졸과 옥사장에 둘러싸인 산발한 죄수가 끌려오고 있었다. 길산은 어둠속에서 눈을 빛내며 바깥을 살펴보았다. 끌려오는 죄수는 다른 자가 아닌 회자수 우대용이었다. 형방이 옥내를 들여다보면서 말하였다.

"이 자가 임가가 틀림없으렷다?"

"틀림없습니다."

"우가와 임가를 함께 가두어두고 철저히 감시하라. 내일 한양으로 압송하랍시는 도사 나으리의 엄명이시다."

쇳대 풀리는 소리가 들리고 칼과 차꼬를 찬 우대용이 안으로 떼밀려 들어왔다.

"두 명씩 교대로 지키게 하여라."

그들이 멀어져갔다. 우대용이 길산이 옆에 털썩 주저앉으며 속삭였다.

"허허, 이제 대시수로 되어 탈옥할 날을 기다렸더니 한양으루 끌려가면 꼼짝없이 죽었수. 박행수도 나라님이 아닌 바에야 용뺄 재주가 없을 게야."

길산은 옥문 앞에 입초를 선 수직 옥졸에게 눈을 주고 나서 소곤거렸다.

"감영서 한양으로 이송하는 꼴이, 틀림없이 중대한 형옥이 일어난 모양이오."

"헌데 하필이면 또 노형과 나란 말이우?"

"그 참 이상하군. 나는 지금 장길산이가 아니라 살인한 임가라는 사람인데 압송당할 까닭이 없습니다."

길산과 대용이 그렇게 수작을 나누는 중인데 기침소리가 들려왔다. 내다보니 옥사장이었다. 그는 부드러운 어조로 길산이를 찾고 나서 두 사람의 수직 군사를 잠깐 비켜나게 하였다.

"장총각, 이거 안되었네. 내 자네에게 부탁이 한 가지 있어 왔구먼."

"내게 무슨 부탁할 게 있겠소."

"다름 아니라, 내가 바깥의 부탁으로 자네를 당장 집행당하지 않게 하노라구 대시수를 대신 집행하도록 주선했었네. 그래서 자네가 임가 성 가진 살인자가 되었더니 이제 한양서 큰 형옥이 일어났는데, 공교롭게도 그자의 이름이 나온 모양일세그려. 만일 죄수가 바뀐 것이 알려지면 나는 끝장일세. 아무래두 죽을 목숨이니 산 사람께 선심 좀 쓰소."

"아무리 목숨이 초개 같은 팔자라 하나, 대장부의 신의가 있수. 옥사장이 나를 잘 돌봐주었거늘 내가 무슨 억하심정으로 옥사장을 찌르겠소이까. 염려 마시우. 내 임가라는 백성의 이름으로 죽으리다."

길산이 까다롭게 굴지 않고 선선히 옥사장의 청을 받아들이자 옥사장은 연신 허리까지 구부렸다.

"장총각, 고마우이. 우리 소리(小吏)들이야 자네들께 무슨 포한이 있었겠나. 다 먹고 사느라구 돈냥두 받구 그랬지."

"내 가진 것이 있으면 더 남기고 가고 싶지만 빈손이오그려."

옥사장도 가난한 백성의 한 사람인지라 곧 목이 메었다.

"뭣 청할 것이 있으면 말허게. 내가 어떻게든 들어줌세. 계집이라두 넣어주겠네."

하자마자 우대용이 목에 쓴 칼을 휘둘러 옥문 창살을 후려치면서 고함을 질렀다.

"얼른 비켜라! 이 쥐새끼……"

"우서방, 좀 참으시우. 아무려나 죽을 놈들이 남에게 섭섭허게 대하여 뭣 한단 말이오."

길산이가 우대용을 말리면서 옥사장께 말했다.

"고맙소. 계집은 그만두고 술이나 한 동이 들여주오."

"그러지. 셋이서 이별주라두 나누세."

옥사장이 총총히 사라지고 씩씩거리는 우대용에게 길산이 침착하게 물었다.

"노형은 어째서 노여워하시우?"

"산 놈들이 간사하기가 망하는 나라의 환관보다 더하오. 제놈이 일찍이 우리를 빼주리라 해놓고서는 돈냥을 얼마나 처먹었소이까. 이제 우리가 한양 올라가면 죽는 것보다도 금부의 잔혹한 형국을 받을 것이 더욱 끔찍한 터에, 제 발밑 걱정이나 하노라구 궁지에 몰린 사람들을 놀려대니 화가 안 나겠소."

길산은 손을 더듬어 우대용의 손목을 잡고 한 손으로 그의 손등을 가볍게 두드렸다.

"진정하시구려. 내가 성을 갈면서까지 대시수가 되는 것을 원했던 것은 노형과 똑같은 심정이었소. 어느 땐가 탈옥할 기회가 찾아올 줄 알았소. 이제 곰곰 생각해보니 구차한 목숨을 붙이려고 몸부림쳤던 것 같소이다. 딴에는 보다 대장부다운 일을 하리라고 마음먹으면서 더욱 살고자 했으되, 다른 죄수들의 정상을 보니 너무 욕심이 많았지요. 이제 섭섭한 마음 없이 불경이나 외우면서 한양으로 끌려가겠소이다. 저 옥사장은 한갓 가난한 소리에 지나지 않으니 우리들로 하여 처자가 배를 불렸다면 또한 얼마나 다행스런 일이오."

우대용은 한숨을 길게 내쉬더니 주먹 같은 눈물을 주르르 흘리고는 고개를 위로 치켜들었다.

"내 살아 나간다면 꼭 신복동이를 단숨에 때려죽이리라!"

"술이나 먹고 잠을 푹 자둡시다. 내일 길을 걸을려면 기운이 남아돌아야지."

"죽기를 감수하겠단 사람이 기운은 남겨서 뭣에다 쓸라우?"

"글쎄 혹시…… 우리가 길에서 놓여날지 누가 안단 말이오?"

"무슨 낌새를 잡았소?"

길산은 대답 없이 익숙한 솜씨로 차꼬와 칼을 벗어서 손 닿기 쉬운 곳에 세워놓았다. 우대용이 침을 삼키면서 다시 한번 거칠게 물었다.

"놓여날 방도가 있단 말이우?"

길산은 목소리를 낮추어 중얼거렸다.

"한번 생각해보시오. 어딘가 그럴듯하지만 이치에 맞지 않는 점들이 있단 말요. 두 가지로 생각할 수가 있소."

"뭐가 두 가지요? 우리가 한양에 끌려가면 죽거나 아니면 귀양 가는 일 말이우?"

"그런 말이 아니라, 우리가 내일 옥 밖으로 끌려나가면 그것이…… 탈옥일지도 모르겠소."

길산의 속삭이는 말에 대용은 어이가 없는지 입을 딱 벌리고 눈망울을 크게 번뜩였다. 길산은 계속해서 말하였다.

"너무 믿지는 말고 내 이야기를 가벼이 들으시우. 죽고 사는 일을 담담하게 생각하고 보면 전혀 탈옥의 가망이 없는 건 아니니까. 뭔가 이상하지 않소? 노형이 한양에 아는 벼슬아치가 있을 턱이 없고 또한 물꼬를 시비로 동리 사람을 쳐죽인 임가란 자 역시 천출 농민이니 한양의 형옥에 관계가 닿을 리가 없소."

"그건 그렇군."

하면서 우대용은 그제야 고개를 끄덕였다.

"금부도사가 감영에 내려온 것은 필시 역모에 관한 옥일시 분명하외다. 헌데 우서방은 임가를 아시우?"

"전혀 모르우. 어떻게 생겼는지두 모르겠수."

"그것 보시오. 내가 임가를 대신하여 대시수로 급한 행형을 모면한 것이나, 노형이 회자수가 되어 참수형을 일시 모면한 것은 우연히 그리된 것이 아니라, 송도 박행수의 입김 때문이었소."

우대용은 재빠르게 속삭였다.

"어, 이제 생각나는군. 노형 대신에 내가 얘기하리다. 이제 또한 역모에 관련되어 우리가 한양으로 압송을 가게 되는 것 역시 우연이 아니라……"

"쉿, 누가 오는군."

그들은 입을 다물었다. 옥사장이 옥졸에 들린 술동이와 안주 찬합을 마련해서 옥 앞에 왔기 때문이다. 길산이 말하였다.

"답답하여 잠시 칼과 차꼬를 벗었소이다."

"어, 괜찮애. 우서방두 벗지 그러나?"

"내 것은 새 것이라 손에 익질 않소이다."

옥사장이 창살 안으로 손을 내밀면서 말했다.

"이리 가까이 대게나. 벗겨줄 테니까."

그는 대용의 칼과 차꼬를 차례로 벗겨주었다. 술동이에서 탁주를 한 표주박 그득히 퍼서 먼저 길산이에게로 내밀었다. 길산은 단숨에 마셨고 옥사장이 말하였다.

"송도서 무슨 기별 없는가?"

"전에 밥집을 대어준 뒤로는 통 소식이 없소이다."

옥사장이 혀를 찼다.

"감옥 뒷바라지란 부모 처자식 간에두 죽을 사람은 버리게 되는 법이지."

우대용이 술잔을 건네받으면서 옥사장에게 물었다.

"헌데…… 경비하는 나졸은 몇이나 됩니까?"

"아까 객사 앞에서 보니 나장까지 합쳐서 다섯이더군."

"까짓 여차직하면 때려죽이구 달아나야지."

옥사장이 교활한 웃음을 흘리면서 말하였다.

"그러게나. 자네들 기운이라면 호젓한 산길 같은 데서 열 놈인들 못 해내겠나. 그래 어디쯤으루 달아나게……"

길산이 짐짓 대답하였다.

"고향이 해서도이니, 삼남으루 내칠지 모르겠소. 허나 십중팔구는 한양에 갈 게요."

두 사람은 옥사장이 특별히 들여준 술을 마시자 한기가 훨씬 덜해졌다. 짚덤불을 뒤집어쓰고 누워서 그들은 하지 못했던 얘기들을 나누었다. 길산이 말하였다.

"박대근이란 사람이 일을 엄벙뗑하는 사람이 아니외다. 밥집을 대어주고 옥사장에 뇌물까지 쓰던 사람이 일시에 소식을 끊을 리가 없소. 원래 송상들이란 허투루 돈을 쓰는 사람들이 아닙디다. 일에 조리가 있고 꼼꼼하게 마련이지. 한양서 형옥이 있어 우리가 끌려가게 됨을 모를 리가 없을 터이고…… 아니면 그가 빼내어가는지두 모르겠소."

"이야기가 그럴듯은 하오만, 우리 뱃놈들은 풍랑을 겪어놔서 저밖에는 아무도 믿지를 않습니다. 좌우간 적당한 곳을 만나면 힘을 합쳐 달아납시다. 둘 중에 하나라두 살겠지."

"자, 이젠 눈을 좀 붙여볼까?"

그들이 취기를 빌려 잠을 청하는데, 사방의 감옥 속에서는 춥고 굶주림에 떠는 죄수들의 신음소리가 간간이 들려오고 있었다. 턱에 받친 신음소리가 밤새껏 들려오는 듯하였다. 한밤중에 북풍은 거세게 불었고, 아귀가 어긋난 문틀과 지붕에서 들리는 삐걱이는 소리에 한빙지옥이 지상으로 올라온 것만 같았다.

갑자기 옥 안이 훤해졌다. 어렴풋이 잠이 들었던 길산은 실눈을 뜨고서 옥 창살 바깥을 내다보았다. 사방등을 치켜든 무장의 융복자락이 불빛에 울긋불긋 드러나 있었다. 그는 들으라는 듯이 큰 소리로 외쳤다.

"졸지 말고 엄중히 경계하라. 두 역적들을 놓치거나 무슨 짓을 하게 한눈을 팔았다간 모두 어육을 면치 못하리라!"

밖에서 수직하는 군사들의 굽신거리는 그림자들이 어른거렸다. 안을 들여다보던 나장이 역시 큰 소리로 호통을 친다.

"누가 임가고 누가 우가냐?"

깨어난 길산이 귀찮다는 듯이 대꾸했다.

"내가 임가요."

그때 나장은 참으로 이상한 동작을 하는 것 같았다. 손을 안으로 내밀어 가까이 오라는 듯 끄덕거렸던 것이다. 길산은 믿기지 않는 채로 엉거주춤 일어났다.

"아니, 이런 천하에 고얀 놈들 보았나. 어째서 저놈들이 칼과 차꼬를 벗고 있느냐? 내 손수 채워두어야겠다."

나장은 그렇게 외치면서 연신 손짓을 하는 것이었다. 길산이 어기적대면서 그러나 마음은 급하여 거의 깨끼발걸음으로 다가서는데, 그의 손안에 뭔가 종이를 쥐여주고 난 나장은 길산이 둘러쓴 칼의 자물쇠를 잠그는 체했다.

"네 이놈, 내일 아침 도사어른께서 잠시 국문을 벌일 것인즉 이실직고하지 않고서 애를 먹이면 압송은커녕 예서 물고장을 낼 터이다. 알아듣겠느냐?"

"예……"

길산이 날카로운 눈을 들어 나장을 자세히 들여다보는데 나장은 눈을 끔쩍인다. 그러고는 날쌔게 손을 뻗쳐 길산의 턱을 밀어붙이니, 스스로 차꼬를 차고서 다리가 자유롭지 못한 터이라 길산은 나무등걸처럼 뒤로 나가떨어졌다.

"어, 대매에 때려죽일 역적들 같으니!"

투덜대면서 나장이 사라진 뒤에 길산은 땀에 젖은 손을 펴서 꼬깃꼬깃한 종이쪽지를 펴들었다. 그것은 상단의 체장(貼紙)이었는데, 行首 朴大勤이란 서명이 씌어 있었다. 송도 임방에서 나온 행상 증서였고, 길산이 비록 글을 모른다 하나 낯익은 것이었다. 곁에서 잠이 깨어 일어났던 우대용도 그것을 함께 들여다보며 기뻐했다.

"송도 체장이로군! 그러면 그렇지."

"저 나장이 우리에게 이것을 알리려는 연유는, 혹시 국문할 때에 우리가 일을 그르칠까 염려해서요. 잘 생각해서 해냅시다."

길산이 말하였고, 우대용도 잠들 생각을 잊고 벽에 기대어 앉아 못내 감탄하는 것이었다.

"대근이 성님이 보통 사람이 아니란 것은 알구 있었지만, 참으로 천하의 대장부로군!"

"자, 일찍 자둡시다. 내일은 먼 길을 걷게 될 것 같소."

그들은 짚더미에 몸을 파묻고서도 못내 잠이 오질 않았다. 길산은 아버지와 갑송이의 얼굴을 떠올렸고, 재인촌의 낮은 돌담이며 광대산 솔숲이 눈에 어른거렸다. 그러고는 탐스럽게 피어난 박꽃 같은 묘옥의 희고 둥근 얼굴이 나타나는 것이었다. 그녀의 젖은 눈동자와 벗은 가슴이며 젖무덤 사이의 연비(聯臂) 자국까지 생생하게 떠올랐다. 물동이를 머리에 이고 까막내의 자갈길을 걸어가는 묘옥의 뒷모습을 보고 길산은 큰 목소리로 외쳐 불렀다. 묘옥은 한번 살짝 고개를 돌려서 바라보고는 재빠른 걸음으로 멀어졌다. 길산이 온 힘을 다해서 부르짖으며 따라갔는데, 묘옥은 점점 멀어지더니 고개를 넘어서 자취를 감추고 말았다. 빈 길 위에서 허덕이면서 길산은 그 자리에 주저앉고 말았다. 묘옥이 다시 고개 끝에 나타났고, 길산은 또 뛰어 쫓아갔다. 그러나 그는 끝내 묘옥의 옷자락도 잡을 수가 없었던 것이다.

"묘…… 묘옥…… 묘옥이……"

길산이 눈을 떴을 때 그의 눈가에 번져내린 눈물이 뺨을 타고 귓가로 흘러내려왔다. 길산은 또렷해진 눈을 들어 부옇게 밝은 옥 바깥을 내다보았다. 눈송이들이 탐스럽게 나부껴 내리고 있었다. 팔랑거리며 날아든 눈이 감옥 창살 앞에 소복이 쌓여 있었다. 그 빽빽한 눈보라 속에서 문득 묘옥의 자취를 본 듯하여 길산은 상반신을 일으키고 창살 앞으로 다가갔다. 그는 창살을 두 손에 움켜쥐고 애타게 하늘 저 끝을 내다보았다. 눈, 끝없이 날아 내려앉는 눈송이의 떼가 맞은편 돌벽을 지나칠 적마다 흰 자태를 드러내는 것이었다. 그것은 묘옥이 아니라 무심하게 흩날리는 눈보라였다.

"눈이 오는군……"

어느 틈에 깨어난 우대용의 굵다란 목소리가 등뒤에서 들려왔고, 길산은 흠칫 몸서리를 쳤다. 길산은 창살을 잡고 앉아서 아무 생각도 없이 바깥을 내다보았다. 그에게는 놓여난다는 일이 실감이 나질 않았다. 얼마나 그리던 바깥세상인가마는 그의 가슴속에는 곁에서 소리 없이 죽어간 수많은 죄수들의 넋건이해주던 자신의 창소리가 꽉 들어차 있는 듯하였다.

"나는 무거운 짐을 짊어졌고나!"

라고 그는 스스로에게 속삭였다.

"온 세상의 옥을 모두 깨치리라. 아니면 나가지 않느니만 못하다."

길산의 눈에는 다시 눈물이 괴었다.

옥졸들이 부산하게 오락가락하고 나서, 선명한 융복이 마당을 가로질러 다가왔다. 칼 차고 주장을 치켜든 나장과 그들을 감영 선화당 앞에 끌어갈 군사들이었다. 옥사장이 맨 앞에서 다가서더니 옥문을 열었다. 차꼬와 칼을 쓰고 기다리던 길산과 대용은 둔한 동작으로 옥문을 나섰다. 나장이 주장대 끝으로 그들의 등을 쿡쿡 찔렀다.

도사 학선은 관찰사가 선화당으로 나오기 전에 찾아가 현신하고서 죄수를 압송해가는 이유를 아뢰어야만 했다. 그러자니 자연히 조정의 분위기를 은밀히 꺼내놓지 않을 수가 없었다. 관찰사는 주위를 모두 물리고 학선이와 마주 앉았다.

“그래 이번 형옥이 그다지도 큰가?”

“예, 위로는 당상관 이상에서 아래로는 저들과 같이 상놈들도 있는데 팔도에 두루 미쳐 있습니다.”

“허허, 천인공노할 노릇이다. 요즘같이 성은이 두터운 태평성시에 어찌 모반의 무리가 조정에까지 스며들었단 말인가.”

“이번에 귀도에서 압송해가려는 두 놈은 서북 변방에 나가 있는 몇몇 첨사와 만호에 기맥이 닿고 있어 몹시 중대합니다. 무장들인만큼 일찍 알아내어 포토하지 않으면 거병할지도 모르옵니다. 그래서 이번 압송의 일을 비밀로 하여 백성들이 모르게 하였으면 좋겠습니다. 소문이 나면 역적들이 일이 틀린 줄 알고서 북방을 소란하게 할 테지요.”

“그렇겠지. 내 다 좋은 수가 있네. 그 관복들을 벗고 하인배 차림으로 가되, 우리 아이들을 내어줄 테니 교자를 내어 두 놈을 태워가면 어느 댁 내실 행차인 줄 알 걸세.”

“참으로 묘한 생각이십니다. 그러면 국문이고 뭐고 할 것 없이 사또께 보이고 그대로 떠나겠습니다.”

“그래, 헌데 내가 판의금 대감과 병조판서와 내 동문인 지의금과 승정원의 도승지 되는 이들에게 작은 선사품을 보낼까 하니 전달해주겠는가?”

“예, 틀림없이 알아 거행하겠습니다.”

“판의금께서는 지금도 목멱산 아래 계시는가?”

“아니옵니다. 지난 가을에 작은댁마님께서 돌아가신 뒤에 집터가 불길하다 하여 사직골 쪽으로 이사하셨습니다. 사또, 이번 저희 판의금 대감께서 병조판서 대감과 아주 긴밀한 사이가 되신 것을 모르시겠지요?"

"긴밀한 사이라니…… 뭔가?"

"예, 이번에 두 분은 서로 사돈을 맺으셨습니다."

"음, 거 참 경사로군. 그런 경사를 알고서도 내가 모른 척할 수야 있나. 진물을 보내드려야겠군."

원래 외관이란 삼 년씩이나 조정을 떠나 있으니, 요즘처럼 세력의 판도가 조변석개하는 때에 어느 쪽이 유리한가 모르는 관찰사로서는 서울 소식을 통기하는 사람이 올 적마다 꼬치꼬치 물을밖에 도리가 없었다. 학선이가 대강 알고 있는 대로 낱낱이 아뢰니, 관찰사도 근래에 들었던 소식을 확인하고 다시 새로운 소식에 접하였다.

"아뢰오. 죄인을 선화당 아래 꿇려놓았습니다."

문밖에서 해주도사가 말하는 소리가 들렸다.

"음, 곧 나가겠다. 그리고 곧 교자 두 채를 준비하고 날래고 걸음 잘 걷는 군사 십 인을 평복으로 나오게 하여라."

"교자 두 채와 평복 군사 십 인을 대령시키겠습니다."

관찰사는 관복을 입고서 뜨락을 건너 선화당에 올랐다. 학선이는 날카롭게 두 죄수의 인상을 훑었다. 박대근에게서 설명을 들은 대로 하나는 얼굴이 새카맣고 털이 없는 우가요, 또 하나는 갸름하고 가뿐한 몸매에 눈이 어글어글하고 수려하게 생긴 장가라는 자가 틀림없었다. 관찰사는 선화당 마루에 앉아 있었고 학선이는 계 아래 부복해 서 있었다.

"고개를 들어라."

"고개를 들랍신다!"

관찰사의 하명을 받아서 나졸들이 사릉장을 들어 두 사람의 턱을 치켜올렸다.

"용모파기(容貌疤記)를 올려라."

해주도사가 압송장과 함께 들어 있던 용모파기를 내어밀어 올렸고 관찰사는 거기 적힌 인상에 대하여 알아보려는 듯이 찬찬히 훑어보았다. 교자를 멘 네 사람과 무기를 감춰 가진 여섯 사람 합해서 열 사람의 군사가 선화당 앞에 이르렀다. 관찰사가 다시 명하였다.

"국문은 폐하고, 모두들 이번 압송의 건은 나라에 중요한 옥송이 일어났으니 절대로 함구하여 소문이 나지 않도록 해두어라."

모두들 허리를 구부렸고, 학선이가 가까이 다가서며 아뢰었다.

"사람이 많으면 오히려 남의 눈에 띄기가 쉽고, 또한 노중에 경비만 낭비하게 되는 셈입니다. 제가 데려온 나졸들로 충분하오니 교꾼 네 사람 외에는 모두 물려주시옵소서."

"아니다, 본도에서 압송해 올라가는 중죄인들을 소홀히 다루어 보낼 수는 없다. 의금부에서 죄인 인수를 확인해주어야 할 것이니 아무래도 우리 무장이 필요할 것이다."

곁에 섰던 중군이 아뢰었다.

"사실 너무 지키는 자가 많아도 번거롭습니다. 그보다는 무예가 뛰어난 날랜 무사 두 사람만 차출하여 경비를 맡기는 것이 나을 듯합니다."

"음, 그게 좋겠군. 아뢴 대로 하라."

학선이가 깊숙이 예를 올렸다.

"이만 물러가겠습니다. 한시라도 빨리 한양에 닿아야겠기에, 관례를 일일이 찾아 거행치 못하는 죽을 죄를 지었습니다."

"오, 괜찮다. 봉물은 틀림없이 가는 대로 자네가 직접 전하여라."

"분부대로 관복을 벗고 내실 행차를 가장할까 하옵니다."

"어서 출발하라."

학선이는 우선 두 죄수의 칼을 벗기고 그 대신에 붉은 오라로 두 팔을 꽁꽁 묶게 하고 차꼬는 그대로 채워둔 채 가마에 오르게 하였다. 그들은 선화당을 물러나와 객사에 들러서 감영에서 준비해준 평복을 갈아입었다. 학선이는 갓에 도포 차림의 선비로, 나장은 수노로, 그리고 나머지는 모두 구종배로 붙이었다. 잠시 후에 역시 갓과 도포 차림의 젊은 장교 두 사람이 환도를 손에 들고 나타났다. 그들은 학선이에게로 찾아와 군례를 드렸다.

"군례는 차후로는 절대로 하지 말라. 그리고 집안의 어른에게 대하듯 하면 되느니라. 너희는 두 교자의 양쪽 옆을 호위하고 나졸들은 봉물을 지키게 하여라."

이르고서 학선이는 타고 왔던 백마에 올라 천천히 성문을 나섰다. 누가 보기에도 양반댁 내실이 친정에 나들이라도 가는 모습이었다. 학선이는 행렬의 뒤에서 천천히 말을 몰아 좇아갔다. 나장으로 차렸던 아귀쇠가 뒷전으로 처지더니 그의 말께로 다가와 나란히 걸으면서 낮은 소리로 말하였다.

"성님, 어떻게 할깝쇼?"

"아직 너는 나장임을 잊어선 안 돼, 이 녀석아."

"저는 정말 밤새 불알이 저려서 영 고자가 되는 줄 알았습니다. 감영 객사에서 칼 차고 호령하기는 또 이번이 처음이올시다."

"이놈아, 이번에는 어사또보다두 서품이 아래고 연습까지 했는데 무엇이 그리 어렵더냐?"

학선이가 나장을 손짓하여 더욱 가까이 오도록 하였다.

"우리가 어디쯤 가서 중화를 하겠냐?"

"가만있자, 예서 연안까지가 일백이십 리 아니우? 하룻길이니 청단(靑丹)서 중화를 하면 맞춤하겠네."

"그렇지, 청단서 바루 코앞이 세여울(三灘) 아닌가. 청단하구 세여울 사이에서 저놈들을 떼어버리자."

나장이 걱정스러운 듯이 목덜미를 움츠렸다.

"헌데 성님, 환도 한번 잡아보지 못한 사람이 어찌 저 범 같은 무장을 해치울랍니까? 더구나 교꾼들은 모두 조련받은 군사 아니우."

"내가 시키는 대루만 하여라."

하면서 학선이가 말께서 상반신을 굽혀 나장의 귓가에 뭐라고 잠깐 속삭였다. 나장이 듣고 나자 껄껄거리며 웃음을 터뜨렸다.

"아귀쇠야, 대처 건달이 주먹 가지구 도모하는 법 보았느냐. 송도 학선이가 까짓 장교 나부랭이와 붙을 수야 없지."

"성님 말이 참으로 지당하오!"

두 사람이 뒤에 처져서 낄낄거리는 양을 보고 가마의 양쪽 옆구리를 호위해 가던 해주 장교 중의 하나가 걸음을 늦추었다.

"나으리, 무슨 일이십니까?"

"음, 아니다. 나장이 재담을 하였기로 웃는 중이다."

"오늘 저녁은 연안 객사서 묵으셔야죠?"

"그래 그래, 행자에서 너희들 여비를 두둑이 내어 술값을 줄 터이니 민박이나 나가거라."

"아이구 나으리, 군무 중에 음주하여도 되겠습니까?"

"너희들은 공연히 한양까지 원행을 하는 것이니 필요 없이 고생할 건 없지 않느냐? 밤 수직은 우리 나졸아이들에게 엄히 서도록 하겠다."

해주 장교가 제 동료에게 의금부 도사의 분별 있는 처사를 칭송하였고, 그들은 자기네를 뽑아낸 중군을 원망하였다. 우름내를 건너 석장승으로 나가는데, 눈길이 험하여 청단까지 시간이 많이 지체되었다. 그들은 청단골서 관창(官倉) 부근의 주막에 들어가 국밥을 시켜 요기를 하였다. 학선이가 나졸 한 사람에게 지시하기를,

"죄인들에게도 한 그릇씩 먹도록 해주어라. 원래 우리들 대궁밥이나 주면 주고, 말면 말게 되어 있지마는 아무리 역적놈들이라 하나 인정이 그럴 수 없는 것이다."

길산이와 대용이에게도 국밥이 돌아갔는데 그들은 오라를 졌으므로 나졸이 한 사람씩 맡아서 일일이 떠먹여주어야 했다. 나장과 겸상하고 있던 학선이가 넌지시 말하였다.

"우리가 떠난 다음에 뒤미쳐서 오너라. 그리구 상 밑에 그것이 있으니 얼른 수습해 넣고……"

중화를 대강 마치고서 행장을 수습하여 주막을 떠나려는데, 나장이 나졸에게 짐짓 큰 소리로 투덜거렸다.

"에이, 하필이면 막 떠나려는데 배가 살살 아프구나. 내 일을 보고 급히 쫓아갈 터이니 나으리께서 찾으시면 그리 여쭈어라."

나장은 급한 듯이 되돌아가 뒷간에 그냥 쭈그려앉아서 그들이 멀찍이 떨어져갔을 때쯤하여 나왔다. 그가 주모를 불렀다.

"거, 팔팔 뛰는 화주(火酒)가 있나?"

"예, 있긴 있는데 값이 좀 비쌉니다."

"값은 고하간에 얼른 주게."

"예서 드시구 가실려우?"

"아닐세. 호리병값도 칠 터이니 두 병으루 나누어 주게나."

주모가 술병을 채워서 내밀었다. 나장은 문밖에 나와서 한쪽 병에다가 학선이가 넘겨주었던 비상(砒霜)을 타넣었다. 나장은 병 무늬를 눈여겨보고서 일행의 뒤를 급히 따라갔다. 일행은 눈이 뒤덮인 들판 가운데를 지나고 있었는데 멀리 재령으로 올라가는 삼거리가 보였

다. 거리에는 누구의 것인지 기왓장도 떨어지고 현판도 기울어진 쇠락한 정자 한 채가 서 있었다. 일행은 정자 주위에다 말과 가마를 대어놓고 기다리고 있었으며, 나장이 다가서자 학선이가 역정이 일어난 얼굴로 꾸짖었다.

"무엇 하노라구 이렇게 지체하는가. 압송에 나장이 소홀히 한다면 아랫것들을 어찌 단속하겠느냐?"

"아이구, 점심을 너무 급히 먹었더니 배가 살짝 아파서요."

"세여울서 물이 썰거나 밀리거나 어느 쪽이 건너기 쉬운가도 알아야 하고, 또한 때도 맞추어야 개를 건널 게 아니냐."

나장이 서슴지 않고 웃는 얼굴로 지껄였다.

"제가 다 알아놓았습니다. 주모의 말이 물이 썰면 뻘에 빠져서 도저히 건널 수가 없고, 밀려야만 나룻배가 뜬다고 하옵니다. 아직 밀 때가 아니랍니다."

"허, 낭패로구나."

"물이 밀 때까지 천상 기다려야 될 터인즉, 속이 차면 분명히 병이 들어 앓아눕게 될 것 같습니다. 소인이 미리 다 알아서 이렇게 화주 두 병을 사가지구 오는 길이올시다."

"안주는 있느냐?"

학선이가 좀 누그러진 어조로 말하니 나장이 말께로 가서 부담롱을 내리고 찬합을 꺼내었다.

"육포에 홍합말림에 아주 그럴듯합니다."

학선이가 정자에 앉아서 화주 한잔을 드는데, 과연 설경 가운데 앉은 풍류가 그럴듯하였다. 시조도 흥얼대고 무릎도 치면서 학선이가 취흥을 돋우니 누 아래 섰는 사람들도 속이 떨린데다 점심참에 막걸리 한 사발 들이켜지 못했으므로 저절로 침들이 넘어갔다. 호리병 반 병쯤이나 좋이 비우도록까지 학선이는 아무에게도 한잔 건넬 생각을 않았다.

"커어, 이렇게 수려한 산천에 좋은 술에 참으로 기생년만 있다면 개골산이 따로 없겠구나."

한 잔 놓고 한참씩 지껄이고 두 잔 놓고 감탄하는데, 아무리 아랫것들이라 해도 은근히 부아가 치밀게 되었다. 학선이가 드디어 제 잔을 허공으로 치켜들면서 말했다.

"자아, 이 좋은 감흥을 혼자서만 누려도 정말 취흥이 아니니라. 그렇지, 나장은 한잔 들라."

나장이 소매를 붙잡고 나와 한잔 받아 돌아서서 들어붓는데, 아주 맛나게 입맛을 다셨다. 해주 장교들도 이제나저제나 기대를 하는 판인데, 학선이가 술잔을 내밀었다.

"오, 내가 자네들을 잊었었구나. 한잔씩 차례로 받게나."

장교가 술잔을 내밀어 술을 받으려는데 병이 비워진 것 같았다.

"그 새 병을 가져오너라."

"첫잔은 사양하겠습니다."

"아니다. 의붓자식이 세상에 젤 서러운 법이니, 내 너희들부터 차례로 한잔씩 돌리리라."

학선이가 술잔을 돌려주는데, 앞서 잔을 받아 마셨던 장교들이 갑자기 두 손을 부들부들 떨면서 가슴을 쥐어뜯다가 쓰러지면서 입과 코로 피를 토해냈다. 교꾼으로 따라온 군사들 중에서 아직 술잔을 들지 않은 셋이 멍청히 그것을 내려다보는 중에 학선이가 소리쳤다.

"덮쳐라!"

기다리고 있던 학선의 부하 나장 아귀쇠가 단도를 빼어들어 한 놈의 등을 찍었고 또 하나는 나졸들의 사릉장에 머리통을 얻어맞았다.

간신히 몸을 빼친 마지막 남은 군졸이 눈이 뒤덮인 벌판을 바라보고 뛰기 시작했다. 아귀쇠가 뒤를 쫓으려는데 학선이는 죽은 장교의 환도를 뽑아들며 말했다.

"내가 해치우지."

학선이가 재빨리 말에 올라 달아나는 군졸의 뒤를 쫓아갔다. 군졸은 연신 뒤를 돌아보면서 뛰는데 워낙 눈길이 미끄러워 넘어졌다가는 다시 일어나 뛰고 또 엎어지니, 얼마 못 가서 학선이가 탄 말이 바로 등뒤에까지 다가들었다. 학선이가 환도를 쳐들었다가 군졸의 어깨에서 아래로 죽 그어내렸다. 핏방울이 튀어오르면서 군졸은 앞으로 고꾸라졌다가 다시 일어났다. 학선이는 말을 몰아 지나 되돌아 달려오면서, 이번에는 군졸의 배를 바라고 힘껏 찌르니 칼을 배에 박은 채로 쓰러지고 만다. 대번에 흘러나오기 시작한 피가 눈을 붉게 적시면서 번져갔다. 학선이는 말에서 내려 잠깐 동안 시체를 내려다보더니 가래침을 돋우어 뱉었다. 그가 칼을 뽑아내어 눈에다 비스듬히 박았다가 몇번 씻어낸 후 발끝으로 눈덩이를 죽 떨어내고는 칼집에 꽂아넣었다. 안장에서 줄을 꺼내어 시체의 다리에다 묶고는 그냥 말 뒤에 질질 끌고 정자로 돌아갔다. 둘은 타살되었고 장교와 다른 군졸은 독살되었으며, 마지막 하나는 칼을 맞고 죽었다. 학선이는 다시 한번 목을 길게 빼어 가래침을 뱉어냈다.

"제길…… 대근이한테 피값을 따루 받아야겠군."

학선이도 오랜만에 사람을 죽이고 보니 그리 좋은 기분이 들 리가 없었다. 그는 손에 묻은 핏자국을 한 움큼 쥔 눈으로 씻으면서 가마를 턱짓했다.

"두 사람을 풀어줘라."

학선의 부하들이 가마 문을 열고 길산이와 대용이를 나오게 하고는 오라와 차꼬를 풀어주었다. 길산은 우두커니 서서 그들이 하는 양을 내려다보았다. 우대용이 기지개를 한번 늘어지게 켜더니,

"고맙소, 용댕잇개 우대용이우."

하면서 인사를 건넸다. 학선이는 대답 대신에 풀려난 두 사람을 힐끗 돌아보았다.

"인사는 나중에 차차 하기루 하구…… 얘들아, 시체를 모두 누마루 위로 올려라."

그들이 시체 수습을 하는데 장교와 군졸은 턱밑에 피를 토해냈으며, 벌써 얼굴에는 푸릇푸릇한 두드러기가 돋아나 있었다. 눈이 부릅떠져 있고, 얼굴은 흉하게 일그러져 있었다. 하나는 아귀쇠의 단도에 등과 옆구리를 찔리고 죽었으며, 다른 하나는 졸개들에게 참나무 사릉장을 머리통에 맞아 골통이 깨어져 있었다. 말에 끌려온 시체를 끝으로, 모두 누마루 위에 쌓아올려진 것이다. 눈 위에 번진 핏자국과 시체는 끔찍해 보였다. 학선이가 말했다.

"정자를 태워버리자."

부시를 치고 불을 살려 유지에 붙인 다음 누마루 위에 던지니, 바람맞이 강변에서 오랫동안 바싹 말라 있던 나무라 곧 옮겨붙었다. 정자는 흰 연기를 올리며 타오르기 시작했다. 그동안 학선이와 졸개들은 어지럽게 번진 핏자국들을 눈으로 덮었다.

"자아, 얼른 피하지."

"어느 쪽으루 갑니까?"

"이 삼거리서 공수원(公須院) 쪽으로 일단 가서 거기서 방향을 정하기루 합시다."

학선이는 우대용의 물음에 그렇게 대답하고서 말에 올랐다. 그들은 걸음을 재촉하여 세여울 삼거리를 떠났다. 드디어 온 정자가 타

오르는지 큰 불길과 연기가 높이 치솟은 것이 멀리서도 보였다. 아귀쇠가 학선이에게 말하였다.

"성님, 임자가 틀림없이 달려올 것인데, 아직 타지 않은 시체를 보면 관가에 고경할 겁니다."

학선이는 웃으면서 고개를 저었다.

"이런 머저리 같으니…… 이놈아, 그 정자의 꼴도 못 보았느냐. 현판도 떨어지고 기왓장도 반나마 부서져 있지 않더냐. 틀림없이 아무도 돌보지 않는 곳이다. 이런 날씨에 불기가 보인다고 그 벌판에 강바람을 쏘이러 나올 놈이 어디 있겠느냐."

대용과 길산은 오랜만에 행보하는 셈이라, 이렇게 훨훨 들판을 가노라니 마치 다시 태어난 듯한 기분이었다. 그들이 장봉산(長峯山) 줄기를 넘을 적에 비로소 보행을 멈추고 일단 한숨을 돌리게 되었다.

"다 타버렸군……"

고갯마루에서 세여울 편을 바라보니 들판 가운데는 흰 연기가 곧게 퍼져 올라가고 있었다. 눈 위로 드문드문 솟은 바윗돌 여기저기에 걸터앉자, 학선이가 먼저 고개를 끄덕여 수인사를 건넸다.

"나 송도 이학선이우."

"문화의 장길산이라 하우."

"우가요."

학선이가 부하들에게 지시했다.

"애들아, 부담롱에서 이분들 의관을 꺼내어라."

곧 패랭이와 의복 일습과 배자를 꺼내어 두 사람 앞에 벌여주었다. 학선이가 말하였다.

"공수원에 이르면 사람들의 눈도 많고 앞으로 먼 길을 가실 테니, 아예 여기서 의관을 갈아입으슈."

"고맙소. 대근이 성님은 어찌 지내시우?"

"여태껏 두 분 때문에 골치를 썩이더니, 이젠 한시름 놓았겠지요."

"송도로 가시렵니까?"

"예, 우리는 그럴 작정이오만, 두 분은 구월산으루 가시우. 그렇게 말하면 어딘지 안다고 그럽디다. 거기서 모두 모이기루 했답디다."

우대용과 장길산이 상투를 틀어올리고 패랭이를 얹고 나서, 의복까지 새것이요 털배자까지 입어놓으니 멀쩡한 원행 나그네 차림이 되었다.

"뭐 병장기 하나씩 가지실라우?"

"필요 없소. 오히려 거추장스럽지."

"공수원서 술이나 한잔씩 걸치고 헤어집시다."

세여울 삼거리에서 공수원까지가 삼십 리 길이었으니 얼마 걷지 않아 인가를 만나게 되었다. 공수원은 배천이나 금천이나 재령, 신천을 오가는 관원들이 묵어가는 관의 객줏집이었다. 마방이 있고 봉노와 큰 방이 여럿 있는 기와집 한 채가 네거리 모퉁이에 지어져 있었다. 원에는 원주(院主)가 있고, 부근에 땅을 주어 그것으로 원을 운영하게 하는 것이었다. 대개는 원주가 중이게 마련이었다. 공수원 원주는 부근에 있는 동고사(東高寺)에 있었으니, 동고사의 중 하나가 나와서 원을 지키고 있었다. 중이 문밖으로 쫓아나오면서 물었다.

"묵어가시렵니까?"

"아니다. 날씨가 추워서 잠깐 기한이나 면할 작정이니, 술을 좀 내오너라."

그들은 아직도 장작불이 아궁이에서 이글거리고 있는 큰 방에 모두 함께 들어가 앉았다. 길산과 대용이 따뜻한 구들에 앉았으려니 실로 쾌적하여 저절로 잠이 왔다. 술상이 들어와 서로 권커니잣거니 하면서 마시는 중인데, 밖에서 소란한 소리가 들려왔다. 떠들고 있는 것은 원을 지키는 중의 목소리인 듯했다. 그들은 처지가 처지인지라 방문을 열고 내다보았다. 중이 또다른 승려 차림의 중을 떼밀어내며 외치고 있었다.

“나가라면 나갈 것이지 무슨 잔말이 많아. 예가 어디 네 따위 것들을 들이는 덴 줄 알아.”

“아니 불자로서 이러한 몰인정한 처사가 어디 있소?”

객승은 누더기의 장삼을 입고 있었는데, 바랑 메고 탁발을 들고 있었다. 그의 뒷전에는 아낙네와 어린 계집아이가 서로 부축하여 서 있었는데, 두 사람이 옥신각신하는 사이에 아낙네가 스르르 미끄러져 쓰러지고 말았다.

“내가 돈을 드릴 테니, 두 사람을 거두어주오.”

“네 따위가 돈이 어디 있단 말이야. 더구나 부처님까지 들먹였으니, 너 같은 보도 듣도 못한 땡중이 어디 와서 야료를 부리는가.”

형편을 짐작한 학선이가 문을 닫으려는데, 길산이 조용히 말했다.

“문 좀 엽시다.”

“예? 왜 그러우.”

“좀 엽시다.”

학선이가 어리둥절하면서 문을 열었다. 길산이가 고개를 내밀고 물었다.

“여보, 우리 나으리께서 무슨 일이냐구 여쭈오.”

중이 돌아서더니, 그 살집 좋은 얼굴에 노기가 등등하여 객승을 손가락질하면서 말하였다.

“허, 이 자가 어디서 걸인 모녀를 데리고 와서 묵어가게 해달라니,

여기가 어디라구 저런 상것들을 들이겠소이까. 양반나리들께 불쾌하게 해드려서 심히 죄송합니다."
하더니 다시 중을 떼밀었다.
"자, 썩 나가지 못해!"
밀려나던 객승이 고개를 들어 그들 일행이 있는 방에다 대고 외쳤다.
"약한 것을 어여삐 알고 가엾은 것을 긍휼히 앎은 사람으로서 상하 귀천이 없거늘, 더구나 백성의 윗자리에 있는 양반들로서 이런 처사를 하신단 말이오?"
길산이 말하였다.
"우리 나으리께서 그 사람들을 안으로 들이랍시오."
"예? 그렇지만……"
"숙박비를 두 곱으로 주신다 하오."
"아이구…… 원주께서 아시면 제가 큰일 납니다만 그렇게 해보겠습니다."
객승이 봉놋방에다 두 모녀를 들여놓고는, 다시 그들의 방 앞에 다가와 합장 배례하였다.
"이런 보시를 하셨으니 전정에 복 있으시기를 기원합니다. 소승 물러가겠습니다. 나무관세음보살."
객승이 등을 돌려 나가려는데 길산이 무슨 생각을 했는지 그를 불러세웠다.
"스님, 잠깐만 보십시다."
돌아서서 나가려던 승려가 발을 멈추고 길산을 바라보았다.
"스님, 추운데 요기나 하고 가시지요?"
"고맙습니다만, 갈 길이 바쁩니다."

길산이 다시 묻는다.

"어디까지 가시는 길입니까?"

"해주까지 가오만, 앞으로 오십 리 길이니 한밤중에야 이르겠소이다."

"저희들도 곧 떠날 작정입니다. 요기를 하셔야 길을 가시지."

두 사람이 수작하는 것을 듣던 학선이가 끙 하고 돌아앉으면서 투덜거렸다.

"이런 망할…… 제 주제를 생각해야지, 낯선 중놈은 끌어들여 무얼 하겠다는 게야."

우대용이 다시 바깥을 내다보더니 기겁을 하였다.

"아니…… 저건 결성 송림방에 있는 중이로군!"

학선이가 우대용을 돌아다보며 눈을 크게 떴다.

"무어라구? 댁네와 안면이 있단 말이지."

하는데, 이미 바랑을 벗어든 중이 방 안으로 들어섰다. 중은 좌중을 향하여 우선 정중하게 합장 배례하고 길산이 손짓하는 자리에 앉았다. 길산이 손수 국과 밥을 퍼서 상 위에 올려놓아주면서 말하였다.

"많이 드십시오. 그래 어디서 오시는 길입니까?"

중이 식사를 하면서 대답하였다.

"예, 온정(溫井)서 옵니다. 자모산을 지나 동여울께서 저 모녀를 만났습니다. 우리는 자주 돌아다니는 고로 유민지배(流民之輩)를 많이 만난답니다."

"스님 계시는 절은 어디길래 몸소 시주를 얻으러 다니시오?"

"송림방 사자암에서 혼자 수도하는 중입니다. 사실은 온정의 어느 부자가 아프다고 해서 부적을 팔러 갔었지요."

길산은 고개를 끄덕였다.

"나두 부적 한 장 그려주우."

승려가 문득 소리내어 웃었다.

"하하하, 부적을 그려드리지 않더라도 액운은 이미 멀리 갔소이다."

길산은 어쩐지 자꾸만 묻고 싶어졌다.

"액운이 멀리 가다니요?"

승려가 수저를 멈추고 잠시 길산을 뚫어지게 쳐다보았다.

"장에 갇혔던 새가 하늘로 날아오르니 천지가 내 것 아니겠습니까?"

"허……"

학선이가 눈짓을 했고, 알아챈 아귀쇠는 품속의 단도를 쥐며 문 앞을 막고 앉았다. 여차직하면 승려를 찔러죽일 셈이었다. 학선이는 길산이 쓸데없이 낯선 사람을 들여 본색을 드러내는 얘기나 지껄이는 것이 못마땅했다.

"거 대강 자셨으면 어서 길이나 가시오. 승속(僧俗)이 다른데 웬 말이 그리 많아."

아귀쇠가 불평을 터뜨렸다. 학선이는 심기가 자못 불쾌하다는 듯 얼굴을 찡그리고 상좌에 까치다리로 앉아 장죽을 빨고 있었다. 길산이 아귀쇠에게 은근히 위압적으로 말하였다.

"듣기가 좀 거북하우. 아무래두 상 물리면 떠날 터인데……"

중도 심상치 않은 분위기를 알아챘는지 좌중을 한 바퀴 휘둘러보더니 수저를 놓았다.

"손님들께선 어디까지 가십니까?"

길산이 학선이 쪽을 한번 돌아다보고 나서,

"우리네 하리들은 상관께서 가시는 곳을 따라갈 뿐입니다."

중이 길산에게 빙긋이 알지 못할 웃음을 지어 보였다.
"내 눈은 못 속이십니다. 감영 옥에서 나오시는 길이 아닙니까?"
학선이가 나직하게 외쳤다.
"묶어라."
졸개들이 좌우로 달려드는데, 길산이가 팔을 휘저어 막았다.
"잠깐…… 당신은 누구요?"
"예, 해주 송림방 사자암에 기거하는 행자 여환(呂還)이란 사람입니다. 내가 말씀드리려는 것은 다름이 아니라, 해서의 길은 하도 돌아다녀 내 손바닥 들여다보듯 하니, 가장 안전한 길을 가르쳐드리고자 하였을 뿐이외다."
그제야 구석에서 묵묵히 앉았던 우대용이 고개를 돌렸다.
"나를 알아보시겠소?"
"아무렴, 알아보다뿐입니까. 용댕잇개에 계셨지요. 신가놈의 모함에 빠져 갇힌 소문이 결성골에 파다합니다. 아까 방 안에 들어설 때부터 눈여겨보았소이다."
학선이가 벌떡 일어섰다.
"내 아까부터 참자 참자 했더니 하는 짓들이 실로 어리석소. 나는 일을 끝마친 터이니 이 길로 떠나겠소이다. 얘들아, 노자 한 꿰미 내주어라!"
아귀쇠가 먼저 나가고, 학선이는 졸개들과 같이 마당으로 내려섰다. 길산이 마루 끝에까지 쫓아나와 말하였다.
"너무 노엽게 생각 마시오. 언제 또 만납시다."
"내 마지막으로 한마디 하겠소. 내게 대한 말은 절대 꺼내지 마우. 소문이 한두 입씩 건너다 보면 우린 장사 다하는 거니까……"
아귀쇠가 말에 실린 부담에서 엽전 한 꿰미를 꺼내어 마루에 던지고 가버렸다. 학선이가 끝으로 말하였다.

“감영서 나온 봉물은 우리가 나눠 쓸 작정이오. 길 가기 편하도록 말 한 필 두구 갈까?”

“아니, 그만두오.”

“이 길로 금천으로 해서 송도로 들어갈 터인데, 아마 박행수께서는 벌써 구월산으루 떠났을 거외다.”

“잘 가우. 또 만나게 될 거요.”

“글쎄…… 우리네야 돈 주고 일 시키면 언제든 만날 수 있수.”

학선이는 졸개들을 거느리고 백마에 오르더니 동쪽 길을 향하여 떠났다. 길산이 돌아오니 우대용과 중 여환은 용당포의 뒷애기들을 하는 중이었다. 길산이 물었다.

“스님, 우리가 감영 옥에서 나온 것은 어찌 알았소이까?”

“그야 간단하지요. 당신이 고개를 내밀고 말을 걸 때에 보았소만, 목에는 칼에 쓸린 자취가 남아 있습디다. 그리고 이분이 눈에 띄길래 대번 알았지요. 좌우지간…… 장길산이란 이름은 소승도 많이 들었던 이름 같소이다.”

곁에서 우대용이 대신 말하였다.

“다른 대시수가 저 사람의 이름으루 주내방 저자에서 대신 참수당했기 때문에 해주 바닥에 이름이 났을 게요.”

“참…… 그렇군. 내가 기억하고 있는 사연이 있소이다.”

우대용과 길산은 영문을 몰라서 서로 마주 바라보았다.

“당신의 아낙이 날 찾아왔던 것 같소.”

길산이 놀라서 물었다.

“내 아내라니요?”

“장뭣이라는 살인 도적이 참형되었다던 날 밤이었소. 남장을 한 여인네가 내 우거루 찾아왔었지요. 주인의 넋을 위무하겠답디다."

"묘옥이……"

길산의 눈에 물기가 가득하게 괴었다. 여환도 눈을 지그시 내리깔고, 묘옥이 찾아왔던 날 밤의 일을 얘기하였다. 둘이서 말바위에 올라갔던 일, 그 여자가 뛰어내리려는 것을 만류하던 일, 이제는 아무 곳에도 붙일 데가 없다며 한탄하던 일들을 자세히 말하는데, 길산은 두 뺨 위로 굵은 눈물방울을 주르르 흘리고 있었다.

"참, 묘한 인연두 다 있지."

여환이 염주를 헤아리면서 탄식하였다.

"어디루…… 간다고는 말 없습디까?"

"글쎄올시다, 낙심천만인 모양이 지금도 눈에 선하오."

무덤덤히 앉았던 우대용이 한 손을 길산의 어깨에 얹으면서 두드렸다.

"장서방, 어서 길이나 갑시다."

길산은 주먹을 들어 눈을 닦아냈다.

"스님께서는 앞으로도 사자암에 계실 작정인가요?"

"아닙니다. 저두 곧 그 자리를 떠날까 합니다. 혹시 송도 덕물산 근처루 가게 될지두 모르겠소이다."

길산이 한참 주저한 끝에 다시 말하였다.

"송도 가시면…… 내게 기별을 주십시오. 이것은 분명히 스님과 내가 깊은 인연이 닿은 모양입니다."

"글쎄 말이오."

"송도의 배대인 댁이라면 모두들 압니다. 그 댁의 차인 행수루 있는 박대근이란 분께 내 얘기를 하면 소상히 일러줄 것이오."

우대용이 봇짐을 꾸리면서 재촉하였다.

"자, 같이들 나가지."

셋이서 마루로 나오는데, 원의 중이 다가왔다. 그는 처음보다는 약간 뻣뻣해져 있었다. 학선이 일행이 떠난 뒤라 얕잡아본 모양이었다.

"저것들은 어찌하실려오?"

"여기서 하룻밤 묵게 할 수 없소?"

길산이 물으니, 중은 아예 안 되겠다며 손을 내저었다.

"원에서 보통 장사치들도 아니고 저런 걸인을 도저히 재울 수는 없수."

"돈을 두 배 더 얹어 드리면 되겠소?"

"두 배 아니라 열 배가 되어도 안 됩니다."

실랑이가 벌어지는 중에 미닫이가 열리면서 봉노에 들었던 아낙네가 고개를 내밀었다.

"이젠 기한을 좀 면했으니 걸을 수 있습니다."

여환이 묻는다.

"정말 괜찮겠소?"

"예, 따뜻한 국을 마시고 아랫목에서 등을 데웠더니 기운이 나는군요."

아낙네는 계집아이를 데리고 밖으로 나왔다. 찬바람을 쏘이자 아이는 다시 몸을 옹송그리고 발을 굴렀다. 길산이 문득 계집아이를 내려다보더니 학선이가 내주었던 개털 배자를 벗어서 들씌워주었다.

"아이구, 이런 고마울 데가……"

하는데 이번에는 우대용이 제 것을 벗어서 아낙네의 얇은 등 뒤에 얹어주는 것이었다.

"이러시지 마십시오. 어린것은 몰라도 저야 괜찮습니다."

"염려 말구 입으시우. 우리는 별루 추위를 타지 않습니다."

여환이 아낙네에게 물었다.

"그래 아직두 해주엘 갈 생각이오?"

"죽으나 사나 해주엔 가야 합니다."

"해주에 간다 해도 도회지 인심은 오히려 시골보다 더하오."

"이 아이를 맡겨야겠어요."

"아이를 맡기다니요?"

"교방에 넘길까 합니다. 그럴 수밖에 저 혼자서는 도저히 굶겨 죽이고야 말겠어요."

아낙네가 눈물을 지었다. 길산이 여환 대신 물었다.

"어찌하다가 이렇게 두 모녀만 남아 유리걸식을 다니우?"

"땅을 빼앗기고 폐농당하였기 때문입니다. 주인이 살아 계실 적에도 끼니를 에우기가 어렵더니, 해전에 역병으로 쓰러진 뒤 품팔이로 연명을 해오다가 견디지 못하여 대처로 찾아가는 길입지요."

곳곳마다 이러하니, 과연 깊은 산 험한 골짜기마다 녹림패들이 들끓을 수밖에 없는 일이었다. 길산이 받았던 노자 중에서 열 닢을 빼내어 주었다.

"얼마 안 되지만 받아주십시오."

걸인 모녀가 백배 사례하였다. 여환과 그들은 네거리에서 헤어지게 되었고, 여환이 길산이께 안전한 길을 자세히 가르쳐주었다.

"이 길로 죽 올라가시면 선바위(立石) 네거리가 나옵니다. 거기서 도득산(道得山) 고개를 타고 수철원(水鐵院)을 지나면 곧 신천, 문화 경계입니다."

"예, 거기서부터는 내가 더욱 잘 알 게요. 곧 추산(錐山) 마루턱에 닿지요. 그곳은 내 고향입니다."

"언제 다시 만나뵙겠소이다."

"어쩐지 깊은 인연인 듯하오."

그들은 네거리에서 각각 서북으로 갈렸다. 공수원에서 입석까지의 길은 대부분 인가도 없는 쓸쓸하고 한적한 산길이었다. 창금산(唱金山)까지는 어사천(於賜川)의 상류인 개천을 따라서 길이 계속되었다. 창금산 고개는 제법 험악하였다. 사방이 바늘끝 같은 전나무 숲이었고, 길은 좁고 바윗돌이 울퉁불퉁했다. 창금산 고갯마루에 오르는데, 해가 서쪽으로 꼴깍 넘어가고 말았다. 고개 위의 바람은 마치 떼귀신의 울음소리처럼 처연하였다.

"어, 이러다간 얼어죽고 말겠군."

우대용이 헉헉대면서 중얼거렸다.

"빨리 고개를 내려갑시다."

길산이가 앞서서 눈길을 미끄러져 내려갔다.

"아무래두 선바위 가서 묵어가야겠소."

"앞으로 삼십 리 남았군. 오십 리 길이랬으니……"

우대용이 헉헉거리다가 더이상 못 걷겠는지 무릎을 꿇었다. 길산이 되돌아와 그의 겨드랑이를 끼었다.

"여기서 쓰러지면 정말 얼어죽는 게요."

"지친 게 아니라, 잠이 와서 못 견디겠군."

"자아, 내 어깨를 짚으라구."

길산이 대용을 부축하여 비탈을 미끄러져 내려갔다. 이제 주위는 캄캄한 어둠속이었고, 사방에 뒤덮인 눈만 희끗희끗 보이고 있었다. 숲과 벌판에는 인가의 불빛 한 점 보이질 않았다. 대용이 비틀거리면서 길산의 옷깃을 잡았다.

"내 뺨을 몇대 때려주우. 도무지 정신이 들질 않는군."

길산이 대용의 뺨을 호되게 몇차례 갈겼다. 대용이 머리를 거칠게 흔들어보았다.

"좀 낫군."

그들은 가까스로 창금산을 내려와 얼어붙은 내를 건넜다. 멀리 야산 끄트머리쯤에 마을의 불빛들이 건너다보이고 있었다.

5

탈옥한 지 사흘째가 되어서야 그들은 추산 줄기에 닿을 수가 있었다. 두 사람은 아직 어스름한 새벽녘에 추산을 타고 넘어갔다. 광대산에 이르자 길산은 재인말로 내려가보고 싶어 견딜 수가 없었다. 멀리 재인말의 소나무숲이 내려다보였고 까막내의 넓은 자갈밭과 갈대숲 위에는 흰눈이 덮여 있었다.

등성이 위에 멈춰서서 한참이나 애타는 시선으로 내려다보던 길산이 말하였다.

"우서방, 미안하지만 저 아래 행보 좀 해야겠소."

우대용이 끄덕였다.

"상관없수. 아무래도 다 저녁때에나 구월산에 당도할 텐데."

그들은 눈에 미끄러지면서 광대산을 내려갔다. 그러나 사람이 살았던 자취란 돌담과 주춧돌뿐이었다. 마을은 흰눈이 뒤덮인 들판으로 변해 있었던 것이다. 그들이 일 년에 두 차례씩 서낭굿을 벌이던 뒷산 빈터에는 낡은 오색댕기를 매단 신목(神木)이 여전히 거대한 뿌리를 눈 속에 박고 서 있었다. 길산은 그 쓸쓸한 빈터 위로 바람이 일어 눈가루가 흩날리는 모양을 바라보았다.

"재인말은 이젠 완전히 없어지구 말았구나……"

우대용이 이리저리 거닐다가 눈을 발로 파헤치더니 길산에게 말했다.

"이것 보우. 타다 남은 서까래인데, 마을 집에 온통 불이 났군."

"모두 떠난 뒤에 누군가 불을 질렀겠지……"

길산은 서낭굿을 열던 날 밤의 활기에 들떴던 자신을 생각해보았다. 모닥불이 이글거리고 있었으며 한삼자락은 하늘에서 나부끼는 날개처럼 불빛 속에서 어른거렸고, 탈박들은 웃고 울고 성을 내었다. 군무가 빈터를 가득 채울 무렵에 사람들 틈에서 나타난 묘옥이 그의 손을 잡아 이끌고 있었다. 그는 신목 뒤편에 눈송이들을 가득 얹고서 바람에 흔들리고 있는 잔솔밭을 넘어다보았다. 길산과 묘옥이 첫 정분을 맺었던 곳이다. 그는 서낭나무의 둥치를 이리저리 쓸어보았다.

"아래루 내려가볼까?"

"장서방, 어서 산으루 오르지……"

"잠깐만, 까막내를 먼발치서만 보구 갑시다. 언제 다시 올지 알 수 없으니까. 이 동네는 우리가 몇대째나 살아온 고향이거든."

길산이 앞장을 섰고 우대용도 내키지 않는 걸음으로 그 뒤를 쫓아갔다. 그들은 타버린 기둥과 부서진 기왓장이 뒹굴어다니는 마을을 곧장 질러서 까막내 쪽으로 나가는 송림을 향하여 걸었다. 그들이 작은 잿말이 보이는 모퉁이 길에 이르렀을 때, 길산이가 갑자기 걸음을 멈추고 신경을 곤두세웠다.

"가만있자, 누군가 뛰는 소리가 들렸는데……"

"나는 아무 소리두 못 들었소."

"분명히 우리 앞에서 인기척이 들렸소. 그것두 하나가 아니라 둘쯤은 되는 것 같던데……"

그러나 한참이나 기다렸는데도 나무숲을 흔드는 바람소리뿐이었다. 사방에는 흰눈이 덮인 벌판과 산들이 둘러싸고 있었고 맑게 갠 하늘은 차갑게 새파랬다. 후닥닥 하는 소리가 들리더니 장끼와 까투리 한 쌍이 하늘 위로 날아올랐다. 그때 하늘 위에서 딸랑거리는 방울소리가 들려오기 시작했다.

"저 봐, 누군가 있다."

날아오른 꿩을 향해서 매가 일직선으로 쫓아올라가고 있었다. 방울소리는 매의 발목에서 들리는 소리이니, 틀림없이 그 부근에 관원들이 있을 것이다. 이런 날에 한가하게 매사냥을 나온 자라면 송화현감이 틀림없을 것이었다.

"너무 내려온 모양인걸."

길산이 중얼거렸다. 대용이도 걱정이 되는지 자꾸만 허공을 올려다보았다.

"아까 들었다던 인기척이 그럼 몰이꾼이겠군."

"우리를 먼저 보았을지두 모르지."

과연 재인말의 조밭터에는 송화원이 사졸들과 아전 몇명, 그리고 기생을 데리고 나와서 매사냥을 하던 중이었다. 그는 간단한 차림에 왼손에다 가죽 토시를 두르고 또 한 마리의 매를 얹고 있었다. 매사냥을 나오기 전에 보통 피 묻힌 목화씨를 먹이게 마련이었다. 매가 피냄새를 맡고 목화씨를 먹고 나서는 다시 모두 토해내게 된다. 속이 빈 매는 그래서 배가 고프니까 꿩을 보기만 하면 날아가 덮치는 것이다. 몰이꾼들이 꿩을 공중에 날려올리면 매잡이가 손을 위로 치켜올려주면서,

"후여이!"

하고 외치는데, 매는 그 팔목의 내친 힘으로 훌쩍 날아오르는 것이다. 송화현감은 젊은 신관이었다. 그는 임지로 오기 전부터 구월산 기슭에는 수상쩍은 자들이 출몰한다는 얘기와, 옆고을 문화군수가 화적떼들에게 상투를 잘리는 망신을 당했다는 뒷소문을 듣고 있었다. 그는 문화군수의 어리석음을 비웃으며 언젠가는 녹림패들의 근거지를 알아내어 들이칠 작정이었다.

그는 겨울날의 무료한 한나절을 참지 못하여, 해서의 산협에서는 아주 흔한 매사냥을 나오게 되었고, 한두 번 해보는 중에 아주 맛이 들어버린 것이었다. 그가 매를 튀기려고 이제나저제나 기다리는 참인데 몰이를 나갔던 군사 두엇이 헐레벌떡 뛰어왔다.

"나왔습니다, 나왔어요."

"이놈들, 왜 이리 호들갑을 떠느냐. 뭐 범이 나왔단 말이냐?"

"아니, 그게 아니라 저 재인말에서 웬놈들이 내려와 까막내 쪽으로 가는 것을 보았습니다."

"뭐라구……?"

"분명히 두 놈인데 산에서 내려오는 모양을 똑똑히 보았습니다."

다른 자가 말했다.

"하나는 여기 살던 장충의 아들 길산이란 놈이 틀림없습니다."

"그럴 리가 있나?"

안좌수가 고개를 갸우뚱하였다.

"길산이는 감영에서 참수당해 죽었는데…… 그럼 도깨비가 나왔단 말이야?"

"그래두 틀림없이 길산인 걸 어쩝니까? 제가 헛봤을 리두 없구요."

젊은 사또는 제 화승총을 가져오게 하였다.

"화약과 연환은 재여두었느냐?"

"예, 승에다 불만 댕기면 나갑니다."

"마침 잘되었다. 오늘은 화적사냥이나 해보자꾸나. 이방은 저쪽 재인말 뒤의 서낭나무 있는 곳에 잠복하여 이쪽에서 몰면 막아버려라. 그리고 나머지는 까막내 쪽에서 올라오는 송림의 좌우편에 숨었다가 덮쳐라. 그리고 통인과 나는 저쪽 광대산으로 오르는 오솔길을 지키지. 누구든지 놓치지 말아라. 그리고 절대로 사로잡아야 한다."

매사냥을 나왔던 관원들은 돌연 포도하는 자들로 변하여 곳곳의 요로에 목을 만들고 걸려들기를 기다리고 있었다. 길산과 대용이 어쩐지 불안하여 까막내 쪽에서 걸음을 돌릴 즈음이었다.

길산과 대용이 바쁘게 재인말 동구로 들어서는데, 양쪽 숲에서 몰이하던 작대기와 환도를 든 사령 네 명이 뛰쳐나왔다.

"웬놈들이냐?"

"이놈들, 꼼짝 말고 순순히 포승을 받아라!"

"어……?"

두 사람은 주춤하고 나서 서로 돌아보았다. 사실 그들은 두 사람을 너무나 얕잡아보았던 것이다. 두 사람 모두가 날래기는 들짐승과 같았고, 모두 한 번에 대여섯쯤은 간단히 해치우는 싸움꾼임을 모르고 있었던 것이다. 우대용이 중얼거렸다.

"오랜만에 한판 붙어볼까."

"그냥 달아납시다."

길산이 말하면서 다짜고짜로 몇걸음 뛰어나가 앞장서서 길을 막았던 자의 면상을 휘익 돌려서 걷어차버렸다. 단번에 모가지가 옆으로 돌아가면서 나자빠지는데 이미 터진 코피가 왈칵 눈 위에 쏟아진

다. 길산은 거들떠보지도 않고서 뛰었고, 뒤따르던 우대용도 한꺼번에 달려드는 사령들의 방망이를 팔뚝으로 막아내며 뛰었다.

사령들이 방망이를 휘저으며 달려들었으나, 방망이가 모두 좌우로 비켜나는 길산의 어깨 사이로 흘러내리고, 대신에 앞과 옆으로 내지른 정권에 명치와 인중 급소를 맞아 실신해 흩어졌다. 대용은 곧장 앞으로 달려드는 자를 슬쩍 비켜나며 그 궁둥이를 호되게 걷어차서 뒷전에 고꾸라지게 하였다. 다시 두 무리가 합세해서 달아나는 자들을 쫓았다. 그들은 멀찍이 뛰어서 간격을 넓혀놓은 뒤에 헐떡이면서 잠깐 쉬었다. 길산이 이마의 땀을 소매로 씻으면서 말하였다.

"어휴, 더워! 고향에 온 액땜을 단단히 하는군."

우대용은 코를 헹 풀었다.

"그러게 내 뭐랬소. 한번 버린 것은 계집이든 집이든 다시 찾는 게 아니여."

길산은 밑에서 아우성치는 사령들을 내려다보았다.

"자, 빨리 산을 탑시다."

그들은 등성이로 뛰어올랐다. 갑자기 가까운 곳에서 방포소리가 들렸다.

"어이쿠!"

대용이가 제 왼팔에 손을 갖다대면서 비명을 질렀다. 송화현감이 맞은편 등성이에서 화승총을 놓은 것이었고, 연환은 대용의 왼팔에 날아와 박힌 것이다.

"포수다. 얼른 화승에 불 대기 전에 뛰어!"

그들은 등을 낮게 숙이고 광대산 나루턱을 향해 뛰어올라갔다. 다시 방포하는 소리가 들리는데 연환이 지나가는 소리가 날카롭게 귓전을 스치는 듯하였다.

"포수는 다행히 한 놈이로군."

잠깐 엎드렸던 길산이 소리가 들린 방향을 노려보고 나서 재빨리 산 마루턱에 올라섰다. 이제는 아래편이 내려다보이질 않았다. 그들은 뛰지는 않고 잽싼 걸음으로 광대산 줄기를 타고 갔다. 오르내리는 고개가 아직도 넷이나 되었다. 마지막 연봉이 잇닿은 산등성이에 이르니 멀리 북편 하늘을 막아선 수렛고개가 가로놓여 있는 것이 바라다보였다. 길산이 우대용에게 말하였다.

"우서방, 팔은 괜찮우?"

우대용은 옷깃을 찢어 팔뚝을 질끈 동여매고 있었는데 흘러내린 피가 손등에까지 이르러 말라붙어 있었다.

"온 어깻죽지가 저려오는걸."

"이젠 다 왔군. 여기서 된목이골까지는 인적이 끊긴 곳이니 쉬엄쉬엄 갑시다."

그들은 수렛고개에 산채에서 길목을 지키러 나온 패거리가 있는 것은 알지도 못했다. 구월산 산채에서는 배고개와 수렛고개, 부처고개의 세 군데에 토막을 지어놓고 서너 명씩 내보내두고 있었던 것이지만, 길산과 대용이 초행인만큼 그런 곳을 알 리가 만무하였다. 그들이 구월산 연봉에 오르는 등성이길을 타려는 참인데, 양쪽 바위에서 화살이 수십여 대가 날아왔다.

"허, 갈수록 태산이네."

그들은 투덜대면서 우선 바위틈에 뛰어가 몸을 숨기고 주위의 동정을 살폈다. 어디선가 목소리만이 들려왔다.

"이놈들, 죽고 싶지 않으면 그 자리에 보따리 풀러놓구 도루 내려가거라!"

길산과 대용은 서로 돌아보며 싱긋 웃었다. 호랑이 없는 동산에 토끼가 주인이라더니, 이 좁은 골짜기에도 조무래기 도적패가 있는 모양이거니 여겼던 것이다. 길산이 소리쳤다.

"어디 앞으루 나와봐라. 인물을 봐서 그럴듯하면 고분고분 보따리 풀러놓구 내려가마."

숲 사이에서 장검을 비껴든 자가 쓱 나섰고, 양쪽에서 활 가진 두 놈이 화살을 시위에 먹인 채로 상반신을 쳐들었으며, 보다 더 위쪽에는 장창을 짚은 허우대 커다란 자가 서 있었다. 길산은 손을 뻗쳐 나뭇가지 하나를 뚝 꺾었다. 다시 절반을 꺾어서 단봉(短棒) 두 개를 만들어 쥐었다. 우대용이 속삭였다.

"나는 저 장창이나 뺏어 쓸까?"

그들은 천천히 아래로 내려오고 있었다. 길산이와 대용이도 바위 틈에서 몸을 일으켰다. 그들은 적당한 거리에서 둘러싸고 멈춰섰다. 장검을 빼어든 자가 말했다.

"자, 보따리를 풀러놓았으면 죽기 전에 어서 내려가거라!"

"우리는 구월산으루 올라갈 일이 있는걸. 어디 막아보아라……"

길산이가 다시 괴나리봇짐을 등에 걸머지면서 빈정거렸으며, 장검을 쳐든 자는 하도 어이가 없어 제 동료들을 한바퀴 둘러보았다.

"들었지, 막아보라는데?"

위쪽에 서서 장창을 짚고 있던 자가 크게 호통을 내질렀다.

"뭘 집적대면서 지체하느냐. 난도질을 쳐버려라!"

대용이도 앞으로 나서려는 것을 길산이 만류하면서 앞으로 나갔다.

"우서방은 그냥 앉아 있수. 이거 해 다 넘어가겠는걸. 그래 좋다. 대시수 노릇에 뼉다귀가 모두 굳어버린 줄 알았더니 하루에 두 차례나 몸을 풀어 노골노골해졌는걸."

"그 뼉다귀에 살점 붙어 돌아가나 보자꾸나."

장검을 쳐든 자는 길산의 정면에 나서고, 좌우로 벌려섰던 놈들은 모두들 짧은 환도를 움켜쥐고 천천히 다가들었다. 길산이는 한 손에 그러쥐고 있던 막대기를 양손으로 나누어 쥐고 팔을 축 늘어뜨린 자세였다. 그들이 길산의 쌍검무 솜씨를 알 리 없었고, 잽싼 동작도 못 보았으니 제법 간덩이가 큰 왈짜로나 여겼는지도 몰랐다.

"칼 받아라!"

외마디 소리를 지르며 장검이 곧장 길산의 가슴으로 파고들었으나, 길산은 왼쪽 단봉으로 칼날을 엇비슷이 밀어내면서, 그대로 칼이 지나가 그의 몸집이 가까워졌을 때 오른쪽 단봉으로 뒷골을 호되게 내리쳤다. 빡 하는 소리와 함께 검을 땅에다 꽂으면서 상대가 엎어져 움직이지를 않는다. 길산이 그의 등을 지끈 눌러 보이면서 말했다.

"아주 고택골로 보낼까 하다가 인생이 가엾어서 잠깐 잠들게 해놓았다. 두 번째 덤비는 놈은 뼈마디를 부러뜨릴 것이고, 세 번째 녀석은 아주 밥숟갈을 놓게 해줄 작정이다."

장검깨나 쓴다고 날마다 휘둘러대며 애꿎은 나뭇가지를 베던 자가 단 한 번의 동작으로 벼락 맞은 장승 꼬락서니가 되었으니, 남은 자들이 주춤할 수밖에 없었다. 길산은 그들을 둘러보고 나서 두 손에 쥐고 있던 막대기를 내던졌다.

"너희들 상대할 틈이 없다. 우리는 마감동이를 찾아가는 길이다. 너희 두령께 구월산 주인의 동무 되는 이가 지나가더라고 이르면 그리 꾸짖지 않을 것이다."

장창을 겨누었던 자가 당황하여 얼굴이 붉어지면서 다급하게 물었다.

"방금 마두령이라구 했지요?"

"그래, 이젠 지나가두 괜찮겠니?"

"아이구 맙소사, 장길산 두령님 아닙니까?"

그자가 장창을 버리고서 달려내려와 엎드렸다.

"진작 말씀하실 일이지, 어찌 저희 같은 것들을 놀리시오."

"네가 누구냐?"

"예, 이곳 수렛고개 토막을 지키는 소두령이올시다. 산채서 하달이 내려왔는데, 장두령께서 지나시면 안내하여 모시고 오랍시는 분부를 받았습니다."

다른 졸개들도 모두 칼을 버렸다.

"너희들의 토막이 어디냐? 여기 다친 사람이 있으니, 잠깐 쉬고 중화라도 하구 가야겠다."

길산이 말하자, 그들은 모두 분주해져서 일어나 앞장을 섰다. 뒤통수를 얻어맞았던 자도 혹을 비비면서 일어나 머리를 좌우로 흔들어보는 것이었다. 토막에 들어가 데운 술로 우선 속을 데우고, 길산은 단검을 청하여 화롯불에 달구었다. 그러고는 우대용의 팔을 찔러서 살 속에 박힌 연환을 파내는데, 대용은 눈썹을 움찔움찔하면서도 화주를 한 방울도 흘리지 않고 따라 조금씩 마시면서 참아냈다. 길산이 연환을 꺼내어 손바닥에 내밀어 보이면서 중얼거렸다.

"총을 가진 포수가 십여 인 이상이 되면 제아무리 용빼는 재주로도 맞설 수 없겠는걸."

"내 바다루 나가게 되면 청인들에게서 많이 살 수가 있을 거유."

"글쎄 내가 구월산에 있게 될지 모르겠소."

"나두 해토까지만 여기서 보신을 하다가 나갈려우. 아무래두 제 놀던 데서 놀아야지…… 나는 갯가 출신이니 갯가루 나가야겠수."

소두령이 어물과 구운 굴비에 토장국에다 기름이 잘잘 흐르는 이밥을 지어 한 상 차려 들어왔다. 길산이 인사조로 말하면서 수저를 들었다.

"우리 때문에 공연히 욕보네."

"아니올시다. 장두령께서 산채에 오시면 가장 큰 성님이시라고 모두들 그러셨지요. 저희들이 눈이 삐어 봉변을 당하셔서 뵐 낯이 없습니다."

"여기서 벌이는 어떤가?"

"요즈음은 거의 일손을 놓구 있습죠. 일테면 망이나 보구 있는 셈입니다."

"밥 먹구 곧장 산으루 오를 텐데, 전에 온 적은 있지만 눈이 이렇게 덮였으니 길을 찾을까 모르겠군. 한 사람 붙여주겠나?"

"염려 놓으십쇼. 제가 안내해드리겠습니다."

그들은 점심을 든든히 먹고 나서 구월산으로 올랐다. 산길 사십리라 해도 장정들의 나는 듯한 걸음이라 아직 겨울해가 질 듯 말 듯할 즈음에 된목이골로 들어섰던 것이다. 앞선 자가 망보는 자에게 손을 휘저어 보이고서 외쳤다.

"해주서 장두령이 오신다!"

길산이 당도했다는 전갈이 득달같이 산채로 전해졌고, 공회 사랑에 둘러앉았던 박대근을 위시해서 갑송이와 마감동, 강선흥, 오만석, 김기 등이 차례로 뛰어나왔다. 역시 가장 앞장서서 달려나오는 것은 이갑송이었다.

"길산아!"

갑송이가 뛰어와 길산의 어깨를 안고 흔들었다.

"얼마나 고생이 많았니?"

길산이도 눈시울이 뜨거워져서 말없이 갑송이의 손을 마주 잡았다. 박대근이 다가와 길산의 어깨에 손을 얹었다.

"장총각, 얼마 만이우."

"대근이 성님……"

나오는 사람마다 반가운 인사를 나누고, 그들은 모두 공회 사랑으로 몰려갔다. 대근과 대용은 저희끼리 용당포의 뒷소식들을 나누었다. 모두들 빙 둘러앉자, 우선 인사가 시작되어 우대용은 박대근을 빼놓은 모든 사람과 인사를 텄다. 길산이도 김기와 강선흥은 초면이었으므로 인사를 나누었다. 밖에서는 돼지를 잡는 소리가 요란했고, 부처고개서 불러 올린 아낙네들이 요리를 하고 있었다. 갑송이가 길산에게 말했다.

"부모님들두 모두 안녕하시다. 오늘은 여기서 새우고 내일 같이 탑고개루 나가자."

"파옥하여 모셔오느라구 너 혼자 고생이 많았다."

"고생은 뭘, 감동이가 수고 많았지."

곧 잔칫상이 들어오는데, 각종 전에다 노루고기, 산적, 탕, 산나물, 떡, 과일에 산채서 담근 송엽주가 들어온다. 박대근이 한잔 먼저 따라 길산에게 권하였다.

"우리 고생한 아우님 드시게."

"정말 여러가지루 심려를 끼쳐드렸습니다."

"이젠 나왔으니 송도에두 놀러 오구 허시게. 우리가 할 수 있는 장사가 여러가지 있을 테니까."

곁에서 아무 말 없이 노루고기를 열심히 뜯고 있던 강선흥이 길산에게 말을 걸었다.

"한 번 죽었다 살았다지요?"

"그랬었소."

"참형당했다구 해주 바닥에 얘기가 파다했습니다. 헌데 나는 도무지 모를 일이 한 가지 있습니다."

"무슨 일이오?"

"글쎄 성님의 아낙이라는 여자를 학령서 만나 해주까지 데려다준 일이 있소. 나중에 대근이 성님께 여쭤보니 아직 미장가랍디다."

"장가는 들지 않았으나 처와 같은 여자가 있었소."

"아, 그랬구먼요."

하고 나서 강선흥이 학령서 도적떼들에게서 묘옥을 구원해내던 이야기를 늘어놓았다. 길산은 여환이 하던 말과 맞추어보고 나서 묘옥이가 송림방 말바위를 다녀간 뒤에 해주에서 어느 곳인가로 흘러갔음을 알았다. 길산은 또한 손돌 노인의 죽음에 대해서도 들었다. 이야기가 앞으로 산채를 어떻게 꾸려나갈 것인가 하는 데에 모아지자, 마감동이 심중에 품었던 말을 꺼내었다.

"아무래두 구월산에만 붙어 있어서는 이 형세를 유지할 수가 없습니다. 벌써 인근 읍에서는 여기에 우리들이 있다는 것을 모두 알고 있습니다. 읍 수령들이 거병을 건의하고 우리를 일시에 사방에서 협공해오면 꼼짝없습니다. 그러니 산채의 형세도 늘릴 겸, 다른 데에도 소굴을 잡아야 합니다."

김기가 말하였다.

"지금 우리가 터를 잡을 만한 곳은 해서에서 꼭 두 군데가 있습니다. 하나는 자비령이니 사방에 포실한 읍이 있고, 특히 봉산과 황주는 전국의 물산이 모이는 대처입니다. 자비령은 꼭 우리가 거점을 잡아야 되겠지요. 또 한 곳은 어디냐, 즉 멸악산(滅惡山)이올시다. 서흥, 평산, 신계를 끼고 재령 어루리벌과 나무리벌을 서쪽에 내다봅니다. 토호들이 많이 살지요. 그러나 멸악산 산채의 흠은 유사시 타도로 월경하기에는 좀 떨어져 있다는 데에 있습니다."

박대근이 팔짱을 끼고 생각에 잠겼더니 말을 꺼내었다.

"지금의 형세로는 그 세 곳만 장악한다 하더라도 우선 숨을 돌릴 것이오. 나중에 형세가 커지면 위로 의주에서 남으로 동래에 이르기까지 발을 뻗읍시다."

다시 김기가 말하였다.

"요즘 세상에는 녹림당을 하는 것도 대의가 있어야 하오. 우리가 일찍이 원칙을 세운 바가 있으나 다시 의논을 해봐야겠소이다. 산채를 구월산과 자비령과 멸악산 세 곳으로 일단 나누기로 하는데, 저마다 일이 조금씩 달라야 합니다. 또한 각 산채마다 아전이나 지방토호를 끼고 민가에 내려가 있는 사람이 있어야겠소이다. 이를테면 객주를 벌인다든가, 여각을 잡는 것이오. 구월산 산채는 형세가 형세이니만큼 은율과 송화, 그리고 안악에다 거점을 만듭시다."

"은율엔 탑고개에 우리 식구들이 있으니 장날마다 내려보내면 될게요."

갑송이가 말했고, 길산이도 거들었다.

"송화 무더리 장터에다 주막을 하나 개점하는 것두 괜찮겠네."

"구월산 산채서는 평안도 지경까지 넓혀가면 되겠소. 그리고 자비령은 함경도와 강원도를 맡고서, 봉산에다 객점을 열어놓읍시다."

"봉산에는 만동이 형제가 있지요. 그자는 금 잠채를 다니는데 제법 벌이가 좋은 모양입니다."

갑송이의 말에 대근이 말하였다.

"광산을 잡아 철과 금을 캐내는 것도 좋은 일이오. 우리는 관에서 정말 토포하지 않고는 안 되겠다는 생각이 들게 해선 절대로 안 됩니다. 도적질은 소규모로 정말 세상에서 지탄받는 악덕한 상인이나 토호를 상대로 하는 게요. 그리고 우리가 나서서 직접 이재도 취해야 하오. 방법은 여러가지가 있소. 사전(私錢)을 찍어도 되겠고, 변방에 나가 밀무역을 해도 되며, 잠채잡이를 하여도 되오. 물력은 힘이오."

김기가 말하였다.

"그 다음에는 멸악산 산채인데, 이곳은 송도에서 제법 가까운 곳이오. 연안까지 뻗친 산맥을 타고 내려가 예성강을 건너면 곧 송도가 되니까요. 객주를 평산에 열고 자비령과 구월산서 보내온 장물들을 송도에서 처분할 수가 있습니다. 아까 박행수의 말씀대로 무력을 쓰는 자는 정예로 스무 명쯤만 있으면 되고 나머지는 취재에 나서는 것입니다."

"대를 셋으로 나누면 되오. 상단, 연희단, 그리고 녹림패로 말이오."

길산이 말하였다.

"산에 들어가면 녹림당, 시장에 나가면 보부상, 그리고 떠돌아다닐 제엔 광대로 변신할 수가 있습니다."

"우리 아래에 객주를 전국 요로에 가지게 되면 아마도 큰 형세로 자라날 것이오."

김기가 말하였다.

"이런 일들은 기실 십 년이 걸릴지 이십 년이 걸릴지 예측할 수 없는 일입니다. 우선 중요한 것은 이 겨울 안으로 자비령과 멸악산에 산채를 잡아놓는 일이오."

"임자가 없을까?"

박대근의 물음에 마감동과 강선흥이 각각 대답하였다.

"자비령에는 저희께서 떨어져나간 일대가 목을 잡고 있는데, 우리가 들어가면 저항은 좀 할 겝니다. 그러나 곧 흡수시킬 수가 있겠지요."

"멸악산에 누가 있는지는 모르오나, 그 연봉인 달마산과 불타산 것들은 제가 좀 압지요. 달마산 수돌이와 불타산의 심백이패는 한 여남은 명이 됩니다. 특히 심백이네가 형세가 크지요. 그놈들을 시켜서 멸악산을 잡도록 하면 자연히 패거리로 들어오게 될 겝니다."

그때 길산이가 더이상 참지 못하겠는지,

"나는 실상 산채에 머물 수가 없는 몸입니다."

라고 말을 떼었다. 강선흥도 말하였다.

"그건 나두 마찬가지지요."

마감동이 놀라서 술잔을 상 위에 소리나게 내려놓으면서 물었다.

"아니, 그게 무슨 말씀들이우?"

길산이 고개를 숙이며 대답했다.

"내가 여러분들의 깊은 은혜를 입고서, 이제 와서 발뺌을 하려는 것은 아니올시다. 그러나 옥에 갇혀 있는 동안 나는 여러가지 일을 생각하였지요. 이다음에 더욱 큰일을 하기 위해서 힘을 길러야겠다는 생각을 했습니다. 그렇기도 하지만, 나는 지금부터 팔도를 뒤져서라도 찾아내야 할 사람이 꼭 두 사람 있습니다. 하나는 옛날에 수양산 망해사에 입산하여 지금은 어느 절엔가 있을 나의 생부(生父) 보라는 사람이고, 또 하나는 내 아내가 되기로 정하였던 묘옥이라는 여자입니다."

박대근이 침착하게 말하였다.

"음, 내가 듣기로는 장서방의 앞선 얘기가 더욱 그럴듯하오. 우선

이 형세를 유지한 채로 자비령과 멸악산에 거점을 잡는 것은 좀 뒤로 미룹시다. 서루 연결만 가지면 언제든지 실현할 수가 있을 게요."

밤이 깊도록 이야기는 그칠 줄을 몰랐다. 우선 이갑송은 탑고개의 괴뢰패와 월정사의 사당패를 모아 박대근 상단과 연결을 가져두기로 하였다. 또한 우대용과 강선흥은 함께 장연으로 갔다가, 거기서 주상(舟商)들이 모이는 강화도로 나갈 셈이었다. 구월산 산채에는 김기와 마감동과 오만석만 남을 모양이었다. 갑송이가 말하였다.

"길산아, 내일은 탑고개로 내려가 동네 사람들과 한잔 하자꾸나."

"그래, 아침 일찍 내려가자."

박대근이 여태까지 계속된 얘기의 끝막음을 하였다.

"우선 우리들의 포부는 다 나왔으니 몇년 뒤로 물려놓기루 하지만, 그냥 헤어질 수야 있나. 형제의 의를 맺기루 합시다. 그리구 늘 잊지 않았다가 종래에는 힘을 합칠 수가 있게 되겠지."

"그거 좋은 생각입니다."

김기가 맞장구를 쳤다.

"그러려면 날을 받아야지."

"날은 받아 뭘 허우. 우리가 대근이 성님과 길산이와 셋이서 의를 맺었을 때에두 만나서 의기 투합되자마자 술상을 벌여놓은 자리에서 해버렸는걸."

박대근이 고개를 흔들었다.

"지금 다른 형제들도 많이 늘었으니 아주 기억에서 떠나지 않게 법식을 찾아서 해두는 게 좋겠소."

김기가 손을 꼽아보며 뭔가 헤아리고 나서,

"어, 모레쯤이 아주 좋겠군. 길일이오."

"그러면 모레 정오에 여기서 간단한 회식을 가집시다."

밤이 늦고 술도 어지간히 취했으므로 모두들 물러가 자는데, 박대근과 길산은 늦도록까지 술상을 마주하고 앉아 있었다.

"과연 듣던 대로 학선이란 놈의 재주가 놀랍군."

"감영을 속인 재주이니, 그 정도라면 한양에 데려다놓아도 무슨 짓이든 해낼 만합디다."

"헌데, 언제 길을 떠나시려오?"

"예, 새설을 쇠고 나서 곧 나갈까 합니다."

"어떻겠소. 일 년에 한 번씩 설은 우리집에 와서 지냅시다."

"글쎄요, 몇년을 떠돌게 될지 기약할 수는 없으나 약속은 지키지요."

"정말 입산하시겠소?"

"예, 사람공부를 하고 싶소."

이튿날 갑송이와 길산은 아침 일찍 된목이골을 나서서 탑고개로 내려갔다. 그들이 집에 이르니, 마당에 나와 섰던 갖바치 박서방이 길산을 발견하고서 안에다 소리쳤다.

"길산이가 옵니다. 길산이가……"

하고는 박서방이 삽짝 밖으로 뛰어나왔고, 장충과 그 처와 누이가 한꺼번에 마당으로 몰려나오는데 부엌에 섰던 봉순이는 코를 싸쥐고 돌아서서 눈물을 짓는 모양이었다. 장충이 뛰어나와 길산의 뺨을 쓸면서 반가워했다. 그는 감옥에서 나와 재인말을 떠난 뒤에 폭삭 늙어서 기력도 많이 쇠잔해 보였다.

"길산아, 이놈아, 죽기 전에는 만나지 못할 줄 알았구나."

"불효자식을 용서하십시오. 저 때문에 고생이 많으셨지요."

"이렇게 편히 있지 않느냐. 자, 어서 들어가자."

무당인 그의 어머니는 눈에 총기는 보였으나 역시 몸은 많이 쇠약해져 보였다.

"내가 점을 쳐보니까 네가 설 전에 온다구 하더라. 정말 꼭 맞았지 뭐냐."

그들이 마당으로 들어가는데 봉순이는 말 한마디도 못 건네고 부엌에서 숨을 죽이고 서 있었다. 갑송이가 먼저 그녀를 보고는, 요즘은 전처럼 농지거리를 못 하므로 내외 말투 비슷이 던졌다.

"길산이가 왔는데 뭐 숨바꼭질하나베. 얼른 나와 인사하라구."

봉순이는 돌아선 채로 잠자코 있었다. 길산이나 갑송이가 그 까닭을 알 리 없었고, 집안 사람들은 모두들 알고 있는 듯하여 뭐라고 재촉하지도 않고 말을 걸지도 않았다. 길산이가 부엌을 기웃하며,

"봉순이두 이젠 어른이구나. 잘 있었냐?"

하며 봉순이의 대답을 기다리고 우물쭈물하는데, 장충이 그의 팔을 끌었다.

"어서 들어가자."

그들이 방에 들어가 앉으니 토방이긴 하였으나 깨끗한 거적이 깔려 있었고 대들보도 튼튼해 보였다. 재인말 있을 적보다는 그래도 어쩐지 썰렁해 보이는 살림이었지만 그렇다고 궁기는 전혀 드러나 있질 않았다.

"그동안 감옥에 계셨던 독은 모두 빠지셨습니까?"

"음, 뭐 날마다 노닥거리면서 동네루 마실이나 댕기니 갑갑해 죽겠다. 마두령과 갑송이가 잘 돌봐주어서 아무것두 부족한 것이 없었다."

길산의 어머니가 말했다.

"이젠 구월산에 쭉 있게 되겠지."

"글쎄요, 설 지날 때까지는 집에 있다가 어디 좀 다녀올 데가 있습니다."

"어딜 다녀와?"

"예, 저…… 공부를 해볼까 합니다. 사람으로 태어나서 제 이름 석 자도 읽을 줄을 모르니, 글도 알아야겠구요, 세상도 알고 싶습니다."

무당이 고개를 설레설레 흔들더니 한숨을 내쉬었다.

"안 되겠다, 굿을 한번 하든지, 네 역마살이 또 발동을 하는구나. 광대가 모두 역마살에 파가(破家)가 낀 팔자라 하지만, 너는 아무래두 큰 청계씨가 들씌었어."

장충이 담뱃대에 불을 붙이다 말고 슬그머니 역정을 내었다.

"아니 왜 이렇게 소란을 피워. 그보다 어서 점심 짓고, 술 담가놓았던 거 파내구 닭두 한 마리 꾸어다 잡으라구 그래."

그의 어머니가 나가고 나자 장충은 길산의 손을 쥐며 새삼스럽게 눈물을 글썽거렸다.

"내 부탁이 한 가지 있는데 들어줄 테냐?"

"아버님, 무슨 그런 말씀을 하십니까. 어서 말씀하십시오. 아버님 시키는 대루 하겠습니다."

장충은 바싹 마른 손으로 제 눈등을 씻었다.

"그래…… 전에 수양산 망해사에는 들러보았느냐?"

"아뇨, 해주에 도착하자 그 사단이 일어나서 수양산에는 올랐었지만 절에는 들를 수가 없었습니다."

"네 부친은 분명히 살아 있을 것이다. 중들은 요절한단 일이 없으니까."

하고 나서 장충은 자신 있게 고개를 쳐들고 말했다.

"그렇지만 나는 떳떳하다. 너를 이렇게 키워냈으니까. 비록 제대로 입히고 먹이지 못하였으나, 사람으로서 그른 일과 옳은 일을 구별할 줄 알고 사내다우면 되는 게 아니겠냐. 나는 네 어머니를 저승에서 만난다면 자랑을 할 테다."

길산이도 눈앞에 안개가 끼어서 눈을 껌벅거리니, 눈물이 주르르 볼을 타고 흘러내린다. 장충이 다시 이야기를 계속하였다.

"그런데…… 한 가지 내 마음에 꺼림칙한 것이 있다. 그게 뭔고 하니…… 네가 아직 미장가라는 얘기로구나. 네가 성혼을 하여 일가를 이루면 아비는 그 이상 바랄 게 없이 내일 당장 눈을 감아도 편안하겠구나."

길산은 가슴이 덜컥 내려앉았다.

"장가요……?"

"그래, 내 부탁이란 바로 그뿐이다."

"갑자기 말씀하셔서 지금…… 저는 어리둥절합니다."

장충은 나직하게 웃었다.

"이 녀석아, 인연이란 먼 데 있는 것이 아니여. 내 아주 맞춤한 규수를 점찍어놓았느니라."

"어디 사는 누굽니까?"

"녀석두…… 산에 은거하는 사람들이 본 따지고 고향 따지게 되었느냐. 바루 저 부엌에 있던 규수 말이여."

"예? 봉순이요……"

"왜, 마음에 드냐. 봉순이는 네 어미의 신딸로 들어와서 여태껏 오누이나 다름없이 커왔다만, 그럴수록에 서루 성깔두 알구, 뭘 좋아하고 싫어하는지두 잘 아니까 부부인연으로 그만큼 어울리는 짝두 없지 않니. 이를테면 우리는 오늘까지 봉순이를 우리집의 민며느리루 여겨왔다."

"아버지, 그렇지만…… 저는 아직 할 일이 많습니다."

"장가든다구 할 일 못 하냐? 여러 말 할 것 없다. 장가를 들 테냐, 말 테냐?"

밖에서 갖바치 박서방의 목소리가 들려왔다.

"말씀 다 끝나셨습니까?"

"아직 안 끝났네."

장충이 길산의 손을 다시 잡으면서 말했다.

"내 말을 들어라, 헛된 생각 말구. 내 네가 무슨 맘을 먹구 있는지 다 안다. 그러나 사람의 일이 그렇게 마음먹은 대로 되는 게 아니고, 또한 되어서도 안 된다. 너 손돌 노인이 신천서 활인해왔던 그 어린 창기를 마음에 접어두고 있는 줄 내 다 안다. 그렇지만 이건 아비의 마지막 부탁이야. 너 봉순이와 혼인하겠느냐?"

길산은 고개를 떨군 채 아무 대답도 못 하고 침묵을 지켰다.

"왜 대답이 없느냐? 우리두 이젠 다 살았구나. 생전에 나두 손주를 보구 싶다. 네가 이번 설을 쇠고 집을 나간다면 언제 돌아오게 될지 기약도 할 수가 없잖으냐? 어쩐지 나는 날이 갈수록 몸이 틀려지는 것만 같다."

길산이 고개를 떨군 채로 간신히 말을 꺼냈다.

"아버님…… 아무리 아녀자와의 언약일지라도 저는 파기할 수가 없습니다. 그 여자와는 연비로 다짐까지 했습니다. 언약뿐만 아니라 정분을 깊이 맺었으니 봉순이와 혼인을 한다 하여도 저는 신랑의 자격도 없고, 두 사람 모두에게 어리석은 짓을 저지르는 일이 됩니다."

장충은 노여움과 섭섭함으로 수염을 떨면서 길산을 노려보았다. 그는 손으로 방바닥을 치면서 소리쳤다.

"이놈아! 나는 너를 그따위로 키우지는 않았다. 그래 겨우 생각한다는 것이 고작 창기냐? 그따위 소견머리라면 당장 내 눈앞에서 썩 없어져라."

길산이 머리를 조아리며 장충의 손을 잡으면서 달랬다.

"아버님, 고정하십시오."

장충은 제 노여움이 사그라들기를 기다리는지 몇번이나 숨을 모았다가 다시 목소리를 평온하게 하여 길산을 다그쳤다.

"나는 네가 비록 천출 광대의 밑에서 자라나, 재주나 팔아가며 세월을 보냈을지언정 장차는 큰일을 해낼 사나이루 믿구 싶었다. 그건 내 아버지의 소망이었고 또한 이렇게 허무하게 늙고 쇠약해진 나의 소망이기두 하다. 너만은 보통 광대로 허송세월하여서는 안 된다. 우리는 늘 그래왔어. 태어나는 아이가 고추라도 달고 있으면, 모두들 입을 모아 우리의 여한을 풀어줄 것을 축수 기원하곤 하였다. 네 말로도 너는 시방 집을 나가서 글도 배우고 세상공부도 해보겠다는 놈이, 고작 한때의 정분을 잊지 못하여 부모의 원을 거역한단 말이냐. 내가 알기로도 그 손돌이네 집에 있던 창기는 인물도 어여쁘고 네게 다정도 하였겠으나, 사람의 생활이란 것은 정분만 가지고 사는 것이 아니니라. 그 여자는 집안의 안해와 어머니의 구실을 잘해낼 여자는 아니다. 집안이 바로잡아져야 바깥일도 마음먹은 대루 할 수가 있는 게야. 좋도 않고 싫도 않은 것이 바루 여편네라는 것이다. 지금 당장에 결정을 하여라. 만약에 네가 아직도 그 창기를 잊지 못하여 봉순이와의 혼인을 마다한다면, 나는 너를 아들로 생각하지 않을 뿐만 아니라 온 식구들을 데리고 이 탑고개마을을 떠나련다. 내가 재인말을 떠나 남쪽으로 내려가지 않고 이곳에 온 것은 모두 너 때문이었다."

거기까지 한달음에 말을 하던 장충은 갑자기 감정이 격해지는 듯

여윈 손을 들어 짓무른 눈가를 훔쳐냈다.

"너는 내 자랑이었다. 나는 너를 내 어깨에 얹고 무동춤을 가르치면서, 언젠가는 이 아비보다 더욱 재간이 출중한 광대가 되리라 믿었고…… 이제는 역시 너는 광대로 그칠 놈이 아니란 걸 믿고 싶구나. 너는 내 소생은 아니지만, 나를 그대로 꼭 빼어닮은 장충의 아들이다. 나두 여사당의 버린 살덩이로 태어나 젊을 적엔 왈짜깨나 부리면서 행패도 많이 저지르곤 하였다. 그렇지만 어리석고 나약한 탓으로 이렇게 천출을 면치 못하고 늙어버리구 말았구나. 나는 네 대답을 기다리지 않겠다. 너 하고 싶은 대루 어서 떠나거라. 차라리 대면하지 않는다면 이 늙은이의 안달도 곧 가라앉겠지."

장충은 돌아앉아서 더이상 말을 하지 않았다. 길산은 한참 만에 드디어 무거운 입을 떼었다.

"아버님의 분부를 따르겠습니다."

장충은 돌아앉은 채로 고개를 끄덕이면서 아무 말도 하지 않았다. 그도 길산의 안타까움을 알기는 하였으나, 사람의 사는 일이란 그런 안타까움은 아주 조그만 부분이며 세월이 감에 따라 부질없이 스러지고 말 것임을 또한 안다는 듯하였다. 다시 바깥에서 갖바치 박서방의 목소리가 들려왔다.

"아직두 안 끝나셨습니까?"

"응…… 다 끝났네. 술상 들여오라게."

박서방과 갑송이가 주춤거리며 들어왔다. 그들은 두 사람의 무거운 분위기를 짐작했는지 말없이 앉아서 무심한 듯 천장만 올려다보고 있었다. 길산의 누이 박서방댁과 어머니 까막내 무당이 상을 맞들어 들여왔다. 갓 지은 조밥에 닭국과 막걸리가 한 상 그득히 올라 있었다. 박서방댁은 곧 나가고 무당은 길산의 옆에 지키고 앉아서

닭고기를 골라주기도 하고 김치를 얹어주기도 하면서 연방,

"많이 먹어라. 너 밥 먹는 것 오랫동안 못 보았다. 어서 더 먹어라."

하는 것이었다. 길산의 밥 한 그릇이 금방 비워지자 그녀는 목청을 돋우어 마당에다 대고 외친다.

"애, 봉순아, 거 양푼에 한 그릇 그득히 더 담아 내오너라."

밖에서 신 끄는 소리가 들린 뒤에 문이 빠끔히 열리고 밥그릇을 받든 봉순이의 손만이 들어섰는데, 무당은 문을 벌컥 열었다. 봉순이는 온 빰이 붉어진 채로 서 있었다. 장충이 그런 양을 바라보며 수저를 멈추더니 빙긋 웃음을 머금었다.

"봉순이가 오늘은 세수를 한 열 번 했는가 보다."

"예……?"

무당도 함께 거들었다.

"애가 우리 길산이가 오니까 갑자기 각시티가 나는구나."

봉순이는 치마를 싸쥐며 달아났고, 박서방과 무당은 큰 소리로 웃었으며, 갑송이와 장충은 빙글빙글 웃었으나, 길산이 본인만은 고개를 밥그릇에 처박고 수걱수걱 밥만 떠넣을 뿐이었다. 막걸리잔이 한 순 돌고 났을 때 장충이 제 마누라를 향하여 말을 떼었다.

"길산이가 마음을 정했다는군. 이제부터 바삐 서두른다 하여도 열흘은 걸릴 것인즉 해를 넘기지 말고 혼사 치를 준비나 하지."

"아이고, 인륜지대사를 어찌 그리 후딱 해넘길 수야 있나요. 설이나 쇠고 해동이나 되어서 치러야지."

"아닐세. 길산이가 설을 쇠고는 곧 먼 길을 떠난다니 해 안에 해버려야지."

"아니, 떠나긴 어딜 간단 말이냐. 이제 겨우 자리를 잡고 살림이

막 시작된 판인데……"

길산이 제 일을 가지고 콩팔 하는 것을 한참이나 듣고만 있다가 말하였다.

"혼인이란 별게 아니라, 다정한 사람들 앞에 팔자를 맺게 되었음을 알리고 사주를 얽는 일인데, 시방 산에는 제 뜻 맞는 동무들이 대강 다 모여 있습니다. 이런 기회에 치르는 것이 제게나 동무들에게나 복이 되겠지요. 앞으루 사흘 안에 혼사를 치르도록 해주십시오."

무당이 깜짝 놀랐다.

"아니, 그게 무슨 날벼락 같은 소리냐. 사흘 말미에 어찌 혼인 준비를 하겠느냐."

그러나 장충은 별로 반대할 의사가 아닌 모양이었다.

"허긴 그렇다. 먼 타관에서 데려오는 색시두 아니구, 한집안에서 자라난 사이니까. 격식 차릴 것두 없이 작수성례(酌水成禮)를 지내면 어떠하냐. 더구나 네 의향이 동무들이 모인 자리를 놓치고 싶지 않다 하니, 마음에 작정이 된 이상에는 어물거릴 필요가 없느니라. 네 뜻대루 하자꾸나."

장충의 말에 까막내 무당댁은 펄쩍 뛰면서 다시 반대했다.

"길산이도 내 자식이요, 봉순이도 어릴 적부터 내 신딸로 키운 자식인데 천생연분으로 데릴사위 겸 민며느리나 마찬가지여요. 이런 인연을 맺는 경사를 작수성례로 치르다니, 그 무슨 섭섭허신 말씀이유. 내는 못 허겠수."

박서방이 싱글대면서 무당을 만류한다.

"장모님, 어디 말이 작수성례이지 그럴 리가 있겠습니까. 작정이 된 바에야 속히 치르자는 말씀이지요."

"아닐세. 내 자네들 혼사 때에도 대굿 열 마당만큼이나 떡벌어지게 지내주었지만, 이번 혼사는 내 사위 겸 아들과 내 며느리 겸 딸년의 인륜대사인데 소홀히 넘길 수는 없네."

"아따! 그러면 대갓집 못잖게 격식 모두 갖추어 지내. 하여튼 길산이 말대루 사나흘 안으루 치를 테니까 알아서 해여."

장충이 면박을 놓아 입을 막아놓자, 무당은 벌써부터 조바심이 생겨서 자리에서 들썩이며 중얼댔다.

"에구…… 큰탈 났네, 큰탈 났어. 오늘밤부터 꼬빡 새워야겠구먼."

길산이와 봉순이가 혼인한다는 소문이 재인말서 탑고개로 이사 온 광대들 사이에 퍼졌고, 아낙네들이 곧 모여들어 분주하게 준비들을 시작했다. 갑송이와 길산이는 다시 산채로 나가는 중에 월정사에 들르기로 하고서 나한암을 돌아 넘어갔다. 조도(鳥道)를 지나고 적송(赤松)의 숲으로 들어설 때 앞섰던 갑송이가 불쑥 말을 꺼냈다.

"길산아, 나두 장가들구 싶다."

"들려무나."

길산은 시큰둥하게 대답했고, 갑송이가 걸음을 멈추었다.

"어째 대꾸가 신통칠 않은걸."

"나는 아버님 말씀은 거역할 수가 없어. 그분은 나를 당신 손으로 몸소 받아낸 분이니까."

"장가들기가 싫으냐?"

길산은 말없이 걸어갔고, 우두커니 섰던 갑송이가 다시 물었다.

"봉순이가 별루 마음에 내키지 않는 모양이구나."

"봉순이는…… 내 누이야."

"묘옥이 때문이로구나?"

길산이는 대답 대신 먼 산봉우리 쪽으로 시선을 돌리고 구름 사이로 첩첩인 연봉을 아득한 시선으로 내다보았다. 길산이 시선을 거두면서 말머리를 바꾸었다.

"풍열이란 중이 그렇게 도가 높단 말이지?"

"아무튼 괴짜쇠여. 꼬치꼬치 마른 늙은이가 손가락 하나루 나를 기절시켰다니까."

"음, 일지관수로군!"

"그뿐이 아니야. 옥여라는 중은 승복을 입었다뿐이지 우리네와 똑같더란 말이야."

"어쨌거나 정착을 하게 해주었으니 인사는 드려야지."

그들은 절 마당 안으로 들어갔다. 때마침 법당 문을 밀치고 나오는 것은 옥여스님이었다.

"이두령, 어서 오시오!"

옥여는 이제는 친숙해진 갑송이께 합장 배례도 하지 않고 웃음으로 말을 건넸다. 갑송이가 길산을 돌아보고 나서 말했다.

"오늘은 나허구 가장 친한 동무를 데리고 왔소이다. 곡차 톡톡히 내야 허우."

"암, 사당마을에 내려가면 어디 곡차뿐이겠소."

갑송이가 벌죽이 웃었다.

"저 보라니까. 멀쩡한 승복을 입었을 뿐이지 우리 같은 왈짜라니까."

세 사람은 목청을 합쳐 껄껄 웃었다.

"풍열스님 계시우?"

"예, 계십니다. 헌데 이두령의 동무하고는 인사시키지 않으려오?"

"아이구, 인사허슈."

길산이 재빨리 허리를 굽히며 인사를 드렸다.

"장길산이우."

"옥여요."
하고 나서 옥여는 문득 생각이 났는지 길산에게 되물었다.
"감영 옥에 갇혔던 분이시오?"
"예, 그렇습니다."
"이두령한테서 얘기를 많이 들었습니다."
그들은 월정사 뒤의 계곡을 올라 달마암에 이르렀다. 선방 마루에는 동승이 나와서 내다보고 있었다.
"스님께 손님이 오셨다고 여쭈어라."
"스님께선 지금 주무십니다."
동승의 말을 듣고 난 옥여는 잠시 망설이는 눈치였다.
"허허, 단잠을 깨워드릴 수도 없고 기다리기도 그렇고, 어쩐다?"
"제길 내가 깨우겠수. 주승이면 주승이지 낮잠이 다 무에야."
갑송이가 툴툴거리며 마루 위로 성큼 올라섰다. 그는 만류하려는 동승을 아랑곳하지 않고 미닫이를 벌컥 열고 걸걸한 목소리로 사뭇 고함을 쳤다.
"스님! 스님…… 갑송이 왔습니다. 일어나우."
갑송이의 큰 소리에도 꿈쩍 않고 풍열은 목침을 베고 누운 채 깊은 잠에 빠진 것 같았다.
"풍열스님, 일어나라구요."
갑송이가 풍열의 가슴을 거칠게 흔들자, 그제야 그는 눈을 뜨고 멀뚱히 올려다보더니 일어나 앉았다.
"단잠을 깨워드려서 죄송허우. 그렇지만 스님, 추운데 기다릴 수두 없구 그냥 돌아갈 수두 없지 않습니까? 제 동기간 같다는 길산이하구 함께 왔습니다."
풍열은 늘어지게 기지개를 켜면서 하품을 연거푸 터뜨렸다.

"허허…… 백일몽이로다."

"무슨 잠을 그리 곤히 주무십니까?"

"응, 곡차를 과히 들었더니 몹시 취했던 모양이다."

"아니, 선방(禪房)에서 곡차라니요?"

"그래 이 녀석아, 불심은 세상 만물에 다 있느니라."

하고 나서 풍열은 새로운 얼굴을 향하여 잠깐 쏘아보았다. 길산이 넙죽 엎드리며 두 손바닥을 위로 향하여 받드는 불자의 예를 올린다.

"저희를 탑고개마을에 거두어주셔서 고맙습니다."

풍열은 염주알을 헤아리면서 딴 곳에 시선을 던지고 있었다.

"저희들도 연희를 나가게 되면 월정사의 불사를 돕겠습니다."

풍열은 그제야 고개를 돌려 길산을 바라보았다.

"자네도 광대인가?"

"예, 그렇습니다."

풍열은 빙그레 웃었다.

"자네가 탑고개마을서 패거리들과 함께 연희를 나간단 말인가?"

길산은 대답하기가 난처하였다.

"글쎄올시다…… 저는 이곳을 떠날 작정입니다만, 우리 재인말 사람들은 모두 그러기를 원하구 있습니다."

"감영 옥에서 나왔다지. 어디로 떠나서 무엇을 하려는가?"

"그저 발길 닿는 데로 떠나려 합니다. 뭔가 배우고 싶습니다."

풍열스님은 고개를 끄덕였다.

"언제 떠날 것인데……"

"예, 설을 쇠고는 나갈까 합니다."

"그때까지 내게 자주 놀러 오너라. 내 자네에게 이를 말이 있다."

그는 잠시 말을 끊었다가 길산을 따뜻한 시선으로 건너다보면서 다시 말하였다.

"금강산에 가본 일이 있나?"

"근처까지는 갔으나, 입산하지는 않았습니다."

"금강산에는 내 스승이 계시다. 자네를 받아줄지는 모르지만 내가 보기로는 자네는 그분께 꼭 필요한 사람일지도 모른다."

곁에서 옥여가 한마디 하였다.

"스님…… 운부대사 말씀이십니까?"

"그래, 지난번에 가서 뵈었느냐?"

"예, 간신히 만나뵐 수가 있었습니다. 스님께선 암자에 계시질 않습니다. 그 어른이 금강산에서 어딜 가셨는지 몰라 벽곡을 하면서 보름을 기다렸지요."

길산은 머리를 조아렸다.

"스님께서 이렇게까지 하여주시니 몸둘 바를 모르겠습니다. 스님 분부대로 운부스님을 꼭 만나구야 말겠습니다."

"아니다, 자네가 만나는 것이 아니라 당신께서 너희들을 기다리시는 것이다."

하고 나서 풍열이 갑송이에게 말했다.

"갑송아, 머리를 깎고 승려가 되지 않으려느냐?"

갑송이는 눈을 크게 뜨고는 주위 사람들을 둘러보았다.

"예? 중이 되라구요. 에구, 나는 싫소이다. 길산이는 장가들구, 나 혼자 총각귀신 못 면하구 까까중이 되어요?"

풍열과 옥여가 껄껄 웃었다. 풍열이 웃으면서 혼잣말 비슷이 중얼거렸다.

"사람마다 제각기 걸맞은 팔자가 있는 법이다. 길산이는 비승비속으로 우리와 인연이 있으나, 갑송이는 비구가 되어야 할 팔자이니

라. 네게 곧 불가의 깊은 인연이 찾아들 것이다."

"에이, 그런 일 없습니다요."

"어디 두고 보아라."

옥여가 길산에게 물었다.

"혼인을 하시오?"

길산이 대신 갑송이가 주워섬겼다.

"내일 모레가 저 녀석 장가드는 날이우. 동갑네에 나보다 생일두 늦은 녀석이 버르장머리 없이 장가가 다 뭡니까. 나두 장가들려우. 옥여스님, 전에 말이 나온 대루 그 도화라는 애사당하구 정분 좀 나게 해주오."

"왜, 그때에는 한사코 마다하시더니, 허긴 장가가 좋긴 좋은 모양이오."

길산이 풍열에게 고개를 숙이며 일어났다.

"집안일이 끝나고 나서 다시 찾아뵙겠습니다."

"모레라구 그랬나?"

"예, 탑고개서 할 터인데…… 스님두 오십시오."

"그래, 고기라두 몇점 얻어먹으러 갈거나."

그들은 달마암을 내려왔다.

"사당마을 가서 곡차 내야 허우."

갑송이가 옥여에게 지분대는데, 길산이 말했다.

"그냥 된목이골루 올라가지. 거기두 술이 있지 않겠나. 만석이가 잡아놓은 짐승 고기도 있을 테구……"

"이 자식아, 너는 장가를 들지만 내야 눈요기라두 해야겠다. 사당 아이들이나 먼발치서라두 보구 가야지."

옥여가 승려답지 않게 갑송이의 등판을 철썩 두드렸다.

"좋소이다. 이두령이 오늘따라 그렇게 계집을 밝히니…… 하는 수 없이 내가 중신을 들어야겠군."

"헤헤, 승려가 중신을 든다면 복록은 이미 무르익은 일이로다."

그들은 그렇게 농지거리를 하면서 월정사 사당마을로 내려갔다. 그들이 마을 어귀로 들어서는데 이미 그들을 발견한 모가비 임가가 마중을 나오고 있었다.

"어이구, 오랜만에 내려오셨습니다."

임가가 우선 갑송이께 그렇게 인사를 올리고 나서 옥여에게 정중히 합장 배례하였다. 옥여가 말하였다.

"자네 오늘 어깨가 무겁게 되었네."

"예예, 알겠습니다. 담가놓은 술이 어디 저희 것입니까. 스님께서 맡겨놓으신 것이지요. 저희는 술을 통 입에도 못 댄다니까요."

"이 사람아, 그게 술이 아니라 승려가 마시면 곡차가 되는 법일세."

"곡차 몇잔 따위루 제 어깨가 무거워서야 어디 월정사 사당말을 폐하시려구 그런 말을 하십니까?"

"그게 아니라 오늘은 이두령이 그 도화라는 아이를 보구 싶어 한다네."

"내가 다 그럴 줄 알구 버들쇠와의 기구한 사연을 말씀드렸지요. 이두령과 성례가 되고 보면 저는 이른 사위를 보게 되는 셈이군요. 그뿐입니까, 거사 하나 그럴듯한 장사를 거느리게 되는 셈이 아닙니까."

갑송이가 수줍고 쑥스러워져서 얼굴을 돌리고 있다가 똥 뀐 놈이 먼저 성낸다고 벌컥하였다.

"내가 어째서 자네의 사위이며, 또한 뭣 땜에 자네 수하의 거사가 되는가?"

"아니오. 이를테면 내 딸이나 같은 도화년과 성례를 하게 되면 그렇다는 얘깁지요. 싫으면 그만두시우. 누가 불러두 내가 오지 말라면 안 오니까요."

갑송이는 아주 못마땅한 얼굴로 더이상 말을 하지 않으나, 도화가 보고 싶기는 한 모양이었다. 그들이 동네 사랑에 가 앉고, 임가는 지난번에 동석했던 거사 하나를 불러 뭔가 숙덕거렸다. 길산이도 이제는 갑송이가 말하던 도화라는 사당에 관하여 궁금한 생각이 들어 은근히 조바심이 생겼다. 잠시 후에 여자 둘이 마당에 나타났는데, 백련이라는 나이 든 사당과 그 뒤에 앳된 사당이 보였으니 그가 도화임이 틀림없었다. 그들은 곱게 화장을 했고, 머리 위에는 붉은 댕기를 매고 있었다. 그들이 술상을 받쳐 마루 위에 올려놓고는 잠시 분부를 기다리는 듯하였다. 임가가 방 안에서 고개를 내밀고 말했다.

"너희들 인사드려라. 옥여스님도 와 계시고 구월산 산채의 장사 두 분도 내려오셨다."

그들은 땅 위에 사뿐히 앉으면서 인사를 하는데,

"부처님 공덕으로 만물초목 생기한데, 백련이 문안드리오, 관세음보살."

"흐름을 따라 성품을 얻으니, 기쁨도 근심도 없는 도화 문안드리오, 나무관세음보살."

"이리루 올라와서 두령님들께 술을 따르어라."

임가가 지시하자 백련과 도화는 방 안에다 술상을 들여놓고 마루 위에 단정히 앉았다. 먼저 갑송이가 잔을 비우자 백련이 술병을 드는데, 임가가 다시 말하였다.

"이두령께는 도화가 한잔 따르어라."

도화는 눈을 곱게 내리깐 채로 병을 들어 갑송이의 잔에 붓는데, 갑송이의 잔 잡은 손이 어느결에 간간이 떨리고 있었다. 도화의 안색은 병색이 깃들이고 수심 깊은 그늘이 드리워져 있었으나, 마치 서리를 맞은 잔국(殘菊)처럼 사람의 마음을 애달프게 하는 것만 같았다. 갑송이는 단숨에 잔을 비우고 또다시 내밀었다. 역시 눈을 내리깐 채 도화는 침착하게 갑송이의 빈 잔을 채웠다. 좌중의 사람들은 그런 양이 처음엔 우스웠으나 갑송이의 표정이 너무도 숫되고 진실하게 보여서 웃지를 못하였다. 길산이가 이런 딱딱한 분위기를 해소라도 시키려는지 일부러 쾌활한 목소리를 내어 백련에게 술을 청하였다.

"자아, 내게두 한잔 주오."

백련은 도화와는 달리 산전수전을 겪은 사당인지라 한 손으로 술을 따르는데 또 한 손은 소매 끝으로 따라가는 듯 마는 듯하고 이마는 약간 숙인 채로 눈을 들어 상대의 시선에 맞추었다가 술잔을 잡은 손에 머무는 것이었다. 임가가 껄껄 웃어대며 농을 던졌다.

"얘 백련아, 헛물켜지 마라. 이쪽의 장사님은 낼 모레 장가가신단다."

백련이는 임가를 돌아보더니 방긋 웃으면서 받는다.

"물이 너르면 송사리와 청룡이 더불어 모여들고, 산이 깊으면 토끼 대호(大虎)가 함께 서식하나니…… 대장부 너른 품이 그만 못하여, 아녀자처럼 정든 임 한 가슴에 족하십니까?"

길산은 무덤덤하고 옥여가 빙그레 웃었다. 그도 또한 농이 나온다.

"낙수(落水)가 돌에 구멍을 뚫는다더니…… 백련이는 가히 보살이로구나. 무엇이든 한 가지에 이른 자는 모두 불심을 아는 모양이구

나. 허나 승려가 주를 가까이 하고 심지어 색마저 나란히 할 수야 있겠느냐. 이젠, 물러들 가거라."

갑송이가 세 번째의 잔을 내미는데, 그제야 눈을 깔기만 하고 있던 도화가 얼굴을 쳐들어 갑송이를 바라보았다. 갑송이의 얼굴이 취기 때문이 아니라 수줍음과 정으로 하여 벌겋게 달아 있었다. 백련이가 먼저 마루에서 내려섰고, 도화도 따라 내려갔다. 그들이 다시 합장 배례하고 돌아섰을 때, 임가가 갑송이의 팔을 툭 치면서 말하였다.

"어떠시우, 이두령…… 마음에 흡족하시다면 내 중신을 서리다."

갑송이는 우선 잔부터 널름 비우고는 성급하게 말하였다.

"나 장가들라우!"

길산이 물었다.

"정말이냐?"

"당장 어머님께 여쭙고 데려올 테다."

"허, 이두령의 마음은 그렇고…… 저쪽의 심정이 어떨지두 모르고서 어찌 그리 자신이 만만하우."

옥여가 한마디 하자, 갑송이는 제 손으로 술을 콸콸 따라 벌컥벌컥 들이켜면서 말했다.

"까짓…… 말을 안 들으면 잡아다가 아내를 삼으면 되지, 뭘 꺼릴 게 있수?"

"저런, 성미하구는 내 원……"

그때 임가가 무슨 생각이 들었는지 멀리 간 백련이를 불렀다.

"백련아, 이리 오너라."

삽짝 밖으로 나갔던 백련이가 핼끔 돌아보더니 곧 되돌아왔다.

"왜 그래요?"

"우리가 네게 청이 한 가지 있다. 도화가 네 말을 잘 듣지 않느냐?"

"예, 성님 아우 하며 지내온 지가 여러 해 되었어요."

임가는 갑송이를 보고 나서 계속하였다.

"여기 계신 이두령과 도화를 성례시킬까 하여 네게 청하는 것이다. 도화에게 한번 권하여보아라. 이번 일이 성사가 된다면 아마 구월산 산채에서 큰 상급을 주실 게다."

"보통 졸장부나 향리의 초부 머슴도 아니고 저렇게 기골이 장대하신 장사님을 마다할 어느 시러베딸년이 있겠습니까. 제가 오늘 중으루 설득하여 꼭 성사를 시킬 터이니 상급은 더도 말고 옷이나 한 벌 해줍시오."

임가는 백련이를 돌려보내고는 그들에게 말하였다.

"내 이런 혼사는 또 처음이오만, 만약에 형제 같은 두 분이 같은 날 같은 시에 혼례를 지낸다면 그에서 더 큰 복이 없겠수. 하여튼지 오늘 안으루 제가 탑고개에 기별을 드리지요."

길산이 말하였다.

"아니오, 우리는 오늘 저녁에 구월산 된목이골서 지낼 텐데 내일 지나는 길에 다시 들르지요."

"그러면 더욱 좋습니다."

장본인인 갑송이만이 얼굴이 벌게져서 술만 연거푸 들이켜고 있다. 옥여가 말했다.

"내 속세에서 혼인하는 것을 몇번 보았거니와, 오랜만에 아는 이들의 혼례를 보게 되었구려. 축수 염불이나 길게 해드리리다."

길산과 갑송이 된목이골을 향해서 멀어져간 뒤에 임가는 백련이네 집으로 넌지시 가보았다. 백련이는 짝거사가 있었으나, 거사 없는 애사당인 도화와 각심이를 한집에 데리고 있었다. 마른 왕골로 자리를 짜고 있던 백련이의 거사가 모가비를 보고는 일손을 털고 일어섰다.

"웬일이우?"

"가만있게…… 도화를 시집보내게 되었어."

"예? 갑자기 그 무슨 말씀이우?"

"지금 백련이하구 얘기하구 있지?"

"모르겠수. 저애가 그 버들쇠하구의 일이 있고부터는 장사에도 나서지 않았고, 몸을 사려온 참이우. 아마 아무하구두 가까이하려 않을 것이외다."

"그러니까 차라리 구월산 녹림패들의 인심이나 사두자 그 얘길세. 이갑송이라는 재인말 광대 있잖은가, 그자와 성혼시키려네."

"의문이올습니다."

"무슨 말이야?"

"도화는 다감한 아인데다 버들쇠처럼 나긋나긋한 사내가 어울릴 것인즉, 그 곰 같은 놈의 아내가 되었다가는 아마 시름에 겨워 두어 달두 못 살겠수."

"사람의 일이란 더구나 남녀간의 정분이란 하늘두 모른다구 했네."

백련의 서방 되는 거사가 고개를 흔들었다.

"나중에 화를 불러 그들의 노염을 사느니 아예 성례시키지 마시우."

"무슨 화가 있다구 그러는가?"

"글쎄…… 그런 일이 있습니다요."

임가는 거사의 말을 듣고 좀 꺼림칙하기는 했으나 약조한 일인지라 그대로 백련에게 맡기기로 하였다. 백련은 드디어 도화의 마음을 잡아내는 데 성사하였다.

6

길산이 봉순이와 혼인을 하게 되었는데, 갑송이도 덩달아서 도화와 장가를 들겠다고 설쳐대어, 된목이골에서는 아예 잘된 노릇이라고 쌀 다섯 섬과 상목 열 필을 비용으로 보내주었다. 하는 수 없이 길산이네서 갑송이의 혼인까지 도맡게 되었는데, 갑송이네는 노모 한 분이 계실 뿐 식구가 아무도 없는 탓이었다. 그러나 재인말에서부터 서로 도움을 주고받던 광대들인지라 모두들 길산이네로 모여들어 일을 도왔다.

혼인날이 되어 된목이골에서 날짜를 기다리고 있던 박대근을 비롯하여 김기, 강선흥, 우대용, 마감동, 오만석 등등이 탑고개로 내려왔다. 옥여와 모가비 임가며 거사 몇명과 백련이와 몇명의 여사당들도 내려왔다. 그들 스스로의 생각에도 양반댁 혼례를 그대로 따른다기도 우스운 노릇인지라 사주단자며 택일이며 함이며를 모두 약하고 초례만을 대강 치르기로 하였다. 신랑들은 사모관대 대신에 초립에 중치막 차림이요, 신부들은 원삼 족두리가 아닌 치마저고리에 얹은머리 그대로이다. 된목이골 졸개들이 이틀 동안이나 눈 덮인 냇가를 싸돌아서 겨우 잡아온 생기러기를 붉은 보를 씌운 함의 머리에다 붙들어맸는데 발목에는 청실홍실을 묶었다.

길산네 삽짝은 임시로 모두 젖혀버렸고 위에는 차일, 아래는 멍석을 깔았으며 병풍 대신에 멍석을 세워 둥글게 가려놓았다. 또한 중앙의 끝쪽에 독좌상을 남향에 정면으로 벌여두었는데, 와룡 촛대 한 쌍이 좌우로 벌려 서 있었고, 맨 앞에는 대추와 밤과 약과가 놓여 있으며, 그 뒷줄에 달떡이 스물한 개씩 두 접시, 또한 콩과 팥이 담긴 그릇 한 쌍이 나란히 놓였다. 상 좌우에는 찹쌀로 빚어 물들인 수탉과 암탉의 모양이 동서로 놓여 있었다. 독좌상 앞에는 다시 작은 소반을 내밀어두었으며 청실홍실을 얽어맨 술잔과 주둥이 높은 주전자와 꺾지 숟가락이 벌여 있었다. 길산네는 시가와 처가가 겸하여 있는 형편이고, 갑송이가 데려오는 도화도 부모 없이 자란 고아인지라 간단히 약하여 이렇게 초례만을 치르려는 것이었다.

길산이와 갑송이가 의젓하게 멍석을 밟으며 걸어들어오니 구월산 두령들이 소리지르며 농을 던졌다. 물론 보통때처럼 막 놓는 농지거리는 못하고 제법 점잖은 투였다. 길산이와 갑송이가 기러기에 두 번 절하고 나서 다시 독좌상 앞으로 가서 섰다. 신부들은 이미 아녀자들의 부축을 받고 나와 서 있었다. 신부들은 동쪽에, 신랑들은 서쪽에 마주 섰다. 신부들이 먼저 두 번 절했고 신랑들이 한 번 답례하였다. 한 번 더 인사가 오고간 뒤에 수모로 나온 아낙네가 술을 따라 양쪽에 권하였다. 곁에서는 옥여가 목어를 두드리며 큰 목청으로 염불을 외쳤다. 그 자리에서 초례는 끝나고, 안방에서 길산의 부모와 갑송의 어머니가 함께 신부들의 인사를 받기로 되어, 봉순이와 도화는 수모들에게 끌려갔다.

이제부터는 술 먹고 놀다가 저녁때에 첫날밤을 지내는 일밖에 남지 않았으므로 길산이와 갑송이는 답답증을 견디지 못하여 초립과 중치막을 벗어버리고 말았다. 상사람인지라 흠이 될 것도 없었고 예를 차린댔자 알아볼 리도 없었다. 그들은 그들 나름대로 잔치의 절차가 있었는데 멍석 위에서 곧 광대희가 벌어질 모양이었다. 이미 앞줄에는 삼현육각을 가진 자들이 몰려나와 있었다. 길산과 갑송이를 위시해서 된목이골 패거리와 월정사에서 온 사람들이 합석하여 둘러앉았다.

"자아, 두 면총각들 술 받으시우. 젠장할 이거 상풍이 이만저만이 아닐세."

박대근이 술을 따라 건네면서 투덜대자 갑송이가 겸연쩍게 웃으면서 되물었다.

"아니, 상풍이라뇨?"

"삼십이 넘은 내는 아직두 헛상투를 올린 총각인데, 아우님들이 벼락 치듯 장가를 드니 하는 말이오."

"에이, 성님이야 배대인 댁 막내딸 귀례 아씨가 있지 않우."

"거 너무 되바라져 내주장이 심하겠어."

"벌써부터 안눈치를 보시다간 이담에는 사타구니에 주머니 차구 다니게 되겠수."

아직 안면이 없는 월정사의 옥여와 구월산 두령들이 인사를 나누었다. 길산이는 말없이 앉아서 술만 기울이고 있었는데, 김기가 가장 연장자인 박대근에게 말하였다.

"박행수…… 오늘 형제지의(兄弟之誼)를 맺어놓기루 하였는데, 시방 거행을 하는 게 어떻겠소?"

"그럽시다. 차서는 정해졌지요?"

"예, 정해졌습니다."

나이가 가장 아래인 강선흥이 불평을 터뜨렸다.

"까짓 밥그릇으루 차서를 정한다면야 북망에 갈 늙은일 데려다가 머리를 삼지 뭘."

박대근이 핀잔을 주었다.

“무슨 말이냐. 나이두 나이려니와, 윗사람의 구실이란 것이 있는 법이다. 이것은 또한 나이만으로 되어지는 것은 아니요, 재간이나 기운으로만 되는 것두 아니다. 너는 나이도 가장 아래고 구실도 그러한데…… 일테면 장서방한테 성님 대접을 받구 싶으냐?”

강선흥은 입을 불쑥 내밀고 투덜거렸다.

“아이구, 저 말씀 보시게. 누가 길산이 성님이 고까워서 그러는 것이오?”

“그럼 누가 고까우냐? 나냐?”

강선흥이 마감동과 오만석 등 된목이골 임자들 쪽에다 눈을 흘기고 나서 수군수군하는 말투로,

“제미…… 어서 보도 듣도 못한 화적아이들께 성님이 다 무에요?”

박대근이 굵은 눈썹을 치켜올렸다. 강선흥의 말을 귓결에 들은 마감동이 술잔으로 상머리를 꽝 두들겼다.

“뭐라구? 이런 뒤통수에 쇠똥두 떨어지지 않은 녀석이……”

김기가 손을 내저었다.

“여보게, 참게. 강총각, 그러면 못쓰오. 여기 마두령은 비록 기운에 있어 강총각에게 못 미칠지는 모르나, 구월산 산채의 두령이고, 많은 식구를 거느린 사람이외다.”

갑송이가 눈을 부라렸다.

“못써, 이 녀석아. 너 글을 아니?”

강선흥은 모두들 자기에게 눈알을 부라리자 금방 수그러져서 어깨를 움찔 올리고 고개를 안으로 집어넣었다.

“알았수. 잘못했으니 그만들 해두슈.”

갑송이가 손가락질을 하면서 핀잔을 주었다.

"까짓 황소의 뿔을 뽑았다구 장한 게 아니여."

"세상에는 다 법도가 있는 것이다. 마두령은 너보다 몇배나 덕이 있는 사람이다. 장서방과 이서방뿐만 아니라 여기 계신 김선비까지도 모두 수습을 해준 것이나 다름없다. 그가 글을 알건 모르건 중요한 것은 내가 보기에 네 성님 될 구실을 하고 있다고 믿는 사실이다, 알겠느냐?"

강선홍은 여럿의 핀잔을 받고는 꿀먹은 벙어리처럼 말이 없었다. 차서가 정해졌는데 역시 나이나 기운으로가 아니라 앞으로 도모할 일의 구실에 따라서 깊이 숙고하여 정해진 순서였다.

가장 처음이 박대근, 그 다음이 김기, 그러고는 차례로 장길산, 이갑송, 우대용, 마감동, 오만석, 강선홍이 되었다. 김기가 뒷전에서 술을 마시던 졸개들께 손짓하여 제상을 차려오게 하였는데, 보통 해주반(海州盤) 위에 백지를 덮고 중앙에는 향로가 놓였는데, 흰 사기 탕기와 주전자가 나란히 있었으며 나중에 태울 고사문(告辭文)이 접혀져 놓여 있었다. 집사(執事) 역을 맡은 김기가 지시하여 일제히 분향재배(焚香再拜)한 뒤에, 김기가 제상의 사기 탕기를 내려놓고, 제 손가락을 장도로 베어 피를 내었다. 모두들 손가락에서 피를 내어 사기 탕기에다 쏟아냈고, 김기가 그것을 두 손으로 제상 위에 다시 바쳤다. 그가 고사문을 읽기 시작했다.

"유세차 모년 모월 모일 은율 탑고개에서 형제의 의를 맺고 피로써 천지신명께 맹서하나니 차마 저버리는 자가 있다면 천벌을 내리시라. 송도 박대근, 봉산 김기, 문화 장길산, 문화 이갑송, 해주 우대용, 한양 마감동, 안주 오만석, 장연 강선홍 등이 감고(敢告)하나이다."

김기는 그것을 들어 소지(燒紙)하였다. 다음에는 탕기에 모았던 피를 주전자에 다시 부었다가 흔든 다음에 탕기에 한잔을 따라 제상에 바치고, 또 한 차례씩 재배하였다. 끝으로 탕기에 그득 찬 술을 돌려 한 모금씩 음복하고 나서 모든 순서가 끝이 났다. 박대근은 제상이 물려지자 가장 손윗사람으로서 한마디 말을 꺼냈다.

"이제 우리는 같은 피를 나눈 형제요. 앞으로 그 의리를 배신하는 자가 있다면 천지신명을 대신하여 다른 형제들이 모두 힘을 합쳐서 벌하리다. 그러나 우리가 오늘 이러한 맹서까지 하는 것은 옳은 일을 하자는 것이지, 결코 악행을 저지르자고 한 것은 아니외다. 앞으로 수십 년이 지난 뒷날에까지 이러한 맹약을 잊지 말구 살아야 허우."

길산과 갑송이의 혼례에 더불어서 그들이 의형제를 맺은 것은 참으로 앞뒤가 잘 맞아떨어진 노릇이었다. 이튿날 박대근은 송도로 떠났고 우대용과 강선흥은 장연으로 함께 떠나갔다.

길산이는 거의 날마다 눈 덮인 산을 쏘다니며 사냥에만 열중한 듯하였다. 갑송이는 도화와의 살림 재미가 마치 꿀맛인지 집 안에만 틀어박혀 도통 바깥 출입을 하지 않았다. 김기는 은연중에 딸을 구원해내고 원수를 갚기 위해 봉산을 들이칠 것을 원하고 있었으나, 마감동은 눈 녹을 때로 미루어 거사하려 들지 않았다. 설을 쇠고 나자 어느덧 바람이 훈훈해진 듯하였고, 산골짜기의 두꺼운 얼음이 녹아 시냇물이 불어가고 있었다. 길산이는 며칠 안으로 집을 나갈 작정을 하고서 그제야 문득 월정사의 주지 풍열스님 생각이 났다.

길산은 남의 눈에 띄는 것이 싫어서 월정사 뒷길을 돌아 달마암으로 올라갔다. 계곡을 흘러내려가는 시냇물 소리와 새 울음이 가득했고 달마암에는 아무런 인기척이 없었다. 동승은 툇마루 양지쪽에 쪼그리고 누워서 낮잠을 달게 자고 있었다.

길산은 달마암을 지나 등성이를 타고 올라 주변을 두리번거렸다. 큰 암벽 아래 가사 장삼의 풍열스님의 뒷등이 내려다보이고 있었다.

풍열이 내려다보는 곳은 절벽이 툭 터진 아래편 들판 쪽이었다. 길산은 풍열이 참선에 잠겨 있는 줄 알고 조심조심 아래로 내려갔다. 풍열이 중얼거렸다.

"누구냐?"

길산은 풍열의 등에다 대고 말했다.

"탑고개의 길산입니다."

"이리 가까이 오너라."

길산이 풍열의 곁에 가도록 노승은 들판 저쪽을 내다보고 있었다. 그의 시선을 따라서 길산이 바라보니 들판 가운데 붉은색의 깃대가 꽂혀 있었고, 승려들 서넛이 사람들 가운데 끼여 있는 게 보였다. 들판에서 밭고랑 사이로 뚫린 길의 끝에 고개가 보였는데 그 고갯마루로 사람들이 오르내리는 중이었다. 자세히 보니 모두들 어깨나 머리에 뭔가 운반하고 있었다. 길산이 물었다.

"스님, 저 아래 웬 역사입니까?"

"춘궁의 보시(布施)를 하구 있다."

월정사에서는 이달부터 시작하여 보리가 팰 무렵까지 양곡과 피륙을 내어 인근 읍의 난민들께 내어주고 있었는데, 가을에는 다시 사당패와 시주승을 동원하여 거둬들이는 것이었다. 관가의 환자처럼 이자를 붙이거나 못 쓸 것이 아니라서, 월정사의 춘궁기 보시는 구월산 사방의 빈민들께 잘 알려져 있었다. 길산이 문득 생각나서,

"스님, 김선비가 상목과 돈을 보냈는데 거두셨습니까?"

"옥여와 감동이가 저 아래 함께 내려가 있다."

길산은 고개를 숙이고 있었다. 마음이 가라앉지 않고 자꾸만 괴롭고 쓸쓸하여 하릴없이 산을 쏘다니며 사냥질에 허비한 자기가 부끄러워진 때문이었다. 풍열은 친근한 미소를 지으며 길산의 옷자락을 당겨 앉도록 하였다.

"그래, 장가를 든 재미가 어떻더냐?"

"마음은 걷잡을 수 없이 떠돌고, 한시도 집에 있지 못하겠습니다. 사나이가 가솔을 갖는 일이 어디 아내를 품에 안고 잠자리에 드는 일뿐이겠습니까. 저희 부부는 심지어 몸도 여태 섞지 못하였습니다."

풍열이 소리를 내어 웃었다.

"허허, 그 참 불쌍한 우바새로다. 정욕의 방향이 어긋난 것이 아니더냐? 중생으로 방향을 바로잡아야 천지에 가득 차는 사랑을 가지게 되느니라."

길산은 더욱 고개를 숙였다.

"정한(情恨) 때문에 집을 나가려는 것은 아니올시다. 우리네 같은 천한 백성들에게 좋은 짓을 할 사람이 되겠다고, 옥에 갇혀서도 참형을 당하는 일을 스스로 탄하였습니다."

"천한 백성? 네 중생이 무엇인지를 아느냐?"

길산은 대답을 못 하고 우물쭈물하다가 간신히 말하였다.

"알 듯도 하고 모를 듯도 합니다. 그러나 저나, 제 아비나 제 어미 같은 모든 사람들 아닙니까?"

"전에도 말했듯이 중생은 곧 불신(佛身)이다. 네가 스스로 가장 아껴하듯 중생은 곧 네 자신이니라. 정토(淨土)가 어느 하늘에 따로 있는 것이 아니라, 사랑으로 온 세상이 밝아지는 때에 이르러 마침내 현세는 극락이 되는 것이다."

“그때에 오는 부처가 미륵님입니까?”

“그렇다. 미륵은 제 혼자서 오는 것이 아니라 수많은 보살들의 실행과 더불어 오게 된다. 보살은 누구냐. 중생 중에서 그들에의 사랑을 깨달은 자들을 보살이라고 한다. 지장(地藏)께서 성불을 멈추시고 지옥문 앞에 가서 눈물을 흘리는 연유가 바로 그것이다. 중생들이 모두 지옥을 벗어나기 전까지는 언제까지나 중생 그대로 있어, 괴로워하고, 슬퍼하고, 아파하고, 굶주리며, 헐벗은 채 부처가 되지 않겠다는 것이 바로 보살도(菩薩道)이니라. 지장보살뿐만 아니라 아난존자께서도 만일 한 중생이라도 성불치 못하였으면 끝내 부처가 되지 않으리라(如一衆生 未成佛 終不於此 就泥洹) 하였다. 이러한 여러 보살들의 원력이 쌓여서 중생들 스스로 깨달을 즈음에 미륵불이 찾아오시는 것이다. 구세불은 저 혼자 오시는 게 아니니라. 마치 가을바람에 익어 떨어지는 실과와 같다. 새 세상을 맞이하는 것은 보살들의 실행에 달렸다.”

길산이 말했다.

“스님, 저는 승려가 아닌 고로 보살도를 행하지 못하는 것은 아닙니까?”

풍열은 눈을 감고 잔잔히 웃음을 머금었다.

“비승비속…… 세존께서 말씀하시기를 말세가 되어 미륵이 나타나는 삼천 세가 지나면 절에는 가승(假僧)만이 남고, 진승(眞僧)은 시은(市隱)하여 저자 사람들의 생활 속에 더불어 있다 하였다. 일찍이 비승비속으로 보살도를 행하였던 유마거사(維摩居士)가 있었느니라. 유마힐은 어느날 병을 칭하고 누워 있었는데, 문수보살께서 병을 묻자 이렇게 대답을 하였다. 일체 중생이 병이 들었으므로 나도 병이 들었나니, 만일 일체 중생의 병이 없어진다면 나의 병도 없어질 것이다. 왜냐하면 보살은 중생을 위하여 죽음을 함께하는 것이요, 생사(生死) 때문에 병이 있는 것이니, 만일 중생이 병을 벗어나면 보살도 병을 벗어날 것이다. 보살행이란 보살 된 자가 언제라도 중생을 위하여 살고, 중생을 위하여 죽는다는 것을 이름이다. 중생이 병을 앓으면 보살도 함께 아프고, 중생이 옥에 갇힐 땐 보살도 함께 옥에 있으며, 중생이 지옥의 고초를 겪으면 보살도 중생과 더불어 지옥에 따라가 고초를 겪는 것이니라.

허허, 내 일찍이 입만 살아서 헛된 육신이 이렇게 실행 없이 늙기에 이르렀다. 길산아, 너는 유마거사와 같은 자가 되어라. 유마힐께서는 완전한 속인이었다. 장사도 하고, 술집에도 갔고, 도박도 하였으며, 세상의 모든 찌꺼기에 스스로 접촉하여 도를 구하고 행하였다. 부처를 버리지 않고 범인의 성품을 지니기 어려웁고, 번뇌를 그대로 간직한 채로 열반에도 드는 것은 더욱 어려우나, 그것이 유마의 도행이었느니라. 가장 큰 것은 성불이 아니요, 중생과의 사랑이니…… 그 사랑이 익으면 자연히 이루어지는 일이다.

요즈음 시속을 보아하니, 오히려 나는 보살도가 더욱 행해져서 불원간에 미륵이 나타나시리라 믿는다. 전조 고려 적에는 부처님의 상(像)을 들고서 탐욕스런 승려들이 왕족과 권문 세도가의 발밑에 엎드려 아부 아첨하면서 기름지게 하였다. 관등 때에도 돈닢이 없으면 촛불 한 점 공양드릴 수가 없으며, 아프고 빈궁한 자에게는 목어 한 번 때려주지 않고서 부처의 상으로써 나라를 지킨다 하였으니, 그것은 부처가 아니라 환술사(幻術師)가 환을 친 꼭두각시이며, 재물 도깨비이니라. 이제 아조(我朝)는 불교를 천시하고 왕궁에서 몰아내었으며, 사도로서 멀리하는 바람에 겨우 중생들의 곁으로 돌아온 것이니라. 부처님께서는 당신이 가장 아끼고 사랑하는 자들과 함께 계시니

라. 천해진 부처, 권력자가 싫어하는 부처야말로 보살이 일어날 수 있는 중생의 불이 아니고 무엇이냐. 사랑(慈)의 실행이 없이 어찌 참선에만 잠겨 있어서 깨달음을 얻겠느냐. 계율만을 앞세우고, 사람들의 생활에는 눈을 돌리지 않는다면, 그 누가 따라오겠느냐. 깨달음이란 중생들과 사랑을 몸소 행하는 가운데에 저도 모르는 사이에 이루어지느니라. 농부가 피땀을 흘려서 땅을 갈고 씨를 뿌리고 김을 매다 보니 어느결에 아, 이삭이 열렸구나라고 발견하는 것과 같은 이치이다. 깨달음을 위한 사랑이 아니라 사랑을 행하는 중에 깃들인 깨달음이다. 번뇌 없는 사랑을 행하며, 평등한 사랑을 행하며, 다툼이 없는 사랑을 행하며, 차별이 없는(內外不二) 사랑을 행하며, 부서지지 않고 견고한 사랑을 행하며, 청정하고 끝없는 사랑을 행하며, 스스로는 방편에 따라서 사랑을 행하고, 진실한 마음은 깨끗하므로 감출 것 없이 사랑을 행하며, 조잡한 행위를 하지 않으므로 깊은 마음의 사랑을 행하며, 거짓이 없으므로 진실한 사랑을 행하며, 부처 되는 자의 즐거움을 얻게 하므로 마음 편안한 사랑을 행하느니라. 이 모든 것이 보살의 사랑이다. 이런 사랑은 분별로써 아는 것이 아니라, 실행하는 도중에 있는 모든 마음 전체이니라."

길산이 물었다.

"풍열스님, 중생에게 고통을 주고 괴롭게 하는 자에게도 자비심이 있어야 한단 말입니까?"

풍열은 자리를 떨치고 일어났다. 그가 앞서서 달마암으로 가는 산길을 오르면서 대답하였다.

"네가 말하는 뜻을 나는 안다. 사랑을 행하는 방편에는 여러가지가 있다. 부처님께서도 인연 없는 자의 구제는 버리라 하셨느니라. 가엾은 자들의 적은 바로 부처가 멸하고자 하는 것이요, 부처가 원하지 않는 세상은 보살행으로써 바꾸어야만 한다. 나는 이러한 가르침을 듣고 뒤늦게야 보살의 이치를 깨달았다. 그러나 깨달았다고 할 수 없는 것이…… 그 실행에 있어 게을리하여 겨우 흉내만을 내고 있는 가승(假僧)이 아니고 무엇이겠느냐."

"그 가르침을 주신 어른이 누굽니까?"

"금강산에 계시는 운부대사(雲浮大師)이시다. 네가 큰 뜻을 가지고 있다니…… 그 어른을 찾아뵈어라."

그들은 달마암으로 돌아갔다. 동승은 풍열스님이 돌아오실 때를 가늠하여 차를 달이고 있었다. 차를 마시며 풍열은 다시 운부스님의 얘기를 꺼냈다.

"운부께서는 속년(俗年)이 내 연배이시나, 불가에는 나보다 십 년이 위이시다. 우리들 승려들 사이에서는 그가 멸망한 명(明)나라 사람이라고도 하고, 송조(宋朝)의 명신 왕조(王藻)의 후예라고도 하나 모두 허랑한 소문이다. 고향은 전라남도 강진(康津)인데 어려서는 학문에 정진하였고, 일찍이 소백산(小白山)에 들어가 수도하였다. 나 이외에도 많은 젊은 승려들이 그이에게서 배웠으니, 곧 보살도이니라. 너는 곧 운부대사를 찾아뵙도록 하여라. 내가 네게 우리의 스승을 닿도록 하는 것은 네 얼굴에 나타난 곧은 기상으로 짐작이 있어서이다. 금강산 장안사(長安寺)를 찾아가면 일여(一如)라는 젊은 승려가 있는데, 옥여와 동문(同門)이다. 일여를 만나면 운부스님의 행적을 가르쳐줄 것이다. 내 일봉 서찰을 써주겠다."

"스님, 고맙습니다. 꼭 세상공부를 하여 쓰임새가 훌륭한 거사가 되겠습니다."

지필묵을 갈아 정성껏 쓴 편지를 내밀면서 풍열이 말하였다.

"이 편지를 일여에게 보이면 잘 가르쳐줄 것이다."

길산은 그것을 소중히 품안에 간직하고 재배를 올렸다. 풍열은 눈을 감고 염주알만을 헤아리고 있었다.

먼 곳에서부터 징과 장고 치는 소리가 들려오고 있었다. 사람들의 작은 무리가 제 집 문전에 몰려 서 있는 게 보였다. 길산이 큰기침을 하며 들어서니 구경꾼들은 길을 비켜주었다. 굿이 한창 벌어지고 있었다. 장고와 징을 치는 사람은 장충과 큰돌이었다. 판에서 홍철릭 자락을 허공에 펄럭이며 잦은가락의 춤을 추고 있는 것은 애기무당을 면한 봉순이었다. 봉순이는 주립을 썼는데 얼굴은 붉게 상기되어 있었고, 작은 입술은 숨이 거칠어져서 달싹이고 있었는데 눈빛은 이미 입신한 듯하였다. 봉순이가 겅정겅정 뛸 적마다 날개 같은 붉은 철릭자락 아래로 작은 버선발이 핼끔핼끔 나오곤 하는 것이었다. 길산의 어머니는 머리에 흰 띠를 질끈 동이고 평상복 차림으로 앉아 북으로 가락을 이끌면서 좌무(坐巫) 노릇을 하는 것이었다.

"업성주 복성주요 와가 성주 대가 성주, 낮 되면 햇내를 마다하시니 밤 되면 찬 이슬을 마다허시구 초부정에 내리시구 이부정에 내리셔서 대문 밖에 나섰더니 오늘날 무슨 정성이리, 성주 받어 구제허시구 지신 받어 아누허는 정성이랴."

봉순이가 사설 한 대목을 종알거리고는 다시 한삼을 휙휙 좌우로 뿌려대며 겅정겅정 뛰기 시작했다. 길산이 몸을 돌려 집 밖으로 나서려는데 모친이 언제 발견했는지 쫓아나와 소매를 잡는 것이었다.

"얘, 어디 가니?"

"이 북새통에 제가 어디 집에 있겠습니까? 갑송이헌테 마실이나 댕겨오겠습니다."

"얘야, 이게 누구를 위해서 하는 굿인 줄이나 아느냐. 네 마음이 자꾸 허랑부유하여 그 역마살을 가라앉히려구 벌이는 노릇이다. 봉순이가 벌써 몸을 받았으니 대구하여 풀고 나가거라."

"싫습니다."

청송댁은 한숨을 내쉬었다.

"이 야속한 애야, 봉순이가 요새 날마다 눈물로 밤을 새운단다. 봉순이가 내 업을 받아 몸주까지 이었는데, 네가 화랭이 노릇은 않을지언정 이럴 수가 있단 말이냐. 잔소리 말구 네가 이곳의 대주이니 어서 들어가자."

길산이는 할 수 없이 청송댁에 끌려서 마당의 판벌임 가운데로 들어섰다. 봉순이가 그를 보더니 춤을 추면서 주위를 맴돌았다. 봉순이는 양손에 고리 달린 언월도를 휘두르고 있었다.

"어허, 네가 누구냐. 이 요사스런 년, 한 많구 원 많어 가던 영산이 어허, 청춘 영산에 소년두 영산이요, 두령두 영산에 호구도 영산이라. 원주도 영산에 집두 영산이니 애문 사람 씌워 살 놓지 말고서 아무쪼록에 뒷전 고픈 배나 불려 가거라. 에헤! 이래 탈이 없구 저렇게 탈이 없어. 문전에서 달래구 보채는 수전 없이 꿈자리 몽사에 비끼는 수전 없이 받들어서 도와주리다. 집안은 진중에 침방에 범허구 내 방에 범허구 마당은 지신 네 귀에 범했던 상문, 오늘 여상문에 남상문에 동자상문에 도령상문, 문전에 숨어 보구 엿보던 상문이면은 몸수에두 꺼린 상문, 재수에두 꺼린 상문."

다시 봉순이의 춤이 계속되었다가 그녀는 제 서방의 몸을 이리저리 쓰다듬으며 푸념을 계속하고 있었다.

"동에 동창 뜨는 달은 서에 서창 감동하고 어제 오신 군자님은 자는 것이 잠이로다. 내 옥에는 날티 들고 순령에도 불티 들어, 초가에도 양반 살고 와가에도 상놈 살고, 비단에도 얼이 있고 대단에도 얼이 있어, 물명주 한삼 소매 반만 들고 내다보니 님이 따로 있으랴 떠오르는 반달이라. 닭아 닭아 우지 마라 날아 날아 새지 마라. 주야로 시름겨워 월명동창 홀로 앉아 삼사경 깊은 밤을 허도히 보내면서 잠 못 들어 한하는데 그린 사람 있건마는, 북풍 한설 몰아칠 제 안아주던 우리 님아. 산은 높고 골 깊은데 슬피 우는 저 두견은 남을 보면 시침 떼고 날만 보면 슬피 우니, 우리 님의 마음인가. 원수 같은 이내 시샘 칼로 써억 베이려 하오나 정한에 병이 들어 떨어지지 않는고나. 달 가는 데 구름 가고, 비 가는 데 바람 가니, 님이 가시면 나도 가오."

길산이 봉순이의 사설을 듣고 있자니 저도 모르게 코허리가 시큰하여졌다. 비록 몸주를 받은 귀신의 사설이라 하나, 그 가락은 바로 봉순이 자신의 가락이었고 마음을 주지 않는 서방에 대한 애소였던 것이다. 길산은 멍석 위에 앉았다. 봉순이가 다시 춤을 추고 돌아가더니, 이번에는 그의 아비 장충이 장고채를 놓고 나와 예전 화랭이 하던 버릇대로 한 자락을 풀어댔다.

"미륵님의 수화(水火) 근본을 알았으니, 인간 근본 말하여보자. 옛날 옛 시절에 미륵님이 한쪽 손에 은쟁반을 들고 또 한쪽 손에 금쟁반을 들고 하늘에 축사하니 하늘에서 별이 떨어져 금쟁반에도 다섯이요 은쟁반에도 다섯이라, 그 별이 자라나서 금별은 사내 되고, 은별은 계집으로 마련하고, 은별 금별이 자라나서 부부로 마련하여 세상 사람이 나왔어라. 미륵님의 세월에는 섬들이 말들이 잡수시고 인간 세월이 태평하고 그리했으되 석가님이 내려와서 이 세월을 앗아뺏자고 마련하와, 미륵님의 말씀이 아직은 내 세월이요 네 세월이 아니다. 석가님 말씀이 미륵의 세월은 다 갔으니 내 세월이 분명하다. 미륵님이 말하기를 네 내 세월 알겠거든 내기를 시행하라. 더럽고도 까다로운 석가야, 그러거든 동해 중에 금병에 금줄 달고 석가는 은병에 은줄을 달아라. 미륵님 말씀이 내 병의 줄이 끊어지면 네 세월이 되어지고 너의 병의 줄이 끊어지면 네 세월이 아직 아니노라. 동해 중에 석가님 줄이 끊어져서 석가 내밀기를 내기 시행 한 번 더 하자. 압록강 두만강에 강을 붙이겠느냐, 미륵은 동지 채를 놀리고 석가는 입춘 채로 놀리니라. 미륵님 채질에 강이 맞붙어 석가님이 졌구나. 석가님이 내기 시행을 청하되, 나와 네가 한방에 누워 모란꽃이 모랑모랑 피어서 내 무릎에 올라오면 내 세월이요, 네 무릎에 올라가면 네 세월이다. 석가는 도적 심사를 먹고 나서 반 잠을 자고 미륵님은 찬 잠을 자버렸구나. 미륵님 무릎 위에 피어오른 모란을 석가님이 가져다가 제 무릎에 꽂았더니 더럽고 까다로운 세상이 되었구나. 내 무릎에 꽃이 피었으나 네가 가져갔으니 꽃이 시들어 열흘이 못 가고 십 년을 못 가리라. 미륵님이 석가의 성화에 못 이기어 세상을 넘겨주고 떠나실 제, 네 세상이 다해지면 나는 다시 찾아오마 하시니 미륵님 길 떠나실 제 잡지 못함이 한이로다."

장충이 다시 거리굿 사설을 늘어놓으면서 굿마당이 대개 파했을 즈음에는 저녁 무렵이었다. 길산은 명일 아침에 집을 나가기로 작정하여 장충에게 그 뜻을 밝혔던 것이다.

장충은 건넌방에서 곰방대를 물고 앉았고, 청송댁은 그 옆에 두통이 나서 목침을 베고 누웠다. 봉순이 탈진하여 안방에 드러누워서 앓는 소리를 내고 있었다. 길산은 홀로 마루에 앉아서 사방이 차츰차츰 어두워지는 것을 바라보았다. 그는 금강산으로 들어가기 전에 우선 수양산 망해사를 둘러볼 작정이었다. 그의 친부 보에 대한 수소문을 해보기 위해서였다. 그리고 묘옥이도 찾아보고 싶었으나 이 너른 천지에 그 여자가 어느 향시 어느 주막에 얹혀 있는지 감감하고 막연한 노릇이었다. 묘옥은 자기가 해주 주내방 저자에서 참수형을 당한 것으로 알고 있을 것이었고, 이미 작심을 달리하여 다른 사내를 만났든가 아니면 창기로 되돌아가 웃음을 팔고 있을지도 몰랐다. 길산은 캄캄하게 불 꺼진 집안에서 청송댁과 봉순이의 앓는 소리를 듣고 있자니 참을 수가 없었다. 그는 슬그머니 일어나 삽짝 밖으로 나왔다. 갑송이네 집으로 가는 도중에 김기의 집이 있었으므로, 거기 들러서 셋이 앉아 술잔이라도 들며 울적한 심사도 달래고 마지막 회포도 풀리라 마음을 먹었다.

먼저 김기네 세 칸짜리 초가집에 이르니 삽짝 안에서 개가 짖었고 방문이 열리면서 김기의 아내가 고개를 내밀었다.

"성님 계십니까?"

"예, 된목이골 올라가신다구 아침에 나가셨어요."

"혼자 가십디까?"

"아니오, 아침에 누구 소두령을 보냈습디다."

길산은 산채에서 무슨 일을 벌이는가 여겼다. 아마 봉산 들이칠 것을 진행하는 모양인데, 일부러 길산에게는 알리려 하지 않는 것 같았다. 그가 며칠 새로 길을 떠난다는 것을 알고 있었기 때문인 듯하였다. 그는 다시 돌아서서 갑송이네로 향하였다. 그가 마당 안으로 들어서는데 집안은 불이 꺼져서 캄캄했다. 집을 비웠을 리는 없으니 아마도 일찍들 잠이 들어버렸는가 하여 길산이 잠시 망설이고 섰는 중이었다. 방 안쪽에서 이상한 소리가 들려오고 있었다. 거친 숨소리와 고양이 울음 같은 소리였다. 길산은 그것이 무슨 소리인가를 깨닫고 자기도 모르게 얼굴이 달아올랐다. 멋쩍었는지라 얼결에 헛기침을 내뿜으며 돌아섰다. 안에서 소리들이 딱 멈추는 것이었다. 그는 마당을 나가려다가 문득 이상한 생각이 들었다. 만약에 방 안에 갑송이가 있다면 당연히 주인 된 자로서 누구냐고 물었을 법하련만 갑자기 소리가 그치는 것은 묘한 일이었다. 그는 다시 한번 헛기침을 내어보았다. 역시 도화의 목소리만이 들려왔다.

"거 누구세요?"

"예, 나 장서방이우. 갑송이 있습니까?"

문은 닫혀진 채로 우물쭈물하는 도화의 목소리만이 들려왔다.

"아침에 김선비님이랑 같이 된목이골 올라가셨어요. 아이, 저 혼자만 있어서 들어오시라구 할 수도 없구……"

"알았소이다."

길산은 짐짓 나오는 발소리를 크게 내면서 마당을 나섰다가, 다시 살그머니 마당 안으로 들어서서 귀를 기울였다.

뭔가 수군대는 소리가 들리고 나서 사내의 굵직한 목소리가 들렸다. 그리고 웃음소리도 났다. 길산은 분노로 가슴이 터지는 듯하였다. 그러나 그는 아무 짓도 할 수가 없었다.

"갑송이놈…… 팔자가 드세기두 하다!"

길산이는 답답한 가슴을 안고 그대로 돌아서 나올 수밖에 없었다.

길산은 다시 마을의 골목을 이리저리 거닐다가 집으로 돌아갔다. 건넌방은 불이 꺼져 있었고 안방문으로 심지가 낮춰진 등잔의 불빛이 희미하게 비치고 있었다. 길산이 방으로 들어서니 봉순이는 새옷을 갈아입고 벽에 기대어 앉아 있었다. 윗목에는 술 한 병과 나물이며 전을 몇점 올려놓은 주안상이 차려져 있었고 봉순이는 새로 밤단장을 한 것 같았다. 길산이 선 채로 멀뚱히 내려다보다가,

"아프다더니…… 왜 그러구 앉았어?"

하며 무뚝뚝하게 내뱉고는 손수 개켜진 이불을 내려놨다. 그는 이불 위에 털썩 주저앉았다.

"불 끄구 자세……"

봉순이가 고개를 들더니 눈에 원망이 가득 어린 시선으로 길산을 바라보았다.

"드릴 말씀이 있어요. 내일 떠나신다죠?"

길산은 대꾸 않고 드러누워 봉순이를 등지며 돌아누웠다.

"아무리 제가 싫다더라도 너무하셔요. 이러실 것을 어째서 혼인하셨나요. 아버님 어머님이 얼마나 걱정을 하시게요. 꼭 중한 죄를 지은 것만 같아서 고개를 들 수가 없어요. 저는 몇번이나 혼자 나가버리려구 했어요. 그렇지만, 올데갈데없는 저를 이렇게 키워주신 부모님들 때문에 그럴 수가 없었죠. 지금이라두 제가 싫어서 집을 나가신다면 이 몸이 오늘밤으루 대신 나가겠어요."

길산은 돌아누운 채로 말하였다.

"자네는 내 아낙일세. 내가 나가는 것은 대장부의 뜻을 세워보겠다는 것인데, 어느 못난 놈이 제 아내가 싫어 집을 나가겠는가."

길산은 스스로 긴 한숨을 토해내며 일어나 앉았다. 그는 윗목에 차려진 술상을 끌어당겼다. 봉순이는 눈에 물기가 가득한 채 입술을 꼭 다물어서 흐느낌을 삼켰다.

"어려서부터 이 댁의 신딸로 점지받아, 저를 낳아주신 부모의 얼굴도 모릅니다. 제가 듣기에 서방님께서도 저와 같은 신세라는 것을 까막내 성님에게서 들었지요. 저는 서방님을 친오빠보다도 더욱 가깝게 생각하며 자라났어요. 공연히 이렇게 눈물이 나네요. 서방님과 제가 부부가 된 것이 이렇듯 서러운 일인 줄은 저두 몰랐습니다."

길산이도 술을 넘기는데 명치끝이 타는 듯하였다. 대저 부부의 인연이란 하늘의 월하노인(月下老人)이 적승(赤繩)을 맺어서 이루어진다지만, 광대인 자신과 무당인 봉순이 두 사람이 세상에서 버려진 살덩이로 자라나, 똑같은 운명을 겪으면서 이제는 장충과 청송댁처럼 같은 꼴의 부부가 된 것이었다. 그러나 어찌하랴. 길산은 봉순이를 가엾은 누이동생으로 여길밖에 없었고, 그것은 사랑하는 정과는 또 다른 정이었다. 길산이 덤덤하게 말하였다.

"내가 나가서 아주 안 돌아오는 것이 아니라, 일 년에 한 번씩은 들를 터이고, 길어야 오 년, 짧으면 석삼 년일세. 그때까지 부모님 모시구 잘 있으면 되는 게야."

"한 가지 여쭤볼 게 있어요."

길산은 말없이 아내의 물음을 기다렸다. 봉순이가 시선을 내리깔면서 말하였다.

"묘옥이라는 여자…… 생각하시지요?"

"묘옥이……?"

그 이름을 듣는 순간에, 길산은 갑자기 등에서 목덜미까지 소름이 쭉 끼치며 지나갔다. 남의 음성으로 듣는 묘옥의 이름은 그의 뇌리에 박혀 있던 그림자가 아니라 바로 곁에 다가온 음성으로서 생생해진 것이다.

"저는 재인말 살 적부터 동네 사람들이 수군대는 소문을 들어 알았어요. 또한 그 여자가 부모님들이 문화 옥에 갇히셨을 제 옥바라지를 할 돈냥을 보태주기두 했구요. 서방님께서 참형을 당하셨단 소문이 돌자마자 온데간데없이 사라지고, 손돌 어른은 집에 불을 질러 자진하셨지요. 저는 그 여자를 원망하구 있는 건 아니에요. 다만…… 서방님께서 늘 먼 산만 바라보시구 저를 가까이하지 않으시니 제가 곁에 있는 것이 불편하여 집을 떠나시는 것만 같아서 가슴이 찢어지는 듯하네요. 저야 무당으루 어딘들 못 가겠어요. 이 길루 떠나서 덕물산 최영 장군 사당직으루 가면 혼자서 살아갈 수가 있어요.”
“그게 무슨 말이야? 자네와 나는 어쨌거나 부부일세. 부모님들 모시구 기다리면 되는 게야.”
“몰라요……”
길산은 술병을 비우고 나서 제 손가락으로 불을 탁 집어 껐다.
“잡시다. 나 내일 식전에 나갈 테니까 길 채비나 해주어.”
“다 해놨어요. 마두령이 노자 보태라구 상목 댓 필과 돈 삼십 냥 보내왔어요.”
봉순이는 어둠속에 웅크리고 앉아 있었다. 곧장 코를 골아버리는 길산을 봉순이는 원망스럽게 매만져보다가 옷을 벗고 곁에 드러누웠다. 봉순이는 돌아누운 길산의 어깨를 뒤에서 껴안았다. 그때였다. 길산은 끙 하며 돌아눕더니 봉순이를 거칠게 끌어안는 것이었다.

7

닭 울 녘이 되어 길산은 눈을 떴다. 곁을 보니 어느결에 제 팔에는 아내가 편안하게 잠들어 있었다. 길산은 살그머니 머리를 들어 팔을 빼내고 베개를 받쳐주었다. 그는 윗목에 꾸려진 커다란 보퉁이 속을 매만져보고 나서 방문을 열고 밖으로 나섰다. 아직 날은 새지 않았다. 그는 헛간으로 들어가서, 지난 겨울에 혼자 구월산을 헤매며 사냥질을 다닐 때 쓰던 병장기 중에서 두 뼘짜리 단검을 골라내어 허리춤에 찔렀다. 초립 쓰고 도포 입고 보따리를 메고서 그는 쥐 죽은 듯한 집을 빠져나왔다.

그는 탑고개를 넘어 송화로 해서 곧장 해주로 향할 작정이었다. 나한암 뒤로 돌아가는 비탈에 이르러 잠깐 동안 마을을 내려다보는 중인데, 누군가가 동네 어귀를 나와 걸어올라오는 중이었다. 맨저고리 바람에 상투잡이 차림이었다. 길산은 아무 생각 없이 돌아서려다가 문득, 어젯밤 갑송이네 집에 들렀을 때의 수상스런 인기척에 생각이 미쳤다. 마을 사람이면 이런 새벽에 산길로 오를 리가 없었다. 더구나 차림새가 뒷간에 나가는 듯한 꼴이었는데 산으로 들어오다니. 길산은 길에서 비켜나 짙은 나무 그늘에 몸을 감추고 서 있었다. 발걸음 소리가 가까워지면서 헉헉거리는 숨소리가 들릴 즈음에 길산이 짐짓 목소리를 낮추어 말했다.

"이놈, 게 섰거라!"

"에……?"

사내는 그 자리에 주춤 서서 주위를 두리번거렸다.

"이놈, 네가 어디서 무슨 짓을 하구 나오는지 내 다 안다."

길산은 나무 그늘 속에서 슬쩍 빠져나와 앞에 버티고 섰다. 갑자기 사내가 뒷걸음질을 치더니 되돌아 아래편으로 뛰어내려가는 것이었다. 길산은 혼자 웃고 나서 발을 재게 놀려 비탈을 뛰어서 사내를 앞질렀다. 길산은 비탈 위에서 길로 나는 듯이 내려뛰며 사내의 등판을 발끝으로 내리찍었다. 사내가 헉 하면서 앞으로 고꾸라졌다.

사내는 한참 동안이나 숨이 통하지 않는 듯 입을 벌리고 버둥거렸다. 길산은 그자의 뒷덜미를 잡아 끌어올렸다. 사내가 겨우 턱에 걸린 듯한 음성으로 말했다.

"죽을 죄를 지었소이다. 살려주오!"

길산은 그의 멱살을 잡아 나무 밑에 콱 꼬라박아놓고서 물었다.

"이놈, 바른대루 말하여라. 유부녀와 통정한 자는 즉시 박살을 하여도 무방하다는 것을 잘 알겠지. 내가 누구인 줄 아느냐?"

사내는 고개를 쳐들지도 못하고 벌벌 떨고 있었다.

"예…… 도화의 주인 되시는 구월산 이장사님이십니까?"

"이놈, 이제 보니…… 유부녀인 줄 알고도, 더군다나 그 서방 되는 이가 누구인 줄 알면서도 이런 짓을 저지르러 밤이슬을 맞구 다니는구나. 내 너 같은 놈은 당장에 불알을 발라버려서 함부로 통정하지 못하도록 해줄 테다."

길산이 단검을 주욱 빼들어 사내의 바지를 훑어 잡았다. 사내는 죽는소리로 비명을 내지르며 길산의 두 다리께를 부여안고 사정을 했다.

"누구신지 모르오나 제 말도 좀 들어보신 연후에 죽인다 하셔도 억울하지는 않으리다."

"그래…… 이실직고해보아라."

"저는 은율 읍내에 사는 배서방이라구 합니다. 일찍이 가산이 수백 석지기는 되므로 읍내에 밥술깨나 먹는 자들이 자주 모이게 되어 답청도 다니고 꽃놀이며 사냥질도 몰려다녔습니다. 얼마 전에 저희 한량패들은 시냇물이 녹고 날씨도 쾌청하여 탑고개 쪽으로 사냥을 나왔었습니다. 지금 생각하기에는 요 너머 골짜기였던 것 같은데, 거기서 그 여자가 혼자 빨래를 하구 있습디다. 취한 김에 호젓한 산속에서 여인을 만나고 보니 은근히 음심이 동하여 수작을 건넸지요. 아…… 그런데 이 여자가 오히려 추파를 던지면서 인적이 없는 숲으로 달아나는 것이었습니다. 거기서 정을 통하고는 가끔 아이를 보내어 날짜를 알려옵니다. 어제두 남편이 출타하여 밤새 집을 비운다는 기별이 왔길래 제가 달려왔던 것입니다. 내 본시 음란한 짓을 몹시 탐하는 자는 아니오나, 한번 저지르고 나서는 도무지 그 생각에 잡혀 빠져나올 수가 없고 조마조마한 마음이 오히려 음심을 날로 일으킵디다. 만약 장사께서 저를 용서해주신다면 내 다시는 탑고개로 나오지 않으리다."

길산이 듣고 보니 배서방이란 자보다는 갑송이의 계집이 더욱 음란하고 죄가 많다는 생각이 들었다. 당장 뛰쳐내려가서 갑송이 대신 도화라는 년을 쳐죽이고 싶었으나, 길산은 그럴 수가 없었다. 갑송이가 제 계집을 얼마나 어여삐한다는 것을 잘 알고 있는 길산이었다.

"내 누군 줄 아느냐. 나는 문화에 사는 장길산이란 사람이다."

은율의 한량패인 배가는 그의 이름을 듣고 또 한번 놀랐다. 길산은 장터의 소악 무뢰배들에게 널리 알려져 있었고 그의 최근의 행적은 한 이야깃거리였기 때문이다. 배서방은 머리를 조아리고 엎드려 있었다.

"다시는 얼씬거리지 않도록 하여라. 만약에 내 눈에 다시 뜨이면 불알을 바르긴커녕 아예 통째로 뽑아 내팽개칠 것이다. 이갑송이가 이 사실을 알게 되면 은율 너희 집에 짓쳐들어가 불을 싸지르고 온 가족을 몰살시켜버릴 테니 알아서 근신해라."

"예, 목숨만 살려줍시오."

길산은 엎드려 빌고 있는 사내를 내려다보고 섰자니 어쩐지 마음이 한없이 공허해지는 것이었다. 갑송이가 갑자기 보고 싶어졌고, 그와 함께 한스런 세상을 탄하며 밤새껏 술이라도 퍼마시고픈 심정이었다. 길산은 중얼거렸다.

"얼른 없어져라!"

사내가 일어나 길산의 눈치를 살피고 나서 절뚝이며 달아나기 시작했다.

"갑송이도 나처럼 지붕 없는 자가 되겠구나."

길산은 그 자리에 우뚝 선 채 한참이나 탑고개마을을 내려다보았다. 그의 마음은 길 떠나는 자의 새로운 각오와 결의로써 굳은 심지가 싹트는 중이었고, 한편 돌아보면 이제까지 묵어왔던 지난 생활의 찌끼로 해서 착잡해지는 것이었다. 어느 누가 초가삼간과 처자식 거느리는 재미와 이웃 사귀는 맛을 마다할 리가 있으랴마는, 길산의 가슴속에는 체념하고 한으로 세월을 삭이며 장충처럼 늙을 수만은 없는 어떤 뜻이 불처럼 타고 있었다. 그러나 그러한 뜻을 어찌할 것인가는 길산이 자신도 아직 알 수 없는 노릇이었다. 뜻은 강한 반면에 펴나갈 길은 애매하니, 자연히 세상에 흔천으로 깔려 살아가는 사람들의 생활은 바라서는 안 된다는 생각이 앞서고 있었다. 그에게는 묘옥이가 살 속으로 박힌 멍 같은 회한인 것과 마찬가지로, 아내인 봉순이마저 혼인하던 그날 밤부터 하나의 회한에 지나지 않았다. 아뿔싸, 짐만 더욱 무거워가는고나…… 하는 느낌이었다. 이제 갑송이의 처 도화의 간통을 목격하자 그에게는 마을이, 사람의 살아가는 모든 일들이, 날이 새면 깨어나 흩어질 새벽 꿈과 같이 덧없게 느껴졌다. 만나고 헤어지는 것의 덧없음과, 먼저 죽고 나중 남는 정 가진 사람들의 헛된 슬픔들이 떠올랐다. 묘옥의 연비를 새겨넣은 젖가슴과 따뜻한 살의 감촉과 숨결은 지금 어느 곳에서 숨쉬고 울고 웃으며 떠돌고 있는가. 아득하게 멀고 또한 문득 가까운 사람의 인연이여. 세상의 사랑하는 계집과 사내가, 다정한 부부가, 화목한 가족이, 친한 벗들이 얼마나 장구한 세월을 함께 보낼 수가 있을까. 취산(聚散)의 인과가 바람에 불려 날아가는 콩깍지처럼 스스로의 뜻이 아니다. 슬픔과 아픔은 잠깐이며 산 자는 밥 먹고 코 골며 죽은 자는 풀 아래 썩는다.

이제 흩어진 사랑하는 계집과 사내는 저마다 다른 지붕, 다른 이부자리에서, 또는 먼 저자에서 각각 자기 석 자 남짓의 육신이 겪은 언저리의 생활에 관한 꿈을 꾸며 잠들어 있다. 간혹 상대를 그려보아도 확실하게 떠오르지 않고 만지려도 닿질 않아서, 이제는 잘라져 없어진 제 손톱 같은 잃어버린 망상의 끄트머리일 뿐이었다.

하면서도…… 그럴수록 더욱 묘옥이 곁에 있었으면 하는 원망은 떨쳐지지 않았다. 길산은 고치를 찢고 우화(羽化)하는 나비처럼 자기에게서도 떠나버리고 싶었다.

그는 탑고개 위에 올라서서 은율 쪽의 깊은 골짜기와 안악으로 치달려 솟은 구월산의 삐죽삐죽한 연봉들을 번갈아 바라보았다. 동녘 빛을 받은 구월산이 컴컴한 하늘 속에 훤하게 떠 있었다. 길산은 주춤거리며 모을산 굽이로 돌아 내려갔다. 그가 모르는 사이에 택한 길은 은율로 해서 수렛고개를 넘어 해주로 곧장 가는 길이었다. 해주에서는 수양산 망해사에 들러 친부 보의 수소문을 해보는 일이 있을 뿐이었다.

"발걸음도 높은 데서 낮은 곳으로 흘러가는가……"

길산은 걸으면서 원정요 한 가락을 느리게 뽑아냈다. 그는 수렛고개를 넘어 해주길로 곧장 걸어서 문산(文山)의 서원마을에서 과객질로 그날 밤을 묵었다.

아침 일찍 수양산에 올라 망해사를 찾으니 봄볕이 못 위에 가득히 내려 있고, 돌다리에 이끼가 싱싱하였다. 길산이 사람의 기척을 찾아 이리저리 거니는데 젊은 중이 나타나 물었다.

"무슨 일이십니까?"

"주승을 찾습니다."

"주지스님께서는 지금 출타하시고 안 계십니다."

"그 스님의 법명이 보경이십니까?"
젊은 중은 머리를 저었다.
"보경대사를 찾으신다면 그이는 이미 안 계십니다. 재작년에 열반에 드셨습니다."
길산은 갑자기 막막해지는 느낌이었다.
"돌아가셨다구요?"
"지금 계시는 주지스님은 신광사 계시던 노스님이십니다. 무엇 때문에 오셨는지는 모르오나, 제가 보경스님의 상좌로 어릴 적부터 곁에 뫼시며 자라난 사람입니다. 잠깐 누추하지만 제 공부방으로 들어가시지요."
"예, 고맙소이다."
길산은 젊은 중이 안내하는 대로 뒤를 따라 들어갔다. 길산은 간략하게 자기 내력을 이야기하고 그의 친부인 보가 보경선사와 내왕이 있었고, 추노를 피하여 불가에 들어 지금 승려가 되었을 테니 혹시 보경선사에게서 들은 일이 없느냐고 물었다. 젊은 중은 한참이나 묵묵히 길산의 얘기를 듣고 나서는,
"글쎄요, 잘은 알 수 없습니다만, 관서의 묘향산에서 두 분 스님들이 자주 왕래하시군 했었습니다. 그러나 그분들 중에 손님의 친부라는 분이 있었을지는 모르는 일입니다."
하고 나서 그는 말하였다.
"소승은 묘정(卯定)이라 합니다. 저두 일찍이 양주 사비(寺婢)의 자식으로 태어나 세상에는 감히 나가지 못하고 산문에 눌러앉아 보경스님의 가르침을 받았지요. 보경스님께서는 당신도 비명횡사한 노비의 자식이어서 도망한 남의 종들을 곧잘 숨겨주시곤 하셨지요. 대개는 삭발하고 입산한 사람들이 많습니다. 아마 손님의 부친이라는

분이 입산하셨다면 틀림없이 내왕이 있으셨을 것입니다."

"관서 묘향산의 어느 절에 그 두 분이 계시는지 아십니까?"

"글쎄요, 도안(道眼)스님이라는 것은 기억이 납니다."

"막연하군요."

"손님, 그분은 이미 불가에 들어 속연을 끊은 사람이온데 찾아 무얼 하시렵니까. 잊으시지요."

길산은 잠자코 앉았는데 묘정스님이 나가더니 나물죽 한 그릇을 소반에 받쳐들고 들어왔다. 길산은 못내 사양하다가 점심 요기로 먹으면서 문득 사자암의 중 여환이 생각나서 그에게 물었다.

"혹시 여환이라는 승려를 아십니까?"

묘정은 잠시 말을 않고 있다가 안다 모른다는 확실한 대답 없이 중얼거렸다.

"불법을 펴는 데는 방편이 있는 것은 알지만, 그 방편을 너무 과도히 내세우면 법이 죽지요. 무엇에나 지나친 사람들을 경계해야 합니다."

길산은 무슨 말인지 잘 몰라서 어리둥절하고 있었다. 묘정은 다시 말하였다.

"여환과 저는 어릴 적에 경전공부를 함께 배웠던 적이 있습니다. 보경스님께서는 여환을 평하여 바위산과 같은 기세가 있으나 너무 경사가 급한 것이 흠이라 하였소이다. 지금 그는 해주에서는 외롭게도 사도로서 정해져 있습니다."

"사도라니요?"

"예, 그는 부처님을 뫼시는 승려가 아니올시다. 혹시…… 요즈음 송도를 비롯하여 향시마다 떠도는 정진인(鄭眞人) 얘기를 모르십니까? 마찬가지로 불자들 중에도 오래 전부터 진인을 뫼시거나 스스로 진인을 칭하는 자들이 많지요."

길산은 풍열의 말이 떠올랐고, 스스로도 깊이 느낀 바가 있었으므로 아무 말도 하지 않았다. 길산은 말을 돌려서 묘정이란 젊은 중에게 물었다.

"스님은 혹시 금강산에 계신 운부대사의 얘기를 들으신 적이 있습니까?"

"글쎄요……"

"보경선사께서는 생전에 그분 말씀을 안 하시던가요?"

"우리 큰스님은 노비 출신의 제자들이 많이 있습니다. 지금은 악에 빠져서 도적의 괴수 노릇을 하구 있는 장연 불타산의 심백이란 자도 보경스님의 제자이십니다."

"스님은 줄곧 이 망해사에만 계시지 말고 탁발 챙겨들고 방랑해 보시지요. 중생을 널리 아는 것두 수행일 테니까요. 저는 지금 금강산으로 들어가는 길입니다."

"왜…… 출가하는 길입니까?"

"아닙니다. 속인 그대루 보살도나 배울까 합니다. 육신은 노비의 몸에서 나와 신분은 천출 광대이니, 이대로가 좋습니다. 묘정스님께서도 여환 같은 동문 승려를 너무 탓하지만 마시고 좀 만나시도록 하시오."

"아…… 여환이 암자를 폐하고 떠난 것을 모르시는 모양이군요. 그는 얼마 전에 암자를 그대루 버린 채 맨몸으로 어디론가 떠나버렸습니다. 소문에는 그를 따르는 여자가 있었다고도 합디다."

길산은 고개를 끄덕였다.

"음, 곧 해주를 떠나겠다더니…… 벌써 가버렸군. 한번 만나볼 작정이었는데 그냥 떠나야겠군요. 묘향산의 도안스님이 제 생부 보라는 분의 행적을 알 거라구 하셨던가요?"

"예, 그럴 겁니다. 향산 도안선사입니다."

"제가 언젠가 한번 찾아뵙게 될 것입니다. 그럼 소인은 이만 물러가겠습니다."

"혹시 내달쯤에 도안선사께서 들르실지도 모르겠습니다. 그때 여쭈어볼까요?"

"저는 금강산 장안사의 일여라는 승려를 통하면 연락이 될 듯합니다. 혹시 소식이 닿으면 말이나 전해줍시오."

"안녕히 가십시오."

길산은 망해사를 내려왔다. 해주 저자에서 혹시 신복동의 패거리들을 만날까 하여 고개를 숙이고 지나갔다. 주내방을 지나면서는 당장 신가네로 짓쳐들어가 목을 베어버리고 싶었으나, 한편으로는 그가 수많은 더러운 관리나 탐학한 부자들 중의 미미한 한 사람에 지나지 않으니 너무 생각이 작다고 눌러버렸다. 길산은 해주서 신평사거리와 까치내를 건너 공수원에 닿는 길을 택하기로 하고, 금천(金川), 토산(兎山), 안협(安峽)을 거쳐서 평강(平康)을 지나 단발령(斷髮嶺)을 넘는 길을 생각했다. 그리 서두를 일도 없건마는 한시라도 빨리 해주 지경을 벗어나고 싶어서 길산은 한달음에 공수원을 지나고 금천으로 향하였다. 금천서 하룻밤 묵을 작정이었다. 그가 온정(溫井) 다섯거리를 지나는데 웬 처자가 큰 소리로 그를 불러 외치면서 쫓아왔다. 자세히 보니 장옷도 쓰지 않은 몽당치마의 차림새가 어느 시골 부잣집의 하녀인 모양이었다. 남녀가 유별하다 하나, 그를 다급하게 부르니 일이 몹시 급하기는 급한 모양이었다.

"날 불렀수?"

길산이 걸음을 멈추고 돌아서며 묻자, 그 여자는 허리를 굽히면서 말하였다.

“누구신지 모르오나 곤경을 당했으니 제발 좀 도와주셔요.”

여자는 어디서 달려왔는지 숨을 거칠게 헐떡이는 중이었다. 나이는 한 열대여섯쯤 먹었을까, 눈빛이 제법 총명하게 반짝이고 있었다. 여자가 다급하게 다시 말하였다.

“저는 적암골 구봉산 아랫녘에 사는 초시 댁 교전비입니다. 방금 장정들이 달려와서 저희 댁 서방님을 잡아갔습니다.”

“어느 쪽으로 갔나?”

“저어쪽, 배천으루 갔을 거예요. 향관(鄕官) 다니던 별감네 하인들이니까요.”

“뭣 때문에 그 사람들이 주인을 끌어갔는가?”

“혼사 때문에 그러지요. 저희 댁은 일찌이 선대에 몰락하여 서방님과 아씨마님과 제가 근근이 살아가구 있습지요. 근래에 중매가 들어와 우리 서방님과 배천의 낭자가 인연을 맺게 됨에 그 아씨를 탐하던 별감네 아들이 협박을 하다 못하여 서방님을 끌어가는 것이올시다.”

재빨리 얘기하면서도 하녀는 연신 황의산 쪽을 손짓해 보이면서 애를 태웠다. 길산이 짐을 벗어서 길 위에 내려놓고,

“내 당장 쫓아가서 그놈들을 떼치고 너희 주인을 구해오겠다.”
하면서 배천으로 향한 황의산 구릉을 향하여 뛰었다. 여자가 뒤에서 외쳤다.

“황의산 언덕을 막 넘었을 겁니다. 꼭 구해주셔요.”

길산은 무음천(無音川) 내를 건너서 잔솔밭길을 한참이나 뛰었다. 둔덕을 오르니 그러잖아도 따사한 봄날씨에 온몸이 땀에 젖었다. 황의산 줄기의 낮은 언덕에 오르니 앞으로는 산등성이가 멀리 가로막

혔고 들판이 펼쳐졌다. 언덕 너머에 뭔가 떠메고 가는 사람들의 무리가 있을 법도 하건만 아무도 보이질 않았다.

"이상한데……?"

길산은 그제야 길바닥에 풀어놓고 온 제 보따리가 생각났다. 다시 돌아서서 내를 건너 온정 다섯거리를 바라고 뛰는데 이미 길 위에는 아무도 보이질 않는다. 길산은 어이없어 픽 웃으면서 걸음을 천천히 바꾸었다.

"속았구나!"

주위에 아무도 보이질 않았다. 돈과 피륙이 제법 들어 있었으니, 계집은 단단히 횡재를 한 셈이었다. 길산은 은근히 부아가 치밀었으나 어디 가서 말을 붙여볼 데도 없었다. 하릴없이 두리번거리다가 금천 쪽으로 나가는 길가에 초가집 몇채와 창고가 있는 게 눈에 띄었다. 거기 가면 수세를 맡은 둔별장이나 관원이 있을 것이지만 길산이 그들에게 수작하기도 우스운 노릇이었다. 그가 내친걸음이라 금천 쪽으로 어리벙벙한 채로 걸어가는데, 맞은편에서 농군 두엇이 호미를 메고 걸어오고 있었다. 길산은 그들에게 물었다.

"여보시오, 혹시 이 근처에서 나이는 열대여섯 되고 얼굴이 총명하게 생긴 처자를 못 보았소?"

그들은 서로 얼굴을 마주 보며 뭔가 알겠다는 듯이 히죽히죽 웃었다.

"허허, 뭐 잃어버리셨소?"

"내 보따리를……"

둘은 소리를 높여 껄껄 웃었다.

"댁뿐이 아니외다. 당한 사람들이 많이 있지요."

"그게 무슨 얘기요?"

"서녀(鼠女)라면, 평산 군내에선 멸악산 화적들보다 더욱 유명짜합지요."

다른 농부가 말했다.

"서녀는 그 오라비와 같이 산다는데, 별호가 오공랑(蜈蚣郎)입지요."

길산은 은근히 기이하고 재미가 있어 보따리 잃은 생각보다는 한 번 만나고 싶어졌다.

"음, 오누이 도적이로군. 그들이 어디 사는지를 아오?"

"어디 사는지 알면 평산 관가에 가서 고해바치구 상금이라두 타먹게요? 한번은 금천 장날에 두 오누이가 떴다는 말을 듣구, 포도군사들이 에워쌌다가 오공랑에게 혼찌검을 당하구, 둘은 달아나버렸지요."

그들의 얘기에 의하면, 그들은 연안, 배천, 금천, 평산 등지로 출몰하면서 행인의 봇짐을 상대에 맞는 교묘한 수단으로 탈취하거나, 밤에 부잣집의 담장을 넘는데 오누이가 함께 할 때도 있고, 따로 일할 때도 있다는 것이다.

누이는 영리하여 사람을 감쪽같이 속이는 일이 능수이며, 오빠는 몸이 날쌔어 높은 데 오르내리기, 뛰어넘기는 물론이요, 걸음이 비호 같다는 것이었다. 또한 자고(刺股)라는 무기를 잘 써서 지네와 같다는 뜻으로 오공랑이라는 별호가 붙었다는 것이다. 자고라는 무기는 대나무 끝에 철침을 꽂은 작은 표창인데, 옛적 전국시대의 세객(說客) 소진(蘇秦)에게서 유래된 것이었다.

소진이 일찍이 공부를 할 때 졸음을 참느라고 제 다리와 무릎을 바늘로 찔렀다는 데에서 무기의 이름을 자고라고 붙이게 된 것이다. 대개는 마상에서 대련 중 습격할 때나, 자신이 부상당하여 몰렸을 때, 중과부적일 경우, 아니면 아녀자나 아이들의 취할 것이라 하여 정당하게 취급되지 않는 무기였다. 그런데 오공랑이 신통한 것은 꼭 사람의 하반신에 자고를 던질 뿐 절대로 목숨을 해치지는 않는다는 것이다. 일반 가난한 백성에게는 아무런 피해도 입히지 않았다는 것이다. 그러나 요즈음은 두 사람을 잡으려는 관가의 기찰이 심하여 한적한 길가에 나타나 원행하는 장사치들을 노린다고 했다. 길산은 들을수록 오공랑이란 총각과 처녀를 만나고 싶었다. 멸악산 화적패에도 가담하지 않은 것으로 보면 꽤나 재주에 자신이 있는 듯싶었다.

"혹시 무슨 소문이라두 들은 게 없소?"

"글쎄요…… 멸악산 줄기인 모란산에 산다는 말을 듣기는 하였지만, 누가 아나요? 바루 저기요. 한 시오 리 길 됩니다."

"모란산 근처에 마을이 있습니까 ?"

"예, 월봉골과 방골이 있는데, 월봉골에는 괴이쩍은 자들이 많이 산다 하고 방골에는 뱃놈들이 많이 살지요."

"괴이쩍은 자라니……?"

"뭐, 유민 나부랭이들입니다. 남의 초상에 가서 곡을 해주는 곡재인이며, 매잡이, 염간(鹽干)들 따위지요."

길산은 빙긋 웃으면서 혼자 작정을 하였다. 도적이 도적의 심사를 모르랴. 오공랑과 서녀가 은신하기 쉬운 곳은 월봉골일시 틀림없었다.

"여러가지루 고맙수. 내 가진 게 없어 탁주값두 못 드리구 그냥 가오."

"어딜 가시게?"

"모란산 기슭을 찾아보려오."

"에구…… 혼잣몸으로 갔다가 괜시리 자고에 맞아 상허지 말고 그냥 길이나 가우."

길산은 대답 없이 돌아섰다. 그의 짐작으로는 아마도 월봉골은 이리저리 몰린 천민이 갈데없이 모인 탑고개마을과 비슷할 것이라는 생각이었다.

월봉골은 모란산과 자모산, 월봉산의 사이에 움푹 틀어박힌 첩첩 산골이었다. 서녀는 보따리를 메고 제법 큼직한 초가집 마당으로 들어섰다. 안방에서 목소리만이,

"누구요?"

했고, 서녀는 보따리를 마루에 올려놓고 안방문을 열었다. 부인네가 머리엔 수건을 질끈 동이고서 이부자리에 꼼짝도 못 하고 누워 있었다.

"오라버니 아직 안 왔어요?"

"운봉산 새읍에 간다구 나갔는데……"

집안엔 농이며 화문석이며 끼끗하고 부엌에도 각색 기명이 가지런히 정돈되어 있는데, 광에는 쌀과 마른반찬이 그득했다. 겉보기에 소농의 집 같으나 안에는 토호의 집 부럽지 않을 만큼 윤기가 도는 살림이었다. 서녀는 길산의 보따리를 풀어보고 나서 깜짝 놀랐다. 부근 저자에 나가는 장꾼의 보따리인 줄 알았더니, 돈이 세 꿰미에 상목이 닷 필이요, 더군다나 붉은 봉투의 서찰까지 있었다. 어쨌든 횡재를 하였으니 서녀는 앞으로 한 달쯤은 벌이를 나가지 않아도 될 것이었다. 오라비가 오면 자랑을 하리라 생각하면서 그녀는 보따리를 건넌방에 들여놓고 저녁을 짓기 시작했다. 밥의 뜸이 들 무렵하여 그 오빠 오공랑이란 자가 들어섰다.

"응, 일찍 들어왔구나. 내 오늘 좋은 것 보구 왔다. 송골〔宋洞〕 쪽으루 오는데 어디 해주서 오는 상여인 모양인데, 만장과 차일이 제법 장하더라. 송골에 명당 났는가베."

서녀가 건넌방 문을 열어 보였다.

"뭐 굴총 하실려우? 그따위 짓 안 해두 돼요. 봐요, 돈 세 꿰미에 상목이 닷 필이면 한살림 장만했지?"

"허! 이게 웬거냐. 너 오늘 어디 가서 목 잡았니?"

"온정 다섯거리. 겉보기엔 기골이 장대하구 제법 결기가 있어 뵈데. 그래서 범꽁무니를 좀 시켰지."

범꽁무니란 길산이 당한 경우를 뜻한다. 소금장수가 빈집 굴뚝에서 자다가 범의 꼬리를 잡았는데 범이 놀라서 뛰는 바람에 꼬리를 놓으면 죽는 판이라 함께 끌려다녔다. 산 넘고 물 건너 눈 맞고 비 맞으며 몇달을 끌려다니다가 홀로 가는 중을 만났다. 내 지금 소피가 마려워 죽겠으니 일을 볼 동안만 스님이 잠깐 잡구 계시우. 중이 그러라 하고 꼬리를 잡자마자 소금장수는 달아나버렸다. 이제는 다시 객지 나가 고생 않겠다며 소금장수는 귀향하여 농사를 짓게 되었다. 삼 년이 지난 어느 해 봄에 밭을 갈고 있는데 맞은편 들판에서 뭔가 후닥닥거리며 달려오고 있었다. 자세히 보니 누더기를 걸치고 머리와 수염이 자란 중이 범의 꼬리를 잡고 뛰는 판이었다. 막 곁으로 지나칠 제 여보 뭣 하러 여태 잡구 다니오? 나처럼 남에게 씌우지, 하니까 중은, 여보 놓으려도 놓을 겨를이 없시다, 하더라는 얘긴데, 남에게 곤경을 씌우라는 말이 범꽁무니인 셈이다.

"거 참 의리 있는 길손일세. 이 많은 재물을 남겨두고 네게 범꽁무니를 당했으니 아무래두 지나친 것만 같다."

"아이, 도적질에 무슨 지나치구 않구가 있어. 오빠, 오늘밤에 도깨비 마실 나갈라우?"

"그래, 삽하구 곡괭이를 가지구 나가야겠다. 상여 꼬락서니가 어느 대갓집 내실 것인데, 갖은 물건이 들었을 게야. 너두 함께 가줘야겠다. 관솔불을 밝혀줘야지."

"막을 지어놓지 않았을까?"

"얘얘, 요즘 세상에 막 짓고 묵는 효자가 어디에 있겠니? 그런 사람의 묘는 파보나마나 보잘것이 없단다. 효성 있는 자란 원래 가난하니까 말이다."

오누이는 송골에 묘구 도둑질을 하러 가기로 작정을 하였다. 저녁 마치고 나서 오누이는 송골로 나갔다. 달도 뜨지 않아서 온 산천이 두꺼운 어둠에 싸여 있었다.

"이 골짜기루 올라갔는데……"

그들은 산등성이 중턱에서 새로 쌓아올린 봉분을 쉽게 발견할 수가 있었다.

"오라버니, 삼우제를 지낼려구 식구들이 송골에 남았을지두 모르잖아. 불은 밝히지 말아요."

"그래, 우선 봉분을 파헤치구 나서 광중에 들어간 뒤에 불을 켜자."

오누이가 합력하여 사초를 걷어내고 봉분을 까뭉갰다. 천벌을 받을 일이로되, 그들은 어려서부터 무수한 무덤을 파헤쳐서 묘구를 훔쳐온지라 농군이 마치 봄갈이하듯 하였다. 한 키가 넘도록 파노라니 아직은 굳지 않은 석회가 나온다. 석회를 파 던지고 곡괭이로 내려찍는데 관에 가서 부딪치는 둔중한 소리가 들렸다. 오공랑이 관을 곡괭이로 빼갰다.

"안으루 내려와서 불 좀 밝혀라."

서녀는 겁도 없이 제 오라비와 함께 광중에 내려서서 관솔불을 밝혔다. 관 뚜껑을 뜯어내니 장포(長布)에 싸인 시체의 허연 모습이 나타났다.

"까짓, 수의나 무명 따위는 건드리지 말아요."

"왜, 가져다 빨아서 팔면 그것두 돈이다."

오공랑이 장포를 벗겨냈다. 장포, 염포, 황포에 포백, 천금을 모두 끄집어내니 비단과 무명이 관 속에서 수북하게 나왔다.

"야…… 내 이렇게 실하게 지낸 장사는 처음 보았다. 상주가 못 돼도 삼품 벼슬은 되겠구나. 아마 큰마님인 모양이다."

"옷은 벗기지 말아요."

"그래, 옷은 그만두자. 아니…… 비단인데 그래. 너 비단값이 얼마인 줄이나 아니."

시신 위에 얹힌 죽은 이의 생전에 입던 비단옷들을 모조리 걷어냈다. 그러고는 시체의 금비녀를 빼냈다. 금첩도 빼냈고, 금이자(耳子)도 빼냈다. 저고리에서 칠보노리개를 떼어냈으며 은과 옥으로 장식된 나비잠도 떼었다. 손가락에서 옥으로 된 쌍가락지를 빼어냈고 구슬을 박은 녹피혜도 벗겼다. 시체는 이제 걸인의 시신이나 다름없이 벌거숭이가 되어버렸다. 부장품 걷어내기를 모두 마치고 오공랑이 위로 올라가려는데 서녀가 허리춤을 붙잡았다.

"반함주(飯含珠)는 버리실라우?"

"아이구, 그건 기분 나빠서 못 하겠다. 그냥 두구 가자."

"이거 봐요, 이렇게 갖은 보물이 나왔는데 그런 대갓집에서 반함주를 엽전 따위루 물렸겠수?"

"그래, 네가 해라. 난 못 하겠다."

서녀가 콧바람 소리를 내더니,

"흥, 누가 무서워할 줄 알구? 이 할망구야, 살아서 호강하구 그런 보배를 저승까지 갖구 가서 뭘 할 테야. 배고픈 사람이 좀 먹구살아야겠다."

서녀는 굳어버린 시체의 입을 작대기로 벌려 버텨놓은 다음에 손가락을 안으로 후벼넣었다. 시체의 입에 가득 찬 쌀을 후벼파다가 서녀는 드디어 무엇인가를 꺼냈다.

"에구머니, 이게 뭐야?"

서녀의 손바닥 위에는 굵기가 앵도알만 한 진주가 놓여 있었다.

"진주로구나. 하여튼 우리두 이젠 당분간 일을 안 나가두 먹구살겠다."

"금비녀, 금이자, 칠보노리개, 은옥 나비잠, 쌍옥가락지, 그리고 진주예요. 아마 한 오백 냥은 넘을 거야."

"묘가 이 정도루 장한 걸 보면, 꽤 높은 집안일시 분명하다. 아마 내일쯤엔 도둑을 찾느라구 난리가 날 게다."

"오라버니, 오늘밤에 아예 짐을 싸두었다가 월봉골서 떠납시다."

"어머니가 저렇게 통 기동을 못 하시니 걱정이로구나."

그들 남매는 굴총질을 끝내고 묘구를 걷어 싸들고 송골로 빠져나왔다. 월봉골은 원래 방골과 마찬가지로 모래와 자갈투성이의 못 쓰는 황무지였다. 방골은 해주와 송도와 한양으로 드나드는 뱃사람의 식구들이 모여 사는 곳이었고, 월봉골은 하나둘씩 몰려든 유민들이 개간을 하여 생긴 마을이었다. 따라서 농사의 소출이 보잘것없으매, 사람들은 매를 잡으러 다니거나 소금밭을 갈거나, 아니면 오누이처럼 좀도둑질 또는 근처 부촌으로 품팔이나 구걸을 나다녔다. 서녀와 오공랑이 진작부터 금천, 배천, 평산의 군읍에서 이름이 나 있었으나, 제 마을 부근에서는 숟가락 하나 건드리지 않더니 이제 바로 이

웃 마을에 새로 생긴 무덤의 묘구를 털었으니 근처 마을이 발칵 뒤집힐 것이었다. 오공랑이 말하였다.

"잘되었다. 월봉골을 떠나고 싶어도 구실이 없더니…… 내일 당장 대처루 뜨자꾸나."

"그래요. 그동안 모아놓은 패물이라면 그럴듯한 객주나 주막집 하나쯤은 열 수 있을 게야."

그들이 모란산 기슭을 돌아 월봉골로 들어서서 집으로 향하는데 먼발치서 보니까 집 쪽에 불빛이 보이질 않았다.

"웬일이냐, 어머니가 벌써 주무실 리는 없을 텐데……"

"글쎄요, 나올 때에 우리가 불을 켜놓구 왔잖아요."

"캄캄한데……"

그들은 어쩐지 불안해졌다. 오공랑이 허리춤에서 한 묶음 차고 있던 자고를 세 자루쯤 꺼내어 쥐고 누이에게 속삭였다.

"나는 사립문 밖에서 살필 테니…… 네가 먼저 들어가보아라."

서녀는 마당 안으로 들어섰다. 아무 인기척이 없었다.

"어머니…… 주무셔요?"

했으나 대답이 없었다. 서녀는 내키지 않았으나 주춤거리며 마루에 올라서서 더듬더듬 미닫이를 잡고 열었다. 문을 여는 참인데, 안에서 우악스런 손이 불쑥 나오더니 서녀를 안으로 잡아끌었다. 그녀는 안으로 고꾸라져 들어가면서 소리를 지르기도 전에 홑이불 자락에 씌워졌다. 뭔가 묵직하게 누르면서 굵은 사내 목소리가 들려왔다.

"찍 짹 소리를 냈다간 멱통을 도려낼 테다."

밖에서 동정을 살피던 오공랑은 안이 다시 쥐 죽은 듯해지자 뭔가 심상치 않은 기미를 알아차렸다. 그는 삽짝문으로 들어가지 않고 뒤꼍으로 해서 싸리 담장을 헤치고 기어들었다. 집 뒤를 돌아서 건넌방 툇마루 옆에 바싹 붙어서서 마루 쪽을 잠깐 넘겨다보고 있었다. 저도 모르는 사이에 가슴이 뛰었고 호흡이 가빠졌다. 미닫이 열리는 소리가 들렸다. 오공랑은 어둠을 통해서 바라보았으나 안방문이 빠끔히 열렸을 뿐 사람은 나오지 않았다. 참지 못한 오공랑이 먼저 외쳤다.

"언놈이냐? 밖으루 나와라!"

대답 대신 안에서 껄껄대는 웃음소리가 들려왔다.

오공랑은 자고를 양손에 쥐고 그가 나타나기만 기다렸다. 드디어 마루 위에 희끗한 사람의 모습이 보였다.

"에잇……"

그는 양손에 거머쥔 자고를 재빠르게 날렸다. 날아간 표창에 분명히 맞은 듯한 상대가 넘어지기를 기다리는데 다시 껄껄대는 웃음소리가 여전히 들려왔다.

"거 독침 빠진 지네로구나."

"누…… 누구냐?"

오공랑이 허리춤에서 다시 자고를 뽑아 겨누면서 물었다.

"보따리를 잃어버린 사람이다."

"네가 감히 죽고 싶어서 제 발루 기어들어왔구나."

오공랑이 연거푸 자고 표창 두 대를 날렸다. 자세히 보니 상대는 초립을 벗어서 손에 들고 날아드는 자고를 받아내는 것이었다. 오공랑은 그 별호대로 한번 자고를 뽑았으면 실수없이 상대편을 쓰러뜨리곤 하였다. 그에게도 이렇게 담이 크고 재빠르게 막아내거나 피하는 상대는 처음이었다. 상대편은 마루 위에서 한 손에 자고가 몇개 꽂힌 초립을 쳐들고 우뚝 섰을 뿐이니 오공랑은 차차 초조해졌다. 우뚝 선 자가 웃음기 어린 목소리로 놀려댔다.

"바늘이 몇대나 남았니. 아직 남았으면 한꺼번에 던지렴."

오공랑은 기가 차서 던지지 못하고 자고를 움켜쥐고 틈을 노렸다.

"똥 싼 주제에 매화타령이라구, 도적놈이 보따리 내놓을 생각은 않구 그따위 표창질이나 하구 있느냐. 내가 오늘 고놈의 손모가지를 꺾어주고 가련다."

"에라, 칼침이나 받아라!"

오공랑이 자고를 날렸으나 그 순간에 상대는 몸을 굴리더니 마루 아래로 떨어져서 그의 세 발짝쯤의 거리로 다가들었고 갑자기 발을 휙 쳐들어 낭심을 올려찼다. 하체에 맥이 쭉 빠진 오공랑은 에구구 하는 소리를 자지러지게 내지르며 땅바닥에 무너지듯 주저앉았다. 도포 입은 키 큰 사내는 몸을 툭툭 털고 일어나 오공랑의 손을 틀어 쥐었다.

"이놈, 버릇 보아서는 아예 종자를 내지 못하도록 부자지를 터뜨릴까 하였으나 노모 봉양할 팔자를 헤아려서 살짝 건드렸다. 자, 일어나거라."

"아이구, 나 죽네!"

오공랑은 엄살이 대단하였다. 뱃살이 켕겨서 다리를 디딜 수가 없었다. 더구나 사내가 우악스럽게 팔을 비틀어대니 뼈가 곧 퉁겨져나갈 것만 같았다.

"성님, 이 팔 좀 놓고 말씀허시우."

"인석아, 내 언제 너 같은 아우 둔 적이 있다더냐?"

"인척 혈육이 따루 있수. 내 재간이 좀 있다 하나, 구들 장군이라 성님 같은 분을 몰라뵈었소이다."

"그래 이제는 땅냄새가 고소하냐?"

"어이구, 손 좀 놓아달라니깝쇼."

그는 껄껄 웃고 나서 손을 탁 놓아주고는 초립을 휘저었다.

"아까운 초립만 상해놨으니 의관값을 톡톡히 받아야겠다."

그는 바로 수소문하여 월봉골을 뒤지고 다녔던 길산이었다. 길산이 마루에 올라가 앉으니 서녀와 오공랑이 부산을 떨며 불을 밝히고 땅바닥에 꿇어 엎드린다. 이불을 들쓰고 벌벌 떨고 있던 그들의 노모도 방 안에 엎드려서 빌었다.

"그저 나으리, 이 늙은 것을 보아 용서해주십시오."

"일어들 나시게. 모친께서 걱정하시네."

길산이 부드러운 어조로 말하였다.

"나으리 봇짐 얼른 내드려라."

오공랑이 말하자 서녀는 슬슬 눈치를 살피다가 툇마루로 건넌방에 올라 길산의 보따리를 내어 밀어놓고는 다시 낼름 엎드린다. 길산이 보따리는 거들떠보지도 않고서 마루 아래를 향해 말하였다.

"나두 산림에 처한 사람으로서 이런 세상에 자네들의 벌이를 탓할 생각은 없네. 돈이 궁하다면 모두 주고 갈 것이요, 옷이 없다면 상목두 놓구 가려네. 다만 섭섭한 것은 곤경을 호소하여 도와주려고 협기를 내는 사람을 노리는 점일세. 힘으로 빼앗거나 방심한 틈을 노리는 것은 모르되 남의 의협심을 우롱해서야 되는가."

오공랑이 머리를 조아리고 말하였다.

"제 누이가 아직 물정을 몰라서 어른을 그런 식으로 속였습니다."

길산이 더이상 탓하지 않고,

"내 자네 집을 찾느라구 싸대다 보니 요기를 놓쳤네그려. 아무거나 좋으니 끼니 때울 것이 있으면 좀 내오게나."

하니, 서녀가 일어나 부엌으로 들어가 쌀 씻고 칼 치는 소리가 요란했다. 밥 뜸이 들 동안에 군입이나 다시라고 내온 탁주와 나물을 가운데 놓고 오공랑과 길산은 다시 마주 앉았다.

"몸조심해야겠네. 자네들이 모란산 기슭에 사는 것을 원근에서 대강은 아는 모양이데. 내 나름대루 짚어서 월봉골루 찾아들어 먼저 곡재인을 사러 온 시늉을 하였지. 좋다구 나서는 중에 두 여인네를 사서 초상집으루 데려가는 척하다가 후미진 곳에서 협박을 하였네. 내가 기찰포교는 아니고 멸악산 산채서 내려왔는데 입당을 시키려 한다구 말일세. 그래서 집을 알아내어 숨어서 기다리구 있었지. 모친을 놀라게 해드려서 미안허네."

"아닙니다. 그러면 이제 정례루 인사를 올립지요. 강말득(姜末得)입니다."

"어째…… 오공랑이라면서?"

"그야 세간에서 지어준 별호입죠. 성님 앞에 별호를 쓸 수가 있겠습니까? 제 누이를 서녀라구들 하지만 실은 끝춘이올시다."

모친이 훌쩍이더니 미닫이 너머에서 끼여들어 풀어놓는다.

"재들 위루 사남매가 있었다우."

"모두들 어디루 갔습니까?"

"얘길 하자면 길지요. 맏딸아이는 낳자마자 어디론가 팔려가구…… 그때는 상전 댁에 솔거해서 있었지요. 둘째를 낳으면서 외거하게 되었는데, 주인의 탐학이 어찌나 심한지 맏아들놈은 주인에게 맞아죽고, 우리 식구는 달아났습니다. 추노에 쫓겨서 나는 저것들 둘만 데리구 해서루 왔습니다. 유리걸식을 하며 대처를 떠돌자니 저것들이 자연히 도적이 되구 말았습니다. 생각하면 죽느니만 못한 인생인데 이렇게 욕되게 살아 있습니다그려."

"에이, 그만두슈. 죽긴 왜 죽는단 말예요."

말득이가 제 어미에게 면박을 주고 나서 술을 따랐다.

“술이나 드십시오.”

길산은 이 식구에게 문득 정이 생겨서 눈앞이 그렁그렁하여지는 것이었다. 밥상이 들어오는데 끝춘이가 정성을 다하여 차린 듯, 시골의 다리 부러진 소반이 아니라 반듯한 해주반에 나물과 비웃이며 기름진 내음이 가득하였다. 끝춘이의 눈은 총명하게 반짝였고 보따리를 도적질한 것이 못내 부끄러운지 고개를 들지 못하였다.

“시장하실 텐데 어서 드시지요.”

“자네두 들지.”

길산이 상머리에 다가앉으며 말하니 말득이는 남은 술병을 밥상 위로 옮겨주었다.

“아닙니다. 우리는 아까 나갈 제 미리 먹었습니다.”

말득이는 길산이 식사하는 모양을 잠잠히 바라보다가,

“그런데 성님은…… 멸악산에 기십니까?”

길산이 수저를 놓았다.

“헛, 내 참 이런 정신 보았나. 나는 구월산 사는 장길산이란 사람일세.”

“예에…… 성님두 구월산 녹림당이십니까?”

“자네 혹시 자비령 있던 마감동이를 모르나?”

“모릅니다. 저희 남매는 시골 장바닥에서 좀도둑질로 컸고, 원래 제 성질이 패거리 짓는 것은 좋아하지 않습니다. 가까운 멸악산에도 패거리가 있어서 절더러 자꾸 올라오라지만, 두령 되는 자가 포악하여 군식구들은 절대루 용납하지 않는답니다.”

길산은 나물과 비웃에 푸성귀국을 한데 부어서 삽시간에 먹어버렸다. 역시 양은 차지 않았으나 남은 배는 탁주로 채우게 될 모양이었다. 길산은 병째로 들어 탁주를 들이켰다.

"실은 나두 화적이나 마찬가지인 사람일세. 지금은 뜻한 바 있어 금강산으로 수도행을 떠나는 길이네. 내가 보따리를 잃고 고장 사람들에게서 자네 남매의 소문을 듣고는, 보따리 생각보다는 자네들을 만나고 싶은 마음이 앞섰지. 구월산에는 여러 재간 있는 두령들이 있는데, 모두 산채에서 떨어진 마을에다 식솔을 거느리구 있네. 아무래두 예서 꼬리가 길어지면 밟힐 걸세. 내가 찾은 집을 기찰포교라구 못 찾겠나. 시방은 관에서 자네들을 찾을 열심이 생겨나지 않아 괜찮지만, 앞일을 어찌 알겠는가?"

다시 안방에서 듣고 있던 모친이 끼여들었다.

"말득아, 그 어른의 말씀을 잘 들어라. 에미가 하루도 마음 편할 날이 없다. 그 구월산 마을에 가서 이웃으루 마실두 댕기면서 한가하게 살구 싶다. 예서야 남의 눈을 피하느라구 밤낮으루 안절부절이 아니냐."

"헛 참, 어머니는 가만 누워 계셔요. 왜 자꾸 끼여들구 그러슈."

짜증을 내고 나서 말득이가 제 잔을 내밀었다.

"한잔 주십시오."

길산이가 술을 따라주자 그는 단숨에 죽 들이켜고는,

"성님…… 안 그래두 오늘 해주의 대갓집에서 명당을 쓴 묘를 털었습니다. 지방 수령들이 아마 눈이 벌게서 잡으러 나설 모양이올시다. 지금 길산이 성님 마음이야 저두 한 당에 끼워주겠다는 말씀이나, 산채 사람들을 어찌 믿겠습니까?"

"그건 염려 말게. 내 신표를 내주면 모두들 자네를 친동기간처럼 대해줄 게야. 무지막지하구 잔인한 화적패가 아니라네. 이봐, 나는 출신이 광대일세."

"허, 그 어른 광대치구는 입이 무거워서 꼭 진중의 장교 같네."

말득의 어머니가 말하자 길산은 웃었다.

"내가 이래보여두 사설을 풀거나 춤을 추면 모두들 허리를 꺾습니다."

두 사람은 마루에 상을 마주 받고 앉아 있었으며 끝춘이와 그들 모친은 안방 문가에 나란히 앉아 있었다. 말득이는 길산의 손을 잡으면서 말하였다.

"성님만 믿구 저희 식구는 구월산으루 솔가해 가겠습니다. 거기 가면 새 동무들두 많이 사귀겠지요."

"언제 떠나려나?"

"오늘 당장 떠나겠습니다. 새벽 동이 트기 전에 나가야죠. 이럴 줄 알구 평소부터 푼푼이 모아두었던 돈과 상목이 있습니다. 그러구 이제는 한밑천을 잡았습니다."

"내 것두 가산에 보태어 쓰게."

"에이, 천만에 말씀이올시다. 사실 끝춘이의 벌이는 세간에서 말하듯 쥐도적이지요. 아까는 끝춘이가 그릇된 방도로 성님의 보따리를 훔쳤으나, 또한 그 때문에 성님을 이렇게 뵙게 되지 않았습니까. 저희두 한창 벌이 좋을 때엔 부상대고의 수입 부럽지 않았습니다."

길산은 빙그레 웃었다.

"자네 재간이 자고 표창질 말구 또 뭐가 있는가?"

"예, 절더러 모두 오공랑이라구 하는 데엔 두 가지 연유가 있습니다. 하나는 자고를 잘 던진다는 것이고, 또 하나는 다리가 여럿 달렸다는 것이지요."

"다리가 여럿이라니……?"

"성님, 도대체 남의 집 담치기나 굴총을 하는 놈이 안전을 도모하는 길은 무엇이겠수. 사세 부득하면 냅다 뛰는 것이지요. 자고를 던지는 것두 저를 일단 쫓아오지 못하게 하기 위해서입니다. 저는 사람의 상체에는 한 번도 던지지 않았습니다."

길산은 웃으면서 빈정거렸다.

"잘 안 맞던데 그래……"

"에이, 그거야 누구든지…… 제 굴에 들어온 적에게 사정 보아 덤빌 놈이 어딨습니까? 아무튼 제가 뜀박질에는 표창질보다 더욱 자신이 있습니다. 제가 마음만 먹으면 성님의 보따리를 짊어지구 동트기 전에 해주에 닿을 수도 있어요."

"음, 자고 표창질과 뜀박질이라……"

"끝춘이와 어머니는 전부터 이 월봉골을 떠나 대처루 나가서 주막을 내어 살자구 그럽니다."

길산은 혼자서 곰곰이 생각해보았다. 끝춘이와 그 노모가 봉산쯤에다 주막을 내놓고 오가는 장사치와 관리들을 염탐할 수가 있겠고, 말득이는 이곳 저곳으로 다니며 기별을 전할 수가 있을 것이었다.

"구월산 가면 다른 사람보다 김기라는 사람을 찾게. 그 사람에게 봉산 나가서 주막을 내겠다구 얘기하면 세세히 살펴서 주선해줄 걸세."

"성님 신표를 주셔야지요."

"글쎄…… 신표는 내가 글을 모르니 아무것도 쓸 수가 없고, 가만 있자…… 그렇지, 내가 심산유곡으로 들어가는 놈이 무슨 병장기가 필요하겠나. 단검을 내주겠네. 모두들 이걸 보면 내가 틀림없이 보낸 줄 알 테니까."

길산은 보따리에서 짧은 환도를 꺼내어 말득이에게 내주었다.

"아이구, 장창을 가져두 모를 텐데…… 요걸 가지구 어찌 장정들 여럿을 상대하십니까. 우리네야 줄행랑을 놓으면 그만이지만 성님은 달음박질두 못 할 텐데요?"

"혀가 짧다구 침발두 짧으라는 법이 있나? 한 자 모자라면 두 걸음 더 나아가면 되는 게지."

말득이는 길산의 단검을 받아놓고 누이를 돌아보며 재촉을 하였다.

"얘, 밤참 한 번 더 지어야겠다. 길양식두 챙겨놓구……"

"응, 오늘은 저녁을 세 번 짓겠네."

말득이가 다시 걱정스런 얼굴을 했다.

"헌데 어머님이 허리를 다쳐서 기동을 잘 못 하시는데, 며칠 전에 뒷간에서 낙상을 하셨지 뭡니까."

길산이 말하였다.

"염려 말게. 내가 공수원(公須院)까지 업어다 드릴 테니 거기 가서 세마를 내게나."

"에이, 성님이 업으신다뇨. 제 모친인걸요."

"아니야. 새벽까지는 공수원에 닿아놓아야 허네. 간밤에 그런 대묘를 굴총했다니 그 혈족들의 성화가 여간 아닐 걸세. 지방 수령들두 당분간 자리가 편치 않을 게야."

끝춘이는 주먹밥을 만들고 말득이는 모아놓은 각종 패물과 무명, 비단 등속을 한짐 싸놓았다. 그들 어미는 번듯한 놋이며 반닫이나 세간 등속을 버리고 가는 것이 못내 아까워서 쓸어보고 만져보며 푸념을 하였다. 말득이가 짐 챙기는 일을 마쳤고 끝춘이는 따로 길양식을 자루에 담아 쌓아놓았다. 길산은 지게 위에다 삼태기를 얹고 그 위에 이불을 둥글게 깔아서 그들 노모가 앉기에 편하도록 만들었다.

"자아, 어서 떠나지."

길산이 재촉하자 말득이가 제 어미를 안아다가 지게 위에다 앉히고 졸다가 떨어지지 않도록 띠로 둘둘 감아주었다. 길산과 말득이가 서로 지게를 진다며 실랑이를 벌이다가 결국은 말득이가 지게를 짊어졌다. 길산은 그들의 재산 보따리를 자기 봇짐 위에 얹어 지었고 끝춘이는 길양식 봇짐을 메었다.

"불을 확 싸질러버리구 갈까?"

문을 나서려던 말득이가 중얼거렸다.

"얘야, 두고 가기두 서러운데 어찌 제 집이 타는 꼴을 보며 가겠느냐. 아서라."

"그냥 가지. 불빛 보구 월봉골 사람들이 쫓아오면 자네 식구가 야반도주를 했다는 소문이 날 것이고 관가에까지 들어갈 걸세."

그들은 조용히 월봉골의 동구를 빠져나왔다. 밤을 타고 걸어서 공수원까지 오십 리 길을 새벽닭이 울 적에 닿았고, 공수원서 북으로 향한 신천길로 내려갈 참이었다. 초립이 망가진 길산은 말득이네서 방갓을 빌려서 쓰고 있었으니 상을 당한 사람 행세를 하면 되었다. 원의 삼문 앞에 가서 문을 두드렸다. 한참 만에 문이 열리는데 동고사(東高寺) 원지기 중이 아니라 사노(寺奴)가 부스스한 얼굴로 문을 열었다.

"방 하나 주게. 그리고 아침에 마부 딸린 말 한 필 세내도록 해주게나."

길산이 말하니, 사노는 그들의 아래위를 쓱 훑고 나서,

"어느 관아에 기십니까?"

하고 묻는다. 길산이 삿갓 아래로 말을 던졌다.

"이보게, 우리도 명색이 양반이다. 시골 아전배하군 지체가 달라."

"양반이 뭐 얼굴에 씌어 있나요. 공문이 없으면 비록 삼정승 육판

서를 지낸 양반댁 행차라 하여도 원을 낼 수는 없습니다. 그 대신에 봉놋방에서 두 배를 물고 쉬어 가시지요."

"봉놋방밖엔 없는가?"

"그곳에만 불을 땠습니다. 다른 데는 모두 냉골입니다."

말득이가 봉노도 좋다고 하여 숙박비와 세마비를 미리 치르고 봉노에 들었다. 넓은 방 안이 쩔쩔 끓고 있는데, 벽에 기름 등잔 하나가 까무룩 졸고 있고 안에는 장사치인 듯한 사내들 댓 명이 이리저리 흩어져서 잠들고 있었으며 어떤 자는 저고리를 벗어 웃통이 벌겋게 드러나 있었다. 안내하는 사노에게 길산이 물었다.

"이봐, 다른 봉놋방은 없나?"

"예, 바로 옆방에 아낙네들만 자는 방이 있습니다. 대부인과 애기씨는 그리로 모시지요."

그제야 길산과 말득이는 안심을 하고서 방으로 들어섰다. 그저 잠깐 피로를 풀고 갈 작정이니 편안한 금침을 찾는 것은 아니로되, 따뜻한 구들을 지고 등판이라도 녹이려는데 마땅한 자리가 없었다. 다섯 중에 셋은 아랫목 쪽에다 다리를 두고 누웠으며 둘은 그들과 엇갈려서 횡으로 누웠으니 빈틈이 있다 해도 미단이 바로 밑이거나 아니면 그들의 발밑이었다. 말득이가 횡으로 드러누운 사람 중의 하나를 흔들어 깨운다.

"보시우, 좀 일어나우."

그자가 끄응 하면서 돌아눕더니 눈을 번쩍 뜨는 것이었다.

"뭐야?"

"미안하지만 좀 조입시다."

말득이가 조심스럽게 말했으나 사내는 대번에 반말지거리였고 게다가 험구를 빼놓지 않았다.

"거 아무 데서나 자빠져 자지 왜 깨우구 지랄이여."

말씨가 거칠고 목자가 불량한 것이 농투성이는 전혀 아니고, 장돌뱅이도 아닌 듯하였다. 봇짐꾼들이란 대개 봉놋방의 예의를 알아놔서 누가 들어서며, 실례허우, 하면 편히 허우,라고 답하며 자리를 내주게 마련이었다. 말득이는 길산을 올려다보며 씽긋 웃었고, 길산이는 봇짐을 진 채 미닫이 아랫목 공간에 쭈그리고 앉아 있었다.

말득이가 아주 뻔뻔하게 중얼거렸다.

"그럼 아무 데서나 자야겠군. 소제 좀 치워볼까."

말득이는 거칠게 내깔기던 사내의 두 다리를 덥석 잡더니 다짜고짜로 옆으로 주욱 끌어냈다. 사내가 얼결에 끌려가며 어이없는 소리를 냈다.

"어이…… 이 망할 자식 보게."

말득이는 시침을 뚝 떼고 빈자리에 털썩 주저앉았다.

"댁에서 봉놋방을 몽땅 샀단 말유? 같이 좀 살아야지."

"이 자식이 함부루 누굴 까실러?"

하면서 사내가 말득이의 귀쌈을 노리며 손바닥을 쳐들어 내리치려는데 길산이 손목을 턱 잡았다. 바로 곁에 누웠던 웃통 벗은 자도 그제야 눈을 떴다. 길산은 사내의 손목에서 관절 급소를 눌러놓으니 죽는소리를 치면서 맥을 잃고 만다. 곁의 사내가 벌떡 일어나 길산에게 덤비려는데, 말득이가 재빨리 다리를 뻗어 딴죽을 걸면서 손으로는 궁둥이를 호되게 갈겨버렸다. 그는 사지를 펴고서 나란히 잠든 제 패거리들 위에 사정없이 엎어졌다. 뭐야, 왜 그래, 하면서들 아직 졸음에서 덜 깬 사내들이 일어났다. 그들 중의 하나가 눈을 비비고 살피더니 외치는 것이었다.

"저 자식 오공이 아냐?"

"평산 서녀 오공이의 그 오공이 말인가?"

"그래, 쥐새끼처럼 힘두 없는 녀석이지."

길산이 의아하여 말득이를 바라보니,

"멸악산 패거리유."

하며 말득이가 대답한다. 장한들은 오공이란 말에 화적이 좀도적에게 당하랴 싶었는지 맨손으로 우하니 일어섰다. 길산은 반대로 슬그머니 쪼그려앉으면서 갑자기 발끝으로 딴죽을 거는데, 콩기름 잘 먹인 구들방이 빙판만큼 미끄러워서 대번에 두어 놈이 나가떨어지고 서로 부딪쳐 다시 넘어졌다. 말득이는 방구석에 팔짱을 끼고 서서 빙글거리며 구경하고 섰다. 그제야 사내들은 봇짐 속에서 짤막한 철봉과 칼 등을 끄집어냈다. 길산이 눈썹을 곤두세우면서 방문을 발로 차 내던졌다.

"이놈들이 정말 경을 칠 놈들이군!"

활짝 열려진 방문으로 밤바람이 싸늘하게 끼쳐왔다. 말득이가 허리춤을 더듬어 자고 표창 두 대를 꺼내어 겨누니 길산이 말렸다. 길산은 문턱에 서서 말하였다.

"나두 녹림패의 도리쯤은 아는 사람이다. 맨손 든 사람에게 병장기를 빼어드는 것이 합당하냐?"

"합당하구 않구는 우리 알 배 아니니 우선 어육이 되구 나서 너 혼자 생각해봐라."

길산은 문턱에서 뒷걸음질로 바깥 마당에 내려뛰었고 말득이도 봉놋방에서 뛰쳐나왔다.

"좋다, 정 그렇다면 살전이다. 한 두어 놈 숨통을 끊어주지."

아무래도 무기를 가진 자들과 좁다란 방 안에서 날뛰다가는 실수를 피하기 어려울 것이므로 길산은 앞마당으로 그들을 끌어낼 생각이었다. 사내들은 모두들 살기등등하여 우르르 몰려나왔다. 그들 중에 하나는 아직 나오지 않고서 문지방에 서서 내다보며 말하였다.

"여보게들, 지금 티격태격해보았자 우리 일만 낭패일세. 놈을 죽일 것까지는 없고 사로잡아서 묶어놓았다가 일을 끝내고 돌아갈 때 처치하기로 허지."

다른 자가 철봉 가진 손에 침을 퉤 뱉으면서 씨부렸다.

"까짓 죽여서 방 안에 처넣구 이불을 덮어두면 되어."

"옆방에 동행하는 아녀자가 있는 모양인데."

"그것들두 죽이든지 끌구 가서 부려먹든지 하면 되잖나."

길산이 마당 가운데 버티고 서서 보자니 뭔가 수군수군하는 꼴이 모의를 하는 중이라서 가소로운 생각이 들었다. 옆방 문이 배시시 열리더니 서녀 끝춘이가 툇마루로 나섰다. 끝춘이는 처음에 그들이 들어서자마자 다투는 소리를 들었던 것이다. 원의 큰채 쪽에서는 깊은 잠이 들었는지 아무도 나오지 않았다. 끝춘이는 늘어지게 기지개를 켜고 하품을 하였다.

"이 좋은 구경을 놓칠 수야 있나. 어디 싸워봐요."

사내들은 서녀 따위는 거들떠보지도 않고서 슬슬 길산이와 말득이를 멀찍이서 둘러쌌다. 짜른 칼을 가진 자가 셋, 철봉을 가진 자가 둘이었다. 길산의 좌우로 칼 가진 자와 철봉 가진 자가 넷이 덤벼들었고, 말득이는 깔보았던지 한 놈이 다가들었다. 말득이는 한편으로 길산이를 믿고는 있었으되 이쪽은 표창밖에는 가진 것 없이 맨손이고, 저쪽은 살인을 떡 먹듯 하는 무기 가진 화적패들인지라 은근히 걱정이 되었다. 그들이 싸울 태세로 둘러서자마자 서녀가 방을 열고 들어가 제 어미를 간신히 부축하여 끌고는 문간 앞에다 모셔놓았다. 여차직하면 달아날 태세였다.

길산에게로 다가든 놈들이 번갈아 엇갈리며 좌우로 훌쩍 뛰더니 양쪽에서 칼을 내리치고 휘두르며 덮쳤다. 한 놈이 말득이에게로 달려드는데 그는 자고를 휙 날려서 상대의 목줄기에다 꽂았고 목에 자고를 맞은 녀석은 한 손으로 뽑아내고 안간힘을 쓰면서 말득이를 내리쳤다. 간신히 피한 말득이가 멀찍이 뛰어 담장 위로 껑충 뛰어올랐고 상대가 또 따라갔다.

길산은 좌우로 달려드는 상대를 맞아 칼을 비켜서 어깨 사이로 빠져나가게 하면서 돌아서서 머리를 그의 얼굴에다 처박았다. 처박으면서 또한 왼편으로 달려드는 자의 눈을 이지관수(二指貫手)로 올려 찔렀다. 둘이 동시에 주저앉았다.

담장에 올라섰던 말득이는 칼을 휘두르며 달려드는 자에게,

"이번엔 눈깔에다 박아주랴?"

하며 위협하여 주춤 서서 얼굴을 감싸는 그자의 무릎에다 자고를 날렸다. 어이쿠 소리를 내지르며 그자가 무릎을 싸쥐고 궁둥방아를 찧었다.

길산이 맨손으로 둘을 넘어뜨리는 것을 보자 남은 둘은 동작이 몹시 신중해졌다. 쓰러진 자 중에서 안면에 길산의 뒤통수 박치기를 당했던 자는 입과 코가 엉망으로 터진 채 기절해 쓰러져 있고 눈을 찔린 자는 앞이 보이질 않는지 더듬거리며 기어다니고 있었다. 칼 가진 자는 몇번 허공에다 칼날을 긋고 흩뿌려보고 나서 머리 위로 쳐든 채 빙빙 돌리면서 길산의 오른쪽으로 천천히 다가섰다. 철봉을 가진 자는 정면에 내세운 쇠막대기 끝으로 길산의 머리를 겨누고는 발을 움칫거리고 있었다. 말득이는 무릎을 상하여 주저앉은 자에게로 뛰어내려 목에다 자고를 갖다댔다. 떨어뜨린 칼을 집으려는 것을 꽉 밟고 나서 말득이가 물었다.

"여기서 뭘 하는 거냐?"

그는 대답하지 않았다. 말득이가 자고를 목젖에 대고 지그시 눌렀다.

"아까는 설맞아서 뻡아냈겠지만 이번에는 아주 맞창을 내줄까?"

"살려다우."

"뭘 하러 여기 묵어 있는지 말해라."

"어떤 사람의 부탁으로 누굴 없애러 왔다. 우리는 벌써 돈을 받았다."

그들이 툭탁거리고 있는 사이에 서녀 끝춘이는 벌써 제 어미를 문결에 남겨두고 빈 봉놋방으로 쪼르르 달려가 사내들의 봇짐뒤지기를 끝냈던 것이다. 그녀는 한 봇짐에서 묵직한 은자가 들어 있는 부담을 발견하여 가슴에 싸안아다가 저희들 봇짐 옆에 쌓아두었다. 견디지 못하게 되면 오공랑 말득이를 시켜 자고로 다리를 상하게 하여 뒤쫓을 수 없도록 해놓고는 봇짐을 가지고 모친을 모셔 달아날 셈이었다.

길산은 옆으로 찔러들어오는 자의 손목을 잡아채어 자기의 자세를 낮추었다가, 팔을 뒤로 돌려서 꺾었다. 그는 철봉을 휘두르며 다가선 자의 가슴팍으로 차 내던지면서 가운뎃손가락의 관절을 산 모양으로 뾰족이 내민 용두권(龍頭拳)으로 뒤통수를 쥐어박았다. 앞으로 철봉 가진 자를 덮치면서 그자는 찍짹 소리 없이 대번에 혼절하였고, 또 하나는 제 동료를 안고 넘어졌다. 길산이 한걸음에 뛰어 족도(足刀)로써 쓰러진 상대의 허리를 찼다. 숨이 막힌 듯 그자는 맥을 놓고 늘어졌다. 길산은 널브러진 네 사람을 둘러보고 나서 말득이의 위협을 받고 있는 자에게로 다가섰다.

"이놈들이 어떤 사람을 죽이려구 기다리던 중이랍니다."

말득이가 말하자, 길산은 그자의 상투를 잡아 뒤로 젖히면서 물었다.

"누구냐, 양반을 죽이려느냐?"

"예…… 송도의 사족이랍디다."

"그래, 책상물림 하날 죽이려구 다섯이서 그 진기를 감추고 몰려다니느냐?"

"아닙니다. 그 선비의 동행 되는 정학(鄭涸)이라는 자가 천하장사여서 대적하기가 쉽질 않답니다."

"이놈들, 내 간섭할 바는 아니로되, 선비 하나 죽이는 것으로 몸값을 받아 그래두 녹림패라구 할 수 있겠는가. 사주한 자는 누구냐?"

"그건 저희들두 모르는 일이오."

길산이 둘러보니 맞고 늘어진 자들이 기력을 회복하여 하나둘씩 일어나고 있었다. 그들은 모두들 버티고 서 있는 길산을 보자 달아나지도 못하고 땅바닥에 앉아서 뭉개는 중이었다. 말득이가 길산의 소매를 당기며 속삭였다.

"성님, 저것들을 봉노에다 쓸어넣구 어서 여길 떠납시다."

길산이는 말없이 고개를 끄덕였고, 말득이가 떨어진 칼을 주워들고 위협하면서 그들을 내몰았다.

"모두들 방으로 들어가. 우물거리면 아예 떼죽음을 시켜줄 테여."

그들은 슬금슬금 봉놋방으로 몰려들어갔고 말득이가 문고리를 걸어잠갔다.

"엥이, 잠만 설치구 어느새 날이 샜네!"

그들은 이 소동을 알 리 없는 사노를 깨워서 마부를 불러오도록 하였다. 마부와 말이 아직 나오지 않았는데 봉놋방의 문고리가 덜걱대면서 안에서 소리치는 것이었다.

"우리 좀 보시구 가우."

"장사님들, 잠깐만 보구 가우."

말득이가 사노의 눈치를 살피니 그도 역시 놀랐는지 그제야 두 사람의 아래위를 훑어보고 대문가에 섰는 끝춘이와 노모 쪽을 살폈다. 말득이가 길산의 눈짓을 받고 방문 곁으로 가서 물었다.

"무슨 일루 우릴 부르느냐?"

"아이구, 아예 저희를 쳐죽이구 가실 일이지 은자를 빼내가시면 저희는 산채에 돌아가 단매에 즉사합니다."

"저희 두령하구 미리 약조가 되어서 그 은자를 저희가 전해받은 것이올시다. 빈손으로 돌아가면 저희는 살아남지 못합니다."

말득이는 그제야 일의 내막을 알고서 뒤를 돌아보고, 끝춘이 편을 향해 네 짓이냐는 조로 손가락질을 해 보였다. 끝춘이가 방실방실 웃으면서 고개를 끄덕이니 말득이는 한달음에 은자가 들어 있는 부담을 들어 봉놋방 속에다 팽개쳐주었다.

"어이구, 정말 고맙소!"

앞에 나와 앉은 자는 그렇게 말했으나 뒷전에서 씹어대는 소리가 들렸다.

"오공인지 공알인지 어디서 만나기만 했단 봐라. 모가지를 비틀어버려야지."

말득이가 분은 났지만 이미 날이 밝아 남의 이목이 많으므로 그냥 참고 돌아섰다.

"피차에 밑 구린 놈들이니 그냥 간다만, 억울하면 언제든 구월산으로 찾아오너라."

벌써 마부가 젊고 탄탄해 뵈는 황마(黃馬) 한 필을 끌고 나왔으므로 그들은 모친을 안장에 앉히고 앞뒤로 봇짐을 실었다. 길산이는 제 봇짐을 추려서 짊어졌다.

"나는 다시 되돌아서서 금천으루 가야겠네."

말득이가 길산의 소매를 부여잡으면서 만류했다.

"아니우 성님. 제가 어머니와 누이를 창금산까지만 바래다주고는 성님을 모시구 금강산까지 갔다오겠수."

"아닐세, 모친을 모시구 가야지 그게 말이 되는가. 더구나 원행에 아녀자들만 보낼 수야 있나."

"끝춘이가 다 알아서 할 겝니다. 성님, 제가 봇짐을 져다드린다니까요."

"글쎄 안 되여. 내가 자네들을 창금산까지 배웅하구 돌아서지."

그들은 서로 가겠다거니 안 된다거니 옥신각신하면서 북으로 곧장 보이는 창금산을 향해 걸었다. 견마 잡힌 말은 앞장서 갔고, 지게를 지었을 때보다 훨씬 행보가 빨라졌다.

"이 길루 곧장 신천, 안악을 거쳐서 실토봉 기슭까지만 견마를 잡히고, 거기서는 마부를 돌려보내게. 된목이골이라는 곳을 찾아헤매노라면 누군가 산사람 중에서 포착하는 자가 있겠지. 그러면 김기와 마감동이를 만나러 왔다고 말한 뒤에 내 단검을 신표로 보여주면 될 걸세."

"허 참, 내가 단발령까지만이라두 모셔다드린다니까."

말득이는 더이상 조르지는 못하고 길산이의 말에 순종하였다. 창금산 고개를 오르기 전에 길산이 다시 이르기를,

"구월산에서 혹시 내게 급히 전할 일이 생기거든, 금강산 유점사의 승 일여를 찾아 묻게."

"예…… 제가 자주 성님 뵈러 입산하겠습니다."

"아무 일 없이 올 건 없지. 그리구…… 끝춘이두 좀 보세."

끝춘이가 다소곳이 걸어와서 고개를 숙였다.

"잘 가거라. 이젠 길가에 나서서 행인의 봇짐을 털어내는 일은 그만두어. 아녀자에겐 맞지 않는 일이다."

끝춘이는 대답하였다.

"나으리 같으신 어른을 만나면 또 범꽁무니를 시키겠어요."

길산과 말득이는 목청을 합하여 껄껄 웃었다.

"산채에 가면 펄펄 뛰는 총각 장정들이 쌨으니, 가장 마음에 드는 신랑을 골라서 성례나 올려라."

길산은 그들의 어미에게 예를 드리고 나서 돌아섰다. 그가 멀어질 때까지 말득이네 세 식구는 한참이나 서 있었다.

"성님, 내 새달에 금강산 행보할랍니다. 기다리슈."

길산은 먼 데서 외치는 말득이의 고함소리에 맞춰 손을 흔들어 보이고는 다시 걸었다. 하루거리가 지체되었으나 전혀 헛발길을 한 것은 아니라고 길산은 생각했다. 김기가 봉산 염탐에 내놓을 객점주와 걸음 빠른 방자를 얻었으니 반가워할 것이었다.

공수원으로 되돌아오는데 이미 마을에서는 아침 짓는 연기가 자욱했고, 길산은 조반 전이라 시장한데다 밤새 눈 한번 붙이지 못하여 어디 사랑 신세를 질까 하였다. 새벽에 저지른 일이 있어 다시 마주치거나 원에서 보게 되면 혹시 시끄러워질까 염려되어, 길산은 내를 끼고 돌아 멀찍이 공수원 사거리를 피하였다. 돌여울(石灘) 못 미쳐서 한 기와집을 찾아들었는데 주인 사내가 나와서 곧 방한하는 것이었다. 봇짐에서 돈닢을 꺼내 조반만을 부탁하니 못 이기는 체하며 응낙하였다. 거기서 아침을 먹고는 머슴방에 들어가 잠깐 눈을 붙였다. 양지가 남향 마당에 널찍이 자리 잡을 무렵하여 길산은 잠을 깨고 정오쯤에 돌여울로 나오게 되었다. 그가 행전을 풀고 버선짝을 벗고는 바짓가랑이를 걷는 중인데, 시골 아낙인 듯한 중년 여인과 아이들이 황급히 물을 건너오는 것이 보였다. 길산이 의아하여 잠깐 서서 기다렸다. 물을 건너온 여자가 시키지도 않은 말을 하는 것이었다.

"건너가셨다간 봉변을 당하십니다."

다시 건너편에서 농기구를 든 농부가 황급히 건너왔다. 길산이 아낙네에게 물었다.

"무슨 일이요?"

"저 건너 방골고개 아래서 무뢰한들이 싸움을 하구 있어요."

"몇사람입디까?"

"아주 사내들이 버글버글해요."

길산은 문득 짚이는 데가 있었다.

길산이 돌여울을 건너 숲 사잇길로 들어서니 사람들이 이리 뛰고 저리 내닫는 소리가 들려왔다. 그는 슬그머니 숲으로 해서 그들의 근처로 다가갔다. 길 옆의 제법 너른 공터에 사내들이 모여 있었다. 수건들을 질끈 동이고 무기를 가진 자들은 역시 새벽에 길산에게서 된 경을 치렀던 그 멸악산 패거리들이었다. 남의 일에 끼여들 형편은 아닌 고로 곧 피하여 길을 가야겠으나, 아까 그들이 말하던 천하장사의 일이 궁금하였기 때문에 길산은 두고 보자는 생각이었다. 그는 봇짐을 내려놓고 까치다리를 하고 주저앉았다.

우람하게 떡벌어지고 눈이 부리부리한 장한이 맨손으로 서 있었고, 그의 등뒤에는 가냘픈 선비 하나가 찰싹 붙어 있었다. 패거리 중에 둘은 이미 넙치가 되었는지 쓰러져 있었고 남은 셋은 악착스럽게 싸고 도는 중이었다. 필사적으로 파고들었던 자가 잽싸게 장한의 뒤로 돌아 지나가며 칼을 휘둘렀다. 뒤에 붙어섰던 선비가 외마디 소리를 지르면서 넘어졌고, 장한은 빠져나가려는 자의 뒷덜미를 잡아채더니 한 팔로 휙 휘둘렀다. 과연 놀라운 힘이었다. 사람의 몸뚱이가 짚단처럼 장한의 한 팔에서 휘둘러졌다가 메어치기를 하자 땅바닥에 거꾸로 박히는데 전혀 요동도 없이 숨이 끊어진다. 목이 부러진 게 틀림없었다. 아직 주위를 돌던 두 놈은 선비가 피투성이가 되어 쓰러진 것을 확인하자 슬슬 뒷걸음질을 치더니 달아나는 것이었다.

"생색을 좀 내어야겠군."

길산은 혼잣말로 중얼거리고 나서 자기 쪽으로 내달려오는 자에게로 성큼 일어섰다. 놈은 주춤했다가 길산의 얼굴과 마주치자 저승사자와 만난 꼬락서니가 되어 옆으로 새려고 몸을 돌리는데 길산이 큰걸음을 떼면서 발꿈치로 그의 장딴지를 밟았다. 제풀에 고꾸라진 녀석을 잡아일으켜 빈터로 끌고 나가는데 그가 사색이 되어 빌었다.

"너무하십니다. 기왕 살려주신 목숨을 여기까지 따라와서 죽이시렵니까. 한 번만 더 살려줍시오."

길산이는 한편으로는 애처로운 생각이 없지도 않았다. 하나, 남의 자객질로 은자까지 받은 것은 산림처사의 도리로 보아 야비한 노릇이라 생각되었다. 길산은 그저 그 장한과 사귀고 싶은 마음이 일었을 따름이요, 또한 어떤 사연인가 궁금하기도 하였다. 쓰러진 선비를 살피고 있던 장한이 인기척을 느끼고 벌떡 일어났다. 그는 경계의 빛을 띠고 길산과 잡힌 사내를 번갈아 살폈다. 그가 두 손을 벌려 보이면서 물었다.

"댁은 누구요?"

길산은 장한의 앞으로 사내를 밀쳐내면서 말하였다.

“지나가는 행인이외다. 잠깐 보자하니 당신네는 수가 적고 이들은 많길래……”

장한은 한 손으로 사내의 멱살을 잡은 뒤에 퉁명스레 말하였다.

“이젠 참견 말구 길이나 가우.”

길산은 그를 자세히 뜯어보았다. 갓은 뒤로 벗어서 목에 걸었고, 도포를 걸쳤으니 상인으로 보이지는 않았으나 어딘가 우악스럽고 어색하여 점잖은 티가 없었다.

“길은 가겠소마는 항자불참(降者不斬)이랬으니 말을 묻고 살려 보내시우.”

“남이야 죽이든 살리든 웬 참견이우. 댁네가 관인이오?”

“관인은 아니오마는 그럴 연고가 있어서 그러오. 내가 살려주기루 작심하고 붙잡았으니 말이나 물어보우.”

장한은 멱살을 잡아쥔 놈보다는 길산이 더욱 마음 놓이지 않는 눈치로 여차직하면 달려들 태세였다.

“먼저 댁네 말이나 들어봅시다. 무슨 연고란 말이우?”

길산은 하는 수 없이 픽 웃고 만다.

“어, 그 사람 굳이 내 말을 하자면 듣겠소? 무섭다가 드럽다가 측은한 것이 무엇인지 아우?”

“여보, 시방 누가 댁네와 수수께끼 한댔어?”

장한이 멱살 잡았던 자를 아래로 눌러서는 한 발로 지그시 밟아 꼼짝 못 하도록 해놓고는 아마도 길산을 붙잡으려는 기색이 보였다. 길산은 일부러 히죽대며 말했다.

“무섭다가, 드럽다가, 측은한 게 다름 아닌 바로 댁네를 두고 하는 말이오. 즉 호랑이가 똥 싸고 죽는 게여.”

“허, 이놈이 욕을 하네. 이 자식아, 훈수 두는 재미로 노중객사(路

中客死) 한다더라. 생겨먹기는 똑 말라비틀어진 당나귀 좆 같은 놈이 꺼떡거리네."

길산은 실소를 금하지 못하였다. 저절로 이빨 새로 웃음이 실실 터져나오는 것을 어쩔 수가 없었다.

"이놈아, 너는 어떻고…… 개오줌 맞은 장승 같은 놈이다. 그나저나…… 말이나 얼른 묻고 먼저 다친 사람이나 구완해라."

다친 사람을 보살피라는 말은 그럴듯하였는지 사내는 그제야 고개를 돌려 쓰러진 선비를 내려다보았다.

"게서 꼼짝 말고 섰거라. 조금 있다가 버릇을 단단히 고쳐줄 테니."

"네나 주(走)자를 놓지 말렴."

장한은 잡았던 놈을 버리고 선비에게로 가서 어찌할 바를 모르고 흔들어댔다. 길산이 달아나려는 놈을 막아서고는 사내에게 말하였다.

"여보게, 우선 이놈한테 말을 캐고, 내가 그이를 구완하지."

장한이 딴은 그럴듯하여 되돌아서서 다짜고짜로 놈을 잡아 따귀를 쳤다. 에구구 소릴 지르는데 뺨에 시퍼런 손자국이 생기며 이빨 두어 대를 뱉어내는데 손길이 무지막지하기 이를 데 없었다.

"참말 곰의 사촌일세. 말을 캐려면 엿 주고 달래야지…… 그러다가 혀까지 빠지겠군!"

길산이 참견하는데 사내는 역시 모른 체하고 다시 손을 번쩍 치켜들었다.

"당장에 이실직고하지 않고 모르쇠로 버티면 대갈통을 부술 테여."

"장사님…… 모르쇠 안 할랍니다. 다 말씀을 드립지요."

잡힌 자가 오뉴월 쇠파리처럼 앞발을 싹싹 비벼댔다. 길산은 봇짐에서 표주박을 꺼내어 물을 뜨러 갔다. 물을 떠가지고 돌아오니 잡힌 놈은 부지런히 주워섬기고 있으며, 사내는 침울한 얼굴로 듣고 있었다. 길산이 선비에게 물을 넘겨주고 이마에 끼얹으니 맥이 끊겼던 그가 눈을 떴다. 그는 잠깐 놀라는 기색이었다. 길산이 그의 가슴을 밀어주며 말하였다.

"염려 놓으슈. 나는 길 가던 행인인데 도와드리는 게요."

"정학이는…… 어디 있소?"

"저쪽에서 지금 당신을 해친 놈을 잡아 말을 캐구 있수."

"고맙소……"

"어디 상처는 심하지 않우?"

길산이 어깨를 살피니 옷이 찢기고 그 속에 베어진 살에서 피가 배어나오는 게 보였다. 선비는 얼굴을 잔뜩 찡그렸다.

"칼날이 깊이 닿지는 않았던 모양이오. 내 도포를 좀 벗겨주오."

길산이 선비의 도포를 벗기는데 우선 다치지 않은 오른편 팔을 빼고 가장 끝으로 왼팔을 빼어냈다.

"도포를 찢으시우."

"정말 찢어두 되겠소?"

"예! 찢어서 왼편 어깨를 좀 싸매주오."

길산은 도포를 널찍하게 찢어서 선비의 가슴에서 어깻죽지로 싸매주었다.

"학이…… 자넨 괜찮나?"

선비가 그 장한에게 물으니, 그는 주둥이가 피투성이인 사내를 끌어다가 꿇어앉혔다.

"이분께 낱낱이 아뢰어라. 말 한 마디라두 빼놓았다간 살아남지 못할 테니."

"아이구, 다 말씀드립지요."

정학이라고 불린 장한은 자기가 먼저 말을 꺼냈다.

"매부, 이런 천인공노할 노릇이 어디에 있수. 만준이 아저씨가 이 일을 꾸민 모양이우."

"큰형님께서……?"

그럴 리가 없다고 거칠게 고개를 흔드는 선비를 바라보던 정학이란 자는 도적의 모가지를 틀어쥐었다.

"이놈아, 얼른 말 못 하겠니!"

"예예…… 그저 말씀드린다니까요. 지난 그믐께였습니다. 최만준이란 해주의 선비 한 분이 노자 하나를 데리고 산채에 올라오셨습니다. 그리고 며칠 전에 두령이 말하기를 지난번에 왔던 하인이 은자 오백 냥을 지니고 왔으니, 가서 일해주고 받아오라며 공수원으로 가라더군입쇼. 그래서 다섯이서 무턱대구 내려왔습니다. 과연 공수원서 하인이 기다리구 있었지요. 은자를 받기 전에, 그자는 오늘 오후쯤에 지나는 나그네가 둘이 있는데 그중 체구 작은 선비를 요절을 내라는 것이었습니다. 그러고는 용모를 세세히 알려줍디다. 곁에 함께 가는 자가 천하장사이니 될 수 있는 대루 갑자기 달려들어 틈을 주지 말라구 그럽디다. 그래서 그날 꼬박 기다렸지만 오지 않았습니다. 그러니까 바로 그저께로군요. 일을 못 하고 돌아가면 두령의 질책이 심할 것이 두려워서 우리는 공수원서 어제도 하루종일 망을 보며 기다렸지요. 그러다가 저기 서 계신 장사님 일행을 만나 혼찌검이 난 것입니다. 그래도 기다린 바에야 일을 해내려고 공수원서 내려와 이쯤에서 자리를 잡구 기다렸지요. 오늘도 못 만나면 그냥 돌아갈 셈이었습니다."

"그래 최선비와 너의 두령은 어찌 아는 사이냐?"

"예, 선비께서 일찍이 해주 신부자 나으리와 막역한 친구지간이더니, 두 분이서 멸악산으루 행보를 하신 적이 있습니다. 그 양반께서는 당화를 들여오고 우리 장물두 빼돌리는데, 두령이 여간만 귀히 여기지 않소이다."

"허허, 역관으로 연경을 드나들던 사람이 도적의 장물아비가 되었구나. 더구나 혈육을 나눈 형제를 죽이려 하다니 지하에 계신 선친께서는 얼마나 마음이 아프실까. 나는 참으로 덕이 없는 사람이다."

정학이라는 장사가 제 가슴을 치며 덩달아 분노하였다.

"이 죽일 놈들이 매부를 서출이라고 매양 능멸하더니, 이제는 죽이기까지 하려는 모양이구려. 당장 해주로 되돌아가서 그놈의 집안을 쑥밭을 만들어버립시다."

길산이 잠자코 곁에서 듣노라니 알 만한 사연이었다. 그도 말을 붙였다.

"나두 해주 부상 신복동이께는 포한이 있는 사람이우."

선비는 그러냐고 고개를 끄덕였다.

"신복동이야 원래가 상인 출신이니 모르겠지만, 선친께서는 사간원 정언(正言)을 지내시고 백형(伯兄) 자신은 사역원의 직장(直長)까지 하신 분이 도적들의 밀무역을 대행하고, 장물을 사고 팔아 부를 탐하는 자가 되어버렸구려."

"자신이 그러면서 어찌 가친 성묘도 못 하게 한단 말입니까? 그건 고사하고 이젠 매부의 목숨까지 빼앗으려 하다니요."

정학은 주먹을 불끈 쥐었다. 길산이 최만상(崔萬相)의 사연을 들어보니, 그들 두 매부 처남은 며칠 전에 해주 최만준의 큰댁을 방문하게 되었다. 최만상은 일찍이 사간원 정언 최승(崔承)의 양첩자(良妾子)였다. 어려서는 과거공부를 하려다가 그 뜻의 어리석음을 알고 의술을 배워 내의원 참봉이 되었다가, 송도로 와서 의원을 내고 있었다.

워낙에 솜씨가 좋고 사람이 자상하여 주변 사방에 신통하다는 이름이 높더니, 어언간 재물이 모여 이제는 제법 밥술깨나 먹는 처지가 되었다. 일찍이 그의 모친 길씨는 최승이 죽은 뒤에 제 아들 만상의 집에 있더니 얼마 전에 작고했던 것이다. 만상의 어미가 운명할 적에 유언하기를,

"내가 남의 첩살이를 하노라고 평생을 큰댁 그늘에서 눌려지냈고, 이제 너로 하여금 제사에도 참여치 못하며 부친 성묘도 못 하게 하였으니 이것이 어미가 죽어도 눈감지 못할 철천지한이다. 망부(亡夫)께서 이 몸을 사랑하시고 돌아가시는 날까지 곁에 두시더니, 이제 우리 부부는 해주와 송도에 각각 갈라져 황천에서도 흩어져 있게 되겠구나. 부탁이니, 내 죽거든 네 아버님 계신 근처에라두 묻어주렴."

하였으니 만상은 제 신세와 어머니의 서러움을 아는지라, 곧 유언을 봉행하기로 결심했던 것이다. 어머니의 시신을 모시고 큰댁으로 가서 선영에 묻어주기를 요청해야 되겠으나, 잘못했다간 큰형 만준의 불호령을 받은 하인들에게 멍석말이로 몰매를 맞아 죽기 십상이었다. 강원도 고성에 사는 처남 정학이 진작부터 쌀 열 가마를 실어놓은 수레를 짚덤불 꼬느듯 하는 장사인지라, 그와 동행하기로 되었던 것이다.

"처음에는 문틈으로 내다보고 들이지도 않으려는 것을 이 아이가 떼밀어 열었지요. 한번 미는데 대문 빗장이 부러져버렸으니까."

심히 다투지 않고도 그들은 사랑에 인도되었고 맏형 만준과 서제

만상은 자리를 함께할 수가 있었다. 첫날은 말다툼으로 끝났고, 만상이 온 집안의 멸시와 수모의 눈초리를 견디며 닷새를 묵는 동안에 사랑 아랫목의 모친 시신에서는 고약한 냄새가 진동하기 시작하였다. 드디어 만준이 나타났는데 집안일로 시끄러우면 피차에 망신이라, 조용히 재종대부(再從大父)와 삼종대부(三從大夫) 등의 친척 어른들을 찾아다니며 의논을 해보았다는 것이다.

그 사이에 만준은 귀찮은 얼동생을 없애려고 멸악산을 찾았던 것이다. 드디어 결정이 나서 수양산 기슭의 선산 선친의 무덤 아래편에 만상의 어머니 묘를 쓸 수가 있었다. 그날 큰댁 어머니는 독기를 품고 온 식구들에게 악다구니를 썼는데, 만준이 뭐라고 타이르자 어쩐 일인지 곧 화기가 돌았다는 것이다. 정학이 눈알을 부라리고 곁에 서 있어서 아무도 그들의 장례를 방해하지 못했고, 선친의 제사 때마다 오겠다고 다짐까지 해두고서 길을 떠나오게 된 것이었다.

"매부! 돌아가서 그놈들을 싹 쓸어버립시다."

정학이 다시 거칠게 투덜거리자 최만상은 고개를 저었다.

"안 된다. 큰형님이 비록 나를 없애려고 화적들과 내통하였지만 내게는 피를 나눈 형제이고 윗사람이다. 다행히 내 상처도 대단치 않아서 고약을 붙여두면 곧 아물겠지."

하고 나서 최만상은 길산에게 물었다.

"헌데 손은 어디까지 가시오?"

"금강산으로 가는 길입니다."

"허허, 그 참 잘되었군요. 내 처남이 고성에 사는데 동행하시구려."

정학은 아니꼽다는 듯이 길산을 흘겨보았다. 그는 잡힌 사내의 뒷덜미를 잡아일으켰다.

“일어서라. 네깐 놈은 내 손으로 쳐죽이기두 아깝다.”

길산이 팔짱을 끼고 서서 참견을 하였다.

“그자를 어찌하시려우?”

“어찌하긴 뭘 어찌하오. 금천까지 끌구 가서 관가에 넘기겠수.”

길산의 눈썹이 곤두섰다.

“내가 댁네와 농치자구 지분거리는 게 아니우. 내 손으로 잡아 데려올 제 댁네들께 말이나 물어보라구 하였던 게요. 내 이미 그자에게 방면해주리라 약속했은즉 그 손을 놓으시우.”

정학의 매부 최만상이 상을 찌푸리며 일어났다.

“손의 말이 옳다. 놓아주려무나.”

정학은 사내를 앞으로 탁 떼밀었다.

“그래, 놓아줬수. 그러나 댁네가 아까부터 내 심사를 뒤틀어놓으니 어디 한번 얼려봅시다.”

“좋소. 댁이 고성까지 간다니…… 내게 지면 호형하기루 하고서 내 봇짐을 져다주어야 허우.”

길산이도 빙글거리면서 그의 앞에 마주 섰다. 최만상이 길산에게 허리를 굽혀 사과를 드렸다.

“제 처남이 성깔이 있어놔서 저리 고분고분하지 않으니 손께서 참으십시오. 우리를 도와주셔서 그 은혜를 갚지는 못할지언정 싸움이라니 당치 않소. 학아, 네가 이따위로 말썽을 부린다면 내 다시는 너를 보지 않겠다.”

길산이 오히려 웃는 얼굴로 말하였다.

“염려 마시오. 댁의 처남이 제 보기에 제법 결기가 있고 또한 협기도 있어 뵙니다. 사내들의 장난이거니 여기고 곁에서 구경이나 하시우.”

"잔말 말구 싸울 준비나 허우."

정학은 벌써 도포와 초립을 벗어던지고 저고리까지 벗어던졌다. 근육이 울퉁불퉁하고 우람하여 웬만한 사내라면 그 떡벌어진 어깨에 벌써 겁을 집어먹을 만하였다. 길산은 초립과 도포만을 벗고서 두 손에 침을 뱉어 두어 번 비벼보고 나서 빈터 가운데로 나가서 섰다. 정학이 어깨를 구부리고 어슬렁대며 걸어나왔다.

"아까는 우리가 서로 상소리를 주고받았으나, 정식으루 이름이나 나누구 겨뤄봅시다."

정학이 의외로 예의 바르게 말하면서 고개를 숙였다. 길산이도 빙긋 웃으면서,

"그럽시다. 나는 문화 사람 장길산이라 허우."

"나는 고성(高城) 수자리골〔鎭村〕 사는 정학(鄭涸)이오. 헌데 뭘루 할까. 서로 떼밀기 하려오, 아니면 씨름으루, 아니면 그냥 치고박겠수?"

"그 세 가지를 차례루 다 해보지."

정학은 길산의 대답을 듣자 어이없다는 듯이 허공을 바라보며 너털웃음을 웃었다.

"지렁이가 용을 건드리는 격일세! 판은 이쪽 나무께에서 저쪽 바위 앞에까지 벌이기루 하구…… 허리뼈 부러져두 난 모르오."

정학이 앞으로 나서면서 손을 벌렸다. 길산이도 그 팔을 마주 부여잡으면서 중얼거린다.

"범 잡아먹는 담비가 있수. 너무 큰소리는 치지 마오."

두 사람은 황소처럼 달려들어 서로의 팔을 끼어잡고 버티고 섰다. 정학은 팔에다 아무 힘도 넣지 않고 서서 길산을 지분거린다.

"어디 밀어보우. 혹시 내 몸이 봄바람에 말똥 굴러가듯 할지 아

우?”

“댁이 먼저 밀지. 맞서봐야 여포 장비요.”

정학이 눈썹을 곤두세우더니 두툼한 입술을 불쑥 내밀었다. 길산도 어깨를 부풀리며 힘을 냈다. 길산이 밀기 시작하는데 정학은 역시 꼼짝도 않는다. 다만 발끝이 달싹달싹 들리는데 그 자신도 적이 놀란 모양이었다. 주춤거리며 그의 발이 뒤로 밀려가기 시작했다.

“어…… 제법 기운을 쓰네.”

그가 두어 발짝을 뒤로 물러서더니 처음 겪는 일인지 제 매부를 돌아다보았다. 최만상은 싱그레 웃으면서 구경하고 앉아 있었다. 길산이 정학을 밀어보니 과연 철벽과도 같은 몸집이었다.

보통 사람 같았으면 길산이 처음에 밀었을 때 이미 궁둥방아를 찧고 나가떨어졌거나 아니면 팔뚝이 꺾어져버렸을 텐데, 발끝만 조금씩 밀려나갈 뿐이었다. 그가 속으로 은근히 감탄하는 중인데 정학이 기운을 썼다. 입술은 불쑥 내밀고 눈썹을 꼿꼿하게 치키고 팔뚝에 근육을 부풀렸다. 길산은 도저히 마주 버티지를 못하고서 저절로 뒤로 한 발을 빼어 밀어냈다. 장딴지에 알심이 불뚝 솟았다.

“아뿔싸……”

다른 쪽 다리마저 뒤로 밀려나갔다. 한번 다리를 뒤로 빼자 버틸 균형을 잃은 길산은 되돌릴 틈을 잡지 못하여 뒤로 밀려나가기 시작했다. 정학은 길산을 밀어내면서 빙글빙글 웃었다.

“내가 바로 담비여……”

길산은 처음에는 한 발짝 두 발짝씩 떼어놓다가 두 다리로 버티었건만, 주르르 미끄러지기 시작했다. 드디어는 정학의 엥이…… 하는 소리와 함께 길산은 황소에 떼밀리는 초동아이처럼 뒤로 밀려났다. 그의 머리가 길산의 아랫배로 파고들어와서 발이 살짝 들릴 정도였다. 돌아다보니 곧 바위 앞이라, 정학의 머리와 바위 사이에 끼여서 절구 속의 낟알처럼 으깨질 모양이었다. 길산은 드디어 암수를 쓰기로 작정했다. 기운에는 이미 정학을 대적할 수가 없다는 것을 알았던 것이다. 그는 오른손으로는 정학의 팔꿈치 관절 아래편의 곡지(曲池) 급소를 누르면서 왼손은 빼어 손목 안쪽의 내척니(內尺泥)를 끊을 듯이 잡아쥐어 비틀었다. 곡지 급소는 어깨의 힘을 빼어 마비시키는 곳이며, 내척니는 가슴과 배의 힘이 빠지는 곳이었다. 길산이 늙은 광대들에게서 배운 대로 급소를 눌러놓으니 이제까지 펄펄 뛰는 황소 같던 정학이 입을 반쯤 벌리고서 빈 자루처럼 스르르 주저앉는다. 마치 사태난 언덕같이 그의 육중한 몸이 무너져버리자, 길산은 손을 탁 놓고는 그를 일으켜세웠다.

"왜 그러우, 뒤를 놓쳤수?"

"쳇, 웬일인지 맥이 쑥 빠져버렸네."

"내 어쩐지 너무 대번에 기운을 뺀다 싶더니. 자, 이번은 임자가 졌수."

"이상한 노릇일세……"

정학은 제 팔을 휘두르며 어깨를 두드려보기도 하고, 허리를 뒤로 굽히기도 하였다. 몸은 아무렇지도 않았건만 서로 잡았던 팔과 손목이 저려서 잘 움직이지 않는다.

"자, 다음엔 씨름이랬지? 우리 통씨름으루 합시다."

길산이 정학과 씨름을 하게 되었으나, 재간도 잘 모르고 기운도 달리니 스스로 생각하기에도 승산이 없었다. 한 가지 생각하여둔 것은 정학은 기운이 장사니까 맞닥뜨리자마자 들재간으로 번쩍 치켜들어 내동댕이를 칠 게 틀림없었다. 회목바치기나 던지기, 동이배지기 등으로 기운을 쓸 것이었다. 길산은 한 가지 수를 생각하여두었다. 정학이 길산의 바지 허리띠를 양손에 잡았고, 길산은 한 손으로만 잡고 다른 손은 놀려두었다. 역시 정학은 잡자마자 길산을 번쩍 쳐들었다. 길산의 두 다리가 뜨자 정학은 무릎을 세워서 하반신을 걸어놓고 젖히기로 넘기려 하였다. 길산은 놀려두었던 손을 안수로 하여 정학의 턱을 위로 힘껏 쳐올렸다. 역시 그는 길산을 안은 채로 뒤로 나가떨어졌다. 길산은 얼른 정학에게서 일어났다. 정학은 어이없다는 듯 입을 벌리고 멍청히 길산을 올려다보다가 갑자기 달려들어 그를 가로잡아 머리 위로 번쩍 쳐들었다.

"그따위 암수로 승부나 내려는 놈은 박살을 내어 마땅하다."

그때에 구경하던 최만상이 나와 정학을 달랬다.

"손을 내려놓아라. 내가 보기에두 너는 상대가 아니다. 곰과 범은 그 기운은 다르나, 범이 훨씬 용첩하지 않더냐."

"나는 별수도 모르거니와 이제 아무 재간이나 부려보려무나. 내가 너를 땅에다 패대기를 칠 것인데 두어 달 고생하다가 죽으려느냐, 즉사를 하고 싶으냐. 네가 성하여 두 발로 걸으면 내 당장 네 앞에 엎드려 호형하겠다."

길산은 그의 머리 위에 쳐들려서 껄껄 웃어젖혔다. 더욱 분노가 치민 정학이 사정없이 바위에다 내던졌다. 던지기는 하였으되 광대인 길산이 공중뛰기를 못하랴. 그대로 몸을 솟구쳐 번개곤두를 두 바퀴 돌고 나서 땅 위에 척 무릎을 굽히며 떨어진다.

"잘하면 살 판이요 못하면 죽을 판이렷다. 땅개비가 떴다가 용틀임으로 떨어지는데, 눈 깜짝하면 놓치는 재간일세."

하고는 얼이 빠진 두 사람 앞에서 살판 수숫잎틀이로써 뒤로 훌떡 넘으면서 몸을 뒤집기를 십여 차례나 하니 빈터를 한 바퀴 돌게 되었다. 길산은 조금도 헐떡이지 않고서 두 사람 앞에 섰고, 최만상이 웃으면서 처남의 어깨를 두드렸다.

"그래, 또 겨룰 거 없이 형이라 하여라. 보아하니 성례도 올렸고 네 손위가 되기에 부족하지 않은 듯하다."

정학은 못마땅한 듯이 땅에다 침을 퉤 뱉고 나서 엎드렸다.

"우리 인사허우, 성님이라 부르리다."

길산도 그제야 농기를 싹 없애고는 마주 엎드렸다.

"천하장사를 농하여 무례하였소. 같이 동무하십시다."

"아니오. 실은 내가 상투를 올렸으되 아직 장가 전이고 미욱한 사람입니다."

그때에 최만상이 보다 못하여 두 사람을 일으켰다. 길산과 정학은 언제 싸웠느냐 싶게 함께 싱글거리며 웃고 있었다. 사내들 싸움이란 등이 없는지라, 그들이 길 위로 나섰을 때엔 장난기가 싹 사라져버렸던 것이다.

그들은 함께 길을 가는 동안에 동기간처럼 친해져서 서로 반말지거리를 놓게 되었다. 저녁 무렵에 금천에 닿으니, 송도까지는 아직도 칠십 리 길이라 아무래도 묵게 되겠기에 최만상은 금천 객주에서 묵어가기를 원하였다. 길산이 말하기를,

"나는 아직도 걸을 수 있으니 토산까지 나아가다가 도중에서 과객질이나 하려우."

그러니까 곁에서 정학은 길산과 헤어지게 되는 것이 서운하여 연신 제 매부의 눈치를 살폈고 최만상도 그런 그들의 마음을 모를 리가 없었다.

"나 혼자 송도로 들어갈 테니 학이는 장서방하구 금강산으루 동행해라."

"어이…… 혼자 가시겠어요?"

"살갗을 조금 베었을 뿐인데 무슨 상관이 있겠냐. 어서 가거라. 며칠 동안 나 때문에 원행을 하여 참으로 수고가 많았다."

정학이 길산과 동행하는 것만 마음에 내키어 별로 인사도 차리지 않고서 선뜻 그러라고 대답해버렸다. 최만상은 객주를 잡기 전에 길산에게 말하였다.

"오늘 동행하면서 보아하니, 장서방은 참으로 인물이시오. 내가 송도 만월골에 살고 있으니 꼭 찾아보아주십시오. 금강산에서 나오실 제 저 아이에게 기별하면 내가 무슨 일이든 도와드리리다."
하고 나서 최만상은 장길산의 손목을 꼭 잡아주었다.

"나두 송도에 의형이 있어 가끔 들를 겝니다. 가게 되면 찾아뵙지요."

"학이는 좋은 아이입니다. 내 처남이어서가 아니라, 오늘 두 사람이 어울리는 모양을 보니 내가 송도루 데리고 가지 못하겠소이다."

최만상은 다시 정학을 불러서 당부했다.

"집에 가거든 장모님께 안부 여쭙고 누님이 사월에 나들이를 갈 게라고 여쭈어라. 이제 셋째를 낳고 몸이 풀렸으니 보교를 탈 수 있을 게다. 작년부터 조르는 것을 내가 보내지 못하였다."

최만상은 객주에서 그날 밤을 지내고 아침에 세마를 내어 타고 송도로 들어갈 모양이었다. 그들은 헤어졌다. 길산이 그날로부터 부지런히 걸어서 토산, 평강, 금성을 지나 단발령을 넘게 된 것은 사흘 뒤의 오후였다. 산하에는 바야흐로 춘색이 가득 차서 진달래와 철쭉이 다투어 피어났고, 들판에는 보리가 패고 있었다. 단발령은 금강산의 관문이라 높은 골에는 아직도 잔설이 녹지 않은 채 덮여 있었다.

굽이굽이 도는 고갯길을 넘어가는데 마루턱에 이르러 동편을 내다보니 한 선경이 눈앞에 와서 마주 닿았다. 타는 불꽃 머리 같고,

옥을 깎아놓은 듯한 삐죽삐죽한 산봉우리들이 첩첩이었다. 단발령에서부터 금강산 사이에는 삼십여 리나 되는 너른 들판이 주욱 계속되고 있었다. 장안사 계곡에서부터 유점사 계곡으로 빠져나가는 거리가 육십 리 길인데 골짜기와 산줄기는 수백 군데로 돌고 뻗고 하였다. 길산의 가슴속에는 뿌듯하고 이상한 감회가 가득 차오는 것이었다.

제2부

|제1장|

대소두령
大小頭領

1

안성(安城)은 삼남의 육로가 합치는 지점에 있는 대도회요, 위로 수원, 과천에 닿고, 아래로는 천안, 청주에 통하며 서쪽으로 해로가 뚫렸는데 아산 앞바다를 거쳐서 물길이 진위, 양성, 평택, 안성에 닿으니 사통팔달이다. 동으로는 남한강의 지류가 광주를 지나 여주를 거쳐 충주, 청풍, 단양에까지 닿으니 실로 삼남과 경기의 장꾼들이라면 안성을 제 집 드나들듯 하지 않는 자가 없었다. 안성의 동촌은 연일 각처에서 모여든 장사치들이 물건을 사고 파는데, 한양의 거간꾼들도 들끓었다.

청룡사가 있는 사당골에는 사당패 삼대가 모여 있었는데 그 수가 근 오십 명에 이르고 있었다. 원래가 화주(花主) 출신의 모가비 고달근은 사실상 그들의 총대나 마찬가지였고, 이제 청룡사의 새 동종을 마련한다고 그들 다른 패거리들과 함께 출행을 나가려는 참이었다. 달근이네 행중은 당진으로 나갈 참이었고 다른 패는 여주와 충주로, 또다른 패는 수원과 광주(廣州)로 나갈 작정이었다. 마당에다 멍석을 깔아놓고 잡가를 연습하고 있는 사당들 사이로 고개를 내밀며 고달근이 물었다.

"묘옥이…… 묘옥이 어디 갔니?"

"몰라요. 아까 우리하고 같이 있었는데."

"이년 또 어딜 갔나. 손님이 오셨단 말여."

방 안에서 낮술을 먹고 늘어지게 잠들어 있는 한 거사를 보자, 달근이는 그의 궁둥이를 호되게 걷어찼다.

"이 자식아, 애들 간수하고 연습두 시키라니까 대낮부터 자빠져 낮잠이냐?"

"남의 서방을 왜 발루 차구 야단예요. 묘옥이야 첨부터 따루 놀게 내버려둔 모가비님이 잘못이지."

그 거사의 짝인 사당이 뾰로통해서 내쏘았다. 거사는 그제야 잠이 좀 깼는지 손바닥으로 마른세수를 하고 나서 눈을 껌벅였다.

"홍련이하구 동촌장에 보냈수."

"뭐야, 게다가 짝패 노릇 하는 홍련이라구…… 이 자식아, 그것들이 도망치면 어떡헐 테여?"

"그럼 어쩌우? 애들 옷이 겨울 동안에 남루해졌으니 장사를 시킬려면 옷감이라두 떠와야지."

고달근이 더욱 다급해졌다.

"돈까지 내줬니?"

"아니우. 방물전, 포목전에다 기별만 해주구 오라구 일렀지요. 돈은 출행에서 돌아와 물기루 하구 지분두 좀 가져오랬수."

고달근은 곰보의 낯바닥을 연신 비벼대면서 덤비고 있었다.

"애들아, 백선이, 소화 너희 둘이서 손님 술시중 좀 들어드리고 자네는 나허구 같이 동촌장으루 나가지. 이년들을 어찌 믿겠나."

사당들이 북과 북채를 놓고 일어나면서 투덜거렸다.

"도대체 누가 왔다구 그리 부산을 떨어요?"

"누구긴 누구야. 여주 이도장(陶匠)이지."

"에구머니, 이도장이 오셨나요?"

"말두 마라. 그 꺽다리는 벌써 지난 설부터 묘옥이만 찾느라구 안성 자갈밭이 빤들빤들해졌지."

"시끄러, 어서 술상이나 들여가."

고달근이 재잘대는 사당들을 윽박지르고 나서 거사와 함께 밖으로 나섰다. 그는 너른 초가 사랑으로 가서 허리를 굽신대며 들어갔다. 사랑 마루에는 뒤편에 목불상과 제단이 놓였고, 서른 남짓 된 패랭이 차림의 상놈이 우두커니 앉아 있었다.

"오래 기다리셨지요. 시방 묘옥이가 여기 없습니다. 동촌장에 나갔다는뎁쇼."

고달근은 상놈 중에도 최하천인 사당 유민지배라 양인(良人)인 이도장에게 공대하지 않을 수가 없었다. 이도장은 가져온 부담롱을 열어 보이는데 비단이 한 필이요, 금박댕기에다 은가락지 두 쌍, 그리고 엽전 두 꿰미였다. 고달근의 눈이 휘둥그레지고 벌어진 입은 다물어질 줄을 모른다.

"내 오늘은 아주 해우채 대신에 선사품을 가져왔으니 자네가 받구 묘옥이를 내주게. 자네가 몸주 아닌가?"

고달근은 속으로 봉 잡았다 싶었으나 짐짓 난처한 기색을 지었다.

"예, 몸주이긴 하오나 제가 돈을 주어 사들인 아이는 아니올시다.

제 발로 들어와 행중에 들었으니, 혼인을 해라 마라 할 수는 없는 입장입지요."

이도장은 헛기침을 하고 나서 부담롱 뚜껑을 닫았고, 고달근은 눈을 지그시 내리깔고 농짝을 주의 깊게 넘겨다보며 침을 삼키는 것이었다. 이도장이 말하였다.

"어쨌거나 묘옥이를 데리고 오게. 내가 자세히 일러보고 구슬리면 말을 듣겠지. 자네가 보다시피 나는 사지가 멀쩡한 장년이고 마누라쟁이가 생산을 못 하여 씨나 받자는 것인데, 아들만 낳아주면 내 천 냥을 주겠다는 걸세. 이걸 마다하면 허는 수 없지. 달근이 자네가 연분을 맺어준다면 무명이든 돈이 되든 톡톡히 주겠다니까, 못 믿어 그러나?"

고달근이 고개와 손목을 설레설레 흔들었다.

"말씀 맙시우. 아니 안성 그릇이라면 배냇자식두 알아듣는 판인데, 이도장 어른이 부가옹이라는 것쯤이야 전들 왜 모르겠소이까. 곧 묘옥이를 데려다놓습지요."

고달근이 거사를 데리고 밖으로 나갔다. 사기, 유기, 자기, 옹기 그릇이나 항아리, 주전자 등속이라면 경기에서도 광주와 여주를 쳐주었는데, 광주의 분원이 그중에 컸고, 백자와 진사와 분청사기가 많이 구워졌다. 광주 부근은 숲이 좋아서 신재(薪材)감이 많았던 것이며, 여주 부근은 흰흙과 찰흙이 좋아서 경공장(京工匠)이던 사람들이 역을 벗고 나와서는 이곳에 모여들어 가마를 지었다. 그중에 이경순은 자력으로 치가에 힘을 쓰더니 번수 밑에 각종 낭인 백여 명을 거느리는 분원의 주인나리가 되었다. 그의 분원에서는 주로 옹기와 잡사기가 나왔고, 따로이 사대부들을 위하여 백자도 구워냈다. 사옹원(司饔院) 소속의 관 직영 분원을 빼놓고는 여주에서 가장 큰 공장이었다. 더구나 일반 시장에서는 그의 잡사기와 그릇류가 아래로 삼남을 나가고 위로는 관북에까지 오를 정도였다. 그렇게 되었건만 위인이 기인(奇人)인지라, 참봉이니 선달이니 하는 공명첩 하나 사들이지 못하여 패랭이 차림의 상인인 채 부호 노릇을 하였다. 그의 처가 워낙에 하초가 약하여 다달이 치르는 일도 막혀서 생산이 불능한 지가 십 년이 넘었건만, 여태껏 치가에 눈이 어두워 슬하 없음을 깨닫지 못하였던 것이다. 지난 설에 분원서 부리는 백여 명의 도공들을 위무하고자, 사당패를 안성 청룡사 사당골에서 데려다 놀았을 때 홀로 나와서 여탄가(女嘆歌)를 부르던 묘옥이를 보자 그만 정이 일어났던 것이다. 묘옥의 수심 깃들인 깊은 눈과 썰렁하고 처량한 노래를 듣자니, 문득 가슴이 메어지는 듯하여 곧 달려들어 안고 싶기까지 하였다. 이도장은 혼자서 한숨만을 내쉬고 앉아 있었다.

묘옥을 보고 나자 이도장의 상사는 날로 깊어져서, 그뒤로 서너 차례나 사당골을 내왕하였던 것이다. 그가 이번에 온 것은 출행을 나간다 하니, 한번 나가면 언제 돌아올는지도 알 수 없고, 출행 나가서 묘옥이 손님을 받게 되면 그로서는 견딜 도리가 없는 일이었다.

지난 겨울 동안에는 부근 마을의 대소 잔치에나 나가서 놀았으므로 아직은 치마끈을 풀지 않았지만 춘삼월 호시절에 더구나 당진으로 나갈 새면 고기떼를 따라 모여든 뭇 뱃놈들이 묘옥을 내버려두지 않을 것이었다. 이도장은 만일 하루에 확답을 듣지 못한다면 당진까지 따라나설 참이었고 고달근에게 몸값을 내고라도 강제로 여주에 끌고 갈 작정이었다. 그래서 그는 나올 때에 번수 되는 자에게 관리를 잘하라 부탁해놓고서 간편한 차림에 말 한 필을 끌고 나왔던 것이다. 또한 안장에는 그가 손수 만든 윤이 반질거리는 화승총도 매달려 있었다. 이도장이 수년래에 안성을 중심으로 도자의 판매를 휩쓸게 되었던 시초란 사실은 총포를 만들어 은밀히 팔아서 밑천을 모았기 때문이다. 부호들은 재산을 보호하기 위해서 하인들을 무장시켰으며, 장사치들도 패거리마다 한두 자루씩 가지고 다녀야만 했던 것이다. 그가 군기시(軍器寺)의 횡간(橫看)을 본 적도 없고 경공장에서 무기를 제조한 일도 더욱 없으나 눈으로 보고 익히고 기구를 만드는 데는 이도장을 따를 자가 없었다. 이도장이 직접 주물러 만든 백자는 그래서 그만큼 고가였다. 그가 어느 포수들의 부탁으로 화승총을 보고 본을 떠서 서너 자루 만들어주었는데, 이제는 그의 머릿속에 총신을 어떻게 다루고 총구를 어찌 단련시키는가 하는 것이 훤히 새겨져 있었다. 뿐만 아니라, 약장(藥匠) 출신의 병신 노자가 과천서 걸식하는 것을 보고 면천시켜서 집에다 데려다놓았는데, 총통등록(銃筒謄錄)을 손으로 익힌 자였다. 그는 화약을 만들다가 잘못하여 한쪽 눈이 멀고 왼쪽 손목이 날아가게 되어 일을 못 하고 한양 부근으로 유리걸식하던 사내였다. 자신이 공장이 일을 하고 있으니 남의 일 같지 않아 데려다놓았는데, 화승총에 있어서는 그와 너무도 손발이 맞아 돌아갔다. 사람들이 이도장을 기인이라고 하는 것은 이러한 손재주 밖에도 스스로가 총포 놓는 데 귀신 같은 재간을 가지고 있었기 때문이다. 그는 스무 걸음 밖에서 납탄환으로 간장 종지를 맞혀서 박살을 낼 수가 있었다.

동촌장에는 객주가 즐비했고, 가게며 노점상들이 들끓었다. 안성의 강변 포구에는 서해에서 들어온 각종 건어와 생선들이며 소금이 배에서 내려지고 있었고, 남한강 줄기를 타고 내려온 경강(京江) 상인들은 포구를 오르내리며 물건들을 사모으고 있었다.

묘옥과 홍련은 방물전과 포목전에 들러 사당골로 화장품과 옷감을 보내달라 이르고는 봄 들어 처음으로 맞은 대그믐장을 구경하며 돌아다녔다. 돌아다니다가 팥죽을 한 그릇씩 사먹기 위해 장바닥에 펴놓은 멍석에 올라가 앉았다.

"묘옥 언니가 만일에 이도장께루 첩 살러 들어가면 난 죽구 말 테야."

홍련이가 팥죽을 떠먹다 말고 울먹였다. 묘옥은 흐트러진 머리를 쓸어올리면서 억지로 웃어 보였다.

"홍련아, 내가 비록 창기로서 살아오긴 했지만 마음먹은 것은 오직 한곬이란다. 나는 아무에게두 내 몸을 줄 수가 없어. 그래서 이번에 출행 나갈 일이 걱정이다."

"언니…… 여태껏은 내 짝동무 노릇을 해주었지만 그 딱정떼 같은 고달근이가 언니 같은 미색을 그냥 남복에 무동이 노릇이나 하게 내버려두진 않을 거유. 우리를 바라는 사내들이야 남의 집 머슴이나 장꾼들이나 뱃놈들이 고작인데, 간혹 시골 한량들두 상대를 한다우. 아마 언니는 그쪽으로 장사를 시킬 게유."

"우리 서방님이 아무리 저승에 들었다 하지만 나는 이미 내 몸에 그분과의 정분을 표해놓았다."

"언니…… 우리 달아나. 한양으루 올라가서 색주가루 들어가는 것이 훨씬 나아요. 또 혹시 알우. 높은 벼슬아치 나으리의 둘째나 셋째 집이 될지……"

"얘얘, 누렁쇠 거사님은 어찌하려느냐. 그이를 만나야지."

홍련은 김(金)거사의 말이 묘옥에게서 나오자 홀로 한숨을 푹 내리쉬었다. 김거사는 홍련이 행중으로 들어올 때 화방사에서 처음으로 인연을 맺어 머리를 얹어준 젊은 거사였다. 그러나 행중이 뿔뿔이 흩어지면서 중매구 패거리는 이쪽 저쪽의 사당패로 섞이고 흘러

들었던 것이다. 홍련은 아직도 첫남자인 그를 잊지 못하고 있었다. 워낙에 장터마다 걸립패며, 괴뢰배며, 사당패, 재인패 등등이 떼를 지어 흘러다니니, 만나보기란 이미 까마득한 일이었다. 집과 땅과 처자권속을 잃은 유민들은 재주를 이것저것 익혀가지고는 광대로 떠돌았던 것이다. 따라서 장터와 향시를 흘러다니는 광대들은 날이 갈수록 늘어가고 있었다.

"이젠 그이를 만나기두 글렀어요. 언니, 나 이번 출행에 나가면 경강 상인께 부탁하여 한양 오르는 배를 타겠어."

"모가비는 아마 무슨 수를 써서라두 너를 잡아낼 거다. 나야 몸값이 없지만 너는 이백 냥이나 걸려 있지 않니."

"내가 저 둥글쇠〔朴〕 거사께 빨리운 것만 해두 몸값의 다섯 배는 될 게유. 언니, 함께 달아나자니까."

"네가 아직 색주가의 풍문에 어두워서 그런 소리를 하는구나. 우리 같은 하천배는 어딜 가나 마찬가지라니까. 내가 만약에 이 행중을 떠나게 되면 아마도 머리를 깎고 중이 될 게다."

두 여자들은 서로의 신세한탄을 주고받으며 한참이나 팥죽 파는 멍석에 앉아 있었다. 고달근과 박거사가 두리번거리며 시장을 돌아다니다가 그들을 발견하고 달려왔다. 고달근은 그제야 안도의 한숨을 내쉬었다. 그는 묘옥에게 몹시 부드럽게 말하였다.

"묘옥아, 얼른 가자. 반가운 손님이 기다리구 계시다."

"반가운 손님이라뇨……?"

고달근은 묘옥의 옷소매를 잡아일으켰다.

"여주 이도장 나으리가 너를 보겠다구 기다리신다."

그들은 장터를 돌아나왔다. 묘옥과 홍련은 말없이 나란히 걸어갔고, 곁에서 고달근이 연신 주워섬기고 있었다.

"애, 좀 좋으냐. 이도장 댁 아씨는 전혀 생산을 못 하시니, 네가 들어앉아 떡두꺼비 같은 아들이나 하나 낳을 적이면, 큰댁은 살림행사는커녕 찍짹 소리도 못 할 게다. 그 많은 재산은 다 네 차지란 말이야."

묘옥이 아무렇게나 입을 뗀다.

"저는 더러운 몸이어요. 사당질이나 해먹으면 맞춤할 계집인데, 어찌 양인의 소실로 들어앉아요. 더구나…… 비록 사별하였으나 제게는 정인이 있어요."

고달근이 코를 킁킁거리면서 못마땅하게 내뱉었다.

"얘얘, 그런 말 아예 마라. 부정 타겠다. 부정이요, 부정이요, 퉷! 목이 잘려 저자 네거리에서 죽었으니 염라국에는커녕 황천두 건너지 못하고 노중에서 떠도는 한스런 귀신이 된 사람을 생각해 무얼 하느냐. 뒷간에 가서 이밥 찾기로구나. 제 복을 떨어내자면 무슨 소리를 못 할까."

묘옥이 야무지게 대답한다.

"어쨌거나 이도장 얘기는 다신 꺼내지 마셔요. 차라리 출행 나가거든 한량들 상대를 하라시면 그게 낫지요."

"총대 성님, 묘옥이가 해의(解衣) 하겠단 소리는 오늘 첨 듣는구려. 그리하라시오. 짝거사는 날 시켜주고."

박거사는 묘옥이 몸을 내놓겠다는 소리를 함부로 해대니 귀가 번쩍한 모양이었다. 고달근은 박거사에게 곁눈질을 하면서 소리를 버럭 질렀다.

"이 자식아, 공연히 쪽박 깨지 말어. 홍련이는 어쩔 테야. 행중에서 그따위 의리부동한 짓을 저지를 테면 저승패를 내몰듯이 길가에 내칠 테여."

하고 나서 고달근은 다시 묘옥이에게 말하였다.

"좋다, 너 손님 받겠다구 했것다. 오늘 이도장에게서 해우채를 받았으니 청을 들어라. 오늘밤에 당장 옷끈을 풀겠느냔 말이야."

묘옥이는 아무 대답이 없었다. 홍련이는 여지껏 참아왔던 울음을 터뜨렸고, 박거사는 제 딴에 기둥서방 노릇을 하느라고 머리에다 알밤을 먹였다.

"갈치가 뛰니까 망둥이두 뛴다고, 이년까지 쫄쫄거리구 지랄이네. 이년아, 네 뒤를 대구 다니노라구 내가 술 한잔 맘 놓구 먹은 날이 없어."

홍련이의 울음이 더욱 커지자 고달근은 걸음을 멈추었다.

"안 되겠다. 이런 눈물바람으루 동네루 들어갔다간 우리 행중이 쑥보이겠어. 박서방 자네가 홍련이를 업어라."

박거사가 앙탈하는 홍련이를 업었다. 고달근과 묘옥이 앞서거니 뒤서거니 하면서 그들을 좇아갔다. 묘옥이 중얼거렸다.

"만약에 내가 행중을 떠나겠다면 어쩌실 거예요?"

"누구 맘대루 행중을 떠. 네가 지난 겨울에 들어와서 공밥을 먹은 것이 몇날 몇밤인데, 밥값을 하구 나가야지."

"오늘 이도장이 묵으실 건가요?"

"너를 데려가겠다더라. 내가 반승낙해놓았다."

묘옥은 가슴이 찢어지는 듯하였다. 그렇지 않아도 봄이 되어 출행 나가게 될 것을 걱정해왔다. 이제 막상 닥쳐놓고 보니, 어느 한 사내의 첩으로 들어앉는 것보다는 차라리 떠돌아다니며 천하고 가엾은 사내들에게 몸을 내주는 일이 나을 성싶었다. 그녀는 정이란 얼마나 무섭고 끈질긴 것인가를 잘 알기 때문이었다. 하룻밤의 풋정으로 툭툭 털어버리고 떠나면 이튿날에는 사내의 얼굴마저 잊혀질 테고, 길산에 대한 자신의 추억이나 사랑도 소중하게 지켜질 수 있을 듯하였다. 묘옥은 이도장에게 몸을 허락하고는 내쳐서 당진 출행에 끼이리라 작심하였고, 그렇게 되면 이도장도 아쉽겠으나 순순히 물러날 것으로 생각되었다.

“어쩔 테냐. 지금 다짐을 받아놓구 가야겠다. 또 딴소리를 한다면 내가 그 어른께 낯을 들 수가 없단 말이야.”

묘옥은 고달근을 똑바로 쳐다보았다. 그 여자의 눈에는 야무지고 매운 기가 가득히 어려 있는 것처럼 보였다.

“오늘밤 해의를 하겠어요. 그렇지만……”

“그렇지만 뭐냐?”

“그분의 댁으로 따라가진 않겠어요. 저는 행중에서 떠나기가 싫은 걸요.”

고달근이 생각해보니 제 욕심에 꼭 들어맞는 대답이었다. 사실 노래가 훌륭하고 용모 빼어난 묘옥이 같은 사당을 남의 소실로 내주느니보다는 한량들 상대를 시키는 것이 취재에도 더없이 유리한 노릇이었다. 계집맛을 이미 본 사내라면, 비록 들인 재물이 아까워도 돌아서게 될 것이고 묘옥의 짝거사로는 자기가 합당하다고 생각하였다. 고달근의 곰보 얼굴은 흡족해져서 금방 헤벌어졌다.

“내가 네 마음을 안다. 역시 묘옥이는 궁량이 훤한 아이로구나.”

그들은 더이상 옥신각신하지 않고 사당골로 들어갔다. 달근이네 초가 앞 삽짝 밖에는 이도장이 타고 온 말이 꼬리를 휘젓고 있었다. 이도장은 백선이와 소화를 앉혀두고 타령 한 가락을 뽑는 중이었다. 고달근이 마당으로 들어서며 묘옥의 등을 앞으로 밀어냈다. 묘옥이 몇걸음 나아가 읍하면서 인사를 하였다.

“그간 평안하셨습니까. 묘옥이 문안드립니다.”

이도장 이경순(李敬舜)은 술잔을 쳐든 채로 묘옥의 정수리를 멍하니 내려다보다가 창황히 일어났다.

"어서 올라오너라. 내가 묘옥이한테 줄려고 변변치 않은 선물 몇 가지를 가지구 왔다."

고달근도 덩달아 신명이 나서 마루에 오르면서 박거사께 말하였다.

"자네는 얘들 전부 데리구 나가서 제사 준비나 해두게. 내일 출행이니…… 오늘은 좀 잘 먹어둬야지. 그리구 이도장 나으리두 때맞춰 오셨으니 오늘밤은 예서 주무시지요. 우리 묘옥이가 모시겠답니다."

이도장은 술이 올라 불콰해진 얼굴로 호기롭게 말하였다.

"좋아, 오늘 자네 행중 제수 비용은 모두 내가 냄세."

하고는 부담롱을 열어 돈 한 꿰미를 선뜻 내어던졌다. 고달근이 굽신거리며 돈꿰미를 받아들고 입을 주욱 찢었다.

"어이구나, 이렇게 많이 내주십니까. 여하튼 요긴히 쓰겠습니다."

하고는 자기도 이도장이 따라준 술 한 사발을 벌컥대며 들이켰다.

"얘 백선아, 안주가 어찌 이리 꾀죄죄하냐. 술상 다시 내오너라."

고달근은 더욱 신명이 나는 것이었다. 술상이 다시 나오고, 백선이와 소화, 홍련이, 박거사 등은 모두 출행제를 지낸다는 핑계로 물러나갔다. 사랑 마루에는 이도장과 고달근과 묘옥이 셋만 남아 있었다. 고달근이 이경순에게 말하였다.

"저 뭣입니까…… 인연이란 것이 별것이 아니올시다. 묘옥이가 우리 행중에 들어오게 된 것두 즈이 서방이 해주 주내방 저자에서 참수를 당하여 갈데올데가 없이 되었다가, 주막에서 저를 만났던 것입지요. 헌데 노중에서 봤던 얼굴이라 쉽사리 말이 통했습니다. 얘가 들어온 뒤에 우리 행중은 여러 곳에서 손님을 많이 끌었습니다. 참말 우리 패거리에서는 보물과 같은 사당입니다. 만약에 도장어른이 이 아이를 빼내가시면 우리는 이빨 없고 발톱 없는 범이올시다."

고달근은 저 혼자 흥이 나서 멋대로 주절대는 중이었다. 묘옥이 비워진 달근의 잔을 잡아 이도장 앞에 놓고 술을 치면서 중얼거렸다.

"모가비 어른은 이젠 나가 계셔요."

고달근이 눈을 휘둥그레 떴고, 이경순도 너털웃음을 웃었다.

"그래, 묘옥의 말이 맞네. 나가서 제사나 지낼 것이지 공연히 끼여앉아 익은 밥에 모래 끼얹지 말게."

"아이구, 나으리까지 애 편을 드시는구려. 좋습니다. 소인 물러가겠습니다. 그대신 내일 아침에는 일찍 일어나셔야 합니다. 시중들 아이를 하나 보내드리지요."

아직 초저녁이건만 고달근은 삽짝을 아예 닫아버리고 물러나갔다. 묘옥이 일어나 방문 곁에다 등잔을 밝혔다. 바깥은 이제 어둠침침했고 성급한 저녁별이 하얗게 박혀서 깜박이고 있었다. 이경순은 술이 거나하여 혀가 틀어진 소리로 묘옥을 지분거린다.

"얘야, 내 부탁은 다름이 아니다. 아들 하나만 낳아다우. 내 비록 양반두 아니고 신량역천(身良役賤)의 도장(陶匠)에 지나지 않지만, 내 사분원(私分院)을 갖구 있는 부상이다. 안성의 옹기 사기 그릇은 모두 내가 만들어낸 것들이야. 너 하나쯤 호강을 못 시킬 리가 없지 않느냐."

묘옥은 다소곳이 고개를 숙인 채로 대답하였다.

"나으리께 오늘밤 옷끈을 풀겠습니다. 허나, 저는 성질이 방종하여 들어앉아 살림을 해나갈 자신은 없습니다. 저를 여주로 데려갈 생각은 마십시오."

"허…… 몸은 허락하되, 행중을 떠날 수 없다는 말이로구나. 누구…… 행중에서 마음 준 사람이 있느냐?"

"아닙니다. 저는 사당골에 들어온 지 반년이 가까워오지만, 사내 근처에두 가지 않았습니다. 아시겠지만, 제게는 몸주도 몸값도 없답니다. 비록 공밥을 먹었다 하나 제 재주를 팔았어요."

이도장은 속이 타서 술을 벌컥 들이켜고 나서 묘옥의 손목을 덥석 잡았다.

"더욱이나 그렇다면 어째서 행중에 남아 뭇사내들에게 매춘을 하려느냐. 너 같은 아이는 견디지 못할 생활이다. 내게 허락할 것이면 나와 가연을 맺어서 함께 여주로 갈 것이요, 행중에 남으려면 몸을 허락하지 않든지 할 것인데, 어찌 이런 맹랑한 처신이 있다더냐?"

묘옥은 묵묵부답이었다. 이경순은 한숨을 깊이 내쉬었다.

"아, 답답하구나. 네가 내게 정을 주지 않으려는 심사임을 알겠다."

묘옥은 여전히 고개를 떨구고 있었다. 이도장은 스스로 묘옥의 손을 놓고 떨어져 앉았다. 밖에서는 동굿이 시작되었는지 징과 바라 소리가 요란하였다. 묘옥이 술상을 밀어내고 일어났다.

"일찍 주무시지요."

이경순은 묵묵히 앉아 있었고, 묘옥이 자리를 깔았다. 기다란 두동달이베개를 위에 놓는데 묘옥의 명치는 슬픔으로 타는 듯하였고 저절로 눈물이 스며나와 볼을 타고 흘러내렸다.

"어서 자리에 드십시오."

묘옥이 말하자, 이경순은 옷을 입은 채로 이불 속으로 들었고 답답한 듯이 말하였다.

"내가 강제루 너를 취하려는 것은 아니다. 불 끄고 나가거라. 네가 내게 시집을 오겠다는 마음이 일어날 때까지 나두 너희 패거리를 떠나지 않겠다."

묘옥은 불도 끄지 않고 돌아앉아서 옷을 벗기 시작하였다. 손가락이 떨렸고 몸은 굳어졌는데, 불을 끄면 더욱 두려울 듯하였다. 그녀는 재인촌에서의 나날을 떨쳐버리려고 애를 썼다. 먼저 치마끈을 풀고 홍상을 벗었다. 다음에는 저고리를 벗고 나서 움츠리면서 이경순의 곁에 누웠다. 이경순이 제아무리 큰소리는 쳤으되 그냥 누워만 있을 재간이 없었다. 이불자락을 들추고 가슴을 더듬는데, 꼭 감은 묘옥의 눈에서는 눈물이 자꾸만 솟아나왔다. 이경순은 이윽히 내려다보다가,

"너 우는구나. 헌데 어찌 마음에도 없는 이런 짓을 하느냐?"
하며 힐난조로 말하자, 묘옥은 눈을 감고 꼼짝도 않고 반듯이 누운 채로 담담하게 대답하였다.

"쇤네는 사당이고 나으리께선 손님이십니다. 제가 해우채를 받았으니 옷을 벗은 것이올시다."

"그것은 해우채가 아닐세. 내가 자네들께 내린 선사품이라니까."

경순이 묘옥의 머리 밑에 팔을 넣어 껴안고 살을 대어보는데, 계집의 몸이 얼음장처럼 차가웠다.

"불을 끄구 그냥 이얘기나 하다가 자자꾸나."
하며 경순은 일어나 불을 끄려고 이불자락을 들췄다가, 묘옥의 가슴에서 이상스런 흔적을 발견하였다. 젖무덤 사이의 골에 거뭇한 글자의 머리가 보이는 것이었다. 그는 그것이 무엇인가를 쉽사리 알아차릴 수 있었다.

"네 몸에 연비가 있느냐?"

묘옥은 깜짝 놀라서 가슴을 싸안고 돌아누워버린다. 이경순이 이

불에서 빠져나갔다. 그는 불을 끄는 대신에 일어선 채로 말하였다.

"내가 어리석은 사람이다. 네 몸에 연비를 할 정도로 깊은 정인이 있을 줄은 모르고 너무 무리를 한 것만 같구나. 나는 나가서 따로이 사처를 정하겠으니, 염려 말구 푹 쉬도록 해라."

이경순이 밖으로 나가려는데 묘옥이가 가슴에 이불자락을 가린 채로 벌떡 일어났다.

"나으리…… 드릴 말씀이 있사옵니다."

이경순은 주춤 멈춰서 묘옥을 돌아다보았다. 묘옥은 일어나서 별로 부끄러움도 타지 않고 속치마의 끈을 풀고 가슴을 헤쳤다. 불빛 앞에 하얀 유방이 드러났고 그 위에 길(吉)자를 새긴 연비 자국이 선명하게 나타났다.

"제 혼백을 다하여 사랑한 어떤 사내의 이름이올시다. 저는 죽을 때까지 그 사내의 계집입니다. 하오나, 나으리께서 모가비에게 제 몸을 사신 거나 마찬가지이오니 주무시고 가십시오. 제가 눈물을 보여드려 죄송합니다. 이제부터 잘 모시겠어요."

이경순은 정면으로 드러나 보이는 묘옥의 가슴께에서 시선을 거두면서 우물쭈물 말하였다.

"네 속마음이 정히 그러한데, 내가 네 몸을 탐하는 짓은 도리에 어긋나는 노릇이다."

하고 나서 그는 나가려 하지 않고 술상을 앞으로 끌어다가 앉았다.

"옷을 입어라. 여기 술과 안주가 많이 남았으니 내 이것이나 먹구 나가련다."

묘옥은 돌아앉아 저고리를 꿰고 치마를 둘렀다. 이경순이 말하였다.

"그 죽은 사내는 뭘 하던 사람이냐, 한량이더냐?"

"아니오, 저희 같은 하천배인 광대올습니다."

"그 사람 성씨가 길가인가?"

"장길산이라구 합니다. 해서의 문화 사람이지요."

이경순은 더이상 길산에 대해서 묻지를 않았다. 대신에 혼자서 탄식조로 중얼거리는 것이었다.

"거 참 잘난 사내두 다 있다. 죽어서까지 너 같은 여자의 마음을 잡구 있다니……"

묘옥이는 말없이 술을 따랐다. 경순이 불쑥 묻는다.

"허나 그 사람을 만나기 전부터 너는 창기였다지 않았느냐?"

"삼패(三牌)에두 못 끼일 색주가의 더러운 매소부(賣笑婦)였습니다. 그분을 알게 된 뒤로 쇤네는 남녀의 깊은 정이 무엇인가를 알았어요."

경순은 지그시 눈을 감고 고개를 끄덕이면서 말하였다.

"네가 허락하지 않을 때까지는 다시는 내 너를 탐하지 않으마. 그러나 오라비처럼 네게 뭔가 도움을 주고 싶구나. 패거리를 떠나서 어디 조촐한 주막이나 한 채 열게 해주랴?"

묘옥은 눈을 반짝이면서 경순의 미간을 노려보았다.

"진정 저를 도와주시렵니까?"

"암, 도와주다마다."

"제게는 세 가지 소원이 있사옵니다. 그 첫째는 돌아가신 이의 시신이 없어 묘마저 쓰지 못하니, 명패나마 아무 절에나 올리고 백일불공을 드리는 일입니다. 둘째는 저와 부모님의 원수를 갚는 일이올시다. 그리고 셋째로 조그만 암자를 지어 머리 깎고 비구니가 되어서 부처님을 모시며 여생을 보내는 일입니다."

"그중 첫째와 둘째 소망은 내가 기꺼이 도와줄 수 있는 일이나, 마지막 승려가 되겠다는 것은 나두 자신이 없는 일이로구나."
"어찌해서 그렇습니까?"
이경순은 빙그레 씁쓸한 웃음을 띠었다.
"묘옥이를 영영 잃게 되겠기에 말이다. 얘야, 이렇게 사고 파는 일로는 하지 말고 나와 혼인해다우. 네 마음이 십 년이고 이십 년이고 걸려서 내게로 기울어지더라두 좋다. 우리 아들 하나만 낳아다오. 내 그 사람을 위해서 백일 불공도 드려줄 것이고, 연유는 모르지만 네 원수 갚는 일두 도와주마. 그리구 까짓 절두 하나 지어서 부처님을 모시자꾸나. 너 내일 나를 따라 여주로 가겠느냐?"
묘옥은 고개를 살래살래 흔들었다. 이경순은 하는 수 없다는 듯이 한숨을 길게 내쉬고는 벌떡 일어났다.
"자거라. 네 마음을 꼭 잡아내구야 말겠다. 그전까지는 조선 팔도를 헤매더라두 집으루 돌아가지 않겠다."
이경순은 침착하게 말하고는 방을 나섰다.

달근네 패가 행장을 차리고 떠나는데, 사당이 여덟이요 거사가 여섯에 달근이를 포함하여 모두 열다섯이었다. 거사들은 통장고와 북과 꽹과리를 갖추었고 부담도 짊어졌다. 달근이는 식전부터 나와서 동행하려고 서성대는 이경순을 만류하느라고 진땀을 빼는 중이었다.
"에이, 도장님두 주책이슈. 아니 어쩌자구 우리를 따라가겠다구 그러십니까? 공연히 봉패하시지 말구 여주루 돌아가십시오."
이경순은 말고삐를 끌고 큰마당에 나와서 기다리고 있었던 것이다.
"내게두 다 생각이 있네. 이번 출행에는 나두 꼭 끼여줘야겠네."

“허허, 이거 큰 야단 났네. 같이 가보시면 아시지만 창피가 이만저만이 아니올시다. 글쎄 집에 기시면 안방에서 두루 걱정 없이 편안하실 분이 이게 무슨 사서 고생이시우. 아, 묘옥이가 말을 듣질 않았다면 사내의 보짱으루 콱 찍어누를 것이지…… 그년 따위루 하천배 노릇을 하시려우.”

이경순은 더이상 말대꾸를 하지 않았다. 고달근은 이도장이 따라오게 되면 묘옥을 장사시키는 것은 이미 그른 일이라, 은근히 부아가 치밀었으나 곧 교활한 쪽으로 생각이 돌아갔다.

“우리를 쫓아오시려면 물주 노릇을 좀 허시우.”

“이 사람아, 광대 물주 있단 소리는 들었어도 사당패에 물주 있단 말은 처음 들었네. 그러면 취재는 모두 내가 가질까?”

“그런 물주말고, 우리들 식대나 물으시우. 당진까지 고작 가봤자 백이십 리 길이우. 하루하고 반나절인데 먹어야 오늘 두 끼하고 내일 두 끼니 별것도 아니겠수.”

고달근의 말투가 어제보다는 제법 빽시게 나오는데, 어제는 제수 비용과 부담롱의 선사품을 묘옥을 통해 뜯어내기 위해서였으나, 이제는 밑져야 본전이었다. 그러나 이경순은 선뜻 응낙하였다.

“좋아, 당진까지 길양식은 내가 댐세.”

“쳇, 미륵불이 인도환생하셨네. 대신에 청룡사에서 팔아오라구 내준 부적은 모두 나으리 드리리다.”

그들은 사당골을 나서는데 다른 패거리들이 서로 손짓을 해가면서 지나갔다. 역시 총대는 달근인지라 각대에 붙은 작은 모가비들은 일일이 찾아와서 그의 지시를 듣고 떠났다. 달근이가 말을 끌고 행렬을 따르려는 이경순에게 핀잔을 주었다.

“그 짐승은 왜 끌구 오시우, 타시게요?”

"암, 타야지. 묘옥이를 태우든가……"

고달근이 고개를 홰홰 내두르며 혀를 찼다.

"물정 모르기로는 꼭 성문 밖에 마실 나온 남산골 샌님일세. 볼기에 살점이 얼마나 붙어 있길래 그러는 거요. 그 말에 올라 거드럭거리며 우리 뒤를 좇다가는 행중 전체가 아예 노중에서 거적 쓰고 물고장을 쓰겠수. 관아에서는 물론이고 어디 쬐끄만 시골 읍내 생원한테만 걸려두 꽁무니에 능장 댈 자리가 없이 터질 게유. 말일랑 버리든지…… 가만있자, 아예 읍내에 가서 세마나 놓읍시다."

이경순은 적이 불쾌하였다.

"예끼, 내가 말을 타면 안 되구 세마를 놓으면 괜찮다니 무슨 법인가?"

고달근이 껄껄 웃으면서 이도장의 패랭이 쓴 머리를 손가락질했다.

"갓도 없고 도포도 없으니 그럴밖에요."

장사치도 아닌 사당패에 상놈이 끼여 말을 타고 거드럭거리며 가기는 어려운 일이고, 말을 당장에 팔아치우기도 곤란한 일이라 역시 세마를 놓기로 하였다. 박거사가 뒤에 남아 동촌장 객주에 가서 당진으로 갈 손님을 잡기로 하고서 행중은 먼저 떠났다. 박거사가 객주를 돌아다니며 손님을 찾는 중에 마침 작자를 만나게 되었다. 박거사의 손님 찾는 소리를 듣고 주막에서 하인배 차림이 하나 좇아나왔다.

"여보, 당진까지 간다구 그랬수?"

"예, 당진이요."

"당진 채운포(彩雲浦)까지 삯이 얼마요?"

"열 냥만 내슈."

“예끼, 열 냥이 무슨 뉘 집 삽사리 이름인 줄 아오, 함부로 부르게. 닷 냥만 합시다.”

박거사는 그의 아래위를 쓱 훑어보고 나서 말고삐를 당겼다.

“싫으면 그만두슈.”

하인은 그대로 돌아서서 주막으로 들어가더니 다시 쫓아나와 박거사의 등뒤에서 다급하게 찾았다.

“여보시게, 열 냥 줄 테니 이리 오우.”

박거사가 말을 끌고 주막 앞에 대어놓으니, 해장술에 얼근해진 젊은 샌님 하나가 갓을 비뚜름히 쓰고서 나온다. 나오자마자 다짜고짜 장죽으로 박거사의 머리를 내려치는 것이었다.

“이놈, 마부라면 문안을 드릴 일이지 아무리 세마를 탄다 하여도 주종이 엄연한데 말뚝을 삶아먹었느냐?”

박거사는 깜짝 놀라서 얼결에 하정배를 드렸다. 그러고는 샌님의 발을 받쳐서 말 위로 올려주고 나니 은근히 속에서 밥알이 곤두섰다. 홧김에 고삐를 잡아채니 말이 높이 소리지르며 굽을 들고 뛰어올랐고, 양반은 보기 좋게 낙마를 하고 말았다.

“어이쿠우, 사람 죽는다!”

“샌님, 어디 다친 데 없으십니까?”

하인이 달려들어 일으키니 양반은 상을 찡그리고 절뚝이며 일어났다.

“안 되겠다. 견마는 네가 잡아야지, 이 녀석은 손이 거칠어서 잘못하다간 직산두 못 가서 내 모가지가 부러지겠구나.”

아이고 깨소금이야, 하는 기분으로 박거사는 죽을 죄를 졌다는 듯이 말궁둥이께에 서 있었고, 하인은 눈을 부라리더니 말고삐를 잡는 것이었다. 그들이 직산에 이르니 사당패가 앞서서 가고 있는 게 보였다. 말에 앉았던 양반이 울긋불긋한 계집들의 옷자락을 발견하고서 말하였다.

"저 앞에 웬 계집들이 장옷두 없이 대로를 활보하는구나. 무엇들이냐?"

"예, 사당년들인 모양입니다."

하인이 말을 하자 양반은 호기심이 동하였는지,

"허허, 거 참 심심한 노중에 잘 만났고나. 어서 가까이 가보자꾸나."

하였으니 점잖은 양반의 체면에 사당패라면 피할 일이요, 더구나 그들이 창기보다 하천의 매소부들이니 더욱 외면할 일이지마는 젊은 양반은 풍류가 과한 사람인 모양이었다.

"여봐라, 비켜라, 물렀거라."

하면서 패거리 가운데로 돌입하며 미처 피하지 못한 사당 하나를 밀어붙이니 논두렁 아래로 떨어져버렸다. 말 위에 올라앉은 양반은 낄낄거리며 그들을 내려다보았다. 그들은 멀찌감치 앞지르지도 않고 패거리 근처에서 걸음을 늦추었다. 박거사가 말 꽁무니께에 따라가며 제 패거리들에게, 오뉴월 장마 끝물 오이꼭지를 씹은 상판을 해 보인다. 모두들 괘씸하게 생각하는 참이었으니 그중에서도 이경순은 가장 아니꼽게 여기는 모양이었다. 비록 차림새는 상놈의 행색이되 시골 양반의 부스러기쯤과는 비교도 안 되게, 여주에서도 내로라하는 부자인 이경순이 거드럭대는 젊은 샌님의 행차가 고깝지 않을 리 없었다. 그도 만일에 생각만 있었다면 돈냥을 들여서 선달이나 참봉이나 첨지 같은 공명첩을 사서 양반 행세를 할 수가 있었던 것이다. 더구나 사정이 피치 못하여 세마를 놓았을망정 자기 말인지라 이경순은 부아가 슬슬 치밀기 시작하였다. 어디 인기척이 끊긴 호젓한 길목만 나타나면 호되게 골탕을 먹일 작정이었다. 말께에 올라앉은 양반이 물었다.

"너희들 어디 사당이냐?"

기분이 기분인지라 모두들 입을 다물고 묵묵히 걸었다. 젊은 샌님은 개의치 않고서 사당들을 휘휘 둘러보더니, 고개를 쳐들고 쏘아보는 묘옥의 얼굴과 부딪쳤다. 돌연 섬뜩해진 모양인지 그의 표정이 잠깐 굳어졌다가 다시 짓궂게 일그러지는 것이었다.

"호, 그년 눈빛 한번 매섭구나. 너 나하구 오늘밤 한번 하려느냐. 내가 당인에게 배운 기술로 삭신을 모두 녹여주리라."

아무리 사당이라 하나 백주 대낮에 이렇듯 음탕한 농지거리로 지분거리니 봉욕이 이만저만이 아니었다.

"애야, 이리루 올라오너라. 함께 타구 가자. 내가 네 앙가슴을 부둥키고 가노라면 당진까지 백 년이 걸린들 어떠하냐?"

하는데, 드디어 참지 못한 이경순이 성큼 뛰어가더니 양반의 멱살을 잡아 확 끌어내렸다. 그는 말에서 거꾸로 떨어져 길바닥에 내동댕이쳐졌다.

"이 더러운 자식 같으니라고."

경순은 다짜고짜로 빰을 연달아 두어 대 올려붙였다.

"아이고, 상놈이 양반을 친다. 아무도 없느냐?"

뒤에서 하인이 달려들려는 것을 하는 수 없이 고달근이 어깨를 당겨가지고 돌아보는 놈을 힘껏 머리로 치받았다. 하인은 안면을 감싸고 주저앉아버린다. 이경순은 양반의 멱살을 잡아일으켜서는 제 얼굴을 바짝 들이대고 꾸짖었다.

"이놈아, 네깐 놈이 무슨 양반의 행세냐. 네 아비가 밥술깨나 먹는 탓으로 한직이나 한자리 샀겠지. 진짜 양반은 아무리 쇠락하여도 피가 있는 법이다. 네 구는 꼴을 자세히 보니 아마도 당진서 배 부리다가 쇠푼깨나 만진 모양이거늘, 글은 한 줄도 안 읽은 글방도령을 면한 지가 엊그제겠다. 네 이놈 아주 불알을 발라버리구 가야겠다."

이경순은 다시 발길로 몇대 차주었고, 고달근이 안절부절못하며 그의 팔을 붙잡았다.

"아니 어쩔려구 이러시우. 하여간에 우리는 도장님 때문에 이번 출행은 모두 망치었소. 보아하니 당진서 행세깨나 하는 댁 젊은 서방님인 모양인데, 우리를 그냥 두진 않을 거요."

속삭이는 고달근의 말을 들어보니 더이상 때릴 수도 없는 일이라 이경순은 양반의 발치에다 침을 퉤 뱉고는 중얼거렸다.

"내 비록 우연한 일로 사당패와 동행이 되어 길을 간다만, 남의 일 같지 않아 참견을 하였다. 그리고 이 말은 내가 세마를 놓았던 것인데, 네 따위 불한당에게는 빌려줄 수가 없으니 삯은 반만 받아두겠다. 당진까지 걸어가든 날아가든 네 발가락 튕기는 대로 하려무나. 얼마에 가기루 했느냐?"

경순이 박거사에게 물으니, 그가 허리춤에서 열 냥을 꺼내 보였다.

"열 냥 받았습니다만, 까짓 거 그냥 가십시다."

"그걸루는 너희들 양식 노자나 하거라. 그리구 옜다, 닷 냥이다. 비록 직산까지 왔다 하나 노중 하마(下馬)인 셈이니 닷 냥만 받아두겠다. 앞으로는 아무리 지체 낮은 상놈을 만나더라도 체모 있이 처신하여라."

하인은 입술이 터져서 연신 피를 뱉어내고 있었으며, 젊은 양반은 망신에다 겁까지 먹어 얼굴이 붉으락푸르락하고 있었다. 경순은 사당패의 짐들을 대강 추려서 말 등에 싣고서 박거사에게 끌리워 따라오게 하였다. 그들이 멀어진 다음에 양반과 하인은 엉거주춤 일어나

요로원(要路院) 가는 질은 솔밭길을 막막하게 내다보았다. 하인이 그 주인을 부축하면서 주눅 든 목소리로 중얼거렸다.

"서방님, 어디 다치신 데 없으십니까?"

"놓아라, 이 자식아. 너 집에 가기만 했단 봐라, 물볼기루 똥두 못 싸게 해줄 테야."

하며 뿌리치고 나서 그는 옷에 묻은 먼지를 털어냈다.

"저 자들이 사당패일시 분명하렷다."

"예, 보아하니 청룡사 사당골 패거리인뎁쇼. 왜 철들이로 당진 들러가지 않습디까요?"

"흠, 그렇다면 백석포(白石浦)나 개포〔犬浦〕에서 판을 벌이겠구나. 오늘은 아산서 놀이를 할 테니 우리가 먼저 당진엘 들어가겠지. 당진에만 왔다 하면 그냥 두진 않겠다. 먼저 그 비쩍 마르고 키 큰 상놈을 잡아 징치하고, 눈빛 매섭게 생긴 계집은 내가 해의시킨 연후에 아이들에게 돌림을 놓아주겠다."

"헌데 그놈은 제 말대루 사당 거사패가 아닌 모양입니다. 다른 녀석들이 공대를 하던뎁쇼."

"패랭이를 썼으니 제놈이 갈데없는 상놈 아니겠냐. 이놈들이 우릴 몰라보구 함부로 건드려놓았으니, 단단히 버릇을 가르쳐야겠다."

"빨리 가십시다. 이러다간 오늘 면천(沔川)두 못 가서 과객질하겠수."

"무슨 말이냐. 한 십 리 길을 가면 요로원인데, 게서 세마를 하여 치달으면 저녁밥은 집에 가서 먹을 수가 있다."

의논을 끝낸 주종은 쉬엄쉬엄 요로원까지 가게 되었다. 새파란 양반이란 당진 채운포(彩雲浦)의 주상(舟商) 유치옥(兪致玉)의 아들이었다. 그들은 각처에 여각을 열고 있었으며, 배가 크고 작은 것이 도합 이십여 척이었다. 원래가 파주 사람이더니, 나룻배로 미곡을 싣고 소상 노릇을 시작하여 차차 취재가 커지면서 당진의 부가옹이 되었던 것이다. 원래가 자수성가라는 것은 나라를 새로이 일으킴과 같은 일이라, 그 주인 된 자의 인품이 제법 이루어져야 성사가 되는 일인지라, 유치옥은 배포가 크고 너그러워서 군민의 인심을 잃지 않았다. 특히 유치옥은 사람을 볼 줄 아는 남다른 눈이 있어서, 처음 본 자라 할지라도 취재할 역량이 있어 보이면 서슴지 않고 기천 냥을 내던질 줄을 알았다. 특히 그의 아래에는 강화 출신의 뱃사람들 중에 제법 내로라 하는 장한들이 일하고 있었던 것이다. 그러나 고생을 모르고 응석받이로 자라난 유필준(兪必俊)은 천하에 이름난 한량이었다. 그가 안성으로 원행을 했던 것도 거래인에게서 어음을 수령해온다는 핑계였으나, 실은 안성의 가얏고 잘하는 기생 화심이와 하룻밤을 지내고 오는 길이었던 것이다.

"내일은 이 분풀이를 할 수 있겠지. 빨리 가자."

유필준과 하인은 요로원에 이르러 말을 세낼 수가 있었고, 아산으로 내달았는데 고달근네 사당패는 이미 개천을 따라 백석포로 나아간 뒤끝이라 다행히 부딪치질 않았다. 소벌(牛坪)서 면천까지가 삼십 리요, 거기서 당진까지 또한 삼십 리 길이니 해질 무렵에는 닿을 모양이었다.

고달근네 사당패는 벌써 연희의 시작인지라, 거사들은 모두들 제 사당을 등에다 업었고 풍악을 잡히면서 백석포로 나아갔다. 맨 앞에는 모가비 고달근이 영기(令旗)를 들고 갔으며, 사당을 업지 않은 자들은 풍악을 잡혔다. 묘옥은 색동 소매를 내놓고 남색 철릭을 입었으며 홍련이는 노랑 저고리에 붉은 치마를 입었다. 그들은 제각기 거사들의 등에 업혀 있었다. 이경순은 짐 실은 말을 끌고 멀찍이서 그들의 뒤를 따라갔다. 사람들이 차츰 모여들었고, 고달근이 일행에 앞서서 포구로 나아가 어계의 총대를 만났다. 그들은 포구에서 놀아도 좋다는 허가를 받았고, 열을 지어서 춤을 덩실덩실 추면서 바닷가로 내려갔다. 범선과 나룻배들이 총총히 늘어선 포구의 널찍한 모래밭에 판을 벌이고 한참이나 춤들을 추는데, 뱃사람들과 먼 곳에서 고기떼를 따라 내려온 어부들이 신명이 나서 모여들었다. 그들의 놀이판 주변에는 곧 사람들로써 큰 울타리가 생겼으며 나이가 가장 어린 홍련이가 먼저 나가서 춤을 추면서 노래를 불렀다. 즉 개막 제일사(第一辭)였다.

"한산 세모시 잔주름 곱게 잡아 입고 안성, 청룡으로 사당질 가세나."

하면 다른 사당들이 고운 목청을 합쳐서, 사당질 가세나 하고 노래했다. 그 다음에는 백선이가 나와서 나긋나긋한 몸매를 사내들께로 비틀어 보이면서 수건춤을 추는데, 한창때에 오랫동안 집을 떠나 있던 어부들은 저절로 한숨을 쉬거나 눈에 불을 켜면서 흥을 내었다. 백선이가 아무 사내에게나 살살 눈웃음을 치는데 그에 부딪친 녀석은 자지러질 듯하면서 소리를 지르고 공연히 옆엣사람도 건드리고 주저앉기도 하였다.

"하이구, 조것을 고대로 벗겨서 초장 없이 생으로 씹어먹어버렸으면 좋겠네!"

"오늘밤 물때에 일은 다 나갔다."

"바다 버렸구만, 버렸어. 나는 밤새도록 오줌만 졸졸 쌀 테여."

"이 녀석아, 너는 상중이니 내대지 말어."

하며 제각기 건 입담을 그치지 않았다. 숫제 백선이는 어떤 사내의 코를 슬쩍 잡아주고는 사람들의 옆을 바짝 지나치면서 손끝으로 사내들의 가슴을 건드렸다. 삼현육각이 그치고 나서 백선이는 땅에 살풋이 앉으며 인사를 올리더니 치맛자락을 걷어들고 앞으로 걸어나왔다. 안으로 속치마와 속바지 자락이 들춰져 버선 위의 속살이 드러나자 사내들은 저마다 고함을 지르고 야단이었다. 백선이가 쳐든 치마폭 속으로 사내들이 엽전을 던지기 시작하였다. 그렇게 돌아나가는데, 제법 배포 있는 사내가 엽전 두 닢을 입에 물고 기다리고 있었다. 백선이는 부끄러운 듯이 고개를 숙이고 눈을 헬끔 위로 들어 웃음을 흘렸다.

“애야, 받아라. 빨리 받아라!”

“아니다, 치마 벗구 받아라.”

사내들의 왁자한 소란 속에서 백선이는 열매를 따려는 참새처럼 발끝을 들고 사내의 입가에 제 입을 갖다댔다. 백선이는 사내가 입에 문 엽전을 빼내려고 제 입으로 물었으니 완전히 입맞춤이 되었고, 불두덩이 뻐근해진 사내들은 저마다 엽전을 입에 물고 손짓하며 야단이었다. 백선이가 엽전을 입에 물었으나 사내는 어금니를 콱 다물어서 빠져나오질 않는다. 하는 수 없이 백선이가 사내의 겨드랑이에 손가락을 넣어 간질밥을 먹이자 사내는 온몸을 진저리치면서 뒤로 물러났는데 엽전이 빠져나왔다.

“애애, 내 것은 닷 푼이다. 내 것두 물어가거라.”

“아니다, 내 것은 세 닢이지만 내 양물은 홍두깨만 하니, 사내가 그것이 좋아야 실속이 있는 게야.”

“아이구, 나는 잠깐 대어보기만 하자꾸나.”

“이런 망할 자식 같으니…… 오늘밤 봉노에서 조심해라. 나는 오늘 콩죽에 냉수 열 사발 먹은 사람이여. 찌르면 그대루 청천강 둑이니까."

백선이는 연신 웃어대면서 사내들의 입에서 입으로 옮겨다니며 엽전을 거둬냈다. 여염 향리에서 이런 짓거리와 음탕한 노래를 했다가는 대번에 상풍죄로 관가에 직행하겠으나, 워낙에 장바닥과 포구란 상놈들의 세상이니 점잖은 사람이나 정숙한 부인께서는 올 자리가 아니었다. 흐드러진 풍악소리가 다시 한번 높아졌다가 이번에는 홍련이와 소화가 함께 나와서 엇갈려 춤을 추면서 노래를 시작했고, 백선이와 입맞춤을 하였던 사내들은 놀이판 뒤로 돌아가 개복청(改服廳)을 찾았다. 모가비를 만나 박치기에 대한 흥정을 벌이려는 것이었다. 홍련이와 소화는 이리저리로 미끄러지고 모이면서 고운 목청을 드높여 타령을 서너 곡 뽑았다.

"도라지 도라지 도라지 뒷동산 산등의 도라지. 청치마 홍치마 휩싸들고 도라지 캐러 다니네. 도라지 캐려면 캐고요 지레기를 캐려면 캐었지 남의 집 꽃밭을 왜 이다지 들추나. 도라지 도라지 도라지 은율 금산포에 백도라지. 한 포기만 캐어도 광우리 광우리 넘치누나. 도라지 도라지 도라지 요 몹쓸 년의 도라지, 하도 날 데가 없어서 두 바위 사이에 났느냐. 도라지 도라지 산에 산 산도라지. 지름댕기 팔랑팔랑 숫기 없는 도라지. 네 나이 몇살이냐 대답해요 살짝 대답해. 아이 답답해 아이 답답해 정말 답답해. 도라지가 좋으니 도라지가 돈도라지가 나는 좋아. 은조록 금조록들 강에 강 강도라지. 파란 치마 한들한들, 임자 없는 도라지. 네 집이 어데이냐 대답해요 너 사는 데. 아리랑 갑갑해 아리랑 갑갑해 정말 갑갑해. 좋구려 도라지가 돈도라지가 나는 좋아."

도라지타령이 끝나자 홍련이 혼자 나와 매화타령을 부르고, 소화는 사내들 가까이로 다가서서 춤을 추며 돌아갔다. 묘옥이와 백선이와 그외의 사당들은 모두 뒷전에 서서 손을 흔들며 앞가락을 여럿이 싸주었다.

인간 이별 만사 중에 독수공방이 상사난(相思難)이라 좋구나 매화로다.

에야디야 에헤야 에야디어라 사랑도 매화로다.

안방 건넌방 가루다지 국화 새김의 완자문이라 좋구나 매화로다.

에야디야 에헤야 에야디어라 사랑도 매화로다.

어저께 밤에도 나가 자고 그저께 밤에도 구경가고 무삼 염치로 삼사 버선에 볼 받아달라고 좋구나 매화로다.

사랑이면 임 마다하며 이별이라 다 싫을쏘냐 좋구나 매화로다.

에야디야 에헤야 에야디어라 사랑도 매화로다.

나 돌아갑네 나 돌아갑네 떨떨거리고 나 돌아가노라 좋구나 매화로다.

에야디야 에헤야 에야디어라 사랑도 매화로다.

매화타령이 끝나자 묘옥이 앞으로 나와 상사요(相思謠)를 애틋하게 부르는데 듣는 사내들의 애간장이 저절로 녹는 듯하였다.

"산천이라 묘한지라 길주 명천 가시다가, 빨래하네 빨래하네 색시 둘이 빨래하네. 쉰 냥짜리 거두부채 색시 앞에 던져놓고, 그 부채 주워주면 색시 체면 떨어지나. 도령 집은 어디관대 해 빠진데 길을 가오. 우리 집을 보려거든 한양 땅을 내리달아 정동지네 손자가 내오. 색시 집은 어디관대 해 빠진데 빨래하오. 우리 집을 보려거든 과천 땅에 내리달려 김첨지네 댁이라오. 그로 해서 얻은 병이 무당 들여 굿을 한들 굿발이나 받을쏘냐. 의원 들여 약을 쓴들 약발이나 받을쏘냐. 봉사 들여 독경한들 독경발을 받을쏘냐. 바람 불어 누운 댕기 눈비 와서 일어나리. 임을 봐야 일어나지. 우리 조부 거동 보소 오간청을 우왕좌왕, 우리 부친 거동 보소 외올망건 두루치며 통영갓을 눈에 쓰고 세세삼사 겹버선에 육양미를 담아 신고, 역말을 잡아타고 마부 없는 말을 타고, 과천 땅에 내리달려 김첨지네 대문 밖에 역말일랑 매어놓고 대문 안에 들어서서, 나서거라 나서거라 어서 바삐 나서거라. 삼대 독자 외동아들 널로 하여 얻은 병이 나날이도 깊어가고 다달이도 깊어가네. 한산모시 연반물치마 주름을 잘게 잡아 단장하고 나서거라. 은가락지 쌍가락지 짝맞추어 단장하고, 한양 성중 내리달아 정동지네 대문 안에 사청 앞으로 당도하니 꽃이 폈네 꽃이 폈어, 웃음소리 꽃이 폈네."

이경순은 구경꾼들 틈에 끼여앉아 묘옥의 노래를 들으면서 가슴이 답답하여 견딜 수가 없었다. 사내들은 역시 고함도 지르고 가락도 맞추면서 법석을 떨었다. 다른 사람들도 차례로 나와서 가무를 펼쳤는데, 개복청에서는 고달근이 박치기 흥정을 하는 중이었다. 웬일인지 묘옥이와 백선이를 찾는 사내들이 많았다. 백선이는 워낙에 요사를 떨어서 그랬지만, 묘옥이는 사당 같지 않았기 때문이다. 고달근이 연신 변명하였다.

"허, 안되었습니다. 묘옥이란 아이는 벌써 손님이 들었습죠. 백선이께루 세 손님만 받습니다."

"누구야, 그 상사요를 부른 아이를 누가 먼저 찝었단 말이우."

"아, 그야 한량 나으리입죠. 우리 사처는 백석포 어물 객주네 봉놋방인데, 데리구 나가시려면 짝거사의 저녁과 잠자리는 마련해주셔얍니다."

"쳇, 외입에두 반상이 따루 있나."

"하여간에 나는 아무 사당이나 좋으니 동침을 하겠소이다. 까짓, 내 고깃배 안에 자리를 잡으면 되오."

"밤새워 정분을 맺는 데는 해우채가 세 곱 됩니다."

이렇듯이 뒷전에서 흥정은 활기를 띠어가고 있었다. 포구에 차츰 땅거미가 내리깔리고 바다 위에는 노을의 엷은 자취만이 사라지려는 참이었다. 사당들이 모두 판에 나와서 어우러져 춤을 추면서 노래를 부르는 것으로 판막음이 되었는데, 이제부터 놀이는 일단 끝나고 한밤중부터 짝을 찾는 매음이 시작될 모양이었다.

백선이는 분단장을 다시 고치고 사처로 정한 어물 객주 봉노에 들었고, 청에서 달근이와 경순과 짝 없는 풍각쟁이 몇이 앉아서 술을 마셨다. 소화는 갯가로 나갔으니 나룻배나 어선들 사이를 누빌 모양이었고, 홍련이는 백선이의 옆방에 자리를 잡았으며, 정심이는 어계방, 홍도는 해변가, 월분이는 사내들의 투전판으로 각각 나아갔던 것이다. 묘옥은 객줏집의 골방에 혼자서 우두커니 앉아 있었다. 그녀는 자기에게도 손님을 받도록 해주기를 바랐으나, 경순이 이미 해우채를 치른 모양이어서 고달근이 묘옥은 제외를 시켰다. 해우채를 치른 이경순은 밤이 깊도록 술청에 앉아 술이나 퍼마실 뿐 묘옥에게 찾아들지 않았다. 묘옥은 경순의 그러한 마음이 두려웠다. 차라리 몸을 섞어 흥정이 이루어지면 한결 가벼울 것 같았다. 묘옥은 경순에게 조금도 마음 한 귀퉁이를 떼어주지 않으리라 작정했건만, 어쩐지 그가 돌아오지 않는 빈 골방을 지키고 앉았으려니 왠지 모르게 허전하였다.

백선이는 어부 하나가 저고리를 풀어헤친 모습으로 방문을 벌컥 열어젖히자, 손바닥을 짝짝 두들겼다. 잠깐 방문 앞을 비웠던 거사가 달려와 그 사내의 소매를 잡아당기며 은근히 말을 걸었다.

"해우채를 내셔야죠."

"모가비께 주었는데, 자네한테 또 무얼 주는가?"

“사당 외입이 처음이십니까요? 모가비는 박치기 흥정이나 하구, 해우채는 내가 따루 받습니다.”

“그런 법이 어딨어?”

사내가 벌컥 화를 내자, 백선이 또르르 달려와 사내의 가슴팍을 밖으로 밀어냈다.

“아이…… 싫으시면 그만두셔요. 백석포에 지천으로 깔린 게 님인데, 해당화에 임자가 따루 있나요. 꺾는 게 임자지.”

사내는 문득 투덜거리기가 쑥스러워졌는지 허리춤을 더듬었다.

“내가 맨손으루 올라왔으니…… 내일 아침에 내지.”

거사가 능청맞게 중얼거렸다.

“강물이 위로 다시 흐르는 것 봤습니까? 하룻밤 풋정에 무슨 표시 나겠습니까요.”

“좋아, 내 당장 표를 해줄 테니까. 조기 다섯 두름이여.”

사내는 제 두건자락을 죽 찢더니 두리번거린다. 거사가 숯을 집어 주니 주막집 기둥에 그어놓듯이 거기다 바를 정(正)자 하나를 그려서 내민다.

“당장 어계방에 가서 가져가. 나는 강화 유서방이여.”

거사가 방문을 닫으려고 하면서 물었다.

“탁주 두어 되 드실라우?”

“가져와, 내 앞으로 달구.”

“뭐 시킬 일이 있으면 저애 이름을 부르십쇼. 제가 요 문 앞에 섰을 테니.”

거사는 해우채를 현물로 받기 위해 밖으로 달려나갔다. 오랫동안 바다에 나가 있었고 집 떠난 지가 오래되어 여자의 살에 주린 장정은 웃통을 벗자마자 바지춤을 풀며 성급하게 달려들었다. 그러나 백선이는 능숙하게 몸을 빼면서 사내의 상투를 잡아 젖히니, 옆으로 넘어져버린다.

"정말 이이가 숨넘어가겠네. 아직 우리 주인이 안 돌아오셨으니 좀 앉아서 관상이나 봅시다."

"에구, 죽겠네!"

그들의 지분거리는 소리는 은밀한 중에 묘옥의 방에까지 똑똑히 들려왔다. 백선이는 그 사내와 한바탕 곤욕을 치르고 난 뒤에 밖으로 뛰쳐나왔다. 사내의 요구를 더이상 들을 수가 없었기 때문이다. 그녀가 알기로는 홍정이 이루어진 사내만도 네 사람이었다.

지금 떼어놓지 않으면 도무지 사내가 방 밖으로 나갈 것 같지 않았던 것이다. 기다리던 거사가 백선이를 묘옥의 골방으로 빼돌렸다. 사내는 고래 고함을 지르면서 백선이를 찾아내라고 법석이었다. 드디어 화가 난 어부는 밖으로 나오더니 다짜고짜 거사의 멱살을 잡고 따귀를 올려붙였다.

"야, 이 쥐새끼 같은 놈아, 네 사당년을 얻다가 빼돌렸니. 내 해우채 내놓아라."

"허! 이놈이 사람 친다."

거사도 뺨을 맞고는 마주 대들어 멱살을 잡고 딴죽을 걸었다. 둘이 붙안고 땅바닥에 뒹구는데, 홍련이에게서도 돌림을 당한 사내 두엇이 함께 달려와 땅바닥에 쓰러진 거사의 등판을 마구 짓밟고 두드려팼다. 이 소란을 듣고 청에서 술을 마시던 고달근과 풍각쟁이 하나가 달려나왔고, 앞섰던 악공 거사는 발길질에 걷어채어 뒤로 넘어졌다. 고달근은 사십줄이건만 싸움이라면 장바닥에서 코피 터지며 배운 몸이라 대번에 발길 내지른 자에게 달려들며 한 손으로 낭심을 훑어버렸다. 에구구 소리 내지르며 주저앉자, 이번에는 거사를 깔고 앉았던 자의 눈두덩을 주먹으로 내질렀고, 그를 앞에서 껴안은 사내의 볼따구니를 덥석 물었다. 물고는 놓지 않고 이그그그 소리를 내면서 좌우로 흔들어대니, 볼을 물린 사내는 사지에서 힘을 쪽 빼고 진저리치는 비명을 내지르며 주저앉았다. 볼따구니 살이 움푹 패어서 피가 낭자한데, 달근이가 입을 탁 열고 물러서니 한숨을 모질게 내쉬고는 곧 혼절해버린다. 아무리 거친 어부들이라 하나 싸움질에도 순박한 기가 있게 마련인데, 장거리의 악소패로 자라난 고달근의 악착스런 싸움법에는 당할 수가 없었던 모양이다. 그들은 늘어진 동무를 버려두고 후닥닥 뛰어 달아났다. 고달근이 씨근거리면서 거사를 일으키는데 그야말로 넙치가 되도록 얻어맞아 몰골이 배추 겉절이 꼬락서니였다. 고달근은 거사에게 면박부터 주는데,

"애, 이런 병신아, 고작 갯것들께 얻어터져가지고야 무슨 사당을 거느린 거사냐. 애들은 다 어디 갔니?"

"홍련이는 아마 박거사가 알 게유. 지금 손님 받구 있지요. 백선이는 묘옥이 방으로 잠깐 피했수."

"그럼 청에서 기다리는 자를 또 보낼 테니 빨리 가서 받으라구 해여."

혼자 앉았던 이경순은 뒷짐을 지고 슬슬 마당으로 돌아나오다가 달근이와 부딪쳤다.

"무슨 일인가?"

"예…… 별일 아니우. 늘 있는 일이지요. 술 처먹은 놈들이 행패를 부려서 한바탕 놀았수."

"포구로 나가서 패거리를 데려오는 게 아닐까?"

"아이구, 염려 마십시오. 외입 싸움에 원한 품는 놈은 없는 법입니다. 맞을 때뿐이지요. 뒤를 가질러두 창피하니까 어디 가서 말두 못

합니다."

돌아서는 달근이에게 이경순이 조용히 물었다.

"묘옥이는 어느 방에 있는가?"

"저 뒷방이우."

하고 나서 달근이가 속삭였다.

"아니 도대체 남의 판에 끼여서 작파하여도 분수가 있지, 오늘 개를 찾은 손님이 몇이었는지나 아시우?"

"묘옥이 해우채는 그걸루 충분할 텐데……"

"그야 당진까지는 어찌되겠습니다만 우리는 강화루 들어갈 텐뎁쇼. 게까지 쫓아오실라우?"

이경순은 한숨을 길게 내쉬었다.

"글쎄, 가는 데까지 따라감세."

"허허허, 아무렴입쇼. 열 번 찍어 아니 넘어가는 나무가 있겠수. 묘옥이 고년이 직심은 참 매서운 데가 있습니다."

"자네 그 서방이라는 참형수를 자세히 아는가?"

"글쎄요, 우리가 듣기룬 그자가 구월산 화적이랍디다. 해주에 신부자라구 아주 떵떵거리는 대고가 있습지요. 그자를 야반돌입하여 잡아다가 곤장을 쳤다지요. 해주 바닥서는 장길산이라면 짜아허게 소문이 났었수."

"장길산이라…… 혹시 당진 가면 해서 광대패를 만날 수 있을까?"

"강화 가면 만나게 될 게유. 혹시 모르지요. 당진 광대 물주헌테 물으면 패거리를 소상히 알 게요."

경순은 묘옥의 방을 향해 돌아섰다.

"난 먼저 들어가 자겠네."

"아니, 술 더 안 드시게?"

"그만두지. 또 쌈박질 벌이게 되면 날 깨우게나."

고달근은 얽은 얼굴을 경순에게로 바싹 들이대며 키들거렸다.

"오늘은 그냥 요정을 내시우. 계집이란 그저 백 번 말해야 소용없습니다. 부부지간에도 돌아누우면 남의 살이라니깝쇼. 홍두깨가 약입지요."

경순은 대꾸 없이 뒤뜰로 돌아갔다. 그는 잠깐 동안 문고리에 손을 대지 않고 툇마루 앞에 서서 망설였다. 조용한 어둠 가운데 섰자니, 갑자기 쥐 죽은 듯하던 객줏집의 곳곳에서 술렁이는 낮은 소음이 흘러나오고 있었다. 여자의 킥킥거리는 웃음소리며 사내의 가라앉은 목소리와 간간이 신음소리도 들려왔고, 술청에서 들리는 주정꾼들의 말도 군데군데 끊긴 채 또렷하게 들리고는 사라지는 것이었다. 먼 데서 개 짖는 소리가 들려왔다. 그리고 이런 소리들의 배후에서 포구에 밀려든 바닷물의 철썩이는 소리가 끊임없이 전해오는 것이었다. 그는 멍하니 방문 앞에 서 있었는데, 창호지로 어른거리는 그림자가 차차 커지면서 묘옥의 흰 얼굴이 빠끔히 내밀어졌다.

"나으리…… 들어오시지요."

묘옥은 문을 그렇게 조금만 열어 잡고서 속삭였다. 경순은 머뭇머뭇 중얼거렸다.

"내가 들어가두 괜찮겠느냐?"

묘옥은 말이 없었고 경순은 일부러 다시 한번 물었다.

"나를 기다리구 있었느냐?"

묘옥이 잠시 말을 않더니 문을 더욱 넓게 열면서 비켜섰다.

"이 방은 나으리의 사처가 아닙니까."

경순은 신을 벗고 방 안으로 들어섰다. 그는 이번에는 서슴지 않고 아랫목에 펴진 이불을 들치고 옷을 입은 채 드러누웠다.

"옷을 벗구 주무십시오."

"너는 자지 않겠느냐."

그들은 얘기를 계속할 수가 없었으니 뭔가 두 사람의 가슴속에 더부룩하니 얹힌 것이 있는 듯하였다. 경순이 옷을 벗고 자리에 들자 묘옥은 발치께에 가서 쪼그리고 앉았다. 경순은 등을 돌리고 벽 쪽으로 돌아누웠다. 그가 깜빡 잠이 들려는가 했을 적에 등잔불이 꺼지면서 등뒤에 묘옥이 다가와 함께 눕는 것을 느꼈다.

달근이네 사당패는 이른 아침에 백석포를 떠나 나루를 건너 소벌(牛坪)에 이르렀다. 소벌서 면천까지는 편편한 들판과 갯가가 아득하게 펼쳐져 있었다. 밭과 나무숲 사이에도 해풍이 불어와 소금기와 비린내가 느껴졌다.

경순은 맨 뒤에서 짐 실은 말을 끌고 가는데, 묘옥의 트레머리 사이로 늘어져서 나부끼는 붉은 댕기에 눈을 주고 있었다. 경순은 묘옥의 심사를 아무래도 알아챌 수가 없었다. 어젯밤 묘옥은 그의 곁으로 기어들어 드디어는 경순의 품에 안겼던 것이다. 경순은 어렴풋한 취기와 잠에서 깨어나 상대를 끌어안으면서도 설마 묘옥이는 아니리라 생각했던 것이다. 그러나 곁에서 꼼짝도 않고 누워 있는 여자는 분명히 묘옥이었다. 한참이나 말없이 누워 있던 묘옥은 일어나서 옷을 주섬주섬 챙겨입더니 불을 밝혔다. 그러고는 공손히 인사를 드리고 밖으로 나갔다. 경순은 그녀가 소피를 보러 나갔는가 하여 잠들지 못하고 밤새껏 기다렸지만 묘옥은 돌아오지 않았고, 새벽닭이 울 즈음하여 경순은 잠들었다. 아침에 모두들 객줏집으로 모여들어 출발 준비를 하고 법석댈 적에 경순은 슬그머니 묘옥의 등뒤로 다가서서 어젯밤에 어디 갔었느냐고 물었으나, 묘옥은 국밥을 뜨던

숟가락을 잠깐 멈추었을 뿐 눈길 한번 주지 않고 계속 밥을 먹었다. 경순은 혼자서 애가 달아 견딜 수가 없었다. 그렇게까지 버티던 묘옥이 일단 몸을 주고 나서는 저렇게 돌처럼 굳어져버린 이유를 몰랐기 때문이다.

달근네 일행은 면천 못 미쳐서 장승백이 고갯마루에 이르렀는데, 역시 광대 차림의 울긋불긋한 복색과 악기를 짊어진 사내들 여남은 명이 웅기중기 둘러앉아 다리쉬임을 하는 중이었다.

"거 어느 행중 동무요?"

풀 위에 비스듬히 누워 등에 멘 짐에 기대 있던 사내가 물었다. 달근이가 그들을 한눈에 쭉 훑어보고는 한마디 엎질렀다.

"펫! 묻는 동무는 어디 패요?"

"우린 동작나루 사당골서 나왔는데."

"복만이네로구먼. 나 달근이여."

"안성 청룡사 말유. 이것 참 잘됐네. 우린 당진이 초행인데."

고달근은 좌중을 죽 훑어보고는 과천 사당패의 갈림패인 동작진 무리들임을 알았고, 같은 걸립패 화주 출신인 복만이가 없는 것을 눈치챘다.

"누가 맘대루 남의 동네루 넘어오라구 그랬어."

달근이는 곰보의 면상을 일그러뜨렸다. 모가비인 듯한 우락부락한 자가 되게 쉰 목소리로 투덜댔다.

"아따, 그러면⋯⋯ 시방 촌은 춘궁기인데 뭐 쪼아먹을 낟알이나 한 알 있어야지. 우리두 고기떼 쫓아서 갯가 좀 나왔는데 험한 세상에 일가가 제일이라구 함께 먹구 사세나."

달근이는 그들 행중 사이에 끼여앉은 울긋불긋한 사당들을 하나씩 뜯어보는데, 자기네 패거리만 한 인물은 없는 모양인지라 적이 안심이 되었다. 그는 울레줄레 앉으려는 제 패거리에게 호통을 쳤다.

"왜들 이래, 좁쌀하구 멥쌀하구 섞이면 농사 망치는 줄 몰라. 어서 길이나 가자구."

그들이 우우 일어서는데, 여태껏 아니꼬움을 참아온 동작진 행중의 모가비가 침을 퉤 몰아 뱉으면서 중얼거렸다.

"나 참, 광대 소갈머리가 어쩌면 저렇게 빈대 옆구리처럼 좁을꼬."

"뭐야, 너 지금 무슨 소리를 씨불거리는 게야?"

달근이가 험상궂은 얼굴을 돌리며 묻자, 동작진 행중의 모가비는 상대를 않고 자기네 패거리를 돌아보며 이죽거렸다.

"못된 일가가 항렬만 높다더니, 제기랄, 당진에선 안성 계집만 계집이라던가."

"아니, 저런 새카만 자식이…… 언젯적 모가비라고 대꾸를 하구 지랄여. 이놈아, 모가비라구 모두 같은 모가빈 줄 아느냐. 내가 바루 안성 달근이여."

"그래, 곰보 상판대기를 보구서 별성마마님이 오줌 싸구 지나간 달근인 줄은 알았다."

달근이가 분을 참지 못하여 달려들려는 것을 박거사와 사당들이 떼어말렸고, 동작진 패거리들도 자기들 모가비를 잡아 앉혔다. 뒷전에서 남의 일인지라 우두커니 구경만 하고 있던 경순이 나서서 달근이의 어깨를 토닥여준다.

"이보게, 뭣들 그러나. 함께 얻어먹구 댕기는 처지에 서루 동냥바가지 깰 건 없네."

달근이는 일행이 맹렬하게 뜯어말리는데다, 이경순까지 나섰으므로 뭐라고 더 악다구니 쓰지 못하고 물러서고 말았다. 박거사가 동작진 패거리에게다 대고 부드럽게 말을 건넸다.

"유유상종이랬으니 서루 사이좋게 갑시다. 우린 채운포와 당진포에서 벌일 터인데 댁네는 어디루 갈라우?"

"실상 거기가 두 포구를 잡는다면 우리네야 달리 어디 갈 데가 있겠수. 성당산 줄기를 따라서 갯가를 따라 한 바퀴 돌겠수."

"어이구, 그러면 서루 싸울 것까지야 없겠네. 면천 가서 잠시 한나절 판이나 합하여 놀구 갑시다."

동작진 행중에서 좋지, 놉시다, 하는 소리들이 들려왔다. 그들도 행장을 수습하여 일어나 달근네의 행렬 뒤로 따라가게 되었다. 달근이가 화는 냈지만 객지 노상에서 광대끼리 이런 경우는 흔한 일인지라 속으로 화를 삭이고 말았다. 고작해야 모가비끼리 말을 나누지 않는 정도요, 거사와 사당들은 곧 합대하여 서로 풍문도 주고받고 농도 나누는 것이었다.

면천의 뒤로는 산성이 둘러 있어 진군들이 있었는데, 사당패가 지나는 것을 보자 환호성을 내지르며 뒤를 따랐다. 털벙거지에 더그레를 입은 군병들이 사당을 희롱하느라고 법석이었다. 성안으로 들어가지는 못하고, 몽산산성 아랫녘에 터를 잡아 구경꾼을 끄느라고 오랫동안 길놀이를 돌아다니니 인근의 농군들이며 선머슴들이 일손을 버려두고 몰려들었다. 여기서는 동작진 일행들이 주로 연희를 풀었는데 안성 패거리는 간혹 한 사람씩 나서서 노래나 부를 정도였다.

그들이 면천서 일차 놀이판을 벌이고 오후 늦게야 당진으로 나가게 되었는데, 채운포까지 동행은 불가한 일인지라 노은재에서 두 패는 서북으로 헤어지기로 타협이 되었다. 동작진 일행은 북녘의 포구로 올라가고, 달근네는 붉은고개(赤峴)를 넘어 채운포로 나가는 것이었다.

채운포는 미곡선이 까맣게 몰려드는 곳이요, 보다 서쪽의 당진포는 성채가 있고 각지의 어선단이 모여드는 곳이었다.

따라서 채운포에서는 주상들이 상대일 것이고 당진포는 백석포에서처럼 어부 뱃사람들이 그 손님들일 것이었다. 따라서 그들은 당진포에 더 기대를 걸고 있었으니, 장사치보다는 뱃사람들이 훨씬 손도 크고 도량도 넓어 해우채가 후하기 때문이었다.

유치옥은 일 년 중에 가을철에만 당진에 머물렀고, 대개는 마포에서 강주인(江主人) 노릇이나 하며 지냈다. 그의 선단은 당진을 사이에 두고 강경과 강화와 한강을 두루 누비고 다녔다. 그가 제물포에서 어염과 미곡 수십 석을 팔고 사는 중도아(中都兒) 노릇을 한 지 십 년 만에 당진에다 광대한 전장(田庄)을 마련한 것은, 흔히 강상의 무뢰배가 그러하듯이 미곡에 물을 타서 불려 근수를 속이는 화수(和水)의 이익을 얻은 때문이었다. 더구나 마포 강변에 여각과 창고를 가지고서 춘궁기 때마다 미곡을 동결해두었다가 귀할 때 풀어내는 모리를 취한 것이 사실이었다. 그러나 이러한 유치옥이 그의 장지가 있는 당진에서만은 선행도 많이 하여 절량기에 구황곡을 내어 농량을 대어주었으며 군의 크고 작은 일에 경비를 두둑이 내곤 하였던 것이다. 군수의 신연 행차비는 물론이요, 봉물도 철마다 마련하여 당진에서 유동지네 집이라면 사또도 인사를 가지 않고 배길 수 없는 형편이었다.

유치옥이 당진에서 이런 터를 잡은 것은 강상의 취재가 손쉽기는 하지만 그 근거를 잃을까 우려한 때문이었다. 그의 전장은 주로 면천 동쪽의 승선천(昇仙川) 아래 널린 새벌이 거의 전부였다. 새벌에 부쳐 먹는 가호가 이백여 호에 이르렀고 전장은 논밭을 합하여 오십여 결(結)에 미쳤는데 또한 마름〔舍音〕만 하여도 다섯이나 되었으니 가위 만석꾼이었다. 해마다의 소출로써 강상의 이를 취하는데 부는 날로 늘어갔던 것이다. 근년 들어서는 그가 경강의 여각과 강화의 객주며를 모두 폐하고 당진 본가에 눌러앉을 것이라는 소문이 잦아지더니, 드디어 큰아들과 조카에게 강화와 마포 일을 맡기고 자신은 당진에 눌러앉게 되었다. 그의 아래에는 강상 무뢰배 출신의 도사공(都沙工) 삼형제가 있었는데, 제법 완력이 그럴듯하여 이제는 유동지를 따라 내려와 한가하게 전장의 마름 노릇이나 하며 지냈다. 소인이 한가해지면 나쁜 짓이나 벌이게 마련인지라, 일찍부터 철딱서니 없이 자라난 둘째아들 유필준과 어울려다니며 갖은 행패와 야료가 자심하였다. 그들은 충청도 각지의 대처 향시를 누비면서 기루(妓樓)와 투전판을 제 집 안방으로 삼았던 것이다. 당진 사람들은 그 아비가 얻은 인심을 차남이 도로 거두어들인다고 손가락질들을 하였다.

집으로 돌아온 유필준은 우선 사람을 보내어 마름 삼형제를 불러오게 했는데, 노중에 망신당한 일을 도저히 떨쳐버릴 수가 없었기 때문이다. 달근네가 백석포에서 판을 벌이던 날 밤에 필준은 삼형제를 불러 길에서의 일을 대략 이야기해주고 대책을 의논하였다. 둘째가 방자하게 웃어대며 코웃음을 쳤다.

"아 뭘 그러시우. 서방님은 그저 갯가에서 뒷짐지고 구경이나 허시지. 판을 벌였을 적에 둘러싸고 구경꾼인 척 섰다가 일시에 달려들어 요정을 냅시다요."

"계집들을 상하게 해선 안 돼. 더구나 내가 점찍어놓은 계집이 하나 있단 말이야."

그러나 만형은 고개를 내저었다.

"판별임하는데 덮쳤다간 오히려 우리가 봉패합니다. 군민들이 두루 보구 있는 데서 밀치구 닥쳤다간 욕이나 먹기 십상이고 아무리 수령이 넘보지 못한다 하나 우리네가 약점 잡히기 십상이우. 나리마님께서 아셨다간 불호령이 내리셔서 우리는 한양으로 쫓겨올라갈 게유."

만이의 말에 동조한 막내가 의견을 내었다.

"언니, 이건 어떠우? 관가에 고경하여 그놈들이 상풍음행 한다는 것으루 잡아들이도록 하지요."

유필준은 펄쩍 뛰었다.

"그따위 소릴 하려면 아예 마름 노릇 그만두구 예전처럼 노나 젓구 살아. 나는 분풀이두 해야겠구 그 사당년두 혼을 내주려는 게야. 공연히 사또 생색이나 내게 할 텐가."

다시 만이가 그중 좋은 의견을 취택하여 내놓았다.

"판막음이 되구 나서 우리가 꽃을 삽시다그려. 놈들의 사처를 몽땅 차지한 다음에 쥐 잡듯이 잡아들이지요. 별채에 잡아놓고 징치도 하고 재미두 보면 천지두 모를 게요. 설령 나중에 관가에 새어들어 간다 할지라두, 군민들의 풍속을 해치는 짓을 자행하여 우리가 징치하였다고 둘러대면 됩니다."

필준은 무릎을 치며 기뻐하였다.

"그래 그래, 까짓 하천지배를 잡아다가 몇놈 대매에 때려죽인들 누가 뭐라 할 사람두 없을 게야."

"그 패거리가 내일 면천서 놀면 저녁에 당도할 겝니다. 우리끼리 아이들을 모아서 채운포루 나가 놀구 있을 테니, 서방님은 방 안에서 쌍륙(雙六)이나 놀구 계십시오."

"젊구 기운 좋은 녀석들은 모두 데려가. 내일은 일을 시키지 않겠다."

이렇게 되어서 채운포에는 달근네가 도착하기 훨씬 전부터 유동지 댁 마름 삼형제가 거느린 하인배 종놈들 수십 명이 해안 곳곳에서 사당패를 기다리고 있었던 것이다. 그들은 오정때쯤에 도착한 괴뢰배들을 보자 긴장했지만 안성까지 젊은 주인과 동행하였던 하인이 다른 패거리라 말해서 다시 흩어지기도 하였다. 채운포에는 어염의 매매가 활발한지라 사당패와 여타 광대들의 출몰이 잦아서 진작부터 광대 물주를 자처하는 주막 주인이 있었는데, 그가 바로 달근이와 안면이 두터운 안석근이었다. 석근이는 포구에서 광대들의 놀이를 주선하여주고 연희의 거간비를 받고 술과 밥을 외상으로 주기도 하였다. 괴뢰배의 주연희는 꼭두각시놀음이니 고작해야 밥값이나 대는 것이지만, 역시 흥청대기는 사당패가 제일이었다. 젊고 예쁜 사당을 거느린 거사들은 해우채의 벌이도 좋아서 그만큼 씀씀이가 활발한 법이었다. 달근네 행중이 채운포 안석근의 주막에 당도한 것은 아직 저녁쌀을 안치기 전인 밀물때였다. 포구에는 오후부터 안개가 깔리기 시작하여 고깃배들은 일찍이 뭍으로 나와 어부들이 들끓었고, 북상하거나 내륙으로 빠질 주상들도 많이 정박하고 있었다. 달근이는 포구에 장정들이 우글대는 것을 보자 신명이 나서 영기를 우쭐우쭐 춤추며 나아갔다. 그들은 일단 석근이네 주막에 들렀다가 계에다 놀이를 트도록 하고 나서 길놀이를 돌았다. 그렇지 않아도 술렁대던 동구의 주막이나 투전판에서 사내들이 쏟아져나와 사당패의 판을 둘러쌌다. 그중에는 물론 맨 앞자리에 필준의 하인배들이 끼여앉아 있었다. 백석포에서보다 더 흐드러지고 오랜 판이 벌어졌는데, 어두운 뒤에도 장작불을 키가 넘도록 두 무더기나 피워놓고서 밥때까지 놓치는 정도로 성황이었다.

삼형제들은 나중에 아무래도 회수할 돈인지라 기운깨나 쓴다는 자들만 골라서 해당화를 사도록 하였으며, 달리 껴드는 자가 있으면 협박하고 구슬려서 돌려보냈다.

영문을 모르는 고달근은 거사들이 받아온 해우채로 들어온 돈닢을 꿰미로 끼우고, 어물은 짚두름을 엮느라고 정신이 없었다.

"허허, 역시 봄장사는 갯가가 제일이라니까. 젠장, 보리 팰 때까지는 물가를 따라서 보령수영을 돌아 강경까지 내칠까부다."

거사 패거리는 모두 숙박비를 아끼느라고 석근이네 주막의 왼쪽 끝의 목롯방에 함께 들어 있었다. 몇몇은 이리저리 꼬부려서 잠들었는데, 악기 등속과 봇짐으로 바르게 다리를 뻗을 틈도 없어 보였다.

"아니, 그런데 이 망할 자식은 왜 여태 안 오는 게야. 해우채를 거두었으면 반절은 가져와야지, 생장사시키는 거 아닌가."

바로 곁에 누웠던 박거사가 혼잣말 비슷이 중얼거렸다.

"역삼이가 그러는데 소화란 년이 애 밴 듯하답니다."

"뭐라구?"

"그년이 오늘 아침에두 밥을 처먹다가 모두 토했다지……"

"허, 그렇다면 이거 큰일 났군. 사당은 줄고 입은 늘어나겠구나. 계집아이라면 색주가에 팔기도 하련만은, 그러게 자네들보구 내가 뭐랬어. 장사 나가기 전에 일일이 경도를 알아보구, 지치(紫草)를 달여 먹이라구 했잖나. 출행 나올 적마다 공연히 약방 출입을 하는 줄 알어."

"워낙 쓰니까 그년들이 어디 처먹으려구 해야 말이죠. 그래두 미리 방비하는 건 눈치로 보아 백선이하구 묘옥이뿐인 것 같습디다."

달근이는 입맛을 쩝쩝 다셨다.

"그애들은 좀 나이두 들구 고생을 해봤으니 그렇기두 할 걸세."

방문이 열리면서 역삼이의 앳된 얼굴이 나타났다. 그는 잔뜩 풀이 죽어 있었다.

"자, 열 닢이우."

"이 자식아, 네 따위두 사당 거느린 거사냐."

달근이는 역삼이가 방바닥에 떨군 엽전 열 닢을 주워 챙기면서 투덜거렸다.

"겨우 쌀 두 되 값이란 말이지. 스무 푼(二十文)은 받아야지, 몇놈 들었어?"

역삼이는 코가 축 빠져서 문턱에 쪼그리고 앉았다.

"문 닫구 들어와 앉어. 밤바람 들어와 고뿔 들겠다."

"이제 겨우 첫 손님인데 더 못 들이겠수. 소화가 몸이 불편허우."

박거사와 달근이는 서로 시선을 주고받았다. 달근이가 못마땅한 시선을 거두고 중얼거렸다.

"애 가졌다지…… 하는 수 없다. 젊은 년이 벌써부터 애새끼 배고 주저앉으면 저승패 되기 꼭 알맞아. 태를 죽여야지! 낼 하룻동안은 밥 처멕이지 말아. 아니, 기운 쇨 때까지 이틀이고 사흘이고 굶기라고. 그러구 나서 돼지기름에 간장을 섞어서 한 되쯤 처멕여. 그래도 안 되면 굶겨서 업구 가다가 꼭 한 번만 패대기를 치든지."

"인축이 아닌 바에야 어찌 그런 짓을 하겠수."

달근이는 분노가 머리끝까지 치밀어서 역삼이를 발길로 내지르며 외쳤다.

"그럼 사람 대접 받구 싶냐? 그래서 니 에미가 핏덩이채루 너를 청룡사에 내던졌고나."

하는데, 열린 방문 밖으로 거뭇거뭇한 사내들의 그림자가 마당에 줄지어 들어서는 것이 보였다. 석근이네 주막은 바다 쪽을 향해 서쪽으로 앉은 기다랗게 구부러진 초가였다. 왼쪽으로 세 칸의 봉놋방이 나란히 붙어 있고, 앞에는 부엌까지 툇마루가 끼여 있었는데 안방이 석근이네 살림방이요 대청 대신에 토방 위에 거적을 깔아놓은 술청이 건넌방까지 차지하고 있었다. 다시 몇자 떨어져서 봉놋방과 마주하여 독방들이 네 칸이나 달려 있는 집채가 따로 지어져 있었다. 뒤란에는 창고와 마구간이 있으니 주막치고는 채운포에서 제법 큼직한 사관의 하나였다. 정면 토담 가운데 생솔나무 문으로 십여 명의 장한들이 몰려들어왔다. 그들은 제각기 몽둥이와 비수를 들었는데 삽시에 마당을 가득 채웠다. 방문으로 역삼이를 차냈던 달근이가 잠시 할 짓을 잊고서 멍청한 판인데 서넛의 사내가 툇마루로 성큼 올라섰다. 몽둥이 가진 자들은 방문 양쪽에 섰고, 비수를 겨눈 자가 방안에 대고 으르딱딱거렸다.

"빨리 나와서 꿇는 놈은 손대지 않는다. 모두 밖으루 나와!"

다른 자들도 각 방문을 지켜섰고 관솔불을 쳐든 자가 무슨 일인가 하여 쫓아나온 주막 주인 석근이를 환도로 위협하며 다시 안방으로 밀어넣었다.

"애들아, 사당년들 모두 끌구 나와라."

그때를 기다렸다는 듯 손님을 가장하여 들어갔던 유동지 댁 하인배들이 킬킬대면서, 앙칼지게 저항하는 사당들을 끌고 방문을 나서는 것이었다. 달근이는 그 꼴을 보자 갑자기 눈앞이 아득하였다. 웬일인가 놀라 일어나 아직 덜 깬 눈으로 내다보던 거사들이 그제야 탈이 난 것을 보자 제각기 결기를 내어 밖으로 뛰쳐나갔으나 모두들 득달같이 내려치는 몽둥이에 등줄기며 허리며를 사정없이 얻어맞고 에코지코 소리를 낭자하게 연발하면서 사내들의 발 아래 뒹굴었다. 달근이는 봇짐에서 재빨리 말채를 꺼내들고 노리다가 주춤해버렸다.

"죽고 싶지 않으면 좋은 말루 할 때 나와서 꿇어라!"

비수를 겨눈 자와 횃불을 쳐든 놈이 제각기 외쳤다.

"그놈이 모가비냐?"

달근이는 말채를 던지고 고개를 푹 숙이면서 방을 나섰다. 곧 그의 옆구리께에 칼날이 닿는 것을 느꼈다.

"내가 모가비유."

그는 마당으로 끌어내려져 발로 걷어채어 땅바닥에 주저앉았다.

"도대체 무슨 포한으로 우리께 이러시우. 재간 파는 일두 죄가 됩니까?"

"유동지 어른께서 향리의 풍속을 더럽힐까 하여 너희를 고을 밖으로 내치기 전에 잠깐 징치하려는 것이다. 모조리 묶어라. 계집들은 따로 데려가고……"

달근이가 외쳤다.

"우리는 이미 허락을 받았소이다!"

"잔소리 말아. 얘들아, 그 키 큰 놈을 잡아내어라. 이 중에 있느냐!"

필준을 따라 안성 나갔던 하인이 가까이 와서 거사패들을 둘러보더니 고개를 저었다. 그는 달근이에게 안면을 받혀서 코가 깨진 터이라, 발길로 달근의 등판을 두어 번 내리박았다. 워낙 세가 불리하니 참을 수밖에 별 도리가 없었다.

"어느 방이냐?"

"저기 뒷방입니다."

장한들은 그 방으로 우르르 몰려갔고, 빈틈없이 둘러싸고는 방문을 잡아당겼다. 그러나 문고리가 안쪽으로 걸렸는지 덜컹대기만 하자, 머리 되는 자가 일렀다.

"당장에 때려부숴라."

몽둥이로 몇번 내려치는데 방문이 박살나면서 방 안으로 떨어졌다. 윗목에서 묘옥은 고개를 숙이고 앉아 있었으며 뒤쪽 들창문이 활짝 열렸으니, 이경순은 이미 뒤뜰로 몸을 피한 모양이었다.

"어서 뒤란과 집 근처를 모조리 뒤져라. 그놈을 잡지 못하면 작은서방님께 경을 칠라."

몇명의 하인배가 집 뒤꼍으로 돌아갔고, 마름 삼형제의 맏형은 안성 갔던 하인을 다시 불러 묘옥을 손가락질하였다.

"저 계집이냐?"

"예, 서방님이 잡아오라는 계집입니다."

맏형은 성큼 들어가 무턱대고 묘옥의 머리끄덩이를 움켜잡고 끌어올렸다. 묘옥은 별로 반항하지 않고 머리칼을 잡힌 채 일어나 말했다.

"놓으셔요. 따라갈 테니……"

묘옥의 머리끄덩이를 잡았던 맏이는 저도 모르게 손을 놓았다. 마당에는 사당과 거사들이 한데 어울려 끌려나와 있었다. 그들은 거사들을 고기두름 엮듯이 한데 묶었고 사당들은 그 뒤에 한군데 몰려서게 하고는 석근이네 주막을 나섰다. 밖에는 온통 짙은 안개가 깔려서 방향을 종잡을 수가 없었다. 횃불이 이곳 저곳에서 우쭐거리는 것으로 보아 아직도 이경순을 찾지 못한 것 같았다. 달근이는 묶인 손을 꼼지락거려보면서 밧줄의 매듭을 하나씩 점검해보았는데 일단 줄에서 벗어나면 몸을 상하지 않고 달아날 자신이 있었다. 그는 바로 뒤에 묶여 있는 역삼이에게 속삭였다.

"내 등뒤로 바싹 붙어서라."

달근은 뒤로 묶인 손목을 풀기 위해 채운포 패거리가 보지 못하도록 역삼이를 등뒤에 바싹 붙어 있게 하고는, 확인한 매듭을 침착하게 풀어나가기 시작했다. 잠깐 행렬을 멈추고 기다리던 만이가 해변쪽으로 외쳤다.

"못 찾겠으면 그만 가자. 나루터 세 군데를 막아놓으면 그 녀석 갈 데라군 바닷속밖에 없을 게다."

일렁이며 우왕좌왕하던 횃불들이 다가왔다. 그들이 막 출발을 하려는데, 행렬에 끼였던 달근이와 역삼이가 빠져나오더니 지키던 자의 면상을 질러놓고 양쪽으로 튀었고, 잇달아서 묶이지 않았던 사당들이 흩어졌다. 잠시 멍청했던 그들은 사당이 흩어질 때에야 정신이 번쩍 들어서 제각기 쫓아가 잡으려고 이리저리로 뛰어갔다. 박거사도 어느틈에 줄을 풀고 바닷가 쪽으로 잽싸게 달아났다.

역삼이는 마침 가까운 곳에 섰던 자의 딴죽에 걸려 나뒹굴어 무지막지하게 얻어맞고는 혼절해버렸으며, 사당들은 모조리 잡혀서 따귀를 맞거나 머리끄덩이가 당겨져서 산발이 되었다. 그러나 박거사와 고달근은 어디로 달아났는지 찾을 수가 없었다. 그들은 다시 줄을 단단히 묶었으며 이번에는 사당들도 한꺼번에 어울러 묶어버렸다.

달근이는 안개 속으로 한참이나 뛰어갔다가 밭고랑 가운데 엎드려 있었다. 왁자거리는 고함과 불빛이 부근에서 어른거리더니 차츰 멀어졌고 그는 어둠속에서 엉거주춤 일어났다. 자세히 살펴보니 석근네 주막집 뒤편에 있는 넓은 채소밭 가운데였다. 고달근은 잠깐 더 귀를 기울여보고 나서 일단 석근네 주막으로 돌아가야겠다고 생각했다. 그가 몇걸음 떼어놓았을 때 뒤에서 부스럭거리는 소리가 들리더니,

"거 안성팬가?"

하면서 누군가가 밭 가운데서 벌떡 일어났다. 고달근은 상대가 삐끗하면 달려들 태세를 취하고 돌아섰다.

"누구여……"

"음, 달근인가. 나 이도장일세."

바짝 긴장했던 고달근은 맥이 풀렸다.

"하이구, 난 또 채운포 무뢰배인 줄 알았수. 그나저나 야단났습니다요. 묘옥이두 잡혀갔수."

경순은 앞서서 주막 쪽으로 걸으며 고개를 끄덕였다.

"보았네. 그놈들이 노중에서 만났던 젊은 양반의 하인놈들일세."

"예, 유동지라구 아주 떵떵거리는 장자네유. 자, 이거 어쩌나…… 동무들이라두 있으면 짓쳐들어가겠는데."

"자네 혼자 도망쳤나?"

"몇놈이 같이 뛴 거 같은데, 나중에 보니 혼잡디다."

이경순은 한 손에 짐 속에서 꺼낸 화승총을 움켜쥐고 있었다. 그들은 주막으로 들어섰다.

"우선 들어가서 숨이나 돌리고 의논을 해보세."

"어유, 의논할 틈이 어딨습니까, 지금? 그런데 우리 애들은 곤장을 맞아 다리뼈가 부러질 게고, 계집아이들은 모두 뭇놈에 짓밟혀 곤죽이 될 게유. 그리구 묘옥이는 먼저부터 그 자식이 찍어두었으니 아마 가장 봉욕을……"

"닥치게! 자네나 나나 아무것두 없이 대갓집 내정으루 돌입했다간 오히려 저쪽 좋은 일 시켜주는 게야. 당할 사람은 당하더라도 어디 두고 보지. 단단히 앙갚음을 해줄 테니까."

그들이 두런대고 있는데, 겁에 질려 나오지 못하던 광대 물주 안석근이 문을 빼끔히 열고 내다보았다.

"이거 큰일이올시다. 그러잖아두 우리가 예서 장사할 적에는 그자들의 미움을 받아서는 안 되는데…… 허허, 어쩔 작정들이시우?"

"가만있자, 동작진 패거리들이 지금 어디만큼 가 있을까? 그자들께 도움을 청하면 어떨까……"

이경순은 연환통과 약주머니를 꺼내어 허리에 두르고 화승총을 닦았다.

"아무도 안 가면 나 혼자라두 들어가서 묘옥이를 일단 구해와야겠다."

"그 집에는 사옥도 있습니다. 밉게 뵈거나 소작료를 안 내는 농투성이들이 잡혀들어가 갇힌 적두 있지요."

석근이가 그렇게 말하더니 그제야 생각났다는 듯 손뼉을 마주쳤다.

"아, 이제 생각이 났소이다. 강화에서 어제 도착한 광대패가 여기서 묵고 당진포로 나아갔는데, 아마 고서방두 알걸."

밖에서 발걸음 소리가 들렸고, 이경순은 총을 겨누었으며 고달근은 말채를 꼬나들었다. 삽짝 안으로 들어오는 것은 온몸이 물에 흠뻑 젖은 박거사였다.

"두 분뿐이우?"

"역삼이두 뛰었는데……"

"그 녀석은 잡혔수. 나는 바닷가루 뛰어가서 물속에 처박혀 있었수."

이경순은 총을 들고 마루에서 내려섰다.

"나는 먼저 유동지네 집 근처에 가서 동정을 살피구 있겠네."

"그럽시다. 우리는 당진포루 달려가서 동무들을 찾아보겠수. 아예 화적질을 해버리든지, 까짓 거 우리네야 마땅한 정처두 없으니 안성에서 떠나버리면 그뿐 아니겠수. 잘됐다, 집에다 불을 싸지르구 취재나 듬뿍 해가지고 북으로 올라가면 되겠네."

이경순은 말없이 밖으로 나섰고, 고달근과 박거사도 뛰어나갔다. 아직 깊은 밤이었고, 안개는 더욱 짙어져 코앞에까지 분간할 수가 없었다.

"새벽까지 기다려서 아무도 오지 않으면 나 혼자 들어가겠네."

이경순이 말하였고, 고달근은 그제야 역증을 발칵 내었다.

"여러 말 마우. 공연히 노중에서 양반과 시비하여 우리 행중을 이 꼴루 만들어놓은 게 누구요? 내 이렇게 된 바에야 아주 안성을 뜨고 말겠지마는, 이도장두 책임을 지슈."

"알겠네. 자네 행중이 당분간 숨어서 살 곳을 알아보고 내가 양식을 대지."

달근이와 경순은 서로 반대편으로 헤어졌다. 이런 일이 처음 있는 것은 아니라서 달근이는 속으로 별로 대수롭게 여기지 않았는데, 유민 패거리들이 여염 마을을 돌아다니려면 갖은 수모를 당하게 마련이었고, 그럴수록 악행을 저지르는 패거리가 많았던 것이다. 계집아이나 종년들을 꾀어내어 다른 행중에 팔아넘기기도 하고 외딴 동네의 소문 없는 부잣집을 털기도 하였으며 대가 모여서 수십여 인이 될 적에는 작당하여 마을에 들어가 양식을 반강제로 거두는 때도 있었다. 그럴 때에 광대들이란 쉽게 단결되게 마련이었고, 같은 하천들 외에는 모든 세상 사람들이 그들을 적으로 취급했기 때문이다.

고달근과 박거사는 걸음을 빨리하여 당진포로 나아갔다. 채운포에서 당진포까지는 해변을 따라 삼십 리 길이니, 가자마자 의기투합하여 돌아온다 하여도 하룻밤이 꼬박 샐 것이었다.

"성님, 당진포까지 가느니 아예 성당산 쪽으로 나아간 동작진 패거리들을 쫓읍시다."

"가만있자, 우리가 함께 동분서주할 것이 아니라 나는 당진포루 나아갈 테니 자네는 개를 건너 성당산으루 가보게. 오늘밤 계명시(鷄鳴時)에 유동지네 집이 보이는 붉은고개에서 모이기루 하세."

박거사는 동쪽의 수렁과 습지가 계속된 갯가로 나아갔고, 고달근은 곧장 북으로 올라갔다. 이경순은 채운포 큰어미내〔大母川〕를 돌아서 붉은고개를 넘고 성당산 줄기 아래 자리 잡은 유동지네 마을로 스며들었다. 그는 유동지네 높다란 기와집을 향해서 걸었다. 깊은 밤이었으므로 개들만이 요란하게 짖어댈 뿐이었다. 그는 유동지네 돌담을 따라서 조심스럽게 한 바퀴를 돌았다. 어느 지점에 가니 두런대는 말소리가 들려오는 것이었다. 이경순은 사방을 둘러보고 나서 담 위로 열 발짝쯤 떨어진 숲에 우뚝 솟은 노송 한 그루를 눈여겨보았다. 그는 담 옆에서 물러나가 나무 위로 오르기 시작했다. 둥치가 커서 붙안기는 힘에 겨웠으나 워낙에 가지가 많고 울퉁불퉁하여 그리 어렵지 않게 오를 수가 있었다. 나무 위에서 굽어보니 아마도 작은나리가 쓰는 별채 사랑마당인 모양이었다.

"한 놈씩 끌어내어 기절할 때까지 몰매를 쳐라!"

술에 만취한 듯한 유필준이 정자관(程子冠)을 비뚜름하게 쓰고서 마루에 앉아 있었고, 능장을 짚고 선 하인배들은 우람한 몸집이 드러나게 벌거숭이의 웃통을 벗고서 둘러서 있었다. 마당에 널따랗게 멍석이 깔려 있었는데, 형틀에 달아 매를 치려는 게 아니라 멍석말이를 할 모양이었다. 멍석말이란, 상처는 심하게 나지 않되 속으로 알짜 골병이 드는 형벌이니 유필준의 앙심은 대단히 깊은 모양이었다. 이윽고 뒤뜰에서 한 거사가 끌려나왔는데, 연신 빌면서 머리를 조아리고 있었다. 둘러선 자들이 그를 넘어뜨리고 멍석을 둘둘 말아갔다. 멍석이 말려지자 머리와 다리만이 양쪽 끝으로 솟아나왔고 장정들이 타작하듯이 능장을 내리쳤다. 투덕투덕하는 둔한 소리와 추위에 떠는 듯한 사내의 신음소리가 들리다가 나중에는 막대기 소리만이 들려왔다. 한참 뒤에 멍석을 발로 걷어차니 두루루 펼쳐지면서 축 늘어진 시체 같은 거사의 몸이 땅바닥에 뒹굴었다.

"보기 싫다. 어서 광에다 처넣어라. 그리구 다음 놈부터는 입에다 버선짝을 물리고 때려주어라. 집 안 시끄러워 밤잠 설치겠다."

다시 다른 거사가 끌려나와서 떡이 되어 나갔고 유필준은 싫증도 나지 않는지 끝까지 지켜보며 호령을 하였다. 거사들의 멍석말이 징치가 모두 끝나자 그는 마름 형제의 맏이를 불러 이르기를,

"이젠 사당년들뿐이냐? 그 키 큰 상놈은 놓쳤단 말이지? 곰보 모가비와 꺽다리 상놈을 내일 정오까지 잡아두도록 하여라. 천하의 외입쟁이 유필준이 안성 행보할 제, 뭇 건달들이 소름 돋아날 정도루 갚아주련다. 아예 코를 베어버리든지……"

"서방님, 염려 마십시오. 날이 새자마자 아이들을 곳곳에 풀어놓겠습니다."

"자, 그러면 이번에는 사당년들이나 슬슬 끌어내오너라."

"서방님…… 나으리마님께서는 아십니까?"

"응, 아까 큰사랑에 나가서 마을 계집아이들을 꾀어서 데려가려던 사당패를 잡아 버릇 좀 가르치겠노라고 여쭈었네."

"나으리마님께서 계집들의 고함소리가 들리면 분명히 기침하셔서 이리로 나오실지두 모릅니다."

"그것두 좋은 말이다. 가만있자…… 그러면 우선 내가 찍어놓은 년의 손목을 뒤로 묶어서 내 방에 데려다놓아라. 그리고 다른 년들은 행랑채에 끌구 가서 너희 좋을 대루 해라. 참, 해우채는 찾아왔느

냐?"

"찾아오긴 했으나……"

"술값으루 내달란 말이지. 허지만 안 되겠다. 잡아오란 놈들은 놓치구 거사들만 데려왔으니 상급은 내일 그놈들이 잡혀오면 내주지."

그들의 수작이 그친 것은 하명을 재빨리 받은 하인 두 놈이 묘옥의 팔을 묶어서 끌고 나왔기 때문이다. 묘옥은 끌려나오지 않으려고 몸을 흔들며 버티었으나, 껄껄 웃으면서 버선발로 뛰어내려온 유필준이 묘옥의 머리카락을 잡아 와락 끌어내니 줄줄 끌려올라갔다. 나무 위에 올라앉아 이 광경을 보고 있는 경순은 마치 심장이 터져버리는 듯하였다. 묘옥의 입은 목댕기끈으로 질끈 동여져 있었는데, 거칠게 몸부림을 치고 있었다. 유필준은 여유만만하게 미닫이를 열고 안으로 묘옥을 내던지듯이 휙 떠밀어넣었다.

"자, 모두들 물러가거라. 등불도 끄고, 수직하는 녀석 하나만 남겨놓아라."

유필준이 방으로 들어가고 덩치 큰 하인 한 놈이 남아 마루 끝에 걸터앉았다. 이경순은 마음이 급해지고 안달이 나서 급히 나무에서 내려오다가 주르르 미끄러져 떨어졌다. 발을 잘못 짚어 접질린 듯하였으나, 뛰어보니 조금 시큰거릴 정도였다. 그는 화승총을 들고서 담장 쪽으로 뛰어갔다. 경순은 지금 무슨 일이 벌어질지 잘 알고 있었으므로 끓어오른 분노 때문에 간장이 타는 것 같았다. 담장을 넘을 만한 적당한 곳이 없어 헤매다가 담 바깥이 비교적 높은 곳에 이르러 팔을 뻗어 겨우 담장 위의 기왓장을 잡을 수가 있었다.

몸을 솟구쳐 간신히 담장 위에 올라선 이경순은 캄캄한 어둠 가운데로 뛰어내렸다. 풀숲의 찬 이슬이 바짓가랑이를 금방 흠빽 적셨다. 자세히 살펴보니 사당의 작은 집채가 빈터 가운데 덩그러니 서 있었다. 사당채가 있으니 이곳은 집의 가장 후미진 동쪽 끝일 것이었다. 낮은 담에 작은 대문이 굳게 닫혀 있었는데, 일 년에 두어 차례 제사를 드리는 때 외에는 쓰지 않는 모양이었다.

우선 아까 보아두었던 작은사랑채를 찾기 위해 집 안의 낮은 담에 상반신을 내밀고 두리번거렸다. 밖은 일종의 골목이 되어 있었고 담 너머로 작은사랑채가 보였다. 대청의 기둥에 사방등이 걸려 희미하게 비치고 있는데 수직하는 하인 한 놈이 마루 끝에 앉아 있었다. 경순은 잠깐 망설였다. 그러곤 허리에 차고 있는 가죽 주머니에서 화약을 조금 내고 솜을 꺼내어 뭉쳤다. 부시를 치자 솜이 곧 타기 시작했고 그는 그것을 사당의 창호지를 뚫고 던져두었다. 잠시 후에 퍽 하는 소리가 들리면서 사당 안에서 흰 연기가 솟았다. 잠시 후에는 불이 커지고 온 집채가 불길에 싸일 것이었다. 경순은 다시 화승총에 탄환이 재어져 있는가 확인한 뒤에 담을 뛰어넘었다. 사랑채 바로 곁의 캄캄한 구석 쪽에서 그는 오른편의 마루를 내다보았다. 하인은 기둥에 기대어 졸고 있었다. 경순은 조그맣게,

"여보게!"

하고 불렀다. 하인이 퍼뜩 놀라서 깨어 곁에 두었던 몽둥이를 잡으며 반문했다.

"누구여……"

"나야, 나."

하인은 엉겁결에 일어나서 다가왔다. 모퉁이로 다가드는 놈을 기다리던 경순이 화승총으로 힘껏 후려갈겼다. 앞으로 거꾸러지는 자를 다시는 일어나지 못하도록 한 번 더 처박아주고 나서 그는 단숨에 마루로 뛰어올라갔다.

유필준은 방금 묘옥의 옷을 갈가리 찢고 나서 이불 위에 내던진 참이었다. 묘옥의 가슴과 속살이 드러나자 필준은 술이 한꺼번에 깼고, 이제는 얼이 모두 빠져나갈 지경이었다. 묘옥은 두 손을 뒤로 묶인데다 입에는 목자댕기까지 동여져 가슴만 팔딱이고 다리를 버둥거릴 뿐이었다. 그가 바지춤을 까내리고 묘옥의 속곳을 확 뜯어내는데 등뒤에서 방문이 벌컥 열렸다. 유필준은 머리맡에 세워둔 환도를 집으려고 몸을 돌렸고, 한걸음에 달려든 이경순이 총의 머리판으로 쥐어박았다. 서너 번 쥐어박자 머리가 터져버린 유필준이 바지를 반쯤 벗은 자세대로 축 늘어져버렸다. 경순은 묘옥의 입과 손목을 풀어주고는 방 안을 둘러보고 벽에 걸린 유필준의 도포를 내려서 둘둘 감싸주고는 손을 잡아끌었다. 묘옥은 눈물범벅이 되어 중얼거렸다.

"나으리……"

그들이 마당으로 나섰을 때 술렁이는 소리가 들려왔다. 두 사람은 사랑채의 뒤편으로 돌아갔고 경순이 빈 항아리를 들어다 담 밑에 놓았다. 장정들이 몰려나왔다.

"불이야…… 불!"

"사당에 불이 났다. 모두들 나서서 불을 꺼라."

이곳 저곳에서 사내들이 뛰쳐나왔고 담 위에서 안간힘을 쓰는 묘옥을 쉽게 발견하였다. 경순은 하는 수 없이 뛰어내리지 못하는 묘옥을 밖으로 떠밀어낸 뒤에 자기도 담 위에 올라섰다. 한 놈이 쇠스랑을 치켜들고 담으로 곧장 달려왔다.

경순은 총을 겨누어 방포했다. 담을 넘어 뛰어내리니 묘옥은 쓰러져 있었고 이경순이 어깨에 들쳐업자 가늘게 신음하였다. 유동지네서는 사당에 불이 붙었으니 우선 위패를 구해내는 일이 중한지라 그들을 뒤쫓을 겨를이 없었던 것이다. 뿐만 아니라 달려들던 사람이

총에 무릎을 정통으로 얻어맞아 고꾸라지자 일단은 주춤하였다. 이 경순은 묘옥이를 업고 붉은고개 쪽의 짙은 솔밭 사이로 뛰었다. 유동지네 집이 멀어지자 그들은 숲속에 앉아서 잠깐 숨을 돌렸다.

"어디 다친 데는 없느냐?"

"예, 무릎이 조금 벗겨졌어요."

경순이 묘옥의 찢어진 치맛자락을 헤치려 하자 그녀는 감싸고 있던 도포자락을 꼭 쥐었다. 멀리서 횃불 서너 점이 일렁이면서 나타나고 한데 모아졌다가 움직여오는 게 보였다.

"저놈들이 또 쫓아오는군."

경순은 다시 총에 연환을 재고 나서 묘옥을 들쳐업으려고 등을 돌렸다.

"아니에요, 걸을 수 있습니다."

"업혀라. 내가 업구 뛰는 게 나을 게다."

묘옥은 일어나서 절뚝이며 뛰어 보였다. 그러나 안간힘을 쓰는 양이 역력하여 경순이 반강제로 묘옥을 업고는 솔밭 사이로 뛰기 시작했다. 그러나 사람을 업은 자의 걸음이 어찌 홀가분하게 달려오는 자의 걸음에 비기랴. 그들의 거리는 좁아졌고 드디어 뛰고 있는 두 사람의 자취를 보았는지 뒤따라 붉은고개의 비탈길을 오르고 있었다.

"에이…… 안 되겠군!"

경순은 묘옥을 길섶에 내려놓고 총을 들었다. 그들의 숨소리가 가까워졌다. 경순은 엎드린 채로 고함을 내질렀다.

"이놈들, 더 올라오면 방포하여 해골을 박살내리라."

그들은 더 올라오지 못하고 주춤 서는 것 같았다. 그러나 그중의 한 놈이 외치기를,

"방포해봤자 못 맞히면 너는 죽는다."

하고 나서 제 동무를 독려하는데,

"이 깜깜한 데서 총을 놓았자 머리카락 하나 못 다친다. 방포는 한 번이고 다시 놓으려면 우리는 당는단 말이야."

하자, 그런 말을 듣고 용기가 솟았는지 앞섰던 자가 기다랗게 소리를 지르면서 달려올라왔다. 경순은 호흡을 잠깐 끊고 나서 총을 쏘았다. 총 맞은 자가 환도를 내던지며 뒤로 벌렁 나자빠졌다. 뒤에서 잇달아 오려는데 경순은 이미 연환을 재는 중이었다.

"또 쏠 수 있다. 이번엔 이마 가운데를 뚫어주랴?"

그들은 동료의 시체에 머물러 살피는 듯하더니 그를 이끌고 슬금슬금 물러났다. 그들이 물러가기 시작하자마자 경순은 묘옥을 다시 업고 길을 피하여 산줄기를 타기 시작하였다. 면천까지 산길을 탈 작정이었다. 산길을 오르내리는 경순의 몸은 온통 땀으로 멱을 감은 듯이 흠뻑 젖어버리고 말았다.

"나으리…… 내려서 걷겠습니다."

"정말 걸을 수 있겠느냐?"

"천천히 걸으면 괜찮을 거예요."

경순은 묘옥을 내려놓았다. 묘옥은 조심조심 발을 디뎌보았고, 경순이 곁에서 부축을 해주었다. 그들은 산의 능선을 따라서 오랫동안 걸었다. 어디선가 소쩍새가 먼 곳에서부터 차차 가까워지면서 날아와 끝없이 울어댔다.

묘옥은 문득 재인말을 생각하였다. 까막내의 갈대밭과 물 흐르는 소리도 귓가에 쟁쟁하였다. 묘옥은 조그맣게 중얼거렸다.

"나으리…… 어디로…… 갑니까?"

"음, 여주 내 집으로 가자."

한밤중에 서창(西倉)에 당도한 고달근은 번 드는 자에게 물어 강화에서 왔다는 광대패들이 삼봉산(三峯山) 아랫녘에 머물고 있음을 알아냈다. 과연 한 마장쯤 가니 벌판에 일렁이는 모닥불이 보였다. 달근이가 다가갈 때 모닥불 주위로 광대들이 둥글게 발을 모으고 잠들어 있었고, 앉아서 불을 지키던 자가 졸음이 가득 찬 목소리로 물어왔다.

"게 누구슈?"

"말 좀 물읍시다."

두어 사람이 더 깨어났다. 고달근이 불가로 걸어왔다.

"어디 패거리요?"

"그건 왜 물어…… 댁은 뉘슈?"

"내는 안성 사당패 모가비 고달근이란 사람이우."

그때 어둠속에서 뒤척이는 소리가 들리더니 킬킬거리는 웃음소리가 이어졌다.

"언놈의 달근이여. 참, 진작에 논두렁을 베구 밥숟갈 놓은 줄 알았더니……"

"가만있자, 듣던 목소린데……"

"듣긴 넨장할…… 나 황가여. 이 녀석아, 양주 황서방두 몰라?"

달근이는 귀가 번쩍하였다. 가까이 다가들어 마주 앉아 두 손을 덥석 잡는데 커다란 주먹코가 뭉툭하게 솟은 것이 틀림없는 양주 재인 황회(黃繪)였다. 황회는 원래가 산대도감의 탈광대에 소속된 재인이었으나 일찍이 주막에서 포교를 때려 반병신을 만들고 도주한 뒤에 진관사 걸립패의 화주(花主)를 했던 자이다. 진관사에도 사당이 차차 들어오매 그곳을 떠나 잽이와 사니와 덜미꾼 몇을 잡아 제 패거리를 만들어 경기도 외곽을 떠돌았다. 달근이와는 몇년 전에 함께 겨울을 난 적이 있던 광대였다.

"헌데 니가 혼자서 무슨 꼴이냐?"

"너를 만났으니 이젠 한숨 돌리겠구나. 채운포 유동지 댁 철딱서니 없는 서방님짜리에게 침탈을 당한 중이다. 거사하구 사당년들이 모두 잡혀가서 곤욕을 당하구 있어. 아예 이렇게 된 이상에는 짓쳐 들어가 화적질이나 하구 내치자는 게야."

황회는 묵묵히 생각에 잠겼다가 불을 지키던 자를 향해 불렀다.

"애 시동(時同)아, 이리 좀 가까이 오너라."

시동이라는 더벅머리가 앉은걸음으로 다가앉았다.

"유동지네를 털자는데 어떻겠냐?"

"일단은 패거리를 헤칠 각오는 해야겠수."

황회는 빙긋 웃음을 머금었다.

"까짓 꼭두각시 노는 덜미꾼들이야 우리 식구도 아닌즉, 제놈들을 씌우고 우린 달근이네루 합대하여…… 가만있자, 어디루 내치지?"

달근이가 자신 있게 말하였다.

"내치는 건 염려 마라. 광주 송파에 파묻히면 누가 알겠니? 게서 두어 달 봉놋방 구들장이나 지면서 노닥거리다 보면 포청에 곤두선 적경두 사그라진다. 아니, 떠도는 광대패가 어디 우리들뿐이더냐. 저자 장시마다 깔린 게 광대 패거리다."

달근네는 안성 청룡사의 신표를 가지고 정연하게 짜여진 사당패이건만, 황회네는 그 성분이 도무지 짐작되지 않는 잡동사니의 식구였다. 황회 자신은 재인과 걸립패의 계열이며, 시동이는 걸립패 사니 출신인데, 또 어떤 자는 전신이 사당패의 거사 출신도 있었고, 꼭

두각시를 노는 덜미꾼들은 각지의 향시를 떠돌며 구걸하던 호적도 없는 유민들이었다.

"하긴 우리가 부평(富平)서 올 제 장꾼 둘을 죽이구 봇짐을 털었지만 여태 뒤탈 하나 없다. 우리는 무슨 수를 써서라두 내빼겠으나 저 덜미꾼들은 잡힐지도 모르거든."

황회가 뒷전에서 자고 있는 자들을 힐끔대며 나직하게 속삭이자, 고달근은 손으로 제 모가지를 치는 시늉을 해 보였다. 곁에서 시동이가 고개를 회회 내젓는다.

"안 돼우, 아무리 연고 없는 식구라 하나 우리 손으로 그럴 수야 없지. 저애들은 그냥 놔두구 갑시다."

달근이 말하기를,

"사람 수가 적으면 오히려 잡혀서 경을 칠걸. 하여튼지 집 안을 털구 나서 달아나는 것은 제각기 요령대루 하지. 관가에 잡히는 것두 다 제 팔자니까."

하였고, 황회는 둘둘 말린 자리를 끄르고 윤이 반들거리도록 닦은 화승총을 꺼냈다. 시동이도 화승총을 꺼냈고, 자고 있는 잽이와 사니 몇명을 발길로 툭툭 걷어찼다. 그들은 놀라서 두리번거리며 깨어 일어났다.

"너희들 총포가 어디서 생겼니?"

달근이가 총을 만져보며 부러운 듯이 중얼거렸고, 황회는 껄껄 웃었다.

"흠, 강화에 가면 포와 화약을 얼마든지 살 수 있지. 보부상 아이들이나 우리 같은 떠돌이들두 요샌 화승총이 두어 자루씩은 된다구."

"다른 병장기두 있니?"

"짜른 환도 몇자루가 있다."

"허허, 산채가 없달 뿐이지 아예 적당이로군!"

"산채는 무엇에 쓰나. 우리네야 당두 그리 많이 필요 없구, 길바닥에 다니면서 틈틈이 벌이하고 사세 부득이하면 절이나 한 군데 잡아서 공양 좀 하고 숨어 지내다 내려오면 되는걸. 송파루 가두 좋지만 더 좋은 곳이 있지, 한강을 건너 노적사(露積寺)루 들어가두 되어."

"참, 우리 거사를 보내어 동작진 패거리두 끌어오라구 시켰는데."

"뭐, 복만이가 왔대?"

"복만이네 식구인데 대는 다르더라."

"복만네 식구라면 믿을 만은 할 게다."

시동이가 덜미꾼들을 깨워 부가를 털게 되었다는 것을 알리자, 그들은 역시 망설였다. 즉, 열두 명 중에서 황회가 신임할 만한 자는 시동이를 포함하여 겨우 넷이니 잽이 셋과 사니 하나였다. 달근이가 속삭였다.

"까짓…… 동작진패가 오면 저것들은 있으나마나다."

어쨌거나 어르고 달래어 패거리를 일으키고 모두들 채운포로 나오게 되었다. 큰어미내를 건널 때 이미 밀물이 시작되어 문수산녘으로 빙 돌지 않으면 건널 수가 없게 되었다. 그들은 뻘흙에 발이 푹푹 빠지는 진수렁을 지나서 큰어미내의 상류로 자꾸만 올라갔다. 황회가 달근이에게 소곤댔다.

"실은 말이지, 저어기 덜미꾼 중에서 내가 나중에 처치할 놈이 하나 있다. 놈이 꼭두각시는 제법 흥이 나게 잘해서 끌어들이긴 했다만 물욕이 너무 많고 성질이 음험하다. 혹시 나중에 잡히면 가장 먼저 우리를 찍을 게야."

"우리 전신을 알구 있니?"

"암, 패거리에서 유명짜한 놈은 모두 아는 척한다. 더구나 노적사에 우리 같은 패거리가 은거하는 걸 안단 말이야."

달근이는 뒷전에서 묵묵히 따라오고 있는 상모 쓴 사내를 눈여겨보았다.

"붉은고개서 달아나기 전에 슬쩍 해치우자."

말은 달근이가 먼저 꺼냈으나 이제는 황회가 습격을 지휘하는 격이 되었다. 붉은고개에 도착한 것은 예정대로 새벽 계명시가 되어서였다. 그들이 언덕을 오르는데, 이미 사람의 기척이 있어 그들에게 누구냐고 물어왔다. 달근이가 들으니 박거사의 목소리였으므로,

"날세, 동작진 식구들하구 같이 왔나?"

하니, 박거사 대신 모가비 사내가 걸찍한 음성으로 말하였다.

"이럴 때는 동무 찾고, 연희할 젠 구역 찾겠수?"

"어이, 거 뭐 다 지난 일 가지구…… 황가야, 복만이네 식구다."

황회가 따라 올라와 얼굴을 바짝 들이대고 안면을 텄다.

"황회여."

"큰쇠라고 허우."

달근이가 대여섯 되는 동작진 사당패를 둘러보니 일행 중에 몇명만이 온 듯하였다.

"다 오진 않았군."

"사당년들하구 어린 놈들은 성당산녘에 두고 왔수. 일을 치구 나서 남양(南陽)나루 쪽에 내칠려구 허우."

"그렇지, 배만 탔다 하면 한나절에 당도할 테니까. 우리두 그쪽으로 내치지?"

달근이가 황회에게 의견을 물으니, 황회는 고개를 젓는 것이었다.

"여럿이서 우우 몰려다닐 것 없다. 우린 평택으루 내쳐서 장꾼 차

림으로 광주까지 가자. 일단 노적사에서 몸을 얹히기루 하잔 말이야."

박거사가 애가 단 듯이 나서서,

"해 뜨면 어쩌려우, 어서 들이칩시다."

"위치는 대강 알지?"

"정문은 황회가 들이치고 우리는 그 사이에 뒷담을 넘어 별채를 치겠네."

달근이가 생각을 내었다가 이경순의 일에 주의가 미쳤는지 그제야 박거사에게 말하였다.

"헌데 이도장이 부근에서 기다린다구 그랬는데 안 보이잖아?"

"집 근처에 가까이 가 있는지두 모르니 내려가봅시다."

의논들이 정해지기를 먼저 황회가 시동이와 함께 정문에 가서 과객질을 가장하여 하인을 부르기로 하고서 황회네 식구들이 문이 열릴 때를 기다려 일시에 몰려들어가기로 되었다. 그동안에 동작진 패거리와 달근이는 뒷담을 넘어 별채를 점령한다는 것이었다. 인근 마을에서 소란을 보고 관가에 적경을 알려서는 안 되니까 집안을 송두리째 점령한 뒤에 사람 하나 새어나가지 못하도록 단속해놓고서 재물뒤짐을 하자는 것이었다. 그들은 붉은고개를 내려가 유동지네 솟을대문이 보이는 곳에까지 다가갔다. 그런데 이상한 일은 그 집의 곳곳에 훤한 등롱이 내걸려 초상을 치르거나 초례를 지내는 잔칫집 같은 점이었다. 달근이가 중얼거렸다.

"참 이상한 노릇이군! 온 집안이 대낮처럼 밝으니 무슨 일이 있긴 있었구나."

박거사도 말하였다.

"혹시 이도장 나리가 월장하여 소란을 피우다 잡힌 게 아닐까요?"

"음, 소란을 피운 것만은 분명하다. 그 사람이 묘옥이 때문에 애간장이 숯이 되어 있는 판에 곰굴 호랑이굴을 가리겠느냐. 그러나…… 잡혔다면 떠들썩할 터인데 이렇듯이 쥐 죽은 듯하니 분명히 실패하여 달아난 모양이다."

"자, 여기서 패를 나누지."

"불이 켜져 있어 속이기는 글렀군."

황회가 난처한 듯이 투덜거리자, 달근이는 껄껄 웃었다.

"까짓 거 낮에두 대갓집 털이를 하는 판인데, 화승총까지 가진 녀석이 겁은 되게 많어."

사당이 불타는 소동으로 잠이 깬 유동지는 그제야 아들 유필준이 간밤에 채운포 주막에서 사당패들을 잡아들여 징치하였다는 것을 알았다. 처음에 건성 듣기는 하였으나 한 두엇쯤 데려다 혼을 내주고는 곧 돌려보낸 것으로 알았지, 십여 명을 잡아가둔 것은 전혀 몰랐다. 유동지는 대강 불 끄는 수습이 끝난 뒤에 유필준을 불러다 자세히 묻고 나서 날이 새면 모두 방면하라 일렀는데 그는 아들의 사람됨을 아는 고로 형벌이 지나쳤으리라는 것을 짐작할 수 있었던 것이다. 그는 몸소 노구를 끌고 거사들이 갇힌 별채 사랑 뒤의 광으로 내려왔다. 거사들의 꼴을 보니 이리저리 널브러졌는데, 모두가 상처는 별로 없건만 몸을 제대로 가누지 못하는 모양이었다.

"광에서 끌어내다 행랑에 재우고 계집들은 안채 종년들 방에서 쉬도록 해주어라. 사당에 불을 질렀다는 자는 잡았느냐?"

"예…… 세 사람이 쫓아갔다가 총에 맞아 하나는 죽고, 이미 집 안에서 총을 맞고 다리를 상한 자도 있습니다. 밤이라 뒤를 따를 수가 없었습니다."

유동지는 근심 어린 표정으로 모두를 둘러보고 나서 그 아들에게 호통을 쳤다.

"못난 놈 같으니! 안 되겠다. 너는 내일 당장에 행장을 수습하여 한양으로 떠나거라. 가서 경강의 일이나 거들며 근신해라. 우리가 불러들인 환난이니 관아에 적경을 고할 필요두 없다. 저 자들을 방면할 때까지 문단속 잘해놓고 소문이 나지 않도록 하여라."

하고 이른 뒤에 유동지는 사랑을 나갔다. 모두들 제각기 처소로 돌아갔으나, 아직 잠들어 있는 자는 없었다. 그때 대문 쪽에서,

"이리 오너라!"

하고 호기 있게 내지르는 굵다란 목소리가 들려왔다. 마당쇠 하인이 투덜대면서 대문간에 다가서니 문을 두드리며 서두는 품이 이 댁이 어떤 곳인가를 모르는 게 틀림없었다.

"누구요?"

"문 열어라!"

하인은 화가 발끈하여 문에 바짝 다가서서 물었다.

"이 댁이 뉘 댁이라구 새벽부터 소란을 떨구 지랄이냐?"

"허허, 이런 배워먹지 못한 놈 봤느냐. 지나는 나그네가 이 댁 어른의 덕망을 듣잡고 감히 유숙을 청하는 것인데…… 문이나 열어라."

"참 나 별꼴이 다 많어. 이 자식아, 자빠져 자려거든 주막을 찾아가거라. 예가 네 따위 것에 잠자리 내주는 곳인 줄 아느냐?"

이런 거친 수작이 오고 가니, 다른 하인 둘이 기웃거리며 문간에 몰려들었다. 마당쇠 녀석이 제 동무들을 보자 어이가 없다는 듯이 턱짓을 해대며 주워넘긴다.

"애들아, 웬 별 말뼉다구 같은 과객놈이 새벽부터 유숙하겠다구

저 소란이다. 잡아다 치도곤이 좀 시켜줄까?"

"그래, 상투째 잡아들여 코피나 터쳐서 내몰자."

의논이 되어 세 녀석이 팔뚝을 부르걷고 빗장을 빼내어 문을 열려는 참인데 양쪽 문이 호되게 밀쳐지면서 활짝 열렸다. 세 하인은 문에 밀리고 얻어맞아 뒤로 넘어지고 물러서고 하는 판인데, 어둠속에서 사내들이 우르르 밀려들어왔다. 하인 하나가 일어나서 달아나려는데 누구인가의 칼이 단숨에 등판을 베어버리고 만다.

황회가 거느린 여남은 명의 장정들이 행랑채로 돌아드니 그제야 놀란 하인배들이 퇴창문을 박차며 뛰쳐나와 안채 쪽으로 들어가는 중문을 막아섰다. 하지만 이쪽은 무기를 가지고 등등한 기세로 짓쳐들어가는 판이요, 저쪽은 자다가 얼결에 뛰쳐나온 뒤끝이라 몽둥이나마 주워든 자가 여럿 되지 않았다.

황회는 그대로 달려들어가며 방포를 하니 맨 앞에 지켜 서 있던 마름 형제의 맏이가 가슴을 맞고 고꾸라져버렸고, 시동이도 방포를 하여 하나를 거꾸러뜨렸다. 이미 화적이 들었다는 것을 안 유동지네 식구들은 모두들 마루 밑으로 기어들거나 다락에 올라 숨느라고 법석이었고, 하인배들만이 이리저리로 몰리면서도 대적하려고 농기구를 찾아들었다. 황회는 패거리를 이끌고 툭 터져버린 중문을 돌파해서 사랑채로 돌아드는데 유동지는 이미 의관 정제하고 마루 위에 서 있었다. 그는 취재로 늙어온 부가옹답게 침착하고 배포 있는 태도로 말하였다.

"웬 사람들이오?"

황회는 멈칫 서서 그를 올려다보았다. 먼저 기를 죽여놓아야겠다고 생각되어 화승총을 똑바로 겨누고 말하였다.

"보면 몰라? 돈궤를 내놓고, 창고 열쇠도 이리 내놓아."

하는데, 쫓기는 하인배를 따라갔던 패거리들이 울레줄레 나왔다. 그 뒤로는 뒷담을 넘어서 들어왔던 고달근과 동작진 패거리들이 하인배들과 유필준을 잡아서 끌고 들어왔다.

"재물을 달라면 내줄 것이요, 양식을 달라면 광문을 열 것인데 소란을 피우지 마오."

유동지는 점잖게 얘기하고 나서 총을 겨눈 황회를 손짓했다.

"들어오시오. 돈궤는 내게 있고, 광 열쇠는 안채에 부녀자들이 간직하고 있으니 사람들을 보내어 가져오도록 합시다."

황회가 멈칫거리는데 고달근이 코웃음을 쳤다.

"뭘 하는 거냐. 도적놈에게 예의범절이 있다더냐. 저 늙은이를 묶어라."

하자마자 황회가 달려올라가 유동지의 멱살을 잡아 줄줄 아래로 끌어내렸다. 하인배는 끼리끼리 묶어서 거사들과 사당이 갇혔던 광에 가두게 하고는 늙은이는 바깥사랑 기둥에다 붙들어맸다. 유필준은 따로 마당에 내다 묶어놓고 재물을 모두 털어낸 다음에 혼구멍을 내기로 하였다. 고달근은 안채로 돌아 들어갔다. 짚신 신은 발 그대로 성큼성큼 마루에 올라서서 미닫이를 홱 열어젖히니 여자들 한 무리가 구석에 이불을 들쓰고 몰려 있었으며, 유동지댁인 듯 늙은 노파만이 고개를 내밀고 연신 합장 배례하는 것이었다.

"살려주십쇼. 다 드릴 테니 애들에겐 손대지 말아주세요."

"패물함과 광 열쇠를 내놓아."

대부인이 일어나 부들부들 떨며 농을 열고 패물함과 열쇠 꾸러미를 내주었다. 그동안에도 패거리들은 이 방 저 방을 들락거리며 간편히 가져갈 수 있는 비싼 약재며 금박 은박 갖은 비단옷들 그리고 부엌에서 은수저를 모조리 거둬냈다. 달근이는 한 놈에게 안채를 지키도록 해놓고 뒤뜰의 광으로 달려갔다. 광문을 열어보니 역시 미곡이 산더미처럼 쌓여 있었다. 쉽게 가져갈 물건은 비단과 무명 등속이었다. 그들은 집 안의 각처에서 돈이 될 만하거나 가볍고 부피 작은 물건들만 속속들이 뒤져내어 사랑채 앞에다 쌓아놓았다.

무명이 수십 동이요 비단은 운문단, 몽고단, 모본단, 모초단, 접영, 관사, 길상사, 왜사, 생초 등등이 수십여 필이었다. 패물함은 다섯인데 밀화, 호박, 산호, 금패 등등의 노리개와 비녀와 잠들이 그득 들었다. 일용전 몇천 냥이 유동지 유치옥의 사랑 문갑서랍 아래 뱀처럼 서려 있었고, 수결된 어음이 여남은 장 있었으나 그것은 손대지 아니하였다. 대강 집뒤짐이 끝나자 모두들 사랑채 앞으로 모여들었다. 동작진 패거리들이 마방을 열고 말 두 필을 끌어내왔고 거기에 옷감 등속을 싣고 다른 자자분한 물건들은 봇짐을 꾸려서 여러 뭇으로 나눠놓았다. 서서히 동녘이 터져가는지 하늘 구석이 부옇게 열려가는 중이었다. 고달근과 황회는 털어낸 물건들을 보고 저절로 신바람이 나서 서로 옆구리를 찔러대며 킬킬거렸다.

"봐라, 만 전어치는 되겠다."

"잘 도망치기만 하면 이걸루 졸부가 되어 남은 평생 느긋하겠구나."

"어서 내빼자. 배를 타야 헌다."

고달근은 제 패거리의 사당과 거사들을 모두 먼저 내보내고 황회와 동작진 큰쇠네 패거리와 마무리를 하기 시작했다.

우선 남자 하인들은 모조리 잡아내어 광에다 처넣고 자물쇠를 잠갔으며, 여인들과 종년들까지 한데 몰아서 작은 광에 처넣었다. 머리가 터진 유필준은 온통 발가벗기고 멍석말이를 하기 전에 고달근이 한마디 보태는 것이었다.

"예이 이놈아, 네가 어찌 양반이냐. 쌀장수를 하여 네 아비 덕으로 밥술깨나 먹었으면 학문을 배워 높은 선비가 될지언정 시정 무뢰 소악 패거리나 다름없이 죄 없는 광대를 괴롭히다니, 네 따위는 대매에 때려죽여 마땅하다. 내 너희 집 재물을 털어가는 것은 매맞고 병신 된 우리 아이들 의원비나 대려는 것이니 그리 알아라."
하고는 다시 기둥에 묶인 유치옥에게 말하였다.

"안되었소. 우리두 이런 일은 원하지 않았지마는 동지어른이 무슨 잘못이 있겠소. 다 아들 잘못 둔 덕이지요. 동지영감이 가르치지 못한 놈을 우리가 잠시 징치하고 갈 테요."

고달근이 말을 끝내자마자 황회가 멍석을 만 다음에 발길로 뭉개어 밀어냈다. 멍석에 말려지자 황회가 뒷걸음치면서 외쳤다.

"얘들아, 닥치는 대로 두들겨라!"

멍석에 말렸으니 사람도 아니고, 이왕에 여러 사람을 베고 때린 도적의 심사에 사정 볼 것이 있겠나, 내려치는 몽둥이가 마치 오뉴월 복철에 개 때려잡듯 멍석 위로 쏟아져 내려갔다. 에고지고 찍짹 소리 없이 여러차례를 맞고 난 유필준은 죽었는지 살았는지 도무지 반응이 없었다. 달근이가 제때에 달려들어 매를 말려놓고, 무슨 생각이 들었는지 큰쇠에게 명하였다.

"여보게, 작은광에 가서 새댁 아씨를 데려오게!"

황회와 큰쇠는 무슨 짓인가 하여 서로 눈을 껌벅이며 마주 보았는데, 유동지는 기진한 중에도 눈치를 채고는 다급하게 중얼거렸다.

"부탁이오, 부녀자만은 손대지 마오. 여태껏은 가내의 우환으로 그냥 잊어버릴 수도 있는 일이지만, 만약에 우리 아기에게 그따위 짓을 하면 팔도 곳곳을 뒤져서라도 댁네들을 잡겠소. 내 온 재산을 다 내놓아도 잡겠단 말요. 그러니 뒤가 무서우면 아예 이 늙은 것의 목을 치고 가오."

그러나 고달근은 까딱도 하지 않았다.

"어서 끌어내오라니까."

달근이가 한 번 더 재촉하자 큰쇠는 그제야 작은광 쪽으로 달려갔다. 황회가 궁금하다는 듯이 달근이께로 고개를 숙이며 나직하게 물었다.

"무슨 짓을 할려구 그래. 이제부터 꽁지가 빠지라구 내쳐야 될 판인데."

달근이는 황회에겐 대답도 않고 분노를 참느라고 이를 악물고 있는 유치옥 노인에게 말하였다.

"동지영감, 너무 상심하지 마시오. 우리가 당진골을 무사히 빠져나갈 때까지 방패막이루 쓰자는 게지, 욕보이려는 게 아니외다. 얌전히 데려갔다가 여길 떠나기 전에 놓아보내드리리다."

유치옥 노인은 고개를 떨구며 씹어뱉듯 중얼거렸다.

"괘씸한 놈들 같으니!"

"아들 잘못 기른 죄여. 우릴 욕하지 말라구."

황회가 그렇게 받고 나서 이번에는 반말로 이죽거렸다.

"재물이 뭐 하늘에서 뚝 떨어진 줄 알어? 나두 미곡 장사치가 어찌 취재를 하는지 다 안단 말이야. 힘없고 가난한 농사꾼들한테서 빼앗아 모은 재물 아니여. 환자 받는다고 등을 치고, 작미랍시고 소출을 빼앗았지? 장사에서는 되질을 속이고, 쌀에 물을 부어 근량을 속이고, 전세(田稅)에서는 반은 물에 가라앉히고 수장했다고 허위로 보고한 뒤에 나머지 반은 수세관과 갈라먹고 또 걷어내게 하고, 둔별장과 짜고서 역인의 수를 조정하여 남은 미곡은 헐값에 사고 팔고, 또 그뿐이야…… 춘궁에 쌀을 매점하여 고가로 내어놓아 배고픈 사람의 등골을 빼먹지 않았나. 오늘밤 우리가 털어낸 재물 따위야 한 달이 못 가서 또 장만할 텐데 뭘 그리 샛노래서 지랄이람. 인심이나 얻자는 빈민구제 그만두고 약한 놈들께 행패나 하지 말어. 늙은 이니까 따귀 한번 안 치구 가는 게야."

유치옥은 황회의 정연한 말에 잠깐 어안이 벙벙했다가 턱수염을 치키면서 대답하였다.

"내가 평생을 먹지 않고 쓰지 않으면서 노력하여 얻은 재물이다."

황회는 노인에게로 바싹 다가서서,

"이거 봐, 그 재물이 어디서 생겼어. 먹지 않고 쓰지 않아 생긴 재물이란 제 몸이나 족히 가리면 되는 게야. 경강에 여각이 여러 채, 배가 수십 척, 객주가 여럿, 새벌에 전장이 수십 결인데 재물 많은 놈은 원래가 죄인인 법이야. 어째 그런고 하니 재물이란 제 집에서 앞마당을 벗어나게 되면 죄를 짓기 시작하거든. 남의 땅을 밟고 남의 지붕 밑을 엿보고, 남의 허리춤을 노리는 게야. 젠장할 새벌 논을 몽땅 먹어들어갈 제 그 땅을 읽구 소작질하게 된 농투성이들은 그럼 게을러서 그리되었나? 우리네두 걸뱅이루 떠돌아다니는 놈들이지만 세상 물정은 뜨르르하게 꿰이는 사람들이여. 고이 묶여 있다가 해나 뜨면 들어가 고뿔 들지 않게 구들목 지구 잠이나 자라구. 우릴 잡을려구 기찰포교를 사서 뒤따르게 하거나 정탐하거나 하는 기미라두 있으면 대번에 돌아와서 야반돌입하여 아주 씨를 말려버릴 테니까. 이 화승총으루 겨누어 쏘면 깜장 콩알에 벼락 맞듯 뒈어지는 게야."

황회가 그럴듯이 씨부렁대는 꼴을 보고 달근이는 놈의 구변이 좋아서 뒤는 든든하겠다 싶어졌다. 동작진패의 모가비 큰쇠가 유필준의 새댁 여편네를 앞세워 끌고 왔다. 여자는 사내들에게 무슨 변이라도 당할까 하여 잘 걷지도 못하는 것이었다.

"아씨, 너무 두려워 마우. 우리가 당진서 무사히 빠져나가면 돌려 보내겠수."

달근이는 새댁에게 부드럽게 타이르고 나서 유동지 노인을 은근히 협박하였다.

"댁네 며느리는 우리가 잠깐만 데려가우. 만일 관가에 발고하면 시체만 찾게 될 테니까, 돌아올 때까지만 묶여서 고생허시우."

유동지는 처참한 표정으로 끙 하는 신음소리만 지를 뿐이었다. 그들이 나가려는데 바깥을 살피고 있던 큰쇠의 식구들이 뛰쳐들어왔다.

"야단났습니다. 동네놈들이 눈치를 채고 사람을 모으고 있습니다."

"어느 쪽이냐?"

"큰어미내 모래밭입니다."

달근이는 새댁의 등을 밀어내며 대수롭지 않게 중얼거렸다.

"걱정할 거 없다. 우린 산줄기를 타고 읍내 쪽을 피해서 곧장 성당산 줄기를 탈 테니까. 빨리 저 앞산으로 올라라."

그들은 짐들을 지고 서쪽에 붉은고개와 이어붙은 능선을 향해서 걸음을 재게 놀리기 시작했다. 과연 유동지가 동네의 인심을 얻어놓은 터라 선머슴과 장정들이 쇠스랑이며 호미며 작대기를 들고 큰어미내 모래밭에 모여 있다가 소리를 지르며 우우 몰려왔다. 이미 해가 뜨기 시작하여 안개는 산산이 흩어지고 하늘은 울긋불긋하였다. 달근이네들은 연신 뒤돌아보면서 능선을 향하여 뛰었다. 그런데 난처하게 된 것은 유필준의 징치한 매로 삭신이 우그러진 달근네 거사들이 달음박질을 잘하지 못하는 점이었다. 비록 다른 패거리가 곁에 붙어서 부축은 한다손 치더라도 그만큼 행동이 느리고 불편하였다. 제 식구가 아닌지라 동작진 패거리와 황회네 괴뢰배는 하나둘씩 부축했던 손을 놓고 제각기 뛰게 되니 달근네 거사들은 모두 그 자리에 주저앉아버리는 것이었다. 또한 그뿐이랴, 사당들도 숨이 차서 더이상 뛰지 못하겠다며 거사들 곁에 주저앉았다. 고달근에게 끌려가던 유동지네 새댁도 마침 잘됐다 싶었는지 다리에 힘을 빼고 그냥 넘어져버렸고, 분통이 터진 고달근은 저만큼 뛰어간 황회에게 고함쳤다.

"아니, 촌놈들께 꽁지 보일 게야? 일 그르치기 싫으면 돌아서서 몇놈 죽여버리라구."

황회는 주춤 서서 뒤편을 바라보았다. 마을 장정들은 작대기와 농기구를 휘저으며 밭두렁을 뛰어오는 중이었다. 황회는 한 팔로 둘러멨던 짐을 내려놓고,

"시동아, 일루 오너라."

시동이까지 불러세웠다. 다른 자들은 멀찍이서 걸음을 멈추고 그들을 돌아다보았다. 마을 사람들이야 한동네 중심 되는 대가에서 적환을 만났으니 맞아 싸우겠다는 순박한 인정으로 나왔던 것이고, 그리 악착스러운 마음이 들 리도 없었다. 다만 쫓겨 달아나는 도적들을 실제로 보고 의분이 났을 뿐이다.

"도적놈들, 게 섰거라!"

그들이 지척에까지 달려왔을 때 황회가 먼저 총을 놓았다. 작대기를 내던지며 한 사람이 푹 고꾸라졌고, 또 하나가 시동이의 방포로 넘어졌다. 총을 놓으니 일시에 사기가 꺾인 동네 사람들은 주춤대며 물러나기 시작했고, 이 꼴을 본 패거리들이,

"목을 베겠다아!"

"어느 놈부터 죽여주랴."

하고 악들을 쓰며 쫓으니 제각기 산지사방으로 뿔뿔이 흩어져 달아났다. 공연히 겁을 먹고 내뺐던 것은 도적질을 했던 죄 탓이었다고 생각하며 달근이는 쓴웃음을 지었다.

촌민들이 가까이 다가오지 못하고 먼 곳에서 고함만 내지를 때, 그들은 겨우 행장을 수습하여 산등성이를 올라갔다.

거사패들이 도통 기운을 차리지 못하고 자꾸만 뒤로 처졌다. 황회는 몇번이나 걸음을 멈추고 돌아다보다가 드디어 짜증이 나서 고달근에게 투덜거렸다.

"제미랄! 그 병신들 끌구 다니다간 광주는커녕 바닷가에 이르기두 전에 모조리 오라를 지구 말겠다."

달근이도 역시 애가 타는지 뒤에서 멀찍이 따라오는 거사와 사당들을 돌아보면서 소리를 질렀다.

"하는 수 없다. 살구 싶은 놈만 따라오고, 잡힐 놈들은 그 자리에 주저앉아 있거라. 후환 없도록 내가 가슴팍을 찔러줄 테여."

이미 동작진 패거리들은 멀찍이 숲 사이로 사라져 보이질 않았고 황회네 패들도 짐을 한 보따리씩 걸머지고 걸음을 재게 놀리고 있었다. 시동이만이 황회의 앞에서 걷고 있을 뿐이었다. 달근이는 유동지 댁 새댁의 팔을 부여잡고 뒤에 처지는 제 식구들을 기다리느라고 여러 번 쉬고는 하였다. 달근이는 여자를 시동이에게 맡기고 나서 황회를 따로 불러 일행과 떨어져 가서는 의논을 시작하였다.

"이래서는 안 되겠다. 해가 높직이 뜨고 나면 우리가 달아날 틈은 점점 없어져버리구 만다. 더구나 저 촌놈들이 그냥 돌아서겠느냐. 분명히 지금쯤 관가에 가서 적경을 알렸을 게다."

"그러니까 달근이 너만이라두 몸을 빼쳐야지."

"이 자식아, 네 식구하고 우리하군 다르다. 너희들이야 어중이떠

중이 장마당에서 손발 맞는 대루 재간 따라서 만나구 흩어지구 하는 무리이지만, 우리는 한솥밥을 먹은 지 십 년이 넘었단 말이야."

"그래 여기서 무사히 나간다구 안성 가서 몸 붙이구 살 수 있을 거 같으냐. 어림없다. 안성 고달근이 행세는 이젠 끝난 게야."

"안성 청룡사 사당패는 그대루 있겠지. 우리만 빠지면 될 게 아냐."

하긴 고달근의 말대로 일 년에도 몇대씩 패거리가 갈려나가는 안성 청룡사에서 달근네 식구를 못 잡는다고 관가의 피침이 계속될 것 같지는 않았다.

"안성 걱정은 됐다 하구 어쩔 테여. 나는 시방 웅포루 가야 하고, 너는 네 식구를 수습해서 딴데루 가든지 혼자 따라오든지 해라."

달근이가 황회의 옆구리를 쿡 찌르면서 속삭였다.

"내게 좋은 생각이 있다. 사돈 식구는 풍년에 피죽이요, 내 새끼는 흉년에 팥죽이랬다고…… 동작진패를 어떻게 생각허냐?"

"내야 네 식구나 그 식구나 모두 사돈에 팔촌지간이지."

달근이는 곰보 얼굴을 잔뜩 일그렸다가 쉰 목소리로 낄낄 웃으면서 황회의 귀를 잡아당겼다.

"이 자식아, 너두 내 없이는 당진서 옴치구 뛰지두 못해. 내가 이 골서 몇번이나 겨울을 났는지 아느냐. 예서 웅포까지 가려면 산에서 내려가 갯벌로 스물다섯 리다. 북창까지도 못 가서 잡히구 말 게다. 저 큰쇠라는 자가 그리루 가자는 것은 제 식구들 때문이여. 더구나 생각해봐라. 남양까지 가려면 천상 물길루 하루 온종일 가야 헌다. 어서 바삐 뭍에 올라 산속에 숨어야 하는데 물길루 하루거리란 말이야."

"그래서……"

"저 자들이 잡히면 우리는 일단 숨을 돌린단 말이지."

황회는 아직 알아듣지 못했는지 멀뚱한 표정이었다.

"우리가 저 유동지네 새며느리를 놓아주고 얼마쯤 가다가 저 자들과 헤어진다면, 군병(郡兵)들이 누구 뒤를 쫓겠냐. 동작진패의 뒤를 쫓아가겠지. 더구나 배를 타구 바다루 나가게 되면 우리는 저 패들이 달아나는 동안에 아주 편안히 객줏집 구들목을 지구 늦잠 자면서 내빼두 된다. 떼꿩에 매 놓아봤자 한 마리두 못 잡을 격이여."

황회가 그제야 고달근의 묘책을 알아듣고 벌죽이 웃음을 지었다. 그들은 서로 웃음을 주고받고 나서 일행들에게로 돌아왔다. 읍내와 채운포를 잇는 대로가 내려다보이는 등성이 숲속에 앞서간 패들이 둘러앉아 초조하게 그들을 기다리고 있었다. 큰쇠가 코를 헹하니 풀고 나서 제 봇짐을 들면서 말하였다.

"도대체 어쩔 심산이우. 이 대식구를 이끌고 머무적거리다간 당진 옥에 갇혀서 객사하구 말겠수."

"패거리끼리 대를 나누어 제각기 뜹시다."

하며 동작진패들도 여기저기서 볼멘소리로 떠들었다. 달근이는 팔짱을 끼고 침통하게 섰다가 박거사를 돌아보며 말하였다.

"하는 수 없네. 우리 때문에 다른 사람들을 지체시킬 일은 아니니, 계속해서 뒤는 쫓아가되 너무 뒤떨어져서 잡히게 되어도 우리의 운수가 아녀?"

큰쇠가 당연하다고 무릎을 쳤다.

"암, 거 참 사리 분명한 말이로군. 우리는 여하간 웅포까지 달아나 배를 탈 터이니 부지런히 쫓아들 오시우."

하고는 제 패거리들을 재촉하여 큼직한 봇짐들만 골라서 지고 일어서려는데, 달근이는 서두르지 않고 점잖게 말하였다.

"어허, 성미 급한 건 좋은데…… 개두 뒤본 자리는 덮구 가는 법이우."

큰쇠는 그제야 봇짐을 내려놓고 입맛을 다셨다. 황회가 가장 공평한 듯이 모두의 봇짐을 손수 빼앗아다 한가운데에 쌓아놓고는 하나씩 풀어헤쳤다.

"이건 우리가 함께 일하여 번 재물이니 세 몫으로 똑같이 나누지."

큰쇠도 반대하지 못하고 그럽시다 하는데, 황회네 패에 끼여 있던 덜미꾼의 상모를 쓴 얼굴이 거무튀튀한 사내가 세 사람 사이로 끼여들었다.

"아니우, 네 몫이우."

"아니, 자네는 왜 또 싸리울 터진 데 개 주둥이 내밀듯 끼여들어?"

상모 제껴쓴 덜미꾼이 제 뒤로 넘겨다보는 같은 패를 슬쩍 돌아보고 나서 뻣뻣하게 대꾸하였다.

"물론 황회 성님과 작당이 되어 연희를 팔구 다녔소마는…… 우리 덜미꾼들은 우리끼리 식구요, 성님네 패가 아니우. 아예 말이 난 김에 여기서 갈라서두 좋수."

황회가 뭐라고 말하려고 불끈하며 손을 쳐드는데, 고달근이 황회의 발부리를 지그시 밟으면서 옷소매를 잡아당겼다.

"그 동무의 말을 듣구 보니 과연 네 몫이로군. 네 몫으로 나누세."

황회가 달근이를 돌아보며 또 뭐라고 말하려는데, 달근이가 엎드려서 비단을 한 필 두 필 나누어 쌓으면서 얼버무렸다.

"넷으로 나누자면 나누는 게지 네가 뭐 여기 두령이여, 이 자식아."

황회는 씨근거리면서 덜미꾼을 노려보았고 그자는 나누어진 장물을 따로 그러모았다. 비단과 무명은 필로 나누고, 돈꿰미는 모두 풀어서 나누었으며, 패물도 원망이 없도록 노끈으로 매듭 제비를 뽑아서 나누어 가졌다. 재물의 분배가 끝나자 그들은 짐을 지고 일어섰다. 큰쇠가 저희 짐을 가장 팔팔하게 걷는 자에게 지우고 뒤따라가면서 건성으로 외쳤다.

"웅포에서 기다릴 테니 빨리 따라오우."

"꼭 기다리우. 뒤떨어져봤자 화살 한 대 거리일 테니."

그러나 그들은 마저 대답하지 않고는 일제히 언덕을 내려가 고갯길을 가로질렀다. 덜미꾼 여섯 사람도 그 뒤를 따르려는데 짐을 진 자는 역시 상모를 쓴 자였다. 그가 일어서자마자 황회는 총을 겨누고 말하였다.

"여보게, 나 좀 보구 가게."

그러나 그는 뒤를 힐끗 돌아보고는 화승총의 요리를 아는지라 씩 웃어 말하였다.

"승에 불두 안 붙었수. 그 작대길랑 저리 치우구 말해보우."

"너 건너가기 전까진 탄환이 나간다. 내 부시 치는 솜씨 알지?"

"나는 내 봇짐 갖구 가겠수."

그자가 후닥닥 뛰는데 달근이가 등덜미에 꽂고 다니던 말채를 날려서 목을 휘감아 당겼다. 사내가 뒤로 넘어질 때 박거사가 덮치면서 비수로 가슴을 내리찔렀다. 사내는 눈을 희게 까뒤집고 그들을 올려다보다가 절명했으며, 박거사는 칼을 뽑아 시체의 옷에다 쓱 닦고는 일어섰다. 황회는 나머지 덜미꾼들에게 으름장을 놓았다.

"갈 테면 가고, 나를 따를 놈은 오너라."

그들은 길을 건너지 못하고 황회의 눈치만 살피고 있었다. 고달근이 말채를 말아서 다시 뒷덜미에 꽂아넣으며 황회에게 핀잔을 주었다.

"이 자식아, 털 뽑아서 그 구멍에 다시 박아라. 이런 판국에 광명천지가 되었는데 총소리를 내면 우린 어디루 달아나니. 자, 모두들 웅포루 나가자."

달근이는 겁에 질린 유동지네 새댁을 끌어 일으켰다.

"너무 겁먹지 마시우. 여기서 돌려보내드릴 테니…… 절대루 관가에 가거나 읍내 나가지 말구 곱게 집으루 돌아가슈. 나중에 말 안 들었다간 우리가 다시 짓쳐들어가서 아예 생눈깔을 뽑구 말 테여."

달근이가 눈을 부릅떠서 바짝 들이대니 어린 새댁은 공포에 질린 얼굴이 더욱 납빛이 되어 오들오들 떨었다.

"예예…… 살려주셔요. 절대루 읍내엔 안 나갈게요."

"우리가 웅포루 나갔다구 말하면 일가 몰살을 시킬 테니까."

한 번 더 다짐을 하고 나서 그는 여자를 끌고 고갯길 쪽으로 내려갔다. 황회는 그 뜻을 짐작하는지라 일행을 이끌고 일단 길을 건너 끊어진 맞은편 등성이로 올랐고, 달근이는 여자를 길에서 놓아주었다.

"자, 빨리 가슈."

처음에 여자는 믿기지 않아서 동그마니 섰더니 놓여난 새가 그러듯이 제자리에서 호흡을 가라앉히고 흐트러진 머리와 옷매무새를 고친 다음에 한 번 더 뒤를 돌아다보았다. 그러고는 몇발짝 조심스럽게 걷다가 또 돌아보고 나서 미친 듯이 뛰어가기 시작했다. 여자가 고개를 내려가 숲에 가리어 안 보이게 될 때까지 서서 내려다보던 달근이가 맞은편 등성이에다 대고 외쳤다.

"어이, 모두들 내려와. 우리는 큰어미내를 건너야 해여."

유동지네 새댁은 이미 고갯길을 벗어날 때부터 방향을 정하고 있었으니, 당진 관아 쪽이었다. 읍내 거리로 들어서는데 도적들에 쫓겨갔던 마을 젊은이 몇사람이 헐레벌떡이며 뛰어오는 것이었다. 그들은 머리가 흐트러지고 땀으로 얼굴이 온통 얼룩진 유필준의 아내를 보자 기겁을 하였다.

"아이구, 아씨께서 이게 웬일이십니까."

숨이 턱에 닿은 새댁은 조금 마음이 놓였는지 쓰러질 듯이 땅바닥에 주저앉아버렸다. 워낙에 상하가 있고 남녀 유별한지라 차마 여자를 끌어 일으키거나 부축도 못 한 채 엉거주춤 서서 장정들은 저희들끼리 얼굴만 마주 바라보았다. 새댁은 제 가슴을 쓸어내리면서 말하였다.

"지…… 집은 어찌되었느냐?"

"예, 모두들 몰려가서 광을 부수고 대부인마님과 하인들을 모두 구완해내었습니다. 젊은 사람들이 작당하여 붉은고개로 오르고, 저희는 적경을 알리러 관가로 가는 참입니다."

"그렇지 않아두 모두들 아씨 일을 걱정하고 있습니다. 저희는 큰 변을 당하신 줄 알았는데, 어찌 용케 빠져나오셨습니다그려."

부근 농가에 가서 물을 떠다가 내밀자 새댁은 거푸 서너 모금을 대번에 삼키고 나서 길게 한숨을 내쉬었다.

"서방님께서는 정신이 좀 드셨더냐?"

"예, 저는 의원을 부르러 오는 길입니다. 아직도 인사불성이어서 대부인마님께서 곁에 붙어 계십니다."

"아버님은……"

"동지어른께서는 문을 꼭 닫고 사랑에 계시는데, 아무하구두 통 말씀을 하시지 않습니다."

새댁은 겨우 일어나서 그들의 등을 떠밀었다.

"너희들은 어서 가서 의원을 부르고 관가에 가서 적경을 알려라. 도적들이 저희끼리 의논하는 소리를 내가 들으니, 웅포에서 배를 타고 남양으로 향할 모양이더라."

"예, 그대루 아뢰겠습니다."

그들이 막 돌아서서 뛰는데, 새댁은 그제야 기가 다하였는지 스르르 미끄러져 길 위에 쓰러져서 정신을 잃고 말았다. 그들 중의 하나가 다시 돌아서서 새댁을 끌어 일으켜 등에 업었다.

"나는 이 길루 아씨를 업구 마을에 돌아갈 테니 자네들은 어서 가 보게."

하여서 그들은 읍내 거리에서 각각 흩어졌다. 관가에 간 사람이 삼문 밖에 이르니 수직 군사가 뛰쳐나왔고, 대강 용무를 말해주니 수령께서는 아직 기침 전이라 동헌에 들지 않았다는 것이다. 마을 사람은 발을 구르면서 서 있었고, 한참 뒤에야 번드는 장교에게 적경이 닿아 마을 사람은 사또에게로 안내되었다. 통인이 들락거리고 사또가 기침을 하고 옷을 입는 사이에 또한 많이 지체되었다. 간밤의 술에 아직 정신이 똑똑히 들지 않은 군수는 늘어지게 하품을 하고 나서 수청 드는 기생년을 발로 지그시 밀어낸 다음에 미닫이를 병싯 열고 내다보았다.

"식전부터 웬 소란이냐?"

"큰탈이오. 간밤에 도적이 들었습니다."

급한 마음에 마을 젊은이가 먼저 머리를 조아리며 아뢰자, 사또는 눈살을 잔뜩 찌푸리고 장교를 내려다보았다.

"저 자는 누구인가."

장교가 머뭇거리면서 아뢰었다.

"붉은고개 사는 농군이온데, 이 사람의 고경에 의하면, 유동지 댁에 도적이 들었다 하옵니다."

그러나 사또는 연방 하품을 터뜨렸다. 사또는 다시 미닫이를 닫으며 짜증 섞인 목소리로 중얼거렸다.

"도적이 들었으니 어찌되었다는 말인가. 그깟 일루 아침부터 법석을 떠느냐. 이따가 동헌에 나가면 격식을 갖추어서 문서로 보고하고, 장교는 군사를 데리구 가서 무엇을 어찌 잃었으며 도적이 어느 골의 누구인가 탐문할 것이지, 그깟 일을 시시콜콜히 다 내게 알려 귀찮게 하느냐. 물러가라."

장교는 기왕에 수령의 잠을 깨웠으니 자기 체면이라도 세워야겠기에 감히 물러가지 않고 아뢰었다.

"소소한 물건을 도적질한 좀도적이 아니오라, 유민지배들이 작당한 화적떼인 줄로 아뢰오."

"뭣이라구…… 화적떼?"

그제야 깜짝 놀란 사또가 미닫이를 벌컥 열었다.

"예, 화적떼가 간밤에 유동지 댁을 야반돌입하여 가족들을 모두 묶어놓은 뒤에 가산을 털어갔다 하옵니다."

"인명이 상하였는가?"

"도적들은 총포까지 지니고 있다는데 유동지 댁 하인 몇이 상하고 죽었으며, 붉은고개 사람이 하나 죽었다 하옵니다."

사또는 일의 중대함을 깨닫고 벌떡 일어나 동헌으로 나가면서,

"도적들은 대략 몇이나 되던가?"

붉은고개 젊은이가 장교 대신 아뢰었다.

"한 삼십여 명이 넘는 것 같았습니다. 동지어른 댁 작은아씨께서 도적들에게 끌려갔다가 간신히 몸을 빼쳐 달아나왔습니다."

"허…… 이럴 수가 있나. 감영에는 무슨 면목으로 계를 올리겠는

가. 도적들의 종적은 알아냈느냐?"

"달아난 유동지 댁 아씨께서는 도적들끼리 의논하는 소리를 들었다는데, 웅포에서 남양까지 배를 타구 간다구 그러더랍니다. 지금이라두 파발마를 놓아 북창에 알려 고직하는 장교를 시켜서 웅포의 진군과 합대하여 길을 막으라 이르십시오. 하오면 저희 군병이 모두 뒤를 쫓아 바다로 빠져나가기 전에 사로잡을 수가 있을 것이옵니다."

하는 장교의 계책을 듣자, 사또는 고개를 끄덕였다. 도적들이 총포를 지니고 있다니 포수도 동원이 되어야 했고, 군병뿐만 아니라 군노 사령에 군민들까지 모두 병장기를 들고 삼문 밖에 집합하였다. 이미 북창과 웅포 쪽으로 적경의 전갈을 가진 파발마가 나는 듯이 달려갔다. 정예 군병들은 산으로 오르지 않고 해변가를 따라서 성당산까지 간 다음에 배를 타고 웅포에 닿기로 했던 것이다. 나머지는 붉은고개 농군들과 합세하여 산등성이를 타고 도적들의 뒤를 쫓기로 하였다.

당진서 웅포까지 산길 삼십 리요, 해변으로 사십 리가 되건만 큰쇠를 위시한 동작진 패거리들은 북창을 조금 지나서 이제 웅포까지는 시오 리 길을 바라보게 되었다. 그들도 뒤에서 추격이 있음을 아는지라 한 번도 쉴 짬 없이 계속해서 산등성이를 오르내리며 뛰고 걷고 다시 뛰며 달아났다. 그들이 웅포 해변에 도달했을 때 파발에 접한 북창 고직 군사 서넛과 웅포진군 칠팔 명을 합하여 십여 명의 군사들이 배가 닿는 선창을 점거하고 있었다. 동작진 패거리들은 비록 한바탕 싸울 인원이 충분했으나, 집털이에 가담 않고 기다렸던 사당들 때문에 달아나기가 거추장스러웠다. 큰쇠는 감히 포에 나가지 못하고 망설이다가 한 가지 궁여지책을 생각해냈다. 즉, 사당들을 버릴 수밖에 없고, 버릴 테면 유용하게 버리자는 생각이었다.

큰쇠의 생각으로는 우선 사당들을 군사들의 눈에 쉽게 띌 만한 곳으로 내몰아놓은 뒤에, 그들이 쫓기는 동안 포구를 빠져나갈 작정이었다. 뒤로는 성당산의 짙은 솔밭이요, 앞으로 모래밭을 건너서 범선과 노 젓는 배가 칠팔 척 묶여 있는 선창이었으며, 왼편으로 나지막한 지붕들이 산 밑에 다닥다닥 붙어 있는 포구마을이 내려다보였다. 마을 앞으로 널따란 갯벌이 썰물에 드러났는데 고깃배 두어 척이 모래 위에 기우뚱하게 얹혀 있었다. 갯벌을 지나서는 마을과 지척에 있는 작은 섬이 보였는데 모래톱이 섬에까지 잇닿아 있었다. 섬 주위는 온통 바위와 돌로 둘러싸였으며 뒤쪽은 솔숲이 울창하여 제법 후미졌다. 큰쇠는 주위를 한참이나 살펴보고 나서 거사 하나를 불러 섬을 가리키며 말하였다.

"보게나. 저기 섬이 보이지? 포에서 배를 탈 수는 없게 되었으니, 저 자들 눈에 띄지 않도록 갯가로 나가서 섬으루 건너가 기다리게. 그러면 우리들이 군사들을 덮쳐서 배를 빼앗아 몰고 섬 뒤쪽에다 배를 댈 테니……"

"그럽시다. 헌데 어느 쪽으로 가야 저 자들의 눈을 피할지 모르겠수."

"이런 어리석긴…… 마을 쪽으로 해서 곧장 달려나가면 되잖나. 우리와 싸우느라고 아마 고개 돌릴 틈도 없을 걸세. 자, 싸울 만한 식구들만 남구 나머지는 사당아이들과 함께 빨리 피하게."

하고 나서 큰쇠가 집털이에 나갔던 자들만 남도록 지적하고 사당들의 등을 밀어냈다. 그들은 허겁지겁 마을 쪽으로 뛰기 시작했는데 아직은 포를 지키는 군사들께 발각되지 않은 듯하였다. 사당과 거사 몇이 마을 아래로 내려가 갯벌을 뛸 즈음에 해변에 나와 있던 어부 몇이 포구를 향하여 손을 흔들어대며 소리를 질렀다. 사당들은 갯벌에서 모래톱으로 들어섰고, 먼 곳에서도 그들이 섬을 향하여 뛰는 모습이 똑똑히 보일 정도였다. 군사들은 창을 치켜들고 환도를 휘두르며,

"도적들 게 섰거라!"

"한 놈도 놓치지 마라."

제각기 떠들면서 갯벌을 따라서 우르르 몰려갔다. 큰쇠는 벌떡 일어나 제 패거리들을 재촉하였다.

"빨리 뛰어서 배 한 척만 잡으면 된다."

그들은 제각기 힘을 다하여 포구로 뛰어내려갔다. 범선을 잡아야 했으나, 해안을 빠져나가기 전까지는 나룻배보다 속력이 느리고 손이 많이 가는 때문에 우선 손쉽기는 나룻배가 나을 듯하였다. 큰쇠가 닻을 뽑아 뱃전에 던지면서 올라탔다.

"어서 밀어내라."

그들이 일시에 밀어내니 배는 곧 물이 허리에 닿을 만한 깊이로 미끄러져 들어갔다. 그들은 허우적거리며 배에 올라탔다. 노 젓기에 자신 있다는 총각 거사가 죽기를 작정한 듯 온 기력을 다하여 노를 저었고, 배는 뒤뚱거리며 물 가운데로 헤쳐나갔다. 그들이 제법 소한 울음거리는 됨직하게 나갔을 때 성당산을 빠져나온 군노 사령들이 하얗게 쏟아져 들어왔다. 선미에 앉아서 노 젓는 자를 독려하던 큰쇠는 그 모양을 보자 문득 무슨 생각이 들었는지, 주먹으로 널판을 소리나게 내리쳤다.

"아뿔싸! 속았구나."

큰쇠는 그들이 제각기 포구의 배를 밀어내는 광경을 크게 뜬 눈으로 내다보면서 중얼거렸다.

"우리가 안성패들 도망길을 터주느라구 웅포루 나왔구나."

큰쇠는 그때까지 안성 고달근이 패와 황회 패거리에 관하여 까맣게 잊고 있었던 것이다. 그는 제 식구들을 이끌고 달아나기에 급급하여 그들이 뒤를 따라서 성당산 능선을 타는지 마는지조차 확인할 겨를이 없었다. 그러나 이제 군사들이 몰려나와 나룻배를 밀어내느라고 법석이 아닌가. 그가 제 사당들을 도망의 미끼로 삼았던 것처럼 달근이는 큰쇠네 패를 미끼로 삼아 지금은 어딘가로 편안하게 내치는 중일 것이었다.

큰쇠가 여러가지 따져보지 못하고 한시바삐 달근이네를 떼쳐버리려 했던 것은 재물에 대한 욕심 탓이었다. 아무리 후회해봤자 이제는 이미 늦은 일이었고, 두 척의 나룻배가 해안을 떠나고 있었다. 아직 거리는 멀었는데 뭍을 멀리할수록 물결이 차차 높아져서 노를 젓던 총각 거사는 벌써 온몸이 땀으로 흠뻑 젖어 있었다.

"더욱 힘껏 저어라. 웬만큼 쫓아오다가 말겠지. 물길루 접어들기만 하면 그 다음엔 남양까지 황포를 달아매어 바람을 타구 내치는 게야."

두 사람이 번갈아 허리를 굽히면서 표주박으로 배 밑창의 스며든 물을 퍼냈다. 워낙에 이쪽은 필사적으로 달아나는 판이라 아무래도 노 젓는 데 온 힘을 다하였고, 저쪽의 두 배는 앞서거니 뒤서거니 하며 바다로 나오고 있건만 좀체로 이쪽을 따라잡을 수가 없을 듯하였다. 그쪽에서는 하릴없이 고함만 꽥꽥 내지르고 욕설을 퍼붓는 것이 고작이었다. 큰쇠는 조금 안심이 되었다. 이제 조금만 더 저어나가면 좌우로 불쑥 튀어나온 만의 양쪽 곶머리를 벗어나게 되는 것이었다. 섬으로 달아났던 거사 몇명과 사당들은 군사들에게 잡혔을 것이 분명하였다. 사당년들이야 다시 여염 향리에서 계집종이나 빈농의 굶는 아이를 후려내면 될 것이지만, 기왕에 동작진 복만이네 식구임이 드러날 테니 사당골에 돌아가기도 그른 일이었다.

"제기럴…… 꽉 물렸구나. 수원 가서 재물을 팔아 모두 흩어져 살 길을 찾아야지."

큰쇠가 혼잣말로 중얼거리고 앉았는데 선수에 앉았던 거사가 큰 소리로 외쳤다.

"저기 배가 옵니다."

모두들 그가 손가락질하는 곳을 내다보니, 곶머리 뒤에서 넓은 돛을 올린 배 한 척이 살같이 돌아나오고 있었다. 앞에는 청룡 황룡 기가 펄럭였고 북소리가 계속하여 울리고 있었다.

"아무리 달아나봤자 글렀소. 저건 병선이우."

"남양까지 갈 것두 없다. 어디 깊은 산이 보이면 아무 데나 갖다 대어라."

그러나 병선은 차차 가까워지고 있었으며 갑판에 병장기를 세워 들고 삼엄하게 열지어 선 진군들의 벙거지가 또렷하게 보였다.

"도적들 멈추어라!"

"순순히 잡혀서 죽음을 면하고 싶은 자는 배에서 뛰어내려라!"

홍철릭을 입은 장교가 선수로 나와 호통을 쳤다. 그들은 북창에서 배로 갈아탄 정예 군병들이었다. 큰쇠네가 아무 대꾸 없이 계속 노를 저으니 이윽고 장교의 모습이 사라지며 총포가 터져나오기 시작하였다. 뱃전에 십여 명의 포수들이 붙어서서 총을 놓으니 노를 젓던 거사는 그대로 한꺼번에 서너 방을 맞고 바닷속으로 고꾸라졌다. 날아오는 연환 소리가 귓가를 째는 듯 날카로웠고, 그들 중에는 이미 제풀에 물로 뛰어드는 자도 있었다. 총포가 없으니 대적하여 쏠 수도 없는 큰쇠네는 모두 뱃바닥에 한 무더기가 되어 엎어져 있었다. 큰쇠 곁에 바짝 엎드려 있던 거사 하나가 등판에 총알을 맞고 비명을 내지르며 죽어가자, 나머지 거사들은 엎드린 채로 큰쇠에게 제각기 떠들었다.

"모가비 성님 어쩔라우…… 우릴 떼죽음시킬라우."

"공연히 도적질에 가담하여 이젠 빌어먹지두 못하게 되었수."

"어쩔 작정이야. 이젠 용빼는 재주 없어 살아 도망하긴 글러버렸어."

큰쇠는 이를 악물고 나서 뱃전으로 손을 쳐들어 휘저으며 소리쳤다.

"쏘지 마오. 항복할 테니 살려주시우."

이어서 곧 총소리가 그쳤다. 뒤에서 쫓아오던 나룻배들도 가까이 다가왔다. 큰쇠네 패는 모두들 뱃바닥에 죽은 듯이 엎어져 있었다. 장교가 병선 위에서 내려다보며 나룻배를 타고 뒤쫓던 군노 사령들에게 지시하였다.

"몸뒤짐을 철저히 하구 나서 차례로 결박하라. 꿈쩍하는 놈은 단칼에 베어두 좋다."

엎드려 있는 도적들 위로 사령 셋이 달려들어 하나는 창을 겨누고, 다른 하나는 거사들의 단검이며 몽둥이 같은 무기를 거두는데, 또다른 사령이 그들의 몸을 일일이 뒤졌다. 가까이 대어진 병선에서는 포수들이 화승총을 일제히 겨누고 있었다. 장교가 아래쪽에다 고함을 질렀다.

"그 두 번째 있는 놈 창대로 후려패주어라. 자꾸만 고개를 들어 두리번거리는구나."

말이 떨어지기가 무섭게 허리가 부러지도록 두어 대 얻어맞고는 거사패는 모두들 고개를 처박았다. 오라에 굴비두름 엮듯이 모두 줄

줄이 묶어놓고 나서, 그들은 큰쇠네가 타고 왔던 배를 끌고 웅포 도선장으로 되돌아갔다. 그들이 뭍에 끌리어 내려지자 벼르고 있던 마을 사람들이 일시에 몰려들어 주먹과 발길질을 해댔고, 뒤늦게 도착한 장교가 가까스로 위협하여 그들을 떼어냈다. 큰쇠는 면상을 얻어맞아 코피를 줄줄 흘리고 서 있었다. 섬으로 달아나다 수직 군사들께 잡힌 사당들도 묶여서 그들과 합쳐졌다.

"사또께서 기다리고 계시다. 잡힌 도적들을 우리가 압송한다."

장교는 이르고 나서 길가녘에 창을 비껴든 군병을 삼엄하게 늘어세웠고, 그 사이에 큰쇠네 식구들을 걷도록 하였다. 붉은고개 사람들과 군노들이 먼저 당진 읍내로 달려가니, 벌써 당진 군내에서는 유동지 댁을 습격하였던 화적들이 잡혔다는 소문이 일시에 퍼져서 길바닥은 마치 팔월 대보름장이 선 듯하였다.

2

그 무렵 이미 닭 울 녘에 단샘에서 나룻배를 탄 이경순과 묘옥은 백석포(白石浦)를 돌아 평택 앞의 시포(市浦)를 거쳐서 내처 지류를 거슬러 항곶포(亢串浦)로 향하고 있었다. 뱃삯으로는 경순이 안성서 묘옥에게 내주었던 쌍금가락지였으니, 사공은 선가가 워낙에 비쌌던지라 그들을 제 상전 모시듯 해주었다. 망해산 봉수대까지는 혹시 남의 눈에 띄거나 관의 기찰에 걸릴까 하여 근심하였으나, 경양을 지나서부터는 긴장이 풀려서 묘옥은 어느덧 경순의 무릎에 기대어 잠이 들었다. 뱃길 육십 리라 하나 상류를 향하여 거꾸로 올라가니 밀물때는 몰라도 썰물때에는 거진 강안에 닿을 듯이 하고서 삿대로 얕은 땅과 물풀을 헤치며 나아가야 하였다. 그들이 항곶포에 이른 것은 점심때가 훨씬 지나서였다. 경순은 돈 가진 것이 없었으나 양성(陽城)까지 가서 옹기 물주를 하는 객주를 찾을 셈이었다.

항곶포서 백운산성 금로치(金老峙)를 넘어 양성까지 삼십 리 길을 경순은 기진맥진한 묘옥을 데리고 두 끼니나 굶은 채 허위허위 걸었다. 뒤처져 따라오던 묘옥이 풀숲에 주저앉아버렸다.

"나으리, 쉬어 가셔요. 아무래두 다리가 삐었나 봐요."

경순은 말없이 묘옥의 곁에 쭈그리고 앉았다. 묘옥은 제 무릎을 두드리다가 문득 무슨 생각이 들었는지,

"나으리, 양성에서 여주까지 혼자 가시지요."

하자, 경순은 영문을 몰라서 눈만 껌벅였다.

"아니, 그게 무슨 말이냐? 네가 당진서 빠져나올 제 여주 내 집으로 가기로 작정이 되지 않았느냐?"

묘옥은 거친 경순의 말에 고개만 살래살래 저었다.

"아닙니다, 나으리께서 혼자 작정하신 일입지요. 저는 안성 사당골에 돌아가야 합니다."

"거기 가보았자 지금 아무도 없을 게다. 그리구 모르긴 몰라두 달근이가 가만히 있지는 않았을 것이니, 곧 기별을 받은 관아에서 사당골을 샅샅이 뒤지게 될 게다."

"안성 사당패 모가비가 어디 고서방뿐입니까? 다른 식구에 들어가지요."

"아니다, 다른 식구들이 네가 당진서 달근이네 패에 끼여 놀았다구 관원에게 이를 게야."

"저는 어쨌거나 여주 가서 나으리 곁에 주저앉을 수는 없는 몸입니다."

보고만 서 있었고, 경순은 밖을 향하여 말하였다.

"얘야, 들어오너라."

묘옥이 마당으로 재빨리 들어서는데 누가 보기에도 몰골이 가관이었다. 머리는 흩어질 대로 흐트러졌고 저고리에 갯벌흙이 묻어 사방이 얼룩이요, 치마는 찢기어서 사내의 도포를 두르고 있으니 가히 저잣바닥의 광녀와도 같았다. 주인은 뒤늦게 이경순의 아래위를 훑어보았다.

"무슨 일이 생겼나? 도장은 어디서 오는 길이여?"

"얘기는 나중에 천천히 하기루 하고, 우선 우리가 두 끼니를 걸렀네. 아무거나 요깃거리가 있으면 좀 내주시게. 갈아입을 옷가지두 내놓구……"

"허, 모를 일일세. 날마다 고기반찬에 이밥으로 호강을 할 사람이 지금 어느 참인데 여태 밥 한술을 못 먹었나. 어서 들어가. 우리 방에 묵지 뭘."

주인은 역시 단순하고 소박한 사람인지라 더 따져볼 염을 내지 않고 안방을 열고 마누라와 자식들을 불러냈다. 상놈 처지에 예의가 따로 있겠는가. 하지만 제 집 안방을 손님에 내주는 것은 그만큼 주인이 경순을 좋아하기 때문이기도 하였다. 마루에 서서 건성건성 인사가 오락가락하고 나서 두 사람은 체면 불구하고 남의 집 안방으로 들어갔다. 밖에서 부산을 떠는 소리가 들리더니 주인이 몸소 개다리소반에 장국밥 두 그릇을 받쳐들고 탁주도 한 병 얹어서 들여왔다. 허겁지겁 요기를 하는 두 사람을 이윽히 바라보던 주인장이 끝내 궁금증을 못 이기겠던지,

"뭔 일이여?"

물었고, 경순은 덤덤하게 중얼거렸다.

"사람을 죽였네."

"어……?"

주인은 입에 물었던 곰방대를 얼결에 떨어뜨리고 말았다. 이경순이 피식 웃으면서 다시 중얼거렸다.

"조금 있으면 발칵 뒤집힐 걸세."

이경순이 안성 사당패와 동행하여 당진 나갔던 일과 유필준과 노상에서 시비하던 일이며, 한밤중에 사당패들이 붙들려간 뒤에 혼자서 월장하여 사당에 불을 지르고 달아난 일 등을 대략 이야기하자 주인은 그 똥똥한 볼따구니를 더욱 부풀리고는 연신 문밖으로 귀를 기울여보고는 하였다. 경순이 한 번 더 다짐을 두었다.

"그러니 우리가 이런 행색으로 들른 일을 입 밖에 내지 말게. 내일쯤에는 아마 기찰포교들이 안성 바닥에 쫙 깔릴 걸세."

"암, 여부가 있겠나. 오늘밤 여기서 묵어가시겠나?"

"하룻밤만 신세를 지세. 그리구 내일 식전에 떠날 테니 말 한 필 내어주고, 안사람의 입성과 장옷 한 벌만 마련해주게."

"헌데…… 자네가 누구라는 걸 아는 자가 많은가?"

"고달근이네 식구들은 다 알지."

"달근이네 식구들이 잡혔다면 자네두 무사할 수는 없겠네. 그러니 내가 말 두 필을 내어주고 우리 아이놈을 견마잡이루 딸려보낼 테니, 자네는 선비 차림을 하고서 밤길을 떠나도록 하게."

경순은 국밥을 떠넣고 있는 묘옥을 근심스럽게 바라보았다. 주인의 말이 가장 그럴듯하였으나, 묘옥이 노상에서 기진하여 쓰러질까 걱정이었다.

"글쎄, 나 혼자라면 몰라두……"

묘옥이 벌써 이경순의 마음을 짐작하고서 자신 있게 말하였다.

"나으리, 염려 마셔요. 아까는 허기가 져서 한 발짝두 걸을 것 같지 않더니, 이제 요기도 하였고 더구나 안장에 올라 길을 갈 터인데 무슨 걱정입니까."

"정말 괜찮겠느냐?"

"예, 지금 어서 떠나요."

주인이 그 말을 듣자 얼른 일어섰다.

"가만있게, 갈 채비를 하려면 시간이 좀 걸릴 터이니 그동안 눈이나 붙여두게. 늦은 밤에 달이 뜰 게야. 그리구 나 잠깐 보세."
하면서 객주인이 이경순의 소매를 잡아끌었다. 두 사람은 마루로 나갔는데, 주인은 그의 귓전에 고개를 숙이고 나직하게 속삭였다.

"헌데 저 여자는 아마 사당인 모양인데, 자네 어쩌자구 저런 홧덩어리를 끌구 다니는가?"

"홧덩어리라니, 이 사람 무슨 말을 그따위루 하구 있나. 달근이네 사당으루 있었지만 그런 노류장화(路柳牆花)와는 다른 여잘세."

"다르긴 무에 달라. 계집이 사당패에 끼였으면 못해먹어두 색주가에서 굴렀을 텐데…… 고작 저따위 계집에게 눈이 뒤집혀 몸을 망치려나? 내 자네가 청한다면 안성 색주가에서 내로라 하는 미인을 찝어다 바치겠네. 자네 자식 없어 걱정하는 건 잘 알지만 아주머니가 또한 보통 성깔이신가. 만약에 자네가 저 계집을 데려가서 잠잠하다 하여도 소문이 날 것이요, 더구나 처첩이 싸움질이라도 하게 되면 사당이라는 둥, 안성서 왔다는 둥, 고달근이의 계집이라는 둥 별의별 소문이 꼬리를 물 걸세. 그러면 포교의 기찰에 들 것은 틀림없는 사실이 아닌가. 아예 후환 없도록 계집에게 몇푼 주어서 저 갈 데루 보내게나."

주인은 경순의 입장을 생각해서 하는 말이었으나, 그는 묘옥을 제

신변의 위험 때문에 떼친다는 일이 몹시 욕스럽게 생각되어 벌컥 짜증을 내고 말았다.

"그런 것까지 생각해주어서 고맙지만, 말 두 필이나 어서 구해주게나. 내 세마비는 두 배를 물 터이니."

"거 참 얘기 못 할 사람이로고! 두고 보게, 뒤에 가서 내 말이 생각날 걸세. 사내는 그저 계집 조심해야 하느니……"

객주인이 마당으로 내려서면서 중얼거렸으나, 이경순에게 지금 그런 말이 귀에 들어올 리가 없었다. 경순은 다만 묘옥을 데리고 여주로 돌아가는 일이 가슴 뿌듯하도록 흐뭇하기만 한 것이었다.

늦은 밤이 되어 인근 동네에서 이따금씩 개 짖는 소리만이 들려올 즈음하여 길 채비가 되었고, 경순과 묘옥은 초저녁잠에서 깨어났다. 그들은 곧 양성 물상 객줏집을 나섰는데, 견마 잡힌 묘옥이 앞서갔고 그 뒤로 경순이 말을 타고 따랐다. 이경순은 객점 주인이 원행할 때 여로에 천시받지 않으려고 마련한 테 넓은 통영갓과 도포를 차려입었으며, 묘옥은 새 치마저고리에 장옷까지 들춰써서 양가의 부인과도 같았다. 다만 좀 별스러운 것은 선비 양주가 밤길을 가는 점이었다. 반달이 때맞추어 중천 하늘에 엇비슷이 걸려 있었는데, 세마의 목에 걸린 쇠방울이 끊임없이 달그랑대고 있었다.

"애야, 마상에서 눈이나 좀 붙여두어라. 음죽(陰竹) 가서 새벽잠을 잠깐 자고 나서, 내처 여주(驪州)까지 가려면 기력을 많이 남겨야 하느니라."

하는데, 묘옥은 대답이 없고 그 대신 마부가 돌아보며 안 체를 하였다.

"예서 육십 리니까 인시(寅時) 전에 닿을 게유. 우리 말이 이래보여두 한양까지 파발을 뛰던 말이우. 타보는 손님마다 모두들 적토마에 비길 만하다 합지요. 북관 것이니, 어디 글방도령들의 남방 나귀에 비기겠습니까요."

"듣구 보니 아마 역의 퇴마(退馬)를 사들인 모양이구나."

"퇴마라닙쇼! 당치두 않습니다. 시방은 밤이라서 그렇지만 낮에 굽과 갈기를 살피시면 준마라는 걸 한눈에 압지요."

마부의 말자랑은 과연 당연한지라 경순은 더이상 오금을 박지 않고 모른 성해버렸다. 한데 마부는 일단 입이 터지자 시키지 않은 것까지 참견하기 시작하였다.

"샌님은 참 이상두 하십니다. 여주까지 가신다면 양성서 하루 푸근히 주무시고, 내일 식전에 떠나면 까짓 세마두 내었것다 한나절감인데 어찌 이 밤길을 가십니까."

경순은 속으로 뜨끔하였다. 세마는 그들이 자는 사이에 객점 주인이 중노미를 시켜서 시오 리 길인 안성에서 내온 것이었다. 그러니 양성 객주인이 주의를 준 바와 마찬가지로 입단속을 아니하면 혹시 후환이 있을지도 모르는 일이었다.

"견마를 잡았으면 고삐를 단단히 쥐고 마보나 살피어라."

경순이 점잖게 타일렀으나 마부는 깐깐하였다.

"글쎄, 소인이 정수리에 쇠똥 떨어진 직후부터 견마꾼을 해먹었습니다만 이런 일은 처음이올시다. 샌님뿐이라면 가내 급한 기별두 있겠다 싶지만, 아씨마님까지 동행이시니 더욱 그렇습지요."

"외가에 초상이 났느니라."

경순은 울컥 솟으려는 역증을 참고서 대답하는데, 마부가 다시 말하였다.

"샌님 댁이 그럼 여주가 아니올시다그려?"

마부란 놈이 돌부리를 찼는지 주춤하는데 당겨진 고삐로 해서 말이 걸음을 흩뜨리면서 고개를 뒤로 젖혔다. 마상에서 졸고 있던 묘옥이 소스라쳤고, 경순은 화가 치밀어서 호통을 쳤다.

"이놈, 그러다가 낙마하여 사람이 상하면 네 한 모가지로 감당하기 어려울 줄 알아라!"

마부가 경순에게서 호된 욕을 먹고는 은근히 부아가 치밀었다. 견마꾼이란 비록 하인배나 다름없는 천한 신세라 하나 남의 노적에 오른 자가 아니요, 더구나 별의별 손을 겪게 마련인지라, 마부는 대개 세마 낸 손님을 가벼이 알기가 십상이었다. 말깨나 탄다면 거의가 양반 행세인데 견마꾼은 그 언행으로 손님의 실지 신분을 꿰뚫게 되어 있었다. 갖은 무리들의 양반 행세가 자심한 세월이니 그런 일을 소상히 아는 마부의 배포가 부풀지 않을 수 없었던 것이다. 언제 다시 보랴 하는 심정으로 마부는 슬슬 능멸하고픈 간지가 돋기 시작하자, 골탕 먹일 근거를 하나둘씩 들춰내기 시작하였다. 말하는 푼수로 보아 계집이 양가의 부인은 아닌 것이 분명하고, 선비가 객점 주인과 하게를 놓으니 차림새는 그럴듯하여도 상놈일시 분명하였다. 따져보면 돈이 있달 뿐이지 자기와 다름없는 불상놈이 이놈 저놈 하는 게 고까워서 견딜 도리가 없었다.

마부는 손목에 힘을 주고 고삐를 갑자기 잡아채었다. 아니나다를까, 재갈에 당겨진 아픔으로 깜짝 놀란 말이 앞굽을 쳐들며 입을 틀었고, 묘옥은 보기 좋게 말에서 떨어져버렸다. 경순은 급히 말에서 뛰어내려 묘옥을 부축하였다.

"어디 다치지 않았느냐?"

기실 미리 꾀를 내어 저지른 노릇이라 말이 심하게 날뛴 것은 아니었으니, 사람이 깜짝 놀란 정도였다. 묘옥은 제 가슴을 내리쓸며 도리질을 해 보였다.

“헛, 이놈의 말이 갑자기 암창이 나서 이러나?”

딴전을 펴는 마부의 뒷덜미를 경순이 잡아당겼다.

“네 이놈! 내가 뭐라더냐. 마보를 살피랬더니 웬 고삐질이냐.”

“어째 이러시우. 말이 성미 부린 게 어디 소인 탓입니까요.”

뻣뻣하게 대꾸하는 짓거리가 하도 괘씸하여 경순은 마부의 궁둥이를 죽어라고 차올렸다. 마부가 앞으로 고꾸라지는 것을 보자, 경순은 기왕에 내친 김이라 아예 죽여버리고 싶어서 안장께에 걸어두었던 돗자리로 말아 감춘 화승총을 그대로 뽑아 후려치려고 번쩍 쳐들었다.

“나으리!”

뒤에서 묘옥이가 허리를 감싸안았고, 마부는 두 팔을 쳐들어 휘젓고 싹싹 비벼대면서 애걸하였다.

“에구, 잘못되었소이다. 다시는 이런 일이 없을 테니 샌님 한 번만 용서하십시오.”

경순은 씨근거리다가 자리에 싸감은 화승총을 슬그머니 내리고는 내뱉었다.

“샌님 소리 집어치워라. 이제 또 한번 그따위 심사를 보이면 아주 길에다 파묻고 갈 테여.”

마부는 의외로 불한당처럼 본색을 드러내는 경순의 기세에 완전히 풀이 꺾여버렸다. 돼지가 목청 때문에 백정 신명을 돋운다고, 손님 대접이나 해주며 모른 척하였다면 탈이 없을 것을 공연히 덧들여서 내놓고 상놈 짓거리로 들볶임을 당하게 되었던 것이다. 무슨 생각이 들었는지 경순은 화승총에 둘둘 말았던 자리를 풀어내고 장약과 연환을 재워 겨누고는 을러대었다.

“다시 고삐 장난하면 뒤통수에다 대추씨 박아준다.”

힐끗 돌아다보니 그게 작대기가 아니라 틀림없는 총포였다. 마부 녀석, 말을 몰아 가면서도 내내 뒤털이 곤두서는 느낌을 털어낼 수가 없었고, 대개 견마잡이란 걸어가면서도 수시로 조는 법이건만 눈딱지에 아교를 바른 듯하여 눈알까지 뻣뻣이 굳어버렸다.

이미 간교한 마음을 드러낸 자는 주먹으로 일시 고쳐졌다 하여도, 겉으로는 꾸미고 있으되 속으로는 반심을 품고 약점을 노리는 것이 세간의 이치였다. 권문가의 종살이로 잔뼈가 굵은 놈이나 도회지의 돈맛 들인 퇴기년들, 또는 양반만 타고 다니는 세마의 마부 같은 자들이 그러하니, 밥이 때 지나면 쉬듯이 천한 자 나름의 순박한 본성이 닳아서 없어졌기 때문이다. 따라서 종놈은 언제나 종놈임을 자랑하고, 갈보는 죽기까지 갈보로서 자족하며, 마부는 말 부리기를 농군이 보습 대는 일보다 더 높이 여긴다. 권문가의 종놈이 주인보다 더욱 방자하여 양인은 물론 제 동무들에게는 특히 가혹하고, 풍상 겪은 퇴기일수록 동기의 정분에 매정하며, 마부의 벽제(辟除) 세도가 과하여 노중 행인에 행패가 자심한 것이었다. 이러한 일은 모름지기 사람이 사람의 됨됨이에 따라 하늘 아래 똑같다는 이치를 깨닫지 못하고, 오히려 제가 위로부터 겪은 수모를 남에게 되돌려서 제 신분을 더욱 굳히려는 어리석은 생각 때문이다. 그러니 애초에 제 신분을 정하여 수모를 준 쪽에 더욱더 이로울 뿐이며, 기실은 자기와 같은 자들의 원수가 되고 마는 것이 고작이 아닌가.

그들은 견마잡이의 말대로 인시 무렵에 음죽에 닿게 되었다. 아직은 캄캄한데 봉미산 마루턱 너머로 밤새 남아 있는 마을의 불빛들이 한두 점씩 깜박이고 있었다. 경순은 이미 저지른 짓이 있는지라 말에서 내렸다. 마부를 데리고 가지 않으려는 마음을 먹었기 때문이다. 발 없는 말이 천 리 간다고 하지만, 바꾸어 말하자면 발 있는 말을 데리고 사방 백여 리를 뛰는 마부도 소문에는 뒤지지 않을 듯하였다. 경순이 묘옥을 안아 내린 뒤에 마부에게 고삐를 내어주며 말하였다.

"예까지 오느라구 수고 많았다. 삯은 양성서 모두 받았겠지."

마부는 아직도 겁을 집어먹고 목을 움츠리고 있었다.

"그러믄입쇼. 여주까지 가시지 않습니까요."

"음…… 여주서 배를 타구 경강으로 올라갈 작정인데 이젠 말이 필요 없다."

마부는 호들갑을 떨었다.

"아무래두 사십 리는 가셔야 할걸요. 모셔다드립지요."

경순이 늘어뜨리고 있던 총포를 들어 배를 꾹 밀어대면서 나직하게 지껄였다.

"안 갈테?"

마부는 흠칫하더니 말을 끌고 재빨리 어둠속으로 멀어졌다. 잠시 후에 먼 곳에서 마부의 고함지르는 소리가 들려왔다.

"얘, 이 쇠새끼야, 오살할 놈아…… 내 모를 줄 아느냐. 너 죄진 놈이지. 당장에 관가에 가서 일러바칠 테니 똥구녕에 불 달구 튀어라!"

경순은 입맛을 다시면서 어둠속을 노려보았다.

"죽여버릴 것을 잘못했군."

"나으리, 저이는 우리가 누군 줄 모르잖아요."

"글쎄다…… 내일이라두 안성 바닥이 뒤집히면 저놈이 가장 먼저 달려가겠지. 양성 객점주가 닦달을 받겠지만, 그자는 믿을 만한 사람이다. 과객이라구 우길 테니까. 여하튼 조심해야겠구나."

경순은 불안한 마음을 떨쳐내면서 묘옥의 손을 잡아끌었다. 그는 공연한 역증으로 서투른 짓을 저질렀다고 후회하였다. 그는 화승총을 겨눈 일이 아무리 생각해도 어리석은 짓이었다고 생각했다.

음죽서 새벽잠을 자고 난 묘옥과 경순은 정오쯤에 여주에 도착하였다. 여주에는 당도하였지만, 남의 눈도 있고 하여 막바로 창골에 들어갈 수는 없었다.

창골에는 그의 사기전이 있었고, 분원은 월송골에 자리 잡고 있었다. 그의 집은 읍내 한가운데인 창골 사기전 근처에 있으니 그가 묘옥이를 데리고 버젓한 양반 차림으로 들어갈 수는 없는 일이었다. 누가 뭐라 할 사람은 없겠으나 기이한 일이니 입방아에 오르게 될지도 몰랐다. 우선 갓과 도포를 벗어던지고 이경순이 혼자서 월송골에 가볼 생각이었다. 경순은 묘옥을 산모퉁이 호젓한 숲속에다 앉혀놓고 혼자서 월송골로 내려가며 말하였다.

"예서 꼼짝 말구 기다리구 있거라. 내가 잠시 후에 사람을 보낼 테니까……"

"제 염려는 마시구 나으리 어서 집에 먼저 들러보십시요. 부인께서 걱정하실 거예요."

"아니다, 내가 장삿길로 한양에 간 줄 알구 있으니 그러려니 할 게다. 며칠 있다가 서루 상면해보아라. 그리 나쁜 사람은 아니니라."

묘옥은 고개를 푹 숙이고 힘없이 중얼거렸다.

"나으리…… 부탁입니다. 노자나 조금 주시면 배를 타구 한양으루 가구 싶어요. 제가 화근이 되면 뒤에 나으리께서 후회하실 겁니다."

경순은 길로 나가려다가 그런 얘기를 듣고는 안심이 안 되는지 되돌아와서 묘옥의 두 어깨를 잡았다. 그는 묘옥의 눈을 똑바로 노려보면서 말하였다.

“다시 그런 말 하지두 말구, 그런 마음은 아예 먹지두 말아라. 네가 한양엘 간다면 나두 가는 게고, 네가 떠돌면 나두 뒤따라 떠돌게 될 게다. 이젠 네가 없으면 나는 파가(破家)해버리구 만다.”

경순은 묘옥을 흔들면서 다짐하였다.

“부르러 올 때까지 예서 기다리겠느냐. 약속하지 않으면 나두 언제까지나 여기에 지키구 앉아 있겠다.”

묘옥은 입술을 지그시 깨물고 한참이나 대답이 없었다.

“내가 실인(室人)을 보내주랴?”

묘옥이 황급하게 고개를 흔들었다.

“천만이올시다, 나으리! 절대루 그러시면 안 됩니다. 제가 그 댁의 신세를 하루 한나절 진다 하더라도 제 발로 찾아가 뵙고 인사를 드리는 게 법도입니다. 제발 그러지는 마셔요.”

경순은 하는 수 없이 묘옥의 손을 잡아끌었다.

“까짓 거 나하구 함께 들어가자꾸나. 내가 언제 남의 눈치 보구 살았나.”

묘옥이 뒤로 빼면서 애원조로 말하였다.

“시키는 대루 기다리겠습니다. 어서 혼자 내려가셔요.”

“정말이냐?”

묘옥은 경순의 크게 부릅뜬 눈을 향하여 끄덕여 보였다.

“길어야 한 식경이다.”

경순은 못내 내키지 않는 걸음으로 뛰어갔다. 월송골 이도장네 분원에는 가마가 다섯이나 되는데, 장인이 한 가마에 십여 명씩이었다. 번수 밑에 조기장(造器匠)이 있고, 연자매꾼, 흙 고르는 수비(水飛), 연정(鍊正), 도자기 모양을 바로잡는 참역이 있고, 머리가마꾼과 조역과 환장이가 있으니 공장에만도 오십여 인이 들끓는 셈이었다.

다시 들판에는 도자기에 잿물 올리고 말리는 자, 파기를 처분하는 자, 신재를 벌채하는 자, 흙을 파고 나르는 자 등등으로 나뉘어 있으니 월송골의 들판 곳곳에는 이도장네 사분원 일꾼들이 들끓는 셈이었다.

이경순은 공장으로 다가갔는데, 이쪽 저쪽에서 장인들이 꾸뻑이며 인사를 하였다. 번수가 뛰어나왔다.

"원주어른 오셨습니까?"

"별일 없지?"

"예, 이번에 청화백자가 새루 나왔습니다. 토질이 좋아져서 이번 것은 아주 상품이올시다."

경순이 잡사기와 옹기는 수량만 대강 묻고는 납품해 가도록 하였으나, 백자는 일일이 가져다가 채색도 보고 모양도 따졌으니 번수가 그리 말한 것이었다. 사실 경순은 흙의 질과 신재의 종류와 불길을 둘러보면 대강 그릇이 잘될 것인가 어떨까를 미리 집어낼 정도로 이력이 생긴 도장이었다. 도장들은 경순이 장사치뿐만이 아니라 실제로 가마를 지켰던 도한(陶漢) 출신이라서 그의 말이라면 모두 꼼짝 못 하고 복종하였다. 경순은 다른 날처럼 가마가 일렬로 늘어선 분원 앞마당을 일일이 들여다보거나 안쪽의 조기(造器), 마조(磨造), 화청(畵靑)을 하는 작업방으로 들어가지도 않고서,

"전생(田生)이 어디 갔느냐?"

하고 물었다.

"저 뒷방 제 거처에 있을 겝니다. 얘들아, 누구 가서 외팔이 오라구 그래라."

번수가 일꾼을 보내니, 잠시 후에 상투머리가 수세미처럼 흩어진 외눈에 외팔의 젊은이가 뛰어왔다. 그가 바로 과천서 걸식하던 약장

(藥匠) 출신이었는데 아마도 화약을 조제하다 왔는지 숯검정이 옷의 사방에 묻어 있었다.

"원주님 오셨습니까?"

"그래, 잘 있었느냐?"

"요번에 풀뭇간에서 쇠를 잘 다루어, 총신이 아주 좋은 놈으루 나왔습니다."

"당분간 네 작업방은 치워버리도록 하여라. 관의 기찰이 있게 될지두 모르겠다."

하고 나서 경순은 전생이의 소매를 끌고 가서 속삭였다.

"내 안성 다녀온 것을 아무도 모르겠지?"

"입 밖에 낸 적이 없으니까요."

"너 이 길루 뛰어가서 박씨 과부를 좀 오라구 일러라. 그리구 월송동구 밖에 솔밭으루 가보면 아낙이 하나 기다리구 있을 테니 얼른 데리구 박씨 과부네루 가거라."

전생이가 신이 나서 들썩였다.

"기어이 모셔오셨군요."

"그래, 너두 얼굴을 봐서 알겠구나."

"알다뿐입니까요. 제가 안성 행보를 두 번이나 했는뎁쇼. 그럼 먼저 박씨 과부를 이리루 보내놓고 나서 동구 밖에 나가겠습니다."

경순이 분원 앞에서 초조히 서성대고 있자니 살림하지 않는 일꾼들의 밥을 붙여주는 박씨 과부가 그 뚱뚱한 몸을 흔들며 달려왔다. 그 여자는 한 오십쯤 먹었는데 언청이의 노처녀인 딸 하나를 데리고 월송골로 들어와 남의 전답을 부치며 먹네 마네 하더니 경순의 후의로 분원에 밥을 붙이게 되었던 것이다. 그뒤로는 초가삼간이나마 두 채를 지어 늘려놓고, 일하는 계집아이도 하나 들여서 아주 그럴듯이 풍족한 살림이 되었던 것이다. 그런 처지인지라 박씨 과부는 경순의 말이라면 머리털로 미투리를 삼으란다 하여도 들을 지경이었다.

"자네네 뒤채가 어찌…… 좀 조용한가?"

다짜고짜로 물으니 박씨 과부는 영문을 몰라서 그 물음을 되씹어 보았다.

"조용하다닙쇼?"

"우리 아이들이 게서 밥을 붙여먹지 않나?"

"조용할 적두 있고 시끄러울 때도 있습지요. 저녁나절에 가장 시끄럽습니다. 술들을 마시니까요."

"자네와 처지가 비슷한 여자루 혼자 사는 이가 있거든 천거하게."

박씨 과부는 영문을 모르면서도 경순의 말에 불안해져서 입을 비쭉이 내밀었다.

"뭐 하시게요? 쇤네가 무슨 잘못한 일이라두 있습니까?"

박씨 과부는 혹시 경순의 마음이 변하여 밥 붙이기를 떨구려는 줄 알고 벌써 눈물이 글썽해지는 것이었다. 경순은 그런 양을 알고서 빙그레 웃었다.

"자네가 잘못한 일이 뭐 있겠나. 내가 누굴 데려왔는데 잠깐 의탁시킬 데가 없어서 그러네."

"아유, 그러시면 저희 건넌방을 치울 테니 어서 모시구 오셔요."

"그 방은 우리 아이들이 몰려들어 술을 마시는 곳인데…… 실은 사내가 아니라 여인일세."

박씨 과부는 멀뚱하더니 이어서 눈을 가늘게 뜨고서 킬킬거리며 끄덕였다.

"아, 이제 원주님 말씀을 알아들었소이다. 씨받이를 데려오셨구먼요. 진작 제게 부탁하시면 광주서 삼대째 내려온 아낙을 불러왔을 텐데. 그러잖아두 아씨께서 말씀이 계셨습니다."

"수다 떨지 말게. 씨받이가 아니여. 우선 자네 방에다 데려다놓고서 저녁 전에 거처할 곳을 주선해보게."

"한 군데 있긴 있습니다. 고개 하나 넘어 연못골이라구 십여 채쯤 있는 외진 동네가 있는데, 저희 시숙이 살구 계십니다. 초가이지만 집두 깨끗하구 쓸모가 있습니다. 마침 전장이 멀어서 창골에 나가려구 하시는데, 그 집을 사시면 맞춤이겠습니다."

경순은 비로소 안도의 숨을 내쉬었다.

"연못골은 아주 조용하지. 잘되었다. 소문나지 않게 하여라. 내 수고비는 톡톡히 낼 테니까. 이사하려면 며칠쯤 걸릴까?"

"넉넉잡고 이틀이면 충분합니다."

"이틀만 자네 안방에 두어두고……"

"암, 여부가 있겠습니까."

"내가 창골에 나갔다가 저녁 뒤에 은밀히 들름세."

"뒤채가 좋겠습니다요. 게 오셔서 우리 딸년을 부르십시오."

박씨 과부는 분원 주인의 이렇게 막중하고 은밀한 일을 맡게 되어 신이 났는지 연방 히죽대면서 집으로 돌아갔다. 외팔이 전생이가 묘옥을 박씨 과부네 집으로 모셔갔고, 방을 치워놓고 기다리던 과수댁 모녀는 정중히 모셨다. 묘옥은 양인의 안방에 드는 것이 황공해서 여러 번 사양하였으나, 모녀가 너무 정중하여 마다할 수가 없었다. 그 여자는 새로 깐 자리 위에 쪼그리고 앉아서 불안하기만 하였다. 밖에서는 과부가 신이 나서 인물평을 하는데,

"하유, 조렇게 이쁜 각시를 어디서 업어왔을꼬. 우리 원주님이 사람 대하는 건 데면데면한 게 도타운 맛이 없지만서두 계집 후리는 재주는 또다른 모양이니 참 대장부이셔."

언청이 딸이 불현듯 샘이 나서 주둥이를 내밀었다.

“홍…… 미인은 박명이라는데, 복 없이 생겼더만.”

“예끼 이년, 고런 방정맞은 소리 했단 봐라, 당장에 주둥아리를 꼬매놀라. 이년아, 원래가 귀부다남하는 상은 눈초리가 갸름하구 거위나 벼룩상이어야 하는데, 어깨는 둥글고 가슴이 두터우며…… 가만있어 옷을 벗겨봐야 다 알겠구나.”

경순은 창골로 나아가 제 집 안으로 슬그머니 들어갔다. 앞의 사기전에는 그의 차인배들이 안성으로 내보낼 짐들을 쌓아올리고 있었으며 경강에서 내려온 상인들과의 흥정이 한창이었다. 그의 살림집은 사기전 뒤에 조촐하게 올린 기와집이었다. 계집 하인이 하나요, 늙고 젊은 하인이 각각 셋이었다. 경순의 아내는 그가 서울서 도장 노릇을 다닐 적에 번수의 소개로 얻은 양인의 여자였는데, 성미가 온순하고 침착하긴 하였으되 고집이 세어서 그도 제 아내를 꺾기가 힘이 들었다. 여주 내려와 처음 가마를 지을 때엔 아내가 조역이요 가마꾼이며 흙짐까지 지어날랐다. 이경순의 아내는 그보다 다섯 살이나 위였으니 이제 폐경이 얼마 남지 않았건만 피가 고르지 못하여 태기가 있을 가망은 전혀 보이질 않았다. 마당에 섰던 하녀 갑이가 안에다 대고 소리를 질렀다.

“마님, 원주님께서 오십니다.”

안방문이 급히 열리면서 초췌한 얼굴의 아내가 마루로 뛰어나왔다.

“아니, 소리두 없이 불쑥 나갔다가 이제 어디서 오시는 길이우?”

“음, 그럴 일이 있었네.”

경순이 마실 갔다가 돌아오는 사람처럼 맨상투에 동저고리 바람인 것을 보자 아내는 더욱 기이한 모양이었다.

"아이고, 그 주제가 무엇이어요? 아주 볼이 움푹 꺼지셨구려. 얘야, 병아리에 수삼하구 찹쌀 넣어서 푹 고아 활개를 내어라."

"내 당신께 이를 말이 있소."

경순이 아내에게 침울하게 얘기를 꺼내자, 아내는 여자답게 눈을 흘기면서 방문을 열었다.

"저두 당신께 드릴 말씀이 있답니다. 제 말씀을 먼저 들으셔야 해요."

경순의 아내는 양반댁 규수처럼 법도와 예절을 가려 꽉 막힌 부도를 찾는 아낙네가 아니었고, 양인 나름의 활달한 성품에 말씨도 엇구수한 여자였다. 마주 앉자마자 경순이 말을 꺼내기 전에 먼저 장죽을 끌어다가 물려주고 부시를 쳐주었다. 경순의 아내는 말하였다.

"드릴 말씀은 꼭 두 가지입니다."

경순은 안성으로부터 당진을 헤매고 돌아온 제 행동이 다소 미안하긴 하여서 고개를 숙이고 아내의 말을 기다렸다.

"첫째는 송파나루에서 씨받이 처녀를 데려오겠단 것입니다. 그의 어미도 또한 아들을 넷이나 낳아주었다는데, 이번에는 십팔 세 먹은 딸이 씨받이로 나섰다는 거예요. 비록 처음이라서 오백 냥을 주어야 하니 비싸기는 하지만, 우리처럼 자손이 바른 집안에서 어쩔 도리가 있겠수? 택일하여 단자를 들입시다. 백면포루 경혈을 받아 그 색을 보면 아들을 밸 날짜를 안답니다. 합방한 뒤에 태기가 있으면 제가 뒷방에다 데리고 지내지요. 아들을 낳아주면 돈을 주어 송파로 돌려보내면 됩니다. 저두 배를 싸안구 있을 테니 남들이 알겠어요?"

경순은 묵묵부답 장죽만 빨고 앉았다.

"여보…… 제 얘기 듣구 계셔요?"

"씨받이라……"

"그리구요, 유이방이 오셨었는데요, 이 골 사또를 통하여 공명첩을 사두라고요. 무관직이라는데 선달이랍디다. 이제는 정말 아니꼬워 못살겠어요. 우리를 드러내놓고 상놈 취급하는 이가 여주서는 없지마는, 그래두 생원네가 제게 또렷이 반말 지껄이는 것을 당신두 들으셨지요?"

아내의 할 얘기란 전부터 가끔 경순을 졸라대던 일들에 관한 것이었다.

"내게 할 말이란 그건가?"

"제가 한두 번 말씀드렸나요."

경순의 아내는 이윽고 눈물이 글썽해지더니 배어나온 눈물을 옷고름으로 씻었다.

"제가 박덕하여 당신께 걱정만 끼쳐드려 미안해요. 후사가 걱정이시니 집에 들어오셔도 찬바람만 일지요? 이번에 장삿길루 나가신 게 아니었으니, 아마 바람을 쏘이시러 나가셨겠지요. 집에서 재롱부리는 아이라두 있으면 당신이 밖으로 떠돌겠어요? 출타하구 안 계신 동안 저두 여러가지루 생각이 많았습니다."

이경순도 돌이켜 생각하니 미안한 생각이 들었고, 또한 월송골에 데려다둔 묘옥의 일로 하여 더욱 면목이 없었다. 그러나 그는 무덤덤하게,

"내가 잘못했소."

라고 중얼거릴 뿐이었다.

"양자를 들인다는 것두 그렇지요. 애초에 제 핏줄이 아니면, 지각이 들어 입신하게 되면 자연히 정이 되돌아간다 합디다. 양자에 효자 없답디다."

경순은 헛기침을 하고 나서 우물쭈물 말을 꺼냈다.

"내가 도장 출신으로 무과도 안한 터에 공명첩이나 사서 선달을 딴다는 것은 이 나이에 당치 않은 일이야. 비록 벼슬은 없으나 재물이 약간 있으니 양인으로서 분수에 맞는 일이요, 남에게 책잡힐 일을 저지른 적두 없으니 공연한 능멸은 당하지 않아요. 신분을 고치기 위해 족보를 사는 장사치들이 많건마는, 제 조상뿐만 아니라 자식들에게도 근원 없는 자를 만드는 짓일세. 그보다두 내가 당신과 상의 없이 저지른 일이 있으니 너그럽게 양해하겠소?"

경순은 잠시 말을 끊었다. 그러나 아무래도 나중에는 알게 될 일이고 아내가 먼저 꺼낸 말이 아닌가.

"실은 내…… 안성 다녀오는 길이오. 거기 가서 여자를 데려왔지."

"여자요……?"

"음, 묘옥이라구 사당을 하던 여자인데 성품이 착하니 당신하구두 상하를 가려서 가도를 잘 지킬 게야."

아무리 먼저 말을 꺼낸 터였으나, 경순의 아내로서는 충격이 아닐 수 없었다. 씨받이라는 것은 생산해주고 돈냥을 받아가려는 짓이니 아들을 보자는 뚜렷한 목적이 있음이요, 정분에 문제가 있는 것은 아니기 때문이었다. 시앗을 보면 돌부처도 돌아앉는다는 말과 같이 아무리 활달한 성품이라 하나 경순의 아내는 순간 가슴이 섬뜩하지 않을 수 없었다.

"물론 당신의 마음을 내가 모르는 바 아니야. 하지만 당신은 내 조강지처가 아니오."

경순의 아내는 고개를 숙이고 치마 끝만 만지작거렸다. 남편이 안성까지 행보하여 몸소 데려온 여자. 사당이라니 남자를 후리는 것을 직업으로 하던 여자일 테고, 남편은 지금 그 치마폭에 정이 푹 들어 있을 것이었다.

"왜 하필이면 사당을……"

"사당이라 하나 진실한 마음이 있는 여자요. 당신의 부덕으로 친동기간같이 지내구려."

섭섭하고 돌림받은 듯한 괴로운 심정으로 앉았으나, 경순의 아내는 제 남편 또한 얼마나 답답했을까 하는 마음이 들었다. 자식을 낳지 못하여 마흔이 넘도록 아이의 울음소리 한번 들려오지 않는 집구석을 얼마나 고적하게 느꼈겠는가 싶었다.

"어디에 데려다놓으셨습니까?"

"월송골 박씨 과부 집에……"

"어서 가셔서 데려오셔요."

아내는 그렇게 말하면서 경순에게 웃음을 보였다.

"가구는커녕 이불도 없을 테고 옷도 변변히 없을 테니 얼마나 심란하겠습니까. 제가 데려다놓고, 하인들과 장만을 해놓겠어요. 저 뒷방을 도배두 해놓고 치장두 할 테니까요."

"당신이 그렇게 마음을 쓰니 내가 더욱 면목이 없군. 당분간은 월송골서 지내도록 하지."

경순의 아내는 속으로 더욱 야속한 마음이 들었으나, 꾹 눌러 참고서 오히려 쾌활하게 말하였다.

"아이…… 제가 데려다놓고 투기하여 못살게 굴까봐 걱정이셔요?"

"그런 게 아니여. 실은 앞으로 귀찮은 일이 있을지두 몰라서, 그애를 남의 눈에 띄지 않도록 하려는 게요."

"왜요…… 그애의 거사가 몸값이라두 받으러 온답디까? 까짓 듬뿍 떼어주시구려."

경순은 아내가 놀랄까 하여 당진서 화승총으로 사람을 죽였다는

말은 꺼내지 못하고,
"몸값두 없구 서방 거사두 없는 아이니까 그런 것을 걱정하는 게 아니라, 그애의 모가비가 죄를 지어 사당패들 모두를 관에서 잡으려 한다오. 당신두 당분간은 입 밖에 내지 말어."
경순의 아내는 잠시 앉았더니 장롱을 열고 비단과 무명 등속의 피륙을 꺼내어 펼쳐놓았고 패물함도 꺼냈다.
"소실 치레는 원래 큰댁이 해주어야 한답디다. 아무리 소문 없이 한다더라도 격식이 있는 법인데, 당신의 자식을 낳을 애를 그냥 벌거숭이루 데려올 수야 있겠어요. 내가 오늘 그애와 상면두 할 겸 의복 지을 옷감두 가져갈 겸 하여 월송골에 가봐야겠어요."
경순이 오늘은 그대로 혼자 나가보고 싶었으나 이치가 그러하여 고개를 끄덕였다.
"이따가 날이 저문 뒤에 같이 가보도록 허지."
밖에서 삼계탕이 들여졌다. 경순의 아내가 손을 담가 일일이 삼과 고기를 찢어주었다. 경순의 아내가 방물과 경대 등속을 보겠다고 나간 뒤에 경순이 가게에서 올린 장부를 들춰보며 손익을 따지고 앉았는데, 하녀가 퇴창 밖에 와서 고하였다.
"유이방 어른 오셨습니다."
기침소리와 이도장 계신가 하는 여주 이방의 목소리가 들렸다. 경순이 급히 마루로 뛰어나가며,
"아이구, 어서 오시게나."
하는데 비슷한 나이 또래의 유이방이 마당에 서 있었다. 원래 이방은 중인이지만 직책이 있어 장사치가 감히 말을 맞놓는 법이 아니었다. 하나 경순은 여주의 사분원을 경영하는 부자이며 또한 사람됨이 공명정대하니 자연히 관청의 아전 소리(小吏)들도 마구 대하지 못하

였다. 더구나 유이방은 경순에게서 여러가지로 도움을 많이 받았는데, 언젠가 상납전(上納錢)에 차질이 생겨서 횡령죄로 탈직, 죽게 된 것을 경순이 대신 납부하여 구해준 일이 있고부터 친구지간이 되었던 것이다. 장사치와 이방이 한통속임은 지방마다 흔한 일이었고, 팔이 안으로 굽는다고 이방은 양반보다는 돈냥 있는 아랫신분 사람들께 통하게 마련이었다. 자연히 이방의 백성에 대한 횡포가 자심해지는 것도 사실이었으나, 유이방은 제법 하리의 요령을 아는 자였다. 방 안에 서로 좌정하자마자 유이방이 경순에게 물었다.

"이도장, 어디에 다녀왔나?"

"갑자기 그건 왜 묻나. 하두 답답해서 바람 좀 쐬구 왔지."

유이방은 경순의 말을 듣자 눈을 빛냈다.

"자네 당진 안 갔었나?"

"당진이라? 글쎄 무슨 일루 그래. 이건 꼭 국문하듯 하는군."

유이방은 목소리를 낮추었다.

"이 사람아, 나를 속일 생각은 말게. 나한테 숨김없이 말해주어야 수습이라두 해줄 게 아닌가. 설마하니 내가 자네를 관에 고발하겠는가. 지금 각 고을마다 용모파기와 도적 잡으라는 파발이 돌구 있네. 안성은 발칵 뒤집혔다네."

경순은 말을 꺼내고 싶었으나, 처음에 잡아뗀 바 있는지라 얼른 뒤집지는 못하고서,

"안성에 적경이 있단 것과 내가 무슨 상관이 있단 말인가?"

이방은 고개를 저으면서 혀를 찼다.

"당진서 동지 댁을 돌입하여 재물을 탈취했던 도적들이 잡혔다네. 헌데…… 안성 고뭣인가 하는 모가비가 그 주모인 모양일세. 그 자들은 행방이 묘연하다는데, 총포를 가지구 있다는 걸세. 두 차례

나 도적들이 그 댁을 돌입하였는데, 처음에 들어갔던 자가 하인 두 사람을 총포루 쏘아죽이고 잡혀 있던 사당을 빼내어 달아났다구 하데."

"허허, 안성 사당패를 잡아 족치면 되겠구먼. 내가 안성에 들른 적은 있지만, 그런 소문은 처음 들었는걸."

"내가 방금 당진과 안성 관아에서 돌린 기별을 접수하구, 짚이는 바 있어서 오는 길일세."

경순은 짐짓 너털웃음을 터뜨리며 밖을 향하여 외쳤다.

"얘들아, 술상 들여오너라. 술은 이방어른 좋아하시는 송엽주로 하여라."

"딴전 부리지 말게. 나중에 안성에서 온 기별에 의하면 양성 객줏집을 거쳐온 남녀가 음죽을 거쳐서 우리 고을로 들어왔다구 하데. 안성서 세마를 뛰는 마부 하나가 발고를 하였다네. 청룡사 사당골을 뒤져서 남아 있던 거사들을 모조리 잡아들이는 중에 그런 발고가 있었다지. 총포를 가지고 있었고, 용모파기가 자네와 비슷하네. 그래두 나를 속일 터인가?"

경순이 묵묵부답인 중에 조촐한 술상이 들어왔고, 그는 상을 끌어 이방의 앞에 놓으면서 중얼거렸다.

"천천히 술이나 마시면서 내 얘기를 함세."

"내가 빨리 알았으니 망정이지…… 일가 구몰될 뻔하였네."

경순은 술을 따라 권하면서 안주를 집적거리고 있다가 작심하고 말을 꺼냈다.

"실은 내가 안성 나갔다가 사당패와 동행하여 당진까지 갔었네."

하고 나서 경순은 일의 자초지종을 말하였다. 묘옥을 구해내려고 담을 넘어 들어갔다가 부득이 하인 하나를 쏘아 상하게 하고, 다시 쫓아오는 자들 중에 하나를 쏘아죽였다는 것, 그리고 항곶포까지 배를 타고 와서 양성 물상 객주에 들렀던 것, 마부와 시비를 하였을 때 화승총으로 협박했던 일들을 얘기하였다.

"이 사람아, 자네도 알다시피 내가 무엇이 부족하여 남의 재물이나 탐내는 도적질을 하겠는가. 다만, 아들 하나 보았으면 원이 없어 보아두었던 사당아이를 데려오려던 걸세."

이방은 심히 못마땅하다는 듯 입맛을 다시고 앉았다.

"하여튼 당분간 귀찮게 될 걸세. 자네 분원에서 화승총을 만들 수가 있음은 대개의 장사치들이 아는 일이고, 자네 총솜씨가 보통이 아니라는 것두 잘 알려져 있지. 더구나 도적의 일당으로 보이는 자가 여주로 들어왔다니, 잘못하다간 꼼짝없이 잡히구 마네."

"당분간 한양 올라가서 피했다가 잠잠해지면 돌아올까?"

"아니야, 아직 그 정도루 급박한 것은 아닐세. 고무엇인가 하는 모가비와 그 패거리들을 잡으려고 인근 고을이 법석댈 걸세. 그자들이 강도 살인을 했다니까. 사당패가 피할 만한 곳을 알면 가르쳐주게. 그자들만 잡히구 나면 자네 건은 곧 지워지구 말겠지."

"내가 어찌 아나. 나는 그저 좋아하는 아이를 빼내어 달아난 일뿐인데."

"그애가 지금 여기 있나?"

"아니…… 월송골에 데려다두었네."

"절대루 읍내 데려내올 생각 말구, 몇달 동안 말 나지 않도록 숨겨두게. 내가 알아서 조처할 터이니……"

"참…… 내가 후환을 염려하여 마부에게는 경강을 거쳐 한양으로 올라가는 양을 하였네."

"잘했어. 나중에 누가 묻더라두 출타했던 시늉은 하지 말구 중병이 들었다구 소문을 내놓구 집에서 꼼짝두 말게."

"오늘밤에 마누라하구 월송골 나가보기루 했는데……"

경순은 당분간 묘옥을 만나지 못할 것에 애가 달았고, 이방이 다시 혀를 끌끌 찼다.

"에이, 쓸개 빠진 사람 같으니! 늦게 배운 도적질에 밤새는 줄 모른다더니…… 폭 빠졌군. 이 사람아, 시방 자네는 자칫하면 집안이 적몰되는 판이여. 저자에서 모가지 잘리우구 싶어서 그러는가. 잔소리 말구 잠잠해질 때까지 앓아누워 있어. 월송골에는 내가 알려줄 때까지는 발길도 하지 말구."

"허허, 분원 일이 있는데 누가 뭐라겠나."

"분원이나 둘러보면 괜찮게? 이제 자네 꼴을 보니, 분원에 갔다가 소실 못 보면 생광증이 일어날 게 뻔하이."

경순은 심란한 김에 술잔을 연거푸 털어붓는다.

"이방나으리, 분부대루 시행함세."

단단히 다짐을 준 여주 이방이 자리를 털고 일어났다.

"자아, 나는 어서 가봐야겠네. 내가 이른 말 잊지 말게."

"여러가지루 걱정해주어 고마우이."

이방을 보낸 뒤에 경순은 마음이 몹시 울적하였다. 생각해보면 지난 십오 년 동안을 여주서 살아오면서 겪은 고생이 한갓 물거품에 지나지 않았다. 가산을 일으키려고 모든 욕심을 끊고서 허리띠를 졸라매고 동분서주해온 세월이었다.

스물다섯에 한양을 떠나 적수공권으로 두 양주가 여주 땅에 발을 들였을 때, 그들은 무슨 짓을 해서라도 재물을 모아 자식에게는 천대받는 공장이 짓을 시키지 않으리라 결심했던 것이다. 이제 그는 나이 사십의 중년이었고, 비록 약간의 재물을 모았다 하나 인생의 즐거운 기간을 다 소비해버리고 말았던 것이다. 뭔가 이룩한 사람이 마음에 외로움이 깃들일 적마다 흔히 그렇듯이, 경순은 자기가 애달캐달 쌓아놓은 재물이 모두 허무하게만 느껴졌다.

"까짓…… 관에 포촉되면 불을 싸지르구 산에나 들어갈까."

중얼거리면서 그는 한꺼번에 모든 것을 무너뜨리고 새로 살고 싶기도 하였다. 그러나 한편으로는 묘옥을 통하여 귀여운 아들을 보고 싶은 마음이 더욱 강렬하였다.

묘옥은 박씨 과부네 안방에 누워 있었다. 사나흘 동안에 겹친 피로가 몰려와서 잠깐 눈을 붙였으나, 일꾼들이 바깥채에 몰려와서 술을 마시며 법석대는 통에 금방 깨어났다. 그녀의 심중에는 갖가지 생각들이 꼬리를 물고 지나갔다. 경순에게는 아무리 사당으로서의 해의라고 하지만 몸을 한 번 허락하였다. 그녀가 일부러 쉽게 몸을 허락한 것은 마음을 지키겠다는 결심 때문이었다. 흔히 색주가 창기나 사당들 중에는 처음 마음을 준 사내에게 바치는 절개로서, 가슴에는 사내의 손이 범접을 못 하도록 하는 경우도 있었다. 언뜻 보아 쓸데없는 짓 같으나, 사람이 마음을 다지기 위해서는 쓸데없는 짓도 필요한 것이다. 가슴을 지킨다고 그 몸이 깨끗하랴마는 그런 작심이라도 않고서는 사랑도 온전히 지켜질 수가 없었고, 무엇보다도 살아갈 길이 없었을 것이다.

묘옥에게도 몸을 준다는 일은 별로 대수롭지 않게 생각되었다. 흘러내려가는 수초가 얽혔던 바위들을 다시 만날 수 없음과 마찬가지로, 그녀와 몸을 섞은 숱한 사내들은 이제 여러 무리가 한데 뭉쳐서 바람에 흩어진 연기처럼 기억 속에 가물거리고 있을 뿐이었다. 그러나 경순은 묘옥에게는 두렵고 송구스런 사람이었다. 이런 것을 팔자라고 하는지도 몰랐다. 그처럼 자기의 여생을 편안하고 행복하게 해줄 믿음직한 사내를 만났건만, 묘옥은 이런 복이 자기에게는 과분하다고 느꼈다. 차라리 이경순이 피죽 한 그릇도 못 먹는 일에 찌든 남의 머슴이나 되었으면 싶었다. 묘옥이 겪은 세상의 풍파는 그녀로 하여금 행복에 익숙치 않도록 만들었고, 따라서 자기보다 더욱 불행한 사내에게 뜨거운 정을 나눠주고 싶어 하는 주제넘은 여자로 만들었던 것이다. 묘옥은 언젠가처럼 눈물을 흘리지는 않았으나, 저도 모르게 탄식하였다.

"하…… 사람의 정이 이다지도 모질구나."

묘옥은 경순을 따라 여주까지 흘러온 것을 자꾸만 후회하는 것이었다. 밖에서 인기척 소리가 들리더니 방문이 빠끔히 열렸다.

"주무시나……?"

박씨 과부가 고개를 들이밀었고, 묘옥은 당황하여 일어나 앉았다.

"아이고, 그냥 누워 계시지 않구. 나는 심심하실까봐…… 누워 계슈."

"아니어요."

박씨 과부 보기에 심상한 양가의 여자는 아닌 듯싶었으나, 원주가 데려온 여자이니 작은아씨 대접을 하지 않을 도리가 없었다. 박씨 과부는 산 너머 연못골에 나가서 자기 시숙을 만나고 오는 길이었다. 내일 이경순이 와서 돈만 치르면 집은 곧 비우도록 작정이 되었다. 과부가 묘옥의 곁에 앉으면서 수다를 떨었다.

"방금 집을 보구 오는 길이우. 아유, 복두 많으시지. 그래 어쩌다 우리 원주님처럼 잘난 사내를 만나셨수. 재물이라면 여주서 제일가는 부자요, 인물이라면 진사 생원 나리들보다두 덕망이 있지요. 게다가 마음은 또 얼마나 도량이 넓으시겠수. 좌우지간에 잘 모셔드리슈. 아따, 거기서 아들만 낳으면 이 여주 바닥이 모두 자기 거유. 에

이그 참…… 나두 지지리 복도 없는 년이지. 일찌감치 젊을 적에 팔자를 고치는 겐데."

묘옥은 고개를 숙이고 잠잠히 듣기만 하고 있었다.

"나두 저 계집아이 하나뿐인 줄 아시겠지만, 아들을 둘이나 낳아본 사람이우. 내 배를 앓구 낳았지. 세상에 여탄가(女嘆歌)두 많지만, 이내 년의 기박함을 엮어보자면 동지섣달 한 밤으로두 모자랄 게유."

박씨 과부는 오랜만에 이야기 상대를 만난데다가 젊은 색시가 초라한 꼴로 남의 소실자리를 바라고 찾아들었으니, 자연히 제 사정이 돌이켜졌던 모양이다.

"저년을 낳은 지 보름 만에 가장이랍시구 나무짐깨나 지던 우리 서방이 하룻밤새 급사를 했지 뭐유. 양식이 없어 끼니루 감자를 삶아드렸더니…… 그날 하루 온종일 비를 맞구 와서는 그만 명치가 꽉 맥혀서 평위산 한 첩 못 써보구 작고했수. 청동 화로 백탄숯에 녹용 인삼을 끓인들 무얼 하겠어요, 명줄이 짧은데…… 하여튼지 그담부턴 죽기살기루 품칠하며 살았는데, 참빗을 팔러 다니던 할멈이 날 찾아왔습디다. 큰 재물 생길 일이 났는데 마땅한 사람을 찾는 중이랍디다."

박씨 과부는 남부끄러워하지도 않고서 혼자 간직해오던 비밀을 털어놓았다.

"내 그때에 송파나루서 떡 팔구 있었는데, 쌀 스무 섬이라니 귀가 번쩍했수. 이천 만석꾼이 아들 하나만 낳아달라는 게요. 개가는 않을 작정이랬더니 세상모르게 아들만 낳아주고 나오면 된답디다. 내가 재상가나 향족의 규수도 아니고 상년인 주제에 절개 따지게 됐수. 기실 얼굴이나 예뻤으면 후실이라두 들겠건만, 아주 박색이니 누가 데려다 괴이기나 하겠수. 까짓 거 흔계집이라, 애 하나만 낳아 달라는데, 가을걷이 끝난 뒤에 무우밭이나 진배없겠지. 뭐 흠이 가나 자리가 나나. 응낙을 했수."

드디어 양자간에 합방일(合房日)이 택일되어 단자가 들여졌다. 과부는 매파의 요구대로 월경서답을 보냈고, 길일은 갑일(甲日)이라고 정해졌다. 과부는 딸년을 매파에게 맡기고 간단한 보퉁이를 꾸려가지고 흰 소복 차림에 이천으로 갔다.

"내 넉 달 동안 여섯 번이나 방사를 치렀건만, 애비의 얼굴을 자세히 본 적이 없수. 경도가 끊기고 태기가 있습디다. 그 댁 뒷방에서 노냥 누워서 열 달을 뒹굴었지. 아들이지 뭐유. 아프고 쓰렸으니 낳은 것은 분명한데 그 댁 마님이 날래게 빼앗아가버려서 품안이 허전합디다. 정은 빨리 떼일수록 좋다나. 마님짜리는 내가 갇혀 지내는 동안 배에다 봇짐을 하나 싸매구 나다녔지. 나는 밤중에 쌀섬과 상목을 짊어진 일꾼들이랑 그 댁을 나왔수. 지금으로부터 십삼 년 전이니까 이젠 그 녀석두 많이 컸겠네."

박씨 과부는 두 번째로 천안 가서 아들을 낳아주었지만, 아무래도 첫아이가 생각이 나서 견디질 못하겠더라는 얘기였다.

"재작년에 내가 하두 보고 싶어서 이천으루 가보았수. 서당 앞에 가서 기다리다가 누가 풍헌 댁 도련님이냐구 물었더니 총명하게 생긴 글방도령이 쫄랑거리며 나오더만. 글쎄 신통두 하지, 사추리가 쥐가 나듯이 찌릿하더라니까. 한눈에 척 알아보겠습디다. 내 새끼로구나 하면서도 딴맘으로는 범접이 안 되잖아. 죄 때문이우. 떼친 죄 말이우. 고 말간 눈알을 보니깐 사지가 후들거리구…… 나두 모르는 새 돌아섰지요. 저만큼 갔다가 그냥 가버리긴 너무 서러워서 돌아다봤더니, 아 요것이 쫄랑대면서 쫓아오더니만…… 아주머니는 누구십니까 그러겠지."

묘옥은 어느덧 박씨 과부의 얘기에 빨려들어가고 있었다. 그녀는 글썽해진 눈으로 쉴 새 없이 과부의 표정을 더듬고 있었다.

"처음엔 말문이 막혀서 아뭇소리두 안 나옵디다. 헌데 우리 도령이 재차 누구시냐구, 어째서 날 찾았냐구 묻질 않겠수. 속으로는 요 맹추야 내가 니 에미여 하고 싶었지만 그냥 두 손을 잡아주구 말았지. 나도 모르는 새 눈물이 흘러내리더만. 쇤네는 도련님의 유모올시다 했지. 차마 그냥 돌아설 수가 있어야지. 등에다 업구서 이천장으루 나갔어요. 장구경두 하구, 호박엿두 사멕이구, 장국두 사줬지요. 어스름해졌는데, 그날 풍헌 댁에서 난리가 났지. 모두들 찾아나섰다가 글방 접장놈이 웬 여인네가 와서 업어갔다구 했으니 귀한 아들 잃은 줄 알고 장바닥을 뒤졌지요. 피가 무섭긴 무섭습디다. 우리 도령이 유모, 유모 하면서 어찌나 따르는지 정말 맘 같아선 그 길루 들쳐업구 송파루 달아나구 싶더라니까.

도련님, 이젠 집으루 가셔야 합니다.

그랬더니,

유모, 같이 가서 나하구 살아. 내가 아버님께 여쭈어서 꼭 같이 살도록 할 테야.

한단 말이에요.

안 됩니다. 쇤네가 그 댁에 죄를 지어서 들켰다간 혼이 납니다. 도련님, 댁에 가시더라두 아예 유모 얘기는 꺼내지두 마십시오. 쇤네가 동구 밖까지 바래다드릴 테니 가시거든 글 많이 배우셔서 높은 선비님이 되십시오.

그렇게 달래면서 파장을 나서는데 그만 풍헌 댁 하인배들과 딱 마주치구 말았지 뭐유. 그 길루 잡혀갔지. 장광 깊숙이 갇혔다가 큰마나님이 내놓고는 매를 치며 문초를 합디다.

네년이 언감생심 행하까지 받아 처먹고서 이제 와서는 이미 족보에 오른 남의 장손을 빼가려는 게 아니냐. 쥐도 새도 모르게 죽여서 연못에 처넣구 말 테다. 이년, 네 자식이라는 증거가 어디에 있느냐?

아주 반죽음이 되어서 쓰러져 있는데 풍헌이 광문을 열구 들어섭디다. 그제서야 얼굴을 똑똑히 봤지요. 정자관을 쓰고 긴 수염에 눈이 부리부리한 양반이 썩 잘생겼습디다. 그냥 엎드려져 가죽신 코에 얼굴을 대구 말했지요. 기른 정이 깊다 하나, 낳은 정 또한 하늘도 가를 수 없는 자연의 이치인데, 에미 된 년으로서 제 자식의 성장한 모습을 보고 싶지 않은 년이 누가 있겠습니까? 나으리, 잘못이 제게 있다 하나, 도련님을 보셔서 이 불쌍한 년을 살려주십시오.

풍헌은 뒷짐을 지고 아무 말 없이 섰더니,

아들을 낳아주어서 늘 자네에게 감사하고 있네. 그러나 이것이 모두 내 혼자만의 일이 아니고, 가문의 일족들이 관계된 일일세. 자네가 낳았지만, 자네 아이가 아니야. 이런 소문이 밖으로 나가면 자네가 제 자식놈의 전정을 스스로 그르치게 되는 게야. 어서 돌아가서 다시는 이 근처에 얼씬두 말게. 안에서는 자네를 해칠려구 하는 모양인데, 내가 자식놈을 생각하구, 자네가 가긍하여 나왔네.

하시더니 하인 하나를 불러 지게에 태우고 내보내더군. 돈두 오십 냥이나 받았지. 나는 돌아오는 길루 송파나루를 떠났수. 에이그…… 참 미친년의 팔자두 다 있지. 이년의 팔자에 비기면 거기는 정말 싸리울 아래 워리 팔자유."

묘옥은 따뜻한 시선으로 박씨 과부를 건너다보았다. 박씨 과부는 방문을 열고 코를 풀었다. 그러다가 그녀는 소스라치며 일어났다.

"아니, 아씨께서……"

"왜 나는 올 데가 못 되나?"
하는 목소리가 들리며 이경순의 아내가 마루로 올라섰다. 박씨 과부는 당황하여 함께 일어서는 묘옥에게 눈을 껌벅하면서 혀를 쑥 내밀어 보였다.

"이리 들여놓아라."

경순의 처는 데리고 온 하녀에게 이르고서 방 안으로 들어섰으며, 하녀는 보퉁이를 내려놓았다. 경순의 처가 상석에 앉더니 고개를 숙이고 섰는 묘옥을 올려다보면서 말하였다.

"자네가 우리 어른을 따라온 묘옥인가? 나는 이도장 나으리의 안사람일세."

묘옥의 곁에 섰던 박씨 과부가 쿡쿡 찔러대며,

"어여 인사드리시우. 아유…… 아씨께서 이런 일이라두 있으니 저희 누추한 집엘 다 오시게 되는군요."

묘옥은 난처했으나 곧 자세를 가다듬고 큰절을 얌전하게 올렸다. 경순의 처가 인사하는 양을 찬찬히 보고 나서 고개를 끄덕였다.

"졸지에 닥친 일이라 내가 별로 준비를 못 하였네. 내 마음 같아서는 당장이라두 창골 본가루 자넬 데려가구 싶지만, 그럴 사정이 아닌 모양이니 피차에 딱한 노릇일세."

"아, 그러믄입쇼."

경순의 처는 곁눈으로 앉은 박씨 과부를 힐끗 쳐다보았다.

"과수댁은 좀 나가 있지. 그리구…… 너두 나가서 기다려라. 우리끼리 할 얘기가 있느니라."

박씨 과부와 하녀가 곧 방문을 열고 나갔다. 경순의 처가 묘옥의 손을 잡아 이끌면서 다정하게 말하였다.

"이리 가까이 앉게. 과연 나으리가 반하실 만두 하겠구먼."

묘옥은 더욱 고개를 들 수가 없었다. 경순이 오게 되면 자기의 갈팡질팡하는 마음을 털어놓고 안성이든지 어디로든 떠날 생각을 했던 묘옥이었다. 이제 그의 아내가 몸소 찾아와 가형과 같은 태를 보이니 더욱 바늘방석에 앉은 것만 같았다.

“제가 먼저 찾아뵙구 인사를 올려야 도리인데…… 송구스럽습니다.”

“아닐세. 도리는 무슨, 다 형편 돌아가는 대루 하는 게 도리이지. 관재가 있다는 걸 나두 알구 있네. 자네두 집안 사정을 나으리께 들어서 잘 알겠지만, 우리가 이 나이가 되도록 자식을 못 보았네. 나는 그저 자네만 믿구 있어. 아무리 우리가 처첩지간이라 하나 다 집안이 화목해야 복두 있으니까 서루 의논해가며 함께 지내세.”

“아니어요…… 저는 도장나으리를 모실 만한 계집이 못 됩니다.”

“왜, 그이가 자네께 섭섭하게 하시던가. 아니면 내가 마음에 들질 않아선가?”

묘옥이 대답을 망설이니, 경순의 처는 겸양의 말이거니 하여 잡고 있던 묘옥의 손등을 가볍게 두드렸다.

“속마음이야 어느 여편네가 젊은댁을 투기하지 않겠나. 나두 자네를 대하지 않았을 젠 나으리가 어쩐지 야속하기두 하구, 마음이 켕기기두 하데그려. 그저 세상에서는 처첩을 견원지간이나 되듯이 말하지만, 그게 사람 나름일세. 나두 자네 같은 아우가 생겨서 훨씬 든든하이.”

묘옥은 그제야 고개를 들어서 경순의 아내를 바라보았다. 부가옹의 마누라답게 덕이 있게 펑퍼짐한 턱이며 가느다란 눈과 입술이 도톰한 것이 푸근하고 부드러운 인상이었다.

“저는 안성 청룡사 사당골에 있던 사당이옵니다.”

묘옥의 말에 이도장댁은 놀라지 않았다.

"알구 있네. 들어앉아 살림을 할 사람인데 전신이야 아무러면 어떻다던가. 우리 식구끼리만 알구 차후로는 그런 말은 덮어두세."

"저는 임자가 있는 몸입니다. 나으리와 아씨께 이렇게 두터운 은혜를 입고 있지마는, 저는 내일이라두 당장 여기를 떠나야만 합니다."

경순의 처는 묘옥의 손을 놓고 물러나 앉았다.

"임자가 있다니……"

"도장나으리께 몸을 의탁한다 하여도 마음을 드릴 수가 없기 때문입니다."

"정든 거사라두 있는가?"

"더 묻지 마십시오."

도장댁은 묘옥에게 무슨 사연이 있다 싶어서 궁금한 중에도 웬일인지 답답하던 가슴이 풀어지는 것만 같았다. 이 여자는 자기 남편 이경순을 사랑하고 있지 않은 모양이었다. 하지만 남편의 태도로 보아 깊이 정이 들어버린 모양인즉, 자기가 아내로서 남편의 마음으로 이 여자를 대하리라고 생각을 고쳐먹는 경순의 아내였다.

"사당으로 흘러다녔다면 그 고생이 오죽하였겠나. 이제부터 아예 마음을 달리 먹고 우리 셋이 오순도순 살아보세나. 사실 우리 주인 어른만큼 자상하시구 착한 사내가 드물 게야."

"예, 도장나으리는 훌륭한 어른이십니다. 그리구 아씨는 더욱 훌륭하십니다. 제가 떠날 제 떠나더라두 두 분 후의는 절대 잊지 않겠어요."

"가긴…… 어딜 가나. 여기가 자네 고향이구, 우리가 모두 자네 식구인데."

이도장댁은 묘옥의 마음을 엿보고 속으로 안심이 되었다. 사당이라 하나 화냥기도 없었고, 그 순박함이 꼭 나물바구니 끼고 들에 나온 시골 처자에 비길 만하였다. 눈가에 어린 푸르죽죽한 그늘만 없다면, 그 여자가 거친 세파를 겪은 흔적은 전혀 보이질 않았다. 아직 정을 붙이지 못하여 공연히 서먹서먹해하지만, 자기라두 자주 찾아다니며 안돈을 시키노라면 작은댁으로서 이만한 여자가 없을 것이었다.

"내가 창황 중에 급히 옷감 몇가지 끊어왔네. 그리구 보약두 가져왔으니 식전마다 달여서 먹게. 나으리께선 오늘 못 오신다구…… 며칠간 못 오시더라두 전생이를 시켜서 거처두 정해주고 살림두 장만해주신다데."

경순의 아내는 일어섰다. 박씨 과부를 불러서 연못골의 집에 관해 묻고, 옷감과 약재를 가져왔으니 바늘품을 얻어 옷도 짓고 약을 달여 먹이라 부탁하였다. 묘옥은 마당 밖에까지 나가서 배웅인사를 올리고 돌아섰다.

"하여간에 복두 많으시우. 큰댁 마음 씀씀이가 저만하면, 대궐마마두 부러울 게 없겠수. 부잣집 마나님이 되는 데는 다 그럴 까닭이 있는 모양이지."

과수댁이 혀를 차면서 호들갑을 떨었다. 바깥채의 토방에서는 장인들이 투전이라도 벌이는지 왁자지껄하는 소리가 요란하였다.

경순은 연못골에 보아둔 박씨 과부네 시숙의 집을 사서 묘옥을 안돈시키려고 했으나 사정이 달라져서 꼼짝도 못 하고 있었다.

아침부터 궂은비가 주룩주룩 내리고 있었다. 그는 가게에 나가지 않고, 전날 물건을 하러 와서 비 때문에 유숙한 삼전나루의 객주인 사내와 장기를 겨루고 있었다. 오후쯤에 비가 개면 아무도 모르게 슬쩍 나가서 월송골에 있는 묘옥을 만나볼 생각이었다. 사흘이나 미뤄왔으니 애가 달아 견딜 재간이 없었다.

"이 사람, 뭘 하나, 포장이여!"

"아따, 궁을 틀면 그만이지."

"그뿐인가, 이번엔 차 들어가네."

경순이 딴생각에 골몰한 동안 판국은 어느덧 몰려 있었다.

"허허, 양수겸장일세."

"어때, 물려줄까?"

"그만두어. 좀 생각해보구."

"어디 뒷간 다녀올라나. 장기 두는 사람 고택골 갔군."

"넨장맞을…… 아, 담배 한 죽 태울 시간은 줘야지. 무슨 놈의 장기가 타작마당에 쌀겨 날아다니듯 촐싹거린담."

경순은 장죽을 당겨 부시를 치고 빼끔대는데, 밖에서 하녀의 목소리가 들려왔다.

"나으리…… 양성에서 사람이 왔답니다."

경순은 장기판에 골몰하면서, 그저 물건 떼러 왔겠거니만 여기고 점원에게 데려가도록 말하였다.

"그래, 손서방 나와보라구 해라."

하고 나서 언뜻 되새김질하니 양성이라고 했것다. 그는 얼른 곁창을 열고 내다보았다.

"아니…… 네가 웬일이냐?"

도롱이를 둘러쓰고 삿갓을 쓴 총각놈이 빗속에 서 있는데 양성 객줏집의 중노미였다.

"도장나으리, 큰탈 났습니다."

경순은 마루로 나와 그애를 데리고 급히 건넌방에 들어가 앉았다.

"아이구, 나 죽네. 밤새껏 걸어왔더니 우선 시장해서 못 견디겠수."

"그래, 무슨 일이 생겼느냐?"

"말씀 마십시오. 우리 주인어른께서 어제 안성 관가에 끌려가 경을 치구 나오셨습니다. 안성은 시방 발칵 뒤집혔어요. 청룡사 사당패는 모두 출행 나가고 한 대가 남아 있었는데 하나같이 초주검이 되었습죠. 당진서 유치옥이라는 동지 벼슬 사는 사람이 도둑 하나 잡는 데 백 냥씩 걸었답니다."

경순은 험악한 목소리로 다그쳤다.

"그게 무슨 상관이길래 날 찾아왔느냐?"

"어라…… 도장나으리가 모르시면 누가 알겠습니까? 그날 제가 안성 나가서 마부하고 말 한 필을 세내어왔지요. 그런데 그 마부란 놈이, 도둑의 일당으로 보이는 놈을 저희 객주에서 소개받아 음죽까지 태워줬다구 발고를 했습니다. 저희 주인은 전혀 모르는 일이라고 딱 잡아떼면서 지나치는 과객을 어찌 일일이 알겠느냐구 우겼다지요. 곤장 십 도를 맞구 나오셨습니다. 저희 주인 말이 나으리가 지금 포착되시면 피차에 관재를 입을 것이니 잠깐 피하라구 그러십디다. 어디 한양 유람이라두 다녀오시지요."

경순이 이미 여주 이방에게서 경고를 받은 바 있으므로 그리 놀라지는 않았으나, 무엇보다도 월송골 분원 밥집인 박씨 과부네 집에 숨어 있는 묘옥의 거취가 걱정이었다. 여러 사람들이 드나드는 곳이니 언제 남의 눈에 띄어서 입에 오르내리게 될지 모르는 일이었다.

"그래, 수고가 많았다. 점원들 방에 가서 푹 쉬고…… 내일 아침에 돌아가거라."

"저희 쥔어른께서 신신당부를 하셨습니다."

경순은 그에게 요기를 시키도록 해주고, 안채로 들어갔다. 경순의 처는 노파를 데리고 이불을 꾸미는 중이었다.

"잘 오셨어요. 어디 이 용봉단 무늬가 마음에 드셔요? 햇솜을 넣으니 얼마나 폭신한지 꼭 암평아리 가슴 같다니까. 이것만 시치면 다 끝나요."

"할 얘기가 있는데……"

"에구, 이런 눈치 봤나. 내 얼른 자리를 피한다 하면서두……"

노파가 말과는 달리 눈치 빠르게 일어섰다.

"어디 가지 마시구 부엌에나 갔다오우. 점심으루 닭 고음국에 국수를 말아드릴게."

경순의 아내가 그렇게 외친 뒤 바느질 손을 멈추지 않고,

"왜요, 당신이 가보시게? 내 그럴 줄 알구 아예 나갈 작정을 않았다니까. 얼마나 애간장이 타시겠수."

하며 눈을 흘기었다.

"내가 좀 바쁜 일이 생겨서 월송골에는 못 나가게 될 것 같으니 당신이 가서 앞뒤 살펴가며 잘 선처하시게. 연못골 집은 팔십 냥이면 충분하니 그 이상은 주지 말구. 가구 따위는 나중에 옮기도록 하오. 그리구 어쩌면 오늘 이방을 만나보고 어디 원행을 하게 될지두 모르겠는데."

경순의 아내는 비로소 뭔가 심상치 않은 것을 느끼고 일손을 멈추었다.

"당신 무슨 일이 생겼구려? 어딜 또 나가신다구 그러셔요?"

"음, 경주인(京主人)이나 만나구 올까 하구."

"그야 손서방을 시켜두 되잖아요."

"참, 총포 치워놨지?"

"예, 장롱에다 깊이 넣어두었어요."

경순이 말없이 돌아서 나오는데, 아내는 물끄러미 바라보다가 곧 뒤쫓아나와왔다. 마침 하녀가 마당을 건너오고 있었다.

"나으리, 손님이 오셨습니다."

"손님이……?"

하면서 경순이 고개를 들어 바라보니 사랑채 툇마루에 비를 피하여 걸터앉은 양반 차림의 사내와 종자로 보이는 젊은이가 서 있었다. 비록 갓에 도포를 걸쳤으나 그 태가 부드러운 서생이기보다는 광대뼈며 날카로운 눈빛이 왈짜깨나 부릴 만하였다. 그가 마당을 질러가자 마루에 앉았던 손이 슬며시 일어났다. 경순은 한눈에 짐작되는 바가 있었다.

"저를 찾아오셨습니까?"

상대가 쏘아보면서 되물었다.

"주인장 되시우?"

"그렇소."

"댁이 이경순이란 사람이우?"

경순은 뒤에 걱정스런 빛으로 서 있는 아내를 힐끗 돌아보고 나서 이번에는 정중하게 물었다.

"제가 이서방인데…… 손님께선 어디서 오셨습니까?"

그들 두 주종 차림의 사내들은 서로 시선을 교환하였다.

"우리가 어디서 왔을 거 같수?"

"허허, 거래가 처음이신 모양인데…… 가게루 나가십시다."

경순이 웃는 얼굴로 그들에게 등을 보이고 대문 쪽으로 나가려는 몸짓을 했는데, 손님의 손이 어깨에 얹혀졌다.

"사기 나부랭이나 사러 온 게 아니여."

별안간 반말지거리가 튀어나오고 손님은 허리춤을 더듬었다. 그가 꺼낸 것은 통부였다.

"우린 안성서 왔는데, 거기를 잡으러 왔지."

하자마자 다른 자가 붉은 오라를 경순의 몸에 지우려 하였다. 경순은 소스라쳐서 몸을 틀어 빼면서,

"아니…… 무슨 죄가 있다구 이러시우?"

"죄가 있는지 없는지는 가보면 아네. 우리는 양성 객줏집을 기찰하구 있다가 저 아이놈의 뒤를 밟아 따라왔지. 계집을 데리구 항곶포에서 내려 객주에 들렀다가 세마를 타구 왔지?"

경순이 우물쭈물하는데 그들은 잽싸게 결박을 해버렸다. 경순의 아내가 맨발로 달려내려와 포교의 소매를 잡으며 울부짖었다.

"나으리, 왜 이러십니까. 저희 주인이 무슨 죄를 지었기로 잡아가셔요."

"무슨 죄를 지었는지는 거기 서방께 물어보라구. 이놈은 당진서 작당하여 사람을 죽인 도적의 패거리란 말이야. 얘야, 가자!"

평복한 포교와 포졸은 경순을 당기고 끌면서 대문 밖으로 나갔다. 그의 아내가 좇아나오자 경순이 다급하게 말하였다.

"관가루 달려가서 이방에게 알려요."

경순의 아내는 그제야 생각이 닿아 안으로 좇아들어와 하인들에게 일렀다. 하나는 관가로 가고, 다른 하나는 이방의 집으로 뛰어나갔다. 경순이 잡혀나갈 때 삽시간에 소문이 퍼져서 사람들이 하얗게 몰려들었다. 경순은 손을 뒤로 묶인 채 고개를 숙이고 묵묵히 걸었다. 포교가 물었다.

"계집은 어디 있지?"

"무슨 계집 말이오?"

“속여봤자 쓸데없네. 마부가 자네 얼굴을 안단 말이야.”

“누가 나를 알든 간에 나는 당진에 나갔던 일이 없소이다.”

“허허, 당진 사공과 안성 마부가 함께 발고를 하여, 앞과 뒤가 꼭 들어맞는 터에 우리는 뭐 말뚝이나 장승인 줄 아는가. 자네 안성, 청룡 사당골에두 드나들었다며?”

“모를 일이오.”

경순은 더이상 대꾸를 않기로 하였다. 대꾸를 해보았자 불리한 이야기만 더 나올 듯하였기 때문이다. 그들은 창골서 나와 음죽 가는 길로 여러 마장을 내려왔는데, 뒤에서 말발굽 소리가 들려왔다.

“거기 멈추시오!”

그들이 뒤돌아보니, 더그레 군복 차림의 여주 장교 하나가 말에서 뛰어내렸다. 그는 다짜고짜로 경순의 결박을 잡으면서 말하였다.

“누구 맘대루 죄인을 포착하여 데려가라구 했소. 이 사람은 우리 관내의 소관이니, 일단 우리에게 와서 알려주기라도 해야 할 텐데, 이럴 수가 있소?”

“여보시우, 나는 통부를 가진 기찰포교외다. 도적을 잡는데 일일이 쫓아다니며 보고를 해야 하오?”

“만일에 이 자가 도적이라면 우리 고을 사람이니 우리가 데려가야겠소.”

그들이 실랑이를 벌이고 있는데, 뒤이어 이방이 달려왔다. 그는 말 위에 탄 채로 말하였다.

“우리 고을의 양민을 잡아가는데 이런 법이 없소. 우리 사또의 분부로 나왔는데 죄인을 곧 여주 관아로 압송해오시오.”

고을 이방과 장교가 나와서 따져대니 그들도 어쩔 수 없는지 발길을 돌려 다시 여주로 돌아갔다. 경순은 일단 마음이 놓였다.

"내가 여태껏 심기가 불편하여 한 번도 출타한 일이 없거늘 어느 겨를에 당진엘 나갔겠소."

경순은 태연하게 꾸며대었다. 안성 포교가 보아하니, 이방과 장교가 몸소 쫓아나와 제지하는 것으로 보아 비록 몸이 상놈이기는 하나 지방의 권가임에 틀림없었다. 안성 포교는 아까보다는 훨씬 기세가 누그러져서 중얼거렸다.

"내 어찌 알우? 마부란 자가 발고를 하였는데 양성 객줏집서 두 연놈을 태우고 음죽까지 나갔는데, 화승총으루 협박을 당했다구 하데. 당진 도적이 총포로 사람을 살상하였고, 그날 새벽에 나룻배로 항곶포까지 태워다 주었던 사공이 적발되었수. 그 도적이 계집을 데리고 음죽까지 와서 여주로 향했다 하는데, 마침 양성 객줏집 아이가 이리로 오게 되어 댁네를 포착하게 된 게요."

"허허, 딱하기두 하십니다. 객줏집 아이가 내게 온 것은 늘 있는 일이고, 또한 물상 객주와 공장이가 오삭가삭하는 건 당연한 일이 아닙니까. 그 도적이 여주서 배를 타고 경강으로 올라갔는지두 모르지 않소. 공연히 죄 없는 사람을 포박하여 끌고 가니, 우리 사또께서 아시면 좀 시끄러울 거외다."

경순이 은근히 오금을 박아주는데, 포교의 생각에도 자기가 좀 성급하지 않았는가 하는 감이 없지 않았다. 더구나 안성은 일개 군수요, 여주는 경기 삼목(三牧)의 하나인 정삼품 목사직이니, 여주서 문제를 삼아 질책하면 제 나름대로 자신만만하여 달려들었던 포교로서도 뒤가 몹시 켕기는 일이었던 것이다.

"좌우지간에 발고한 마부놈을 데려다 대면을 시킬 수도 있고, 당진 사공을 그리할 수가 있으니 너무 노여워 마시게."

그제야 묵묵히 말에 앉아 가던 여주 이방이 태도를 바꾸었다.

“그렇게 경솔하여 무슨 장교 노릇을 하며, 아랫것들을 어찌 부리는고. 하여튼 상청에 당도하여 따질 일이로되, 관건에는 순서와 법도가 있은즉 우리 고을의 양민을 아무 통기 없이 마음대로 잡아가는 것은 관장을 능욕한 죄여.”

관장을 능욕했다니, 단매에 때려죽여 삼문 밖에 내치게 되는 중죄이니 포교는 이제 반대 입장이 되었다.

“아니오. 우선 도적을 잡는다는 마음이 급하여 잡아다가 대면을 시키고 나서 차후 계를 드릴까 하였을 뿐입니다.”

경순이 팔꿈치를 날개처럼 흔들거리면서 재촉하였다.

“여보, 이 결박 푸시오. 청천 백주에 달아날 사람이 아니외다.”

“풀어드려라.”

포교가 지시하니 포졸은 황급히 오라를 풀어버린다. 그들은 창리 탑거리를 지나 관아로 들어갔다. 통인을 시켜서 상방에 사연을 아뢰고 댓돌 아래 부복하여 사또 듭시기를 기다리는데, 점심을 들던 목사는 경순이 억울하게 잡혀갈 뻔했다는 이방의 전갈만 듣고 급히 동헌으로 나왔다. 이방은 마루 곁에 부복하여 서 있었고, 안성 포교와 포졸과 이경순은 댓돌 아래 엎드려 예를 올렸다. 목사가 여주 분원장 이경순을 모를 리 없었다. 그의 신연(新延) 때에도 거마비를 듬뿍 내었고, 관에 행사가 있을 적마다 적지 않은 전곡을 내었으니 목사에게는 매우 중요한 백성인 셈이었다. 목사가 좌기하고 문초할 일이건만 집장 사령 군노 하나 거느리지 않고서 한가히 장죽을 입에 물고 통인이 부시를 붙여준 담배를 빨았다.

“내가 듣자하니 안성 군수의 처사가 몹시 가볍구나. 며칠 전에 회람과 용모파기를 보았은즉, 당진과 안성에 적경이 있단 것은 알구 있다. 헌데 막연한 심증으로 우리 고을의 양민을 잡아가고 연후에 민원이 있다면, 내가 수령으로서 실덕을 하게 될 일이다. 포교는 전후 사정을 아뢰어라."

이방이 곁에서 복창하며 다그쳤다.

"어서 아뢰랍신다."

"예…… 음죽까지 도적을 태워다 주었다는 마부가 발고를 하여 양성 객점주가 장형 문초를 당하였습니다. 아무래도 내통이 있을 듯하여 객줏집을 기찰하다가 중노미의 뒤를 밟아 이 사람 집으로 찾아오게 된 것입니다."

"그러하면 객점주가 장사일로 가게 되는 공장이 집이나 물주인 집에는 모두 쫓아가서 잡을 터이냐?"

"아니…… 그런 게 아니오라 다만 음죽서 여주까지가 지척이오라……"

"이런 어리석은 놈을 봤나. 음죽서 지척인 곳이 비단 우리 고을뿐이더냐. 이천도 있고 죽산 양지 고을도 있다. 더구나 위로는 경강이요, 동으로 원주, 제천, 충주, 청풍이니 네 도적 잡는다는 짓이 마치 바닷가에서 자갈 고르듯 하는구나. 그리고 발고했다는 놈도 마찬가지니라. 아무리 총포가 있다 하나 도적놈이 제 얼굴에 써가지고 다닌다더냐."

포교가 듣자하니 둘러댈 말이 없었다. 속셈으로 생각하기에도 자기가 몹시 경솔했음을 뉘우치지 않을 수 없었다. 그가 객점 아이에 연이어 덮치지 않고서 시간을 두고 며칠쯤 기찰을 해보았다면 혹시 꼬리를 잡을지도 모르는 일이었건만, 이제는 영락없이 자는 범에 코침 놓은 꼴이 되어버린 것이다.

"어째서 대답이 없느냐?"

"황공합니다."

목사는 물고 있던 장죽으로 놋재떨이를 요란하게 두드렸다.

"이 일은 너희 사또가 지시했느냐?"

포교의 이마에는 식은땀이 흘러내리기 시작하였다.

"아, 아니올시다…… 틀림없이 도적을 잡는다는 생각으루 소인이 그만……"

"이런 고이헌 놈 봤나. 위로는 수령을 받들고 아래로 백성을 보살펴야 할 장교란 놈이, 수령의 뜻을 어기고 죄 없는 백성을 마음대로 침학하느냐? 음, 이제 보니 포도한다는 핑계로 재물 있는 자들을 핍박하여 돈냥이나 빼앗겠다는 수작이렷다. 여봐라, 집장사령 들라 하고 형방 대령하여 저놈을 치죄하여라!"

포교가 모골이 송연하여 이제는 울먹이면서 애걸하였다.

"사, 사또…… 소인 죽을 죄를 졌사오나, 다만 직무에 열중한 관원으로서 저지른 일이오니 굽어살핍시오."

이방이 틈을 놓치지 않고 목사에게 간청하는데, 실상은 안성 포교를 구명하였다는 인심을 얻어두자는 속셈이었다. 기실 일이 크게 번지고 나면 밑이 구린 것은 이쪽이 틀림없는 일이었다.

"아뢰오. 비록 안성의 장교가 월권하였다 하나, 그 일이 백성을 해치는 도적을 잡는 일로 비롯된 죄인즉, 일단 형방을 시켜서 이모와 함께 문초를 하도록 하시고 연후에 벌하여도 늦지는 않을까 하옵니다."

목사 생각에도 중벌을 내릴 뜻은 없었고, 다만 안성군수에게 목사로서의 위의를 새겨두려 하였은즉, 이방의 말에 고개를 끄덕였다.

"음, 이모란 자는 쟁송이 마무리될 때까지 하옥시켜두고, 안성 관리는 곤장 십 도를 내려 징계하도록 하라."

이경순은 일단 하옥되고, 안성 포교와 포졸은 각각 곤장 십 도로써 징치된 뒤에 이방의 선처로 객사에 머물도록 하였다. 여주 이방은 아무래도 마음이 놓이지를 않는지라 창골 이도장네 사기전으로 나아가 그의 아내를 찾았다. 경순의 처는 근래 남편의 행적에 짐작되던 바가 있어서 몸져누워 근심에 싸여 있었다. 이방이 들어서자마자 도장댁은 우선 애고 소리부터 먼저 내었다.

"우리 주인께서 무슨 중죄를 지었다구 옥에 갇히도록 내버려둔단 말입니까. 사또께서두 그러시구 이방어른은 더욱 우리와 자별하게 오가시면서 이런 의리가 있단 말입니까?"

"중병일수록 극약을 써야 합네다. 시방 이도장을 가둔 것은 바로 그와 같지요. 내가 다 선처할 궁리가 있어서 이러는 것이니 아주머니께서는 너무 심려 마십시오. 내가 온 건 다름이 아니라……"

하면서 이방은 목소리를 낮추었다.

"이 댁에 사당아이를 데려다놓았지요?"

도장댁은 가슴이 덜컹하여 입을 열지 못했는데, 아무리 주인과 자별한 사이라 하나 그는 관아의 사람이고 경순이 옥에 들었으니 함부로 얘기할 수가 없었던 것이다. 이방은 경순의 처를 안심시키느라고 껄껄 웃어 보였다.

"아주머니, 걱정을 마십시오. 일전에 이서방이 내게 다 털어놓은 사실이올시다. 만약에 그애가 잡히면 이도장은 꼼짝없이 화적죄를 쓰고 죽게 될 뿐 아니라, 나나 아주머니도 중벌을 면치 못할 게요. 지금이라두 당장 그 계집을 어디 먼 데루 보내버립시다."

"그…… 그렇지만 우리 주인께서 아무 말씀이 없으셨으니, 저만 몹쓸년이 되구 말겠지요."

"지금 그런 것을 따질 계제가 아닙니다. 이서방이 나중에 알게 되더라도 우리를 탓하지는 못하지요. 다 제 몸을 위해서 하는 일이 아니겠습니까?"

"월송골 분원 동네에 있어요."

이방은 눈을 크게 떴다.

"헛, 아직두 거기 두었단 말입니까? 내가 빼돌리라 일렀는데, 그렇다면 이거 더욱 큰일이로군."

"연못골에 작은집을 두려고 작정하여 돈도 치렀지만, 이런 일이 벌어졌으니 제가 나가볼 겨를이 있겠어요?"

"그 과붓집에다 두었단 말이지요? 아니, 이 사람이 정신이 나갔군. 홀려두 단단히 홀렸어! 아, 눈이 몇이며 입이 몇입니까. 안 되겠습니다. 당장 가셔서 밤을 타구 떠나도록 이르시오. 그 계집만 없다면 이 서방은 사흘 안으루 무사히 나오게 될 겁니다."

이방의 말은 진정 도장댁으로서는 그중 반갑고 고마운 얘기였다. 아이를 낳지 못하여 도장댁은 남편에게 늘 죄를 지은 듯했고, 씨받이댁까지 주선하려던 것이었다. 그러나 갑자기 들이닥친 젊은 여인이 남편의 정을 독차지해버리고, 남편이 늘 좌불안석이던 것이 못내 섭섭했었다. 더구나 이제 경순의 몸에 닥친 위급함을 보니, 이방이 말하지 않더라도 어째서 거기에 생각이 미치지 못하였나 후회가 되었다.

"예, 그러면 제가 이 길루 월송골엘 나가겠어요. 그리구…… 며칠 계실지는 모르지만 옥내가 불편하실 텐데, 제가 옥바라지를 해야겠어요."

"그건 염려 마십시오. 아주머니가 아니더라도 내가 다 가려서 해놓을 테니까요. 옥사장 아이들도 이도장이라면 깍듯이 예우를 합니다. 궁금하시면 언제든지 가서 들여다보셔두 좋구요. 허나, 시방은 처지가 처지인지라 남의 눈을 피해야겠습니다. 의심을 받으면 아무래도 불리하니까요."

"이방어른만 믿구 있겠습니다."

이방이 헛기침을 하고 나서 잠깐 머뭇거렸다.

"돈 있거든 백 냥만 내놓으십시오. 내가 지금 나가서 객사를 찾아봐야겠습니다. 안성 포교라는 자가 제법 눈치 있는 자이니 입막음을 해둬야 합니다. 사또께는 일이 마감된 뒤에 따로이 선사품을 마련하기루 하구요."

"주인이 안 계시니 수결 없는 어음을 떼어드릴 수도 없고…… 꿰미는 너무 부피가 크니 은자를 드리겠습니다."

하고는 서슴지 않고 은자 스무 냥 반을 내놓았다.

"더 드릴 수도 있으나 아직 객주와 경주인의 계산이 떨어지질 않아서요."

"아니, 이것이면 충분합니다. 제깟 장교놈 주제에 막걸리 사발 들이켜기두 쉽지 않은 터에 백 냥이면 과합지요. 그러면 아주머니는 사당아이 일을 잘 수습해두십시오."

이방과 경순의 처는 의논을 마치고 일어났다. 이방은 객사에 가서 안성 포교를 끌어내어 술을 퍼먹이고 계집을 안겨준 뒤에 적당히 돈을 안길 작정이었다. 공연히 까탈 잡히게 뇌물 쓰는 양을 하는 게 아니라 앞으로 장사차 안성엘 가는 일이 있을 적에 저자일을 잘 보아달라더라고 전하는 형식을 취할 셈이었다. 피차에 봉변이니 장사치보다야 관원이 더욱 욕본 게 아니냐, 그러니 이것은 서로 위무하고 잘 지내자는 돈이다. 이방의 머릿속에는 그런 식으로 안성 포교를 무마시킬 생각이 술술 풀려나가고 있었다. 그런 생각을 하면서 탑골을 지나가다가 이방은 문득 어떤 생각에 부딪치게 되었다.

"젠장할…… 평생 요 모양 요 꼴루 여주에 틀어박혀 서리배 노릇이나 하다 죽는가 부다……"

하긴 여주 이방은 삼대째의 향리(鄕吏)였다. 원래 아전이라 하는 것은 향소의 직이니, 관장이 부임해올 적에 데려오는 것이 아니라 관장을 들이고 보내면서 백성들과의 다리를 놓는 역할을 하는 것이었다. 즉, 지방 사정에 밝은 자라야만 아전배 노릇이 가능하였고, 따라서 서리는 마음만 먹으면 지방 사정에 눈이 어두운 상사를 속여먹기가 손바닥 뒤집는 일과 같았다. 여주 이방이 본시 순하고 의기를 아는 사람이언만, 그의 경우에 있어서도 목사가 모르는 수입원들을 몇가지 가지고 있었다.

그는 여주서 밥술깨나 먹고 지내지만 그렇게 큰 부자는 아니었고, 그도 다른 서리배들의 꿈과 마찬가지로 현감 정도의 벼슬아치가 되어보고 싶었다.

아전직이 원래 지방에서 가세를 유지하기에 족한 업이건만, 중인은 물론이요 상놈들간에도 관가의 아전이라면 그리 귀히 여기지를 않았다. 그것은 대개 아전의 급료가 헐하여 백성과 수령 사이에서 포흠이 많기 때문이었고, 시정 장사치들도 앞에 면대하여서는 가장 존중하는 듯하나 돌아서면 비웃게 마련이었던 것이다. 여주 이방은 그리 악한 사람은 아니로되 심기가 매우 여린 사람이었다. 그가 객사에 들러 안성 포교와 술을 걸치고 돈냥을 전한 뒤에,

"이것은 사또께서 귀관의 충직함을 대견히 여기셔서 내리는 상급일세. 한편 곤장으로 징치하신 것은 수령의 위의를 세우고자 함이었으니 마음을 풀게나."

하고 은근히 달래주었으며, 출출하게 객사에서 죽치고 있던 안성 관원은 의외의 횡재에 감지덕지하여 한사코 물리치다가 받는 체하였다.

"소인이 월권한 죄가 있어 다스림을 받은 터에 누구를 원망하겠습니까. 이제 위무까지 해주시니 몸둘 바를 모를 지경입지요."

남의 고을에 와서 매를 맞고 나서 뜻하지 않은 돈까지 얻게 되었으니, 어느 겨를에 의심을 가지며 설령 그런 마음이 들었다 할지라도 눈 녹듯이 사라질 만하였다. 백 냥이란 시골 장교로서는 제법 큰 돈이었던 것이다. 이방은 안성 관원을 색주가에 재워두고 거나하여 제 집으로 돌아갔다. 그가 그때까지는 간교한 마음을 먹지 않았고, 다만 자신의 입장에 관하여 평상시처럼 가볍게 탄식하였을 뿐이다.

"젠장할…… 나이 사십줄이 넘어서 이게 무슨 꼴이람. 남들은 턱짓으로 아랫것들을 부리며 한 고을의 수령으로 하늘처럼 떠받들려 지나는데, 포교 따위와 냄새나는 술을 퍼먹고 다니다니!"

이방은 비틀거리며 걷다가 자기 집 문전에 이르러 드디어 견디지 못하고 왁왁 토해냈다. 문득 대문이 삐걱 열리더니 그의 처가 내다보는 것이었다.

"흥, 집안에 환난이 있는 줄도 모르고, 술만 퍼먹구 다니면 제일이오?"

"허허, 내가 술 먹는 일이 어제 오늘이 아니건만 왜 지청구가 이리 심한가?"

"그야 술도 술 나름이지요. 사대부나 토반 향족 어른들과 함께 마시면 약주이지만, 그따위 술을 퍼먹구 다니는 당신이야말로 술지게미에 취한 술도가의 강아지와 뭐 다른 게 있단 말이우?"

"뭘…… 이년이 정말 미쳤군!"

이방이 술김에도 달려들어 한대 치려고 문간으로 쏟아져 들어가니, 그의 처는 피하여 마당을 건너지르면서 통곡을 터뜨리는 것이었다.

"아이고오, 분하고 원통해서 이 일을 어디다 호소할꼬. 제 딸년이 살지 못할 능욕을 당하였건만, 가장이 무능하여 설원할 길이 없고나."

곡성이 요란한 중에 이방은 사랑에 올라앉아 우선 하녀에게 냉수를 청하였다. 그가 냉수를 다 마시고는 아무래도 집안 공기가 심상치 않았음을 눈치채었다.

"집안에 무슨 일이 있었느냐?"

물으니, 하녀는 눈물을 글썽이며 주워섬겼다.

"아가씨가 자진을 하셨더랬습니다."

요란한 소리로 물그릇이 떨어져 댓돌 아래 박살이 났다. 이방은 그만큼 놀랐던 것이고, 취기가 대번에 가시는 듯하였다.

"뭐라구…… 그랬느냐?"

"아가씨가 목을 매셨습니다."

청천에 벽력 같은 말이니, 이방의 얼굴에서는 대번에 핏기가 가셔 버렸다.

"골방에서 목을 매신 것을 천행으로 쇤네가 발견하여 끌어내리고 의원을 불렀어요. 침을 맞히고 사지를 주물러서 가까스로 회생을 하셨습니다만, 아직 제정신이 들질 못하였습니다."

이방은 한걸음에 뛰어가 외동딸의 모습을 살피고 싶었건만 꾹 눌러 참으면서 침통하게 한숨만 내리쉬었다.

"그래…… 그 연유가 무엇이라더냐?"

하녀는 옷고름만 비틀고 섰을 뿐 말을 할 듯 말 듯 망설이고 있었다. 이방이 눈을 부릅뜨고 잡아먹을 듯이 노려보면서 외쳤다.

"말하지 않으면 아가리를 찢어서 내치겠다. 어서 직고하여라!"

"예…… 저…… 생원 댁 조수재를 아시겠지요?"

"그놈이 무슨 상관이 있단 말이냐."
하면서도 이방의 머릿속으로 퍼뜩 지나가는 생각이 있었다. 조생원과는 연전에 이웃하여 산 적이 있었고, 철없는 아이들은 곧잘 양지바른 그의 집 마당에 와서 함께 놀고는 하였던 것이다.

조도령이 책을 끼고 서당 출입을 하게 되면서부터 내외를 하게 되고 집이 서로 이사를 하여 떨어져 살게는 되었으나 이방과 생원 사이에도 이웃의 정리가 가신 것은 아니었다. 요즈음도 어쩌다 노상에서 만나면 안부를 묻곤 하는데, 물론 이쪽에서 먼저 하정배를 드리는 것이었다. 저쪽은 깍듯한 반말이고 이쪽은 처음부터 끝까지 양반을 대하는 예의에 어그러짐이 없었다. 조생원이 그리 부자는 아니었으나, 이 고장에서는 선산도 지녀 있고 제수답도 너른 터에 밥끼니나 족히 먹을 만하였으니, 엉치뼈가 송곳 같은 샌님은 아닌 셈이었다. 의식이 족함에 자연히 양반 자세가 은근하게 꿋꿋하였던 것이다. 일찍이 이경순의 아내도 조생원 마나님께 능멸을 당했다고 여겨 까짓 것 공명첩이나 사들이리라 작정한 그만큼이었다. 그러나 이방으로서는 아주 아전 집안으로 삼대를 물려온 터에 향족에게 하정배를 드리는 것은 당연하다 여겨왔던 터이다.

"음, 조도령이 우리 아이와 소꿉동무라는 건 안다. 그래 어떤 일이 있었느냐?"

이방이 한결 침착해져서 나직한 소리로 물었고, 그제야 마음이 놓인 하녀는 눈물을 글썽이고 울먹여 말하였다.

"지난해 한가윗날이었습니다. 그날 나으리께서 퇴청이 늦어지신 틈에 아가씨는 달구경을 나가자구 졸라대어 제가 뫼시구 나룻가에 나갔었습니다."

이방은 벌써 일의 내막이 손바닥에 올려놓은 것처럼 환히 짐작되는 바가 있었다. 자신도 아잇적에 양가 처녀를 꾄다고 달밤에 여주 강변에를 나가 휘돌고 다니던 생각이 났다.

"게서 조도령을 만났느냐?"

"예…… 뒤를 밟은 듯하였습니다. 아가씨가 잠시 비켜 있으라 하거늘, 쇤네는 떨어져서 두 사람이 나누는 얘기를 듣지 못하였지요. 그뒤로 두 분 사이에 정분이 나서 글이 오락가락하였습니다. 어떤 때엔 방자 대신에 그분이 직접 담 너머에서 휘파람을 불고는 던지고 가는 적도 많았습니다."

"네년두 편지 심부름을 하였겠구나."

"죽여……줍시오."

"에미두 알구 있겠지?"

"예, 대강은 아시는 듯하옵니다."

이방은 입맛을 다셨다.

"헛허! 집안 망하는구나. 언감생심 그 댁이 뉘 댁이라고 오르지도 못할 나무를 쳐다봐? 그래서 어찌되었단 말이냐?"

"그뒤로 편지만 오가다가 얼마 전에 조수재가 그만…… 월장을 해오셨습니다."

이방은 얼결에 벌떡 일어났다.

"내 이놈을 단매에 때려죽이구 올까 부다. 아무리 항족이란들 남의 집안을 이리 업수이여길 수가 있단 말인가."

안방에서 곡성이 멎고 이방의 처가 달려나와 울부짖는 것이었다.

"여보, 그리 마오. 당신은 입이 열 개라두 말을 못합네다. 재물이 없으면 지체라두 높든지, 지체가 낮으면 부가옹이라두 될 일이지. 남들은 아전질 삼 년에 만석꾼이 부럽지 않다던데, 당신네 집안에는 돈꿰미는커녕 썩은 곶감꼬치 한 줄 들어온 적이 없으니 관노와 무에 다를 게 있단 말요? 이도장을 보우. 비록 신분은 신량역천(身良役賤)이건만 누만 전을 쌓아두었으니 고관대작을 부러워하겠소. 아마 정승이라두 살 거외다. 그가 돈냥을 써서 동지나 첨지나 풍헌이라두 될작시면 우리 따위와는 하게두 놓지 않구 살 게란 말유. 공연히 당신만 홍야홍야하면서 그 사람의 동무입네 하지만 이득 본 게 뭐가 있소."

집안일이 이렇게 된 바에 이방은 입이 열 개라도 말을 못 할 지경이었다. 그는 울화를 짓씹고 앉아 아내의 험구를 제 몸에 쑤셔박히는 사금파리의 고통인 양 참아 견디는 중이었다.

"조수재인가 도적놈인가 하는 놈이 제멋대로 춘정이 나 발동하여 일을 저지르고는 씻은 듯 소식이 없더니, 오늘 성혼을 마쳤다는구려. 상대는 평택의 호농 최풍헌네 막내딸이랍디다. 풍헌이니 선달이니 그것두 공명첩 양반일시 분명하니, 아무러면 우리네 아전배보다 못하겠수. 아이구 원통해라. 이 지지리 못난 가장을 믿고 사는 우리가 모두 쓸개 빠진 년들이지."

"에이…… 썩을 것들 같으니!"

울분이 채 터져나오지도 못한 채 이방은 사랑으로 들어가 어둠속에 뻗고 누워버렸다. 한참이나 마누라의 지청구하는 소리가 들리다가 집안이 괴괴해졌는데 잠이 올 리가 없었다. 그는 이리 뒤척 저리 뒤척 궁리에 궁리로 머리통이 깨지는 것만 같았다.

약한 사람이 능멸을 받고 그것을 강한 상대에게 풀지 못하게 되면 자신에게로 그 원한을 돌리게 되고, 자신에게 돌린 원한이 깊으면 깊을수록 복수하겠다는 심정이 세상 전반에 향하게 되는 것이 인생살이의 이치가 아닌가. 따라서 일찍이 자신을 수양하고, 집안을 잘 다스림이 세상을 올바로 살아가는 첩경인 줄을 알지 못하고, 자신과 집안을 모두 그르치기가 쉬운 게 심약한 사람의 특징이었다. 그가 제 집안의 그릇된 생각을 바로잡지 못하겠거든 차라리 무면(無面) 풍류로 모른 척 잘라버리든지, 아니면 생원네로 달려가 당당히 따져서 포한을 푸는 것이 하책 중에도 해낼 수 있는 사람의 짓이었다. 그러나 그는 엉뚱하게도 자기의 아전 처지를 통탄하였다.

"오냐…… 두고 보자. 내 벼슬을 하든지 돈생원 도주공(陶朱公)이 되든지 하여 이 포한을 씻겠다!"

새벽녘에 잠을 이루지 못하고 일어나 앉아서 담배를 피우며 이런 저런 허튼 공상으로 새우는데, 문득 생각이 어느 곬에 가서 딱 멈추는 것이었다. 아전배란 십 년을 하루같이 남의 눈에 드러나지 않도록 차근차근 착복하지 않으면, 결손 때마다 관장에게서 의심을 받기가 일쑤요, 무엇보다도 지방민들의 입에 오르내리면 재물을 지니기가 어려운 노릇이었다. 그러나 그에게는 이제 한 가지 신통한 생각이 떠오르고 있었다.

이경순의 아내는 여주 이방이 이르고 간 뒤에 변변히 생각할 염도 없이 약간의 패물과 돈을 내어 싸들고 혼자서 월성골로 나아갔다. 사방이 캄캄해진 뒤이라 아무의 눈에도 뜨일 것 같지 않았다. 월송골 분원마을에 이르러 행인을 조심하여 박씨 과부네 집에 당도하니 아무것도 모르는 과수댁은 호들갑을 떠는 것이었다.

"아유, 그러잖아두 저희 시숙이 어찌나 안달을 하시는지 쇤네가 창골루 찾아뵈려던 참이올시다. 연못골 집이야 아주 실하구 주변두 조용합지요."

"이 아이 집에 있는가?"

"예, 방금 같이 저녁을 먹었습죠."

"자네는 들어오지 말게. 내가 은밀히 할 이야기가 있네."

"아무렴요, 어련하시겠어요."

벌써부터 밖에서 오가는 이야기를 듣고 묘옥은 옷매무새를 고치며 앉아 있었다. 도장댁이 들어서자 묘옥은 황황히 일어났다.

"그리 앉게. 우리가 틈이 별루 없으니 어서 얘기를 끝내세나. 자네 어디 갈 곳이 없나?"

묘옥은 어리둥절하여 태도가 표변한 도장댁을 바라보았다. 실로 마음속으로는 떠나리라고 작정하고 있었건만, 며칠 전까지도 저쪽에서 잡아 붙드는 시늉이더니 지금 와서는 곧 찬바람이 폴싹거리는 듯하였기 때문이다.

"나두 자네와 더불어 한솥밥을 먹으며 친동기간같이 지내리라 여겼더니, 우리가 아마 인연이 없는 모양이네. 만일에 우리 주인께 아무 일이 없거나, 또는 내가 혼자가 되었다 하더라도 사람이 이리 매정하게 나올 수는 없을 걸세. 자네 어디로든 적당한 곳으로 지금 당장에 떠나주어야겠어."

묘옥은 고개를 숙이고 앉았다가,

"제가 언제 가더라도 갈 작정이었습니다만, 이렇게 갑작스레 떠나게 되니 혹시 도장나으리께 무슨 변고나 없으신지 방정맞은 생각이 듭니다."

"왜 아니겠나. 그분이 시방 관가에 하옥되어 계시다네. 안성서 기찰포교가 찾아와 자네를 눈이 시뻘게서 찾는 모양일세. 만약에 자네가 잡힌다면 나으리는 말할 것도 없고, 자네는 장하에 죽고 말 게야. 안성은 시방 발칵 뒤집혔다네. 어서 안전한 길루 여주를 빠져나가도록 하게."

"저 때문에 이런 곤경을 겪게 되었으니 죽여줍시어도 할 말이 없는 터에 제가 무얼 망설이겠습니까. 아씨, 안녕히 계십시오."

묘옥이 일어나 절을 하였고, 도장댁은 그 정경이 가엾어서 혼자서 고개를 끄덕이고 오냐 오냐 하며 눈물을 씻어냈다. 도장댁이 싸가지고 온 보퉁이를 묘옥에게 들려주면서 말하였다.

"이건 얼마 되지 않지만, 주인께서 내주셨던 것이니 노자나 하고, 제 몸 하나는 간수할 수 있을 겔세. 언제 형편이 좋아지면 다시 만나겠지. 가만있게…… 내가 사람을 하나 붙여줄 테니 길안내를 받도록 하게."

"아닙니다, 저 혼자서도 갈 수 있어요."

"그게 아닐세. 자네가 무사히 빠져나가야 우리 주인께서 탈이 없을 테니 이러는 게야."

묘옥이도 그 말에는 항거치 못하고 다소곳하니 앉아서 기다렸다. 박씨 과부가 분원에 가서 전생이를 데리고 왔다. 전생이는 이에 눈치가 있는지라 말없이 보퉁이를 받아 지고 앞장을 섰다. 전생이의 뒤로 묘옥이와 도장댁은 따라붙어서 말없이 걸었다. 드디어 창골과 나룻가로 갈리는 길에 이르러 도장댁은 묘옥의 손을 잡아주었다.

"잘 가게나. 내가 할 말이 없네. 나중에 도장어른이 나와 아시게 되면 심려가 많으실 테지만, 어쩌겠나. 우리에겐 하늘 같은 가장인데……"

"아씨! 평안히 사십시오."

묘옥이 어찌 여인이 그 지아비를 사랑하는 마음을 모르랴. 더구나 지금 딱히 편을 들라면 이경순 쪽이 아니라, 그의 남편으로 하여 애를 태우고 시앗에게마저 정을 보이며 아기를 낳지 못하여 끝내 죄스러워하는 도장댁의 편을 들고 싶었다.

"그래, 어서 가게."

묘옥은 전생이의 뒤를 부지런히 따라갔다. 달은 초승달이었으나 별이 총총한 밤이었다. 하염없이 뻗어나간 길을 타박이며 걷고 있는 묘옥의 가슴에는 웬일인지 썰렁한 바람이 스치고 지나는 듯하였다. 이 적막강산 아래 다시 몸 붙일 데 없는 신세가 되었고나 하는 외로움이 서서히 밀려오는 것이었다. 여자의 마음이란 또한 얼마나 얄궂은 것일까. 경순이 곁에 있을 적에는 그의 다정함이 짐스럽고 송구하여, 자기는 그 사람의 계집이 아니라고 수십 번 외우게 되더니 이제 돌아서서 떠나오자마자 그가 그리워지는 것이었다. 길산은 이미 죽은 사람으로, 스스로가 길가의 돌멩이처럼 구르며 살아왔던 세월을 씻기 위하여 정분을 끝내 지켜내리라 작정하였으나, 생시의 사람은 아니었다. 이미 저승의 사람임에 틀림없고, 너그러운 아버지 같던 경순이야말로 묘옥에게는 매우 또렷한 이승의 사람이 아니었던가. 그렇지만 묘옥은 새로이 다짐하는 것이었다. 자신에게는 아직도 길산이라는 광대의 넋이 소중하였고, 그의 넋을 간직하는 중에 심신이 정화되고 오히려 모든 험난한 세상살이를 견딜 수 있을 것만 같았다. 그녀는 혼자 중얼거렸다.

"나으리, 제발 무사하십시오."

묘옥과 전생이는 도사공을 깨워 배를 띄우도록 하였다.

"제가 모셔다드리고 싶지만, 우리 원주어른 일이 걱정인지라 갈 수가 없습니다. 나중에라두 혹시 주인께서 찾으실지 모르니 행선지나 말하여주십시오."

"글쎄요…… 한양으루 가겠습니다."

전생이가 도사공에게 뱃삯 닷 냥을 내어주니 보통때의 거의 다섯 배가 넘는 돈이었다.

"마포나 동작진까지 대어주시우."

"우리 배는 어제 선적한 화물이 있는데, 송파에 부려놓아야 합니다. 거기 이르러 배를 갈아타시도록 하시우."

"하긴 송파까지만 가면 배는 지천으루 깔렸으니까. 그럼 잘 부탁하우."

"우리가 시방 배를 띄울 시각은 아니오만 돈을 받았으니 아무러면 어떻겠소. 잠 좀 덜 자구 돈을 벌어야지."

도사공은 집에 들어가 아들인 듯한 떠꺼머리를 깨워서 데리고 나왔다. 총각은 연방 투덜거리면서도 닻줄을 풀었다. 전생이가 묘옥에게 당부하였다.

"동작진이나 마포의 유기와 사기를 취급하는 아무 여각에나 찾아가서서 통기해놓으십시오. 서루 대번에 연락이 닿을 겝니다."

전생이가 꼼꼼하여 제 주인의 뒷일까지 모두 거두려 하였다. 묘옥은 아무 말 없이 뱃전에 올랐다. 경강 사공이라면 그 물길 타는 재간이나 노질이 전국의 하천에서 으뜸이었고 화물을 실어나르는 사공 정도라면 수로를 제 안방처럼 훤히 아는 사람들이었다.

여주서 한밤중에 배를 띄워 경강(京江)으로 오르는데, 북한강과 남한강의 지류가 모이는 분원(分院)까지는 강물을 거스르는 셈이었다. 분원을 지나고부터 강물은 서쪽을 바라고 완만하게 흐르다가, 송파를 넘어서면 바로 도도하게 한양성 밖을 싸고 돌아 서해로 빠지는 것이었다. 비록 물길이 백여 리가 넘는다 하지만 육로에 비길 바가 아니었다. 광주의 송파와 삼전도(三田渡)는 동북지방과 삼남에서 한양으로 들어오는 목구멍과 같았으니, 이현(梨峴) 칠패(七牌)에 직접 통하는 가장 큰 장시였다. 밤배가 여주서는 몇척 없더니 이천장을 지나며 한두 척씩 늘고 양근(楊根)을 휘돌고부터는 어느덧 십여 척의 줄이 이루어졌다. 배는 안개를 뚫고 경강을 향하여 거슬러올라갔다. 강 위에는 새벽바람이 가득 차 있고 노를 올리고 돛을 올린 배들의 돛대마다 매달린 등불빛이 반짝거렸다. 사공은 고물에서 키를 잡고 앉았으며, 묘옥은 덮개가 씌워진 선복의 쌀섬 위에 푹신한 멍석을 깔고 누워 있었다. 앞으로는 덕판에 앉아 물길을 내다보는 젊은 사공이 있었다. 묘옥이 가끔 고개를 들어 내다보노라면 늙은 사공이 말하는 것이었다.

"분원을 지나고도 한참 갈 테니 푹 잠이나 자두오."

했으나 묘옥은 잠들 수가 없었다. 자신을 태운 배는 끝도 없는 어둠 속으로 한없이 흘러가는 것만 같았다.

별빛이 희미해지고 수면 위로 안개가 퍼져나갈 무렵에 배는 북한강의 지류가 합치는 봉안 앞의 분원목에 이르렀다. 물결이 세 갈래로 갈리면서 강 복판에 자리 잡은 모래섬의 주위를 거세게 맴돌았다. 이번에는 두 사공이 노를 젓는 참이었다. 배가 전혀 물결을 헤치고 나아갈 기세를 보이지 않았다. 북쪽에서도 줄이은 상선들이 불을 달고 나타났다. 한참을 허우적거리던 끝에 배가 소여울 쪽으로 방향을 잡았고 섬을 한 바퀴 돌아서 서편에 머리를 돌릴 수가 있었다. 배들은 서로 엇갈려서 제각기 방향을 달리하였다. 일단 소용돌이를 지나자 얼마 동안은 급류가 계속되었다. 광주를 지날 때 해가 뉘엿뉘엿 떠오르고 있었다.

밤새껏 시달린 사공은 피로했는지 아들과 바꾸어 덕판에 반듯이 드러누워 잠들었고, 아들이 대신 키를 잡았다. 실로 하룻밤 사이에 배는 덕풍말을 돌아서 송파나루로 흘러드는 중이었다. 묘옥은 이제껏 이렇게 많은 배들을 보지 못하였다. 돛단배와 나룻배, 병선을 개조하여 높이가 사람 키는 훨씬 넘는 상선들이 그물이라도 짜는 듯이 송파와 삼전도와 학여울에 걸쳐서 오르내리고 있었다. 강변에 다닥

다닥 붙여 지은 가가(假家)에서는 아침을 짓는 연기가 안개와 휩싸여서 양쪽 강안이 자욱할 지경이었다.

"저기가 한양인가요?"

묘옥이 묻자, 젊은 사공은 껄껄 웃으면서 대답하였다.

"어떠우…… 장관입지요? 저기가 송파 장터랍니다. 마포나 서강보다두 물자 많기로는 경강서 으뜸이지요. 한양까지야 한 식경이니, 뭐 다 한 울타리입니다. 들고 나는 이가 얼마나 되게요."

"대처로군요."

"대처다마다요. 허지만 인심은 아주 사납수. 모두가 뜨내기들이니 언제 인정 가리게 됐습니까. 아씨두 조심하슈, 순 날도적놈 판이외다."

"객점두 많이 있을까요?"

"헛허, 맨 천지에 객점이우. 글쎄 한번 뭍에 올라가보시라니……"

송파가 배를 대기에 맞춤한 것은 굽어도는 물길이 두 섬으로 하여 느슨해지고, 더욱이 봉은사 옆의 학여울 앞은 일단 주춤해진 물길이 호흡을 가다듬고 그 흐름을 바꾸는 곳이었다. 두 섬 중에 송파를 감싼 것이 상림(桑林)이요, 그에 연이어져 딱섬〔楮子島〕이 있는데 모두 한양성 밖의 왕십리로 통하여 위로는 흥인문에 닿고, 아래로 광희문에 닿는다. 송파와 삼전나루는 이곳을 근거지로 시정아치들을 피하여 원산지 상인과 직접 교역하려는 강상 무뢰배들의 본거지가 되어 있었다. 아래로 서빙고를 지나 동작나루와 노량나루에는 과객과 보부상들의 주막이 즐비하고 마포와 서강이야말로 경강 상인들의 여각이 밀집한 대창고들이 즐비하였다. 서강 건너편의 밤섬에는 이들 주상(舟商)들이 만든 조선장이 여럿이었다.

송파는 상림과 삼전도와 딱섬 주변으로 거래하는 장시가 다섯 군데가 넘는데, 이미 강안에서 묘옥이 가가를 보았듯이 장터마다 초막으로 이루어진 간이 집들이 송파와 삼전나루 양쪽 길가에 열을 이루었고, 움으로 지은 창고와 굉장한 객점의 지붕들이 다투어 솟아나 있었다. 묘옥은 백사장에 내려서자, 아침부터 웃통을 벗어젖히고 짐을 실어내리고 실어올리는 수많은 장한들 때문에 길을 잡지 못할 정도였고, 도선장에는 배를 타고 내리는 사람들로 혼잡을 이루고 있었다. 날마다 열리느니 장이요, 특히 닷새 간격마다 어물이며 목재며 곡물이며 소금이며 각종 공산품들이 품목별로 크게 거래되곤 하는 것이었다.

마침 건어의 교역날이라 도선장에서는 온통 마른생선의 비린내가 가득 차 있는 것 같았다. 그녀는 저자 가운데로 걸어올라갔다. 묘옥은 딱히 어느 곳에 내리겠다 마음먹은 바 없었으나, 배가 그곳에 닿았으니 구태여 한양으로 향할 마음이 아니었고, 이렇게 사람이 들끓는 가운데 섰으니 어쩐지 마음이 놓이기도 하였다. 우선 요기를 하면서 천천히 거취를 생각해보리라 작정하고 묘옥은 탕반집이며 국숫집이나 죽을 파는 가가를 훑어보고 있었다. 누군가 그의 치맛자락을 흔들면서 흥얼거렸다.

"아주머니, 죽 한 그릇만 사주오."

묘옥이 내려다보니 나이는 열두어 살이나 됐을까 싶은 수세미 머리의 낯바닥이 새까만 아이놈이었다. 의복은 사방에 꿰맨 자리요, 땋은 머리는 헝클어진 채 쇠똥이 켜로 앉았을 듯하였고, 맨발이었다. 눈이 반짝이는 것이 몹시 총명해 보였다.

"네가 누구냐?"

아이가 힝 웃으면서 다시 치맛자락을 흔들었다.

"죽 사주면 되었지 누군지 알아 무엇 하우."

"나두 시방 요기를 하려구 찾는 중이란다."

"그런 줄 알구 이렇게 개 꽁지에 검불 붙듯 하는 게 아니우. 날 따라오시우. 요기두 하고 잠두 한숨 잘 수 있는 곳이 있으니까."

묘옥은 그럴듯이 여겨 타박거리며 앞서서 걷는 아이의 뒤를 따라갔다. 지붕은 초가요 벽은 기둥에 거적을 말아올린 간이 주막이 나왔고, 큰 쇠솥에서는 뼈다귀가 끓는지 냄새가 구수한데 이미 해장을 하는 사내들과 국밥을 먹는 행객들이 멍석 위에 촘촘히 앉아 있었다.

아이는 묘옥을 여자들만 내외하여 앉는 칸막이 뒤로 데려다주었는데, 훨씬 한적한 곳이었다. 묘옥은 선선히 어죽 두 사발을 시켰다.

건어와 민물조개를 넣고 끓인 죽이 뚝배기에 하나 가득 담겨져 나왔고, 묘옥은 우선 아이에게 그릇을 내밀고 나서 자신도 숟가락을 들었다. 아이는 죽을 떠먹기 전에 휘장 밖으로 소리쳤다.

"아주머니, 내가 손님 모셔왔으니 그 맡긴 그릇에 죽 좀 담아놔주오!"

"이 녀석아, 아직도 다섯 분은 더 모셔와야지. 이제 겨우 마수걸이에 벌써 성화냐?"

"내 얼른 집에 다녀와서 부지런히 모시리다. 열 분만 모시면 저녁에두 주어야 하우."

"어쨌든 빨리 나가 모셔만 와라."

묘옥은 아이와 아낙네의 오가는 말을 듣고 대강 짐작할 수가 있었다. 유객으로 가가에서 걸식을 하는 모양이었다. 묘옥은 허겁지겁 죽을 퍼먹고 있는 아이에게 조심조심 물어보았다.

"누굴 갖다주려구 그러냐?"

"우리 할머니요."

"할머니하구 함께 사니?"

아이는 고개를 끄덕이고 다시 죽그릇에 고개를 처박았다.

"내가 돈을 줄 테니 한 그릇 더 사서 갖다드리려무나."

이윽고 아이가 눈을 빛내면서 묘옥을 말갛게 쳐다보았다.

"아주머니 돈이 많소?"

"그래…… 어서 더 먹어라."

곁에서 죽을 먹고 있던 아낙네들도 가장 신기하다는 듯 두 사람을 연신 곁눈질하는 것이었다.

"여기 어디 조용한 객줏집이 없니?"

"장거리를 지나면 객주뿐만 아니라 마방이 딸린 기와집 여각이 즐비하지요. 아주머니는 장사하러 왔나요?"

"아니, 한양으루 가는 길이다."

"그럼 객주는 어찌 찾소?"

"쉬어 갈까 해서 그런다."

"한양이 예서 엎드러지면 코 닿을 텐데, 어서 배나 타요."

"어째서……"

아이는 인중으로 흘러내린 코를 기묘하게 훌쩍 들이켜고서 말했다.

"장거리 새새 틈틈이 깔린 게 알건달 소악패들인데 아주머니처럼 예쁜 각시 혼자 노중에 오가다간 봉변을 당하리다."

딴은 그럴듯한 얘기였으나 이미 노중에서 산전수전을 다 겪은 묘옥인지라 웃음으로 넘기면서 아이의 어른스러운 염려를 기특하게 생각하였다. 노자에서 몇푼을 내어 죽값을 치르고 묘옥은 아이가 손가락질하는 대로 장거리 쪽으로 향하였다.

"잘 가거라."

"예, 가시는 길에 무고 평안하십시오."

묘옥이 문득 아무 생각 없이 물었다.

"네 이름이 무어니?"

"장쇠라고 부르오. 요기 잘했습니다."

묘옥은 죽그릇을 받쳐들고 사람들 틈으로 사라지는 장쇠의 뒤꼭지를 한참이나 바라보았다. 장거리 양편에는 각종 어물이며 과일이며 채소, 지물, 방물, 쌀, 잡곡, 해초, 가죽, 포목, 담배, 사기, 소금 등등이 각처에 쌓여 있는 객점과 가가들이 즐비하였다. 상인들이 서로 외치고 부르며 거래하는 소리로 장바닥은 떠나갈 듯했고, 가가와 객점 앞으로는 지게를 받쳐놓거나 보따리를 풀어놓은 좌고들이 또한 촘촘하게 들어앉아 있었다.

가운데의 비좁은 길을 지나치려니 남녀노소가 서로 소매를 얽을 지경이었다. 또한 그뿐 아니라 각 점포에서 목청 좋고 잘생긴 자들을 길가에 내세워 저마다 손님을 불러대니 장바닥은 마치 설렁탕을 끓이는 가마솥처럼 들끓어대고 있었다.

떡전을 지나 쇠전마당으로 나오니 거기서부터가 장돌뱅이나 저자 소악패들의 놀음터였다. 네댓 명이 앉아서 마흔 장 투전의 돌려대기를 하는 패도 있었고, 거의 십여 명이 둥글게 몰려서서 엽전치기를 하는 축도 있었다. 또 들병좌판 앞에서는 서넛이 웃통을 벗고 고래 고함을 지르면서 싸움질을 벌였다. 한 사내가 밑에 깔렸는데, 위에 올라탄 자가 주먹으로 연방 내질러 코피가 억수로 쏟아져나오는 참이었다. 묘옥은 그리 낯선 느낌이 아니었다. 그녀가 처음에 해서에서 색주가로 팔린 곳이 철광산이었고, 거기서 광부들의 싸움을 숱하게 보았던 것이다. 어쩐지 그러한 광경을 보니 새삼스럽게 사는 일이 서러운 생각이 들어서 고개를 돌리는데,

"이거 눈알딱지를 얻다 빼놓구 다녀?"

하는 컬컬한 사내의 목소리와 함께 묘옥의 어깨가 거세게 떠밀렸다.

"에구머니나!"

묘옥이 뒤로 넘어갈 듯하다가 몸을 가누었으나, 옆구리에 끼고 있던 보퉁이는 사람들의 발 아래 굴러떨어졌다.

"조금 부딪쳤다구 이러는 행패가 어디 있어요?"

묘옥이도 저자 풍물에는 익숙한 처지라 졸연치 않게 악다구니를 쓰며 마주쳤던 사내에게 대드니, 그는 더욱 성깔을 돋우어 소리쳤다.

"이런 제미할…… 댁네는 사지가 멀쩡하지 않아. 저리 비켜."

하며 으르딱딱이고 돌아서는데 묘옥은 뭐라고 더 해줄까 하다가 제풀에 삭아버리고 말았다. 사내는 한쪽 다리를 심하게 절면서 사람들 틈으로 헤치고 나가고 있었던 것이다.

"흥, 미운 벌레 모로 긴다더니……"

묘옥은 그제야 떨어뜨린 보퉁이 생각이 나서 발 아래를 살피는데, 방금 떨구었던 것이 간 데가 없었다. 허리를 굽혔다가 아예 쭈그리고 앉아서 사람들의 행전 친 다리 사이로 내다보았건만 모래먼지만 풀썩거릴 뿐이었다. 그래도 행여나 하여 이리저리 앉은뱅이 본새로 옮겨다니면서 더듬었다.

"어이쿠, 이게 뭐야."

"아니, 장터에 앉은뱅이가 났나?"

"재작년 그러께 섣달 그믐에 놓친 방귀 찾는 모양일세."

"아니야, 감씨를 빠뜨린 게 아닐까? 이 사람아, 자네 여편네두 한양 나갔다가 감씨 빼놓구 와서 딱딱한 것은 못 먹구 부드럽고 연한 물건만 먹는다며?"

"예끼, 이 시러베자식아."

지나는 장꾼들이 이렇게 농탕을 치고 가건만 묘옥은 정신이 아뜩하였다. 이제 무일푼이 되었으니, 몸을 올바로 지키기는 적막강산에 벌거숭이인지라 이미 난감한 일이 되어버린 것이다.

"뭘 찾수?"

떡좌판을 지키던 중년 여인이 고개를 쑥 빼면서 묘옥이에게 물었다. 그 여자는 이미 자초지종을 다 보아 알고서 짐짓 그렇게 묻는 것이었다.

"글쎄 내 보따리가…… 종적이 없네요."

묘옥은 멍청하게 중얼거리다가, 말 붙인 게 동무라고 좌판 앞으로 다가섰다.

"방금 떨어졌는데…… 잠깐 사이에……"

떡장수 아낙이 혀를 끌끌 찼다.

"그 보따리 벌써 멀리루 갔수."

"가다니요……"

"누군가 쳤지?"

묘옥은 눈물이 글썽글썽해져서 고개만 끄덕였다.

"치기당했구먼."

곁에서 인절미를 먹고 있던 노인이 동정조의 말을 던졌다.

"이 바닥에서 돈 잃은 사람이 댁뿐만이 아니오. 땅을 치며 주저앉아 우는 사람들 여러 번 봤지."

"어쩌나……"

묘옥이 기가 막혀 털썩 주저앉으니, 떡장수 아낙네가 말하였다.

"일부러 와서 부딪구 나서 시비 벌이는 사이에 보따리를 채간다우."

노인이 물을 마시고 나서 수염에 붙은 콩고물을 털어내며 곁달았다.

"그래두 채가기나 하면 창황 중이라 견디기나 낫지. 나는 작년에 그만 서너 놈이 작당한 장기수에 녹아서 깨 닷 말 판 돈을 몽땅 떼였지. 백주에 눈을 뻔히 뜨구 당했더니 다리가 후들거리데."

"돈이 많우?"

묘옥이는 대답할 기운도 없이 절름발이 사내가 헤치고 간 강변 쪽을 바라보았다. 그쪽은 묘옥이가 방금 지나친 혼잡한 장거리이니 사람들의 법석대는 고함소리와 몸짓이 가득 차 있을 뿐이었다.

"그 다리 저는 사내가 장바닥에 늘 다니지요?"

묘옥이 묻자, 떡장수 아낙네는 갑자기 정색을 하고 시큰둥하니 받았다.

"글쎄 우리야 뭐 떡이나 팔지, 일일이 장꾼들을 봤어야지. 근데 무슨 떡 드릴까? 인절미두 있구, 시루떡두 있구, 백설기, 대추떡, 절편, 뭐든지 있수."

돈 잃은 사람이 떡 먹을 리 없음을 잘 알면서도 떡장수가 길을 틔우려는 수작이매, 묘옥은 일어나서 오던 길로 돌아 올라가보았다. 뒤에서 노인이 일러주는 말도 귓전으로 흘렸다.

"저 아래 여각거리에 가면 포교가 나와 있으니 가서 발고하오."

묘옥은 장거리를 쑤시고 지나는데 숱한 사내들이 모두 맨상투에 두건 차림이니 하나같이 어슷비슷해 보였다. 다만 그자의 특징이 다리를 전다는 것밖에 가려낼 재간이 없었다. 묘옥은 사람들의 걸음걸이만을 살피고 다녔다. 설사 포교가 있다 하여도 묘옥으로서는 관아의 기찰 대상이니 쫓아가 발고할 수도 없는 입장이었고, 그렇다고 보퉁이를 찾을 것 같지도 않았다. 반대로 포교에게 면박이나 당하거나 운이 나쁘면 잡히게 될지도 모를 일이었다. 묘옥은 도선장에까지 와서 하역하는 곁꾼들 사이를 살펴도 보았고 음식 파는 가가에 대고 장바닥에 돌아치는 절름발이에 관하여 묻기도 하였다. 그러나 대답은 한결같이 모르쇠니 이제 타관 도방에 내친 신세가 되어버린 묘옥은 말 그대로 몸뚱아리밖엔 호구지책이 없는 셈이었다.

묘옥은 물가에 주저앉아 다리쉼도 할 겸 흐트러졌던 마음도 가다듬을 겸 하여 인적이 뜸한 나룻가 위쪽으로 올라갔다. 강변을 바라보니 딱섬을 바라고 내려가는 강원도의 원목 뗏목들이 지나치는데 물길잡이의 배따라기가 청승맞게 울려퍼지고 있었다. 묘옥은 강변에 바짝 다가앉아 물속에 잔돌멩이들을 하나씩 던지면서 풀어졌던 마음을 다잡았다. 어딘가에 색주가가 있을 테니 몸을 던지기도 하려니와, 까짓 강변에서 뱃놈들께 초저녁 거더머리나 팔든지 하여, 노자 장만해가지고 어디 아늑한 암자라도 찾아가면 그뿐일 것이었다. 작심 중에 묘옥의 물성질(水性)은 살아온 습관대로 약한 듯 모질게 다져졌다. 수초가 물 위에 맡기고 높은 데서 낮은 곳으로, 좁은 곳에서 너른 곳으로 얹혔다가 다시 흐르고 하는 것처럼 묘옥은 여주에서의 기억을 활활 털어내고 송파에 몸을 얹을 작정이었다.

묘옥이 물가에서 하염없이 돌멩이를 주워 던질 적에, 나루에서 일을 하던 인부들과 곁꾼들이 수군수군하고 사공들도 히히거렸으며 강변에서 거래하던 차인 나부랭이들이 드디어 의논을 내었다.

"저거 어디서 굴러온 작부인지 모르지만 아주 배꼽이 곤두섰군."

"글쎄 작부라면 색주가에서 횟박을 뒤집어쓰고 앉았을 텐데 차림새는 여염 여인 같구먼."

"미친년 아닐까?"

"미친년은 더욱 좋지. 이놈아, 오입쟁이 반팔십에 그것쯤은 알아야지. 모름지기 팔희(八戲)가 있느니라. 제일이 유부녀요, 제이가 하님이요, 제삼이 과부요, 제사가 기생이요, 제오는 첩이요, 제육은 처녀요, 끝이 마누라인데, 최고가 바루 광녀(狂女)란 말여."

"저 자식은 꼴값에 광통교서 별감배들께 들은 풍류랍시구…… 오살할 놈."

"그나저나 세다리 난장판에 두 다리 들고 앉았으니 홀림은 분명한데."

"수작이나 걸어볼까아."

저희끼리 쿡쿡 지르고 낄낄거리면서 초상난 데 개 몰리듯 차인들이 묘옥에게로 어슬렁대며 다가들었다.

"저어…… 여보십시다?"

그중 농탕질 좋아하는 자가 헛기침부터 서두를 떼고서 한량풍으로 능숙하게 끌어보았다.

"그 마누라 어디 기시우?"

묘옥이 놀라서 모래를 털고 일어나며 대꾸가 없는데,

"혼자 수심이 깊어 뵈는 것이 민망하여 무례를 하였수. 송엽주와 육포가 있으니 뱃놀이라두 가시려오?"

딴에는 멋들어지게 오입쟁이의 격식을 보였으니 추파와 대꾸가 있으련만 묘옥은 무표정하게 나룻가로 올라올 뿐이었다.

"저 봐, 실성했지."

"노류장화인 듯도 하고 아닌 듯도 하니 집적거릴 문자속이 있어야지."

"인석아, 기왕지사 내친 김에 저자의 개가 되는 판인데 뭘 우물거려."

"아따, 길에 떨어진 홍합에 임자 있나? 주워먹는 놈이 살루 가지."

동무들의 격려에 힘을 입어 먼저 수작 붙이던 자가 묘옥의 손목을 덥석 잡았다.

"돈이 되나 쌀이 되나 행하는 줄 터이다."

묘옥이 사내를 아는지라 대번에 뿌리치며 앙탈하지 않고, 동요 없이 잠깐 잡힌 손을 내려다보다가 사내의 얼굴을 똑바로 올려다보았다. 앙탈을 하면 도리어 사내들이란 자극이 되어 더욱 거칠어지고 분을 넘기가 쉬운 일이었다.

"이 손 놓으시오."

침착하게 말하면서 묘옥은 손을 뿌리쳤다. 뿌리치자마자 묘옥은 사내에게로 대들어 태도 일변하여 목청을 돋우었다.

"네 이놈, 어느 세상이라고 백주 대낮에 여염녀에게 행패하느냐. 너 어느 상고의 차인이냐. 내가 모년 모월 모처를 들어서 관아에 직소하겠다."

사내들은 묘옥의 또라지게 따지는 말투에 고기눈깔이 벙벙하여 멀뚱거리며 서 있었고, 웃는 자도 없었다. 묘옥은 뒤돌아보지 않고서 나룻가를 떠나 다시 장거리로 향하였다. 묘옥은 자기의 행동에 스스로도 적이 놀랐고, 역시 예전처럼 색주가에 몸을 던질 수는 없다고 생각했다. 뭔가 살아갈 방도를 찾아야 한다. 그러나 그 방도는 오늘 해가 지기 전에 이 송파 안에서 찾아야 한다. 만약 못 찾게 되면 구걸이라도 하리라 생각하며 묘옥은 쇠전마당을 지났다. 쇠전 앞을 지나자 길이 어느 만큼 한산해졌고, 객주와 여각이 줄을 지어 서 있었다. 여각은 창고와 마방과 숙박하는 방이 딸린 깨끗한 초가들이었고, 객주는 역시 비슷하건만 집은 조촐하게 작았다. 그러나 장사치들께는 우선 객줏집이 여각보다 윗등급이니, 그 취급하는 물품이 다양하고 고가였기 때문이다. 객주에서 지방산물을 모두 제한 없이 위탁 판매한다면 여각은 주로 쌀과 소금과 해산물을 거간해주었다. 또한 여각에서는 부피가 큰 상품들을 다루어 그 이익이 객주보다 실하지는 아니하였다. 그러나 건물이 큰 것은 상거래 이외에도 세마라든가 숙박이라든가 창고 대여 같은 것을 하는 때문이었다. 묘옥이 사고 팔 물건이 없으매 덮어놓고 숙박하기도 어려운 일이니 천상 싸구려 봉노를 찾아야겠지만, 봉놋방이란 보부상 같은 거친 사내들이나 끼여서 뒹구는 곳이니 갈 곳은 보행 객주뿐이었다. 보행 객주는 여행하는 자만을 상대로 숙식으로 업을 삼는 집이었다. 객주거리를 지나면 장대가 내세워진 색주가들이 시작되고 있었다. 고기와 전을 지지는 기름진 냄새가 길 좌우에 가득하였다. 묘옥은 보행 객주를 물어 찾아갔다. 대처답게 토담이 둘러 있고 마당은 발간빛으로 깨끗하여 밥알이라도 주워먹을 만하였다. 문은 나무 문짝으로 쉽게 열지 못할 듯한데 밀치니 놋쇠 방울이 요란하게 딸랑거렸다. 문간의 마루에 한가히 앉았던 주인장이 아녀자임을 보자 사환을 불렀다.

"야야, 손님 모셔라."

얼굴이 해사한 사환아이가 뛰어나와 인사를 하는데, 묘옥은 냉큼 들어서지를 못하고 자신 없는 소리로 중얼거렸다.

"이 댁에서 혹시 부엌댁이나 빨래어멈이 필요치 않은가 여쭙지."

사환아이는 멋쩍은 김에 은근히 열이 나서 문을 쾅 닫으며,

"원, 손님은 안 들구 어디서……"

씨부리며 들어가는데, 주인장의 귀가 보배라 어느결에 알아들었는지 바깥에다 외쳤다.

"여게, 잠깐 들어와보오."

묘옥이 들어서니 주인은 우선 용모와 의복을 살핀 연후에 괴이쩍다는 표정을 지으며 머리를 갸우뚱하였다.

"보아하니 젊은 색시가 무슨 사연인가?"

"예, 원행을 하던 중 요기나 하려고 장에 들렀다가 노자를 몽땅 치기당하여서……"

"원, 저런 죽일 놈들이 있나. 날마다 늘어가느니 좀도적뿐인데, 포교란 자들은 우리 같은 장사해먹는 양민들 돈이나 울궈내려 하니 큰 문젯거리일세. 내가 보행 객주를 해봐서 잘 알지만 어느 때는 손님인 체 들어왔다가 방방이 털어가질 않나, 몰래 들어와 투전판을 벌여서는 시골 사람들 생눈을 뽑지 않나, 거 참 봉변일세. 어디서 오는 길인가?"

묘옥은 잠시 생각하고서 대답하였다.

"예, 이천 친정에 들렀다가 옵니다."

"허허, 남의 일 같지 않고…… 그래 원행에 바깥사람은 어딜 두고 혼자서 나댕기나?"

"예, 군막에 들어 자유롭지 못합니다. 시방 변방에 상전을 모시러 따라가 계십니다."

"마침 잘되었네. 우리집에서 그러잖아두 이불 홑청을 모두 새로 갈려는 판인데 표모가 없던 참이야. 한 닷새만 일해주게. 내 먹여주고 두 냥 줄 테니 어떤가?"

묘옥의 처지에 아랫목 윗목, 서속밥에 뜨물을 가릴 계제가 아니었다. 묘옥은 그날부터 보행 객줏집에서 닷새를 기한하고 표모질을 하였다. 아침에 일어나면 걸레로 훔치며 총채로 떨어 방소제를 마치고, 온갖 사내들의 땀과 때에 전 홑청을 뜯어 함지에 담아 이고서, 등에는 쇠솥 지고 한 손에 점심이 든 바구니 도시락을 들고 숯내로 나갔다. 숯내는 삼전나루와 송파나루 사이에 흐르는 샛강이었다. 바윗돌에 디디고 앉아 맑은 강물에 빨래를 헹구고 방망이로 두드리노라면 갖은 시름이 다 사라지는 것이었다.

제 몸에 스몄던 온갖 더러움이 그 빨래처럼 희디희게 정결해지는 것만 같았다. 숯내에는 여러 객주와 여각에서 나온 표모와 품팔이 아낙네들이 강안에 울긋불긋 수를 놓았는데, 방망이를 두드리는 소리가 강심에 경쾌하게 꽂히는 듯하였다. 묘옥이도 이웃한 아낙네들과 동무가 되어 함께 머리도 감고 장딴지의 때도 벗기면서 시름을 잊었다. 솥을 걸고 잿물 뿌려 빨래를 삶을 적에는 몰래 내어온 건어도 구워먹고, 푼돈으로 탁주도 받아다가 나누어 마시며 잡가를 부르기도 하였다. 특히 왕십리의 미나리가 한창이어서 점심참에 둘러앉아 고추장에 듬뿍 찍어 먹는 맛이 그만이었다. 닷새를 한다는 일이 열흘이 넘게 되었는데, 그것은 묘옥이 일을 깔끔하고 부지런히 하여 주인의 눈에 들었기 때문이다.

하루는 경강 쪽으로 해가 탐스런 연시처럼 익어 떨어지는 저녁에 묘옥이 물먹은 솜처럼 피곤한 몸을 이끌고 객주거리로 올라가는데 뒤에서 부르는 소리가 들렸다.

"아주머니, 나 좀 보구 가오."

묘옥이 무심히 들어넘기고 그냥 걷자니 누가 뒤에 와서 치마 허리띠를 당기는 것이었다.

"아이 깜짝이야!"

돌아보니 송파나루에 내리던 첫날 나루 가가에서 죽을 사먹였던 장쇠라는 아이였다.

"아주머니, 이게 웬일이오?"

묘옥이도 타관 도방에 구면이 내 식구라는 것처럼 우선 반가웠다.

"너 참 안 보이더니…… 보구 싶더라."

"내야 매일 장바닥을 쏘다니니 쬐끄매서 어디 보이기나 하겠수.

헌데 왜 여태 송파에 계시며 이게 웬 빨래요?"

묘옥이 천천히 걸으며 저간의 사정을 얘기해주니 장쇠는 발을 구르는 것이었다.

"저런…… 그놈은 절름발이가 아니오. 일부러 아주머니 눈을 피하느라구 거짓거리를 했어요."

"네가 그자를 아니?"

"알다마다요. 내 동무 아버지거든요. 응, 이제 보니 새옷 입고 떡해 먹고 그게 다 그 돈이구먼."

"그 사람이 너희 동네 사니?"

"바루 우리 이웃인걸요. 우리 동네선 모두 방아깨비네라구 그러지요. 그냥 깨비라구두 하구요."

"그이가 도둑인지 네가 어찌 아니?"

"아유, 왜 몰라요. 온 장바닥이 다 아는데요. 깨비네 부자가 손맵시가 가장 빠르다구 하는데요."

묘옥은 그러나 반색도 하지 않고 중얼거렸다.

"이젠 잃은 돈인걸……"

"아니우, 가서 빨래 얼른 내려놓구 나하구 우리집에 가요. 아직 다 쓰지 않았다면 찾을지두 몰라요."

묘옥은 한숨 섞어 쓴웃음을 지었다.

"글쎄다, 그걸 찾아서 네 할머니 죽이나 많이 사다드렸으면 좋으련만."

"아주머니, 어서 가재두."

"그래, 빨래 갖다두고 올게."

장쇠의 재촉으로 따라나선 묘옥은 거의 기대하지 않으면서도 행여나 돈과 패물의 일부라도 찾을 수 있었으면 하였다. 빨래를 객줏집에 두고 나서 저녁도 먹지 않고 묘옥은 장쇠를 따라나섰다.

"너희 동네가 어디냐?"

"광나루 못 미쳐 봉수대 아랫녘 다래목이란 동네요."

그들은 장거리를 벗어나 강변을 따라서 내려갔다. 수수밭이 계속되어 있고 경강 쪽에 떨어지고 있는 석양이 강물을 발갛게 물들이고 있었다. 강변에는 가끔씩 고기 광주리와 어망을 짊어진 사람들이 지나쳐갔다. 얼마쯤 가다가 장쇠가 강변을 떠나 후미진 골짜기길로 접어들었고 땅거미가 짙어졌는데 그쪽에는 불빛조차 보이질 않았다.

"아직두 멀었니?"

"이제 다 와가요."

"아니…… 캄캄한데 어디 동네가 있어."

장쇠는 명랑하게 웃고 나서,

"뭐, 마을이 버젓하게 자리 잡은 줄 아슈. 다래목이는 양인들은 얼씬두 않는 천골이어요."

묘옥은 해서를 떠돌아다닐 적에 보아서 그런 마을을 잘 기억하고 있었다. 이름난 저자가 있는 대처 언저리에는 수상쩍은 놈들이 모여 사는 골짜기가 있게 마련이었다. 그런 마을에는 얼굴에 먹물 자자 찍힌 경친 놈들이나, 퇴무당이며, 도망친 관노비, 사천(私賤)들 따위가 움을 파고서 걸식과 도적질로써 살아가는 것이었다. 대저 장시의 무뢰배라든가 각설이, 노름꾼, 좀도둑들이란 모두 그러한 움동네에 모여 있게 마련이었다.

"애…… 내가 가두 별일 없겠니?"

"그럼요, 우리 동네 꼭지가 내게는 삼촌뻘이지요. 우리 아버지가 예전에 수구문 밖 꼭지딴 솔개미였거든요. 왕십리에서 이리루 나온 뒤에 아버진 돌아가시고, 아우 하던 이가 꼭지가 되었지요. 우리 할머니보구 까마귀 꼭지가 노상 모친이라구 불러요."

아이의 말을 듣고 보니 어쩌면 돈을 찾는다는 일이 그리 허황한 노릇 같지는 않았다. 다래목이는 나무 한 그루 없는 황토 야산의 듬성듬성한 골짜기 양쪽에 자리 잡은 움동네였다. 자갈과 잡초뿐인 야산에는 뱀과 개구리만이 사는 듯하였고, 풀벌레 소리만 가득 차 있었다. 겨우 땅 위로 솟아오른 초가의 이엉 사이로 불빛들이 드문드문 새어나오고 있었다. 마을에는 뒤편에 비교적 넓은 공터가 있는데 화톳불이 타오르고 있었으며 몇몇 사내가 앉아서 두런거리며 이야기들을 하고 밥을 짓는 모양이었다. 장쇠는 한 움집의 거적을 들치고 들어가며 묘옥의 소매를 잡아끌었다.

거적때기 바로 옆의 흙벽에 꽂아놓은 관솔불이 간신히 좁다란 움막을 비추고 있었다. 바닥에는 맨구덩이에 짚을 깔았고 윗목쯤에 따로 흙을 파서 바깥쪽으로 구멍을 낸 화덕이 보였다. 화덕 위에 거미줄 친 뒤로 오래된 것 같은 녹슨 쇠솥이 덩그러니 걸려 있었다. 묘옥은 허리를 꾸부정히 하여 입구 쪽에 섰고, 누워 있던 노파가 천천히 일어나 앉았다.

"할머니, 이것 드시우. 그러구…… 손님 오셨어요."

"평안하셔요?"

묘옥이 먼저 인사를 하는데 노파는 기침부터 요란하게 터뜨렸다.

"누, 누구요?"

"왜 저번날 고기죽을 사주었다던 젊은 아주머니 말이야요."

장쇠가 설명하니 노파는 고개를 끄덕이고는 다시 기침이었다.

"아이구, 이놈의 해수가…… 어서 이리루 들어와 앉우."

묘옥이 머뭇거리고 있는데, 장쇠는 장에서 가져온 뚝배기의 구걸한 음식을 할머니 앞에 내밀어놓고는 밖으로 나가면서 말하였다.

“예서 우리 할머니랑 얘기나 하구 계시우. 내가 까마귀 꼭지를 만나서 일러주고 돈 찾아올 테니.”

묘옥이 하는 수 없이 짚 위에 앉자 노파는 뚝배기를 끌어다 숟갈을 뜨기 전에 묘옥에게 인사를 건넸다.

“저녁은 들었소?”

“예, 어서 잡수시지요.”

“에이, 목숨이 참 모질기두 하지. 손주놈에 이 늙은 목숨을 매어놓구 연명 중이라오.”

묘옥은 노파가 저녁을 드는 동안 무료하게 앉아 있었다.

“세상의 화복길흉이란 참말 무상한 것이라오. 그래두 저애 애비가 수구문 바깥서 서울 깍정이패의 꼭지 노릇을 할 적에는 의식이 대갓집 마나님 부럽지 않더니, 게서 내몰려 송파로 나와서는 저 어린것을 누가 돌봐주는 이나 있나.”

묘옥은 이미 장쇠에게서 들어 알고 있었으나 그냥 앉았기도 뭣하여 물었다.

“장쇠 어머니는 어디 갔나요?”

“윗강 새남터 꼭지란 놈의 첩으루 들어앉구 말았지. 깍정이 마누라는 계집 중에 그중 물성질이라오. 젊은댁은 송파서 장사허우?”

“아니요, 거기 보행 객줏집서 표모 노릇으루 밥을 부쳐먹습니다.”

“에이그…… 서방은 없구?”

“혈혈단신입니다.”

“나두 나이나 젊구 기운이라두 있으면 저자에 나가 밥값이라두 할 터인데.”

“이 동네 사신 지 오래되셨나요?”

“한 삼 년 되었소.”

"여긴 광대패가 안 살아요?"

"왜, 두 패거리나 있었는데 모두들 흩어지구 요새는 그이들의 궁량이 트여서 절가엘 찾아가지 구태여 천골에 머물지를 않지. 가끔 묵어가는 패가 있긴 있는 모양이오만, 괴뢰배나 몇사람 아니면 가객하구 잽이 같은 단출한 식구들이지."

묘옥이와 장쇠의 조모가 얘기를 하는 중에 장쇠는 꺽지가 살고 있는 움 앞의 모임터로 올라갔다. 화톳불이 타고 있는 마당이었다. 걸식해온 음식 중에 가장 맛난 것은 따로 상을 보아 꺽지의 움막에 들이고, 나머지는 모두 한솥에 넣어 끓이는 것이다. 꺽지의 움막은 말이 깍정이 움막이지 버젓한 온돌방에 세간도 깨끗하였고, 각지에서 쟁여다 놓은 장물들이 수북하게 쌓여 있었다. 꺽지 아래 기운 좋고 주먹깨나 날리는 상번수들이 늘 모임터에서 함께 기거하는데, 장쇠가 올라가자 저녁을 먹고 있다가 안 체를 하였다.

"장쇠냐? 저녁 먹어라."

"장에서 먹었어. 삼촌 계셔?"

"음, 강 건너서 손님이 오셔서 시방은 안 된다."

장쇠가 문틈으로 움 안을 들여다보니 건장한 사내들이 등을 돌리고 앉았는데, 벽 가에는 윤이 반질거리는 총포를 세워두었다. 얘기하던 사람 중에 하나가 험상궂은 얼굴을 돌리며,

"게 어떤 놈이냐?"

하고 부르짖었고, 장쇠는 얼른 비켜났다. 까마귀가 뛰쳐나오더니 두리번거렸다. 장쇠가 풀죽은 음성으로 중얼거렸다.

"내요, 장쇠란 말유."

꺽지 까마귀는 입맛을 쩝쩝 다시고는 아무 말 없이 도로 안으로 들어가버렸다. 상번수 장정들이 말하였다.

"그것 봐라. 볼일 있으면 이따가 저 손님들 모두 나가구 나서 뵈어라."

"얘, 잔칫집서 달아온 대추떡이 있다. 이거나 먹어봐라."

"아저씨들 깨비 요새 봤어?"

"깨비란 놈, 요즘은 송파 안 나오구 삼전나루에 나가는 모양이던데."

"응, 그래서 두 부자가 장거리엔 보이질 않았군."

"왜 그러냐, 깨비가 널 괄시라두 하더냐?"

"그게 아니라…… 이놈이 며칠 전에 장바닥에서 어깨치기를 했거든."

"뭐라구, 그러구선 강원도 포수처럼 입을 싹 씻어? 꼭지어른께 일러줘라. 아주 돌림방을 내어서 근거 없는 외톨이를 만들어야지."

깍정이가 패거리에서 돌림방을 당하면 발을 붙일 저잣바닥이 없는 법이었다. 구역 잃은 자는 산골에 들어가 두더지나 뱀 잡는 일밖에 할 것이 없었다. 손님과 함께 까마귀가 나오면서 상번수들에게 지시를 하였다.

"얘들아, 깨끗한 움 하나 비워드려라. 손님들이 여기서 며칠 묵어가실 예정이다."

"저 아래 거북이네가 새살림을 내어서 가장 조촐합니다."

"거긴 길가라 남의 눈이 많다."

까마귀 뒤에 섰는 두 사람 중에 하나는 패랭이에 중치막까지 입었는데 얼굴이 얽은 듯하였고, 그보다 땅딸막한 텁석부리는 눈이 화등잔같이 크고 어깨가 딱바라졌는데 한 손에 화승총을 들고 있었다.

"그럼 천상 두꺼비네 집을 쓰시지요."

"음, 거기가 후미져서 좋겠군."

까마귀는 그들에게 사람을 딸려주면서 깍듯하게 허리를 굽실거렸다.

"성님들 그럼 가셔서 편히 쉬시우."

화승총 가진 자가 거친 음성으로 물었다.

"여기서 며칠이나 묵으란 건가?"

"사흘이오. 그저 세 밤만 주무시면 물건은 득달같이 처분해 올리겠습니다. 약속대루 구전은 열에 세 몫입니다."

"알았어. 시세대루 해야지 괜히 헛손질할려구 그러면 재미없네."

"암, 여부가 있겠습니까요. 노적사 원태 성님이 보내신 일인데 제가 어느 앞이라구 헛손질하겠습니까. 송파서는 저만 옆에 끼면 안 되는 일이 없습니다. 한양두 그렇지요. 수구문이나 왕십리에두 모두 제가 번수시절에 같이 놀던 아이들이 꼭지를 잡구 있는뎁쇼."

"포교 냄새 맡지 않도록 잘하게."

"헛허 참, 그애들 기찰은 우리 손바닥 안에 있습니다. 우리가 정탐해주어 나눠주지 않으면 중장(重杖)을 면치 못하여 아이들까지 임시 범인으로 빌려가는 판에 어찌 알겠습니까?"

얘기가 오가는 꼴이 손님들은 깍정이들의 윗손 가는 대적들이요, 장물 처분을 하러 홍정차 들른 모양이었다.

"술 좀 올려보내게."

"예예, 소주가 좋겠습지요. 얘들아, 낼부터는 행수상일랑 손님들께 올려드려라."

손님들이 물러간 뒤에 장쇠가 나아가 찾아온 자초지종을 말하고, 물건 임자가 고모라고 이르니 까마귀는 노기가 등등하여졌다. 깍정이의 의리로 예전 두목의 누이 되는 사람이 물건을 잃었으니 의당 식구들을 단속하여 찾아낼 일이요, 무엇보다도 상번수도 못 되는 일개 깍정이의 헛손질은 꼭지의 권위를 무시한 처사였기 때문이다.

"그놈을 단매에 때려죽여야겠다. 어서 가서 잡아와라. 흥, 이놈들이 당분간 단속을 풀어주었더니 누구 밑에서 밥을 먹기에 천신(薦新)도 하지 않고 넘어가느냐. 아주 돌림방을 내리라."

상번수들이 득달같이 내려가서 마침 삼전나루서 돌아와 술에 곤드레가 되어 자고 있는 방아깨비 부자를 끌어다가 모임터에 꿇렸다. 이미 장문(杖問) 설치를 하여놓고 둥그렇게 둘러섰는데, 모두들 굵기가 한 뼘가웃의 몽둥이를 들었으니 장문법이란 깍정이들의 율령(律令)인지라 장살이 되어도 말릴 이가 없었다. 오자마자 까마귀는 달려들어 짚고 섰던 지팡이로 가슴팍을 쿡 찌르면서 외쳤다.

"네 이놈 깨비야, 송파 장거리서 헛손질을 하였다니 그게 사실이냐?"

"아니오, 금시초문이올시다. 제가 어깨치기나 봇짐털이를 하였은즉 당일로 행수어른께 반절 상납을 올리지 않았습니까? 절대루 그런 일이 없습니다."

"이놈을 매우 쳐라!"

꼭지의 말이 떨어지자마자 매를 들고 둘러섰던 상번수들이 몸의 상하를 가리지 않고 무지막지하게 어지러이 내려쳤다.

"아이구우…… 사람 죽네."

깨비라는 깍정이의 아들은 곁에서 죽는소리로 외쳐 울다가 엎드러지며 애걸하였다.

"행수나리, 과연 저희 부자가 한 열흘 전에 어깨치기로 보퉁이 하나를 낚은 적이 있수."

"잠깐 매를 멈추어라."

이미 초주검이 되어 기어다니는 깨비를 번수들이 발로 지끈지끈

밟고 섰고, 꼭지는 아이의 얘기에 귀를 기울인다.
"제 아비가 시비를 트고 저는 떨어진 보퉁이를 찍어 날랐소이다."
"보퉁이 속에 뭐가 있더냐?"
"은자 백 냥과 금가락지 두 돈쭝과 호박가락지 한 쌍, 칠보잠이 있었어요."
"지금 그대루 다 있느냐?"
아직도 입을 굳게 다문 깨비를 툭툭 건드렸으나 대답이 나오질 않자, 꼭지는 매정하게 내뱉었다.
"더 물을 것이 없겠다. 이제부터 그치지 말고 난장으로 돌린 뒤에 거적에 싸서 광나루 모래밭에 암장해버려라."
"행수⋯⋯ 살려주오. 삼십 냥은 노름으로 쓰고 나머지는 귀향할 준비로 움 뒤에 파묻어두었소."
"음, 잘하는 짓이다. 네가 수해로 삼남서 올라와 온 가족을 굶겨 죽이고 수구문 밖 동활인서(東活人署)에서 겨죽이나 얻어먹고 연명할 제 꼭지딴 솔개미가 데려다가 상두꾼이라두 시켜주었으니 네 명줄이 붙은 것이다. 남의 초상에 나가 곡재인 노릇이나 하며 쌀되를 얻어올 젠 가장 깍정이인 척하더니, 네 이놈, 송파 나온 뒤 장거리에서 치기 일을 벌이고는 예전 의리를 잊었고나. 그리구 어쩌다 대금을 보았으면 부모 없이 떠들어온 애들 각설이나 먹이고 입힐 것이지 어느 앞이라고 속이느냐. 그런 심보루 귀향한들 너를 못 잡을 줄 아느냐. 내가 전국을 돌아다니는 유민 부랑 동무들께 사발통문하여 잡아다가 동티낸 놈 급살 맞듯 해주리라. 보기 싫다, 어서 거적말이 하여 내쳐라."
"아비를 살려주오. 돈 다 내드릴게 제발 덕분 살려주오."
깨비의 아들이 울부짖으니 장쇠가 곁에서 까마귀를 달래었다.

"삼춘, 이왕에 돈을 찾았으니 죽이지는 마시고 축출이나 하시지요."

까마귀는 두 손을 들어 제게 빌고 있는 아이를 보고는 엔간히 성이 풀린 듯하였다.

"네놈이 장쇠네 손님 돈을 털었으니 장쇠의 처분대로 하리라. 부자를 내쫓아라."

송파의 꼭지가 깨비를 내쳤으니, 그것은 물론 송파와 광나루와 삼전나루, 동작나루, 노량나루는 말할 것도 없거니와 한양 근처의 깍정이패들께 끼일 자격이 없어진 셈이었다. 내쳐진 깍정이는 다시 정처 없이 떠날 수밖에 없었다. 달려갔던 자가 묘옥의 돈과 패물을 찾아오니 장쇠는 두말 않고 거기서 셈하여 절반을 끊어 까마귀에게 바쳤다.

"이건 뭘…… 내가 솔개미 성님께 입은 은혜로는 너를 돌봐야 할 것인데 그간 너무 무심하였다."

"아니우. 법도대루 일을 처리해야 기강이 서지요."

까마귀가 못 이기는 체 받아넣었으나 장쇠의 난데없는 고모가 아무래도 궁금하였는지,

"네 고모라 하는데 어디서 무엇을 하던 사람이관대 이렇게 큰돈과 패물이 있다더냐?"

물었고, 장쇠도 워낙에 깍정이 판에서 소악동으로 굴러먹은 아이라 거짓소리가 척척 쏟아져나왔다.

"일찍이 한양서 선혜청 서리의 첩 노릇을 하고 있더니, 이번에 그 자가 결손에 올려 집안이 구몰될 적에 관재를 피하여 세간을 정리하고 우리 할머니를 찾아오셨수."

들어보니 그럴듯하여 꼭지는 더는 의심하지 않고 횡재한 것만 기

빼하였다.

"내 오늘은 삼전나루에 나갈란다."

그것은 좀전에 찾아온 손님의 잔물건도 있고, 또한 뜻밖의 돈이 생겼으니 그의 살림집이 있는 삼전나루로 나갈 법도 하였다. 꼭지는 홍제원 은근짜 기녀 출신의 여자와 삼전나루 주막거리에서 살림을 하고 있었는데, 한 달에 절반은 거기 나가 살았다. 그는 상번수 둘을 데리고 헌 거적에 싼 물건을 지게에 지워 내려갔다. 강 건너 노적사에서 찾아온 두 사내란 다름 아닌 안성 청룡사 사당패의 모가비였던 고달근과 떠돌이 거사 황회였으니, 당진서 강도질했던 유치옥의 장물을 처분하러 송파 꼭지를 찾아온 것이었다. 고달근이 묘옥을 보았다면 반가워했을 테고 이경순의 후문도 물었으련만 피차에 이런 곳에서 만날 것은 꿈 같은 일이었던 것이다. 장쇠도 두 손님들을 보았으나 묘옥과 그들 사이에 어떤 관계가 있는지 알 턱이 없었다. 장쇠는 돈과 패물을 찾은 것만 대견하여 은자와 패물을 싸들고 제 움막으로 달려내려갔다.

"아주머니, 이게 다 돈이우."

"맙소사, 어찌 찾아냈니?"

장쇠는 꼭지가 제 부하 징치하던 것을 낱낱이 일러주고, 반절 상납한 것이며를 얘기하였다. 절편만큼씩 네모반듯한 은자가 도합 삼십 개였으니 삼십 냥이었다. 은자 삼십 냥이라면 쌀이 삼십 섬이었다. 묘옥의 표모질로는 석삼 년을 하루같이 일해야 받을 만한 돈이 아닌가. 게다가 금가락지와 호박가락지가 각각 하나씩이니 그도 또한 큰돈인지라 옆에 앉은 노파는 눈이 휘둥그레져서 연신 애고 소리였다. 묘옥이 장쇠의 손을 맞잡으면서 말하였다.

"얘야, 이 돈으루 우리 송파 장거리에다 장사를 벌이자."

"송파는 터가 드세니 거여에다 작은 주막을 내세요. 거여 떡전거리에 가면 맞춤한 자리가 많을 거요."

"그래 그래, 할머니 모시구 나하구 함께 살자."

묘옥이는 눈물이 글썽해져서 중얼거렸다.

이경순은 사흘을 기한하고 하옥이 되었건만, 아무 혐의가 없다고 해놓고서도 어인 일인지 풀려나지를 못하였다. 옥에는 일체 잡인을 금하여 도장댁도 애가 타지만 떡쪼가리 하나 넣을 수가 없었다. 여주 이방은 제 여식이 조생원네 아들에게서 당한 모욕 때문에 울분을 풀 길이 없더니 이제껏 동무하여 지내오던 이경순의 재산을 탐하게 되었던 것이다. 물론 목사는 대수롭지 않았던 일로 경순이 옥에 갇힌 것을 새까맣게 잊어버리고 있었다. 이경순의 아내는 날마다 전생이를 이방 집으로 보내어 관아의 동정을 알아보려 하였으나, 별무소득이었다. 그날도 전생이가 코가 쭉 빠져서 돌아왔길래 애가 단 도장댁은 반색을 하면서 달려나갔다.

"그래 어찌되었느냐. 이방어른은 만나뵙고……?"

"참 모를 일입니다. 어른께서는 날마다 어딜 싸다니는지 댁에는 통 붙어 계시질 않는구먼요. 그저께 겨우 뵈었을 때는 오늘은 꼭 나가시게 될 거라구 하더니만."

"목사께 선사품이라두 올려야겠다. 필경 안성 포교가 물고늘어지는 게 틀림없는 모양이여."

"그게 아니랍디다."

하고 나서 전생이는 한숨을 푹 내쉬었다.

"이방나으리의 말이, 한양 포도청에까지 장계가 올라갔는데 무슨 하달이 있을 게랍니다. 여주 관아의 힘으로도 어쩔 수 없답디다. 오늘 못 나오시면 포도청에 가서 국문을 받을지두 모른대요. 주인어른께서 당진 나가셨던 것은 사실 아닙니까?"

"쉿…… 누가 듣겠다. 에구머니나, 포도청 추국청에서 경을 치면 살아두 병신이 된다던데, 이 일을 어쩌느냐?"

"여기서 묵인을 할려구 그래두, 안성서 발고했던 마부놈과 대질을 하게 되면 끝장이랍디다. 더구나 당진서 동작진 사당 패거리가 잡혔다는데 이방의 말이 우리 주인의 출신을 다 안다누먼요."

그들이 걱정하고 있을 적에, 갑자기 대문 부서지는 것 같은 요란한 소리와 함께 장교와 나졸 서넛이 자못 서슬이 시퍼레져서 마당 안으로 몰려들어왔다.

"집뒤짐을 하라는 지시가 있으니, 아녀자는 잠깐 피하라. 얘들아, 방 안과 광을 샅샅이 뒤져라!"

"이게 무슨 짓입니까, 나으리?"

전 같으면 이경순네 집에 와서 술 한잔을 먹고 가도 굽신대던 장교가 으르딱딱이는 것이 고까웠으나, 워낙 다급한 사정이라 도장댁은 머리를 조아리며 말하였다.

"낸들 아느냐. 찾을 물건이 있어 그런다."

전생이가 외팔을 흔들면서 대들었다.

"여기가 감히 어느 댁이라구 함부로 행패요. 이방어른이 가만 계실 줄 알우?"

장교는 눈썹 하나 까딱 않고 전생이의 가슴을 떠밀어내고는 코방귀를 뀌는 것이었다.

"이방? 잠자쿠 있어. 공연히 다치지 말구. 관가에서 다 공론이 돌아서 집행하는데 무슨 애들 장난인 줄 아느냐."

신을 신은 채로 이 방 저 방을 들락거리다가 나졸이 벙거지 쓴 대가리를 내밀며 외쳤다.

"장롱만 남았는데 잘 열리지 않습니다."

장교가 경순의 아내에게 물었다.

"농이 잠겼는가?"

그제야 도장댁은 그 안에 무엇을 숨겨놓았는가 하는 데에 생각이 미쳤고 가슴이 덜커덕 내려앉았다.

"아니, 그건 왜 열어볼려구 그러세요. 남의 안방의 세간을 함부루 들추라는 법두 있나요."

"얘들아, 부숴라."

장교가 말하니 육모방망이로 농짝을 두들기는 소리가 요란해졌다. 경순의 처는 죽는소리를 내지르면서 방 안으로 뛰어들어가 장롱을 가로막고 엎어졌고, 전생이는 다시 장교에게 달려들다가 이번에는 호되게 발길에 걷어채어 나뒹굴었다.

"끌어내고, 어서 부숴버려라."

자개 장롱이 무참하게 부서져나가고 갖은 피륙과 옷들이 넝마처럼 마루에 던져지는데 도장댁은 체념을 하고서 마루에 넋을 잃고 앉아 있었다.

"여기 있다!"

나졸이 장롱 밑바닥 깊숙한 곳에서 무명에 싸놓았던 화승총을 꺼내어 번쩍 치켜들었다. 전생이가 마당에서 악다구니를 썼다.

"우리 주인이 총포를 잘 쓰신다는 건 인근 사방에 알려진 일인데, 그것이 새삼 무슨 죄가 된다구 내정 돌입이오?"

"잔말 마라. 우리는 시키는 대루 이걸 찾아다가 형방에 내밀면 그만이여. 우릴 원망 말구 네 주인의 죄나 원망하여라."

한참 북새통을 들쑤셔놓고 나서 관원들은 모두 몰려나갔다. 한참을 넋을 잃고 앉아 있던 경순의 아내는 옷매무새를 바로잡고 일어났다.

"안 되겠다. 내가 직접 이방을 만나서 수습할 방도를 물어야지."

"저하구 같이 가십시다."

전생이와 도장댁은 관원들이 달려간 창골 큰길로 허겁지겁 올라갔고, 길가 주막에 앉아 바깥을 내다보던 이방은 그들이 지나치자마자 곧 달려나가서 외쳐 불렀다.

"전생아, 전생아!"

도장댁과 전생이는 공교롭게 만나게 된 이방을 보자 곧 달려와 소매를 부여잡으며 창피한 줄도 모르고 방성통곡을 하였다.

"아이고오, 이방어른, 이런 원통할 데가 어디 있습니까. 무슨 역적죄를 지은 것두 아닌데, 관원이 안방을 돌입하여 세간을 모두 부수구…… 관가에 가서 사또께 직소하려는 길이어요."

"허, 이거 큰탈이 났군. 내가 점심을 먹으러 집에 가는 길이올시다. 문득 바라보니 아주머니께서 황망히 지나길래…… 무슨 일이 일어났는지 모르긴 하지만 이거 급박하게 되었군요."

"저희는 가장을 옥에 두고 하루도 편한 날이 없이 일각이 여삼추로 기다렸건만 나으리두 무정하십니다그려."

"사사로운 일이 아니라 관가의 일이니 전들 애가 타지만 어찌하겠습니까. 우리 이럴 게 아니라, 댁으로 돌아가십시다. 가서 차근차근하게 수습할 방도를 의논해보셔야지요. 사또께 직소한들 공연히 노염이나 더하여 이서방에게 해를 주게 되면 그 더욱 낭패스런 일이올시다."

이방은 침착하게 아낙네를 달래어 그들과 함께 집으로 돌아갔다.

"총포를 찾아내었으니, 이제는 안성의 마부와 대질하는 일만이 남았습니다그려. 그러면 틀림없이 명일에는 안성으로 압송되었다가 당진서 잡힌 도적들과 더불어 한양 포청으로 추국을 받으러 올라갈 것입니다."

"어찌 살려낼 방도가 없겠어요?"

도장댁은 사색이 다 되어 떨리는 목소리로 매달렸다. 이방은 오만상을 찌푸리고 담배 한 죽을 다 태울 동안 말없이 생각에 잠겼더니,

"꼭 한 가지 방법이 있긴 있소이다. 헌데 그것은 이서방에게는 몹시 어려운 일일 게요."

이방의 말에 도장댁은 더욱 애가 달아서 말하였다.

"사람이 할 수 있는 일이라면 무슨 짓을 못 하겠습니까. 어서 말씀하시지요."

이방은 잠시 망설이는 체했다가 더듬더듬 얘기를 꺼냈다.

"이서방이 도적들과 같이 한양 포청에 올라간다면 다시는 못 볼 사람이 되구 맙니다. 대적질을 하였으며 인명을 살상하였으니 자신은 죽거니와 아주머니두 관노비가 될 거외다. 그러니 차라리 여주를 떠나 세상에서 숨어 사는밖에 도리가 없겠지요. 돈이나 패물 등속을 갖추어서 관의 손길이 닿지 않는 곳에 가셔서 사셔야겠지요. 그러자면 여기서 이루어놓은 가세는 모두 물거품이 되지 않겠습니까? 만일 혐의가 불확실하여 이서방이 추국 중에 완강히 버티다가 절명한다면 가세는 보존이 되겠지요마는 이미 동참한 자들이 잡혔으니 그것두 어려운 일입니다."

도장댁이 이방의 얘기를 듣고 보니 너무나 자명한 사실이어서 뭐라고 할 말이 없었다. 하나 우선은 사람이 살고 볼 일인지라,

"우선 사람이 살구 봐야지 까짓 재물이 무슨 소용이겠어요. 유랑걸식하는 신세가 되더라도 살아나야지요."

하고 답하였다.

“아주머니의 뜻이 정 그러시다면 내가 오늘밤에 이서방을 내놓을 터이니 준비를 해두셨다가 밤을 도와 달아나시우. 허나 여주 지경을 벗어난 뒤에 일어나는 일은 나두 어쩔 수가 없겠소이다.”

“알겠습니다. 그이를 갯가루 데려다만 주셔요.”

“오늘밤 자정 무렵에 내가 이서방을 데리고 양화(楊花) 어름으루 나가겠소이다. 참으로 사람의 운수는 헤아릴 길이 없는 모양이지요.”

“글쎄 말이에요. 수년래 온 집안에 봄빛이 가득한 듯하더니 단 것이 진하면 쓴 것이 온단 말이 맞는 듯싶어요. 이게 모두 이년의 죄가 많은 탓이지, 제 주인의 잘못은 아닙니다.”

이방의 마음속에는 자별히 지내던 동무를 곤경으로 몰아넣는다는 가책이 있었으나, 세상살이란 으레 남의 불리한 허점을 이용하지 않고서는 자신을 세울 기회를 잃어버리는 법이라고 스스로 다짐을 하였다. 운이 나쁜 놈은 제 운을 따라서 몰락하는 것이고, 이제부터는 그자의 운이 자기에게로 돌아올 것이 아닌가. 그만한 재산을 가지고 편안히 여생을 즐겼으면 아무 탈이 없었으련만 공연히 사당년에게 눈이 뒤집혀서 못된 자들과 어울린 것은 그만큼 제 운수의 관리를 소홀히 한 탓일 것이었다. 이방은 가장 애석한 듯이 혀를 차면서 한탄하였다.

“계집은 만사 재앙의 근본이라더니 이서방의 패가는 오직 그 사당 계집 때문입니다. 다른 고장에 가시더라도 외입 단속 시키시고 가세를 다시 회복할 궁리나 하도록 하십시오.”

“그게 다 이년의 자식 못 낳은 죄 때문입니다. 누구를 원망하겠습니까.”

"그러면 저는 다시 길청에 나가보아야겠습니다. 내가 일단 퇴청하였다가 이서방의 탈옥을 도모할 것이니, 착오 없이 준비하시구 양화로 나가 기다리시오."

"이방어른의 이런 은혜는 정말 잊지 않겠습니다."

심란한 중에도 가장이 살아날 길이 생긴 것만 감지덕지하는 도장댁이었다. 이방이 나간 뒤에 경순의 아내는 한참을 시름없이 앉았다가,

"아씨, 그러구 앉았으면 어쩌시렵니까. 준비를 하셔야지요."
라는 전생이의 말에 문득 정신을 차렸다.

"글쎄다, 갑자기 어디루 간단 말이냐. 이 모든 것을 버리구 떠나려니 도무지 넓고 넓은 세상 천지가 막막하기만 하구나."

"저두 월송골 분원에 나가서 돈이 될 만한 것은 모두 챙겨가지구 오겠습니다."

"너는 그냥 여기 남았거라. 우리가 떠난 뒤에 너라두 분원을 떠맡아야지 생판 관계두 없는 자가 차지해버릴 게다. 또 우리를 따라다니며 고생할 필요가 어디 있겠느냐?"

"아니우, 내가 오늘날 이렇게 온전하게 살아 있는 것은 도장나으리 덕분으루 구사일생을 했던 것인데, 여기 남아서 뭘 한단 말입니까. 그리구 내 소견으로는 이방이란 자의 눈치가 이미 나으리와 의리로서가 아니라 남의 재물에 마음이 있는 듯하니 은근히 열이 납니다."

"사람이란 다 그런 법이니라. 그래두 다른 사람이 차지하느니보다야 낫지 않겠느냐. 자연히 그리될 일이다. 그럼 월송골에 갔다가 오너라. 나두 그동안에 대충 짐을 꾸리고 길양식할 떡두 해놓아야겠다. 아무두 눈치채지 못하게 해야 한다."

도장댁은 포졸들이 들쑤셔놓은 방 안을 치우지 않은 채, 우선 벽장 속에서 물품장부나 토지문서 따위는 제쳐두고 은자와 돈냥과 패물만을 꾸려서 부담롱 두 짝에다 넣었다. 그리고 비단과 무명도 따로 보퉁이에 차곡차곡 꾸려놓았다. 부담이 두 짝이요, 큰 보퉁이가 하나니 짐이 제법 커졌으므로, 아주 고급의 비단만을 다시 추려내어 작은 보따리로 쌌다. 그러고는 나머지는 모두 둘로 갈라서 마루에다 내놓고 영문을 몰라 부엌에서 쥐 죽은 듯이 섰는 하녀와 점원을 불러 그들에게 내주면서 일렀다.

“가장에 위급한 일이 생겨서 우리는 여기를 떠난다. 너희들도 그동안 고생이 많았구나. 이것은 내가 그저 서로 마음이나 아프지 않게 헤어지자는 뜻으로 주는 것이니 받아두고, 우리가 떠난 뒤에 세간까지도 너희 마음대로 나누어 가지고 여길 떠나거라. 그리고 우리가 떠난 뒤에는 너희들도 관의 독촉에 귀찮아질 것이니 아예 오늘밤이 새기 전에 가는 게 가장 이로울 것이니라.”

점원과 하녀는 대강 집안 분위기를 짐작하고 있던 터라 소매를 적시며 울 뿐이었다. 경순의 아내는 차츰 마음이 가라앉더니, 떡쌀을 안칠 때부터는 더욱 침착해져서 앞으로의 생계에 대하여 궁리도 해보게 되었다. 창황한 중에 어느덧 저녁이 되어서야 전생이와 도장댁은 머리를 맞대고 의논을 하였다. 양화에서 주인을 만난다 할지라도 그저 유람이나 나서는 길이 아니요, 관의 추적을 피하여 달아나는 길이니 방향이 확실하여야겠기 때문이었다.

“내 친정 작은오라비께서 양주(楊州)에 사시는데, 도장어른을 좋아하시고 또한 올케 성님도 도량이 있으신 분이니 우리를 그리 박대하지는 않을 듯하다. 양주의 저자가 또한 번성하니, 상리를 꾀할 수도 있을 게야.”

"관의 기찰이 닿지 않겠습니까?"

"내 친정은 고양(高楊)인데, 설마 양주로 분가해 나간 작은오라비 댁이야 저희들이 알겠느냐. 그리루 가기루 정하자."

이방은 사또 모르게 형방과 미리 짜고서 경순을 달아나게 한 뒤에 그 재산을 나누기로 하였던 것이다. 즉, 그의 전답은 형방이 차지하고 분원과 가게는 이방이 맡기로 하였다. 나중에 소문은 경순이 이방에게 모든 일을 맡기고 한양 여각으로 나간 듯이 퍼뜨릴 작정이었다. 애초에 혐의 없이 경순을 처리하였고, 실상 관아에서도 그들 이외에는 이경순이 하옥된 사실을 기억하는 자는 형방과 옥사장뿐이었다. 옥사장이라야 장교이니, 그들의 지시를 따를 것이 뻔했다. 그러나 형방은 이경순을 그저 달아나도록 하고 말자는 이방의 의견에는 반대하였다. 그들은 저녁 늦게까지 주막 뒷방에 앉아서 경순의 건을 숙고하였다.

"후환이 있으면 안 된단 말일세. 아예 없애버리는 게 나을 게야."

형방은 역시 이경순을 죽여버릴 것을 고집하였다. 그러나 아직도 거기까지 이르지는 않은 이방으로서는 차마 하지 못할 일인지라 완강하게 반대하였다.

"이도장이란 자가 제 꽁무니가 뜨거워서 달아나는 판인데 설마 뒤에 가서 누구를 원망하겠나. 죄가 없으면 모르되 제 죄가 명명백백히 드러난 마당에 구명하여 달아나는 것으로도 감지덕지할 걸세. 죽일 필요까지야 있을라구."

"허허, 모르는 소리 작작 하시게. 자네는 아전의 우두머리로서 그만한 궁량도 없단 말인가. 이보게나, 이서방이 달아났다가 관아에서 저를 찾는 기색이 없으면, 그제서야 우리 일을 깨닫고 되돌아올지두 모르잖나. 그러면 사또에게 이 일이 알려질지도 모르고, 우리는 끝장나는 걸세. 또한 무사하다 하더라도 모처럼 차지했던 이서방의 가산은 모두 사또의 차지가 될 테니, 죽 쑤어 개 주는 격이 아닌가. 예전부터 큰일을 도모하려면 철저히 마무리를 해야지, 어물쩡했다간 낭패를 보구 마네. 자네 아마도 예전의 정리 때문에 망설이는 모양인데 내야 무슨 상관이 있나. 자네는 그저 모른 척하면 되네. 내가 아까 낮에 보냈던 아이들을 시켜서 양화의 강변에 매복시켰다가 단칼에 베어버릴 테여. 이서방의 일행을 모두 베어죽인 다음 다리에 돌을 매어 강물에 가라앉히면 여주목사가 알겠는가, 다른 아전들이 알겠는가. 아마 물귀신도 잠자느라구 모를 게야. 자넨 그저 하직인사를 각별히 하고 따뜻이 한 연후에 돌아서서 여주로 오면 되는 게야. 뒤는 내가 맡지."

"글쎄…… 인명은 재천이라니 이서방의 목숨이 경각이로구먼."

이방은 딱히 뭐라고 의사표시를 하려 들지는 않았으나 대강 저와 같은 말로 형방에게 찬동하는 뜻을 비쳤다. 나는 모르고 하늘만 아는 일이니 책임이 없다는 말이 바로 그 얘기였다.

"그러면 내가 아이들을 먼저 보내두겠네. 자네 옥으루 가려나?"

"음…… 모두 일러놓았겠지."

"염려 말게. 옥사장은 자네가 가면 곧 이서방을 내놓을 테니까."

"이서방의 여편네가 준비하여 양화루 나가겠지?"

"만일을 염려해서 미리 아이들을 집 앞에 세워두었다가 따르도록 하게."

"그게 좋겠군. 지니구 가는 돈냥은 아이들께 모두 나눠주도록 하면 좋아들 할 게야."

이방은 형방과 주막에서 헤어져 여주 옥으로 향하였다. 그는 날이 새기만 하면 여주 고을에서도 알려진 사분원의 재산을 고스란히 차지하게 되었으니, 이경순이 죽을 일보다도 자신의 흥분으로 온통 가슴이 두근거리는 것이었다.

이방은 동헌에서 멀찍이 떨어져 있기는 하나 남의 눈에 띄어 좋은 일이 아닌지라 우선 담장에 붙어서서 동정을 살폈다. 옥 앞에는 아무도 보이지 않고 소슬한 바람이 일어 빈땅에 먼지만 일어날 따름이었다. 우선 옥사장을 찾아야겠기에 두리번거렸으나 주위에는 등롱한 점 보이질 않았다.

"옳거니…… 형방이 미리 다 조처하여 어디 주막으로 술이나 마시러 나갔겠지. 한데 옥문을 무슨 수로 깨뜨린다."

중얼거리며 옥으로 다가들자 죽창틀 사이로 옥 안이 보이는데 칼도 쓰지 않고 질펀히 누워서 자는 이경순의 몸이 짐작되었다. 이방이 목소리를 낮추어서 경순을 깨웠다.

"여보게 이도장, 어서 일어나게!"

처음에는 뭐라고 대답하는 듯하더니 문득 벌떡 일어난 경순이 잠결에 큰 소리로 물었다.

"거 누구야? 옥사장인가."

"쉬이…… 날세."

이경순은 목소리를 알아듣고 창틀 앞에 다가섰다.

"아니 이 밤중에 웬일이며, 왜 그간 꼼짝두 하지 않았나?"

"얘기는 나중에 하기루 하고 지금 그럴 경황이 없네. 내가 자네를 빼가려구 며칠 전부터 기회를 엿보던 참일세."

"나를 빼가다니…… 혐의 진 일이 없는데 그 무슨 말인가?"

"안성 포교가 마부의 일을 물고늘어졌다네. 아무튼지……"

하면서 이방은 혹시나 하여 밖으로 빗장을 지른 자물쇠를 더듬어보니, 아니나다를까 열려진 채로 헛되이 걸려 있었다. 그는 자물쇠를 돌려 빼고 옥문을 열었다.

"살구 싶으면 어서 나를 따라오게."

옥문을 열어주며 바삐 외치니 이경순도 짐작이 빠른 사람이라 무슨 위급한 일이 생긴 줄은 알고서 잽싼 걸음으로 앞서가는 이방의 뒤를 부지런히 따라갔다. 두 사람이 산성 아랫길로 빠져나와 인가가 없는 강변에 나서자 그제야 이방은 걸음을 늦추며 입을 떼었다.

"자네 옥에 그대루 앉았다간 마누라 손목 한번 잡아보지 못하고 서울 전옥서의 남칸 귀신이 될 뻔하였네."

"서울이라니……"

"자네를 명일 아침에 한양으루 압송하라는 영이 떨어졌다네."

경순은 별로 놀라지도 않는 눈치였다. 이미 옥 안에서 편안히 지내기는 하였으나, 만약의 경우를 생각하느라고 스스로 시달려왔던 터이다. 그런 불안이 실지로 닥치고 보니 별로 새삼스러운 일도 아니었다.

"헛허, 하는 수 없군. 자네 그동안에 많이 도왔네. 집에는 알려두었나?"

"내가 자네 부인께 밤도망할 준비를 시켜서 양화루 나가도록 해두었네."

"고마우이. 내가 없어진 뒤 자네께 해가 미치지는 않을까?"

"내가 그래서 지난 며칠간을 칭병하고 꼼짝두 않았네. 옥사장에게는 돈냥을 두둑이 주어서 피하도록 했지."

이경순은 워낙 깊은 밤중에 잠에서 깨어나 허겁지겁 달려왔으므로, 차분하게 생각할 여유를 갖지 못하였다. 다만 고작 생각이 닿는 것이 월송골 박씨 과부 집에 숨겨둔 묘옥의 일이었다.

"참! 내가 데려온 사당아이두 함께 가도록 해두었나?"

이방은 이 어리석은 친구를 마음속으로 한껏 비웃으면서 어처구니없다는 듯 웃음을 터뜨렸다.

"자네 정말 실성한 사람이로고, 이런 곤경을 당해서도 고작 창부 따위의 걱정이나 하는가. 늦바람에 터럭 세는 줄 모른다더니, 자네 두고 한 말일세. 자네 부인은 애간장이 달아서 산지사방을 헤맬 판인데 참으로 말 못 할 사람일세."

그러나 이경순은 이방의 핀잔을 듣고는 더욱 묘옥의 일이 걱정이 되어 펄쩍 뛰었다.

"아니 그러면 나만 안전하게 달아나고, 사지에다 그 철없는 것을 버리구 간단 말인가. 안 되겠네, 내가 잡히는 한이 있더라두 월송골에 가봐야겠네."

"그 아이는 이미 여길 떠났어."

이경순은 그 말에 맥이 탁 풀리는 것 같았다.

"어디루…… 보냈다던가?"

"그걸 내가 어찌 아나. 자네 안전을 위하여 부인과 의논하고 배를 태워 보냈다네."

이경순은 한동안 말이 없었다. 이방은 한편 그의 몰골을 곁에서 바라보니 기왕에 죽을 목숨이라 인생이 가여웠고 또한 스스로의 죄책감도 덜고자 하여 한마디 말을 던졌다.

"그 계집이 자네 신세를 그르쳤네. 이미 엎질러진 물이니, 모두 훌훌 털어내고 다른 고장에 가서 소문 없이 사소."

이경순은 묵묵히 고개를 숙인 채 걷기만 하였다. 양화에 가까워 인가의 불빛이 드문드문 보이는 강가에 이르자 두 사람은 등불이 흔들거리고 있는 것을 발견하였다.

"게 누구요?"

"전생입니다. 이방어른이슈?"

전생이가 등불을 흔들며 서 있었고, 경순의 아내가 곤두박질치듯 앞으로 달려나왔다.

"우리 쥔어른두 오셨나요?"

"여보, 나 여기 있소."

경순이 나서니 아내는 그의 소매를 부여잡고 흐느꼈다.

"예서 삯만 주면 배는 얼마든지 있을 걸세. 어서 떠나시게."

이방은 이 난처한 자리를 빨리 피하고 싶어서 벌써 돌아갈 기색을 하면서 재촉하였다.

"여러가지루 수고가 많았어. 내 사분원은 자네가 맡아서 잘 운영하도록 하시고, 내가 일 년쯤 뒤에 찾아갈 테니 토지나 처분하였다가 돌려줄 수 있겠나?"

이방은 속으로 맹랑하여 말없이 섰고 그의 처가 허리를 떠다밀며 말하였다.

"아이고, 재물이 무슨 소용이 있어요. 어서 가십시다."

경순은 이방과 손을 마주 잡고 작별을 하였고, 전생이는 한 손에 화승총을 들고 등에는 부담롱과 보퉁이가 얹힌 지게를 짊어지고 앞장을 섰다. 경순과 그의 아내는 나란히 그 뒤를 따라갔다. 이방은 어쩐지 그들의 비명이 곧 들려올 것만 같아져서 수렁에 빠지고 넘어지고 하면서 오히려 제가 달아나듯 하였다. 한편 심정으로는 지금이라도 당장 달려가서 그들을 해치려는 자들을 만류하여보고 싶기도 하였다. 그러나 아예 내친 김이라, 그저 오늘밤은 평생에 처음 꾸어보는 악몽이거니 하며 입을 악물었다. 그의 눈앞에는 참혹한 시체와 더불어 높은 마루에 정자관을 쓰고 앉은 자신의 모습과 조생원의 아들 얼굴이 어른거리는 것이었다.

창골서부터 도장댁과 전생이의 뒤를 밟아왔던 털벙거지 세 사람은 그들의 수작하는 양을 보고 미리 앞질러 도사공의 초가가 옹기종기 모여 있는 나룻가를 막고 엎드려서 기다리고 있었다. 등불이 흔들거리며 다가오고 있었다.

그들이 노리고 있는 것은 첫째로 이경순이었다. 셋이 한 번에 달려들어 이경순을 난자하고, 다음에는 병신인 전생이와 아낙네는 별 저항 없이 단칼에 베어버릴 수가 있었기 때문이다. 더구나 전생이가 짊어진 지게에 부담롱이 얹혔고 그것은 적지 않은 돈냥일 것이라는 말을 형방에게서 들은 뒤라 살기가 등등하였다. 그들은 세 사람이 지나자마자 이경순의 등뒤를 덮치기로 하였다. 하나는 날이 시퍼런 환도를 빼어들고, 또 하나는 짜른 칼을 가졌고, 다른 하나는 한 팔 길이의 꺾쇠 달린 쇠도리깨를 지니고 있었다. 이제 경순의 무른 살이 온통 박살이 날 판이었다. 전생이가 지나고, 이경순이 좀 떨어져서 그 뒤를 따르는데, 등롱을 든 경순의 처가 바로 뒤에 처져 있었다.

이경순이 맨 뒤에 서는 것이 기중 편이한 표적이 되겠으나 까짓 기왕에 죽을 목숨들이니 한꺼번에 두 목숨을 해치울 작정을 하고서 포졸들은 벌떡 일어났다. 인기척에 놀란 경순의 처가 뒤를 돌아보며 으악 소리를 지르는데, 대저 살기라는 것은 그것에 민감하게 반응하는 쪽으로 뻗치게 마련이라 비명소리에 따라서 칼날이 도장댁의 연약한 등줄기로 파고들었다. 그참에 이미 등불은 굴러떨어지고, 경순은 몸을 날려 한 키는 족히 넘는 언덕 아래의 강물 속으로 첨버덩 뛰어들었다. 칼 든 자가 주춤주춤하다가 아무래도 어둠을 가늠할 수 없는지,

"저놈부터 죽여라!"

외치고 전생이를 향하여 달려드는데, 이미 사이가 떴으니 가만히 서

있을 그가 아니었다. 지게를 벗어던지고 옆구리에 총포를 낀 채 냅다 뛰었다. 한 놈이나 노리면 될 것을 뛴 놈 찾으랴 강물을 살펴보랴 우왕좌왕하는 중에 이미 넘어진 지게에서 부담롱 두 짝과 보퉁이가 던져져 있는 것을 보고는, 애초에 재물에 욕심이 앞섰던지라 사람 죽이는 일보다도 재물 챙기는 일이 급하여졌던 것이다. 그들은 다투어 하나씩 짊어지고는 애꿎게 베어버린 도장댁의 쓰러진 몸을 타넘고 되돌아 달아났다.

물속에 처박혀 잡초 사이에 간신히 머리만 내밀고 있던 경순은 발자취가 멀어지는 소리를 듣고 비탈을 피하여 모래밭 쪽으로 헤엄을 헤어나갔다. 그는 이것저것 돌아볼 사이 없이 우선 칼 맞은 아내에게로 달려가 목을 끌어안아 무릎에 뉘는데 울컥 솟아난 핏덩이가 하반신에 쏟아져내리는 것이었다.

"여보……"

고개는 뒤로 떨어지고 이미 기맥은 사라져버린 도장댁은 애처롭게 눈만은 번듯하니 뜨고 있었다.

"전생아! 어디 있느냐?"

그는 아내의 목을 팔에 안고서 소리쳤다. 어둠속에 숨어 있던 전생이가 달려나왔다.

"아씨가 어찌되셨습니까?"

"너 총포 챙겨 나왔느냐?"

"예…… 한 자루 가지구 나왔습니다."

경순은 아내의 머리를 내려놓고 전생이에게서 화승총을 빼앗았다.

"장약 어딨느냐?"

전생이가 앞 전대 아래 차고 있던 쇠뿔 약통을 건네주니, 경순은 연신 떨리는 손으로 탄환을 장전하였다.

"나으리……"

"너는 시신을 거두어 저어기 풀숲에서 기다리구 있거라. 어찌하든 날이 새기 전까지는 돌아올 게다. 날이 새어서도 오지 않으면 숲에 양지바른 자리를 골라 묻어주고, 너 혼자 떠나거라."

이경순은 음울하게 씹어뱉는 것이었다.

"나으리…… 저두 갈랍니다."

전생이도 울먹이면서 나서는데, 경순은 그의 가슴을 떼밀어냈다.

"아니다, 저 사람을 노중에 혼자 내버려둘 수야 있겠느냐. 내가 해 뜨기 전까지 돌아오지 않거든 기다리지 말아라."

경순은 총을 움켜쥐고 뛰어가는데 솟구쳐나오는 눈물이 뺨을 타고 흘러내려 목덜미를 적시었다. 조금 전까지만 해도 제 손목을 부여잡으며 반겨주던 아내가 아니었던가. 이렇게 허무하게 목숨을 잃은 아내를 보자, 애간장을 태워준 자신이 얼마나 몹쓸 사람인가 뉘우쳐지는 것이었다. 옥을 나서자마자 아내 걱정은 고사하고 묘옥의 일부터 물은 일이 얼마나 매정하게 여겨지는지 몰랐다. 자식 못 낳은 설움이라면 남정네인 자기보다도 아내 쪽이 훨씬 서럽고 서운했을 터이다. 평생을 따라다니며 분원 일으키는 데 조력하여 초년 고생을 겪었고, 이제 밥술이나마 먹게 되니까 자식 낳을 걱정으로 경순이 외방으로 나도는 것을 참아내던 아내였다.

"가엾은 사람……"

경순은 자꾸만 흘러내려 앞을 가리는 눈물을 연신 소매로 훔쳐냈다. 그는 포졸들이 뛰어간 방향을 따라서 몸을 숙이고 달려나갔다. 강변에는 질척한 수렁이 군데군데 패어 있었고 잡초가 허리만큼씩 자라나 있었다. 강물 쪽에는 별빛이 내려앉아 반짝였으나, 모래밭을 지나 잡초 사이로 뚫린 길은 앞가늠을 할 수 없도록 캄캄하였다. 저쪽은 부담롱과 피륙 보퉁이를 나누어 짊어졌을 테니 맨몸으로 뛰는 경순과는 걸음에 차이가 날 것이 뻔했다. 얼마 안 가서 물을 밟는 듯한 찰박거리는 소리를 듣고, 방향을 짐작하기 위해서 경순은 잠깐 걸음을 멈추었다. 길 아래편의 모래밭 쪽으로 뛰어가는 사람의 거뭇한 모습이 느껴졌다.

경순은 허리를 잔뜩 구부리고 모래밭으로 내려섰다. 군데군데 물이 괴어 있고 물먹은 모래땅이라 뛰기에 좋도록 편편하였다. 어깨에 부담롱을 짊어지고 뒤뚱거리며 뛰어가는 자의 등이 보였다. 경순은 거리를 눈짐작해보고 나서 멈춰서서 총을 겨누었다. 십 보 밖에서 간장 종지를 박살내는 솜씨인지라 경순이 놓은 총은 그대로 상대를 거꾸러뜨리고 만다. 요란한 방포소리와 함께 포졸이 앞으로 다리를 꺾으면서 쓰러졌다. 잽싸게 달려간 경순이 발로 놈의 가슴을 밀어놓으며 살펴보니 머리 한가운데를 얻어맞은 자는 그대로 숨이 식어 있는 참이었다. 경순은 다시 비탈 위로 올라 잡초 사이로 간간이 달리고 또한 멈추어 귀를 기울여보면서 총에 장약을 재어넣었다. 그러나 캄캄한 어둠 가운데 들리느니, 도랑물이 강으로 흘러드는 소리와 가끔씩 먼산 들녘에서 울부짖고 있는 소쩍새 울음소리뿐이었다.

그는 자신의 호흡을 목구멍 너머로 연신 눌러 삼키면서 온 신경을 두 귀에 집중하였다. 가까운 곳에서 풀이 스치는 듯한 소리가 들리는가 하더니, 과연 어둠속에서 흰빛이 번쩍 빛나며 한 놈이 경순의 왼쪽을 급습하였다. 얼결에 치켜든 총신에 맞아 칼날이 쨍 하는 날카로운 소리를 내며 미끄러졌다. 미끄러지는 칼날에 경순의 드러난 왼쪽 팔이 자상을 입었고, 그는 오른편으로 급히 몸을 숙이고 몇 발짝 물러났다. 포졸은 급습에 실패하자 상대의 방포를 피하는 길은 간격을 주지 않는 것임을 알아차리고 다시 환도를 휘두르며 달려들었다. 이경순은 미처 총을 겨눌 사이도 없이 총대를 비스듬히 쳐들고 좌우로 몸을 피하였다. 칼날이 총신에 부딪칠 때마다 날카로운 쇳소리와 더불어 불빛이 반짝였다.

포졸이 단칼에 벨 수 없음에 마음이 급박하였는지 분을 내면서 두 손에 잡은 환도를 머리 위로 번쩍 쳐들고 고함을 내지르며 나서는데, 금강보운(金剛步雲)의 자세였다. 원래가 금강보운 세에는 수두(獸頭)로써 곧장 찔러 가슴을 노리는 것이 공격이요, 양각앙천(羊角仰天)으로 맞받아냄이 방어인데 경순은 검술을 모르는지라 뒷걸음질로 급히 물러났다. 물러나는 경순에게 틈을 줄 상대가 아닌지라 재처 같은 자세로 달려드니 뒷걸음질치던 경순이 엉덩방아를 찧으며 나뒹굴고 말았다.

이제 칼날이 떨어져 이경순의 해골이 두 쪽으로 갈라지려는 찰나에 총구를 앞으로 내밀면서 경순은 얼결에 내질렀다. 총구에 목을 찔린 포졸이 지탱하지 못하고서 혼절하여 경순의 몸 위로 태산처럼 무너져 내려와서 덮쳤다. 경순은 포졸을 옆으로 밀어내고 비틀거리며 간신히 일어나 앉았다. 경순은 곁에 넘어진 상대의 멱살을 잡아 치켜올리는데 그자는 잠시 후에 가까스로 정신이 돌아왔다.

"누가 시켰느냐?"

경순이 거칠게 흔들어대자 그자가 나약하게 쿨럭이며 기침을 터뜨렸고, 그때마다 입속에서 피가 흘러나왔다. 경순이 거칠게 흔들어대는 것이 몹시 괴로운 모양이었다. 이경순은 그자의 머리를 내려놓고 곧 내려찍을 듯한 자세로 총을 번쩍 치켜들고는 중얼거렸다.

"대갈통을 부숴주랴?"

"사, 살려……주."

"누가 보냈냐니까."

"혀…… 형방……나으리가."

"그러면 이방은 관계없느냐?"

"있소……"

경순은 부글부글 끓어오르는 마음을 억누르며 입술을 깨물면서 벌떡 일어났다. 포졸은 헐떡이면서 간신히 손을 쳐드는 시늉을 하였다.

"사, 살려……주오."

이경순이 총대로 그의 머리를 두어 번 내리쳤다. 경순은 그의 몸 위에 침을 퉤 뱉어주고서 돌아섰다.

"이런, 도적놈들을 모조리 죽이리라."

경순은 그제야 일의 자초지종을 눈치채고 울분의 이를 갈았다. 일단 그를 도우려는 듯싶던 이방이 자신의 남은 재산을 탐내어 협의를 걸어 탈옥시킨 듯이 하고서, 후환을 없이하려는 의사였음을 깨달았던 것이다.

"세 놈이었는데……"

이미 둘을 죽였으니, 남은 하나를 처치해야 하건만 환도 가진 자와 싸우느라고 많이 지체되었던 것이다. 경순은 다시 장약을 재려고 허리에 찼던 쇠뿔 약통을 찾았으나 싸우는 사이에 어디다 떨어뜨렸는지 보이질 않았다. 땅바닥을 더듬거리다가 드디어 그는 총포를 내던지고 일어섰다. 그 대신에 그는 환도를 주워들고 다시 여주 창골을 향하여 뛰었다. 앞서 달아난 마지막 한 놈은 어디 숲에라도 기어들었는지 마을이 다 나오도록 보이질 않았다. 무엇보다도 경순의 마음에 사무치도록 미운 것은 친한 동무라고 믿어왔던 이방이었다. 그래도 아전붙이란 중인이니 아무리 자기가 장사치라도 그만은 경순에게서 여러 번 도움을 받았고, 시골 토반들께 대하는 것과는 달리 두터운 우정을 보여왔던 것이다.

"내 이놈을 죽이지 않고는 아내의 눈을 감길 수가 없구나."

피와 땀으로 범벅이 되어 기진맥진한 경순은 강가로 내려가 강물을 퍼마시고 우선 타는 듯한 갈증을 면하였다. 시각은 아직 깊은 밤중인지 파루가 되려면 먼 것 같았다. 그는 산성 아랫길을 휘돌아 순라들의 눈을 피하느라고 논밭길로 질러서 곧장 이방의 집을 바라보고 뛰었다. 객사거리 앞에는 늦게까지 투전하는 자들이 가끔씩 소피를 보러 나오거나 바람을 쐬러 나오는 적이 있었고, 인적이 있는 줄을 아는지라 경순은 그곳을 피하여 마을의 좁다란 골목을 비집고 빠져나갔다. 동네 개들이 컹컹 짖어대고 일시에 여러 곳에서 짖어 경순의 마음은 더욱 초조하였다. 이방의 집 토담 밖에 이르러 고개를 기웃이 내밀어 동정을 살피는데 그가 기거하는 건너편 사랑의 들창문에 불빛이 내비쳤고 창호지에는 사람 그림자가 어른거리고 있었다.

"흥, 저 죽을 생각은 못 하고……"

아내의 참혹한 죽음을 생각하자 경순은 더이상 지체할 수가 없었다. 그는 환도를 입에 물고 토담을 뛰어넘어갔다. 문틈으로 들여다보니 이방 혼자 촐촐하게 앉아 소주를 들이켜는 중이었다. 아마도 일을 저질러놓고서도 심기가 불안하여 여태 잠들지 못하고 술로 잠을 부르려는 모양이었다. 경순은 슬그머니 문고리를 당겼다.

"어……?"

이방이 술잔을 든 채로 고개를 드는데, 경순은 와락 뛰어들어 문을 닫고 환도를 똑바로 이방의 코앞에 겨누었다.

"꼼짝 말아라."

한눈에 보기에도 경순의 몰골은 참혹하였다. 전신에 진흙과 피투성이요, 상투는 흐트러져 산발이 되었고 독기를 내뿜는 두 눈에는 핏발이 곤두서 있었다. 더구나 자상을 입었던 왼팔에서는 아직도 피가 배어나왔다. 경순은 칼을 겨눈 채로 소반 위의 소주병을 들어 벌컥벌컥 마시고는 음산하게 속삭였다.

"어째…… 내가 죽은 줄 알구 조상 술을 마셨는가?"

이방은 완전히 핏기가 가셔서 입술만 간신히 달싹이며 물러나 앉았다.

"자…… 자네 이게 무, 무슨 짓인가?"

"무슨 짓이냐구?"

앉은걸음으로 물러나 벽을 등진 이방에게로 천천히 달려들면서 이경순은 재우쳐 물었다.

"우리 죽은 마누라한테 물어봐라."

"내…… 내가 시킨 게 아닐세. 나는 반대했어."

이방이 두 손을 쳐들면서 애걸하듯이 중얼거렸다.

"자객들께 모두 들었다. 재산이 탐이 나거든 고이 말루 달랠 것이지, 쫓기는 놈의 뒤통수를 치느냐? 더구나 네가 내 덕을 입은 적이 한두 번이 아닌 터에 이렇게 악으루 갚는다니…… 내 너를 죽이러 아내의 시체를 노상에 버려두고 쫓아왔다."

"글쎄 그런 게 아닐세…… 내 자네의 재산을 탐낸 것은 사실이나 죽이라구 사주한 것은 내가 아닐세."

"분원 재산을 모두 네게 물려주지. 그 대신에 네 목숨을 거두어주고 가겠다. 마누라와 여식은 편안히 살 테니까, 내 원망은 말아."

경순이 칼을 이방의 가슴에 힘껏 꽂으니 이방은 처절하게 비명을 내지르며 칼을 받았다. 칼을 꽂아버린 채 뛰어나오는 경순에게로 깨어난 이방의 식구들이 마주 달려오다가 가슴에 채고는 으악 소리를 내지르면서 흩어졌다. 이경순은 대문을 활짝 열고 뛰쳐 달아났다. 경순이 산성 아랫길을 되돌아 뛰는데 먼 데서 은은하게 파루 치는 소리가 들려왔다.

"허무한 일이로다!"

경순은 별이 총총한 하늘을 우러르며 홀로 탄식하였다. 이제 제 손으로 동무를 죽이고 나온 경순의 마음은 웬일인지 하나도 개운치가 않았다. 오히려 묵지근한 분노가 더욱 깊숙이 가슴에 얹히는 듯하였다. 이제는 사람을 한두 명 죽인 것이 아니니 세상을 등질 수밖에 없었고, 자신에게 남아 있는 것은 아무것도 없었다. 여주서 이름 높던 분원 재산도, 부덕이 바다 같던 현숙한 조강지처도, 애틋한 사랑을 일깨워준 묘옥이도, 다정하던 동무도, 고향도 사라져버린 것이었다. 그는 되돌아가는 길에 양화 노상에서 포졸들의 시신 곁에 남았던 부담롱 한 짝과 피륙 보퉁이를 수습하여 전생이가 지키고 섰는 아내의 시체 곁으로 돌아갔다.

"나으리…… 어디 다치신 데는 없으십니까?"

"괜찮다. 우물거릴 시각이 없으니 어서 서둘러야겠다."

전생이가 흐느끼면서 말하였다.

"꼭 생전 그대로이십니다. 방금이라두 일어나셔서 저희를 부를 것만 같은걸입쇼."

"매장을 해두어야지."

"예, 제가 저쪽 언덕 위에 대강 구덩이를 팠습니다."

"수고했다."

"아무래두 아래쪽은 장마가 들어 범람하면 물이 들겠기에……"

경순은 보퉁이를 끄르고 아내의 여벌 옷과 무명을 꺼내었다. 피투성이 옷을 벗기고 새옷으로 염습을 해주는데 문득 아내에 대한 죄스러움이 북받쳐서 경순은 잠깐씩 소리를 죽여 오열을 참아야만 하였다.

"제가 거들까요?"

"두어라. 내가 보낼란다."

경순은 아내의 시신을 안고서 둔덕으로 올라갔다. 묘혈에 아내를 누이고는 차마 흙을 덮을 수가 없어서 경순은 한참이나 고개를 숙이고 울음을 깃씹다가 외면한 채 두 손으로 흙을 덮기 시작하였다. 봉분이고 무엇이고 세울 틈이 없어 그대로 평지와 엇비슷하게 묻고는 구들돌처럼 넓적한 바위 하나를 전생이와 맞들어다가 눌러두었다. 이것을 표시로 하여 뒷날에 다시 이장하려는 생각에서였다. 마을의 닭들이 연달아 새벽을 알리며 울고 있었다. 경순은 다시 보퉁이에서 새옷을 꺼내어 갈아입고는 나룻가로 내려갔다.

"사공을 깨워낼 필요 없다. 그냥 배를 내자꾸나."

"어떻게요…… 경강을 타구 오르시게요?"

경순은 고개를 내저었다.

"경강을 오르다가는 파발에 뒤처져서 곧 잡히구 만다. 이대루 강을 건너서 지평(砥平)로를 따라서 인적이 드문 산골짜기를 타야 한다. 낮에는 숨고 밤길을 걸어야지."

"어디루 가시게요?"

"글쎄다…… 어디로든 먼 데루 뛰어야 할 텐데."

"아씨께서는 양주로 가시겠다구 하던 걸입쇼."

"음, 작은처남이 게서 살지. 허나 살인을 한 내게 관의 기찰이 미치지 않을 턱이 있겠느냐."

"허지만 어찌 아무 연고도 없는 고장으루 가시겠습니까?"

"그러면 이렇게 하자. 너는 나하구 퇴계원까지만 함께 가구, 양주로 가거라. 나는 어디 암자에나 의탁해서 네 기별을 기다리겠다."

3

광주 남한산성 건너편으로 북을 향하여 곧게 뻗은 산줄기가 바로 천마산(天馬山) 줄기로서 길운산과 묘적산이 갈라져 이어졌는데, 묘적산 아랫녘의 깊은 골짜기에 노적사(露積寺)가 있었다. 노적사는 원래 퇴계원과 밀접한 관계가 있었으나, 절이 황폐해지자 길운산 쪽으로 옮겨가고 다만 절 이름과 자취만이 남아 있었던 것이다. 정원태(鄭元泰)라는 기이한 사람이 찾아들어와 터를 닦고 암벽 아래 석굴 한 칸을 지은 다음에 불상을 모셨다.

그는 삭발하지 않은 장발승이었는데, 목에 염주 걸고 가사 장삼을 걸쳤다. 그러고는 염불과 더불어 궁궁을을(弓弓乙乙)이란 말로 시작되는 주문을 외우는 것이었다. 그가 늘 기거하는 석굴암에는 언제나 손님의 내왕이 그치질 않았는데, 가령 명당 쓸 자리를 묻는다거나 점을 치기도 하였다.

일종의 술가(術家)와 지사(地師)를 자처하는 정원태는 원래 양주 아전의 자손이었다. 어릴 적부터 학문에 힘을 쓰더니 중인의 자식으로서는 아무리 노력해보았자 과거를 할 수 없다는 사실을 깨닫고 일단 출가하여 중이 되었다.

진관사에 있을 적에 황회는 정원태와 가까이 지내어 스님이라 부르지 않고 성님이라면서 가까이 지냈던 것이다. 정원태가 절에서 떨어져나와 노적사를 재건하였던 것은 새로운 뜻이 생긴 때문이었다.

정원태는 사당질을 하다가 신이 내려서 노량나루에서 무당을 하고 있던 여자를 아내로 맞아들였다. 그들 부부는 곧 사당패나 괴뢰배, 걸립패들 사이에 널리 알려졌고, 가끔씩 몇패가 오가는 듯하더니 아예 노적사를 중심으로 거점이 이루어져 늘 십여 대(隊)가 들락날락하였다.

세상에서 제외된 자들이었으니 그들의 행각을 아무도 짐작할 수가 없었고, 대개 죄를 저지르거나 관의 체포 대상이 되어 있는 자들은 노적사를 거쳐서 천마산 은거지로 흡수되고는 하였다. 천마산 북녘 기슭에는 깊은 송림이 십여 리에 걸쳐서 빽빽하였는데, 그 가운데 솔부리골이란 숨은 마을이 있었다. 솔부리골에 모인 자들은 거의 화적이나 다름없는 자들이었으나, 그곳을 산채로 여기지는 않았다. 그리고 큰 산의 떼도적들과는 조금 다른 데가 있었다. 즉, 그들은 천마산을 소굴로 삼아서 촌락이나 고을에 나가 강도질을 한다거나, 또는 요로와 고개를 지켜서서 행인의 봇짐을 털어내지는 않았던 것이다.

한양이 멀지 않을 뿐만 아니라, 천마산이 애초에 웅거할 만한 깊은 산도 못 되었고, 무엇보다도 그런 우직스런 짓을 할 필요가 없었다. 그들의 일부는 한양 외곽의 이름난 저자 무뢰배로 풀려나가 교묘하게 상리를 도모하거나, 또는 대를 이루어 말을 끌고 행상을 다니다가 여차직하면 그때의 형편에 따라서 화적떼로 돌변하기도 하였다. 따라서 관이 아무 혐의 없이 솔부리골을 살피기도 어려웠고, 다만 부근 마을에서는 부랑잡배들이 모여서 사는 곳쯤으로 알려져 있었다.

이런 곳은 전국의 도처에 있었으니 한양 주변을 근거지로 하는 자들은 주로 노적사와 천마산 기슭에 모여 있었는데, 한 대가 대략 이삼십여 명이요, 무리를 이루면 이십여 대나 되었으니 그 수가 적지 않았다. 광주 근처의 무뢰배라고 할 적에는, 노적사와 천마산 솔부리골을 가리킨다 하여도 과언이 아니었다. 이를테면 순안(順安) 법흥사(法興寺) 같은 곳에는 그 패거리가 도합 오십여 대나 모였고, 지리산을 중심으로 한 삼남(三南)에는 만여 명이 들끓어 흘러다니고 있었다.

또한 남해(南海) 화방사(花芳寺)에는 삼십여 대가 들끓었고, 창평(昌平)에는 수십 대, 함흥 백운사(白雲寺)에는 그들의 자체 병력까지 있었으니, 실로 명화적뿐만 아니라 전국에 걸쳐 결속된 하나의 집단이었던 것이다. 그들은 양인 이상의 신분층에 대하여 몹시 폐쇄적이었던 반면에 저희끼리의 결속력은 대단하여 아무도 속을 헤쳐 알아낼 수가 없었다. 해마다 재해와 학정으로 밀려난 농민들이 집과 고향을 버리고 이들 부류에 흡수되어 흘러다니니 그 수는 점점 많아졌던 터이다.

노적사 근거지의 부랑 무리들은 모두 경기도와 도계 어름의 강원, 충청 양도 바깥쪽을 활동무대로 삼고 있었다. 한양 성내에서 상인들의 돈줄과 별감 따위들의 비호 아래 설치는 무뢰배들은 대개 큰 댁 하인이나 양인 한잡배(閒雜輩)들이었고, 삼강(三江)의 무뢰배들은 깍정이들을 거느린 경강 장사치들이었으나, 양주의 누원점(樓院店), 포천의 송우점(松隅店), 광주의 삼전(三田)나루와 송파와 거여 객점의 무뢰배들은 그 정체와 출신을 알 수 없는 부랑 무리들로 이루어져 있었다. 다른 상인들이 그들을 겁내는 것은 그 주거를 분명히 알 수가 없었고 보복의 방법도 감쪽같았기 때문이다. 그들은 말에 물건을 싣고 한양 외곽의 난장판을 떠돌면서 팔기도 하였고 광대인 듯하면 장사치요, 장사치인 듯 여기면 난전꾼이요, 그런가 하면 정체를 알 수 없는 자들이 되어서 밤에 부잣집을 습격하기도 하였다.

고달근과 황회가 당진에서 명화적당을 지은 것은 그때뿐이고, 그들은 노적사로 돌아와서는 곧 장사를 벌일 궁리를 하게 되었다. 그들이 도피처로서 노적사를 택한 것은 너무도 당연한 노릇이었다. 고달근과 황회는 제 식구들과 더불어 큰쇠네 동작진 패거리를 관의 미끼로 하여 무사하게 당진을 빠져나온 다음에, 버젓이 강경까지 가서 다른 사당패와 합세하였다. 질탕하게 연희를 팔고 나서 조심스럽게 육로를 거쳐 광주로 스며들었다가 노적사를 찾았던 것이다. 거기서 고달근과 황회는 제 식구들을 다른 대에 붙여주고 박거사와 시동이만을 거느리고 천마산 솔부리골로 들어갈 셈이었다. 조심하느라고 오랫동안 장물을 처분하지 못하더니, 정원태의 알선으로 송파 깍정이패 꼭지인 까마귀에게 연줄이 닿았던 것이다. 그들은 까마귀네 움막에서 사흘 동안 기다리며 장물을 처분하여 말 한 필에다 환전한 돈꿰미를 싣고 노적사로 올라갔다.

평구말을 지나 삼십여 리 등성이를 타고 가면 넓은 계곡이 떡벌어져 있었고 가파른 절벽 아래 노적사의 암자가 있었으며, 그 아래편 송림을 베어넘긴 널찍한 공터에 간이로 지은 낮은 초막들이 여러 채 있었다. 방금 어디선가 새로운 패가 돌아왔는지, 풀어놓은 짐들이 사방에 널려져 있었고 계집들의 울긋불긋한 옷자락들이 어지러웠으며 노천에 걸어놓은 쇠솥에다 대식구의 밥을 짓는 연기가 골짜기 가득히 피어오르고 있었다. 원래 노적사의 절터는 바로 그곳이었건만, 주추만이 남아 있었다. 정원태가 재건한 노적사는 비탈을 더 올라가서 쪼개진 바위틈에 석굴을 들여놓았는데, 거기가 법당인 셈이었다. 그리고 이제 터를 잡아 공사를 시작한 대웅전의 조촐한 얼개가 짓다 만 채로 옆 공터에 서 있었다. 달근이와 황회는 말을 아래

매어두고 돈꿰미를 싼 봇짐들을 힘들여 짊어지고서 석굴로 올라갔다. 법당 앞에는 짚신짝들이 가득히 널려져 있었다.

황회가 앞장서서 큰기침을 하더니,

"성님 기시우?"

하였다. 대답 대신에 방문이 빠끔히 열리며 정원태의 아내가 얼굴을 내밀었다. 사람들은 모두들 그 여자를 원주보살님이라고 부르고 있었다. 그들이 들어서니 우선 어둠에 눈이 익질 않아서 그 안에 누가 있는지는 알 수가 없었고 뾰족한 상투 끝만 가득히 보일 뿐이었다.

"헛…… 황가에 달근이까지 왔구먼."

컬컬한 목소리가 들려왔다.

"게 누구여?"

달근이가 뒷전에서 고개를 뽑는데 정원태가 상석에 앉았다가 너털웃음을 터뜨렸다. 그는 장발에 가사 장삼을 입고 묵주를 손에 쥐고 앉아 있었다.

"누구긴 누군가, 다 알 만한 식구들이지……"

황회가 자세히 들여다보더니 소리를 질렀다.

"이런 제기럴! 복만이 아녀?"

"왜 아니래. 오래 사니까 자네 얼굴 볼 날두 있구만그랴."

동작나루의 가장 큰 사당패 모가비로 그들 사이에 입담 좋고 수완 있고 힘깨나 쓰는 것으로 알려진 복만이가 정원태와 나란히 앉아 있었던 것이다. 그는 지금 천마산 솔부리골에 들어와 두령 노릇을 하고 있었고, 달근이와 황회는 노적사에 도착하자마자 그런 소문을 들었던 것이다. 복만이도 옛날 동무들이 일을 저지르고 왔다는 것을 듣고, 차일피일 미루다가 산을 내려왔던 것이다. 그들이 서로 반기는 것을 보자, 정원태는 뒷전에 앉아 있던 새 패거리의 모가비들에게 말하였다.

"자, 이젠 내려들 가서 저녁공양이나 허게나. 손님들이 오셨으니……"

모가비들 중에 오래 묵은 자는 두 사람에게 제각기 아는 체를 하고는 물러나갔다. 굴 안에 고달근과 황회, 복만이만 남게 되자, 복만이 대뜸 물었다.

"당진서 큰 손 보았다며?"

"응…… 거 뭐 애초엔 할 맘두 없었는데, 그 집 망나니 같은 애녀석의 행패가 심해서 말이지. 버릇 좀 가르치려다 내친 김에 손을 봤지."

"장물은 처분했나?"

"까마귀가 다 알아서 해줍디다. 패물은 그저 그렇구, 피륙들은 반값이나 쳤을 게유."

황회가 정원태를 향하여 말해주니, 그는 새까맣게 기른 수염을 쓰다듬으며 고개를 끄덕였다.

"시세가 그럴 게야. 까마귀는 제법 엇구수한 데가 있는 녀석일세. 하여간 돈이 되긴 되었으니, 좋은 데만 쓰면 복으루 가는 게야."

"염려 마슈, 대웅전 짓는 데 내 사종시주 두둑이 할 테유. 백 냥 내지요."

"아무려나 그건 마음대루 하게나."

정원태는 빙긋이 웃을 뿐이었다. 고달근이 아무래도 마음에 걸렸는지 복만이를 바라보며 말하였다.

"그 식구에 큰쇠라구 있었나?"

"큰쇠라…… 옳지, 있었지. 원래 중매구 다니던 녀석인데 사당 가로채기 싸움으루 우리 패를 떠난 지가 몇년 되는구먼. 그건 왜 물어?”

황회가 말하였다.

“실은 이번에 그 사람 식구들이 모두 당진서 결딴이 났네.”

“분명히 패를 떠났단 말이지? 헌데 동작나루 식구라구 하던걸.”

“한양 근처로는 못 올라오지, 뜨내기 식구니까.”

달근이는 복만이의 말을 듣고는 아주 맞춤하게 잘되었다고 생각하는 것이었다.

“헌데 솔부리 들어오겠다며?”

복만이는 여태 참아왔다는 듯이 말을 꺼내었다.

“받아줄 테여?”

“몇명이야?”

“우리하구 둘 더 있어.”

“그러지 뭘.”

시큰둥하게 받은 복만이는 상을 찌푸리면서 이어서 말하였다.

“그런데 우리게서는 말이야, 모두 똑같이 나눠먹구 사네. 한 식구건 열 식구건 밥알 하나두 똑같이 먹어얀단 말이야. 그래두 살림은 유족허니까.”

“몇가구나 사나?”

“한 마흔 나뭇 되지. 자네들두 그냥 혼자들 지내지 말구 이런 때에 계집이나 하나씩 얻어서 살림해여.”

“아이구, 나는 계집이라면 신물이 나는 사람이네. 그저 오가는 사당년들이나 가끔 건드리구 살라네.”

“그럼 안 붙여.”

복만이는 고개를 설레설레 흔들었다.

“안식구 없는 홀애비가 많으면 기강이 없어진단 말이네. 솔부리는 어엿한 임집이 있는 동네란 말여."

달근이가 황회의 옆구리를 쿡쿡 내질렀다.

"그래, 차차 장가라두 들기루 하구."

복만이는 또 다짐하였다.

"그러구…… 이건 알아두게. 솔부리 두령은 나야. 우리네는 율령이 엄정하니까 미지근하게 굴지 말아."

"아따, 넨장맞을…… 그래, 두령님이라구 불렀다!"

황회가 볼멘소리로 내지르자, 정원태가 껄껄 웃으면서 참견하였다.

"두 사람은 함께 좌우 두령을 하면 되지 않겠나?"

"그게 좋겠군. 난전을 나가는 패와 행상 나가는 패가 있구, 손보러 나가는 패가 있는데…… 자네들 시방 올라가면 집털이부터 해야 되네."

"흥, 가장 어려운 짓이나 시키려구 하는구먼. 우린 저자루 나갈까 했더니, 쫓겨다니는 워리새끼처럼 화적질이나 댕기란 말여?"

"그렇게 해서 아이들을 잡아놔야 두령 노릇을 해먹지."

의논이 정해져서 황회와 고달근은 복만이를 따라서 천마산에 올랐다. 묘적산 척추 능선을 타고 말고개를 넘어 천마산 북녘을 돌아드니 햇빛도 들지 않을 짙은 송림이 눈아래 깔리는데, 솔부리골은 그 한복판에 으슥하게 자리 잡고 있었다. 이미 고달근과 황회의 이름은 솔부리골에 널리 알려져 있었고, 좌우 두령이 되어 제 밑에 십여 명씩의 졸개들을 거느리게 되었다.

한 달 가까이 방구석에 처박혀 술이나 퍼마시고, 가끔 노적사에 내려가거나 송파 나가서 투전이나 하고 돌아오는 날을 보내자니 두 사람은 워낙에 뜨내기 성질이라 좀이 쑤셔서 견딜 수가 없었다. 복만이는 이틀이나 사흘 걸러서 난전을 휩쓸고 돌아오고는 하건만, 그들에게는 도통 내색을 하지 않았다. 어느날 참다못한 고달근과 황회는 복만이 일행이 말을 끌고 돌아오는 것을 보고 마중하여 나가면서 불평을 터뜨렸다.

"아니, 우린 무슨 오다가다 얹혀 있는 식객이라던가? 솔부리서 나가라면 곱게 나갈 테여."

먼지를 횟박처럼 뒤집어쓰고 돌아온 복만이는 제가 데리고 나갔던 난전꾼들을 흘깃 돌아보며 서로 웃었다.

"왜 푹 쉬라구 그랬지. 심심하면 낼부터라두 애들 데리구 나가 놀아보게. 하다 보면 안이 생길 게야."

"글쎄 그래서 의논을 해보자는 게 아닌가?"

"그러지. 오늘은 좌우 두령을 모시고 술이나 마셔볼까."

복만이는 그들을 자기 살림집으로 데려갔다. 그에게는 아내가 둘이 있었으니, 모두 동작나루 있을 때 데리구 다니던 앳된 사당들이었다. 양갓집 아낙네 같은 모양이었으나 사내들 앞에 거리낌없이 나돌며 수월하게 농을 던지니 예전 자지간나희의 습관이 배어 있는 듯하였다. 술상을 마주하고 앉자, 복만이 그들의 일거리에 대해 말을 꺼냈다.

"내 대강의 요령을 일러줄 테니 잘 새겨듣고 일해보게. 물론 자네들이 할 일이란 도적질이나, 여기선 수십여 인이 작당하여 집을 들이치고 사람을 죽이고 하는 난리를 치러선 안 된다 그 말이야."

"그럼 좀도적질밖에 더하겠나."

"허허, 얘기를 들어보라니까. 보통 서넛이 나다니고…… 고작 작당해야 열을 넘기지 말게. 사람을 잡아놨다가 돈과 바꾸어도 되고, 부잣집에 일시에 들어가서 협박하여 돈이 될 것들만 꾸려가지고 나오거나, 손님으로 찾아가서 은근히 위협하여도 되네. 유람 다니는 셈치구 나다녀보게. 우선 살피는 아이들을 내보내어 몇집 알아두었다가 자네들이 찾아가 직접 확인하고 그 다음에 거사하도록 하게. 그렇게만 하면 뒤도 구리지 않구, 벌이두 쏠쏠하단 말이야."

"흠, 듣고 보니…… 이제 좀 알겠구먼."

"우린 언제 저자에 나가보나?"

"가만있어. 대목 볼 제 일러줄 테니……"

하고 나서 복만이는 인심을 쓰듯이 일러주는 것이었다.

"달근이 자네는 어느 댁 귀한 장손이나 하나 물어들이고, 그리구 황가 자넨…… 조상을 사서 팔게."

복만이는 웃음을 터뜨렸다.

"내로라 하는 부잣집의 선산을 파다가 해골바가지만 떼어두고 돈냥하구 바꾸자구 그런단 말이야."

달근이와 황회는 역시 그럴듯하여 고개를 끄덕였다.

"허나, 절대루 그런 일감을 솔부리까지 묻혀오면 안 되네. 거기 가까운 고을의 객줏집이나 주막에 묵으면서 일을 다 마치고 밑까지 닦구 오란 말이야. 그러구 일테면…… 갈 적에는 하인 거느린 양반 차림을 한다든가, 그리구 돌아올 적에는 행상으로 바꾼다든가 해서 남의 눈에 유독 뜨이지 말란 얘길세."

"알겠어, 낼부터 슬슬 시작을 할 테니까…… 이력이 날 때까지 너무 괄시하지 말게나."

달근이와 황회는 역시 복만이의 두령 자격을 수긍할 수밖에 별 도리가 없었다. 그러나 그런 안을 내는 데엔 고달근도 둘째가라면 서러워할 위인이었으므로 복만이의 그러한 거드름을 매우 못마땅하게 생각하였던 것이다.

"저놈 어디 얼마나 오랫동안 두령 노릇을 해처먹는지 두구 봐야겠다."

황회도 기분이 별로 좋지는 않았으나 달근이와는 성깔이 다른 데가 있어놔서,

"뭘 우두머리 노릇을 해먹자니 그럴 수도 있지."
라고 눌러두고 말았다. 복만이가 안을 내어준 대로 그들은 각자의 처소로 돌아가서 제각기 박거사와 시동이를 불러 이리저리 하라고 지시하였다. 제각기 나갔던 박거사와 시동이는 소견대로 적당한 곳을 물색하여 잘 살피고 돌아왔고, 먼저 고달근이 솔부리골을 출발하게 되었다.

고달근은 박거사에게 견마를 잡혔으며 장죽 물고 통영갓에 도포를 떨쳐입었고, 졸개 둘은 교꾼으로 꾸며 빈 가마를 메도록 하였다. 누가 보기에도 점잖은 댁의 부부가 나들이를 가는 모습이었다. 그들은 말고개에서 가평(加平) 가는 길로 들어서서 북한강 줄기를 따라 올라갔다. 육십 리 길을 중화참에 가평에 대고는 동떨어져 한적한 주막을 찾아서 사처를 정하였다.

"내행이 오셔 계십니까?"

"아닐세, 안사람을 친정으로 데리러 가는 길에 내가 여독이 들어 잠깐 쉬었다 가려는 겔세. 예서 한 사날 묵을 것이니 돈은 미리 받소."
하며 달근이는 숙식대를 후하게 내주었다. 점심을 먹고 나서 달근이는 박거사만을 데리고 바람을 쏘인다며 주막을 나섰다.

"게가 어디라구 했지?"

"포천(抱川) 못 미쳐서 연골(連洞)이라구 있습니다. 동학산 굴재 아랫녘이우."

"그 집의 내막을 이틀 사이에 어찌 알아냈냐?"

"성님, 내가 왜 모르우. 곰뱅이 트러 다닐 제 내가 매번 촌의 장로들을 찾아뵙구 간청하구 안 했습니까? 웬만한 시골 부자들 집구석 사정은 내가 뜨르르 꿴다우."

"그 집서 괄시받았구나."

"괄시 정도가 아니우. 시골서 농사깨나 지어 먹는다구 관을 쓰구 젠척하는데, 도의 풍속은 족보 어엿한 양반보다두 더 따집디다. 그 집구석 머슴놈이 우리 애를 샀는데, 내 참, 끌려가서 행하는커녕 볼기를 맞은 적이 있수."

"거 아주 잘되었다."

"자손이 바른 집안이라니 우리가 맞춰놓은 자리나 매한가지유."

그들은 가평서 연골까지 나아가 노리는 집이 있는 동네를 살펴보았다. 제법 전장이 기름지게 정돈되어 있었고 뒷산의 숲이 울창하여 먼 데서 보기에도 그럴듯이 포실한 마을이었다. 닭 우는 소리와 소의 울음이 어우러지니 농사는 제법 풍요한 모양이었다. 삼십여 호가 옹기종기 자리 잡은 가운데 덩그렇게 치솟아올라간 기와집의 지붕이 보였고, 솟을대문 앞에는 둥치가 아름은 되는 느티나무가 그늘을 드리우고 있었다.

"도령이 서당에 가는 길이 어느 쪽이냐?"

"내 그저께 하루종일 버티구 앉아서 살폈더니, 회산 쪽으루 동무들과 어울려 갑디다. 거기 서당이 있는가 보우. 한 오 리 길 될 게요."

"길은 살펴봤니?"

"까짓 거 아무 데서나 콱 덮쳐서 업어오면 되는데 살피구 자시구 할 거 없수."

고달근은 역정을 내었다.

"이런 망할 자식 같으니…… 이놈아, 시골 종년 훔쳐오는 일이 아니여. 그래두 명색이 시골 양반의 씨종손을 도적질하는 일인데 그런 채비가 없어 되겠니. 섣불리 하다가는 가평서 오도가도 못 하구 잡히구 만다."

"딴은 그렇구먼요."

고달근은 앞서서 길을 따라 내려갔다. 회산을 향하여 한참을 내려가니 기다란 내가 흐르고 있었고, 소나무 가지를 엮어놓은 다리가 나왔다. 달근이 문득 냇가에서 걸음을 멈추더니 혼자서 웃음을 지었다.

"여기서 한길까지 나가려면 저 냇가를 주욱 따라가면 되겠군. 북한강으루 흘러들 테니까. 아주 좋은 길목이로구나."

고달근이 다시 박거사에게 물었다.

"도령의 얼굴은 아니?"

"알다뿐이우. 더구나 그놈만 복건(幅巾)에 철릭을 걸쳤으니 십 리 밖에서두 알아보겠수."

"집안의 어른이 조부냐?"

"아비는 아마 일찍 죽은갑디다. 그러니 더욱 금지옥엽이지요."

"자, 어서 돌아가자. 낼 식전에 나오려면 일찍 자두어야지."

그들은 다시 가평으로 돌아와 이튿날 날이 새기가 무섭게 찬밥을 말아먹고 주막을 출발하였다. 주인에게는 내자를 데리러 간다고만 말해두었다. 처음 떠나올 때처럼 달근이가 견마 잡혀 앞에 갔고 빈 가마가 그 뒤를 따랐다. 그들은 한아비내에 이르러 가마를 숲속에 숨겨놓고 다시 모자란 아침잠을 잤다. 해가 높직하니 떴을 때 달근이는 졸개들을 시켜 소나무 다리를 걷어내도록 했고 걷어낸 생솔가지들은 무릎 깊이로 콸콸 흘러가는 개천물에 모두 떠내려보냈다.

아이들이 서당에 갈 시간쯤 임박하여 밭 보러 나온 농군처럼 두

졸개는 개천가에서 서성거리고 있었다. 망을 보던 박거사가 손을 내저으며 뛰어와,

"애새끼들이 몰려옵니다."

다급하게 외쳤고, 달근이와 함께 숲 사이로 숨었다. 잠시 후에 과연 아이들 댓 명이 재잘거리면서 길을 따라 오는데 그 가운데 복건에 남철릭을 입은 도령이 보였다.

"어이구, 고뿔이라두 들려서 못 나올 줄 알았네."

"이 자식아, 그랬으면 네놈이 여기서 노숙하면서 기다렸을 게여."

박거사와 고달근은 아이의 모습을 발견하고는 일단 일이 잘 풀려나가리라 안심은 되었다. 아이들이 손마다 천자문 책을 끼고 졸음이 방금 가신지라 귀엽게 통통 부은 눈을 둥그렇게 뜨고서 개천가에 옹기종기 몰려 서 있었다.

"얘, 다리가 떠내려갔으니 어쩌니."

"이거 큰일났구나. 옷이 다 젖겠네."

하더니 총각 꼴이 박혀 뵈는 아이놈 하나가 도령에게 말하였다.

"내가 댁에 가서 먹쇠를 불러올까요?"

"도련님은 예서 기다리시지요."

아이들은 제각기 떠들었다. 그때에 냇가를 서성대던 두 졸개가 앞으로 나서면서 허리를 굽신하였다.

"어유, 도련님 평안하십니까?"

"소인들 문안 올립니다."

아이들이 서로 얼굴을 쳐다보았고, 도령은 제법 야무지게 물었다.

"자네들이 누군가?"

"저희를 모르십니까요. 소인들은 도련님을 잘 알지요. 광악골 사는 사람들이올시다. 재넘이 논에 두레 나가서 샌님두 모셨구요, 잔

치 때마다 나뭇짐두 해다드리구 술두 여러 번 얻어먹었습죠. 작은나리마님이 살아 계실 제는 소인들이 그 댁을 자주 드나들었습니다."

"다리가 떠내려갔구먼이요. 까짓, 저희가 회산까지 업어다드리지요."

아이들은 모두 반가워하였고 도령도 적이 안심을 하는 눈치였다.

"자네들을 월천(越川)꾼으루 부려서 안되었네."

"에이, 월천꾼이라닙쇼. 서당에까지 모셔다드리지요."

먼저 한 놈이 도령을 덥석 업고서 텀벙대며 내를 건너갔다. 다른 자는 바지를 추스른다 신들메를 고쳐 신는다 하면서 엔간히 지체한 다음에 남은 아이들을 하나씩 업어 건넸다. 아이들은 제 동무가 건널 때까지 모두 기다리게 되었는데, 도령을 업고 간 자는 이미 길에서 벗어난 뒤였다.

아이들은 모두 도령이 광악골 농군의 등에 업혀 서당으로 앞질러 갔거니만 여기고 뒤에 남았던 자에게 인사하고는 다시 평화롭게 재잘거리며 멀어져갔다. 달근이와 박거사는 벌써 졸개가 업어온 도령의 입에 재갈을 물리고 손발을 묶은 뒤에 여자의 장옷을 두껍게 씌워놓은 뒤였다. 가마 속에다 도령을 처넣고 나서 그들은 서둘러 한 아비내를 따라서 가평으로 되돌아갔다. 주막으로 들어가기에는 아직 이른 시각이라 그들은 가평 읍내 가까운 야산에다 가마를 내려놓고 낮잠을 자면서 하루 낮을 보내었다.

"말을 듣지 않으면 호랑이밥이 되게 깊은 산속에다 버린다. 소리를 지르지두 말구, 울지두 말어라."

하면서 그들은 번갈아 아이에게 어지간히 공갈밥을 먹여 주눅을 들게 해두었다. 인가에 가서 낭패할까 염려되었던 것이다. 눈은 가린 채 재갈만을 풀어주어 요기를 시키니, 역시 아이가 영리하여 주는 대로 다소곳이 받아먹었다.

그날 밤이 이슥해서 그들은 가평 주막으로 돌아갔고, 주인은 손님들이 어김없이 되찾아오매 넓고 깨끗한 부부 방을 치우고 법석대었다. 그들은 주인 사내가 보는 앞에서 장옷을 씌운 도령을 업어다가 방에 누이고는 이불을 머리끝까지 들씌워두었다.

"아씨께서 불편하신가요?"

"신열이 보통이 아니라네. 어차피 며칠 더 쉬어야 길을 떠나겠는걸."

"의원을 불러다 드릴까요?"

"괜찮네. 나두 의서를 봐서 약간의 진맥은 할 줄 아니까. 그보다두 아내가 몹시 아프니 이쪽엔 잡인이 얼씬하지 않도록 해주게."

주인도 함께 걱정스런 빛이 되었다.

"그야 여부가 있겠습니까요. 손님이 와두 이쪽으로는 들이지 않겠습니다."

일단 일이 반쯤은 성사되었으므로 고달근은 매우 흡족하였다. 밤을 새워 번을 바꾸며 파수를 드는 데 지장이 있을까 하여 그는 먹고 싶은 술도 참았고, 졸개들을 몹시 단속하였다.

"내일 하루가 고비여. 하룻밤만 눈뜨고 새울 작정들을 해라."

이튿날 오후에 느지막이 졸개 한 놈이 연골 도령네 집을 향하여 출발했다. 고달근은 그에게 이리저리 하라 이르고, 다시 그에게 반복해서 말해보도록 시켜놓고야 마음을 놓았다. 졸개는 한달음에 뛰어서 연골에 도착했고, 생원 집의 솟을대문 앞에 이르렀다. 하인을 찾으니, 그의 차림새를 보고는 더이상 말도 않고 대문을 닫으면서,

"집안이 우환 중인데…… 구걸하려면 똑똑히 알아보구 다녀라."

하며 투덜대는 것이었다. 졸개가 목청을 높여서 오히려 그 하인을

꾸짖었다.

"이런 쓸개 빠진 놈아, 이 댁 도령이 없어졌으면 산지사방으루 찾아다녀도 아랫것 노릇이 부족할 텐데, 공밥이나 처먹구 축객이나 하려느냐?"

하인의 귀가 번쩍하여 대문을 열었다.

"시방 뭐랬어?"

"이 댁 도령을 맡았다는 사람이 보내어 찾아왔다, 왜?"

"어…… 이건……!"

갑자기 하인이 안으로 달려들어가며 큰 소리로 부르짖었다.

"샌님, 아씨, 찾았습니다. 찾았어요. 도련님을 찾았습니다."

하자마자 사랑의 문이 열렸고 안채에서는 부녀자들이, 부엌에서는 계집종들이며 하인들이 우르르 몰려나왔다. 하인은 문밖에 섰는 졸개를 연방 가리키는 것이었다. 사랑 마루로 뛰어나오는 늙은이가 생원인 모양인데 도포에 유건을 쓰고 풍채가 제법 그럴듯하였다. 노인은 다급했는지 버선발로 댓돌까지 내려섰다가 다시 마루 위에 오르며 졸개를 내려다보았다.

"우리 아이가 어디 있느냐?"

"이…… 이 사람이 안답니다."

"자네가 안다구…… 어디 사는 누구길래……"

억지로 감정을 억누르면서 노인이 떨리는 목소리로 묻자, 졸개는 공손하게 허리를 굽히고 말하였다.

"예, 저는 시방 영평까지 서신 급주(急走)를 뛰는 방자올시다. 방금 굴재를 넘어오는데 험상궂은 장정들 서넛이서 앞길을 막아서더니 다짜고짜로 몸을 뒤지데요. 품속에서 서신이 나오자 그것을 빼앗고는 칼을 들이대고 핍박하여 말하기를, 저희들 심부름을 먼저 해주지 않으면 서신도 내주지 않으려니와 다시는 굴재를 넘을 생각을 말라구 합디다. 그러고는 돈까지 닷 냥을 주었습지요."

생원이 다급하게 물었다.

"우리집 아이가 그놈들께 잡혀 있던가?"

"예, 저…… 그자들이 손짓하는 곳을 바라보니 나뭇가지에 매달아놓았는데 허기지고 피로하여 사색이 다 된 듯하더이다."

이때 사랑 마당에 모여서서 주시하던 아낙네 중에 늙은이와 젊은 여자가 함께 땅바닥에 주저앉으며 통곡을 터뜨렸다. 하녀들도 저희끼리 소리를 질렀고, 마루 위의 생원은 털썩 주저앉았다.

"누가 관가루 달려가서…… 포도 군관을 데리구 오너라."

그러나 졸개는 그런 말을 놓치지 않았다.

"소인이 알기로는 만약에 관에 알리면 머리만을 베어, 이 댁 담장 너머로 던져버리겠다구 하더군입쇼."

생원은 눈물이 그렁그렁하여 넋이 빠진 듯이 입을 벌리고는 한참이나 말이 없었다.

"그자들의 전갈을 말씀해 올리겠으니 좌우를 물리치십시오."

졸개의 말에 정신이 번쩍 난 생원이 그제야 마당에 주저앉아 땅을 치는 안식구들을 내려다보았다.

"왜 이런 소란들인고? 모두들 물러가 있도록 해라."

"아버님, 제발 덕분 저희 모자 살려주십시오. 재물이든 무엇이든 다 내어주고 그애를 데려오게 해주셔요."

"여보, 그애는 우리 집안에 하나뿐인 종손이어요."

"모두들 물러가 있소. 자넨 잠깐 들어오게."

졸개는 생원의 뒤를 따라서 사랑으로 들어갔다.

"자네두 고생이 많네. 그래 그놈들이 뭣 때문에 우리 아이를 잡아

두고 있다던가?"

"돈 삼백 냥을 원합디다. 삼백 냥을 소인 편에 건네주면 아이를 다시 소인이 데려다드리게 해주겠다는 것입니다."

"삼백 냥이라…… 우린 장사하는 부상대고가 아니니 갑작스레 그 많은 돈이 집안에 쌓여 있을 리가 있나? 있다면 창고에 쌓인 미곡뿐인데."

"그놈들은 돈이거나 돈이 될 만한 금붙이, 은자, 패물 따위를 보내라구 합디다. 도련님을 살려내셔야지요."

"음…… 기한은 얼마나 주겠다던가?"

"예, 하루 길어야 이틀 말미를 주는데 그 이상 늦어지면 굴재에다 죽인 시체만 남겨두겠다구 그랬지요."

생원은 연상 안절부절못하면서 어찌할 바를 몰라했다. 그는 급히 안채로 들어가 부인과 의논하는 것 같더니 피농을 들고 돌아왔다.

"우리집에 있는 금붙이와 패물과 돈의 전부인데 삼백 냥어치는 될 게야. 내 사람을 딸려보낼 테니 어서 전해주어. 아이가 돌아오면 너에게 따로 수고비를 주겠다."

"아이구, 뭐 수고비랄 것두 없습니다. 저두 갈 길이 바빠서요. 헌데 그자들과 내일 정오에 한아비내 건너편 숲에서 만나기루 했습죠. 돈하구 도련님하구 바꾸는 겝니다."

"어찌 이 긴긴 밤을 새운단 말이냐. 어린것이 두렵고 배가 고파서 기진하여 죽은 것은 아닌가 모르겠다."

생원은 탄식을 연발하며 오락가락하였다. 생원은 끝내 관가에는 커녕 마을의 그 누구와 상의 한마디 할 수 없는 채로 달근네의 요구에 순순히 따르기로 하였다. 졸개는 그 댁에서 융숭한 대접을 받고 하룻밤 묵은 뒤에 길안내를 섰고 건장한 하인 두 사람을 거느린 생원이 뒤를 따라왔다. 약속한 시각쯤에 그들은 한아비내를 건너 전나무숲에 이르렀다. 그들이 숲 어귀에 이르니 길 쪽을 망보고 있던 자 하나가 튀어나와 외쳤다.

"돈을 가지구 왔느냐?"

앞섰던 졸개가 손을 흔들어 보였고, 달근이는 도중에 가마를 골짜기에 처박아두고서 걸려왔던 아이를 데리고 나와 그들에게 내보였다.

"돈을 가지구 오너라."

졸개는 생원의 떨리는 손에서 피농을 받아들고 제 일당들에게로 달려갔다.

"금붙이하구 패물이며 돈꿰미가 들었수. 삼백 냥이 넘었으면 넘었지 모자라진 않을 게유."

달근이는 곰보 상판을 일그러뜨리면서 만족스럽게 웃었다.

"가만있자, 아이놈을 여기서 보내놓고 나면 뒤가 뜨거울 텐데……"

고달근은 잠깐 생각해보고 나서 생원을 향해 소리를 질렀다.

"댁의 손자를 굴재까지 데리구 갈 테니 거기 와서 찾아가오."

"이놈들아, 당장 내놓아라. 그 어린것이 무슨 죄가 있다더냐?"

"우리 퇴로를 안정시켜놔야겠으니 굴재로 오시우. 거기다 두고 갈 테니……"

고달근은 아이를 덥석 안고 숲으로 뛰쳐들어오며 졸개들을 재촉하였다.

"어서 내치자!"

"도령은 어쩔라우?"

"그야 아무 데나 한적한 곳에다 버려두면 울며불며 인적을 찾아갈 테지."

그들은 부지런히 뛰어서 회산의 줄기가 끝나는 데까지 가서 아이를 길에다 내려놓았다. 그들은 다시 뒤도 돌아보지 않았다. 가평을 지나면서부터는 말에다 피농을 싣고 달근이는 도포와 갓을 벗어던지고 맨두건 바람이 되었으니 모두들 행상 나갔다 돌아오는 장사치의 모양이 되었다.

"사나흘 고생하구 삼백 냥이면 첫손치고는 과히 부끄럽지 않구나."

달근이는 천마산 솔부리골로 돌아가며 은근히 황회의 일이 궁금하였다. 곁을 따르던 졸개가 맞장구를 쳤다.

"아무렴입쇼. 하루벌이 백 냥씩이면 천릿길 행상의 상리보다두 월등합죠. 대개들 이런 벌이를 하구 나면 한 달씩 쉽니다. 우리 솔부리 들어가지 말구 한양 성내 색주가에나 들러 한번 노십시다."

"이번만은 참고, 다음부터 그렇게 하지. 솔부리에 갔다가 아예 송파 나가서 한 보름 뒹굴다 오자꾸나."

고달근이 첫 번 일을 나가 보기 좋게 해치우고 의기양양하여 솔부리골에 돌아오니, 황회는 이미 먼저 돌아와 있었다. 그러나 그는 달근이와는 달리 몹시 시무룩하였다. 좌우 두령이 함께 쓰는 초막에 들어 고달근은 털어온 물건들을 피농에서 꺼내어 값을 따져보고 있었다.

"흠, 금부처 하나, 옥지환 한 쌍, 은 백 냥, 돈 열 냥짜리 다섯 꿰미, 삼백 냥이 넘었으면 넘었지 모자라진 않겠다. 복만이에게는 백오십 냥이라 말하구 나머지는 졸개들께 오십 냥, 내가 백 냥을 먹으면 똑 좋겠구나."

곁에서 시무룩하고 있던 황회가 입맛을 쩝쩝 다시더니,

"에이 넨장맞을…… 나는 이게 무슨 꼴이야."
하면서 앞에 놓인 제 보퉁이를 발길로 걷어찼다.
"그게 뭔데?"
"왜…… 오백 냥짜리 물건이다. 풀어볼 테면 한번 봐."
달근이는 그 보퉁이가 궁금하기도 하여 조심스럽게 매듭을 풀었고, 두꺼운 한지에 여러 겹으로 싼 둥근 물건이 나타났다.
"그래, 이번에 일 나가서 이걸 가지구 왔단 말인가?"
"글쎄 펴보라니……"
"이게 뭔데?"
달근이는 한지를 벗겨내다가 깜짝 놀라서 내동댕이를 치고 말았다. 그것은 노랗게 퇴색한 사람의 두개골이었던 것이다. 그는 건성으로 퉤 하며 침 뱉는 흉내로써 부정을 털어버리고 나서,
"도대체 이 해골바가지를 어쩌자는 게여?"
물으니, 황회는 벽에 세워둔 화승총을 들어 그것을 부숴버리려는 시늉으로 번쩍 치켜들었다.
"아아, 얘기나 좀 들어보자."
고달근이 씨근거리는 황회를 만류하고 이번엔 그가 일 나갔던 전말을 물어보았다.
"우리는 수원 쪽으루 일을 나갔지. 시동이놈이 일거리를 살피구 왔다구 그래서 나는 믿었단 말이야. 우리네야 밤중에 지키는 이 없는 모이를 파헤치는 짓인데 뭐 식은 죽 먹기라구 생각했다. 점찍은 수원 부상의 삼대조가 묻힌 선산을 파헤치구 저 해골바가지를 끊어냈지. 모이를 쓰길 잘 썼더구만, 하여간 봉분을 헤쳐내는 데 넷이서 꼬박 하룻밤을 새웠으니까."
두개골을 끊어낸 뒤에 그들은 과천으로 돌아가, 수원으로 사람을

보내어 조상의 두개골을 오백 냥에 사가라고 전언을 했던 것이다. 수원과 과천 사이에 있는 백운산에서 만나 돈과 해골을 맞바꾸기로 하였으나 사근내와 가을재에 수원의 관병들이 나와서 매복하고 있었던 것이다. 그들은 변변히 대면하여 흥정도 붙여보지 못한 채 숯내를 따라서 광주까지 겨우 내빼왔던 것이다.

“복만이 말만 듣고 나섰다가 돈은커녕 몰이꾼에 쫓긴 들토끼 신세가 될 뻔했다. 나는 아예 길목에 나갔다가 행상들이나 털든지, 십여 인 작당하여 명화적 노릇이나 할란다. 제길 당장 잡히는 한이 있더라도 그게 더 신이 나지.”

“이 사람아, 명화적이 되려면 산이 높고 골이 깊은 델 산채로 삼아야지, 까짓 솔부리 같은 데서 관에 기찰되었다간 갈데없이 잡혀죽구 만다.”

고달근도 한번 일을 나갔다가 와서 이곳의 형편을 대강 이해하게 되었고, 그에게는 아주 맞춤한 도적질이라 여겨져서 당분간은 솔부리를 떠나지 않을 작정이었다.

복만이가 돌아오고 나서 달근이와 황회는 그들이 겪었던 일을 모두 얘기해주었다. 복만이는 이제 포도군관이 설칠 것이니 당분간 솔부리를 떠나지 말고 근신하라고 일러주었다. 그리고 황회에게는 역시 이런 일이 맞지 않겠다고 말하고 나서,

“나허구 난전이나 나가세. 맛들고 보면 그 일두 아주 재미가 있지.”

“제기랄, 나는 난전두 별루 재미가 없으니 화적질이나 해야겠네.”

“가만있어, 우리두 사세 부득이하면 식솔들 데리구 운악산(雲岳山)으루 들어가 산채를 정할까 하는데…… 그때까지는 큰일을 못 치르네. 운악산과 화악산(華岳山)은 쌍둥이처럼 서로 마주 보고 있으니,

그 뒤로 계속 산줄기가 뻗쳐 있어서 산지사방에 튈 데가 맨천이란 말이야. 우리 재물이 좀 모이면 거기에 산채를 닦아놓을 생각일세."

고달근이 말하였다.

"난전은 재미있을 듯하니 나두 좀 데려가 배워주게."

"그래, 다음에 양주 나갈 때 같이 나가보지."

"하여튼지 나두 맨손가락 빨구만 있을 수는 없으니 술값이라두 벌어야지. 퇴계원 나가서 살폈다가 호젓이 지나는 행객의 보따리나 털어볼라네."

황회가 투덜거리자 복만이는 여지없이 면박을 주었다.

"그런 위험한 짓은 말라니까. 정 그렇다면 말리지는 않겠지만 자네 혼자 나가서 해보게. 아이들은 한 사람도 데려가선 안 돼."

"좋아, 시동이만 데리구 가지. 그애는 원래 내 식구였으니까."

"자아, 우리 술이나 먹지."

복만이가 제안하였으나, 황회는 못마땅하여 말이 없었고, 고달근이 말하였다.

"싱겁게 솔부리에 앉아 무슨 술을 먹어. 나두 그동안 몸을 풀지 못했더니 사지가 욱신거려서 못 참겠는걸. 우리 송파 나가 색주가에 가서 묵은 때를 말짱하게 벗기구 오지."

"송파는 사람 눈이 많은데……"

"아따, 술 먹는데 무슨 죄짓구 다니나. 제 돈 내구 제 술 사먹는데."

"정 그렇다면 나는 안 갈 테니 자네들이나 다녀와. 달근이 자네 이번 들여온 돈에서 사종으로 오십 냥 떼고 백 냥은 솔부리골에 내는 것으루 하겠네."

"뭐? 백오십 냥씩이나 떼어. 그럼 나는 뭘 먹구……"

"듣자니까 삼백 냥이라던데. 반절 가지고 애들 나눠주고 자네가 쓰게."

달근이는 불만스럽게 복만이를 흘겨보다가 쓰다 달다 말도 없이 황회를 잡아일으켰다. 황회도 말없이 따라나왔다. 달근이는 밖으로 나오자마자 주먹을 쥐어 부르르 떨면서 중얼거렸다.

"내 복만이 자식을 죽여버리지 않으면 이 드러운 솔부리에서 더 부살이는 안 할란다."

"달근이, 우리는 운악산에 나가 산채나 열지 그래. 배포가 맞아야지."

"가만있어. 당이 이루어져야 산채구 뭐구 정하지…… 둘이서 숯이나 굽구 살잔 말이냐?"

"그럼 어쩔테."

"자네는 그냥 잠자코 보고 있으소. 내가 저놈을 감쪽같이 해치우고 패를 떼어 운악산에 산채를 열 테니까……"

"정원태가 좋아하지 않을걸."

"그까짓 가짜 땡초중이 무슨 상관이냐?"

황회는 고개를 내저었다.

"아니다, 정원태는 우리들 사이에 아주 중한 사람으루 알려져 있지."

"기왕에 사당패 모가비질을 때려치웠으니, 되려면 대적당의 와주가 되어야지. 정원태구 뭐구 저 복만이 자식은 내 손에 죽을 게여."

"사람 성미두 참 급하긴…… 아따, 자네를 누가 믿구 졸개들이 순순히 따르겠나?"

"송파 내려가서 술이나 퍼마시구 오세."

그들은 노적사로 내려가는 길을 피하여 곧장 평구말로 질러가서 광나루까지 오르는 나룻배를 타고 송파로 나갔다. 송파의 거여 객점 거리에는 한창 땅거미 덮일 무렵인지라 손님을 부르는 선소리꾼들은 물론이요, 색주가의 홍등 아래에서는 유객을 하는 작부들의 교태와 웃음이 시끌벅적하였다.

“손님, 이리 들어오시지요. 꽃 본 나비인 듯 물 본 기러기인 듯 잠깐 걸쳐서 쉬어 가셔요.”

“손님, 삭신을 촛물에 푹 담그었다가 내드릴 테니 어서 이리 들어오셔요.”

하면서 계집들이 문간에서 내달아 이놈 저놈의 팔뚝을 잡아흔들고 난리였다. 달근이와 황회는 사당패를 떠나고 계집을 대한 지 달포가 넘었는지라 과연 불두덩이 욱신거릴 만하였다.

“어, 그년들 자못 음탕하다!”

“급한 놈은 문간에 들어서기도 전에 탕정하겠는걸.”

작부가 돈 가진 놈팡이를 몰라볼 리가 있나, 역시 두 사람의 지분대려는 태를 대뜸 짐작하고 치마꼬리를 감싸쥐며 달려들어 가슴에 안기는 것이었다.

“아이구 서방님, 얼마 만이십니까요. 쇤네는 기다리다 지쳐서 애간장이 좁쌀만큼 닳았다우.”

“그래 평안한가. 오늘 우리 두 사람인데 술도 술이려니와 하룻밤 질탕히 구르다 가련다. 뒷물은 쳐놓았느냐?”

“아이, 무슨 말씀을 그리 우악스레 하십니까.”

“내 주(朱)장군이 색심에 주려서 성이 날 대루 났으니 어디 고분고분하겠느냐. 본시 성정은 봄바람 같은 우리지만 하루만 더 넘겼다가는 득도하여 성불할까 걱정이다.”

“재담이 그럴듯하오.”

한눈에 그자들이 예사 양인이 아님을 눈치챈 작부들은 화방(花房) 물림과는 원래가 한통속이라 더욱 즐거워하는 것이었다. 그들이 주막 안으로 들어가니 이미 선래자가 두엇 앉아서 계집들과 잡가를 흥얼거리고 있었다. 전대 꼴이며 배자 걸친 모양이 부상들의 차인일시 분명하였다. 고달근과 황회는 건넌방으로 들어가며 그 편을 향하여 주석의 예로 알은체를 하였다.

"같이 놉시다. 실례하우."

"태평하우. 좀 섞입시다."

하고 나서 자리를 잡고 앉자, 번듯한 통영반에 조촐한 안주 올린 술상을 맞들고 작부 두 년이 들어왔다. 잡가도 듣고 타령도 주고받으련마는, 고달근은 이짓 저짓 다 마다하고 우선 계집의 치맛귀 속으로 손을 넣어 사타구니를 덥석 움켜쥐었다. 계집이 자지러지는 소리를 질렀고, 달근이는 다시 저고리 앞섶에 손을 넣는데, 계집이 요동을 치는 것이었다.

"거 보자하니 너무들 허시우."

맞은편에서 흥얼거리고 앉았던 자들이 불쾌하다는 듯이 이쪽을 건너다보면서 상을 찡그리고 있었다. 황회는 잠자코 있었으나 성정이 제법 불량한 달근이가 잠자코 있을 리 없었다. 그는 곰보 상판을 잔뜩 찌푸리며 턱을 치켜들었다.

"뭐라구 하셨수?"

맞은편에 앉았던 술꾼이 제법 점잖게 고달근을 나무랐다.

"여보, 아무리 색주가에 동석하여 사내끼리 허물이 없다지만 남들 다 보는 데서 그 짓이 무어요? 참으로 안하무인이로군."

"내가 언제 네놈더러 술값 내랬어?"

다짜고짜 놈자가 떨어지니 상대는 아연하여 입만 벙벙히 벌리고 앉았다.

"계집도 네 것 내 것이 다르고, 양물도 네 것 내 것이 다른데 웬 참견이냐?"

하자, 상대는 벌써 마음을 다잡고 술잔을 상 위에 거칠게 내려놓았다.

"허, 그놈 말본새 한번 봐라."

이렇게 시비가 일어나니 난처한 것은 그래도 성질이 좀 눅은 편인 황회 쪽이었다. 송파는 솔부리와 천마산에서 바로 코 닿을 데가 아닌가. 제 동네서 혼난 놈치고 발붙이는 놈이 없는 법이다. 황회가 달근이의 벌떡 일어나려는 어깨를 눌러앉히고 일방 떠들며 또한 작은 목소리로 중얼거렸다.

"허 참 사람두, 동석에 예의가 있는 법인데 벌써 술 취했나? 이봐, 여기는 송파 거여 객점거리여, 솔부리가 아니란 말일세."

하고는 마주 일어나려는 자에게 공손히 사과를 하였다.

"죄송허우. 이 사람이 원행에 하두 적적하여 실행을 하였으나, 본시는 그럴 사람이 아니니 마음 푸시우. 술 먹자면 성깔 있는 놈두 끼여 있어야 먹는 맛이 나지 않우."

"엥이…… 드러워서 같이 못 앉아 있겠네. 어이 가세나."

그자가 제 동무를 잡아일으켰다.

"아직 초저녁인데 벌써 자리를 뜰 테여?"

"아이, 그러시지 마시구 푹 쉬시고 내일 떠나셔요."

만류하는데, 그자는 막무가내였다.

"까짓 것 술집이 어디 여기뿐이더냐. 거여에 깔린 게 색주가요 주막이다. 묘옥이네 주막으루 가지."

"거기 가면 온갖 한량 잡패가 몰려와 있을 텐데 우리 따위가 눈에 뜨이겠나? 예서 그냥 마시다 일찍 뜨지."

"아냐, 묘옥이네 주막에서는 술값두 싸구 안주두 맛깔스럽다네. 그러구 손님은 또 얼마나 점잖은가?"

이렁저렁 말을 주고받으면서 그들은 시비 튼 것을 거두지 않고서 그냥 주섬주섬 일어났다. 뒤따르던 계집이 짜증이 잔뜩 섞인 목소리로 쫑알거렸다.

"그년을 객점거리서 몰아내든지 해야지, 이러다간 작부질두 못 해먹겠네."

손님들이 욱하여 자리를 떠버린 다음에 고달근은 벌써부터 귀가 번쩍한 터였으므로 곁에 머쓱하여 앉아 있는 계집에게 물었다.

"묘옥이라니…… 그게 누구냐?"

"글쎄 우리가 어찌 안답디까? 어디서 묻혀들어왔는지두 모를 년이 갑자기 가게 세를 내어 작은 술집을 차리더니, 한다하는 오입장 어르신들이 모두 그 집으로만 모인다우."

"그릇된 기생년…… 노상에 탁주장사라더니 소박맞은 한양 첩년이겠지요."

"그 집이 어디 있느냐."

"왜요, 가시게요?"

고달근은 상을 밀어내며 일어섰다. 황회도 영문을 모른 채 따라 일어서는데 달근이가 말하였다.

"잘되었다. 그러잖아두 여주 이경순이란 작자에게서 몸값을 받아 올 참이었는데, 그년이 여기 있다니……"

"당진서 헤어졌다는 그 사당아이 말이로군."

달근이는 영문을 모른 채 어리둥절한 작부들을 뿌리치고 바깥으로 나오자 가가들이 늘어선 밥집과 주막집들 쪽으로 재빨리 걸었다.

달근이는 반평생을 모가비로 지내왔건만 묘옥이와 같은 사당을 만난 적이 없었던 것이다. 우선 제 발로 찾아들었고, 한 번도 모가비의 말을 듣지 않으면서도 연희에는 누구보다 열심이었다. 달근이로서는 묘옥의 어딘가가 범접을 못 하게 하는 묘한 구석이 있다고 느낄수록 얄미웠던 것이다. 그도 몹시 반가웠으나, 반가웠던 그만큼 울화가 치미는 것을 어쩔 수가 없었다.

"이년 만나기만 해봐라!"

고달근은 마음이 급해져서 황회를 멀찍이 떼어두고 있었다. 그는 두리번거리다가 저녁 후에 바람이라도 쐬러 나왔을 성싶은 맨상투 바람의 시장 상인에게 물으니, 과연 묘옥이네 주막은 유명짜하였던지 데꺽 손짓하여주는 것이었다.

"저어기 싸리울 안으루 들어가 보우. 앉을 자리가 있을라나 모르겠군."

달근이는 그 집으로 다가서서 싸리울 안을 기웃거려보았다. 안에서는 술 먹는 자들의 웃음소리와 얘기하는 소리들이 시끄러웠고, 요란하게 도마를 두드리는 소리며, 중노미를 부르는 소리로 한창 시끄러웠다. 문간에 들어서는 마당에 멍석 두 장이 깔렸는데 술 먹는 패거리가 서넛씩 다섯 패나 되었다. 마당에는 뒤늦은 자들이 차지한 멍석 주석이요, 기다랗게 트인 토방의 거적 위에는 앉을 틈이 없이 술상이 벌여져 있었다.

옆에 잇달린 방문이 닫혀 있는데, 주막 사람들이 기거하는 방인 모양이었다. 방에 붙여진 부엌에서는 쟁개비에 물이 끓고 있었으며, 부엌의 벽 한쪽을 헐어 목판을 여러 개 세워두었는데 각종의 마른 안주와 진안주가 담겨 있었다. 흙으로 만든 화덕에서는 숯불이 타고 있고, 그 위에서 너비아니 고기가 지글지글 맛좋은 냄새로 구워지는 중이었다. 바침술집에서 갖다놓은 술독이 반쯤 채워져 있는데 술국자가 쉴 새 없이 들락거리며 술잔을 채워내고 있었다. 달근이는 한눈에 주막 안에서 묘옥의 모습을 찾아낼 수가 있었다. 묘옥이는 녹의홍상 입고서 얹은머리 위에 붉은 금박댕기 매고 치마꼬리를 잘잘 끌면서 술상 사이로 다니며 농도 받고, 술잔도 쳐주면서 손님 접대에 분주하였다. 과연 송파의 한량들이 한 번쯤 집적거려보고 싶을 만큼 예쁜 모습이었다. 이경순의 모습을 찾으니 그는 보이지 않고 부엌에서 칼질을 하거나 고기를 굽는 할머니가 있었고 상을 내가고 빈 술병을 날라오는 아이놈이 토방과 마당을 오르내리고 있을 뿐이었다.

"손님네들 앉으시지요. 저어기 멍석에 상 하나 더 나갑니다."

아이가 쪼르르 달려와 문가에 섰는 고달근과 황회에게 청하였으나, 달근이는 퉁명스럽게 말하였다.

"우리는 술 손님이 아니다. 네 주인 아주머니의 작은아버지 되는 사람이니, 이리 불러라."

아이는 얼른 그들을 바라보고 토방에서 술을 치고 앉았는 묘옥의 등뒤로 올라가 뭔가 말을 전하였다. 묘옥이 문 쪽으로 고개를 돌리자 놀란 듯해 보였다. 그러나 묘옥은 침착하게 아이에게 무슨 말인가를 전하였다. 아이가 달려오더니 말을 전하는데,

"아주머니께서 뒷방으루 모시랍니다. 저를 따라오시지요."

고달근과 황회는 서로 눈을 마주치고 나서 아이의 뒤를 따라갔다. 뒷방이래야 부엌 옆에 붙은 방이건만, 출입문이 앞쪽은 막혀 있고 뒷마당 쪽으로 나 있으니 뒷방이라고 하는 모양이었다. 부엌 뒤로 돌아서 가니 작은 퇴창문이 달리고 앞에는 툇마루가 붙여져 있었다.

"들어가 잠깐만 기다리시지요. 곧 술상을 내겠습니다."

고달근과 황회가 방에 들어가니, 제법 도배의 형색이 깨끗하였고 온돌도 반듯한데 농이며 반닫이, 경대 등의 세간이 정연하여 살림에 규모가 있는 듯하였다. 달근이는 담배쌈지와 놋재떨이를 끌어당겨 곰방대에 부시를 치고서 혼자 중얼거렸다.

"흥, 이년이 이경순이에게서 단단히 우려낸 모양이로군."

둘이서 담배를 태우고 앉았는데, 퇴창이 빠끔해지면서 몸소 술상을 받쳐든 묘옥이가 고개를 들이밀었다.

"아이, 모가비님이 이 누추한 집구석은 어찌 알구 찾아오셨습니까?"

"왜 못 올 데를 왔는가. 조선 팔도 사방 삼천리에 달근이 발 안 닿는 데가 있는 줄 알았느냐?"

"곤경은 치르지 않으셨나요?"

"너희 때문에 내가 오늘날 이 지경이 되었다. 안성 청룡골에는 다시 발두 못 붙이고 패거리는 산산이 흩어졌지. 게다가 여럿이 관에 잡혀서 죽었다."

"저는 이처럼 술장사에 여념이 없습니다."

"일언이폐지하고, 이경순이 어디 있느냐? 내 좀 만나야겠다."

묘옥이는 상머리를 내려다보면서 대답이 없었다. 달근이가 술 한 잔을 마구 쭉 들이켜고,

"가끔 들르느냐. 아니면 여기 함께 있느냐?"

재촉하니 묘옥은 그 뜻을 짐작하고 차차 마음을 다잡는 눈치더니, 예의 그 매정하고 독살스러운 눈길이 되었다.

"이도장님은 만나서 무엇 하시렵니까? 모가비 어른께서 작당 화적질하여 오히려 그분을 봉패하도록 했지요. 지금 여주 옥에 갇혀 계십니다. 그 안댁께서 노자로 주신 돈으로 술집을 내었는데, 제게

놀러 오신 게라면 몰라두 뭘 바란다면 어처구니가 없는 노릇이어요."

달근이는 실상 할 말이 없었다. 그저 묘옥의 모습을 대하니 역시 손안에 닿지도 않아 그것이 얄미울 뿐이었다.

"모…… 몸값은 어쩔 터이냐?"

"몸값이라구요? 제가 언제 모가비님 사당패에 팔려서 갔던가요? 해주서 내 발로 찾아들어갈 제 밥값으로 연희나 팔아드리고, 떠나고 싶으면 언제든 패를 나가겠다구 하지 않았나요?"

"그래, 니가 가을에 들어와 겨울 한 철 공밥으로 세월 보낸 뒤에, 연희 한 차례로 패를 떠났으니, 밥값을 했단 말이냐? 더 여러 말 할 거 없다. 우리 있는 데루 가서 시중이나 들어라."

달근이의 말이 떨어지자 묘옥은 목청을 드높여 깔깔거리며 웃었다.

"나를 뭐 여염 향리의 촌년이나 종년으루 알았다간 큰코 다칩니다. 나두 명색이 작부질 석삼 년으루 궁둥이가 큰 년이어요. 가서 포교를 불러오지요. 어디 두구 보십시다. 나를 데려가나, 고거사님을 데려가나."

묘옥이가 자리를 뜨려니 어마 뜨거라 한 것은 물론 고달근이었다.

"아니, 이년이 시방 누굴 놀리나?"

달근이가 일어나면서 묘옥의 소매를 잡았다.

"왜 이러셔요? 내 몸값을 받으러 오셨다니, 포교를 불러다가 판결해달라구 그래야지요."

"앉어, 앉으라니."

묘옥은 달근이를 흘겨보면서 독살스럽게 내뱉는다.

"술값 내셔요. 한 돈이니까."

"제기랄!"

달근이가 꿰미에서 열 닢을 꺼내어 방바닥에 내던진다.

"아무리 그렇기로니, 예전 안면두 있는 터에 참으로 못된 년이로구나."

덤덤히 앉아서 두 사람을 관망하던 황회가 보다 못하여 거들었다.

"내 보아하니 두 사람의 타시락거리는 양이 친척붙이들 같군. 이 사람아, 반가우면 반갑다고 반색이나 보일 게지 이게 무슨 장난이야? 자네두 이리 앉아 술 좀 들게."

황회가 자기 잔을 비우고 묘옥이에게 내밀어주니, 묘옥은 대꾸 없이 잔을 받았다. 황회가 따르고 묘옥이 마시는 사이에 세 사람은 잠시 말이 없었다.

"혹시 이도장님 소문 듣지 못하셨습니까?"

"못 들었다."

달근이가 대답하였고, 묘옥이는 그렁그렁해진 눈시울을 옷고름으로 씻어냈다.

"탈옥하신 뒤에 관원들을 죽이고 이방까지 죽인 다음에 종적을 감췄다구 합니다. 집안은 온통 적몰이 되었다지요. 제가 사람을 사서 보냈더니, 며칠 전에 살피구 와서 전해주어 알았지요. 여주에서는 이도장이 몸을 망친 것은 늦바람 탓이라구 한답니다."

"그렇게 되었군. 그러면 너는 먼저 여주를 떠났더냐?"

"이년의 죄가 크지요. 제가 그분을 찾아서 모셔야 죄를 벗을 것 같습니다."

"우리는 강 건너 천마산에 있다. 여기 와서 솔부리라구 들은 적이 있느냐?"

달근이가 참지 못하고 발설을 했고, 묘옥은 고개를 끄덕였다.

"예, 우리 장쇠가 얘기를 합디다."

"장쇠라니…… 아까 그 아이놈 말이냐?"

"예, 그애가 송파 깍정이 꼭지의 조카 행세를 한답니다."

황회는 고개를 끄덕였고, 달근이가 빙긋 웃음을 지었다.

"허허, 참으로 좁은 세상이로구나. 이제는 장물을 그놈에게 부탁할 필요가 없겠군. 묘옥아, 우리하구 손을 잡지 않을래? 주막벌이보다야 불어나기두 쉽구, 또한 포교의 기찰에 걸리지두 않는다. 우릴 좀 도와다우."

"무슨 일인데요?"

"별루 어려운 일은 아니다. 우리가 처분할 물건들을 좀 맡아주고 아이를 시켜서 거간을 붙여주면 되는 게야. 그리구 장바닥에 무슨 소문이 있으면 솔부리에다 귀띔만 해주면 되어."

묘옥이 잠시 생각하더니,

"그런 일이라면 해보겠어요. 헌데 저두 청이 한 가지 있군요."

"구문은 두둑이 내주마."

"구문두 좋지만, 이도장 어른을 찾아주셔요."

"이 너른 천지에 그 사람이 어디 있는 줄 알구 찾아내겠느냐."

"아니오, 그이는 세상을 등진 분이니 분명히 숨어 살 것이어요. 숨어서 사는 사람끼리는 소식이 잘 닿을 듯도 합니다. 혹시 솔부리의 소문을 들으시면 찾아오실지 누가 알겠어요?"

곁에서 황회가 참견을 하였다.

"딴은 그렇지, 여주서 도망을 쳤다면 혹시 강원도 쪽의 산사(山寺)에 숨었을지두 모르고 오히려 저자에 훤한 사람이라면 장시 바닥에 틀어박혔는지두 모르네. 사람이 많은 데가 숨기에는 더욱 편할 테니까. 아무튼 서울 근처에서는 우리 패가 줄줄이 꿰고 있으니, 언제든 소식이 닿을지두 모르겠군."

"그래, 우리두 이도장을 만나면 반가울 게다. 그건 어려운 청이 아니고…… 할 테냐 말 테냐?"

"도와드리면 몸값 내란 말은 다시 하지 않으시려오?"

묘옥이 말하자, 황회와 고달근은 어쩔 수 없이 웃고 말았다. 밖에서 젊은 주모를 찾는 소리가 요란했으므로 묘옥이 자리를 뜨려는데 마침 장쇠가 부르러 왔다.

"아주머니, 손님들이 찾고 야단이우. 모두들 자리 폐하고 돌아가신다구 법석입니다."

"알겠다, 곧 나가야지. 그리구 장쇠야, 너 이리 좀 들어오너라."

장쇠는 총명한 눈을 반짝이며 방 안으로 쭈뼛쭈뼛 들어섰고, 묘옥이 인사를 시켰다.

"너두 솔부리를 알지? 거기 두령님들이시다. 인사를 올려라."

"평안합쇼?"

장쇠가 제법 두 손으로 방바닥을 짚으며 꾸뻑하였다. 달근이가 말하였다.

"천마산에 가본 적이 있니?"

"얘기루만 들었습니다."

"음, 그러면 오늘은 우리허구 솔부리 갔다가 내일 내려오너라. 산길두 알아야 하구…… 앞으루 심부름하는 일이 생길 테니."

장쇠는 대답 대신 묘옥을 바라보았고, 묘옥이는 고개를 끄덕여주었다. 그들은 그날 밤 늦게까지 묘옥이네 주막 뒷방에서 술을 마셨다. 간간이 묘옥이 드나들며 끊겼던 얘기를 계속하는데, 황회가 보기에도 졸연치 않은 구석이 있어서 함부로 대하지를 못하였다. 둘만이 앉았을 때 달근이가 황회에게 얘기를 털어놓았다.

“내가 몇가지 계획을 해두었네. 첫째는 복만이란 놈을 없애버릴 일이야.”

“정원태가 가만있지 않을걸. 정원태는 복만이를 신임하구 있거든.”

“그자가 무엇인가? 그자두 쳐죽여버리지 뭐.”

“아닐세, 정원태는 우리네 무리에게 모두 존경을 받는 인물이지. 또 그만한 구석이 있단 말이야. 인심 잃구 두령짓은 못 해먹네.”

“그러면…… 정원태의 신임을 우리가 얻구 나서 복만이를 해치우지. 그리고 소굴을 화악산으루 옮기는 게야. 솔부리서는 아무래두 애들 장난밖에 할 짓이 없거든. 그리구 셋째로는 송파와 삼전나루의 주막 색주가들을 우리 손아귀에 넣어두는 일이지.”

“욕심이 너무 크네.”

“젠장할, 같은 값에 화적이라면 대적당이 되어야지, 저자 무뢰 잡배나 협잡꾼으로는 조상 뵐 면목두 없지.”

고달근과 황회는 그날 밤 묘옥이네 집에서 장쇠를 데리고 천마산에 올랐다. 장쇠가 온 것과 묘옥이가 장물 거간을 맡게 된 사실을 복만이에게는 알리지 않기로 하였으며, 달근이와 황회는 수단 있는 졸개들을 제 편에 차차 끌어넣기로 했던 것이다. 그해 여름이 다 지날 동안 솔부리에서는 별 변화가 없었고, 황회와 달근이는 좀도적질로 가끔 원근에 나갔다가 돌아오곤 하였다. 묘옥이네 술집은 점점 번성하여 색주가로 전신하게 되며 달근이의 도움이 많았던 것이다.

—2권에 계속

장길산 1
특별합본호

초판 1쇄 발행 • 2020년 12월 21일
초판 2쇄 발행 • 2022년 11월 24일

지은이 / 황석영
펴낸이 / 강일우
펴낸곳 / (주)창비
등록 / 1986년 8월 5일 제85호
주소 / 10881 경기도 파주시 회동길 184
전화 / 031-955-3333
팩시밀리 / 영업 031-955-3399·편집 031-955-3400
홈페이지 / www.changbi.com
전자우편 / lit@changbi.com

ISBN 978-89-364-3072-6 04810
ISBN 978-89-364-3290-4 (전4권)

* 책값은 뒤표지에 표시되어 있습니다.